JN186080

独占禁止法

第4版

白石忠志

有斐閣

SHIRAISHI Tadashi
Competition Law of Japan, 4th ed.
YUHIKAKU PUBLISHING CO., LTD., 2023

第４版 はしがき

本書は、日本の独禁法に関する情報を体系的に整理したものである。

第４版には、課徴金を中心として法律の条文に大きな変更のあった令和元年改正について政令・規則等・施行状況まで反映させ、また、令和５年９月上旬までの事例等であって改訂作業中に接し得たものを盛り込んでいる。大量の事例等のなかには、理解を発展させ、明確化させるものも多かった。

第３版も、第２版からみて７年ぶりの改訂であったが、今回の第４版も、第３版からみて７年ぶりの改訂となってしまった。様々なことがあった。お待ちくださった読者に心よりお詫び申し上げたい。日頃からご教示をいただいている実務家の皆さんのうち何名かに、改訂が近い旨を告げたところ、とても喜んでくださった。もし、引き続き読者のご支持をいただき次の改訂の機会があるなら、今後は早めの作業を心掛けたい。

第４版は、おおむね初校以後の段階において、有斐閣実務書編集部の鈴木淳也さんがご担当くださり、要所で的確な誘導をいただいている。また、令和５年春に有斐閣の組織改編がされるまでは小野美由紀さんがご担当くださり、改訂原稿作成や初校準備などの段階でお世話になった。本書は、細かく、かつ、大部の書籍であり、編集・校閲をはじめ、社内外の関係者から大きなご苦心をいただいているものと想像する。刊行は皆様のご高配の賜物である。

研究室では、引き続き、田中孝枝さんによる支援を受けている。白石弥生をはじめとする家族からも支えられている。

歩みが鈍った時、掘り起こし、奮い立たせてくれたものがあった。届けと念じつつ成果を送り続けるのが唯一の恩返しである。

令和５年９月

白 石 忠 志

初版 はしがき

本書は、独禁法について調べ考える際の基盤として必要となる庞大な情報を体系化したものである。

執筆にあたっての基本方針は、同じことはまとめて論じ、異なることは分けて論ずる、という単純なものに尽きる。物事を体系化する際の要諦ではないかと思う。また、言葉を大事に扱うことにも意を用いた。基本的な用語については可能な限り解説を加え、紛れのある場合は、ゆるがせにせず、それらを整理するよう努めた。

本書は、既刊の拙著『独禁法講義』の姉妹編である。章立ても概ね同様とした。本書は大量の情報を体系的に収録するもの、『独禁法講義』は同様の体系のもとで具体例や図表を交えながら概観するもの、という役割分担である。いずれが初級でいずれが上級であるなどとは考えていない。熟練の登山者にも概略地図と詳細地図が必要であろう。

常に高い視野から叱咤激励してくださる方々、本書の内容に関連する大小の質問に対応してくださる方々、他の用件の合間を縫って研究室で資料整理等をこなしてくださる方々。分厚い校正刷りと格闘しながら、それらの皆様のお顔が次々と目に浮かんだ。

本書の編集は、高橋俊文さんが担当されている。法をめぐる種々の情報が錯綜し激動するなかでこのような書物を刊行するには、編集者との信頼関係が不可欠である。厚く御礼申し上げる。

本書には想像を超える年月を要した。今は妻とともに完成を喜びたい。

平成18年10月

白 石 忠 志

主要目次

第2部　各違反類型

細 目 次

第2部　各違反類型

第3部　法執行総論

略語一覧

ここでは、ある程度以上の頻度で本書において引用する法令、資料、文献等を、略語の五十音順で掲げる。

略語一覧に掲げるほかにも、独禁法に関する詳細な解説書・概説書は多い。例えば、以下のものは、本書の各所で毎度引用することはしないが、調べようとする事項に該当する部分を参照するのは常に有益である。

・池田毅＝籔内俊輔＝秋葉健志＝松田世理奈＝実務競争法研究会編著（白石忠志監修）『全訂版　ビジネスを促進する　独禁法の道標』（第一法規、令和5年）
・内田清人＝大月雅博編『実務解説　独占禁止法・景品表示法・下請法　第1巻　独占禁止法編』（勁草書房、令和5年）
・川島佑介『ビジネス法体系　競争法／独禁法』（第一法規、令和3年）
・白石忠志＝多田敏明編著『論点体系　独占禁止法〔第2版〕』（第一法規、令和3年）
・長澤哲也『独禁法務の実践知』（有斐閣、令和2年）
・長澤哲也＝多田敏明編著『類型別　独禁民事訴訟の実務』（有斐閣、令和3年）
・幕田英雄『公取委実務から考える　独占禁止法〔第2版〕』（商事法務、令和4年）
・村上政博編集代表・石田英遠＝川合弘造＝渡邉惠理子＝伊藤憲二編集委員『条解　独占禁止法〔第2版〕』（弘文堂、令和4年）
・村上政博＝矢吹公敏＝多田敏明＝向宣明編『独占禁止法の実務手続』（中央経済社、令和5年）

〔あ　行〕

意見聴取規則

公正取引委員会の意見聴取に関する規則（平成27年公正取引委員会規則第1号）

石井良三

石井良三『獨占禁止法』（海口書店、昭和22年）

一般指定

不公正な取引方法（昭和57年公正取引委員会告示第15号）であって平成21年公正取引委員会告示第18号による改正後のもの
（本書では平成21年の改正前のもののみを「昭和57年一般指定」と呼ぶ）

小木曽

小木曽国隆「私的独占の禁止及び公正取引の確保に関する法律（独占禁止法）」平

野龍一＝佐々木史朗＝藤永幸治編『注解特別刑法　補巻 (3)』(青林書院、平成8年) IV

〔か　行〕

確約手続規則

公正取引委員会の確約手続に関する規則（平成29年公正取引委員会規則第1号）

確約手続方針

公正取引委員会「確約手続に関する対応方針」(平成30年9月26日)

ガソリン不当廉売ガイドライン

公正取引委員会「ガソリン等の流通における不当廉売、差別対価等への対応について」(令和4年11月11日)

下民集

下級裁判所民事判例集

川井課徴金

川井克倭『カルテルと課徴金』(日本経済新聞社、昭和61年)

勘所事例集

白石忠志『独禁法事例集』(有斐閣、平成29年)(白石忠志『独禁法事例の勘所〔第2版〕』(有斐閣、平成22年) の改訂版)

企業結合ガイドライン

公正取引委員会「企業結合審査に関する独占禁止法の運用指針」(平成16年5月31日)

令和元年の改定　令和元年12月17日の改定

○○年度企業結合事例△

公正取引委員会「○○年度における主要な企業結合事例」(おおむね翌年度の6月に公表) の事例△

企業結合事例検討公正取引△△号

白石忠志「○○年度企業結合事例集 (等) の検討」公正取引△△号

平成28年度：公正取引803号（平成29年）

平成29年度：公正取引814号（平成30年）

平成30年度：公正取引825号（令和元年）

令和元年度：公正取引839号（令和2年）

令和2年度：公正取引851号（令和3年）

令和3年度：公正取引865号（令和4年）

(平成27年度以前の企業結合事例集に関する検討のうち必要なものは勘所事例集に収録しており、そちらで引用した)

企業結合手続方針

公正取引委員会「企業結合審査の手続に関する対応方針」(平成23年6月14日)

○○・旧条解

厚谷襄児＝糸田省吾＝向田直範＝稗貫俊文＝和田健夫編『条解　独占禁止法』(弘文堂、平成9年）の○○執筆部分

9条ガイドライン

公正取引委員会「事業支配力が過度に集中することとなる会社の考え方」(平成14年11月12日)

行集

行政事件裁判例集

行訴法

行政事件訴訟法

共同研究開発ガイドライン

公正取引委員会「共同研究開発に関する独占禁止法上の指針」(平成5年4月20日)

グリーンガイドライン

公正取引委員会「グリーン社会の実現に向けた事業者等の活動に関する独占禁止法上の考え方」(令和5年3月31日)

刑集

最高裁判所刑事判例集

景表法

不当景品類及び不当表示防止法（昭和37年法律第134号)

減免規則

課徴金の減免に係る事実の報告及び資料の提出に関する規則（令和2年公正取引委員会規則第3号)

高刑集

高等裁判所刑事判例集

公取委

公正取引委員会

公取委食べログ事件意見書

公正取引委員会「令和2年（ワ）第12735号差止請求事件に係る求意見について」(令和3年9月16日)(審決命令集68巻271頁)

高民集

高等裁判所民事判例集

告発犯則調査方針

公正取引委員会「独占禁止法違反に対する刑事告発及び犯則事件の調査に関する公正取引委員会の方針」(平成 17 年 10 月 7 日)

個人情報等優越的地位濫用ガイドライン

公正取引委員会「デジタル・プラットフォーム事業者と個人情報等を提供する消費者との取引における優越的地位の濫用に関する独占禁止法上の考え方」(令和元年 12 月 17 日)

伊永課徴金制度

伊永大輔『課徴金制度』(第一法規、令和 2 年)

〔さ　行〕

最判解刑事篇〇〇年度

『最高裁判所判例解説刑事篇〇〇年度』(法曹会)

最判解民事篇〇〇年度

『最高裁判所判例解説民事篇〇〇年度』(法曹会)

(同一年度に上下巻がある場合は「最判解民事篇〇〇年度上」などと表記)

裁判所 PDF

裁判所ウェブサイトに掲げられた判決や決定の PDF ファイル

〇〇・佐久間編著

佐久間正哉編著『流通・取引慣行ガイドライン』(商事法務、平成 30 年) の〇〇執筆部分

差止訴訟執務資料

最高裁判所事務総局行政局監修『独占禁止法関係訴訟執務資料』(法曹会、平成 13 年)

事業者団体ガイドライン

公正取引委員会「事業者団体の活動に関する独占禁止法上の指針」(平成 7 年 10 月 30 日)

事業者団体ガイドライン解説

岩本章吾編著『事業者団体の活動に関する新・独禁法ガイドライン』(別冊 NBL34 号、平成 8 年)

事件座談会公正取引〇〇号

「座談会・最近の独占禁止法違反事件をめぐって」公正取引〇〇号

平成 27 年：公正取引 778 号 (川濵昇、岸井大太郎、白石忠志、山田昭典)

平成 28 年：公正取引 790 号 (川濵昇、岸井大太郎、白石忠志、山本佐和子)

平成 29 年：公正取引 802 号 (川濵昇、岸井大太郎、白石忠志、山本佐和子)

平成30年：公正取引815号（川濵昇、白石忠志、山部俊文、山本佐和子）
令和元年：公正取引827号（川濵昇、白石忠志、山部俊文、南部利之）
令和2年：公正取引840号（川濵昇、白石忠志、山部俊文、山田弘）
令和3年：公正取引852号（川濵昇、白石忠志、山部俊文、小林渉）
令和4年：公正取引864号（川濵昇、白石忠志、山部俊文、藤本哲也）
令和5年：公正取引875号（川濵昇、白石忠志、山部俊文、田辺治）

施行令

私的独占の禁止及び公正取引の確保に関する法律施行令（昭和52年政令第317号）

下請法

下請代金支払遅延等防止法（昭和31年法律第120号）

○年○月○日事務総長定例会見記録

公取委ウェブサイト「事務総長定例会見記録」のうち○年○月○日のもの

11条ガイドライン

公正取引委員会「独占禁止法第11条の規定による銀行又は保険会社の議決権の保有等の認可についての考え方」（平成14年11月12日）

○○・条解行訴法5版

南博方原編著＝高橋滋＝市村陽典＝山本隆司編『条解　行政事件訴訟法〔第5版〕』（弘文堂、令和5年）

昭和24年改正

昭和24年独禁法改正法（昭和24年法律第214号）による独禁法改正

昭和28年改正

昭和28年独禁法改正法（昭和28年法律第259号）による独禁法改正

昭和28年改正解説

公正取引委員会事務局編『改正独占禁止法解説』（日本経済新聞社、昭和29年）

昭和52年改正

昭和52年独禁法改正法（昭和52年法律第63号）による独禁法改正

○○・昭和52年改正知識

公正取引委員会事務局編『改正独占禁止法の知識』（公正取引協会、昭和53年）の○○執筆部分

昭和52年改正要点

公正取引委員会事務局官房企画課「独占禁止法改正の要点」公正取引320号（昭和52年）

昭和52年施行令売上額解説

相場照美＝波光巖「課徴金制度における売上額の算定方法」NBL152号（昭和53年）

昭和 57 年一般指定

不公正な取引方法（昭和 57 年公正取引委員会告示第 15 号）であって平成 21 年公正取引委員会告示第 18 号による改正前のもの

（平成 21 年の改正後のものは本書では単に「一般指定」と呼ぶ）

昭和 57 年一般指定解説

田中寿編著『不公正な取引方法』（別冊 NBL9 号、昭和 57 年）

昭和 57 年独占禁止法研究会報告書

独占禁止法研究会報告「不公正な取引方法に関する基本的な考え方」（昭和 57 年 7 月 8 日）（公正取引 382 号、383 号、昭和 57 年一般指定解説 100～106 頁、に掲載）

審決集

公正取引委員会審決集（67 巻まで）

審決命令集

公正取引委員会審決・命令集（68 巻）

審査官指定政令

私的独占の禁止及び公正取引の確保に関する法律第四十七条第二項の審査官の指定に関する政令（昭和 28 年政令第 264 号）

審査規則

公正取引委員会の審査に関する規則（平成 17 年公正取引委員会規則第 5 号）

審査手続指針

公正取引委員会決定「独占禁止法審査手続に関する指針」（平成 27 年 12 月 25 日）

新聞業特殊指定

新聞業における特定の不公正な取引方法（平成 11 年公正取引委員会告示第 9 号）

○○・菅久品川他 4 版

菅久修一編著『独占禁止法〔第 4 版〕』（商事法務、令和 2 年）の○○執筆部分

スポーツ移籍制限ルール考え方

公正取引委員会「スポーツ事業分野における移籍制限ルールに関する独占禁止法上の考え方」（令和元年 6 月 17 日）

施行令

→　しこうれい

○○相談事例△

平成 13 年公表：公正取引委員会事務総局「事業者の活動に関する相談事例集」（平成 13 年 3 月）、平成 13 年：公正取引委員会事務総局「平成 13 年相談事例集」（平成 14 年 3 月）、平成 16 年公表：公正取引委員会事務総局「独占禁止法に関する相談事例集」（平成 16 年 6 月）、平成 16 年度から平成 23 年度まで：公正取引

委員会事務総局「独占禁止法に関する相談事例集（◇◇年度）」（翌年度に公表）、平成24年度以後：公正取引委員会「独占禁止法に関する相談事例集（◇◇年度）」（翌年度に公表）、の事例△

組織規則

公正取引委員会事務総局組織規則（昭和53年総理府令第10号）

組織令

公正取引委員会事務総局組織令（昭和27年政令第373号）

損害賠償請求訴訟資料提供基準

「独占禁止法違反行為に係る損害賠償請求訴訟に関する資料の提供等について」（平成3年5月15日事務局長通達第6号）

〔た　行〕

大規模小売業特殊指定

大規模小売業者による納入業者との取引における特定の不公正な取引方法（平成17年公正取引委員会告示第11号）

地域特例法

地域における一般乗合旅客自動車運送事業及び銀行業に係る基盤的なサービスの提供の維持を図るための私的独占の禁止及び公正取引の確保に関する法律の特例に関する法律（令和2年法律第32号）

知的財産ガイドライン

公正取引委員会「知的財産の利用に関する独占禁止法上の指針」（平成19年9月28日）

○○・注釈

根岸哲編『注釈独占禁止法』（有斐閣、平成21年）の○○執筆部分

調査協力減算制度運用方針

公正取引委員会「調査協力減算制度の運用方針」（令和2年9月2日）

TPP協定整備法

環太平洋パートナーシップ協定の締結及び環太平洋パートナーシップに関する包括的及び先進的な協定の締結に伴う関係法律の整備に関する法律（平成28年法律第108号）（環太平洋パートナーシップ協定の締結に伴う関係法律の整備に関する法律の一部を改正する法律（平成30年法律第70号）による題名、施行期日その他の改正の後のもの）

電気通信ガイドライン

公正取引委員会＝総務省「電気通信事業分野における競争の促進に関する指針」（令和5年9月7日）

電力ガイドライン

公正取引委員会＝経済産業省「適正な電力取引についての指針」（令和4年11月14日）

特定物件取扱指針

公正取引委員会「事業者と弁護士との間で秘密に行われた通信の内容が記録されている物件の取扱指針」（令和2年7月7日）

独禁法（独禁法典）

私的独占の禁止及び公正取引の確保に関する法律（昭和22年法律第54号）

○○年独禁法改正法

私的独占の禁止及び公正取引の確保に関する法律の一部を改正する法律（○○年制定のもの）

独禁法40条処分規則

私的独占の禁止及び公正取引の確保に関する法律第四十条の処分に関する規則（令和4年公正取引委員会規則第2号）

届出規則

私的独占の禁止及び公正取引の確保に関する法律第九条から第十六条までの規定による認可の申請、報告及び届出等に関する規則（昭和28年公正取引委員会規則第1号）

届出Q＆A

公取委ウェブサイト「届出制度Q＆A」

〔な　行〕

入札談合等関与行為防止法

入札談合等関与行為の排除及び防止並びに職員による入札等の公正を害すべき行為の処罰に関する法律（平成14年法律第101号）

年次報告

「○○年度公正取引委員会年次報告」（翌年度秋ころ公表）

（公正取引委員会編『公正取引委員会年次報告（独占禁止白書）（◇◇年版）』（公正取引協会）として出版されているが、◇◇は○○に1を加えた数字である）

農協ガイドライン

公正取引委員会「農業協同組合の活動に関する独占禁止法上の指針」（平成19年4月18日）

〔は　行〕

排除型私的独占ガイドライン

公正取引委員会「排除型私的独占に係る独占禁止法上の指針」（平成 21 年 10 月 28 日）

判時

判例時報

犯則規則

公正取引委員会の犯則事件の調査に関する規則（平成 17 年公正取引委員会規則第 6 号）

判タ

判例タイムズ

標準化パテントプールガイドライン

公正取引委員会「標準化に伴うパテントプールの形成等に関する独占禁止法上の考え方」（平成 17 年 6 月 29 日）

平林歴史

平林英勝『独占禁止法の歴史（上）』（信山社、平成 24 年）、平林英勝『独占禁止法の歴史（下）』（信山社、平成 28 年）

○○・深町編著 2 版

深町正徳編著『企業結合ガイドライン〔第 2 版〕』（商事法務、令和 3 年）の○○執筆部分

物流特殊指定

特定荷主が物品の運送又は保管を委託する場合の特定の不公正な取引方法（平成 16 年公正取引委員会告示第 1 号）

不当廉売ガイドライン

公正取引委員会「不当廉売に関する独占禁止法上の考え方」（平成 21 年 12 月 18 日）

フランチャイズガイドライン

公正取引委員会「フランチャイズ・システムに関する独占禁止法上の考え方」（平成 14 年 4 月 24 日）

フリーランスガイドライン

内閣官房＝公正取引委員会＝中小企業庁＝厚生労働省「フリーランスとして安心して働ける環境を整備するためのガイドライン」（令和 3 年 3 月 26 日）

フリーランス法

特定受託事業者に係る取引の適正化等に関する法律（令和 5 年法律第 25 号）

平成 3 年改正

平成 3 年独禁法改正法（平成 3 年法律第 42 号）による独禁法改正

○○発言・平成 3 年改正座談会

加藤秀樹＝来生新＝京藤哲久＝実方謙二＝正田彬「座談会・独禁法の強化と課徴金の引上げ」ジュリスト 977 号（平成 3 年）の○○発言

平成 4 年改正

平成 4 年独禁法改正法（平成 4 年法律第 107 号）による独禁法改正

平成 8 年改正

平成 8 年独禁法改正法（平成 8 年法律第 83 号）による独禁法改正

平成 9 年改正

平成 9 年独禁法改正法（平成 9 年法律第 87 号）による独禁法改正

平成 10 年改正

平成 10 年独禁法改正法（平成 10 年法律第 81 号）による独禁法改正

平成 10 年改正解説

鵜瀞恵子編『新しい合併・株式保有規制の解説』（別冊商事法務 209 号、平成 10 年）

平成 12 年改正

平成 12 年独禁法改正法（平成 12 年法律第 76 号）による独禁法改正

平成 12 年改正解説

東出浩一編著『独禁法違反と民事訴訟』（商事法務研究会、平成 13 年）

平成 14 年改正

平成 14 年独禁法改正法（平成 14 年法律第 47 号）による独禁法改正

平成 14 年改正解説

菅久修一＝小林渉編著『平成 14 年改正独占禁止法の解説』（商事法務、平成 14 年）

平成 15 年下請法改正

下請代金支払遅延等防止法の一部を改正する法律（平成 15 年法律第 87 号）による下請法改正

平成 15 年独占禁止法研究会報告書

独占禁止法研究会「独占禁止法研究会報告書」（平成 15 年 10 月）

平成 17 年改正

平成 17 年独禁法改正法（平成 17 年法律第 35 号）による独禁法改正

平成 17 年改正解説

諏訪園貞明編著『平成 17 年改正独占禁止法』（商事法務、平成 17 年）

平成 17 年規則考え方

「公正取引委員会規則の原案に対して寄せられた意見と公正取引委員会の考え方」

（平成 17 年 10 月 6 日公取委公表資料の別紙 1）

平成 17 年施行令改正解説

真渕博「改正独占禁止法施行令の概要」公正取引 661 号（平成 17 年）

平成 17 年施行令考え方

「独占禁止法施行令の原案に対して寄せられた意見の概要と公正取引委員会の考え方」（平成 17 年 10 月 6 日公取委公表資料の別紙 3）

平成 19 年内閣府懇談会報告書

独占禁止法基本問題懇談会「独占禁止法基本問題懇談会報告書」（平成 19 年 6 月 26 日）

平成 21 年改正

平成 21 年独禁法改正法（平成 21 年法律第 51 号）による独禁法改正

平成 21 年改正解説

藤井宣明 = 稲熊克紀編著『逐条解説　平成 21 年改正独占禁止法』（商事法務、平成 21 年）

平成 23 年見直し

企業結合審査手続に関する平成 23 年の見直し

平成 25 年改正

平成 25 年独禁法改正法（平成 25 年法律第 100 号）による独禁法改正

平成 25 年改正解説

岩成博夫 = 横手哲二 = 岩下生知編著『逐条解説　平成 25 年改正独占禁止法』（商事法務、平成 27 年）

平成 26 年内閣府懇談会報告書

独占禁止法審査手続についての懇談会「独占禁止法審査手続についての懇談会報告書」（平成 26 年 12 月 24 日）

平成 28 年改正

TPP 協定整備法 1 条による独禁法改正

〔ま　行〕

民事裁判手続 IT 化改正

民事訴訟法等の一部を改正する法律（令和 4 年法律第 48 号）による改正（民事訴訟法改正は本則 1 条、独禁法改正は附則 33 条、独禁法改正に伴う経過措置は附則 34 条による。附則 1 条本文により令和 8 年 5 月 24 日までの政令指定日から施行される）

民集

最高裁判所民事判例集

〔や　行〕

○○・山﨑幕田監修

山﨑恒＝幕田英雄監修『論点解説　実務独占禁止法』（商事法務、平成 29 年）

優越的地位濫用ガイドライン

公正取引委員会「優越的地位の濫用に関する独占禁止法上の考え方」（平成 22 年 11 月 30 日）

優越的地位濫用ガイドライン考え方

「『優越的地位の濫用に関する独占禁止法上の考え方』（原案）に対する意見の概要とこれに対する考え方」（優越的地位濫用ガイドラインを公表する平成 22 年 11 月 30 日の公取委公表資料別紙 2）

〔ら　行〕

リサイクルガイドライン

公正取引委員会事務局「リサイクル等に係る共同の取組に関する独占禁止法上の指針」（平成 13 年 6 月 26 日）

流通取引慣行ガイドライン

公正取引委員会事務局「流通・取引慣行に関する独占禁止法上の指針」（平成 3 年 7 月 11 日）

平成 27 年の改正　　平成 27 年 3 月 30 日の改正

平成 28 年の改正　　平成 28 年 5 月 27 日の改正

平成 29 年の改正　　平成 29 年 6 月 16 日の改正

令和元年改正

令和元年独禁法改正法（令和元年法律第 45 号）による独禁法改正

令和元年改正解説

松本博明編著『逐条解説　令和元年改正独占禁止法』（商事法務、令和 2 年）

令和元年改正減免解説

山本慎＝松本博明『独占禁止法における新しい課徴金減免制度』（公正取引協会、令和 3 年）

〔わ　行〕

ワークブック法制執務新訂 2 版

法制執務研究会編『新訂　ワークブック法制執務〔第 2 版〕』（ぎょうせい、平成 30 年）

序　章

第1節　本書の方針

本書は、第一義的には、現代における日本の独禁法の実際の状況を可能な限り客観的に分析し体系化して表現しようとするものである。例外的に、若干の私的な解釈論等を添えた部分はあるが、その場合にはそのことがわかるように記述している。いずれにしてもそれは例外であり、現状分析が基本である[1][2][3]。

---

1)　現状分析に徹しつつ、この分野の国際展開にまで視野を広げて様々な角度から活写した入門書として、デビッド・ガーバー著（白石忠志訳）『競争法ガイド』（東京大学出版会、令和3年）。本書は、そのような業績に学びつつ、まずは日本法（独禁法）を素材として競争法の現状を描こうとするものである。

2)　ある分析や主張が「多数説」であるとか「少数説」であるとかといった論評は常に存在し、拙著・拙稿がそのような論評の対象となることも多い。以下のような諸点に留意する必要がある。第1に、法的議論には、実際の状況を表現しようとするもの（現状分析）と、どのような政策を採るべきであるという考えを表現しようとするもの（立法論や解釈論）とがある、ということである（両者の境界は究極的には曖昧であるが一応は区別できる）。そのような区別があることを理解せず、現状を論じた分析と、解釈論を述べた主張とを、同列に並べて、多数・少数と述べる論評は少なくない。第2に、主張Aと主張Bとが、相互に対立しているわけではなく、主張Bは抽象的な主張Aの具体化（無自覚な部分の言語化）の提案であるという場合がある。そのことを理解せず、主張Aと主張Bとを同列に並べて、多数・少数と述べる論評は少なくない。第3に、多数・少数という論評をするには、分母となる母集団をどこかにとる必要がある。そこには、多数・少数という論評をする側のセンスや見識が現れる。本書は、実際の事例に適用される実際の独禁法の状況を分析して描こうとするものであり、そのような場所においてどのような規範が存在し相剋しているかに対して関心を向けているものである。そのような現場から隔絶した空間においてどのような主張が「多数」であるかには、あまり関心はない。

3)　経済分析と独禁法の関係、ということが論ぜられることがある。これは、判断権者の判断の助けとなるような経済分析であれば重視され、助けとならないような経済分析であれば重視されな

第2節　本書の対象

1　独禁法の多様な顔

(1)　独禁法

本書でいう「独占禁止法」あるいは「独禁法」とは、特に断らない限り、「私的独占の禁止及び公正取引の確保に関する法律」という件名の法律の略称である。

これらの件名および略称は、この法律の内容に関する誤解の原因となっているが[4]、略称も含め幅広く定着している。最近では、独禁法と同様の地位を占める世界各国の法令の総称として「競争法」(competition law) という言葉が普及しているが[5]、法改正によって法律にそのような題名が与えられない限り、日本で独禁法という略称が無用または不要となることはないであろう。

関連法令でなく、この法律そのものを指すことを強調したい場合、本書では「独禁法典」と呼ぶこともある[6]。

い、というに尽きる。そのようななかで経済分析と独禁法の関係をわざわざ論題とする議論がされるのには、何か事情があるのであろう。経済分析を称揚するあまり、定性分析を軽んじ定量分析を重んずる旨を述べる文献もあるが、定性的知見に基づく枠組みがあってこその定量分析であり、法律の要件構造それ自体が、そのようになっている。公取委も、通常の分析結果と同じ方向の結果が経済分析によって得られた場合に補足的に経済分析に触れるのを通例としている。定量分析を称揚する見解は、既存の頭の硬い考え方に「定性」というレッテルを貼り、新たで柔軟な考え方を「定量」と呼んで優位性を言い募っているだけであることも多い。定量派のなかにも頭の硬い論調はみられるし、そもそも基本的な定性的論理構造も理解できないのに高度な定量分析を本当にできるのか、疑問に感ぜられるケースも少なくない。なお、公取委は次のような文書を公表している。公正取引委員会「経済分析報告書及び経済分析等に用いるデータ等の提出についての留意事項」(令和4年5月31日)。

4)　名称が実態に合致していないからである。「私的独占」という違反類型名称が、違反類型の内容に合致しておらず、また、それが法律の名称の冒頭に現れることが、法の実態に合致していない (後記第8章)。

5)　「競争法」という言葉をあえて定義するなら、「反競争性をもたらす行為を禁止するという観点から、あらゆる商品役務に適用される法令」ということになろうか。論者によっては、「競争法」という言葉は多義的であり、内外の独禁法の総称としてではなく、1つの国のなかで競争政策に関与する諸法令の総称として、競争促進を目指す事業法や知的財産法なども含めたうえで、「競争法」と呼ぶ例もある。私は、混乱を避けるため、後者のような意味を指すものとしては、「競争政策法」「競争の観点からの法規整」といった言葉を用いてきた。

独禁法典は、特にその27条以下において、公正取引委員会設置法としての機能も果たしている。公正取引委員会は、本書では略して「公取委」と表記する。「競争法」という言葉の普及と同様に、競争法の法執行を中心となって担う公取委のような機関を「競争当局」（competition authority）と呼ぶことが多い。

(2) 競争政策の代表者

その一方で、「独禁法」という言葉は、競争政策の代表者として用いられることがある。現在では、競争政策の正統性が高まり、独禁法だけでなく、民法、知的財産法、事業法など、多くの法分野が競争政策を担っている[7)8)]。しかし、競争政策が現在ほど浸透していなかった時期には、そのようなかたちでは理解されておらず、むしろ、独禁法が競争政策のほぼ唯一の担当者として孤軍奮闘している、という図式で理解されるのが通常であった。競争政策＝独禁法、とは言えない現代においても、依然としてしばしば、独禁法が競争政策の代表者

---

6) 独禁法典には、題名が付されておらず、「私的独占の禁止及び公正取引の確保に関する法律」は、件名と呼ばれるものである。なお、独禁法典には、公式の条文見出しが付いていない。市販の六法において独禁法典に付されている見出しは、当該六法の編集委員等によって私的に付けられているものであって、法律の一部ではない。

7) 中央省庁等改革基本法21条10号は、「独占禁止政策を中心とした競争政策については、引き続き公正取引委員会が担うものとし、経済産業省の所管としないこと」、と規定する。しかし、例えば、電気事業法を通じて経済産業省が電気事業分野での競争政策に関与していることは明白である。上記規定は、平成13年の中央省庁等改革の直前まで公取委内に存在した組織を経済産業省に編入させることはないというにすぎない、と理解するほかはない。条文中の「競争政策」の語義も、そのような方向で縮小解釈しなければ、現実を説明できない。

8) 公正取引委員会事務総局「地方公共団体からの相談事例集」（平成19年6月）は、地方公共団体が事業者等として独禁法典の規制対象となるような事例も含んでいるが、事業者等としてでない地方公共団体の政策等によって競争への影響が生じ得るような事例も含んでおり、この意味で、独禁法典の枠外における競争政策への公取委の働きかけの一例である。公正取引委員会「公的再生支援に関する競争政策上の考え方」（平成28年3月31日）は、公的再生支援機関が公的再生支援を行う場合に留意すべき事項を公取委がまとめ、必要に応じ公的再生支援機関が公取委と相談することを期待する、というものであり、独禁法典の枠外における競争政策への公取委の働きかけの一例である。EU競争法では、加盟国による支援（再生支援に限定しない）について競争政策の観点から欧州委員会が審査し必要に応じて命令等をするという枠組みが条約に規定されている。EU競争法のState aid規制（加盟国による支援の規制）の概要や上記の公取委の考え方に至る背景について、白石忠志「金融危機・事業再生と公的支援規制」金融研究34巻3号（平成27年）103～111頁。なお、「State aid」は「国家補助」と訳されることが多いが、EUの条約（TFEU）の条文では「State」は「加盟国」を指す言葉として常に先頭を大文字で表記されているのであり、「国家補助」という訳はそのあたりを正確に伝えていないように思われる。

とされる。独禁法以外の法分野では、競争政策の観点からの道具概念が十分に発達していないために独禁法の力を借りて初めて競争政策的な問題提起や分析をすることができる場合も多い。その典型例が、民事裁判における「説明道具としての独禁法」である。

(3) 公取委の代名詞

「独禁法」という言葉は、公取委という官庁の代名詞となることもある。特に、法律を見ればその所管官庁を思い起こす、という思考枠組みが色濃い場合にはしばしば見られる現象である。例えば、「事業法と独禁法との関係」という論点は、最近の日本では、多くの場合、政策理念の相剋の問題ではない。公取委以外の官庁も、競争政策を標榜することが増えているからである。「事業法と独禁法との関係」とは、どの官庁が競争政策を行うかという問題である、という場合が増えている。したがって、なかには、競争政策には熱心だが「独禁法」という言葉はあえて避ける、という例も観察される。「独禁法は競争政策の代表者」という理解しかない論者と、「独禁法は公取委の代名詞」という発想をもつ論者とが議論しても、有益な対話は成立しない場合が多い。「独禁法」という言葉に託す意味が違うからである。

2 本書の対象となる法令

本書では、基本的に、「私的独占の禁止及び公正取引の確保に関する法律」およびその関係法令を、検討対象とする。

ただし、それでは全体像をつかめない場合には、折に触れて、「競争政策の代表者」や「公取委の代名詞」としての意味合いにも目配りする。他の法令による規制すなわち事業法規制と独禁法の関係を論ずる際や、民事裁判における「説明道具としての独禁法」を論ずる際には、そのような視角を欠くことはできない。

第3節 本書の構成

本書では、独禁法の違反要件と法執行という車の両輪を意識しながら論ずる。法執行とは、違反があった場合にどのような法的処置がされるのかを中心とした諸問題を包括的に指す[9][10]。違反要件のルールが定まっているからこそ、違反者に対して法執行が発動される。違反すれば法執行が発動されるからこそ、関係者は法を守ろうとする。車の両輪である。もちろん、両者を截然と分けることは難しい。法執行の内容が違反要件論に影響を与える場合もあり得る。逆に、違反要件の内容が法執行論に影響を与える場合もあり得る[11]。

以上が、実質的な視角であるが、形式的構成としては、「第１部　違反要件総論」、「第２部　各違反類型」、「第３部　法執行総論」、というように、違反要件と法執行のそれぞれの総論で挟み込むように、違反類型ごとの違反要件と法執行を論ずることとした。

---

9)　法執行とは、英語のエンフォースメント（enforcement）の訳である。エンフォースメントの訳語として適切に定着したものがなかったため、本書では長く、片仮名でエンフォースメントと呼んできた。「執行」と呼ばれることはあったが、法学一般の観点から見ると、「執行」とは、既に行われた命令を実行に移す段階を指すという語感が支配的であり、命令を行うに至る過程を指すことは通常はない。そのような意味での「執行」は、エンフォースメントの全部ではなく一部にすぎない。エンフォースメントを「実現」と訳そうとする有力な試みが存在するが（田中英夫＝竹内昭夫『法の実現における私人の役割』（東京大学出版会、昭和62年））、「実現」があまりにも人口に膾炙した日常語であるだけに、エンフォースメントの訳語だと認識され難いことは否めない。エンフォースメントを「施行」と表現することにも、同様の難点がある。そうしたところ、令和に入る前後から、「法執行」という呼称が、公取委を含め、定着してきたように思われる。そこで、本書では「法執行」という言葉を用いることとした。

10)　違反要件に対置されるものとして、エンフォースメント（enforcement）とアドボカシー（advocacy）の２つが並べられることがある。アドボカシーは、「唱導」「啓発」「啓蒙」などと訳され得るものであるが、競争当局が、消費者や業界に対してだけでなく、政府の他の部門の活動に対して競争の観点から働きかけることなども含んでおり、言葉の選び方が難しいという面がある。広く見ると、アドボカシーという言葉は、民間企業による活動の呼称としても用いられ、政府に対して特定の法政策の導入を働きかける活動を含んでいる場合がある。そのように考えると、アドボカシーは「政策発信」などと日本語訳をするのがちょうどよいのではないか、と現時点では考えている。このように、政策発信（アドボカシー）は範囲が広く漠然としており流動的であるため、本書では、法令の具体的な規定の適用を中核とする法執行（エンフォースメント）を中心に解説することになる。

11)　本書のいう「違反要件と法執行」の二区分と同様の趣旨で、「実体法と手続法」という表現が用いられることがある。「実体法＝違反要件」であり「手続法＝法執行」である、ということのようである。欧米の競争法分野で頻繁に用いられる用語法を日本語に流用したものであろう。しかし、少なくとも日本の法学一般の観点からは、この用法にも違和感がある。例えば、課徴金の額の計算は、法学一般の観点からは、間違いなく実体法の問題である。本書では、法学一般に承認された意味で「実体法」「手続法」という表現を使うことはあっても、「違反要件と法執行」の言い換えとして「実体法と手続法」という表現を用いることは避ける。

第4節　独禁法の主な一次資料

1　総　説

本書は、現代における独禁法の実際の状況を客観的に分析し体系化して表現しようとするものである（前記第1節）。

独禁法の実際の状況を分析するには、それを示す一次資料を渉猟する必要がある。一次資料の代表的なものは、以下のとおりである。

2　一般的な考え方を示したもの

(1)　法律・政令・内閣府令・公取委規則・公取委告示

① **概要**　一般的な考え方を示したものの代表格は、官報に掲載される格式をもつ、法律、政令、内閣府令[12)]、公取委規則、公取委告示、である。これらが階層構造を形成しつつ、独禁法をめぐる一般的な考え方の基本的枠組みを構成している。単に「法令」という場合には、これらを指すであろう[13)]。

法律の下位で、どのような事項が、政令や公取委規則などのいずれによって規定されるかは、その法令がどのような経緯や力関係のもとで立案されたかなどによって区々である。いま更地から起案するのであれば公取委規則で規定されるにとどまりそうな事項が政令で規定されている、などの事象は少なくない。

違反要件を論ずる際に重要となるのは、法律である独禁法典と、公取委告示である一般指定である。あとは、後記(2)のガイドラインが重要となる。政令や公取委規則は、主に法執行をめぐって頻出する。

② **調べ方**　法令は官報に掲載されたものが正文であるが、改正が改め文で示されるので[14)]、官報は現行法令の全体を一覧するには便利ではない。

現行法令の全体を一覧するには、紙媒体の六法のほか、公的な法令データベ

---

12)　公取委が内閣府の外局であるため、ときおり、内閣府令が独禁法に関係する規範の一部として登場する。

13)　このほか、公取委の組織等にかかわる事項が訓令等によって定められることがあるようであるが、訓令等は公表されないのが通常である。

14)　政令より下位の法令では新旧対照条文が正式とされるのが通常となっているが、法律と政令では、引き続き、改め文が正式である。

ースである「e-Gov 法令検索」や、公取委ウェブサイトの「所管法令・ガイドライン」が便利である。「e-Gov 法令検索」には告示は掲載されないので、一般指定などの公取委告示は登載されていない。

⑵ **ガイドライン等**

① **概要**　法令のほか、一般的な考え方を示したものとして、公取委のガイドラインがある。外国で一般的にそのように呼ばれていたために日本でもガイドラインと呼ばれるようになったものであり、実際には「指針」「考え方」などの名称が付されていることが多い。

ガイドラインは、公取委が自らの考え方を示したものであるから、裁判所を拘束するものでないのは当然であるが、実際には、裁判所からも一定の尊重を受けることが多い[15]。ガイドラインには不適切な内容を含むものもあるが、ガイドラインと異なる解釈論を裁判所で主張するには、それ相応の準備と工夫が必要となる。

違反要件に関するガイドラインには様々なものがあるが、それらは、おおむね、全業種・全事象を横断的に論じようとした規範定立型ガイドラインと、特定業種・特定事象を対象とした業界啓蒙型ガイドラインとに、分かれる。

規範定立型ガイドラインは、特に平成10年代以降、徐々に充実してきており、基本的には、これらを見ておけば、業界啓蒙型ガイドラインを見る必要は少ない。規範定立型ガイドラインとしては、まず、排除型私的独占ガイドライン、不当廉売ガイドライン、優越的地位濫用ガイドライン、企業結合ガイドラインというように、法令の違反類型の名を冠したものが並ぶ。また、本来は特定の業種・事象を扱った流通取引慣行ガイドラインが、他の規範定立型ガイド

---

15)　例えば、最判平成10年12月18日・平成6年（オ）第2415号〔資生堂東京販売〕（民集52巻9号の1872頁、審決集45巻の458頁）および最判平成10年12月18日・平成9年（オ）第2156号〔花王化粧品販売〕（審決集45巻の464〜465頁）は、流通取引慣行ガイドライン（平成29年の改正後の第1部第2の6 ⑵）の影響を受けた判示をしている。他の例として、最判平成22年12月17日・平成21年（行ヒ）第348号〔NTT東日本〕（判決書10頁、民集64巻8号の2078頁）および最判平成27年4月28日・平成26年（行ヒ）第75号〔JASRAC〕（判決書6〜7頁、民集69巻3号の524〜525頁）は、排除型私的独占ガイドライン第2の3や5の影響を受けた判示をしている。東京高判平成16年9月29日・平成14年（ネ）第1413号〔ダイコクⅠ〕は、公取委ガイドラインが解釈の手がかりとなるとし、さらに、行為者の行為が公取委ガイドラインに適合したものである場合には不法行為等における実質的違法性を検討する際にも重要な考慮要素となる、としている（裁判所PDF 22〜23頁）。

ラインが扱っていない領域を守備範囲としており、その歴史的経緯もあって、実際上、規範定立型ガイドラインと同等のものとして重視されている[16)17)]。

業界啓蒙型ガイドラインは、規範定立型ガイドラインに既に書かれていることを特定業種・特定事象に当てはめた結果が書かれているにすぎないことが多いが、時には、規範定立型ガイドラインから漏れた重要な問題について言及している場合がある。また、特定業種・特定事象に絞っているためか、どのような行為が競争政策上望ましいかに関する記載が置かれることも多い（後記③）。ガイドラインと呼ばれる文書でなく、特定業種・特定事象を対象とする実態調査報告書に、業界啓蒙型ガイドラインと同等の記載が置かれることも多い。

公取委の手続など、法執行に関係する重要なガイドラインもある。

以上のようなもののほか、公取委ウェブサイトに掲載されているＱ＆Ａなども、参考となることが多い。

② **調べ方**　　ガイドラインは、公取委が独自に策定するものであるから、官報には掲載されず、専ら、公取委ウェブサイトに掲載されるのみである。策定や改定の際に「報道発表資料」欄にも載るが、「所管法令・ガイドライン」欄にも掲げられている[18)]。

Ｑ＆Ａも、いくつかの分野に分かれて、公取委ウェブサイトに掲げられている[19)]。

---

16)　流通取引慣行ガイドラインの歴史的背景や現況について、白石忠志「流通・取引慣行ガイドラインの沿革と位置付け」池田毅＝籔内俊輔＝秋葉健志＝松田世理奈＝実務競争法研究会編著（白石忠志監修）『全訂版　ビジネスを促進する　独禁法の道標』（第一法規、令和５年）、佐久間正哉・佐久間編著7～20頁。独禁法の重要性が増すきっかけとなった日米構造問題協議の産物として平成３年に策定され、平成27年の改正で再販売価格拘束にも正当化理由の成立の余地があることを認め、平成28年の改正でセーフハーバーの見直しをし、平成29年の改正で、垂直的制限を前面に出す構成に抜本的に変更して、価格維持効果・市場閉鎖効果などの概念の整理を行った。流通取引慣行という特定の事象を扱ったガイドラインではあるが、上記の平成３年の経緯による歴史的重要性もあり、垂直的制限に関する最も重要なガイドラインとなっている。

17)　グリーンガイドラインは、グリーン社会の実現の観点から、業務提携に関する考え方を、ガイドラインのレベルで初めて示し、また、流通取引慣行ガイドライン・優越的地位濫用ガイドライン・企業結合ガイドラインの要所を再録したものとなっている。

18)　公取委ウェブサイトの「報道発表資料」欄は、古い年のものを、順次、削除している。さほどのファイル容量があるとは思われない最も貴重な資料をなぜ削除するのか、理解に苦しむ。なお、削除されたファイルは、「国立国会図書館インターネット資料収集保存事業」（WARP）のウェブサイトで検索すればみつかる場合がある。

③　**読み方**　　これらのガイドライン等の公取委文書を読む際には、次のような点に注意する必要がある[20]。

第1に、問題となり得る行為を掲げたうえで、そのあとに弊害要件文言（競争の実質的制限や公正競争阻害性）を掲げ、それを満たす場合には違反、とだけ述べる例が少なくない。多くの行為は、独禁法の行為要件を満たすので、それらが弊害要件を満たせば違反であるのは当然である。どのような場合に弊害要件を満たすかが問題であるにもかかわらず、それを条文の文言だけで済ませる記述には、法的な意味は乏しい[21]。

第2に、違反要件のうち重要な要素、とりわけ正当化理由がないという要件が、記述から欠落している場合がある。その原因としては、ガイドラインを最初に策定した時期には正当化理由という概念が定着していなかった、公取委としては正当化理由という概念をあまり認めたくないので記述が抑制的になる、一部の項目については要望が強いので公取委が不利になる記述を書き込むがあまり要望がない項目には書き込まない、などがあり得る。これらによって、同じガイドラインのなかでも記述の不統一が生じたり、記述の欠落によって実際の規範との間で乖離が生じたりすることがある。

第3に、法的な論理構造があやふやで、記述の階層構造が整理されていない場合がある。例えば、要件とされるものとその考慮要素が並べて掲げられたために、階層構造がわかりにくくなったり、一部の考慮要素が満たされれば要件が満たされるかのような誤解が生じやすくなったりする場合がある。一例を挙

19)　Q & A だけでなく、公取委ウェブサイトに収録された資料の多くは、公取委ウェブサイトのトップページから辿るのが容易ではない。文書や Q & A の題名などをもとに一般的な検索エンジンで検索したほうが圧倒的に速い場合がある。

20)　以下の記述は本書第3版では欠落してしまっていたところ、改めて実質的に同じ内容を掲げなおすものである。本書第2版における同等の記述を引用し詳細に論じるものとして、籔内俊輔＝内田清人＝池田毅「独禁法実務におけるガイドラインの役割」池田ほか編著・前記註16・18〜21頁。

21)　優越的地位濫用に関するガイドラインや報告書などでも、「乙に対して優越的地位にある甲が」などという表現で、その事案で優越的地位の要件が満たされることをさりげなく前提として論じていることがよくある。乙に対して優越的地位に立っていない甲がその行為を行っても優越的地位濫用には該当しないが、慣れない読者が一読しただけではわかりにくい。公取委が、そのような行為が優越的地位濫用に該当するか否かを問わず、その種の行為が行われないことを期待している場合などに、用いられる表現である。

げると、ある種の行為を有力な事業者が行い弊害要件を満たせば違反、という意味の記述は、そのような行為を有力な事業者が行えば弊害要件を満たすことが多い、という趣旨であることが多いが、そのような行為を有力な事業者が行っても弊害要件を満たさないこともあれば、そのような行為を有力でない事業者が行っても弊害要件を満たすこともある。

第4に、特に規範定立型ガイドラインにおいては、その事業分野等に対する公取委の認識が暗黙の前提とされる場合がある。例えば、事業者の市場における地位、他の事業者の地位、市場画定などについて、現状に対する認識を暗黙の前提としていることがある。そのような説明が欠落している場合や、状況が変化する場合などがあり得る。

第5に、ガイドラインにおいて、どのような場合に違反となるかだけでなく、どのような行為が競争政策上望ましいかに関する記載が置かれることがある。「望ましい」行為をしなかったからといって独禁法に違反するというわけではないこともあり、「独占禁止法上望ましい」という言い方でなく、独禁法より広い「競争政策」という言葉を使って「競争政策上望ましい」などの表現が使われることが多い[22)23)]。

3 個別事例

(1) 総　説

法令・ガイドライン等の実際の具体的適用状況を知るには、個別事例を見る必要がある。

個別事例が批判的検証を可能とする形で公表されることは、法分野としての健全な発展にとって不可欠である。独禁法に限らず法分野全体について判例集が営々と作成・刊行されてきたことは、日本の法学が司法分野に重点を置いて

---

22) ガイドラインでなく実態調査報告書には、事実認識に関する記述が多い。規範に関する記述を探すには、「独占禁止法」という語と「競争政策」という語のそれぞれで報告書ファイルを検索するのが1つの方法である。

23) 公取委ガイドラインにおいて「望ましい」とされた内容を根拠として民事裁判における契約解釈をしようとする主張に対し、ガイドラインの当該内容は独禁法違反を未然に防止する目的・趣旨のものにすぎず契約解釈のための規範や経験則をそこに見出すことはその事案ではできないとした事例がある。札幌高判令和4年9月30日・令和4年（ネ）第84号〔プレナスほっともっと〕（事実及び理由第3の2(1)）。

発展してきたことと表裏一体の関係にある。同じように、経済法のなかで特に独禁法が重視されてきたことは、公取委が独禁法制定以来の事例を審決集・審決命令集という形で残してきたことと表裏一体の関係にある。事例を公表し後世に残すことは、広報活動という観点からも重要である。

個別事例処理のヒエラルキーにおいては公取委事例よりも裁判所事例が上に立つが、以下では便宜上、公取委における個別事例を先に取り上げる。

(2) 公取委における個別事例

① 命令・審決

(i) 命令の概要　公取委における個別事例のうち、違反被疑事件に対して法律に定められた対応をするものとして、排除措置命令・課徴金納付命令がある。これらは、基本的には、名宛人の主張に対する応対を明示的に記すことはないので、審判審決や判決ほど詳細なものではないが、公取委の考え方を示し、事例の具体的内容を知ることのできる最初の一歩となる。

(ii) 審決の概要　審決は、現行法には残っていない法形式である。

勧告審決と同意審決は、いずれも、違反被疑行為者が争わずに排除措置命令を受けたものであり、違反要件等を論ずるにあたっての資料としての重みは、現行法の排除措置命令と同等である。勧告審決は昭和22年制定時から規定され、同意審決は昭和24年改正によって導入されたが、いずれも、平成17年改正によって命令手続が整理された際に廃止された（後記694頁）[24]。

審判審決は、違反被疑行為者が争って、裁判に準じた対審構造によってその事案を論じ、排除措置命令・課徴金納付命令をするか否かの最終的な結論に至ったものである。違反要件等を論ずるにあたっての資料としての重みは、下級審裁判所の判決に近い。通常は、公取委の審判官が主宰する審判手続において、被審人と名付けられた違反被疑行為者と、公取委の審査官とが、対審構造によって議論したうえで、審判官が審決案を作成し、それをもとに委員会が審決をした[25]。審判審決は、昭和22年制定時から規定され、平成17年改正によって

---

24) 勧告審決と同意審決は、いずれも、排除措置命令に関するものである。課徴金については、昭和52年改正による導入後、平成17年改正前の手続規定においては、まず課徴金納付命令を行い、不服がある場合にはその命令を失効させたうえで審判手続を行って、審判審決によって課徴金の納付を命ずるなどした（後記714～715頁）。排除措置命令について争わず勧告審決を受けたが課徴金については争って審判審決を受けた、という例も少なからず存在する。

形式的な位置付けの変更があったもののそのまま維持されたが、平成25年改正によって廃止された（後記729〜730頁）[26]。

審判審決を廃止する平成25年改正は、平成27年4月1日から施行されたが、経過措置により、その日より前に命令のための事前手続が開始された事件については最後まで改正前の手続が適用される（平成25年改正法附則2条）。

(iii) 調べ方　　排除措置命令書は、公取委ウェブサイト「報道発表資料」欄において、通常は即日、公表される。

課徴金納付命令書は、通常、「報道発表資料」欄には掲載されない。

排除措置命令書・課徴金納付命令書・審決書は、勧告審決・同意審決等も含め、公取委ウェブサイトの「審決等データベース」に登載されている[27][28][29]。

25）多くの審判審決は、その理由において、審判官による審決案をそのまま引用する旨を数行述べただけのものである。審決案の内容を改めて盛り込んだ審決書を作成するのでなく、審決案を引用する旨の数行の記述を置いただけの数頁の審決書に、審決案を添付する、という形式である。本書で「審決案○○頁」などと引用している場合は、特に断らない限り、そのような形で審決の一部であることとなったものである。実質的には審決の一部であるが、形式的には審決案がそのまま添付されているのであるから、「審決書○○頁」でなく、「審決案○○頁」と引用することになる（例外的には、数頁の審決書に重要なことが書かれていたり、審決案を引用・添付せず長い審決書が書かれていたりする場合もある）。公取委ウェブサイトに掲げられた審決書・審決案のほとんどは、実際のものと頁が一致しているものと推測されるので、本書では、公表された審決案が仮名化などにより明らかに実際のものとは頁が異なっていると考えられる場合に「公表審決案○○頁」としたほかは、単に「審決書○○頁」「審決案○○頁」としている。

26）平成17年改正後・平成25年改正前は、勧告審決・同意審決が廃止されたので、基本的に、審決といえば審判審決しかなかったが、平成17年改正前の審判審決と同等のものであることがわかるよう、本書では審判審決と呼んでいる。

27）審決等データベースは、事件番号を入力して検索する際、例えば、年と番号だけを入力して、事件符号（「(措)」など）を省略しても、相応の結果を返してくるので、便利である。何も入力せず検索ボタンを押せば、最新の日付のものから順にリストアップした結果が表示される。以上のいずれの場合も、事件番号の元号は、見つけようとするものに合わせておく必要がある。

28）本書では、事例における該当箇所を示す際、インターネットで無料で入手できる資料を優先して掲げることとしている。審決等データベースに掲げられた命令書や審決書（審決案）は、インターネットで無料で入手できるうえに、原資料そのものなのであるから、優先順位は高い。その命令・審決が審決集などに登載されていても、本書において該当箇所を示す場合には、「排除措置命令書○○頁」「審決案○○頁」というように引用している。そうしたところ、平成16年頃以前の事例は、審決等データベースでは、命令書や審決書そのものでなく、審決集の該当部分をPDF化して掲げている。そのような場合には、本書では、「審決集○○巻の○○頁」というように該当箇所を掲げている。審決集1巻〜6巻あたりでは、審決等データベースには審決集とは異なる冊子をPDF化したものが掲げられているので、それらについては、審決集の巻・頁だけで

登載は、即日であることもあるが、後日であることが多い。

これらの命令・審決は、年度ごとにまとめて、審決集・審決命令集に登載される。

② **確約認定・警告等**　違反被疑事件ではあるが命令以上の処理がされなかったものについて、確約認定、警告、注意、審査打切りなどの処理がされることがある。このうち、確約認定と警告は全件、注意や審査打切りは時おり、公取委ウェブサイト「報道発表資料」欄において公表される。審決等データベースや審決集・審決命令集には登載されない。

③ **企業結合事例**　企業結合事例は、法定の命令になった場合には前記①のようになるが、最近の全ての事例は、それに至る前の段階で処理されている（後記第11章第4節）。

第2次審査に進んだ事例は、排除措置命令を行わない旨の通知が行われた段階で、即日または後日、審査結果が「報道発表資料」欄で公表される[30)]。第2次審査に進まなかった事例であっても、今後の参考となると公取委が判断したものは、公表される[31)]。直ちに公表される場合もあるが、毎年6月頃公表される企業結合事例集に、直ちに公表された他の事例とともに登載される、ということも多い。企業結合事例集は、公取委ウェブサイトの「主要な企業結合事例」にまとめられている。

④ **相談事例**　企業結合以外の事例であっても、日々のビジネスに直結するような微妙な事案は、むしろ、違反被疑事件として命令等の対象となることはほとんどない。そのようなものに関する考え方の一端を知るには、事前相談に対する公取委の回答を見るのが有益である。

広義の事前相談には、狭義の事前相談と一般相談とがある（後記641頁）。狭

なく、審決等データベースのPDFの頁も掲げている。審決集7巻～9巻あたりでは、やはり、審決集とは異なる媒体をPDF化したものが掲げられているが、各頁に、漢数字による頁のほかに、算用数字で、対応する審決集の巻・頁が書き込まれているので、本書では、審決集の巻・頁のみを掲げている。

29)　課徴金納付命令は、複数の違反者が課徴金を課される不当な取引制限の事件の場合、課徴金を課された事業者および課徴金額のリストと、最高額の課徴金を課された者に対する課徴金納付命令書とが、掲げられるのが通常である。

30)　企業結合手続方針4(3)。

31)　企業結合手続方針3(3)。

義の事前相談に対する回答は、回答の際に公表される。一般相談に対する回答は、今後の参考となると公取委が判断した事例が、毎年6月頃公表される相談事例集に登載される。相談事例は、公取委ウェブサイトの「相談事例集」にまとめられている[32)]。

(3) **裁判所の判決・決定**

① **概要**　独禁法の法執行においては公取委が重要な地位を占めるものの、裁判所も、様々な場面で役割を担う[33)]。

公取委の命令が争われれば、東京地裁判決・東京高裁判決・最高裁判決がされる。平成25年改正前の手続による事件の場合は、審決が争われ、東京高裁判決・最高裁判決がされる。これらは、公取委の判断を裁判所が審査するものであり、重要な意味を与えられている。

公取委が刑事告発をした独禁法の刑事事件の判決も、独禁法の解釈や法執行の状況を知るうえで有益である。

公取委が直接関与するわけではない民事裁判の判決・決定も、公取委が取り上げないような踏み込んだ事案が取り上げられることもあるなど、独禁法の違反要件や法執行を論ずるうえで不可欠である。

② **調べ方**　審決等データベースには、命令・審決が争われた判決書の全てと、その他の若干の独禁法関係事件の判決書・決定書が、登載されている。基本的には、公取委に送達された判決書・決定書が、そのまま掲げられており、資料的価値は高い[34)]。平成16年頃以前の事例については、審決集の該当部分

---

32) 企業結合事例集・相談事例集は、企業の担当者や代理人弁護士等と、公取委の担当者との、交渉の結果をまとめたものである。違反なしと認めてもらいたい側は、違反なしという結論に役立ちそうな要素を何から何まで提出するかもしれない。公取委の担当者も、違反なしという結論とすると決めたならば、その結論が批判されないよう、やはり、違反なしとする方向の要素を何から何まで掲げるかもしれない。つまり、事例集を今後の参考として読もうとする場合には、「ここに掲げられた条件が全て揃わなければ違反なしとならないのであろうか」と考えると、見誤ることもある。2つの条件があれば違反なしと言えるのに、3つも4つも掲げているということは、あり得る。

33) 独禁法に関する最高裁の判決は少ないが、それゆえに、判決の機会がある場合には、独禁法について裁判所が一定の役割を果たそうとする意欲が示されることがある。勘所事例集29～30頁、524頁、525頁。

34) 裁判所の判決を網羅的にデータベースとして掲げている官庁は、他にはなかなかないと思われる。前記(1)のような伝統に加え、多くの事件について公取委が当事者であって、法務大臣の指

をPDF化したものが登載されているので、刑事判決や民事裁判も登載されている[35]。

審決集・審決命令集にも、多くの判決・決定が、年度ごとにまとめて、登載される。命令・審決が争われたもの全て、刑事事件もほぼ全て、民事裁判は今後の参考となると公取委事務総局が判断したものが、登載されている。

審決等データベースや審決集に登載されない判決・決定については、独禁法に限らない一般の調べ方によることになる[36]。

揮を受けないこと（77条、88条）も、関係があるのかもしれない。

35）本書において事例のなかの該当箇所を示す場合には、平成16年頃以後の事例については判決書・決定書の頁で、平成16年頃以前の事例については「審決集○○巻の○○頁」という形で、それぞれ示している。

36）裁判所ウェブサイトのPDFファイルは、仮名化により、実際の判決書・決定書の頁とは異なっているので、本書では、審決等データベースに登載されていない場合のみ、「裁判所PDF○○頁」として、該当箇所を示している。公式判例集に掲げられている判決・決定について該当箇所を示す場合には、公式判例集の巻・号・頁も掲げている。

第1部

違反要件総論

第1章
違反要件序論

第1節　本書の違反要件論の構成

1　主要な規制と例外的な規制

独禁法の違反類型のうち、主要なものは、「行為によって特定の市場での弊害をもたらすことに着目した規制」である。本書では、これを中心とした章立てを展開する。

これにあてはまらない例外的なものは別の箇所でまとめて扱う（後記第12章）。つまり、9条の規制、11条の規制、独占的状態規制、である。

2 「違反要件総論」と「各違反類型」

(1)　総　説

本書では、違反要件論を、「違反要件総論」と「各違反類型」の2部に分けて展開する。以下では、それについて説明する。

(2) 「弊害要件」「行為要件」「因果関係」その他

行為による市場での弊害に着目した違反類型では、市場での弊害を示す条文上の文言として、「一定の取引分野における競争を実質的に制限する」または「公正な競争を阻害するおそれ」が使われている。便宜上、まとめて「弊害要件」と呼ぶ[1]。

それに対し、違反要件のうち行為者による行為を表現した部分を、便宜上、

1) 「効果要件」や「市場効果要件」などと呼ばれることもあるが、「効果」という言葉は、日本語において、よい方向のものを指すことが多く、ここでの意味とは逆であるので、使用を避ける。

「行為要件」と呼ぶ[2)]。

行為要件は、各違反類型ごとに様々であるが、弊害要件は、基本的には全ての違反類型にまたがって共通である。

このほかにも、「事業者」や「会社」など行為者の属性に関する要件や、「因果関係」の要件など、複数の違反類型に共通した横断的要件がある。

(3) 「違反要件総論」を置く狙い

① 「弊害要件総論」を置く狙い　各違反類型を論ずる前に違反要件総論を置き、その中心として弊害要件総論を置くのは、次のような考慮に基づく。

従来の諸文献においては、違反類型ごとの縦割りで違反要件を論じていく手法が一般的であり、これが旧来の思考形式を深く規定している。この手法は、違反類型ごとに違反要件論を「オールインワン」とすることができ、便利な整理の仕方ではある。

しかし、この整理の仕方には欠点もある。そのような整理にあわせて、弊害要件論も違反類型ごとに縦割りにされることが多い。第1に、多くの違反類型に共通して登場する重要問題が、各違反類型ごとに別々の言葉で議論されてしまう場合がある[3)]。第2に、逆に、弊害要件論の本質が異なる2つの問題が、たまたま同じ違反類型の行為要件を満たすために、十把一絡げに分析されてしまう場合がある[4)]。以上のようなことの主な原因は、行為要件から出発して違反類型を観念し、各々の違反類型という蛸壺のなかで弊害要件までをも論じ尽くそう、とする思考形式にある。

そもそも、独禁法においては、弊害要件論が主たる地位を占める。弊害が生ずるか否かが、最大の関心事だからである。世界に視野を広げても、共通性が強く国際的議論の素材となるのは、主に弊害要件である。そうであるとするならば、行為要件に着目した縦割り的な分類から検討を出発させるのは、適切な方法ではない。縦割りで別々に論ぜられているものをまとめて分析すれば、新

---

2) 違反類型によっては、行為要件と弊害要件の区別が難しい例もある。行為要件と弊害要件の区別は、頭の整理のための区別にすぎない。

3) 例えば、略奪廉売における「埋め合わせ可能性」論と、他者排除の全体に通ずる「原則論貫徹説か排除効果重視説か」の議論は、本質的に同じである（後記121頁）。

4) 例えば、差別対価（後記126頁）、抱き合わせ（後記143〜144頁）、排他条件付取引（後記447頁）、競争者に対する取引妨害（後記511〜518頁）、のそれぞれで観察される。

たな地平が開けることもある。このようにして弊害要件を先に十分に把握したうえで行為要件にも目を転ずる、というほうが、独禁法に関する洞察を深めるのに役立つ5)。

② **他者排除行為に関する総論的な章を置く狙い**　本書では、弊害要件総論に続いて、他者排除行為に関する総論的な章として「他者排除行為の場合の違反要件の構造」を置く（後記第3章）。

他者排除行為についても、「弊害要件総論」を基本として考えていけばよいのであるが、反競争性について、価格等の競争変数が左右されることまでは必要でなく排除効果で足りるという考え方もあって、日本独禁法では、違反類型によって使い分けをしている。

適用される条文も、私的独占と不公正な取引方法に分かれ、不公正な取引方法の該当条文は更に細分化されている。

したがって、「弊害要件総論」を基本として押さえたあと、他者排除行為だけに特化した総論を置くのが、体系的に適切である。

③ **搾取行為について**　搾取行為の場合には、正当化理由なく市場支配的状態がもたらされるだけで弊害要件が満たされるのではなく、市場支配的状態を利用して搾取が行われることに着目して、規制が行われる。その意味で、「弊害要件総論」の考え方を念頭に置きつつ、その向こう側で議論が展開される。

そうしたところ、幸いなことに、搾取行為については、日本独禁法では実際上は不公正な取引方法のなかの2条9項5号だけで論ぜられている。他者排除行為のように、多数の違反類型に分散して論ぜられるということがない。そこで、搾取行為の場合の上記のような弊害要件に相当するものは、そちらでまとめて論ずる（後記第9章第6節）。

---

5)　比較的最近になって競争法の分野で強調されるようになった言葉として「theory of harm」がある。片仮名で「セオリーオブハーム」と書いた公取委公表資料を見かけることもある。その意味は、行為がどのような過程を経て弊害をもたらすのか（行為が弊害をもたらすメカニズム）、ということである。行為の外形だけをもとにした短絡的な議論を戒め、行為・弊害・因果関係に関する適切で具体的な考察を促すために、国際的な場で頻繁に言及されるようになった。本書では、初版以来、例えば、抱き合わせには他者排除型と不要品強要型があることを指摘し、差別対価には取引拒絶系と略奪廉売系があることを指摘するなど、常に、行為が弊害をもたらすメカニズムを具体的に意識し、適切に分類して論ずることを心がけている。本書にとっては、「theory of harm」は、新たな考え方ではなく、もとより当然に踏まえるものとして盛り込んでいる。

④　因果関係に関する総論的な章を置く狙い　本書では、弊害要件総論、他者排除行為の場合の違反要件論の構造、に続いて、行為と弊害との間の因果関係に関する総論的な章を置く（後記第4章）。

独禁法違反要件論の体系において、因果関係を1つの柱とするものは、従来ほとんどなかったと思われるが、実際には、行為も弊害もあるのに違反とならない事例は多い。そのような事象を観察・分析するためには、因果関係の概念は欠かせない。

そして、各違反類型ごとの多様な行為と、横断的に共通した弊害や排除効果との間を、取り結ぶ因果関係の概念も、違反類型を横断して議論できるはずである。本書の因果関係論はいまだ試論ではあるが、そこに何かが存在することは確かであり、議論の礎を築くため、敢えてこのような章を設けることとした。

違反要件論において因果関係の要素も適切に検討するという枠組みが定着し、かつ、必要であれば、因果関係の要素が弊害要件に取り込まれることがあってもよい（後記158頁註16）。その場合でも、以上のような体系化による問題提起は、十分な役割を果たしたといえるのではないかと考えている。

(4)　「各違反類型」

以上のような考えに基づいて、本書では、「弊害要件総論」を中心とする「違反要件総論」を置く。

そのあと、総論で取り上げることのできない問題を扱うため、「各違反類型」を論ずる。「各違反類型」のなかで随時、総論をリファーするほか、その違反類型のなかで蛸壺的に発達してしまった議論も紹介する。「各違反類型」では、あわせて、課徴金や企業結合審査手続など、その違反類型に特有の法執行各論も論ずる。

第2節　行為者・当事会社

以下の論述においては、違反要件を満たすか否かが問題となっている当該者を、便宜上、「行為者」と呼ぶことにする。行為者が行為要件や弊害要件を満たすようなことを行っているか否かを論ずることになる[6)]。

ただ、企業結合規制においては、会社が行為者となることが特に多いため

(9条～17条のうち多くの条文)、行為者が「当事会社」と呼ばれることが多いので、これに倣う。

---

6) 公取委による違反被疑事件処理を扱う後記第15章などにおいては「違反被疑行為者」などとも呼ぶが、事前相談など、事前のコンプライアンスの過程で独禁法が関心をもたれることも多い。

第2章
弊害要件総論

第1節　総　説

1　条文上の位置付け

(1)　一定の取引分野における競争の実質的制限

①　一定の取引分野における競争の実質的制限　　日本の独禁法において弊害要件を規定している文言として、まず、「一定の取引分野における競争を実質的に制限する」がある。この文言が登場する違反類型は、私的独占（2条5項）、不当な取引制限（2条6項）、事業者団体規制のうち8条1号、企業結合規制のうち10条および13条〜16条、である。

この「一定の取引分野における競争を実質的に制限する」において、後記**2**のような構造に基づく弊害要件判断が行われる。

「競争を実質的に制限する」を略して「競争の実質的制限」と名詞的に表現することも多い。本書でもそれに倣う。

②　公共の利益に反して　　2条5項・6項において「一定の取引分野における競争を実質的に制限する」の文言にあわせて登場する文言として、「公共の利益に反して」がある。

この文言は、正当化理由がないことを示すために用いられる場合がある。すなわち、正当化理由があるとして裁判所等で争う場合に「公共の利益に反していない」という形で用いられる場合がある。

しかし現在では、裁判所等で争われた場合等において用いられるのみであり、日常実務では用いられない。正当化理由に関する要素も「競争の実質的制限」のなかに読み込み、正当化理由がある場合には競争の実質的制限がない、という方向で議論されることが多い。

いずれの用法をとっても、得られる結論は同じである。したがって以下では、「公共の利益に反して」を取り敢えず度外視して論述する[1]。

(2) 公正競争阻害性

日本の独禁法において弊害要件を規定する文言として、他に、「公正な競争を阻害するおそれ」がある。この文言が登場する違反類型は、不公正な取引方法（2条9項）である。形式的には、「公正な競争を阻害するおそれ」という文言が登場するのは2条9項各号のうち6号のみであるが、法解釈により、他の号でも意味を持つと考えられている（後記390〜391頁）。

「公正な競争を阻害するおそれ」を略して「公正競争阻害性」と表現することも多い。本書でもそれに倣う。

公正競争阻害性は、多くの場合、「一定の取引分野における競争の実質的制限」と同様、後記**2**のような構造に基づく弊害要件判断の舞台となる。

ただ、その際、「おそれ」という文言を根拠として広めの解釈が行われることが多い。

また、公正競争阻害性は、「一定の取引分野における競争の実質的制限」とはやや異質な観点、すなわち不正手段や優越的地位濫用の観点から、その成立が認められる場合もある。

そこで、「おそれ」、不正手段、優越的地位濫用、などの、競争の実質的制限との比較において公正競争阻害性に特有の事柄については、不公正な取引方法を取り扱う章において詳論することとし（後記第9章）、以下では、それを前提として、この章にとって有益な範囲で、公正競争阻害性に関する事例等をも参照することとする。

2 「市場」「反競争性」「正当化理由」

以上のように見れば、「一定の取引分野における競争の実質的制限」と「公正競争阻害性」は、「おそれ」、不正手段、優越的地位濫用、などにおいて違いがあることを除けば、質的には同じものを対象としていることがわかる。そこで、それらを総合的に見ていくことができるよう、いずれかの文言のみに紐付

1) 「公共の利益に反して」については正当化理由の箇所で論ずる（後記97〜100頁）。

けされることなく汎用的に分析するために、「市場」「反競争性」「正当化理由」という一般的な柱を立てて、「一定の取引分野における競争の実質的制限」と「公正競争阻害性」を総合的に観察していくこととする[2)]。すなわち、弊害要件が満たされるのは、「市場において、正当化理由なく反競争性がもたらされる」ような場合である、として論じていく。

それには、いくつかの狙いがある。

第1に、独禁法が、世界の競争法と繋がりつつ存在し議論され用いられている現状に照らせば、世界的に普通に用いられている言葉によって論じたほうが一般性を確保しやすく世界の議論とのインタフェイスも確保しやすい。「一定の取引分野」という言葉に相当するものは少なくとも現在の英語文献では単に「market」と呼ばれる。「反競争性」に相当するものは「anticompetitive effect」といえば通用するし、「正当化理由」に相当するものは「justification」といえば通用する。

第2に、弊害要件総論で述べることは、「一定の取引分野における競争の実質的制限」のみならず、「公正競争阻害性」についても、多くの場合、当てはまる。そうであるとすると、日本独禁法の枠内においても、条文上の異なる文言を総括し得る一般的な言葉によって本質を把握するほうが汎用性がある。

もちろん、日本独禁法の最終的な適用においては、「一定の取引分野における競争の実質的制限」や「公正競争阻害性」という文言が用いられるのであるから、「市場」「反競争性」「正当化理由」のそれぞれについて、「一定の取引分野における競争の実質的制限」や「公正競争阻害性」という文言との対応関係は的確に明らかにしてから論ずる。本書は、現実に妥当している日本法から遊離した独自の見解を述べるものではない。単に、一般的な高みから日本法を的確に理解するために、敢えて、条文の文言とは異なる抽象概念である「市場」

---

2)　主に正当化理由を論じながら同様の観点を強調するものとして、根岸哲「「競争の実質的制限」と「競争の減殺」を意味する「公正競争阻害性」に一貫した判断枠組み（再論）」神戸大学法政策研究会編『法政策学の試み――法政策研究（第12集）』（信山社、平成23年）。そこでは、平成21年の排除型私的独占ガイドラインについて、正当化理由の要素を「競争の実質的制限」の枠内に盛り込んだ「画期的な内容」であるとし、それをきっかけとして、総合的観点からの考察が展開されている。そのような総合的考察は、公取委審判審決平成7年7月10日・平成3年（判）第1号〔大阪バス協会〕や数々の相談事例などの諸事例をもとに以前から論じ得たところであり（後記99～100頁）、拙著・拙稿ではそのような観点から体系化を行ってきている。

「反競争性」「正当化理由」を用いて考察しようとするものである。

3　論述の順序

以下では、「反競争性の抽象的基準」→「市場」→「反競争性の具体的基準」→「正当化理由」の順で論ずる。

市場は、反競争性の成否を論ずるための土俵を整備するという意味合いの強い概念であり、反競争性の議論と重なるところも多い。そこで、まずは、反競争性とは何か、という抽象的基準をみたあと、それを論ずる土俵としての市場、そしてその市場の上で論ぜられる反競争性の具体的基準、という順でみていく。正当化理由も、市場という土俵と切り離せない関係にあるものの、便宜上、以上のような市場と反競争性をめぐる論述が終わったあとに取り上げる。

4　検討の素材

弊害要件総論を論ずるための素材は、「一定の取引分野における競争の実質的制限」や「公正競争阻害性」の文言のもとで論ぜられる独禁法のほとんど全ての違反類型から採集できるが、しかし、そこにおいて、企業結合規制の存在感には特に大きなものがある。

企業結合は、日常的に行われており、しかも競争当局が事前審査をするから、違反といえるものばかりでなく違反といえないものも、外国競争法と渾然一体となりながら、議論の対象となる。そこでは、日本特有の枠組みに囚われず、真に総論的と言い得る様々な議論が行われる。

それに対し、不当な取引制限は、いわゆるハードコアカルテルの事例が当局に取り上げられることが多く、そこでは原則として弊害要件は満たされるなどといわれるため、事例の数が多い割には、一般論が発展しない土壌がある。

私的独占の事例は少なく、不公正な取引方法の事例は少なくはないものの企業結合規制ほどではなかった。

そのような状態は、次第に相対化しつつあり、非ハードコアカルテルや、私的独占・不公正な取引方法の問題も多く論ぜられるようになってきている。しかし、弊害要件総論の枠組みの成立には、企業結合規制の議論の影響が大きく、また、現在でも最も多くの素材を提供している[3]。

第2節　反競争性の抽象的基準

1　反競争性という概念の役割

「競争の実質的制限」とは異なり「反競争性」という概念を敢えて立てる狙いは、次の諸点にある。

第1に、反競争性が成立する場合でも、正当化理由があれば、「競争の実質的制限」などの弊害要件は満たさず違反とならない。そうであるとすれば、「競争の実質的制限」などの弊害要件の構成要素として、正当化理由とは別に、一定のものを措定するほうが整理に資する[4]。

第2に、反競争性として具体的に何を求めるかについて、見解の相違が存在するので、そのような相違に対して中立の概念として反競争性というものを立てておき、そのもとで、見解の相違が存在することを描くほうが、議論のために中立的である。例えば、正当化理由なくAが成立すれば弊害要件が満たされる、という決めつけた言い方をするより、正当化理由なく反競争性が成立すれば弊害要件が満たされるところ反競争性はAで満たされるという説とBで満たされるという説がある、という言い方をしたほうが、A説とB説の双方に対して中立的であろう（後記121〜123頁）。

2　競争停止と他者排除

反競争性が起こる形態として、「競争停止」と「他者排除」の2種類があると考えておくと、頭の整理のためには便利である。競争停止とは、競争者同士の競争がなくなることであり[5]、他者排除とは、市場に既に存在するか新規に

3）企業結合規制などにおいてしばしば話題にのぼる経済分析は、以下でみていく弊害要件総論を構成する諸要素について、その事実認定を助け、裏付ける役割を果たせれば、意味を持つことになる（前記1頁註3）。

4）「競争の実質的制限」や「公正競争阻害性」を反競争性と同視し、その枠外で正当化理由を論じようとする組立てが採られることも多い。しかし、そのような論じ方の中心にいる公取委が、相談への回答などでは正当化理由の要素を「競争の実質的制限」や「公正競争阻害性」の枠内で論じている。単に体系が定まっていないだけであろう。

5）競争停止を「競争回避」と呼ぶ流派も根強い。些細な違いであるからいずれでもよいが、特定の行為によって、意図されることなく、反競争性がいつの間にかもたらされる場合をも独禁法は

参入しようとする者が排除されることである[6]。両者は重なる部分もあるが、いずれかの典型例として位置付けることのできる事例もある。

「競争の実質的制限」においては、議論が発達し、他者排除事案においても原則論貫徹説が採られることが明らかにされたため、競争停止と他者排除を区別する実益は減った。しかし「公正競争阻害性」においては、排除効果重視説が採られ、競争停止の場合とは異なる違反基準となる可能性が十分に残っている（以上、後記121〜123頁）[7]。

3　抽象的基準

(1)　総　説

反競争性の抽象的基準は、結論としては、価格等の競争変数をある程度自由に左右できる状態という意味での市場支配的状態があるか否か、である。

この基準には、特段の大きな異論はないものと思われるが、裁判所の判示が各違反類型について出揃うまでに時間がかかったため、基準として確立するのにも時間がかかった。

以下では、基準の確立過程を、時系列に沿って見ていく。

なお、しばしば「形成・維持・強化」を付けて「市場支配的状態の形成・維持・強化」と言われることについては、最後にまとめて触れる（後記(5)）。

(2)　企業結合規制に関する昭和20年代の東京高裁判決

企業結合規制については、昭和20年代の東京高裁判決によって次のような

問題にするのであるから、他動詞的な「回避」より、自動詞的な意味も併有する「停止」のほうに軍配が上がるように思われる。

6)　他者排除を「競争者排除」と呼ばないのは、例えば川上事業者が川下市場の供給者を排除する行為も、独禁法では問題となるからである（後記123〜125頁）。他者排除を単に「排除」と呼ばないのは、排除型私的独占の条文上の要件である「排除」と同じであるとは限らず、不公正な取引方法として違反とされるものも含んだ体系としようとしていることを念のため示すものである（公正競争阻害性の解釈論としてたまたま私的独占の「排除」と同じ意味となるとしても、それはたまたまの結果であるにすぎない）。他者排除を「競争排除」と呼ぶ流派も根強いが、競争停止（競争回避）も競争を排除しているのであり、「競争排除」という呼称は、単に論理的に、受け入れ難いように思われる。

7)　私自身は、搾取も、原則論貫徹説の意味における反競争性の究極形態であると考えており、競争停止・他者排除・搾取の3類型によって頭の整理をするのが適切であると考えているが、便宜上、搾取は優越的地位濫用規制について論ずる箇所のみで取り上げる（後記第9章第6節）。

基準が示された。「競争を実質的に制限するとは、競争自体が減少して、特定の事業者又は事業者集団がその意思で、ある程度自由に、価格、品質、数量、その他各般の条件を左右することによつて、市場を支配することができる状態をもたらすことをいう」[8][9]。企業結合ガイドラインは、東宝／新東宝判決のこの判示を引用したうえで[10]議論を展開しており、昭和20年代からの上記基準の影響力の大きさを窺わせている。価格、品質、数量、その他各般の条件、といった競争変数[11]のなかでは、価格という競争変数が最も重視されており[12][13]、

8）東京高判昭和28年12月7日・昭和26年（行ナ）第17号〔東宝／新東宝〕（高民集6巻13号の900頁、審決集5巻の138〜139頁、審決等データベースのPDF 353頁）。東京高判昭和26年9月19日・昭和25年（行ナ）第21号〔東宝／スバル〕（高民集4巻14号の518頁、審決集3巻の183〜184頁、審決等データベースのPDF 353頁）も同様の判示をしているが、東宝／スバル判決は、東宝／新東宝判決よりも広く、市場を支配することができる状態が「現われようとする程度に至つている状態」でもよいとする一般論を述べていた。しかし、「現われようとする程度に至つている状態」は、同判決が企業結合規制に関するものであったため、現在では「こととなる」の解釈の問題として取り込まれているものを「競争の実質的制限」の解釈のなかに同居させていただけである可能性がある。ともあれ、このような方向の判断は最高裁判決においても是認された（最判昭和29年5月25日・昭和26年（オ）第665号〔東宝／スバル〕）。

9）東宝／新東宝東京高裁判決には、この引用部分に続けて、「いいかえればかかる状態においては、当該事業者又は事業者集団に対する他の競争者は、それらの者の意思に拘りなく、自らの自由な選択によつて価格、品質、数量等を決定して事業活動を行い、これによつて十分な利潤を収めその存在を維持するということは、もはや望み得ないということになるのである」とする判示があった（高民集6巻13号の900頁、審決集5巻の138〜139頁、審決等データベースのPDF 353頁）。これは、適切な言い換えではない。「他の競争者」が価格等の競争変数の設定を抑圧されていないとしてもなお「当該事業者又は事業者集団」が自由に競争変数を左右することはあり得るからである。この部分は、企業結合ガイドラインにおいては、引用されていない。

10）企業結合ガイドライン第3の1 (1)。

11）「価格、品質、数量、その他各般の条件」の総称として、本書では、「競争変数」（competition parameter）という言葉を用いる。なお、公取委の文書で、競争変数が「競争手段」とされることがある。もともとは平成7年に策定された事業者団体ガイドライン第2 (2) などが用いたものの普及していなかった用語法であるが、いわゆるグリーン問題の観点から既存の複数のガイドラインをなるべく原形を留めながら掲げようとした令和5年のグリーンガイドラインが「競争手段」という用語法をも踏襲し随所で使ったために、突如として「競争手段」という用語が表舞台に出ることとなってしまった。しかし、「競争手段」という文言は、公取委自身を含め、価格や品質などの商品役務の取引の構成要素としてでなく、「行為」の言い換えとして用いられることが多い。不公正な取引方法の議論で出てくる「競争手段の不公正さ」という公取委等の表現は、その一例である（後記393頁）。そのようなものとの混同・混在が起きると、反競争性をめぐる適切な議論は困難となる。本書では、価格や品質などの総称としては「競争手段」という言葉は用いず、「競争変数」とする。

企業結合ガイドラインも、その随所で、「ある程度自由に価格等を左右すること」といった表現を用いている[14]。また、東宝／新東宝判決の「市場を支配することができる状態」という文言は、「市場支配的状態」と言い換えられることも多い。ある程度自由に競争変数を左右することのできる状態が、市場支配的状態である。

自己の商品役務に関する価格等の競争変数は自己が自由に左右できて当然である、というようにも見えるが、ここではそのようなことを「自由に」と呼んでいるのではない。適切な競争が存在するときは、例えばあまりにも高い価格を設定すれば、敗れ去るだけである。生き残るためには一定の制約下で競争変数を設定せざるを得ない。しかし、適切な競争が存在しないならば、その制約は緩み、超過利潤を得ることのできるような高い価格などを設定することが可能となる。「自由に」とは、そのようなことを指している。すなわち、競争変数を「ある程度自由に左右することができる状態」とは、供給者が自己の利益を高めるため需要者にとって不利な方向に競争変数を操作しても、自らが競争上不利な状況に陥ることがない、という意味である。

---

12) 本書では、基本的に「価格」という表記を用いるが、便宜上「対価」と表記することもある。法令において「対価」という文言が使われる場合があることの背景には、「価格」とは商品の代金を指す言葉であって「対価」とは商品だけでなく役務の代金をも含む言葉であるという認識があるようにも見える（例えば、川井課徴金130頁）。しかし、法令においても常に厳密に使い分けられているわけではなく（例えば、1条、2条7項3号）、文献等においてはなおさらである。そこで本書では、基本的には「価格」と表記し、法令の条文等において「対価」という文言が使われている場合などは便宜上それにあわせて「対価」と表記することもある、ということとする。

13) 価格以外の競争変数が重要となるような類型の事例というものも、存在し得る。例えば、技術革新（イノベーション）が重要な競争変数となる場合もあるであろうし、また、個々の事業者における個人情報保護やプライバシー保護への取組の状況が重要な競争変数となる場合もあり得る。これらも、一応は、既存の競争変数である「品質」に読み込むことができるであろうが（もともとこれらも例示である）、いずれにしても、新たな時代の新たな事例に対応できるよう、柔軟な態勢をとることが必要となる。もちろん、世の中の流れは激しいので、いわゆるビッグデータを押さえたからといってイノベーションや個人情報保護・プライバシー保護などへの反競争的な影響は生じない、という有力な議論もあり得る。しかしそれは、競争変数のなかに様々なものが含まれ得ることを前提としたうえで、その枠組みのなかで、論ずべきことであろう。以上のような意味で、競争変数という包括的な概念を置く意味は大きいように思われる。

14) このように、いくつもの競争変数を価格という競争変数で代表させる表現は、内外を問わず多く見られる。多くの場合は、単に煩を避けるためのものであり、品質による競争を軽視しようという動機があるようには見受けられない。

ところで、以上のような判決・ガイドライン等は、本書が反競争性と呼ぶものを、「競争の実質的制限」の定義であるとして、論じている。昭和20年代の東京高裁判決がそのような論じ方をしたのは、当時において正当化理由という概念が明確に言語化されていなかったからである可能性が高い。そして、現に、公取委の相談事例やガイドラインは、表向きの抽象的な定義論とは異なり、競争の実質的制限という概念の枠内で正当化理由を論じている。そうであるとすれば、競争の実質的制限という概念の枠内で、正当化理由と対照される概念として、反競争性という概念を措定し、昭和20年代の東京高裁判決は実は反競争性の定義を論じていたのである、と理解するほうが、現実に即している。

(3) 非企業結合規制に関する平成20年代の最高裁判決

① **総説**　以上のように、企業結合規制においては反競争性の抽象的基準が独禁法の草創期から固まっていたのに対し、不当な取引制限と私的独占については、必ずしもそうとはいえなかった。条文上、企業結合規制と同じ文言が使われているために、同じ基準となるのではないか、と朧げに想像されていただけである。

そうしたところ、平成20年代に入って、相次いで、不当な取引制限や私的独占における反競争性の基準について述べるものが現れた。これらは、以下のように、従来から朧げに想像されていたことを明確化したにすぎないが、しかし、最高裁判決がそれを積極的に明らかにしたという意義は大きい。

② **私的独占とNTT東日本最高裁判決**　平成22年のNTT東日本最高裁判決は、排除型私的独占の事例で、競争の実質的制限を、「市場支配力の形成、維持ないし強化という結果」と表現した[15)]。「市場支配力」の具体的内容には言及していないが、上記表現に先行する判示をみると、行為者による他者排除行為の標的になった者だけでなく、それ以外の競争者による競争圧力も十分でないことが「市場支配力の形成、維持ないし強化という結果」が起きたとする判断の前提となっている。そうであるとすると、価格等の競争変数をある程度自由に左右できる状態を「市場支配力」のある状態と考えているものと窺われる[16)]。すなわち、他者排除の要素が存在する事案でもあくまで市場支配的状態

15) 最判平成22年12月17日・平成21年（行ヒ）第348号〔NTT東日本〕（判決書13頁、民集64巻8号の2080頁）。

16) 排除型私的独占ガイドライン第3の2 (1) は、同様の考え方をその前年に示していた（後記

を必要とする原則論貫徹説を採るのであって、排除効果がありさえすれば市場支配的状態は必要ないとする排除効果重視説は採らない、ということである。原則論貫徹説と排除効果重視説については別の箇所で述べることとし（後記121〜123頁）、以下では、反競争性について原則論貫徹説が採られることを前提として反競争性に関する諸々を論じていく。

平成27年のJASRAC最高裁判決は、競争の実質的制限について判示していないので、ここでの問題との関係では参考とならない[17]。

私的独占のうち、他者排除の要素のない支配型私的独占においてはどうか、という問題については、特段の問題意識が提起されていない。事例においても、市場支配的状態が基準になっているとみてよいように思われる[18]。

③　**不当な取引制限と多摩談合最高裁判決**　　反競争性の抽象的基準が最後に明らかにされたのが、最も事例が多い不当な取引制限であった。とりわけハードコアカルテルにおいては、原則違反という信仰が根強かったため、一般論を論じようとする気風に欠けていた。

平成24年の多摩談合最高裁判決は、その状況に終止符を打ったように思われる。入札談合における基本合意が問題となった事案で、「当該取決めによって、その当事者である事業者らがその意思で当該入札市場における落札者及び落札価格をある程度自由に左右することができる状態をもたらすことをいうものと解される。」と述べた[19]。これは、企業結合規制について昭和20年代から言われてきた内容を、入札談合に即して言い換えただけのものである。価格協定についても、多摩談合最高裁判決を引用しながら、「本件のような価格カルテルの場合には、その当事者である事業者らがその意思で、当該市場における価格をある程度自由に左右することができる状態をもたらすことをいうものと解される」とする東京高裁判決が現れている[20]。

122頁註8)。

17)　最判平成27年4月28日・平成26年（行ヒ）第75号〔JASRAC〕。排除効果がないので排除型私的独占に該当しないとした審決の当否が問題となったため、それを超える部分の違反要件の成否は争点とはならなかった。

18)　公取委勧告審決平成10年3月31日・平成10年（勧）第3号〔パラマウントベッド〕、公取委命令平成27年1月16日・平成27年（措）第2号〔福井県経済農業協同組合連合会〕。

19)　最判平成24年2月20日・平成22年（行ヒ）第278号〔多摩談合課徴金新井組等〕（判決書14〜15頁、民集66巻2号の810頁）。

ハードコアカルテルについては原則違反といわれてきたが、これを具体的にいうと、違反要件は企業結合規制や私的独占と同じであるところ、ハードコアカルテルの場合はそれが満たされやすいのである、と説明することになる（後記245〜246頁）。

(4) 企業結合規制とそれ以外の規制との異同

以上のように、企業結合規制、私的独占、不当な取引制限、のそれぞれの「競争の実質的制限」は基本的には同じ意味であるということが、平成20年代の2件の最高裁判決によって明らかにされた。

そうすると、企業結合規制と非企業結合規制との違いは、非企業結合規制が、既に行われている行為に対する事後規制であるのに対し[21]、企業結合規制は、かりに企業結合行為が行われたならば弊害が起こりやすくなるという場合に企業結合行為を事前に禁止するという意味での事前規制である[22]、というところにあり、それ以外には違いはない[23]。

---

20) 東京高判平成28年5月25日・平成27年（行ケ）第50号〔日本エア・リキード〕（判決書27頁）。

21) 事後規制の存在がコンプライアンスや当局に対する事前相談などの事前の活動をもたらすこともあるが、法律の建前では事後規制が基本である、という意味である。

22) 条文上は、企業結合行為の事後に企業結合規制を行うことも不可能ではないが（後記538頁註3）、しかし事前規制が基本である、という意味である。

23) 「事前規制／事後規制」という分類においては、もともと、特定の行為を行うことについて事前の許認可を求め、それがない限りは当該行為をさせないというものを「事前規制」と呼び（規制に対して否定的なニュアンス）、そうではなく当該行為をすること自体は自由として弊害が起こる場合のみ規制するものを「事後規制」と呼ぶ（規制に対して肯定的なニュアンス）という発想が主流であったように思われる。競争法の非企業結合規制は、許認可を求めず自由にやらせる「事後規制」の思想の中核をなしており、そのような「善なるもの」に取り込まれたものであるために辛うじて（あるいは意図しつつ知らぬふりをして）、競争当局への届出とクリアランスを必要とする「事前規制」である企業結合規制も存在してきた。ところが、最近では、弊害要件の立証・認定を必要とし時間のかかるものを「事後規制」と呼び（規制に対して否定的なニュアンス）、行為要件など、立証・認定が比較的容易な要件のみを置くものを「事前規制」と呼ぶ（規制に対して肯定的なニュアンス）、という用法が、デジタルプラットフォーム論議などを中心に広まっている。そこにおいては、競争法の非企業結合規制（「事後規制」）には、立証・認定に時間がかかる厄介なものという位置付けが暗黙のうちに与えられ、デジタルプラットフォームに対して特定の行為を禁止し、または求める、「事前規制」が脚光を浴びている（しかもそれが、競争当局以外によって所管されることも多い）。競争当局が、政策発信（アドボカシー）や確約制度に力を入れるのは、「事後規制」である非企業結合規制を「事前規制」化して、上記のような流れに対抗し、または追随しようとするもの、と位置付けることができるかもしれない。

企業結合規制は事前規制であり、反競争性が起きるか否かの基準時は企業結合行為後であって、これを企業結合行為の事前に判断するのであるから、その判断は将来予測であるということになり、そのことによる困難や特殊性は、もちろんある。しかし、反競争性の内容に関する解釈論は、非企業結合規制と同じである。

(5) 形成・維持・強化

価格等の競争変数が左右されるという意味での市場支配的状態とは、あくまで、状態である。

ところが、独禁法は、行為に着目して規制するものであり、行為によって市場支配的状態がもたらされることを弊害と見るものである。

それに着目して、独禁法関係の資料・文献では、単に市場支配的状態というだけでなく、市場支配的状態の形成・維持・強化、と述べることが多くある。行為によって、それまでは存在しなかった市場支配的状態が新たに「形成」される場合に規制するのはもちろんのことであるが、それだけではなく、行為によって、それまでにも存在した市場支配的状態が維持されたり強化されたりする場合にも規制するのである、という意味が、「形成・維持・強化」という表現に込められている。換言すれば、「形成・維持・強化」は、条文の文言の「競争を実質的に制限する」における「制限する」という動詞的な部分に対応しているものである。

「形成・維持・強化」を別の角度から見れば、行為があり市場支配的状態があるだけでは違反でなく、行為によって市場支配的状態が形成・維持・強化されたのでなければ違反とならない、という意味で、行為と市場支配的状態との間に因果関係が必要であることを確認したもの、とも分析できる。

「市場支配的状態」と「形成・維持・強化」は一体として言及されることも多いのであるが、他方で、後記第3節・第4節のように市場や反競争性の具体的基準を論ずる際には、市場支配的状態という状態がどのような場合に存在すると言えるのかに絞った議論がされる場合も多い。

そこで本書では、基本的に、後記第3節・第4節においては市場支配的状態という状態を論じ、それに対して、「形成・維持・強化」の要素は、因果関係の問題として、別に論ずることとする（後記第4章）。

第3節　市　場

1　総　説

(1)　市場・市場画定を論ずる意味

①　**問題の所在**　　弊害要件を論ずる際には、市場を画定し、そのうえで反競争性を論ずる、という手順を当然のものとする理解が世界的に定着している。

しかし、そのような枠組みのもとで市場画定の議論が細かくなりすぎ、本来の目的を見失っているのではないか、という反省もされるようになった。そこでは、市場画定は不要であるとする論、あるいはそこまでの極論を述べないとしても市場画定の役割を相対化する論が、唱えられた。そのような論においては、割り切って言えば弊害要件の成否は価格等の競争変数が左右されたか否かが直接に示されればそれで十分なのであり、市場という土俵の画定の手順を経る必要はない、ということになる。敢えて比喩を用いれば、相撲において土俵中央で体が土俵に触れることで勝負がつくときには、土俵の範囲がどのようであったかを確認する必要はない、という論である。

②　**現時点での整理**

(i)　総説　　以上のような問題意識を契機とした反省も踏まえると、市場・市場画定を論ずる意味は以下のように整理することができる[24)]。

(ii)　供給者の範囲の画定の存在意義　　まず、市場における供給者の範囲の画定（後記68～76頁）は、これを過度に厳密に行うのでなく、ある程度の精度において、その事案に登場する者らを把握するということに止まるのであれば、有益である。市場画定を行ったうえで市場シェアを計算し、そのうえでHHI[25)]を計算することによって、検討対象市場の市場集中度を把握し、一定の推論を働かせ、あるいはセーフハーバーとして用いる。

以上のような議論は、更に2つの場合に分けることができる。

---

24)　詳しくは、白石忠志「市場画定不要論について」根岸哲先生古稀祝賀『競争法の理論と課題』（有斐閣、平成25年）。

25)　HHIは、市場集中度を示す指標として企業結合ガイドラインにおいても採用されている。HHIとは、市場内の全供給者について、各々の市場シェアを2乗し、それらを総和したものである（企業結合ガイドライン第4の1(3)注4)。

第1に、既に行われている行為について、市場画定から反競争性の成否判断までを、まとめて一度に行うことを前提として、反競争性の成否判断のための状況把握や推論のために市場画定を行う、という場合である。

第2に、行為の事前規制、特に企業結合規制において、プロセスとしての法的判断の中間段階で、多数の事案のうち詳細な検討を要する事案だけを絞り込むための道具としてまず市場画定のみを行う、という場合である。それによってHHIを計算し、多くの事案を問題なしとしたうえで、残った事案のみについて反競争性の成否や正当化理由の成否を詳細に検討する。このように、市場画定は、プロセスとしての法的判断の中間段階において、問題がないことが明らかな事案を目の前から取り除くために用いられ、また、それにとどまる。したがって、厳密な市場画定に拘泥することは本末転倒である。問題のある事案を目の前から取り除いてしまうリスクを減らすため少し狭めの市場画定を行うこともある[26)]。この段階で市場シェアが高めとなっても、結果的には反競争性が満たされないとされることは多い[27)]。狭めの市場画定がされて市場シェアが高めとなっても、その後の段階で詳細な検討が合理的に行われるという信頼があれば、企業等はプロセスとしての法的判断の中間段階において市場画定をあまり争わなくなると考えられる[28)29)]。

---

26) 企業結合事例集において、「より慎重に審査する観点から」などとされている場合は、ほぼ例外なく、その例である。公取委は、そのような狭い市場が画定されると断定したわけではない。狭い市場が画定されると仮定して審査したがそれでも違反要件を満たさないから問題ない、そのように仮定して審査する過程で当事会社が問題解消措置を申し出たのでそれでクリアランスが可能となった、などの結末となることが多い。当事会社グループの市場シェア・HHIを計算するには、市場画定だけでなく、当事会社グループの範囲の画定を行う必要もあるから、当事会社グループの概念の基盤にあるとされる結合関係の成否についても、同様のことがあり得る。令和3年度企業結合事例9〔イオン／フジ〕は、「レデイ薬局はフジと結合関係を有するものとしてフジグループに含めて審査した」としており（事例集110頁）、結合関係があると断定せずに慎重に審査した一例であるということになろう。

27) 典型例として、平成22年度企業結合事例2〔北越紀州製紙／東洋ファイバー〕がある。市場画定の段階では隣接商品役務を考慮の外に置いて市場シェア100%としながら、当該隣接商品役務を隣接市場からの競争圧力として考慮し、市場支配的状態は生じないとした。

28) 言い換えれば、公取委と企業結合当事会社との間の不信感が根強いようにも言われた平成23年見直し前と比べ、平成23年見直し後は、状況が変わったとも言えるのかもしれない。今後の推移は、なお予断を許さない。

29) 以上のような場合であっても、法的検討の結果を事後的に文書にする（いわば清書する）際

以上のように、市場における供給者の範囲の画定にも一定の存在意義はある。ただ、状況把握、推論、詳細検討事案を絞り込むための仮のピン留め、というような道具にすぎない以上、これが自己目的化するのは適切でない。

(iii) 需要者の範囲の画定の存在意義　他方で、市場における需要者の範囲の画定（後記59〜68頁）は、その事案において誰を保護しようとするのかを明確にするという意味で、重要である。価格等の競争変数が左右されたか否かが直接に示されればそれで十分であるという論も、誰に対して提示された競争変数を問題にするのかを明確にしなければ、左右されたか否かを論ずることはできないはずである。

需要者の範囲の画定という過程は、これまで、市場画定という枠組みのなかで明確に言語化されてこなかったものであるが、しかし、言語化されてこなかったというだけのことであり、実際には世界中の競争法的な議論のなかで、需要者の範囲の画定という作業は無意識のうちに行われている。

(2) 市場と市場画定

さて、日本だけでなく世界各国の競争法において市場をめぐる議論はされているのであるが、それらはほとんど、市場画定、すなわち、個別の事案において市場の範囲を画定する作業に関するものである。

それでは、個別の事案において画定される、その市場というものは、そもそもどのような概念であるのかというと、それを正面から省察し定義するものはほとんどない。ほとんどの議論は、何がしかの概念を暗黙のうちに所与の前提とし、個々の事案において市場の範囲がどのように画定されるかばかりを論じているのが実情である。

以下では、「市場」が日本の条文においてどのように位置付けられるかを見たあと、直ちに市場画定論に入るのではなく、まず、市場の概念を省察する。

2 条文上の位置付け

(1) 総　説

市場とは、基本的には、2条4項の「競争」が行われる場である。

には、まとめて一度に、市場画定をしてその土俵の上で反競争性の成否が論ぜられたかのように表現される。これを真に受けていると、プロセスとしての法的判断が行われる企業結合規制における市場画定と反競争性の成否の判断との相互関係を理解するのは難しい。

「一定の取引分野」とは、そのような意味での市場と同義であると考えてよい。

⑵　市場と2条4項の「競争」

独禁法の議論においては、世界的に、「市場」という言葉が用いられているが、その定義が明確に行われることは、世界的に見ても、少ない。

偶々ではあるが、世界の大方の議論は、日本独禁法の2条4項が定義する「競争」が行われる場（後記**3**）を「市場」と呼んでいることが多い。

したがって、まずは、市場とは2条4項の「競争」が行われる場である、という基本を出発点として、必要に応じ種々の議論に伴う修正を加えていく、というのが実際的である。

2条4項の「競争」の定義は、同項1号を例に取れば、「同一の需要者」の保護が法目的として重要であることを短い言葉で示している点でも、優れている[30)][31)][32)]。

⑶　市場と「一定の取引分野」

①　**総説**　　「一定の取引分野」とは、以上のような意味での市場と同義であると考えてよい。敷衍すると、以下のとおりである。

「一定の取引分野」という文言は、私的独占の定義（2条5項）、不当な取引制限の定義（2条6項）、事業者団体規制の主要部分（8条1号）、企業結合規制（10条1項など）に用いられている。この「一定の取引分野」という文言こそが、

---

30)　そのあたりの論理の筋道を明らかにしている例として、東京高判平成28年4月13日・平成27年（行ケ）第38号〔ブラウン管MT映像ディスプレイ等〕（判決書38頁）。

31)　2条4項の「競争」の定義を軽視し、種々の難点を指摘しようとする文献は多く、むしろ「多数説」でさえあった感もある。しかし、それらの論には説得力がない。後記44〜45頁。

32)　公取委の主張や裁判所の判決にも見られる定式として、市場とは行為による競争への影響が及ぶ範囲である、というものがある。市場の概念を設定し、事案ごとに市場画定をして、行為によって市場での競争への影響があるか否かを論じようというのに、市場とは行為による競争への影響が及ぶ範囲である、などと述べるのは、結論を先取りした不適切な議論である。推測するに、そのような主張は、概念の定義と、概念の機能とを、混同しているのであろう。概念の機能についての論であるとすべきことを、概念の定義としてしまったのである。そして、概念の機能についての論であると善解するとしても、競争への影響が及ぶ範囲が市場であるのは、適切に画定された市場において弊害要件が満たされる場合のみである。上記の定式は、以上のようなものの全てを曇らせて都合のよい結論を導こうとするものであり、法的議論の最低限のルールを守れていないように思われる。後記58〜59頁。

日本独禁法において市場を指す文言である、と考えられていることも多い。

しかし、日本独禁法においては、不公正な取引方法という違反類型が存在し、重要な意味を与えられ、これについても市場という言葉を用いて議論されることが多いが、しかし、その定義規定である2条9項には「一定の取引分野」という文言は登場しない。

そのようにみると、むしろ、以下のように考えたほうが、独禁法全体を総合的に説明できて、有益であろう。

市場は、後記3のように、2条4項が定義する「競争」が行われる場である。したがって、公正な「競争」を阻害するおそれが弊害要件となっている不公正な取引方法においても、「競争」の場すなわち市場を論ずる意味がある。一定の取引分野における「競争」の実質的制限が弊害要件となっている他の主要な違反類型においても、「競争」の場すなわち市場を論ずる意味がある。

例えば、企業結合規制を論ずる場合に「一定の取引分野の画定」などと表現するのは、そこだけに視野を限定すれば問題はないが、そのような議論が不公正な取引方法の議論にも応用可能である点への配慮を少々欠くという意味で、体系的ではない。

② 「一定の取引分野」と市場規模　「一定の取引分野」という文言は、一定以上の規模を持つことを要求するのか、という問題がある。1件の発注に関する1回のみの入札談合を不当な取引制限としてよいか否か、という問題は、その具体的一例である[33)34)]。

2つの考え方がある。一定規模市場説は、一定以上の大きさを要求する。そ

33） 1件の発注に関する1回のみの入札談合をめぐる既存の議論を詳細に紹介・分析するものとして、田中眞「個別談合の違法性」大分大学経済論集55巻2号（平成15年）、島田聡一郎・防衛庁発注石油製品談合刑事東京高裁判決評釈・ジュリスト1291号（平成16年度重要判例解説、平成17年）249～250頁。なお、1件の発注に関する1回のみの入札談合は、相互拘束をめぐる論点をも提起する（後記259頁註126）。

34） 「1件の発注のみでも一定の取引分野と言えるか」とは似て非なる問題として、「需要者の数が1である場合でも一定の取引分野と言えるか」というものがある。多くの入札談合関係独禁法事件は需要者である官公庁の数が1であり、そのような場合でも「一定の取引分野」と言えることは当然の前提とされている。以下の本文で論じようとするのは、1の需要者の1件の発注だけで「一定の取引分野」と言えるか、という問題である。なお、1のみの需要者が民間企業である場合でも「一定の取引分野」に該当し得ることは、最近の民間企業向け談合事件等では当然の前提となっている。

の際の考慮要素は、地域的な広がり、時間的な継続性、取引規模などであるとされる。それに対して全市場説は、市場の大きさに関係なく、「市場」と呼べるものは全て「一定の取引分野」に該当する、と理解する。

裁判所や公取委の先例の態度は、少なくとも過去においては、明確ではなかった。いくつかの例は、当該事件での取引について、地域的な広がり、継続性、取引規模などが存在することを述べたうえで「一定の取引分野」の成立を論じており、一定規模市場説を示唆したもののようにも受け止められる[35)]。しかし、1件の発注を「一定の取引分野」として独禁法違反を認めた事例も存在し[36)]、少なくとも、地域的な広がり、継続性、取引規模などがないから「一定の取引分野」に該当しないと断じた事例は存在しないに等しい[37)]。すなわち、先例の平均像は、まず、一定規模市場説を採るのか全市場説を採るのかの明確な結論は先送りし、一定規模市場説からの批判があった場合のための安全弁として、当該事件での規模や継続性に言及しておく、というものであろう[38)39)]。

---

35) 例えば、裁判例として、東京高判平成8年5月31日・平成7年(の)第1号〔日本下水道事業団発注工事談合刑事〕(高刑集49巻2号の339～340頁、審決集43巻の599～600頁)、東京高判平成16年3月24日・平成11年(の)第2号〔防衛庁発注石油製品談合刑事〕(審決集50巻の963～964頁)。公取委の事件に関する担当審査官解説には、同種のものが多数存在する。

36) 昭和52年改正によって不当な取引制限が課徴金の対象となった後のものに絞っても、公取委勧告審決昭和59年8月20日・昭和59年(勧)第5号〔弘前市等発注石油製品談合排除措置〕(審決集31巻の20頁)、公取委勧告審決昭和59年8月20日・昭和59年(勧)第6号〔弘前大学発注B重油談合排除措置〕(審決集31巻の26頁)、がある。いずれも、課徴金納付命令の対象ともなっている。公取委命令昭和60年6月19日・昭和60年(納)第10号〔弘前市等発注石油製品談合課徴金〕、公取委命令昭和60年6月19日・昭和60年(納)第25号〔弘前大学発注B重油談合課徴金〕。

37) わずかに、最判昭和32年12月13日・昭和30年(あ)第2718号〔神戸市発注工事談合〕が、入札談合における個別物件は独禁法の一定の取引分野には該当しない旨を述べて一定規模市場説を採っているように見える。しかし同判決は、刑法典の談合罪に関するものであり、独禁法の刑罰規定が存在するにもかかわらず談合罪も適用可能であることを述べようとしたものであった。このような、初期の、しかも独禁法の適用が正面から問題となったわけではない事例には、独禁法の論点に関する先例的価値は乏しいように思われる。

38) 例えば、最決平成17年11月21日・平成16年(あ)第1478号〔防衛庁発注石油製品談合刑事〕の調査官解説である山田耕司・最判解刑事篇平成17年度609頁は、その趣が強い。

39) 小木曽40頁や西田典之「独占禁止法と刑事罰」岩波講座現代の法6『現代社会と刑事法』(岩波書店、平成10年)225頁は、一定規模市場説を採る根拠として、刑法の談合罪との兼ね合いに触れる。すなわち、全市場説を採ると談合は全て不当な取引制限に該当するから、法定刑が独禁法89条よりも軽い談合罪の存在意義がなくなる、という。しかし談合罪には、不当な取引

その後、全市場説への方向での流れがあるように見受けられる[40]。

3 市場概念の内容

(1) 総　説

① 2条4項の競争の定義　2条4項は、簡単にいえば、複数の事業者が同一の需要者に同種または類似の商品または役務を供給しようとすることを「競争」と呼んでいる（同項1号）。複数の事業者が同一の供給者から同種または類似の商品または役務の供給を受けようとすることも「競争」と呼んでいる（同項2号）。1号が売る競争であり、2号が買う競争である[41]。

このような「競争」の定義は、需要者（1号の場合）を中心に考えていくのであるという根本的な方針を示し、同時に、複数の好敵手がそれぞれ異なる需要者に向けて競い合うような関係を独禁法の適用対象から外して独禁法の適用範囲を明確化している[42]。「競争」があるからといって反競争性が成立しないわけでもなく、部分的に「競争」がなくなるからといって反競争性が成立するわ

制限の罪のように公取委による告発を訴訟条件とする規定（独禁法96条）が置かれておらず、その意味で既に独自の存在意義を持っている。

40) 公取委公表平成29年3月15日〔欧州国債〕では、単発的に実効性を持ったにすぎない共同行為について、不当な取引制限のおそれがあるとするにとどめていた。この点について、事件座談会公正取引802号15〜19頁で公取委審査局長から問題提起があり、全市場説の方向での各発言があった。その後、公取委は、1件のみの発注に関する合意を不当な取引制限とする命令を行った。公取委命令平成29年12月12日・平成29年（措）第8号〔東京都平成26年度発注個人防護具〕、公取委命令平成29年12月12日・平成29年（措）第9号〔東京都平成27年度発注個人防護具〕。さらに公取委は、前年の欧州国債事件と類似した事案について、不当な取引制限に該当する旨を断定した。公取委公表平成30年3月29日〔米国ドル建て国際機関債〕。

41) 2条4項は、昭和24年改正で2条2項として置かれ、昭和28年改正で「国内における」という文言が削られ項番号が変更されて現在の形となった。まだこのような具体的規定がなかった段階から同旨を述べていた例として石井良三70〜80頁。昭和28年改正を終えての解説として昭和28年改正解説87〜96頁。2条4項は企業結合規制に限定して意味を持つ規定であるかのように言われることがあるが、それは、後記③の「批判」論が2条4項を矮小化してそのように述べているものにすぎない。上記の解説を見れば、企業結合規制に限らず独禁法全体を視野に入れた考えを背景に導入された規定であることがわかる。

42) そもそも「競争」の定義を満たすか否かが争われた例として、東京高判平成20年12月19日・平成19年（行ケ）第12号〔区分機類談合排除措置II〕（判決書24〜46頁）、東京高判令和5年3月2日・令和3年（う）第784号〔JR東海発注リニア中央新幹線関係工事刑事大成建設鹿島建設〕（裁判所PDF 101〜146頁）。

けでもない（後記③）。

② 今後の論述の約束事

(i) 売る競争の優先　2条4項に1号・2号があるように、競争には売る競争と買う競争がある。

しかし、常に両方に言及していたのでは、論述が煩雑となる。

そこで以下では、特に断らない限り、売る競争を念頭において論述する。後記(ii)に見るように、売る競争に関する論述は、裏返せば買う競争に関する論述としても妥当する。

(ii) 買う競争について　買う競争の取扱いは、一定の議論の対象となり得る。買う競争を促進すると、購入価格が高くなり、それが川下に転嫁されると、かえって消費者にとって不利となるのではないかともみえるからである。

他方で、2条4項2号からわかるように、独禁法は、売る競争だけでなく買う競争も同様に促進しようとしている。例えば、優越的地位濫用規制においては買う側による濫用行為が問題となることが多い。

買う競争を保護することが短期的にみても川下消費者のためになるということを数量的に論証しようとする試みも散見されるが、その多くは技巧的で持って回ったものであり、説得力はない。

結局、短期的には消費者にとって不利になる場合があるとしても、とにかく買う競争を含めた競争環境を整えることが長期的に見れば消費者を含む経済のためになると考えられている、と受け止めるほうが、実際的である。

以上のように、結論としては、売る競争が問題となるか買う競争が問題となるかによって議論の仕方が違うということはない。本書が、便宜上、売る競争のみを念頭において論じても問題はないと考えている所以である[43)44)]。

---

43) 売りと買いは、見方によってはどちらにも見えることがある。例えば、コンテンツプラットフォームがコンテンツを調達する場合、コンテンツ提供事業者から買い切るという形をとれば買っているように見えるが、コンテンツ提供事業者と利用者とを繋いでコンテンツ提供事業者から手数料をとっているという形をとれば売っているようにも見える。このように見れば、売る競争か買う競争かで議論の仕方や結論を変える立場は、取り得ないように思われる。

44) これと似て非なる問題として、これまで多くの事例で売る競争のみを見てきたような個別事案において、川上で原材料を買う競争に着目するとどうなるか、という問題がある。「人材と競争」への注目の高まりに呼応して、企業結合事例などにおいて、川上で企業が人材から役務を買う競争に言及する例が米国やEUなどでは増えている。このような法的構成は、人材の問題に取

③ **2条4項に対する「批判」について**　2条4項は、需要者からみて選択肢となる供給者に注目するという基本姿勢を示して（1号の場合）、需要の代替性を中心として市場画定を行うという世界的に定着した考え方（後記**4**）につながる形で「市場」（「競争」の場）を短く言語化する優れた規定である。

そのような2条4項について、次のように述べて「批判」する文献が、過去から存在し、現在も後を絶たない[45]。

第1に、供給者が2名だけ残存し「競争」がある場合でも独禁法で規制すべき場合がある、とか、あるいは逆に、特定の2名の間で「競争」がなくなっても他の供給者が存在するために独禁法で規制すべきでない場合がある、などといった「批判」がある。

そのようなことは、「（競争を）実質的に制限する」や「（競争を）阻害するおそれ」がどのような場合に成立するかに関する解釈の問題として検討すべき事柄である。2名が残存しているだけであって競争が十分でないならば「競争を実質的に制限する」などに該当するように「競争を実質的に制限する」などを解釈すればよい。特定の2名の間で「競争」がなくなっても他の供給者が存在すれば十分な場合があるなら、そのような場合に「競争を実質的に制限する」などが満たされないように「競争を実質的に制限する」などを解釈すればよい。これらはいずれも、2条4項の「競争」の定義を軽んじて批判する根拠とはならない。

第2に、需要者（1号）や供給者（2号）を事業者に限定し、労働者や消費者を含めないと解するならば、企業が優れた従業員等を獲得しようとする競争は2条4項にいう「競争」に該当しないことになり、企業が従業員の賃金の最高額を決めたり、プロスポーツ団体が選手の獲得・移籍等に関して制限を設けたりしても規制できない、などといった「批判」がある。

需要者や供給者を事業者に限定するという説は、あるとしても、独自説であ

り組んでいることを政治的に訴求するという面もあると思われるものの、実際の法的帰結に影響を与える場合もあり得る。例えば、製造方式甲の商品役務 α を供給しているのは企業結合当事会社2社だけであるが、商品役務 α には製造方式乙や製造方式丙もあって全体として活発に競争が行われている、という事案の場合、川下での売る競争については弊害要件は満たさないが、川上での買う競争については、製造方式甲に対応できる人材と契約しようとする企業が当事会社2社だけであって、その2社の企業結合が弊害要件を満たす、ということがあり得る。

45）　最近の例として、泉水文雄『独占禁止法』（有斐閣、令和4年）36〜37頁。

り、そのようなものが採用される心配はない。そのような説を採用すると、例えば、消費者に対して供給される商品役務についてハードコアカルテルをしても独禁法違反とはならないことになる。そのような杞憂を根拠として2条4項を軽んじて「批判」しても、全く説得力はない[46]。

⑵ 供給者と需要者

① **市場の2層構造**　2条4項によると、「競争」には、供給者と需要者とが絡む。言い換えれば、市場は、供給者と需要者という2つの層から成る。

この点は、独禁法の基本中の基本であるが、必ずしも十分に自覚されていない。「市場」と聞いて供給者の側だけを想起し、需要者の顔を見ないという、言わば「業界市場観」は根強い。しかし、自覚され言語化されているか否かは別として、市場をめぐる議論のなかには需要者の存在が織り込まれている。

② **供給者**　供給者とは、問題となる商品役務を供給する者である[47][48]。

供給者は、2条4項1号の「売る競争」を問題とする場合には、事業者であることが要件とされる（同項柱書き）[49][50]。

46）独禁法では、「需要者」という言葉は2条4項のみに現れる。「需要者」が「競争」という概念を構成することを2条4項で明らかにしたため、後続の条文では、「競争」に言及すれば、「需要者」にも言及したことになるからである。平成9年に白石忠志『独禁法講義』（有斐閣）の初版を刊行した頃には、本文で紹介した「批判」のような主張ばかりが幅を利かせていた。当時、「需要者」という基本概念に適切に言及し解説した基本書等は皆無と言ってよい状況であった（それらの書籍の目次や索引を見ればわかる）。国際事件に関する議論をきっかけに「需要者」概念に対する根拠の乏しい「批判」が現れたのも（後記209頁註167）、根源は同様であろう。現実問題として独禁法の検討において「需要者」という概念がいかに重要であるかは、例えば、毎年度の企業結合事例集や相談事例集で「需要者」を検索すればわかる。2条4項に示された基本概念をもとに、強靱で的確な議論が育まれてきたのである。

47）2条4項の柱書きと同項1号だけを見ると、「供給者」ではなく「事業者」という文言が使われている。しかし、この「事業者」が、1号との関係では「供給者」でもあることは、2号と比較対照すれば、確かであろう。ここでは、「需要者」と論理的次元を同じくする「供給者」の概念を、「需要者」に対置させる。

48）その商品役務の供給が、当該供給者にとっての「本業」であるか否かは、問題とされない。本業であるか否かと、ある市場で弊害要件が満たされるか否かとの間には、関係がないからである。過去には、本業・副業という発想が実際の法運用において顔を出した例もあるが、十分な根拠はない（後記405頁註63）。なお、「本業」か否かが意味を持つ例外的な場合として、小規模事業者に対する課徴金の軽減算定率がある（後記315頁）。

49）それに対し、同項2号の「買う競争」を問題とする場合には、供給者は事業者である必要はない。この点が十分に理解されていないことが、非事業者から買う競争を2条4項の対象外であ

③　**需要者**　需要者とは、問題となる商品役務の供給を受ける者である。「市場」の中核をなす（後記④）。

需要者は、「消費者」とは異なる概念である[51]。何かを買う消費者は常に需要者であるが[52]、需要者は消費者だけではない。原材料を購入する企業も、需要者である。諸文献においては、需要者と消費者とが十分に区別されていない場合があり、注意が必要である[53]。

④　**同一の需要者**　２条４項によると、「同一の需要者」に対して供給しようとする行為のみが、「競争」と呼ばれる。言い換えれば、２条４項の「競争」が行われる市場は、需要者と、その需要者によって選択肢とされる供給者によって、構成される。

世の中には、それぞれ異なる需要者を相手にしている供給者らが互いにライバル心を燃やす場合があるが、そのようなものは、２条４項にいう「競争」には該当しない。したがって、それらの供給者らが意思を連絡して価格を固定しても、独禁法には違反しないことになる[54]。

ると考えたり（前記44頁）、雇用契約は独禁法の対象外であると考えたり（後記171頁）することの、主な原因ではないかと推察される。

50）供給の対価が存在しない無料（無償）の供給であっても、独禁法上の市場を構成することの妨げとはならない。現に、公取委が、無料の市場における違反を認定した事例がある（令和元年度企業結合事例8〔エムスリー／日本アルトマーク〕（事例集57頁、66～67頁））。無料の場合に規制対象となるのは個人情報などの対価が需要者から提供されているときに限るかのような議論がされることがあるが、そのような状況がなくとも独禁法の適用対象となる市場は成立する（後記475頁）。「事業者」の要件については、後記168～169頁。

51）独禁法において「消費者」とは、結局のところ、「事業者」概念の裏返しとしての意味しか持たない。したがって本書では、「事業者」概念について述べるところに譲る（後記165～173頁）。消費者契約法の「消費者」概念も、同様に、「事業者」概念の裏返しとなっている（消費者契約法２条１項・２項）。

52）何かを売る消費者というものも、もちろん観念できる。消費者契約法においても、このような者を「消費者」と呼ぶに妨げはない（消費者契約法２条１項）。

53）英語の「consumer」という語は、多くの場合は消費者という意味で用いられるが、文脈によっては、需要者という意味で用いられる場合がある。米国反トラスト法の文書との比較においては、EU競争法の文書では需要者という意味での「consumer」の出現率が高い。公取委の企業結合ガイドライン第４の２(7)は、効率性に関する叙述において、EU等で「consumer welfare」と呼ばれているものを「需要者の厚生」と表現しており、的確である。なお、経済学に登場する「consumer」は需要者の意味である場合が多いのではないかと思われるが、経済学の書物には「消費者」という訳例が多いようである。

「同一の需要者」とは、必ずしも単数の特定需要者を指すとは限らず、選択肢を同じくする複数の需要者の集合体であってよい。ほとんど全ての独禁法事例は、そのような理解を暗黙の前提としている。

⑤ **競争関係**　「競争関係がある」とか「競争関係に立つ」などという表現が用いられる場合がある。法令でも、「競争関係」という文言が、2条9項6号へ、13条2項、一般指定1項、一般指定14項、一般指定15項、に登場するが、定義はされていない。「競争関係」は、2条4項にいう「競争」をしている複数の供給者の関係、言い換えれば、同一の市場に属する複数の供給者の関係、を指した言葉だと考えてよい[55)56)]。

競争関係にある他の供給者は、「競争者」と呼ばれる。「競争者」という文言は、一般指定において頻出し、一般指定1項に明文の定義規定がある。

⑥ **潜在的競争**　2条4項は、独禁法が勘案すべき潜在的競争の範囲についても規定している。つまり、「その通常の事業活動の範囲内」「当該事業活動の施設又は態様に重要な変更を加えることなく」「することができる状態」などの文言である[57)]。

⑦ **複数の取引段階を包括した市場**　市場は複数の取引段階を包括して成立する場合がある[58)]。例えば、小売店を介して自社商品役務を流通させるメー

---

54) 市場（一定の取引分野）について便宜上の修正をし、広い市場が観念されることがあるが、それはあくまで検討のための便宜上のものなのであって（後記76～77頁）、2条4項の「競争」に関するものでなければ違反要件を満たさないことは動かない。

55) 一般指定14項の「競争関係」を、2条4項の「競争」の定義に即して丹念に認定した事例として、大阪高判平成26年10月31日・平成26年（ネ）第471号〔神鉄タクシー〕（審決集61巻の269～270頁）。勘所事例集502～503頁。

56) このような意味ではなく、競争の程度が活発であることを指して「競争関係がある」と表現されることがあるが、独禁法関係法令とは異なる意味で用いるべきではない。また、独禁法関係法令における「競争関係」と同じ意味で「競合関係」という言葉が使われることがあるが、本書では、独禁法関係法令で用いられている「競争関係」を用いる。

57) 潜在的競争を根拠として競争関係を肯定した事例として、東京高判昭和28年12月7日・昭和26年（行ナ）第17号〔東宝／新東宝〕（高民集6巻13号の897～898頁、審決集5巻の136～137頁、審決等データベースのPDF 350～351頁）、東京高判昭和61年6月13日・昭和59年（行ケ）第264号〔田村郡石灰石旭砿末資料〕（行集37巻6号の785～788頁、審決集33巻の98～100頁）、公取委審判審決平成6年7月28日・昭和59年（判）第1号〔昇降機保守〕（審決集41巻の67～71頁）、東京高判平成20年12月19日・平成19年（行ケ）第12号〔区分機類談合排除措置II〕（判決書24～46頁）。

カーAと、最終需要者に対する直販のみで売るメーカーBとを想定する。Aの取引先は小売店であり、Bの取引先は最終需要者であって、「同一の需要者」でないように見える。しかし、通常の感覚では、AとBとは競争している。そこで、市場は複数の取引段階を包括して成立する場合がある、と述べることによって、Aにとっての究極の需要者が、Bにとっての需要者と同じく、最終需要者であることを、市場概念に取り込んでいる。

実はこのことは、2条4項の文言からも導くことができる。2条4項は、供給者が需要者に「供給」する、としている。「取引」する、とはしていない。つまり、2条4項にいう「競争」は、直に「取引」するか否かを問わず、とにかく供給者が需要者に「供給」すれば、成立し得る。

⑧　競争を期待できること　2条4項の「競争」の定義に該当するという判断は、独禁法としてそれらの事業者に競争を期待してよい、という判断を暗黙のうちに内包している。例えば、「単なる取次ぎ」に対して価格拘束などをしてもよいという考え方の法的説明として、「単なる取次ぎ」に対して競争を期待すべきではないから価格拘束などは独禁法に違反しない、とする方法があり得る（後記440頁）。

(3)　商品役務

①　総説　2条4項にいう「商品又は役務」とは、何らかの価値があるために供給の対象とされるもののことである。

②　「商品」と「役務」

(i)　総説　通常の用語法では、「商品」は有体物を指すものとされ、「役務」は無体物を指すものとされる。

しかし、「商品」と「役務」の区別は、究極的には不可能であり、また、独禁法においては区別が不要でもある。本書では、あわせて「商品役務」と呼ぶ[59]。以下で敷衍する。

---

58)　企業結合ガイドライン第2の4。裁判例では、東京高判平成5年12月14日・平成5年（の）第1号〔シール談合刑事〕（高刑集46巻3号の335～336頁、審決集40巻の793～794頁）。もっとも、この点に関する同判決の判示は、同判決の理由付けの主要な流れとは関係のないものであるように思われる。勘所事例集62～64頁。

59)　課徴金をめぐる議論においては、条文の「当該商品又は役務」という8字の文言が一塊になって特有の意味を持つ（後記281頁）。したがって、そのような文脈では、本書でも、「当該商品又は役務」と表記する。

(ii) 区別不可能　取引の対象となっているものは、ほとんどの場合、有体物と無体物とが渾然一体となって取引されている[60]。例えば、単に「商品」と呼ばれ有体物が取引されているように見える場合であっても、実際には、無体の価値が付加されている。魚屋の魚には、例えば、魚市場で仕入れて需要者の近所の魚屋の店頭まで運んで陳列するという無体の価値が付加されている。魚屋に信用があれば、きっと活きのいいのを仕入れたに違いないという安心感が付加される。それらが、魚そのものという有体物と渾然一体となって売られているのである。およそ、有体物の取引とはそのようなものであろう。他方、単に「役務」と呼ばれるものが有体物を伴って取引される例も多い。

(iii) 区別不要　独禁法においては、商品と役務との区別は不要である。独禁法典においては、「商品」という文言と「役務」という文言とが、少数の例外を除いて常に並んで登場し、「又は」や「若しくは」で繋がれている[61]。

(iv) 商品役務　以上のような理由により、本書では、商品と役務とを区別せず一体とした概念として、「商品役務」という語を用いる。途中に平仮名を挟まないので、1個の概念であることがわかりやすくなるであろう[62]。

③ 「商品役務」の一般性

(i) 総説　以上の分析のコロラリーであるが、独禁法は、何らかの価値があるために供給の対象となるものを、およそ全て、適用対象としている。この点が、適用対象事業を何らかの文言で限定するのが通常である事業法との大

---

60) 同旨を述べ、「商品」と「役務」は区別不可能であると論ずる例として、東京高判令和5年4月7日・令和2年（行ケ）第10号〔シャッター〕（判決書142〜143頁）。

61) 一応重要な例外は、平成21年改正後において、累積違反課徴金の対象となる2条9項4号の再販売価格拘束において商品だけが掲げられている点である。商品の価格拘束は累積違反課徴金の対象となる場合があり、役務の価格拘束は対象となることはない、という、物事の本質に無関係の偏頗な規定である。しかし、累積違反課徴金が適用されるような事例が現れるか否かは定かではなく、今のところ、商品と役務の区別は不要であるという独禁法の基本原則を脅かすほどではない。その他の例外は、2条7項による独占的状態の定義と、23条による再販売価格拘束適用除外であり、さほどの重要性はない。

62) 公取委のガイドライン等が、同様の観点から、冒頭に、商品・役務を以下では単に「商品」と呼ぶ旨の注記をすることも多い。しかし、そのガイドラインについて、例えば、物品のみを念頭に置いたガイドラインでありネット社会を念頭に置いていない、などの旨の感想をネット業界の関係者から聞かされることも少なくない。ガイドラインを防御する立場からは、冒頭の注記について指摘することになるが、そのような無用な誤解を避けるためにも、「商品役務」という四字熟語は有用であるように思われる。

きな違いである。公取委は、2条4項のおかげで、居ながらにして、時代の最先端を含む、ありとあらゆる事業を所掌事務におさめているのであって、この意味で、2条4項は公取委の権力の最大の源泉であると言ってよい。

(ii) 「製品」「技術」「研究開発」　しばしば、「製品」という概念が使われ、いわば「製品ドグマ」とも呼ぶべき思考形式が示されることがある。例えば、研究開発競争や技術取引競争に弊害が生じても、「製品」の競争に弊害が生じない限り独禁法の問題とはならない、などといった論である。研究開発競争は独禁法の適用対象か、といった論議も、同類の発想から出ている。

しかし、「製品」であれ「技術」であれ、何らかの価値をもつために供給の対象となり得る以上は、等しく独禁法の適用対象となる。「研究開発」は、「技術」という商品役務を製造する過程だと考えればよい[63]。

「技術」の供給は、知的財産権の譲渡やライセンスという形で行われることが多いが、これも、通常の「製品」の供給を論ずる場合と同じ枠組みで考えればよい。もちろん、それぞれの商品役務の特性に応じて、惹起しやすい独禁法上の論点がそれぞれ異なる、ということはあるのであって、知的財産権ライセンスは、通常の「製品」に比べれば、知的創作のためのインセンティブ確保という観点からの正当化理由の主張に繋がる可能性が、程度問題として、大きい(後記106〜109頁)。しかし、通常の「製品」についても、そのような正当化理由が問題となる余地は存在する。そうであるならば、議論の枠組みは共通のものとし、事案ごとの各論において差を付ければ、それで足りるであろう。

(iii) 論理的想像力の必要性　「商品役務」が高度に一般的な概念である以上、独禁法の違反要件論は、多様な商品役務をめぐる多様な事例に堪え得るものでなければならない。特定業種だけに適用される独禁法理論というものは、適用除外などの例外的なものを除けば、存在しない[64]。ある事業分野のみの独禁法問題に関心がある場合でも、柔軟かつ強靱な理論を得るためには、他の事業分野の類似事例にまで目を向けるのが有益である。また、一般性を標榜する

63) もっとも、研究開発競争への弊害の有無を知るために、「製品」をめぐる競争の状況を代替的指標として役立てる、という考え方はあり得る。例として、共同研究開発ガイドライン第1の2、標準化パテントプールガイドライン第3の1(2)。

64) 公取委が公表するガイドラインには、特定業種に的を絞った題名を持つものが少なくない。そのようなガイドラインの意味については、前記8頁。

ためには、現時点では顕在化していない問題にも対応できていなければならない。激動の現代では、「論理的にはあり得るのだが従来の経験的常識に照らせばあり得ないとされていたこと」が次々と現出している。このような環境下で必要とされる力は、論理的に考えてどのような重要問題が起こり得るのかを見通せる論理的想像力である[65]。

(4) 日常語としての「市場」との違い

① 総説　以上のような意味での市場の概念は、日常語としての市場の概念と、同じであるとは限らない。両者は別個のものであって、個別の事例においてたまたま合致する場合がある、と理解するのが正しい。

② 具体例

(i)「箱物」　例えば、日常語としての市場という語は、具体的な制度を伴った有形無形の施設、いわば「箱物」を連想させる場合がある。「魚市場」「花卉市場」「外国為替市場」などである。それに対して独禁法上の市場は、供給者と需要者が存在することを捉えて観念的に成立するものであるから、「箱物」の有無は問わない。また、複数の「箱物」をあわせたものが独禁法上の1つの市場とされる場合もあり得る[66]。

(ii)「商機」　日常語としての市場という言葉は、「商機」に近い意味を持つ場合もある。例えば、「いまだ消費者の意識が高くなく市場が成立していない」といった用例である。それに対して独禁法では、知る人ぞ知る需要についても、当事者らの自覚の有無にかかわらず、市場の成立を認める。そのよう

---

65) ある固定観念に対して論理的想像力の観点から批判を加えた場合、「そのようなことは実際には起こりそうにない（unlikely）」と反論される場合がある。このような反論は、自らの理論に論理的欠陥があって、そのこと自体について反駁できない場合に、使われる。自らの理論の欠陥を隠蔽しようとして、批判者を世間知らずと決めつけ、「その論理的欠陥を引き起こすような事例は実際には起こらない」と述べているのである。例えば、知的財産権のライセンス拒絶が独禁法違反となる場合があるという問題意識に対する目に見えない最大の反発は、「起こりそうにない」という論であった。単独事業者が自己開発した知的財産権が市場で競争するために不可欠のものとなるという事態は起こりそうにない、というのである。現在では、標準必須特許をめぐる議論を見るまでもなく、誰もが知的財産権のライセンス拒絶を論ずるようになっている。

66) 令和3年度企業結合事例8〔東京青果／東一神田青果〕は、公取委が、「箱物」が現れる事案での論述の手本を示した例である。「東京都中央卸売市場大田市場」における「市場内卸売業」を、他の卸売市場等における卸売業者等との代替性なども考察しつつ、検討対象市場とした。過去の状況について、勘所事例集135～136頁、463～464頁。

な市場においては、先駆者の知的創作や努力に対するインセンティブ確保の観点から先駆者の行為に正当化理由があるとされやすく、問題になることが少ない、というだけである。

(iii) 「業界」　日常語としての市場という言葉は、「業界」と同義で用いられる場合も多い。例えば、「日本の自動車市場」といった用例である。そこでは、ファミリーカーを欲しい需要者、スポーツタイプの車を欲しい需要者、外国製高級車を欲しい需要者、などが十把一絡げとされている。つまり、同一の需要者に向けられていないものを総合的に論じているのであって、「日本の自動車市場」のようなものは独禁法上の市場とは言えない。

(iv) 「金融・資本市場」　ある問題から俗に直ちに想起される市場と、その問題に関する独禁法上の関心が主に向けられる市場とが、ずれる場合もある。典型例は、いわゆる「金融・資本市場」である。例えば株式市場では、A 社の株式を売りたい者と買いたい者とが集い、A 社の株式の売買を行う。もちろん、例えばその株式取引において株式の供給者が価格協定を結べば、独禁法違反の問題になり得る。しかし、「株式市場と独禁法」という問題の立て方をされる場合に主に想起されている独禁法上の市場は、多くの場合、株式市場とは異なる。「株式の供給者や株式の需要者」を需要者とし、それらに売買仲介という商品役務を売ろうとする証券会社等を供給者とするような、そういう市場であることが多い。

(5) 二面市場・多面市場

同時に複数の異なる需要者群と接する供給者が登場する場合において、これが二面市場または多面市場などと呼ばれ[67]、そこにおける独禁法上の市場をどのように観念すればよいのかが議論されることがある[68]。

---

67) 供給者が接する需要者群の数が多くあれば多面市場であるが、モデル的な議論をするには需要者群の数は 2 あれば足りるため、わかりやすく、二面市場（two-sided market（s））と呼ばれることも多い（両面市場と呼ばれることもある）。かつて日本では、二面市場が「双方向市場」と呼ばれたことがあったが、「双方向」という日本語の単語は「interactive」の意味で用いられることが多いので、誤解を招きやすい。「双方向市場」という呼称は避けるのが無難である。

68) 二面市場における独禁法上の市場をどう考えるか、という表現も、考えてみればおかしな表現であるが、現にそのような議論が行われている。二面市場という言葉は、もともと、外国の経済学者等が使い始めたものであり、複数の供給者が競争する場としての独禁法上の市場を念頭に置いていたのではなく、例えば P_1 という特定の単独事業者が設定する私的な取引の場（そこに

以下では、次のような状況を想定する。P_1〜P_3が、それぞれ、B_1〜B_3の群とC_1〜C_3の群とが取引できるプラットフォームを設定し、P_1〜P_3は、それぞれ、B_1〜B_3やC_1〜C_3から、プラットフォーム利用機会の供給に対する手数料等の対価を得るので、P_1〜P_3はその意味での供給者であり、B_1〜B_3の群とC_1〜C_3の群は、それぞれ、P_1〜P_3にとっての異なる需要者群である。例えば、P_1〜P_3はオンラインモール運営者であり、B_1〜B_3はオンラインモール出店者であり、C_1〜C_3はオンラインモールで買物をする消費者である。あるいは、例えば、P_1〜P_3はクレジットカードシステムの運営者であり、B_1〜B_3はクレジットカードシステムに加盟する販売店であり、C_1〜C_3はクレジットカードを持つ消費者である。

ここでの独禁法上の市場の観念の仕方については、少なくとも2通りの考え方があり得る[69)]。

第1の考え方は、異なる需要者群ごとに別々の市場を観念する、というものである。便宜上、個別市場説と呼ぶ。需要者群Bは、何かを需要者群Cに売るための、場を需要している。需要者群Cは、何かを需要者群Bから買うための、場を需要している。このように、需要者群Bと需要者群Cは質的に異なる商品役務を需要している。異なる商品役務を需要している異なる複数の需要者群は、同一の独禁法上の市場には同居できない。なぜなら、一群の需要者からみて代替性のある商品役務を供給する範囲で市場が画定されるので、異なるものを需要する者が同一の市場のなかに混在することは許されないからである。そのような場合には、異なる複数の需要者群は別々に分けて、別々の市場を観念しなければならない。

第2の考え方は、個別市場説がいう複数の市場の間には間接ネットワーク効

おいてB群の取引者とC群の取引者とが取引をする）を前記(4)②(i)の「箱物」のような意味で「市場」と呼んだのにすぎない可能性が高い。そのようなものが独禁法上の市場の概念と同じではないことを注意深く自覚して検討する論者は世界を見渡しても多くはない。そういったところから既に、議論の混乱は始まっている。

69) このような問題が、二面市場における市場画定、と呼ばれて論ぜられることがある。以下で論ずるように、市場を小さく見るか（個別市場説）大きく1個と見るか（包括市場説）の問題であるから、市場画定であるかのようにも見える。しかし、市場画定が基本的には事案ごとに範囲を論ずるものであるのに対し、ここでの問題は市場に対する基本的な考え方の問題であるから、本書では、市場画定を論ずるより前の段階でこの問題を扱うことにした。

果（後記142頁註81）が働き、相互作用が生ずるので、それらを統合した全体として1個のものを独禁法上の市場と観念すべきである、というものである。便宜上、包括市場説と呼ぶ。

個別市場説と包括市場説の、法的分析における違いは、ある行為が違反であることを示そうとする側が、どの市場における反競争性を立証する必要があるか、にある。包括市場説を採用すると、異なる複数の需要者群が混在することになるために、そこでの「反競争性」は、概念自体がおそらくは変容し、これまでの独禁法分野にとって経験が十分でない分析を必要とするため、その立証は難しくなり、または、不可能となる[70]。

公取委は、ガイドラインにおいては、Amex米国連邦最高裁判決において採用された包括市場説による市場をも挙げつつ、そのような市場が成立する場合にも個別市場説による市場も重層的に成立し得る旨を述べている[71]。

そして、公取委は、実際の事例では、個別市場説によるオーソドックスな市場を観念している[72][73]。ガイドラインにおいては、個別市場説による市場と包

70）米国連邦最高裁が、包括市場説を採用して競争当局に困難な立証責任を課し、競争当局を敗訴させたAmex判決（138 S. Ct. 2274 (2018)）を検討した文献として、白石忠志「米国：二面プラットフォームと競争法」NBL1142号（平成31年）。

71）企業結合ガイドライン第2の1。令和元年の改定によって盛り込まれた記述である。

72）典型例は、令和2年度企業結合事例10〔Zホールディングス／LINE〕（事例集122頁）。典型例である理由は、次のとおりである。まず、時期的に、2018年＝平成30年のAmex判決と企業結合ガイドラインの令和元年の改定より後の時期のものである。また、Amex判決は、個別市場説を採用した過去の判決とは事案が異なるから包括市場説を採用すべきであると論ずるために、クレジットカードシステムにおいては、群Bと群Cが1個の取引をすれば必ずPからBやCに対する供給が1個発生するという意味で間接ネットワーク効果が強く出ることを強調していた。Zホールディングス／LINEの事例のこの箇所で問題となったのはコード決済事業であり、クレジットカード事業に類似したものであるから、Amex判決の考え方からすれば、包括市場説による市場を観念することが検討されなければならなかったはずである。それにもかかわらず公取委は、説明なく個別市場説による市場のみに言及している。米国連邦最高裁判決によって、包括市場説では競争当局が著しく不利になることがわかった、という点が、作用しているのではないかと推測される。企業結合事例検討公正取引839号60～61頁。

73）公取委は、過去に、包括市場説を採用したかに見える事例を公表したことがある。平成27年度企業結合事例8〔ヤフー／一休〕（事例集67～69頁）。この事例は、先例として重視すべきではない。まず、どのように市場を観念したとしても、当事会社の市場シェアが低く、容易に違反なしと言えるイージーケースであった（個別市場説と包括市場説のいずれを採用しても結論に影響しない）。また、2018年＝平成30年のAmex判決より前の事例である。この時期には、個別市

括市場説による市場が重層的に成立すると述べており、それらの複数の市場のうち1個でも違反要件を満たせば違反であるから、個別市場説による市場だけに言及し、そこで違反が成立する可能性を根拠として検討を進めても、ガイドラインと矛盾していることにはならない[74]。

異なる複数の需要者群を混在させず、EU 等を含め広く世界で採用されている個別市場説を採用するのが妥当である。

4 市場画定

(1) 総 説

① 市場画定の意義と機能 以上のような市場の概念に立脚して、次に、個別の事案ごとに、問題となる具体的な市場がどのようなものであるのかを把握する。この作業は「市場画定」(market definition) と呼ばれている[75]。

市場画定の機能は、その事案での保護対象を明確化し、事案の状況を把握し推論し、あるいは詳細検討事案を絞り込むことにある(前記36〜38頁)。

通常は、市場が広く画定されるほうが弊害要件を満たす確率が低くなるが、市場が広く画定されたために企業結合当事会社間に競争関係があることになり詳細な企業結合審査の対象となる、ということもあり得る。

② 検討対象市場

(i) relevant market 本書では、具体的な事案で弊害要件の成否が問われる具体的な市場を「検討対象市場」(relevant market) と呼ぶ。「relevant market」は、多くの文献では「関連市場」と訳されているが、本書では、語義に更に忠実に、「検討対象市場」とする。「関連市場」というと、主に注目する市場ではなく、主に注目する市場の検討に役立つ別の市場を指すかのようにも聞こえてしまう[76]。

場説と包括市場説の法的分析における違いとして本文に示したことが十分に理解されておらず、プラットフォーム論の流行に乗った一種のファッションとして、競争当局までもが、包括市場説に言及していたと見るのが、観察として妥当である。

74) これに対し、Amex 判決は、包括市場説による市場のみが成立し、個別市場説による市場は成立しない、と考えている点に特徴がある。そうであるからこそ、個別市場説による市場での反競争性を立証していた競争当局が敗訴したのである。

75) 「market definition」における「definition」という言葉は、概念の一般的な定義という意味でなく、個別の事案における範囲の画定という意味で用いられている。

なお、日本独禁法のうち、「一定の取引分野」という文言のある条文を個別の事案に適用する場合には、検討対象市場は「一定の取引分野」と呼ばれることになる。本書では、それを理解しつつ、しかし、「一定の取引分野」という文言のない不公正な取引方法の議論との共通性を確保するため、検討対象市場という汎用的用語を用いることとする。

(ii) 多数ある　ある1つの事案において、検討対象市場となり得る市場は多数あることが多い。1つの事案においては1通りまたは数通りの市場画定しかあり得ない、と理解されていることがしばしばあるが、誤解である。市場が、選択肢を同じくする需要者ごとに画定されるのであるとすると、原理的に突き詰めていえば、市場は、個々の人間の欲望の種類と等しい数だけ、存在することになる。そして、それらのなかに1つでも違反要件を満たす市場があれば、違反である。このように、多数ある市場のなかから真に検討に値するもののみを選んで言及するので、その点を皮相的に観察すれば1個または数個の市場しか存在しないように見える、というだけである。

③ 伝統的な市場画定論の再構成

(i) 総説　本書では、世界中に広まっている伝統的でパッチワーク的な市場画定論を、一旦こわし、簡潔なものとして再構成する。ひとことでいうと、通常の市場画定論において暗黙のうちに根幹となっている需要者の範囲の画定に正面から光を当てる。

(ii) 伝統的な市場画定論　広く普及した伝統的な市場画定論の思考手順は、日本や主要国の企業結合ガイドライン等に示されているが、おおむね、次のようなものである。第1段階として、当該事案に関係しそうな商品役務を、供給者の視点で把握する。第2段階として、その商品役務を出発点として、同種または類似の商品役務の範囲や、地理的範囲を把握する。そして補充的に第3段階として、その商品役務の需要者が異なる複数のグループに分かれる場合には、それらごとに分けて検討する。

この伝統的な思考手順は、体系的に整理されたものではない。第1段階で、まずは供給者の論理によって出発点を築く。この際、需要者がどう感ずるかは

---

76) 現に、英語の資料をみていると、「relevant market」のほかに、それを検討するのに資する隣接市場や川上市場などを「related market」と呼んでいるのを見かけることがある。「relevant market」を「関連市場」と呼ぶと、「related market」はどう呼ぶのであろうか。

慮外にある。第２段階では、そこから出発して市場を画定するが、その際には需要者にとっての選択肢を基準として判断するとされる。そして第３段階では、漠然と同質だと思っていた需要者をよく見てみるといくつかの異質なグループに分かれるかもしれない、というのである。

(iii) 再構成　そうであるとするならば、伝統的な市場画定論は、次のように、簡潔なものとして再構成することができよう。まず「需要者の範囲の画定」を行い、次に「その需要者にとって選択肢となる供給者の範囲の画定」を行う、という、単純な２段階構成である[77]。

これはまさに「再構成」であって、何か新しい要素を市場画定手順に導入しようとしているのではない。パッチワーク的な伝統的市場画定論を切り捌いて簡素に整理し直そうとしているだけである。第２段階において漠然とした需要者を想定してその需要者にとっての選択肢となる供給者の範囲を探究しながら、しかし第３段階で更に需要者を絞り直す、というのは、二度手間である。需要者にとっての選択肢を基準とするという基本的態度の腰が据わっていないからこそ、そのような整然としない市場画定論が採られることになる。本書の単純な２段階構成は、以上のような配慮から生まれたものである。

(iv) 伝統的な市場画定論の盲点　伝統的な市場画定論は、供給者の範囲の画定を論ずることに偏重しており、そのことは、伝統的な思考形式に次のような特徴をもたらしている。

第１に、市場が供給者と需要者との２つの層から成り立っている、ということ自体への認識が稀薄である[78]。

第２に、市場画定が「供給者の論理」によって行われがちである。例えば、

---

77)　もちろん、その際に、商品役務の範囲の画定も行われる。需要者・供給者の範囲の画定と、商品役務の範囲の画定は、コインの裏表の関係にある。つまり、需要者・供給者の範囲の画定をすれば、自動的に、商品役務の範囲も画定されている。例えば、需要者の範囲を「東京大阪間を短時間で移動したい人々」と画定すれば、商品役務の範囲は「東京大阪間の短時間での移動手段」となる。両者の間には、同じことをどの視角から表現するか、という違いがあるにすぎない。本書では、商品役務の範囲の画定の問題は、需要者・供給者の範囲の画定の問題のなかに吸収させたうえで論ずる。

78)　端的な例として、市場の地理的範囲に関する平板な表現を挙げることができる。例えば、「日本市場」とか「世界市場」などといわれる際、供給者の所在地が日本（世界）であるのか、需要者の所在地が日本（世界）であるのか、について、伝統的な議論は無頓着である。

供給者の論理から見て同じ「業界」に属するものであれば、選択肢を異にする需要者を十把一絡げにしてでも、1つの市場とする場合がある。たしかに、伝統的な市場画定論においても、上記の第3段階のように、特殊な選択肢を持つ需要者に配慮する仕組みが組み込まれてはいる。しかし、それはあくまで断片的で付けたり的なものであるので、特殊な需要者を見逃す確率はそれだけ高い。あるいは、見逃さないとしても、思考が非効率的となる。

第3に、市場画定論の論点のうち、供給者の範囲の画定と無関係なものは、伝統的な枠組みにおいて居所を持たず、所在なげに特記される結果となる。その例が、「ロックイン」や「クラスターマーケット」である。本書では、「需要者の範囲の画定」のなかに位置付けて論ずる（後記63〜65頁）。

本書では、再構成された順序にしたがい、まずは「需要者の範囲の画定」を論じ、そのあと「供給者の範囲の画定」を論ずる。

④　シール談合刑事東京高裁判決の判示について　市場画定に関する基本的考え方が示された先例であるとしてしばしば公取委が引用するものとして、シール談合刑事東京高裁判決がある。そこでは、「違反者のした共同行為が対象としている取引及びそれにより影響を受ける範囲を検討し、その競争が実質的に制限される範囲を画定して「一定の取引分野」を決定するのが相当である」とされている[79]。

弊害要件を満たす影響（弊害）が生じたか否かを論ずるための範囲を見極めるのが市場画定なのであるから、行為の影響が及ぶ範囲が市場であると述べるのは、本末転倒の循環論法である。また、そのように述べた先例であるとして引用されるシール談合刑事東京高裁判決は、特殊な文脈で、市場の範囲を広げようとしてこの旨を述べたのであって、現在の公取委のように、市場の範囲を狭く画定するために述べたのではない[80]。

---

79)　東京高判平成5年12月14日・平成5年（の）第1号〔シール談合刑事〕（高刑集46巻3号の336頁、審決集40巻の793〜794頁）。

80)　シール談合刑事東京高裁判決では、狭い意味での競争関係にある共同行為参加者の川上に、もう1社がおり、この1社をも違反者とするための論法を示す必要があった。そこで、「一定の取引分野」の範囲を川上にも拡張しようとして、本文で引用した判示がされたのである。勘所事例集62〜64頁。つまり、一定の取引分野の範囲を広げようとして上記判示をしたのであり、公取委などが、この判示を引用しつつ、一定の取引分野の範囲を狭めて合意の範囲のみで市場が画定されると述べるのは、議論の方向が逆である。更に言うと、結局のところ同判決では、その川

このような判示を引用しつつ、公取委は、特に不当な取引制限を問題にする際、共同行為が行われた範囲が検討対象市場である旨を述べることが多い。つまり、「合意の範囲＝市場」という定式である。これは、以下のような思考回路の、結論だけを摘出したものである。すなわち、価格協定の対象となった商品役務に対する代替可能な商品役務が、かりに存在したならば、価格協定をしても需要者はその代替的商品役務に逃げるだけであり、価格協定は成功しないはずである。合理的思考をするはずの供給者らが価格協定をしたということは、価格協定の対象となった商品役務には代替的な商品役務がないはずである。そうすると、価格協定の対象となった商品役務だけで検討対象市場が画定されることになる。こういう思考回路である。しかし、世の中はさほど単純ではなく、供給者らが常に合理的思考を行うわけでもない。たかだか、価格等のハードコアカルテル的な合意があった場合には合意の範囲が市場であると推認される、という程度ではないかと考えられる。「合意の範囲＝市場」を強調する側も、代替性の検証の必要性を否定しているのでなく、ハードコアカルテルの場合には厳密な検証をする必要が乏しい旨を指摘して、「通常の場合には」合意の範囲が市場となる、などの表現を用いるのが通常である[81]。

(2)　需要者の範囲の画定

①　**総説**　　需要者の範囲の画定とは、特定の選択肢を持つ需要者を発見し、条件を同じくする複数の需要者をグループ化する作業である。条件とは、多くの場合、個々の需要者にとって選択肢となる供給者の範囲である。

選択肢となる供給者の範囲が形式的には同じであっても、他の条件が大きく異なっている複数の需要者群は、やはり、別々の市場に分けたほうがよい。例えば、需要者群によって嗜好や参入障壁の状況が異なるために需要者群によっ

上の１社である日立情報システムズは、川上の者として違反とされたというよりは、狭い意味での競争関係に立っていたうちの特定の者を手足として利用していた者として違反とされたという面が強い。また、川上の者として違反とするか手足として利用した者として違反とするかはとにかく、同事件は刑事事件であるから、共犯の考え方を用いれば、「一定の取引分野」の範囲を拡張して日立情報システムズがそこに含まれると述べなくとも、同じ結論に至ることはできたのではないかと考えられる。勘所事例集66～67頁。そのような意味でも、引用した判示は、意味の乏しいものであった。

81）　例えば、東京高判平成28年5月25日・平成27年（行ケ）第50号〔日本エア・リキード〕（判決書28頁）。

て有力な供給者が誰であるかが異なる場合[82]や、需要者のなかには消費者と大企業が混在しており供給者に対して発揮し得る競争圧力が異なる場合などが考えられる。

需要者の塊が、条件を異にする複数の需要者群に分かれることがわかった場合は、それらを区別したうえで、別々の市場を画定する。選択肢となる供給者の範囲を異にする需要者が1つの市場に混在することは、基本的には、ない。選択肢を異にする需要者が1つの市場に混在するということは、特定の需要者にとっては選択肢とならない供給者が市場に含まれるということであり、当該特定の需要者にとってはそのような者の存在は意味をなさない[83][84]。

条件を同じくする複数の需要者群は、まとめて1つの市場として画定することが許される[85]。しかし、これを更に別々の市場に分けることもできるのであって、このような場合にいずれの市場に着目して立件するかは裁量的に決することができると言わざるを得ないであろう[86]。以上のような作業によって複数

---

82) 例えば、電力自由化後、少なくとも当面の間は、自由化前の電力会社の供給区域ごとに、需要者の嗜好や参入障壁の状況は大きく異なっており、区域ごとに、需要者にとっての最有力の電気事業者がそれぞれ顕著に異なる状況が続くものと思われる。このような場合に、電力自由化後は全国のどの需要者にとっても選択肢となる供給者は全国の電気事業者であって同じであるとして、全国の需要者を十把一絡げにした1個の市場を画定することはできないであろう。結論同旨、平成25年度企業結合事例7〔中部電力／ダイヤモンドパワー〕34頁、令和3年度企業結合事例5〔ENEOS／JRE〕(事例集49頁)。

83) 2条4項の条文に依拠して説明するなら、同一の需要者に同種または類似の商品役務を供給しようとする供給者の状態が「競争」なのであり、特定の需要者にとって選択肢とならない供給者が市場に含まれることは許されない、ということになる。このことと同旨を述べ、その事案における市場画定がこの原則に反しないことを確認したものとして、東京地判平成27年2月4日・平成24年(特わ)第956号〔軸受刑事NTN〕(争点に対する判断第2の4)。

84) 日本独禁法の課徴金は、基本的には需要者に対する売上額を基準として計算される。したがって、市場画定の結果は課徴金額に直結する。それに対し、EU競争法では、市場画定において域外需要者を含んでいたとしても、課徴金計算はEEA域内所在需要者に対する売上額を出発点として行う。その結果、EUでは、特に国際事案において、需要者の範囲に無頓着な市場画定論が行われ、それを日本の専門家が、上記のように日本法では市場画定と課徴金額とが直結していることを十分に考慮しないまま、EU法の考え方を国際標準であるとして持ち込もうとする場合がある。そのようなことのないようにする必要があろう。

85) 複数の需要者をまとめて1つの市場を観念する前提として当該複数需要者にとっての選択肢が共通していることを確認した事例として、公取委審判審決平成19年2月14日・平成14年(判)第36号〔国家石油備蓄会社発注保全等工事談合〕(審決案57頁)。

86) この点を比較的明確に述べたものとして、公取委審判審決平成20年4月16日・平成16年

の市場が重畳的に画定されることは、独禁法においては日常茶飯事である。

② **ガイドラインと事例**　企業結合ガイドラインは、以上のような思考過程を、「その他」の項目のなかの「特定の取引の相手方」という僅かな記述によって、表現しているだけである[87]。

しかし、違反要件の成否の判断において需要者の範囲の画定が大きな意味を担った事例は、多く存在する。東京近辺に所在する者全てでなく丸の内・有楽町・銀座の界隈に参集する者にとって選択肢となる映画館の範囲を検討したもの[88]。官庁その他の大口需要者に対する石油製品の販売について独立の市場を観念したもの[89]。育児用粉ミルクの需要者は使用開始後の銘柄変更を好まないことに触れながら立論したもの[90]。米穀小売業者を需要者とする精米用食糧加工機について独立の市場を観念したもの[91]。高価な機器の保守においては当該機器メーカー系列の部品がいつでも入手可能であることが必須であることに触れながら立論したもの[92]。家庭用ゲームソフトの事例で当該プラットフォーム上で動作するゲームソフトのみについて独立の市場を観念したもの[93]。企業結

(判) 第4号〔東京都発注下水道ポンプ設備工事談合〕(審決案117頁)。

87) 企業結合ガイドライン第2の4。

88) 東京高判昭和26年9月19日・昭和25年(行ナ)第21号〔東宝/スバル〕(高民集4巻14号の514頁、審決集3巻の179頁、審決等データベースのPDF 648頁)。市場画定には需要者の範囲の画定と供給者の範囲の画定があるということが言語化されていなかった独禁法草創期の、よく引用される事例が、実は需要者の範囲の画定に決め手を持つ事例であったということは、特筆に値するであろう。勘所事例集1〜5頁。

89) 東京高判昭和31年11月9日・昭和30年(行ナ)第53号〔石油大口販売価格協定〕(行集7巻11号の2865頁、審決集8巻の79〜80頁)。

90) 育児用粉ミルクに関する多くの事例にこのような記述が見られるが、例えば最判昭和50年7月10日・昭和46年(行ツ)第82号〔和光堂〕(民集29巻6号の893頁、審決集22巻の175頁)。暗黙のうちに、当該銘柄を既に使用している消費者を需要者とする市場を観念している。

91) 東京高判昭和59年2月17日・昭和56年(行ケ)第196号〔東洋精米機製作所〕(行集35巻2号の160頁、審決集30巻の150頁)。勘所事例集25〜26頁。

92) 大阪高判平成5年7月30日・平成2年(ネ)第1660号〔東芝昇降機サービス〕(審決集40巻の661頁)、公取委勧告審決平成14年7月26日・平成14年(勧)第7号〔三菱電機ビルテクノサービス〕(審決書3頁)、公取委勧告審決平成16年4月12日・平成16年(勧)第1号〔東急パーキングシステムズ〕(審決書3頁)。後2者においては、「三菱電機製昇降機の保守分野」(審決書7頁)や「東急車輛製駐車装置の保守業務の取引」(審決書7頁)の競争に着目していることが明記されている。

93) 公取委審判審決平成13年8月1日・平成10年(判)第1号〔SCE〕。プレイステーション

合をする2つの鉄道会社の駅が近接している地域の利用客を需要者とし、地域の組み合わせごとに市場を観念したもの[94]。スナックやバーなど中高年層の客が来店する店にとっては北島三郎や千昌夫などの特定の古い楽曲を歌唱できる通信カラオケ機器でなければ意味がないことに触れながら立論したもの[95]。需要者のなかにはFTTHサービスとADSLサービスのいずれでもよいと考えるものとFTTHサービスでなければ選ばないと考えているものとがいることを前提に、後者の需要者のみを念頭において立論したもの[96]。企業結合当事会社であるヤマダ電機とベスト電器の存在感が大きな地域の需要者のみを念頭において立論したもの[97]。需要者の範囲が、近辺全域の需要者でなく、特定の駅のタクシー乗り場の需要者に限られることを、「著しい損害」の成立を判断するための考慮要素としたもの[98]。茄子の消費地の消費者等を基準とするのでなく、名宛人の農協のある地域での茄子の供給者である農家を基準として、買う競争の市場画定をすべきである旨を判示したと読み取れるもの[99]。地域銀行同士の

(PS)と他のプラットフォーム(他のゲーム機)との間でゲームソフトの互換性がないことを認定したうえで(審決案6~7頁)、「PSソフトの販売段階での競争に及ぼす影響・効果」(審決案58頁)を検討し、「PSソフトの販売段階での競争が行われないようにする効果を有しているものである」(審決案61~62頁)という認定をしている。勘所事例集144~145頁。需要者がゲーム機を1種類しか持っていないというのは、その事例における(本件では公取委の)事実認定であるから、異なる事実認定となる事案においては結論は異なり得る。ゲーム専用でないスマートフォンなどの機器の上で動くゲームの場合や、主に念頭に置く需要者が高度のゲーム愛好者であってゲーム機を複数所有しているのが当然であるような事案では、別の市場画定が成立し得る。

94) 平成18年度企業結合事例12〔阪急/阪神〕(事例集67頁)。勘所事例集254~258頁。

95) 公取委審判審決平成21年2月16日・平成15年(判)第39号〔第一興商〕(審決案51~55頁)。勘所事例集347~348頁。

96) 最判平成22年12月17日・平成21年(行ヒ)第348号〔NTT東日本〕(判決書12~13頁、民集64巻8号の2080頁)。勘所事例集369~370頁。

97) 平成24年度企業結合事例9〔ヤマダ電機/ベスト電器〕(特に事例集72頁)。勘所事例集460~461頁。

98) 大阪高判平成26年10月31日・平成26年(ネ)第471号〔神鉄タクシー〕(審決集61巻の269~270頁、271~272頁)。勘所事例集504~505頁。

99) 東京高判令和元年11月27日・令和元年(行コ)第131号〔土佐あき農業協同組合〕(判決書21~23頁)。判決は、土佐あき農協や商系業者などが茄子を売る競争に着目して消費地の消費者等の需要者を基準としたのでなく、土佐あき農協や商系業者などが農家から茄子を買う競争に着目して、土佐あき農協の地域の農家を基準とした市場画定を行った。売る競争における需要者に相当するのは、買う競争においては供給者であるから、買う競争における供給者の範囲に注目した土佐あき東京高判の判示は、(原則として売る競争を想定して)需要者の範囲の画定に注目し

企業結合において行われる市場画定[100]。以上のように多数ある[101]。

以上の夥しい数の事例を見ると、需要者の範囲の画定があって初めて供給者の範囲の画定を行い得るのであって、供給者の範囲の画定が世界的に熱心に議論されているのとは裏腹に、需要者の範囲の画定によって違反要件の成否がかなりの程度で決まってしまう事案のほうが多いという印象さえ受ける。

③ 本来ならここに整理されるべき諸論点

(i) 総説　需要者の範囲の画定は、以上のように、独禁法関係者が必ず経由している重要な思考過程であると考えられるが、しかし、相応の位置付けが与えられているわけではない。

そこで、本来ならばここに位置付けられるべきであるのに、居場所を与えられず、あるいは必ずしも適切でない居場所を与えられて、位置付けが曖昧となっている論点というものが、存在する。

(ii) 「ロックイン」　1つの例は、「ロックイン」などと呼ばれる問題である[102]。特定の需要者が特定の供給者に取り込まれ、当該特定の需要者にとっては他に選択肢がなくなっている状態を指す。このような問題を、常識的な意味での広い市場のなかで反競争性が発生していることを示すための1つの考慮要素と受け止めるものも多い。それで足りる事例もある。しかし、特定の供給者に取り込まれた当該特定の需要者そのものに目を向け、同種の需要者を集めて1つの塊と見れば、そのような需要者にとって選択肢となる供給者の範囲は狭く限定され、反競争性を説得的に示すことが可能となる事例は多く存在する[103]。

高価な機器などを購入した場合の消耗品や点検などのランニングコストの部分に関する競争問題が「アフターマーケット」の問題と呼ばれることがあるが、

ようとする本書のここでの分析を補強することになる。

100) 複数の事例に共通する。平成29年度企業結合事例12〔第四銀行／北越銀行〕を素材として図解したものとして、企業結合事例検討公正取引814号16～19頁。

101) これらのほか、公取委審判審決昭和37年4月12日・昭和27年（判）第5号〔東武鉄道〕は、東武鉄道各線駅構内売店・立売の事業分野を1つの市場と見る審判開始決定に対し、別の要件の成立を否定して違反なしとした。なお、市場が成立しないことを理由に同じ結論を得る石井幸一委員の意見も付されている。

102) 白石忠志「独禁法上の市場画定に関するおぼえがき」NBL509号（平成4年）。

103) 前記②に掲げた事例の多くは、これに属する。

そのような問題においては、ロックインによって選択肢が狭まった需要者の立場を反映して狭い市場画定がされることが多い[104)][105)]。

(iii) 「サブマーケット」　特殊な需要者をめぐる市場が、「サブマーケット（部分市場）」と呼ばれることがある。「バッグ」と「Aブランドのバッグ」のように、前者が後者を包含するイメージがある場合に、後者を「サブマーケット」と呼ぶようである。これも、当該部分の供給者・商品役務のみを選択肢とする需要者を発見し検討対象市場の需要者として画定しているのであるにすぎない[106)][107)]。

なお、市場 α が市場 β とは別個に成立する条件として、供給者が市場 α の需要者と市場 β の需要者とを区別し価格を差別できること、というものがしばしば挙げられる。本書では、この問題は市場画定ではなく反競争性の問題として位置付けるのが据わりが良いと考えている（後記91〜93頁）。

(iv) 「クラスターマーケット」　「クラスターマーケット」と呼ばれる問題がある[108)]。

特定の需要者が、他の需要者とは異なり、ある品目を、別の品目とセットとなっている場合に初めて欲する、という場合がある。例えば、貸付や信託などの複数の金融サービスを１つの金融機関から受けたいと欲する需要者、少量のニンジンとジャガイモとタマネギをひとまとめにした「カレーセット」なる商品役務を欲する需要者、紙おむつと離乳食とおもちゃをワンストップで買いた

---

104)　他方で、機器の購入の段階でランニングコストの総計を把握できる事例においては、機器とランニングコスト部分とをあわせた一体について競争しているのであって狭い市場は成立しない、という議論も、成り立ち得る。

105)　アフターマーケット問題は、多岐にわたる議論の素材を提供する。市場（市場画定）の問題のほか、行為要件（後記145頁）、排除効果（市場画定の問題と重なる）、正当化理由（後記103〜112頁、116〜117頁）、独禁法21条の解釈（後記180〜182頁）、抱き合わせにおける主たる商品役務の力（後記435頁註160）、一般指定14項（後記516頁註426）、など。

106)　「サブマーケット」も一種の立派な独禁法上の市場であるのならば、小さいほうだけを「サブ」などと呼ぶのは、思考上の無駄であるように思われる。

107)　「サブマーケット」に着目した検討がされたために大型企業結合計画が禁止された米国事例について、白石忠志「米国：特定の需要者に着目した市場画定：FTC v. Sysco Corp. (D.D.C. 2015) /FTC v. Staples, Inc. (D.D.C. 2016)」NBL1082号（平成28年）。

108)　「クラスターマーケット」という語は俗語であり、以下で論ずるのとは別の意味で用いられることもある。例えば、後記76〜77頁の便宜的併合の論法によって１個にまとめられる市場を「クラスターマーケット」と呼ぶ用法も時おり観察される。

い需要者、などである[109]。このような場合、個々の品目を1つの商品役務として欲する需要者と、セットとなっている場合に初めて欲する需要者とを、分けて、別々の市場を観念することになる。後者のような需要者にとっては、セットとなった商品役務を提供できる「総合的」な供給者だけが、選択肢となるからである。このセット商品役務の市場こそが、「クラスターマーケット」と呼ばれているものにほかならない。

しかしこれは、何ら目新しい問題ではない。セットで欲するという需要を持つ需要者について、単品でもよいと考える需要者とは別の市場を観念する、ということ以上の、なにものでもないからである。伝統的な市場画定論は、ほぼ専ら、どの範囲の供給者が相互に代替関係にあるか、ということを論じてきた。ところが、単品とセットとは、それぞれを欲する需要者が別々に存在するのであって、同一の需要者から見て代替関係にあるか否かが論ぜられるわけではない。したがって、「クラスターマーケット」論は伝統的な市場画定論のなかに居場所を持たず、特別な理論として所在なげに紹介されてきた。しかし、需要者の範囲の画定というプロセスを正面から位置付けるならば、この問題は、そこでの単なる1つの応用例にすぎないことがわかる[110]。

(v) 「市場画定の経路依存性」　市場画定は、どの商品役務から検討を開

---

109) まとめて1個のものとして価格が付けられておらず、ここにいけば何でも揃う、というだけである場合でもよい。紙おむつと離乳食とおもちゃの例は、その例であるし、また、平成24年度企業結合事例9〔ヤマダ電機／ベスト電器〕において家電量販店という業態について市場が画定されたこと（事例集68頁）なども、その例であろう。

110) 「クラスターマーケット」と少々似たものを指して、「エコシステム」というものが議論されることがある。「エコシステム」という言葉それ自体は汎用的な経済用語であるが、デジタルプラットフォーム対策を意識した競争法上の議論においては、特定の事業者が多角的に商品役務を展開し、それらが有機的につながっているような状況を指していることが多い。一例ではあるが、特定の事業者が提供する、パソコン、スマートフォン、タブレット、それぞれにおけるアプリやアプリストア、ネット上のサービス、などの総体などである。そして、この「エコシステム」の現象を市場画定との関係でどのように位置付けるかが議論されることがよくある。様々な事案があり得るので一概には言えないが、本書としての当面の概括的な視座としては、上記の例でもスマートフォンやタブレットなどにそれぞれ需要者がいて競争者がいるので、独禁法上の検討対象市場は個別に（従来どおりに）観念し、それぞれの検討対象市場において弊害要件の成否を論ずる際の考慮要素として、例えば、「エコシステム」がもたらす参入障壁に注目すれば、足りるのではないかと考えている。独禁法を離れて、広い意味での政策的な観点において上記の「エコシステム」の問題に対応しようとする場合には、また別の議論が可能であると思われる。

始するかによって結論が異なる、すなわち、どのような経路で検討するかに依存して結論が異なる「経路依存」的なものである、などと言われることがある。例えば、商品役務 α から出発して市場画定作業を行うと商品役務 β との間に代替性があるから $\alpha \cdot \beta$ をまとめて1個とした市場が画定されるが商品役務 β から出発して市場画定作業を行うと商品役務 α との間に代替性がないから β のみの市場が画定される、という場合があることに注目したものである。

しかしそれは結局、第1候補として商品役務 α を想定するような需要者群Aにとっては β も選択肢となるが、第1候補として商品役務 β を想定するような需要者群Bにとっては α は選択肢とならない、ということであるにすぎない[111]。需要者の範囲の画定を的確に組み込んだ市場画定論を採りさえすればよいのであって、「経路依存」などと衒学的なことを言う必要はない。

④ 独禁法による保護に値する市場か否か

(i) 問題の所在　以上のように検討したうえで、さて、そのような需要者を念頭に置いた市場は本当に独禁法による保護に値するのか、という問題を検討する必要がある。ここまでの議論によれば、ある需要者が持つ独自の需要は、それがいかに奇妙な需要であっても、1つの市場を構成してしまうからである。「市場と呼ぶに値するか」という発問のされ方をする場合もある[112]。

この問題は、更に2種類の切り口に分けて検討する必要がある。

(ii) 質的に特殊な需要者　まず、質的にみて保護に値するか否か、という切り口である。極めて特殊な嗜好を持つ需要者が形成する市場をどう扱うか、という問題である。覚醒剤の取引のように、その取引が刑事犯罪の対象となるなど、取引自体が不適切である場合にも、同種の議論となる。

---

111) そのような事例として、平成25年度企業結合事例1〔トクヤマ／セントラル硝子〕(事例集4頁)。勘所事例集478〜480頁。

112) 2条4項の「競争」の定義を批判して、2の供給者の「競争」が制限されたからといって常に保護に値するわけではない、と言われることがある。たしかに、2の供給者の「競争」のなかには、保護に値しないものがあるかもしれない。しかし、2の供給者の競争の実質的制限が問題となった有名事例もまた、少なからず存在する(一例として、東京高判平成20年12月19日・平成19年(行ケ)第12号〔区分機類談合排除措置II〕)。そうであるとするならば、2の供給者による「競争」というものの成立を一律に否定する論法を採るのでなく、そのようなものも「競争」に該当し得るとしたうえで、その一部について別の論理手順によって保護の必要性を否定する、という論法を採るほうが、法律論として一般性があり据わりがよいように思われる。

特殊な需要を保護しない場合の法的な説明の手法は、いくつかある。1つの手法として、当該市場の保護の要否を一律に判断し、保護に値しないと結論付けた場合にはそれ以上の検討をしない、というものがあり得る[113]。別の手法として、市場は保護に値し得るとしたうえで、その市場で反競争性をもたらした行為に正当化理由があるか否かのレベルで考慮する、というものがあり得る。

他者排除の観点からの抱き合わせ規制における、「従たるものは別個の商品役務と言えるか」という論点は、以上のような論点が姿を変えて登場したものである（後記145頁）。

(iii) 量的に小さな需要者　　次に、量的にみて保護に値するか否か、という切り口である。需要の内容それ自体は特殊ではないが、量的に小さい場合である。

関係する条文上の文言は2つあり、この論点は2段階構造をなしている。すなわち、そもそも独禁法上の「市場」＝「2条4項にいう「競争」が行われる場」にあたるか、という段階と、独禁法上の「市場」にはあたるとしてもそれが「一定の取引分野」にあたるか、という段階とである。後者については、別の箇所で述べる（前記40〜42頁）。

需要が量的に小さいことそれ自体は、法的保護の必要性を否定する根拠とはなりにくいと思われるが[114]、なお、次の諸点を指摘すべきであろう。

第1に、公取委は、国の行政機関として取り上げるに値する大きさの事件のみを選ぶことを認められていると考えるべきであろう。量的に小さいから違反要件を満たさないというのでなく、事件選択の裁量の問題として取り上げない、

113）独禁法の特例法とされていた時代の景表法の不当表示の事案ではあるが、東京高判平成16年10月19日・平成16年（ネ）第3324号〔ヤマダ電機対コジマ〕は、「健全な常識を備えた一般消費者」の表示に対する受け止め方を基準とすることを明確に述べ、表示について特定の受け止め方をする者は健全な消費者ではないという考え方を示唆して検討対象から外した（裁判所PDF 7頁）。これは、質的に特殊な需要者について、法的保護に値しないと判断したもの、と位置付けることができる。景表法について同旨を述べる後続判決例として、名古屋高判令和3年9月29日・令和2年（ネ）第74号〔ファビウス〕（判決書25〜26頁）。そのような事例は、行政当局はそもそも取り上げないことが多いので、民事裁判の蓄積を待つほかはない。

114）東京高判平成19年1月31日・平成17年（ネ）第3678号〔ウインズ汐留差止請求〕は、小さな市場の成立を否定した一例であるが、その位置付けは明確ではなく、種々の議論が可能である。勘所事例集259〜264頁。

ということである。

第2に、需要が量的に小さいことが、需要が質的に特殊であって保護に値しないことを示す間接事実となることはあり得るであろう[115]。

(3) 供給者の範囲の画定

① **総説**　前記(2)で画定された需要者からみて選択肢となる供給者の範囲が、検討対象市場における供給者の範囲となる。

実際の市場画定の作業においては、需要者の範囲に関する正解が最初からあるわけではない。漠然と一塊だと考えられていた需要者らについて、暫定的に、以下に見ていくような手順の供給者の範囲の画定を試みてみたところ、需要者らのなかに、どの範囲の供給者を選択肢とするかという考え方において異なる2種類の需要者が混在していることがわかってくる場合は多い。そのような場合には、需要者を2種類に分けてから、いずれか、または、それぞれの需要者について、改めて、供給者の範囲を画定する。そのような場合も、検討結果を「清書」すれば、画定された需要者からみて選択肢となる供給者の範囲が検討対象市場における供給者の範囲となる、と表現できる。

② **需要の代替性と供給の代替性**　需要者からみて選択肢となる供給者の範囲の画定は、通常、需要の代替性に関する検討と供給の代替性に関する検討の、二段構えで行われる。

第1段階として、商品役務αを選択肢とする需要者が商品役務βをも選択肢とできるかを検討する。これが需要の代替性である。商品役務でなく供給者に主に着目し、商品役務αを供給するAやBだけでなく商品役務βを供給するCやDも選択肢となるか、といった表現で論ぜられることもあるが、同じことである。需要の代替性があれば、αにβを加えた市場が成立する。需要の代替性がなければ、第2段階に進む。

第2段階として、現在はβを供給する者がβを供給する設備等を切り替えてαを供給することができるかを検討する。これが供給の代替性である。供給の代替性があれば、αにβを加えた市場が成立する。供給の代替性がなけ

---

115)　ヤマダ電機対コジマ東京高判は、前記註113のようにも述べつつ、コジマの表示を見てコジマの商品役務の全てが常にヤマダ電機より安いと受け止める者の数は「それほど多くない」とも述べているが（裁判所PDF 7頁）、これは、判示の文脈からみて、量的な小ささが質的な特殊性を窺わせる材料とされたものと読むことができるように思われる。

れば、αのみの市場が成立する。

需要の代替性と供給の代替性の境界線は曖昧であるが、ともあれ以上のような、単純なフローチャートで表現できるような簡潔な図式で、供給者の範囲の画定が行われる。

以下では、需要の代替性と供給の代替性について詳しく述べる。

③ 需要の代替性

(i) 総説　供給者の範囲の画定は、需要者にとって選択肢となる供給者であるか否かを基準として、行われる116)。この考え方は、「需要の代替性」と呼ばれる117)。

企業結合ガイドラインも、そのような考え方を前提としている118)。ただ、その記述は体系的に整頓されたものではなく、腰が据わっていないという印象を拭えない119)。

(ii) 商品役務の範囲と地理的範囲　供給者の範囲の画定は、非常にしばしば2つに分類される。商品役務の範囲の画定と、地理的範囲の画定である。公取委の企業結合ガイドラインを含め、世界中で、この2分類が市場画定論の初歩であると考えられている120)。前者は「商品市場」の問題とも呼ばれ、後者は「地理的市場」の問題とも呼ばれる121)。

---

116) 古典的事例である東京高判昭和26年9月19日・昭和25年(行ナ)第21号〔東宝／スバル〕においても、これが行われている(高民集4巻14号の514〜517頁、審決集3巻の179〜182頁、審決等データベースのPDF 647〜650頁)。勘所事例集4〜5頁。

117) 「demand-side substitution」「demand substitutability」などの直訳である。企業結合ガイドライン第2は、読者にとっての難解さを緩和しようとしたのか、「需要者にとっての代替性」という表現を用いたが、個別事例の審査結果・各年度企業結合事例集においては公取委は、「需要の代替性」という表現を用いることが多い。

118) 企業結合ガイドライン第2の随所。

119) 需要者にとっての選択肢を基準とするのが企業結合ガイドライン第2の全体の基本的考え方であるにもかかわらず、その第2の2(3)において「需要者の認識・行動」と題し「需要者の認識等が考慮される場合がある」と述べて屋上屋を架しているほか、第2の4においては、需要者によっては選択肢が異なる場合があるという当然のことに着目した「特定の取引の相手方」という問題意識を提示するなどしている。基本的な考え方に基づいて体系的に整理するという思考作業を行わず、体系化の意識の少ない外国資料等を直輸入していることに、根本的原因がある。

120) 公取委では、企業結合ガイドライン第2の2、第2の3。

121) そのような用語法が広まっているため、「商品市場」という名の市場や「地理的市場」という名の市場が存在すると考えられていることも多い。実際にはそうではなく、ある1つの市場に

「商品役務の範囲」と「地理的範囲」は、供給者の範囲を画定する作業における検討視角を例示的に示したものである。例示にすぎないのであるから、本来は、2分類を絶対化せず、総合的に論ずることも許されて当然である。

しかし世界中のほとんどの文献等では、例示にすぎないという相対化は行われておらず、画定した市場の商品役務の範囲はこれこれで、地理的範囲はこれこれである、と言及するのが市場画定における絶対的な作法であるかのように説明されている[122]。その影響で、例えば、地理的範囲がさほどの重要論点ではない事案においても、申し訳的に、地理的範囲が言及を受けるのが例となっている[123]。

地理的範囲が論ぜられるとき、需要者の地理的範囲を論じているのか、供給者の地理的範囲を論じているのか、明らかにしようとしない文書が多い。市場には需要者と供給者という2層構造があること自体が十分に認識されていないために、地理的範囲を論ずるときにも供給者の地理的範囲であるのか需要者の地理的範囲であるのかを明らかにして論ずる習慣がないためである[124]。

ついて、商品役務という角度から光を当てればこう見える、地理的な角度から光を当てればこう見える、ということであるにすぎない。

122) 本来これらは絶対的な分類ではなく、供給者の範囲の画定を論ずる際の代表的な視角にすぎないのであるから、不必要に絶対化すると、盲点も発生する。例えば、昼食時間に本郷にいる学生が、蕎麦でもラーメンでも食べるところ、蕎麦なら根津まで足を伸ばしてもよいがラーメンなら根津までは行かない、と考える場合、本来なら、「根津の蕎麦」を含み「根津のラーメン」を含まない市場を画定すべきであるが、商品役務の範囲と地理的範囲の双方を金科玉条として絶対化する作法によれば、「商品役務の範囲は蕎麦とラーメン、地理的範囲は本郷と根津」という市場画定をし、ここには「根津のラーメン」を含む結果となる。このような論は、需要者からみて選択肢となる供給者の範囲を画定するという基本的な考え方に反するのであるが、商品役務の範囲と地理的範囲という中二階的な分類が絶対化されているために、生じ得るものとなっている。なお、ここでは特定の需要者に着目した議論をしているのであり、これとは別に、根津のラーメンを好む需要者が存在し得るのは当然である。

123) ネット販売でないという意味での物理的店舗を中心とする小売業の企業結合事例では、全国各地に住んでいる各需要者にとって動ける範囲の供給者が選択肢となるので、地理的範囲に特に光が当たりやすく、全国で多数の検討対象市場が成立し検討されるのが通常である。問題解消措置を伴った典型事例として平成24年度企業結合事例9〔ヤマダ電機／ベスト電器〕があるが、同様の事例は、最近に至るまでそれなりの頻度で企業結合事例集に登載されている。

124) 公取委ウェブサイトの企業結合コーナーには、「一定の取引分野の例」というPDFファイルが置かれ、企業等が関係業界に関する過去の認定状況を確認するのに役立っているものと思われる。そうしたところ、このファイルでは、「地理的市場」として、「全国」「地域ブロック」「都

(iii) 需要の代替性の認定方法　需要の代替性の認定は、どのようにして行うか。結論としては、需要者がどう受け止めるのかに関して、公取委や裁判所が、ある程度の資料を集めつつ、それに立脚して、自らの良識に従って行う、ということに尽きる。

需要の代替性はSSNIPテストによって認定するのである、などと言われることが多いが、SSNIPテストは、需要者からみて選択肢となる供給者の範囲はどのようになるかを認定する方法の1つであり、唯一の方法ではない。市場画定はSSNIPテストの考え方によって行う、などと述べる文献等もあるが、認定方法の1つにすぎないものを物事の基本原理であるかのように述べるものであり、逆立ちした論法である[125]。

(iv) SSNIPテストなど　念のため、SSNIPテストを解説すると、次のとおりである[126]。

いま、商品役務αの全ての供給者が同時に5%の値上げ（SSNIP）を行ったと仮定した場合、それでも供給者らの利益が減少しないならば、需要者が他に選択肢を持っていないと考えてαだけで市場を画定する。供給者らの利益が減少するならば、それは需要者がα以外に選択肢を持っておりα以外の選択

道府県」などが、あたかもプルダウンメニューから選んだかのように画一的に記載されている。このようなデータベースが存在することも、企業結合事例集における地理的範囲の記載が供給者の範囲を論じているのか需要者の範囲を論じているのかを明確にせず画一的なものとなっている原因であろう。また、企業結合事例集において地理的範囲が「日本全国」とされる場合、都道府県や地域ブロックごとでなく日本全国であるという場合と、外国を含まず日本全国であるという場合があるのであるが、それらも、このような画一的なデータベースでは同じように単に「全国」と記載されることになる。

125）企業結合ガイドラインは、平成19年3月28日の改定において、SSNIPテストに関する記述を膨らませたが（改定前の企業結合ガイドライン第2の2と、改定後の企業結合ガイドライン第2の1との対比）、しかし同時に、「商品の代替性の程度は、当該商品の効用等の同種性の程度と一致することが多く、この基準で判断できることが多い」とも述べている（企業結合ガイドライン第2の2）。内外のSSNIPテスト唱道者を満足させつつ、しかし現実にはそれほどSSNIPテストに頼るつもりはない、という本音が示されているように見える。

126）企業結合ガイドラインにもその基本的考え方が記載されている（企業結合ガイドライン第2の1）。「SSNIP」とは、「小幅ではあるが、実質的かつ一時的ではない価格引上げ」（Small but Significant and Nontransitory Increase in Price）を指す。SSNIPテストは、「仮想独占者テスト」とも呼ばれる。本書のいう「全ての供給者が同時に」の部分を、持って回った表現に変えれば、「供給を独占している者がいると仮定して、その仮想の独占者が」となるからである。

肢に逃げるためであると考えて、今度は商品役務αに商品役務βを加えた「$\alpha+\beta$」について同様の作業を繰り返す。そのうちに、いつか、何らかの市場が画定される。これがSSNIPテストの考え方である。

(v) SSNIPテストへの疑問　SSNIPテストに対しては、以下のような疑問がある。

第1に、SSNIPテストを支える資料は過去の値上がり時のデータや需要者へのアンケート調査であり、それらが孕む正確性や信頼性の問題は残る[127)]。

第2に、SSNIPテストは、伝統的な市場画定論（前記56〜57頁）の特徴を受け継ぎ、供給者の論理から出発しているので、ひとりひとりの需要者の顔は見ていない。例えば、固定電話サービスと携帯電話サービスを出発点としてSSNIPテストによる市場画定を実施すると想定する。そこには、「固定した家庭や仕事場で電話をしたいという需要者」もいれば、「いろいろな外出先で電話をしたいという需要者」もいる。それぞれの需要者にとっての選択肢は、それぞれ異なっている。しかし、これらを十把一絡げにしてSSNIPテストによる分析を行えば、「供給する者全てが同時にSSNIPをした場合の需要者の反応」は、数値として出せてしまう。このように、SSNIPテストとは、選択肢の異なる需要者を混在させても結果を得ることができてしまうような代物である。換言すれば、SSNIPテストは、需要者の切り分けが決定的な意味を持つ事例（前記61〜63頁）の解決のためには、無力である。このようなSSNIPテストを前面に押し出して、果たして需要者の選択肢を的確に知ることができるのか、疑問である。

このように、SSNIPテストは、市場画定に計量分析を持ち込もうとする向きが信仰の対象として掲げることはあっても、本当に行った場合の費用の高さも手伝って、実際にはあまり用いられていないようである。市場画定におけるSSNIPテストの重要性を強調するのは、逆立ちであるだけでなく、そもそもの基盤が脆弱である[128)]。

---

127) 都合のよい値上がりが過去にない場合もあるし、かりにあったとしても、現在または将来の状況の参考となるものであるか否かを留保すべき場合もあろう。また、需要者に対するアンケート調査は、回答者に悪意がなくとも、その信憑性が定かではない場合が多い。

128) 「セロファン・ファラシー」と呼ばれる問題がある。いまかりに、出発点とする商品役務がαであるとする。αについて現に独占が存在し独占利潤を最大化する価格設定が既に行われてい

デジタルプラットフォーム論の隆盛により、無料の商品役務に光が当たると（前記46頁註50）、5% の価格の引上げという仮定を置くことに意味がなくなり、今度は、品質を仮想的に引き下げる SSNDQ テストや、競争変数一般に視野を広げてこれを仮想的に悪化させる SSNIPT テストが囃される[129]。

これらのテストにも、SSNIP テストと同じ疑問が当てはまる。

いずれのテストにせよ、需要者からみて選択肢となる供給者の範囲を認定するための１つの方法であると割り切るならば、場合によっては使い道はあるが、それらのテストは市場画定の基本原理などではなく、供給者の範囲がどのようになるかを認定する方法の１つであるにすぎない。

④　供給の代替性

（i）総説　　供給者の範囲の画定をする際の基本的な考え方である「需要の代替性」と並び立つものとして、「供給の代替性」というものが言及を受けることが多い[130]。

これは、需要者からみて選択肢となる商品役務 α がある場合に、需要者からみて選択肢とならない商品役務 β を現在は供給している者が、β の生産設備等に比較的小さな変更を加えるだけで α の供給を開始することができるとき

ると仮定する。ここで「SSNIP」が行われるとする。独占利潤最大化価格から値上げするのであるから、定義上当然に、買わなくなる需要者が増えて利潤は減少する。そうすると、SSNIP テストによれば、α だけでは市場が成立しないことになる。しかしそうであるとすれば、事業者が α について利潤最大化行動を既にとって反競争的超過利潤を既に貪っていればいるほど、α より広い範囲で市場画定が行われるので独禁法違反となりにくくなる、という逆説が生ずる。「セロファン・ファラシー」という名は、議論の発端となった米国判決に由来するものである。「セロファン・ファラシー」を意識しながら SSNIP テストを修正する考え方もある。しかし、そもそもこの議論は、「需要者にとって選択肢となる供給者の範囲」を知るための数値化プログラムたる SSNIP テストにバグがあった、というものにすぎない。所詮は枝葉末節の事柄である。それにもかかわらず、SSNIP テストがあまりに肥大化し、主客転倒をして、これを中心に市場画定を論ずるものが増えたために、バグに対する修正プログラムも同時に重要な事柄であるかのように論ぜられているのである。

129）SSNDQ は、SSNIP の「IP」を「Decrease in Quality」で置き換えたものであり、SSNIPT は、SSNIP に「or other worsening of Terms」を加えたものである。

130）「supply-side substitution」「supply substitutability」などの直訳である。企業結合ガイドライン第２は、読者にとっての難解さを緩和しようとしたのか、「供給者にとっての代替性」という表現を用いたが、個別事例の審査結果・各年度企業結合事例集においては公取委は、「供給の代替性」という表現を用いることが多い。

には、βも検討対象市場に加えてしまって、α・βを一体として市場画定を行う、という考え方である。

その際、そのような供給者が現時点において供給している別の商品役務βと、その需要者をも、検討対象市場に加えることになる。そうでなければ、以下に掲げるいずれの目論見も、達成されないからである。そのような意味で、供給の代替性の考え方は、単に需要者からみて選択肢となる供給者の範囲に関する議論であるというだけでなく、需要者の範囲を広げるという要素をあわせもっている。

供給の代替性という考え方が、どのような目論見で論ぜられているものであるのか、言い換えれば、どのような基本的な考え方に基づくものであるのか、解説されることは少ない。以下では、それを分析する。

(ii) 市場シェアを低く見せる機能　　第1に、供給の代替性の考え方は、現時点では参入していない者を供給者として含むことによって、問題となっている行為者・当事会社の市場シェアを低く見せるために主張される場合がある。主唱者らが、その本来の目的を隠すか、あるいは特段の問題意識なく論じているため、明確に論ぜられることは少ない。

もし価格が上がったならば生産設備等を転換して参入する、というのであれば、それは、市場画定の段階でなく、反競争性の成否を判断する段階で検討すればよいようにも見えるが、推測するに、市場シェアを低く見せれば、セーフハーバーに該当して企業結合審査が早めに終わり、時間と費用の両面で企業にとって有利である、という側面があるものと思われる。

もっとも、このような機能の存在意義は、現在ではかなり減少し、否定されている。現に公取委は、いくつかの事例において、一定程度の供給の代替性があることを認めつつ、しかし、2つの商品役務について供給者の構成や市場シェアなどの競争環境が大きく異なっていることを理由に、まとめて1つの市場とすることを拒否した[131]。2つの商品役務をまとめて1つの市場とすること

131) 平成26年度企業結合事例3〔王子ホールディングス／中越パルプ工業〕(事例集16〜17頁、19頁、22頁、25頁、28頁)、平成26年度企業結合事例7〔ジンマー／バイオメット〕(事例集56頁) など。最近では、供給者の「顔ぶれ」(供給者の構成と同義) が異なることを、供給の代替性がないことの理由とする事例もある。令和元年度企業結合事例5〔ダナハー／GE〕(事例集33頁)、令和3年度企業結合事例4〔日本電産／三菱重工工作機械〕(事例集38頁)、令和3年度

によって市場シェアを低く見せることができるのは、2つの商品役務について供給者の構成や市場シェアなどの競争環境が大きく異なっている場合に限られるであろう。公取委の上記のような方針は、供給の代替性の考え方によって市場シェアを低く見せセーフハーバーに該当しやすくして企業結合審査を早期に終わらせる、という考え方を、根本から否定するものとなっている。

(iii) 複数の市場をまとめて市場の数を減らす機能　市場シェアを低く見せる機能だけでは、供給の代替性をめぐる議論の全てを説明できるわけではない。供給の代替性を考慮して市場を広く画定し、それでもセーフハーバーに該当せず、その次の段階の審査に入ったことが公表されている事案は多い。

それらを観察するに、結局、検討すべき市場の数を減らして事案の検討を簡潔なものとするために、供給の代替性を掲げることによって複数の市場を1個にまとめているのではないか、という仮説が成り立つように思われる[132]。

ある企業結合事例の公取委審査結果によれば、需要の代替性の観点からは用途や種類ごとに細分化された市場が画定されるが、そのように細分化したうえで競争の実態を把握することは「データの制約等のため必ずしも容易ではない」としたうえで、続いて供給の代替性を論じ、供給の代替性を根拠として、細分化されるはずの市場を1個にまとめている。これは、審査結果において、上記のような仮説を裏付ける説明をした珍しい例であるといえる[133]。

(iv) 結語　市場シェアを低く見せる機能は、将来の参入の可能性という、反競争性の成否の段階で考慮できる要素を、現時点での市場の広さというものに転換して、市場画定の段階で考慮しようというものである。

企業結合事例7〔メルコ／セゾン情報システムズ〕(事例集94頁)。同様のことを裏から見て、顔ぶれが同じであることを供給の代替性があることの理由とする事例もある。一例として、令和4年度企業結合事例1〔日清製粉／熊本製粉〕(事例集4頁)。供給者の構成や市場シェアの比較を、供給の代替性の概念の外側で考慮するか内側で考慮するかはともあれ、とにかく、似た状況にある市場でなければまとめて1つの市場とすることはない、という点で共通している。日清製粉／熊本製粉の事例では、別の品目について、供給者の構成(顔ぶれ)や市場シェアに言及せず、供給者にとっての切替えの容易さを強調して供給の代替性を肯定し1つの市場にまとめた例もあるが(事例集5頁)、上記と矛盾する事例であるか否かは明らかではなく、取り敢えずは一例として静観するのがよいであろう。

132) この仮説を身近な商品役務で体現しているように思われる事例として、平成18年度企業結合事例2〔日清食品／明星食品〕(事例集9頁)。

133) 平成22年度企業結合事例2〔北越紀州製紙／東洋ファイバー〕(事例集19頁)。

これは、市場画定はプロセスとしての法的判断の中間段階で行うものであり、そのあと、反競争性の成否の段階で多様な要素をきめ細かく総合考慮する、という最近の傾向（前記36～38頁）とは、正反対の動きである。供給の代替性というものが市場画定論のなかで確立したのは比較的早期であり[134]、それよりも後の時期に、プロセスとしての法的判断の中間段階で行うのが市場画定であって多様な要素はそのあと反競争性の成否の段階で考慮すればよいという手法が本格化した[135]。このように、供給の代替性によって市場シェアを低く見せるという考え方と、市場画定のあとの反競争性の段階で適切な判断をするという考え方とは、内容的には矛盾し、指向する方向が逆である。公取委に取り入れられた時期が異なるので、矛盾した考え方が混在してしまっている。

供給の代替性が、市場シェアを低く見せるという機能ではなく、実際には、市場の数を減らす道具として機能しているという実態があるのだとすれば、内容的な矛盾も消えることとなる。すなわち、市場の数を減らす道具としての供給の代替性は、市場画定のあとの反競争性の成否の判断に重点を置くという考え方と、親和的である[136]。

供給の代替性は、ガイドラインに書かれ、教科書的な定番となっていて、今後も使い続けられるものと推測されるが、以上のように、市場の数を減らすという、本来の機能ではないところにその主な存在意義が移っている[137]。

(4) 便宜的併合

以上のような議論とは別に、需要の代替性も供給の代替性もないにもかかわらず、複数の商品役務が１つの市場にまとめられることが、しばしばある。

これは、市場の数を減らして議論を効率化するための、いわば便法である。

---

134) 日本の企業結合ガイドラインに本格的に取り入れられたのは平成19年3月28日の改正であった。

135) 平成23年度企業結合事例2〔新日本製鐵／住友金属工業〕について、深町正徳・商事法務1955号（平成24年）29頁注14。

136) もともと、市場シェアを低く見せることが企業結合当事会社の切実な課題となったのは、市場シェアが高く見えれば企業結合審査のハードルが高くなり、手続的にも不透明になる、という心配や不信が前提であったものと思われる。もし、市場シェアが高く算出されても、反競争性の成否の段階で考慮すべき要素は適切に考慮してもらえるという安心や信頼が生じているのだとすれば、市場シェアを低く見せる必要性は減少しているはずである。

137) 本来の機能であるかどうかは、本来は、主唱者らが決めることであろうが、主唱者らが自覚的で詳細な議論をしないので、観察者が推測するほかはない。

どの個別市場においても市場シェア等の状況が同じである場合など、法的議論に影響を及ぼさないのであれば、1つの市場にまとめても問題はない[138]。

ただ、論理的には、複数のうちの一部の商品役務のみについて違反者とされた者がいるなどした場合には、市場を1つにまとめるか複数に分けるかで法的議論に差が生ずることがある。このような場合には、本来の考え方に戻って、複数に分けるべきであろう[139][140]。

第4節　反競争性の具体的基準

1　総　説

(1)　概　要

反競争性の抽象的基準は、価格等の競争変数が左右されるという意味での市場支配的状態があるか否か、であるが（前記第2節）、これを、一応は画定され

138)　このような場合にも、名宛人は、種々の考えから、そのような立論の正当性を争うことがある。公取委・裁判所は、その複数の商品役務の関連性などを強調して、まとめて1つの市場としたことを根拠付けようとしている。例えば、東京高判平成28年5月25日・平成27年（行ケ）第50号〔日本エア・リキード〕（判決書28〜29頁）、公取委審判審決平成28年2月24日・平成21年（判）第6号〔塩化ビニル管等〕（審決案96〜98頁）。もともと、このような場合に市場を1つにまとめるのは議論の効率化のための便法にすぎないのであって、市場に関する理論に根拠はないうえに、後記註139のように、市場を分けるべき場合もあって現にそのような先例もあるので、正面から説明しようとすれば苦しい立論となる。日本エア・リキード東京高判は、1つの市場にまとめたほうが社会的実態に即していると述べているが（判決書29頁）、市場画定に関する基礎的理解からは説明のつかない論法である。

139)　公取委命令平成19年6月29日・平成19年（措）第13号・平成19年（納）第128号〔ガス用ポリエチレン管〕および公取委命令平成19年6月29日・平成19年（措）第14号・平成19年（納）第136号〔ガス用ポリエチレン管継手〕では、管のみで違反者とされた日本鋳鉄管が減免申請をしていたため、管と継手で市場を分け、別々の違反行為とすることで、結果として、三菱樹脂が継手について減免申請による減額を受けることができたものとみられる。

140)　東京高判令和5年1月25日・令和4年（行コ）第70号〔マイナミ空港サービス〕は、需要の代替性のないジェット燃料と航空ガソリンを1つの市場とした（判決書78〜80頁）。そのような場合でも、2つの品について法的議論が同じであるのならば、便宜的に1つの市場にまとめることは許されるであろう。この事件では、2つの品のうちジェット燃料について違反行為の終了時期が争われており（判決書89〜91頁）、この点の判断次第で、法的議論が同じとなるか否かが変わることになる。

た検討対象市場という舞台において（前記第3節）、具体的にはどのような基準で論じていくのか、が問題となる[141)]。

この問題は、市場支配的状態が生じないようにするための牽制力があるか否か、というかたちで論ぜられる。

(2) 単独行動・協調的行動の2分類とその止揚

① **2分類**　反競争性の具体的基準を論ずるとき、ある供給者の単独行動による反競争性と、複数供給者の協調的行動による反競争性とに、分類して論ずる流儀が世界的に普及している[142)]。

単独行動による反競争性とは、市場のなかの単独の供給者が独力で反競争性をもたらす、というものである[143)][144)]。

協調的行動による反競争性とは、複数の供給者が協調的に行動することによって反競争性をもたらす、というものである。

② **止揚**　しかし、独禁法違反要件の成否を論ずるという観点から目的合理的に言えば、この2分類は必須のものではなく、むしろ有害である場合もあ

141）市場画定だけでなく、反競争性の次元においても、企業結合ガイドラインをはじめとする企業結合規制の議論を頻繁に参照する。企業結合規制における「競争の実質的制限」は、私的独占や不当な取引制限における「競争の実質的制限」とは異なる、とする意見も過去には強かったが、実際には同じである。

142）日本においては、企業結合ガイドライン第4である。そこでは、「単独行動による競争の実質的制限」「協調的行動による競争の実質的制限」と表現されている。この2分類は、米国やEUの企業結合ガイドラインでも採用されているものであり、世界的に普及している。

143）企業結合規制においては、現時点では複数供給者である当事会社が企業結合によって単独となった場合にその時点で弊害が生じやすくなるか否かを論ずるのが基本であるから、企業結合前に複数であっても、企業結合後に当事会社だけで反競争性をもたらすという場合には、単独行動による反競争性として論ぜられる。企業結合後の協調的行動と言う場合には、企業結合後の当事会社と、企業結合に関係していない他の供給者との、協調的行動が念頭に置かれている。

144）企業結合ガイドライン第4の1(1)は、単独行動による反競争性を2つに分類して、「商品が同質なものである場合」と「商品が差別化されている場合」とに区別している。これは、差別化されている場合すなわち需要者から見て特定の限られた数の供給者だけが中心的な選択肢となっている場合には、それらの限られた数の供給者が企業結合を行えば反競争性が生じやすい、というように、反競争性の判断のなかで考慮要素とすれば足りるものであって、それ以上のものではない（後記86頁註177）。差別化が一定以上に達して、特定の一塊の需要者からみて他の選択肢が考えられないほどの域に至れば、反競争性の問題というよりも市場画定の問題として、当該特定の一塊の需要者とその選択肢となる供給者だけから成る市場を観念することになる（前記59～68頁）。

る[145]。

まず、一方でそもそも、単独行動によって反競争性が生ずる場合といえども、競争者が全く存在しないという例は珍しい。かりに市場シェア100%であるとしても、新規参入の可能性はある。既存競争者や新規参入者に牽制力がなくて初めて、単独行動による反競争性は起こる。既存競争者や新規参入者に牽制力がないのは、そもそも供給余力がないか、協調的行動をとるからである。

他方、協調的行動による反競争性は、既存競争者が協調的行動をとるから起こるのであるが、それはとりもなおさず、既存競争者に牽制力がないということである。そしてここにもまた、論理的には新規参入の可能性がある。その新規参入者に牽制力がないために、協調的行動による反競争性は維持される。新規参入者が牽制力を持たないのは、十分な供給余力がないか、参入しても協調的行動をとるであろうからである。

以上のように見れば、単独行動の場合と協調的行動の場合とで、違反基準に違いはないことがわかる。そうであるならば、違反要件の成否を論ずる場合において、両者を区別する実益はない。現に、企業結合ガイドラインはこの2分類に従いつつ実はほぼ同じことを繰り返し論じており[146]、公取委から公表される企業結合事例の多くは、単独行動と協調的行動の2つに記述を分けつつほぼ同文を掲げ、形ばかりの差を持たせているにすぎない[147]。現実の事案は、いずれも、単独行動と協調的行動という2つの理念型の中間のどこかに位置するのであって、従来の2分類において単独行動に関係するとされた考慮要素や、協調的行動に関係するとされた考慮要素を、まとめて総合考慮して、反競争性の成否という1つのものを判断することとすればよいのである[148]。単独行動と協調的行動の2分類を表向き堅持するかのように見せている公取委等の思考過程も、その実際のものを言語化すれば、以上のようなものに近い。

---

145) 最近の状況に照らしたまとめとして、企業結合事例検討公正取引851号26～27頁。

146) 企業結合ガイドライン第4の2と第4の3。

147) 比較的最近では、そのような2分類を行わず一元的に論じたものもみられるようになってきたが、担当者の違いや事案の経緯の違いが影響するのか、2分類を維持した事例も並行的に散見される。

148) 単独行動と協調的行動とを区別すると、単独行動的な考慮要素と協調的行動的な考慮要素との総合判断が阻まれ、総合判断によって初めて違反とできる事例において公取委自身が窮することとなるだけである。

もっとも、単独行動と協調的行動というものをあわせて掲げることに、全く意味がないわけではない。協調的行動による反競争性は、単独行動による反競争性と比べれば、過去の議論において自覚的に議論されることが少なかったのであって、協調的行動による反競争性に明示的に言及することには講学上の意義がある[149)]。換言すれば、反競争性の成否を検討する際の見取り図を示すという観点からは、ある程度の分類をしておくことによって重要なものを見逃さずに済むということはある[150)]。

2 牽制力

(1) 総 説

市場支配的状態の成否を更に具体的に論ずる場合には、市場支配的状態に対する牽制力が存在しないかどうかを論ずるのが通例である[151)]。牽制力が存在しないなら、市場支配的状態がもたらされる。

以下では、便宜上、内発的牽制力、他の供給者による牽制力、需要者による

---

149) ここで「講学上の意義がある」とは、その概念を立てたり分類をしたりすることが、分析のために有益であるというわけではないが、初学者に的確なイメージを抱かせるためには有益である、という意味である。

150) 一般に、物事を分類することの実益には、少なくとも2種類があり得る。第1は、いずれのグループに分類されるかによって結果が異なるために分類の実益があるという場合である。この場合には、複数のグループが重なっているときには、いずれのグループに属するのかを議論する実益が生ずるし、また、各グループが重ならないように留意すべきである。第2は、分類されていることによって具体的な理解が深められ総合的検討にあたっての遺漏を防止できるために分類の実益があるという場合である。この場合には、いずれのグループに分類されても結果には違いはないのであるから、ある要素がどのグループに分類されるかに議論の重点を置く必要はなく、複数のグループが重なっていても構わない。第2類型は、譬えるなら、花見におけるビニールシートのようなものである。花見におけるビニールシートは、花見中に地面に触れずにすむように敷き詰められていることに意味がある。どのビニールシートの上に座っても花見は楽しめるし、ビニールシートが重なっていても問題は生じない。

151) 「牽制力」は、例えば、公取委同意審決昭和44年10月30日・昭和44年（判）第2号〔八幡製鉄／富士製鉄〕で用いられた用語であり（審決集16巻の65〜82頁）、企業結合ガイドラインでも使われている。他方、競争圧力（competitive constraints）という用語もあり、これも企業結合ガイドラインで用いられている。両者はほぼ同じ意味であるが、需要者による牽制力のなかには、供給者に競争させるのでなく、単独の供給者にとにかく価格を上げさせないという需要者の力も含むので（後記91頁）、概念的には、牽制力という用語のほうが広く包括的である。本書では基本的に「牽制力」で統一する。

牽制力、その他の牽制力、の4種類に分けて検討する。これらを総合的に考慮して、牽制力の有無が判断される。総合的に考慮するのであるから、個々の牽制力だけについてその有無に関する完全な結論を出す必要もないし、また、個々の牽制力が相互に重なることも、あって当然である[152]。

(2) 内発的牽制力

① 総説

(i) 概要　企業結合における複数の当事会社相互間や、共同行為参加者の相互間において、なお競争が残るため、市場支配的状態が生じにくい場合がある。これを便宜上、内発的牽制力と呼ぶ。

(ii) 体系化の遅れ　内発的牽制力は、従来、必ずしも十分に体系化されてこなかった。企業結合においては、複数の当事会社が完全に一体となる合併が暗黙のうちに念頭に置かれて議論される傾向があり、親子会社関係にまでは至らない少数株式取得がされるだけであって当事会社間の競争がなお残るような場合を念頭に置いた体系化は、日本の企業結合ガイドラインだけでなく、米国・EUの企業結合ガイドラインにおいても、十分には行われていない。共同行為についても、公取委が違反被疑事件として取り上げるものには共同行為参加者間の競争が残るような微妙な例はほとんどなく、議論される機会が乏しい。

しかし、企業結合規制においても少数株式取得・所有が正面から議論される事例が出てきており、また、共同行為については、共同行為参加者間の競争が残る業務提携を取り上げた相談事例が蓄積されてきた。体系化が遅れただけであって、事例は豊富に存在する[153]。

(iii) 隠れ蓑　以下に具体的に見ていくような行為を隠れ蓑として、商品役務全体に影響を与える価格協定などが、別途、行われている、という場合がある。例えば、一部の部品を共同購入する場を利用して、完成品の価格に関する意思の連絡が行われる、といった場合である。このようなことが立証されたならば、その事案はもはや、内発的牽制力を云々する次元の問題ではなくなる。

② 少数株式取得・所有　少数株式取得・所有しかされていないために、関係する者同士の間になお競争が残る、という場合には、内発的牽制力が認めら

---

152) 物事の分類の実益に複数あるうち第2類型のほうにあたる（前記註150）。

153) グリーンガイドライン第1の3 (2) ア（ア）は、内発的牽制力に相当するものをガイドラインに取り込もうとする萌芽である。

れる場合がある[154]。

③ **事業の一部に関する共同行為**　競争者間の共同行為によって事業全体のうち一部のみを共通化する場合、検討対象市場での供給に要する費用に占める共通化部分の費用の割合すなわち共通化割合について、その大小が反競争性の成否を判断する際の重要な考慮要素となる。

共通化割合が小さいことを指摘して違反なしとする事例やガイドラインが、共同物流等[155]、共同研究開発[156]、共同購入[157]、共同リサイクル[158]、OEM 供給等[159]、共同の実証実験[160]、特定の要素のみに限定した価格の固定[161]、商品

---

154) そのような者同士の間に内発的牽制力が存在することを示そうとして、「一定程度の競争関係が維持される」という表現が用いられることがある（平成 23 年度企業結合事例 2〔新日本製鐵／住友金属工業〕（事例集 35 頁））。内発的牽制力があるという意味で「競争関係」という言葉を用いるのは、法令に合致しない用法であって適切でない（前記 47 頁註 56）。

155) 平成 16 年度相談事例 4〔医療用医薬品物流の業務提携〕、平成 20 年度相談事例 2〔未回収パレットの共同回収〕、平成 22 年度相談事例 10〔国際航空貨物利用運送事業者空港間陸上輸送〕、平成 29 年度相談事例 8〔家電製品メーカー配送共同化情報共有〕、平成 30 年度相談事例 8〔運送事業者共同輸送〕、平成 30 年度相談事例 9〔出版物卸売業者物流共同化〕、令和 2 年度相談事例 6〔事務用機器メーカー共同配送〕、令和 3 年度相談事例 4〔化学製品メーカー共同配送〕。平成 27 年度相談事例 6〔食料品メーカー小口配送共同化〕は、小口配送を共同化する事案において、全体の配送に占める小口配送の割合が小さいことに言及しているが、小口配送が必要な需要者のみに限定した検討対象市場が画定される可能性を考えると、全体の配送に占める小口配送の割合が小さいことは違反なしとする理由とはならないように思われる。

156) 平成 16 年度相談事例 6〔建築資材共同研究開発〕。

157) 平成 13 年公表相談事例 12〔共同調達ウェブサイト〕、平成 16 年公表相談事例 7〔自動車部品原材料共同購入〕、平成 21 年度相談事例 11〔建設業者共同発注システム〕、平成 29 年度相談事例 9〔素材メーカー原料共同調達〕、令和元年度相談事例 4〔医薬品メーカー共同購入等〕、など。後記 244～245 頁で見るように、共同購入については、別途、川上市場での買う競争への影響を検討する必要がある。そのような共同購入には、例えば、物流等を外注している場合の共同物流等（共同配送などとも呼ばれる）も含む。

158) リサイクルガイドライン第 1 の 1 (1)、平成 16 年公表相談事例 10〔自動車リサイクル共同化〕、平成 16 年度相談事例 13〔産業機械向け消耗品リサイクル共同化〕、平成 18 年度相談事例 7〔印刷業者団体リサイクルシステム〕、平成 21 年度相談事例 12〔防災用品共同リサイクルシステム〕。

159) 平成 20 年度相談事例 1〔金属製品メーカー相互 OEM 供給〕、平成 21 年度相談事例 4〔化学製品原料メーカー OEM 供給〕、平成 24 年度相談事例 4〔加工製品販売業者コスト分析情報共有等〕、平成 25 年度相談事例 5〔工業製品メーカー相互 OEM 供給〕、平成 26 年度相談事例 8〔加工製品メーカー OEM 供給〕、令和 2 年度相談事例 5〔工作機械消耗品〕。平成 24 年度相談事例 3〔乳業メーカー製造委託等〕は、共通化割合の低さを根拠に違反なしとした事例であるが、共通

役務の一部について競争者の部品を用いることを需要者から求められた場合の当該競争者からの当該部品の調達[162]、商品役務の供給者を切り替えた場合の付随的装置の円滑利用の仕組みの構築[163]、など、多く存在する[164]。

他方、共通化割合が大きいことを指摘して違反ありとした事例もある[165]。また、商品役務全体の12%程度の構成要素について価格協定が行われた事案で、もともと協調的行動がみられる市場であることを補足しつつ、反競争性が認定された事例もある[166]。

もちろん、共通化割合だけが決め手となるわけではない。内発的牽制力は、

化割合を計算する際の分母としては、商品役務の全体を考えるべきであり、例えば共同配送について合計物流費のみを分母として共通化割合を計算しているのは分母が小さすぎるように思われる。令和3年度相談事例2〔窯業製品メーカー相互OEM供給〕は、製造コストが共通化されることはないとしているが（事例集11頁）、業務提携当事者の双方で等量の相互OEM供給を行い、しかも製造原価は両当事者の間で大きく異ならないと見込まれ、相互OEM供給に伴う金銭のやり取りはない（事例集9～10頁）、という事実を前提とした記述であり、相互OEM供給が行われる部分について共通化していることには変わりはない。平成26年度相談事例7〔化学品メーカー全量OEM供給〕、平成27年度相談事例5〔建材メーカー相互OEM供給〕、平成28年度相談事例6〔機械メーカー全量OEM供給〕、令和元年度相談事例2〔空調設備メーカー相互OEM供給〕、令和元年度相談事例3〔接着剤メーカー全量製造委託〕、令和3年度相談事例3〔容器メーカーOEM供給〕、は共通化割合とは関係のない理由のみで許容されている。平成29年度相談事例10〔建設資材メーカー競争者間供給〕は、高めの共通化割合が掲げられているが一定の価格競争の余地があるとされ、他の理由とともに掲げられて違反なしとされた事例である。

160） 平成29年度相談事例6〔輸送機械メーカーレンタルサービス共同実施〕。

161） 平成19年度相談事例3〔レジ袋有料化〕、平成22年度相談事例8〔メンテナンスサービス一括交渉〕。

162） 平成27年度相談事例7〔入札対象商品役務の一部の競争者からの調達〕。

163） 平成30年度相談事例11〔洗浄剤メーカー供給装置譲渡〕。

164） 販売委託に関する平成29年度相談事例5〔電子部品メーカー販売業務提携〕は、共通化割合とは関係のない理由のみで許容された事例である。

165） 平成13年相談事例8〔建設資材相互OEM供給〕、平成22年度企業結合事例1〔BHPビリトン／リオ・ティントII〕（事例集8～9頁）。勘所事例集378～379頁。

166） 公取委審判審決平成23年7月6日・平成21年（判）第18号〔荷主向け燃油サーチャージ郵船ロジスティクス〕（審決案75～77頁）、公取委審判審決平成23年10月17日・平成21年（判）第19号〔荷主向け燃油サーチャージ西日本鉄道等〕（審決案103～105頁）。これらの判断は、東京高判平成24年10月26日・平成23年（行ケ）第24号〔荷主向け燃油サーチャージケイラインロジスティックス〕（判決書86～88頁）、東京高判平成24年11月9日・平成23年（行ケ）第16号〔荷主向け燃油サーチャージ郵船ロジスティクス〕（判決書67～69頁）、によって是認されている。勘所事例集451～452頁。

反競争性の成否の判断において、他の供給者による牽制力などと相俟っての総合考慮の一要素であるにすぎない。例えば、共通化割合が比較的大きい場合でも、共同行為者の市場シェアが小さく他の供給者による牽制力が十分な場合には、反競争性がないとされることはある。

④ **競争変数に影響を与えない共同行為**　競争者間において一定の共同行為が行われるものの、それは価格等の競争変数に影響することはない、という場合には、内発的牽制力が全く損なわれないこととなり、その行為によって反競争性が成立することもないこととなる[167)][168)]。事業者団体として業界の窮状を取引先に訴える文書を発出したりウェブサイトに公表したりするだけであって具体的な反競争性をもたらさないのであれば、問題はないとされる[169)]。

そのような行為は、事業者団体が行い、事業者団体による相談事例となることが多いが[170)]、事業者が行うことなどもある。

もっとも、そのような行為が、各事業者の現在または将来の価格についての共通の具体的な目安を与える場合には、内発的牽制力を失わせ、反競争性を認定されやすくなる[171)]。基準価格の協定が違反とされた事例は、その典型例である[172)]。相談事例にも、現在または将来の価格についての共通の具体的な目安を与えることを考慮要素として違反のおそれがあるとしたものがある[173)]。

---

167)　最近の事例では、平成29年度相談事例7〔旅客輸送事業者共通利用券〕、令和3年度相談事例1〔ニュースポータルサイト〕、令和4年度相談事例2〔貨物運送追跡サービス運営〕。

168)　ポイントサービスにおけるポイントは、価格と同様の扱いを受ける可能性が高い。平成22年度相談事例11〔ポイント付与自粛要請〕。

169)　例えば、令和4年度相談事例5〔医療関連検査業務団体要請文書発出〕。

170)　事業者団体による「情報活動」や「経営指導」は、それ自体としては問題でなく、価格等の競争変数に影響を与えて初めて問題となり得る、とされている。事業者団体ガイドライン第2の9、第2の10。最近の事例として、平成28年度相談事例10〔化学製品メーカー団体エネルギー消費量算出方法統一〕、令和元年度相談事例6〔化学品メーカー団体定期修理日程調整〕、令和元年度相談事例10〔輸送用機器メーカー団体原産地調査システム〕。

171)　事業者団体ガイドライン第2の1-(1)-4。

172)　東京高判平成20年4月4日・平成18年（行ケ）第18号〔元詰種子価格協定〕（判決書72～74頁）。実際には値引きや割戻しが行われている場合であっても、それらが基準価格を参照しながら行われているものであることが立証されるのであれば、やはり同じ考え方があてはまることになる（判決書74～75頁）。

173)　平成22年度相談事例7〔電子コンテンツ許諾料率目安〕、平成26年度相談事例10〔浄化槽メンテナンス標準料金表作成〕、平成27年度相談事例10〔役務提供事業者団体価格情報収集提供〕、現在または将来の価格についての共通の具体的な目安を与えないとして許容される事例も多い[174][175]。

価格以外の重要な競争変数について現在または将来の共通の具体的な目安を与えないことを確認して、問題がないとする事例もある[176]。

(3) 他の供給者による牽制力

① **総説**　他の供給者による牽制力により、市場支配的状態が生じにくくなる場合がある。多くの場合、反競争性の成否を論ずる際の中心的な関心事項である。

他の供給者による牽制力に関する検討は、市場画定の検討と重なる部分が多い。市場画定とは、需要者からみて選択肢となる供給者の範囲を画定する作業であるが、それはつまり、牽制力を発揮する可能性のある供給者を見極めるということだからである。ある程度の線引きをしやすいものは市場画定の段階で取り込み、必ずしもそうでないものは反競争性の判断の段階で他の供給者による牽制力の問題として検討する、などといったことが、しばしば行われる。特に、企業結合規制においては、市場画定はプロセスとしての法的判断の中間段階で行うものにすぎないという性格が強いので、これが顕著に現れる（前記

令和2年度相談事例10〔産業廃棄物運搬料実態調査〕。

174)　平成21年度相談事例7〔事務手数料法令解釈明確化〕、平成23年度相談事例12〔メンテナンス業者団体価格情報収集公表〕、平成24年度相談事例6〔下取価格算定方式共同設定〕、平成26年度相談事例11〔宿泊料金の過度な値上げ抑制要請〕、平成27年度相談事例9〔製造設備メーカー団体活動実績収集提供〕、平成27年度相談事例11〔貨物運送事業者情報収集提供〕、令和元年度相談事例9〔特定工法普及活動団体標準施工歩掛〕、令和4年度相談事例7〔日本アルミニウム協会〕、令和4年度相談事例8〔医薬品メーカー団体出荷状況等公表〕。価格情報の収集・公表は過去の価格に関するものに限る、ということも、独禁法違反のおそれを生じさせないために重視される。価格が固定化しており、過去の価格に関する情報交換をすれば現在または将来の価格についての共通の具体的な目安を与えるような事業分野においては別であるが、そうでなければ、過去の価格に関する情報交換は許容される。

175)　所管大臣への届出価格が協定されても、それが実勢価格に影響しない限り、競争の実質的制限があるとは言えない、とされた事例として、公取委審判審決平成12年4月19日・平成7年（判）第4号〔日本冷蔵倉庫協会〕（審決案45〜60頁）。もっとも、同審決は、届出価格の協定が8条4号（当時の8条1項4号）には該当するとしている（審決案60〜62頁）。すなわち、競争の実質的制限の成立を否定し課徴金の対象外としただけであり、違反なしとしたわけではない。

176)　令和2年度相談事例1〔医療機器メーカーコロナアンケート調査〕、令和2年度相談事例2〔輸送用機器メーカー団体コロナ対策情報収集〕、令和2年度相談事例3〔コロナ関連物資供給可能会員紹介〕、令和3年度相談事例5〔保険代理店評価基準〕。

36～38頁)。

② **牽制力の成否を判断する際の考慮要素**

(i) 総説　　他の供給者による牽制力は、大雑把には、他の供給者の供給余力の有無に関するものと、協調的行動の有無に関するものとに、分けることができ、これらを総合的に考慮して、他の供給者による牽制力の有無が判断される[177)][178)][179)]。

企業結合ガイドラインが「輸入」や「参入」や「隣接市場からの競争圧力」[180)]などと論じているのは、結局いずれも、他の供給者による牽制力の有無を論じているのである。

総合考慮するのであるから、供給余力に関するものと協調的行動に関するものとの境界線を明確に見極める必要はなく、同じ要素が両方にまたがっていて

---

177) 差別化がみられ、需要者からみて他の供給者が有力な選択肢とならないのであれば、それだけ、他の供給者による牽制力は働かない方向に針が振れる。他の供給者Cを眼中に置かずそれまで活発に競争してきた複数の供給者A・Bが企業結合をする場合には、その事実は、企業結合後には他の供給者Cが有力な選択肢とならないことを窺わせる要素として考慮されることとなる。企業結合ガイドライン第4の1 (1) イは、以上のようなことを表現しようとしたものだと位置付けることができる。

178) 他の供給者のグループのなかに、少数株式所有の関係などがある場合であって、それぞれの者が独立に行動すると考えられる場合には、行為者側の内発的牽制力における同様の議論（前記(2)②）と同様に、そのような事情を勘案して総合判断をすることになる。平成27年度企業結合事例1〔日本製紙／特種東海製紙〕には、他の供給者のグループのなかに独立して行動する競争単位がいるとされた商品役務（事例集11頁）と、独立して行動する競争単位が複数存在するとはされなかった商品役務（事例集13頁）とが、登場した。勘所事例集558～559頁。

179) 以下に述べるような分析に代えた便法として、他の供給者の数が重視されることがある。例は、物理的店舗を中心とする小売業の企業結合事例のように検討対象市場の数が多い場合である（前記70頁註123)。別の例は、研究開発という、現時点で成果の見えない競争を問題とする場合である。共同研究開発ガイドライン第1の2、平成28年度相談事例2〔輸送機械メーカー共同研究〕、令和2年度相談事例7〔産業用機械メーカー共同研究〕。

180) 「隣接市場からの競争圧力」を定義するなら、「検討対象市場の需要者に対して検討対象市場の外から供給しようとすることによって、検討対象市場での反競争性を牽制する力」である。それに対して、「間接的な隣接市場からの競争圧力」というものが公取委の事例集に登場することがある。これを定義するならば、「検討対象市場の需要者ではない者に対して検討対象市場の外で供給しようとすることによって、検討対象市場での反競争性を牽制する力」である。後者の事例として、平成24年度企業結合事例1〔大建工業／C & H〕（事例集7～8頁、勘所事例集455頁)、令和4年度企業結合事例3〔リケン／日本ピストンリング〕（事例集32～33頁)、令和4年度企業結合事例4〔古河電池／三洋電機〕（事例集47～48頁）など。

も害はない[181]。この2つを挙げるのは、他の供給者による牽制力について様々な問題や切り口があることについて理解を深めるために有益である。

(ii) 供給余力　他の供給者に十分な供給余力があれば、当該他の供給者に牽制力があるとされる方向に針が振れる[182]。供給余力とは、かりに行為者が価格等の競争変数を左右しようとすれば行為者の競争変数よりも需要者に有利な条件で行為者に代わって十分に供給を行える力のことである。

供給余力とは、既に市場で事業を行っている供給者が供給量を増強することを指す場合もあれば、新規参入者が参入することそれ自体を指す場合もある。

供給余力の有無は、様々な間接事実によって認定される場合がある。まず、行為者の市場シェアが大きい、行為者の市場シェアの順位が高い、行為者の市場シェアと他の供給者の市場シェアとの間に格差があって行為者の市場シェアのほうが大きい、などといった事実がある場合は、他の供給者に供給余力がないのではないかという方向に針が振れる[183]。市場全体の需要が減少しているときには、供給余力が大きいと判断される方向に針が振れる[184]。

供給余力による供給量の増強は、現に行われる必要はない。行為者が価格等の競争変数を自らに有利に操作したと仮定したならば供給量増強が行われるであろうから行為者は競争変数を有利に操作するのを手控えるだろう、というので足りる。それだけで、牽制力としては十分だからである[185]。

供給量増強が、行為者が競争変数を自らに有利に操作したあとかなりの時間が経過してから行われるのであるとすれば、牽制力として勘案するに足りない。

しかし、それでは何か月以内に供給量増強が行われる必要があるのか、などといった具体的な数字を示すこともできない。半年以内に出現すれば十分である事案もあれば、数日のズレがあるだけで独占者の席巻を許してしまう事案もあろう。要は、そのタイムラグが、行為者にとって引き合うだけの利得を与えるか否か、被害者にどれほどの被害を与えるか、といった点を基準として検討

---

181) 物事の分類の実益に複数あるうち第2類型のほうにあたる（前記80頁註150）。

182) 企業結合ガイドライン第4の2 (1) オの前半。価格協定のアウトサイダーが零細であって供給余力をもたないことを勘案したうえで価格協定を違反とした事例として、公取委勧告審決昭和43年11月29日・昭和43年（勧）第25号〔高松市旧市内豆腐類価格協定〕。

183) 企業結合ガイドライン第4の2 (1) のうちア、エ。

184) 企業結合ガイドライン第4の2 (1) オ、(4)。

185) 企業結合事例の増加により、例は枚挙に暇のない状況となっている。

することになる。

(iii) 協調的行動　他の供給者が協調的行動をとる場合には、当該他の供給者に牽制力がないとする方向に針が振れる。

どのような場合に協調的行動がとられやすいかについては、様々な点が挙げられているが[186]、整理すると、おおむね次の3点に収斂する。第1に、協調的行動をとることについて供給者間で利害が共通していること。第2に、他の供給者の行動を予測しやすいこと。第3に、誰かが抜け駆けをしたならば、それを発見でき、制裁できること。これらは、総合評価の際の考慮要素であり、いずれか1つが欠けたら常に協調的行動がとられにくいということになるわけではない。

協調的行動がとられるか否かを判断する際に、過去の状況が参考とされる場合がある。過去において協調的であったという来歴があれば、協調的行動の温床があると判断される方向に針が振れる[187]。また、検討対象市場のなかの供給者らのなかでも特に近接性があり活発に競争を行ってきた者同士が共同行為や企業結合をする場合には、さほどの活発な競争を行ってこなかった他の供給者との間で協調的行動が起こりやすいと判断される方向に針が振れる[188]。

以下、上記の3条件を順に敷衍する。

第1に、個々の供給者の誰もが、協調的行動をとるか否かによる利害得失を検討したところ協調的行動をとることに共通の利益を見出す、という場合には、協調的行動が起こりやすい。企業結合ガイドラインは、次のような例を挙げている。各供給者が同質的な商品役務を供給しており、費用条件が類似している場合には、利害が共通する[189]。供給余力の大きくない供給者は協調的行動を

186) 企業結合ガイドラインでは、第4の3の全体において語られている。一般的解説として、平澤怜子・深町編著2版224～241頁。汎用的な考慮要素を掲げた最近の事例として、平成26年度企業結合事例3〔王子ホールディングス／中越パルプ工業〕(事例集12～13頁)、令和4年度企業結合事例3〔リケン／日本ピストンリング〕(事例集30～31頁)。

187) 企業結合ガイドライン第4の3 (2) ウ。

188) 企業結合ガイドライン第4の3 (1) イ。反競争性を論ずる際にしばしば登場する「マーベリック (maverick)」という言葉は、市場支配的状態が生じない方向で牽制力を発揮する他の供給者を指す。これを協調的行動をとる陣営に取り込む企業結合は、問題を生じやすい。

189) 企業結合ガイドライン第4の3 (1) ア。なお、同ガイドライン第4の3 (4) が準用する第4の2 (7) の「効率性」の項は、効率性が向上した当事会社グループが競争的な行動をとることが見込まれる場合にはその点を考慮するとしているが、そのような場合には、供給者間の費用条件

とりやすい[190]。取引単位が小口であったり定期的であったりする場合には、協調的行動をとることによる利益が大きくなる[191]。需要の変動が大きい場合や、技術革新が頻繁であり商品のライフサイクルが短い場合には、協調的行動をとらないことによる利益が大きくなる[192]。

第2に、他の供給者の行動を高い確度で予測できる場合には、協調的行動がとられやすい。企業結合ガイドラインは、次のような例を挙げている。供給者の数が少ない、または、少数の有力な供給者に市場シェアが集中している場合には、予測しやすい[193]。各供給者が同質的な商品役務を供給しており、費用条件が類似している場合には、予測しやすい[194]。他の供給者の価格等の競争変数に関する情報が透明で容易に入手できる場合には、予測しやすい[195]。大口の取引が不定期に行われている場合には、予測しにくい[196]。需要の変動が大きい場合や、技術革新が頻繁であり商品のライフサイクルが短い場合には、予測しにくい[197]。過去において市場シェアの変動や価格の変動が激しい場合には予測しにくく、変動があまりない場合には予測しやすい[198]。ある供給者が、自己の取引相手方を通じて他の供給者の情報を入手し得る場合には、予測しやすい[199]。

第3に、ある供給者が協調的行動から逸脱する行動をとった場合に、これを発見しやすく、それに対する制裁が可能ならば、協調的行動がとられやすい[200]。企業結合ガイドラインは、他の供給者の価格等の競争変数に関する情

に格差をもたらして協調的行動を難しくする要素となり得よう。

190) 企業結合ガイドライン第4の3 (1) ウ。

191) 企業結合ガイドライン第4の3 (2) ア。

192) 企業結合ガイドライン第4の3 (2) イ。

193) 企業結合ガイドライン第4の3 (1) ア。要検討案件の選別の際に重視されるHHIなどの市場集中度指標は、弊害要件の成否を論ずる場合には、結局、ここにおいて活かされ、そしてそれにとどまる。

194) 企業結合ガイドライン第4の3 (1) ア。

195) 企業結合ガイドライン第4の3 (2) ア。

196) 企業結合ガイドライン第4の3 (2) ア。

197) 企業結合ガイドライン第4の3 (2) イ。

198) 企業結合ガイドライン第4の3 (2) ウ。

199) 企業結合ガイドライン第5の3、第6の3。

200) ここでの「発見」や「制裁」の主語は、公取委でなく、逸脱行動をとらず協調的行動を是とする供給者らである。

報が透明で容易に入手できる場合には、逸脱行動を発見しやすい、とする[201)]。制裁が可能であるというためには、当該市場において報復的廉売攻勢をかけるなどの余力があるかどうかをはじめ、逸脱行動をした供給者に対して十分な不利益を与えるための手段を、その他の供給者が持っているか否かを検討することになる[202)]。

(4) 需要者による牽制力

供給者が価格等の競争変数を左右することを、需要者が、牽制する場合があり得る[203)]。企業結合ガイドラインは、その例として、需要者が自ら供給者となる川下市場での競争が活発である場合や、需要者に取引先変更の容易性があったり供給過剰となっていたりすることにより需要者に交渉力がある場合を、挙げる[204)]。企業結合ガイドラインは、市場全体の需要が減少しているときに需要者による牽制力が強まる場合があることにも触れている[205)]。

これらは、整理すれば、需要者による牽制力が発揮されるためには、その能力と意欲の両方が必要である、ということであろう。まず、交渉力という能力が必要であり[206)]、同時に、自己の顧客等に負担を転嫁できるために交渉する意欲が湧かないなどという状況がないことが必要である[207)]。そのようなことを、やや羅列的に掲げたのが、企業結合ガイドラインの記述である。

需要者による牽制力は、他の供給者による牽制力など、他の考慮要素と重なっている場合がある[208)]。需要者に交渉力があるために供給者らは協調的行動

---

201) 企業結合ガイドライン第4の3 (2) ア。一般消費者向けの取引は、通常、価格等の競争変数に関する情報が透明で容易に入手できる一例であるが、他にも容易に入手できる例はあり得るし、他方、一般消費者向けの取引だからといって必ず協調的行動がとられやすいわけでもない。

202) 明示的な制裁手段がなく、単に、各供給者が協調的行動を破綻させることに対する心理的抵抗感を持っているにすぎない場合であっても、協調的行動は起こりやすい。

203) 需要者による牽制力を考慮要素の1つとして挙げた事例は枚挙に暇がない状況となっている。

204) 企業結合ガイドライン第4の2 (5)。

205) 企業結合ガイドライン第4の2 (5) ③。

206) 能力の源泉は様々である。当事会社の競争者に影響を与えて競争を活発化させる能力であることもあるが、江戸の敵を長崎で討つ材料を持っている、という意味での能力である場合もある（平成24年度企業結合事例3〔古河スカイ／住友軽金属工業〕(事例集24～25頁))。

207) 需要者ではない者が需要者側の意思決定権を持っているために需要者による牽制力が働かないとされた例として、平成20年度企業結合事例1〔キリン／協和発酵〕(事例集9頁)。

208) 物事の分類の実益に複数あるうち第2類型のほうにあたる（前記80頁註150)。

をとることができず依然として天秤にかけられる、という場合には、実は、需要者の交渉力が他の供給者による牽制力を覚醒・促進しているのであって、需要者の力は、他の供給者の牽制力を語る際の１つの間接的な事実にすぎないことになる。しかし、行為者のほかには適切な代替的供給者がない場合でも、何らかの力関係により需要者が行為者の価格等の競争変数を問題のない範囲に押しとどめることができるという状況も、想定できる。そのようなときは、他の供給者の牽制力を経由せず直接に需要者が牽制力を発揮し市場支配的状態の成立を阻んでいる[209]。

⑸　その他の牽制力

①　他の市場の需要者

（i）　総説　　ある市場で供給者が価格等の競争変数を有利に変更しようとしても、他の市場の需要者の存在が、それを牽制する場合がある。そのようなことが起こるのは、供給者が、両市場のそれぞれの需要者を実際の取引において区別できず、かつ、供給者が他の市場の需要者を失いたくないと考える場合である[210][211]。

例えば、東京大阪間の高速移動の市場（市場 β）と、東京大阪間の飛行機によらない高速移動の市場（市場 α）とを考えてみる。市場 α のたぶん唯一の供給者である新幹線は、飛行機に乗りたくない需要者と、飛行機と新幹線を天秤にかける需要者とを、区別できない。そのため、飛行機に乗りたくない需要者だけに対して高価格を提示することはできない。全員に対して高価格を提示すると、飛行機でもよい需要者は飛行機に逃げてしまう。このような場合には、市場 α について、他の市場 β の需要者からの牽制力が働いている、と言える。

209）　平澤怜子・深町編著２版 208～209 頁が「江戸・長崎論」と呼んで論じているものは、これにあたると考えられる。前記註 206。

210）　供給者が需要者を区別でき、したがって他の市場の需要者による牽制力が働かないために、市場支配的状態が成立する方向に針が振れた事例として、平成 22 年度企業結合事例８〔JX 日鉱日石エネルギー／三井丸紅液化ガス〕（事例集 43 頁）。実際には異なる需要者によって異なる価格が設定されていることを指摘して同様の扱いがされた事例として、平成 24 年度企業結合事例９〔ヤマダ電機／ベスト電器〕（事例集 71～72 頁）。事案によっては、データを用いた個人別価格設定（パーソナライズドプライシング）により区別が容易となる場合もあろう。

211）　供給者が需要者を区別できない場合でも、他の市場でも反競争性が起こるのであれば、牽制力は起きない。反競争性を認定した事例として、平成 22 年度企業結合事例１〔BHP ビリトン／リオ・ティント II〕。勘所事例集 379～380 頁。

便宜上、「新幹線飛行機問題」と名付ける。

(ii) 市場画定の問題か反競争性の問題か　新幹線飛行機問題は、特に欧米での議論では、市場画定の問題として登場する。すなわち、市場αが市場βとは別個に成立する条件として、供給者が市場αの需要者と市場βの需要者とを区別し価格を差別できること、というものがしばしば挙げられる。このような場合には、市場αというものは成立しないのだ、という議論である。

この議論は、実質的には支持できるが、それを市場の成否の問題だと位置付けている点には疑問がある。

つまり、上記の議論は、市場αが成立しないというのではなく、市場αにおいては独禁法上の問題が起こる可能性が低いので検討対象から除いてよい、ということであろう。飛行機に乗りたくないという需要者は確実に存在し、それらの人にとって新幹線のみを現存供給者とする市場が成立しているのは、間違いない[212)213)]。

例えば、供給者が市場αの需要者と市場βの需要者とを区別できないとしても、市場αの需要者の数が十分に多いために、市場βの需要者を失ってでも市場αで高価格を提示するのが供給者にとって有利である、という場合はあり得る[214)]。

---

212) 各供給者が世界中の需要者に対して統一価格で供給している場合に、国内市場でなく世界市場を見るべきであるとされることがある。これも、国内市場が成立しないというのではなく、各供給者が国内需要者と国外需要者とを区別して取り扱うことができない状況にあるところ、世界市場において競争が活発であるために、国内市場で価格等の競争変数が左右され反競争性が起こる可能性が低い、と言っているものと捉えることができる。

213) 非係争義務（後記464頁）の事案について、違反ありとした公取委審判審決平成20年9月16日・平成16年（判）第13号〔マイクロソフト非係争義務〕（審決案117～119頁）と、違反なしとした公取委審判審決平成31年3月13日・平成22年（判）第1号〔クアルコム非係争義務〕（審決案62～87頁）との、結論の分かれ目は、結局のところ、非係争義務の対象となっていてライセンシーが特許権を行使できない分野があるとしても、非係争義務の対象となっておらずライセンシーが特許権を行使して収益を上げることができる分野があるのであれば、そのような収益を目指して研究開発競争は行われ、その恩恵は、非係争義務の対象となっている分野にも及ぶ、と言えるかどうかの違いであった。その意味で、新幹線飛行機問題の応用であったといえる。マイクロソフト非係争義務審決をめぐっての詳論として、勘所事例集308～316頁。

214) 最判平成22年12月17日・平成21年（行ヒ）第348号〔NTT東日本〕は、通信速度等の観点からADSLサービス等では満足できずFTTHサービスを選好する需要者が現に存在したことを強調してFTTHサービスのみの市場を画定している（判決書12～13頁、民集64巻8号の

違反なしとした事例のなかにも、市場αが成立することは前提としたうえで、市場αの需要者と他の市場の需要者とを区別できない、または、区別できるが価格に差をつけることができない、という事情を掲げて、違反なしとした事例が現れている[215]。

② **その他**　その他にも、供給者が価格等の競争変数を左右することに対する牽制力が生ずる場合があり得る。例えば、事業所管官庁による規制により、供給者が競争変数を有利に変更することができない場合、当該規制が信頼性と実効性のあるものであるならば、牽制力があると認められるであろう[216]。

3　市場シェアや市場集中度との関係

以上が、市場支配的状態の成否を判断するための具体的基準であるが、そこにおいて市場シェアや市場集中度（前記36頁）がどのような位置付けを与えられているのかを、あらためてここで確認する。

結局のところ、市場支配的状態の成否と、市場シェアや市場集中度とは、直接の関係を持たない。

市場シェアや市場集中度が大きいがしかし牽制力が作用するので市場支配的状態が成立しない、という事例は、あり得る。市場シェアは、それが大きければ他の供給者に供給余力がないと認定される方向に針が振れる、という意味で、他の供給者の供給余力の有無を判断する際の間接事実であるにすぎない。市場集中度は、それが大きければ他の供給者の行動を高い確度で予測することができるようになり協調的行動が起こりやすくなる、という意味で、協調的行動の有無を判断する際の間接事実として登場するにすぎない[217]。

2080頁）。調査官解説は、新幹線と飛行機を用いた拙著の比喩との関係を更に明示的に論じている（岡田幸人・最判解民事篇平成22年度下843頁注42）。勘所事例集369～370頁。

215)　平成30年度企業結合事例2〔王子ホールディングス／三菱製紙〕（事例集13頁）。企業結合事例検討公正取引825号13～14頁。令和3年度企業結合事例8〔東京青果／東一神田青果〕（事例集106～107頁）。企業結合事例検討公正取引865号32～33頁。令和4年度企業結合事例3〔リケン／日本ピストンリング〕（事例集32～33頁）。

216)　事業法規制の存在を考慮要素の1つとして違反なしとした事例として、平成25年度企業結合事例1〔トクヤマ／セントラル硝子〕（事例集36頁）。問題となった事業法規制が、認可制でなく届出制であることや、価格に対する一定の規制はあっても価格以外の競争変数は規制されていないことなどを指摘して、牽制力を認めなかった事例として、平成24年度企業結合事例10〔東京証券取引所／大阪証券取引所〕（事例集81頁、88頁）。勘所事例集464～465頁。

逆に、市場シェアや市場集中度が小さいが市場支配的状態が成立する、という事例も、あり得る。例えば、いわゆる「ライバルの費用を引き上げて市場支配的状態をもたらす」という戦略において、検討対象市場の川上において必須の原料を押さえていれば、当該原料の価格を上げることによって検討対象市場での価格を左右することができるのであって、検討対象市場でのシェアが小さい場合でも検討対象市場で市場支配的状態を起こすことができる[218]。

もっとも、市場シェアと市場集中度は数値によって表現されるものであるため、プロセスとしての法的判断の中間段階において要検討案件を選別する際には主たる基準として用いられる（後記574〜575頁）。

第5節　正当化理由

1　総　説

(1)　概　要

弊害要件は、反競争性があるだけでは満たされず、それに加え、「正当化理由がない」といえる場合に初めて満たされる。本書は、この点を直視し、以下において正当化理由を詳論する。

「正当化理由」の概念は、大きな文脈では、「競争至上主義」「市場原理主義」に対するアンチテーゼであり、これらに歯止めをかけ、あるいはこれらに代わるパラダイムを漸進的に模索する場合の、橋頭堡となり得るものである。

正当化理由の成否は、その事案での反競争性の大小と連動し、そのような反競争性を起こしてでも実現すべきものであるかどうかによって決まるものであるから、突き詰めていえば、反競争性と正当化理由は総合して1個の判断としてその成否を観念すべきものであるかもしれない。しかし、立証負担の割り振りなどでは正当化理由だけについて特別な配慮が必要とされるのであり（後記163〜164頁）、まずは分けて検討しておき、そのうえで、個別事案ごとに、総

---

217)　例えば、企業結合ガイドラインは市場シェアや市場集中度指標を用いてセーフハーバーまたはそれに類する基準を提示しているが（後記574〜575頁）、それを超える場合に常に市場支配的状態が成立するとしているわけではない。

218)　先駆的論文の紹介として、白石忠志・アメリカ法1995年1号（平成7年）。

合考慮をするのが適切であるように思われる。

(2) 過去の状況

正当化理由という概念は、過去においては、あまり議論の対象とはされず、その存在自体が否定されることも多かった。文献などで、正面から相応の位置付けをされることはなく、裁判例などで行われた断片的な議論が断片的に紹介されるだけであった。

このことの構造的原因を考えると、第1に、日本の独禁法の法執行は主に公取委という行政当局によって担われてきた。行政当局は、ある行為を法違反であるとして取り上げる場合には、一定の理由付けを述べる。しかし、ある行為を取り上げない場合には、詳細な理由付けを求められないことが多い。そこで、反競争性があるだけで違反となる、という一般論を掲げておき、反競争性はあるが正当化理由もある、という事案が登場すれば黙って見過ごす。他方、裁判所では、和解とならない限り、違反という結論でも違反でないという結論でも、理由付けが求められる。そこで、裁判所で争われた限定的な事例だけが、正当化理由を論ずる素材となった。米国では当たり前のこととして論ぜられている正当化理由が日本であまり論ぜられなかった所以である。米国と日本では、独禁法の法執行において裁判所に与えられてきた重みが違う。

構造的原因の第2として、従来は独禁法や公取委の地位が現在よりも低かった。そのような時代には、表向きの違反要件を広めに唱えても、実際の力がないために社会への実害がなく、したがって正当化理由という概念はおよそ認めないなどという非現実的な主張も行われ得た。同様のことを別の角度から見れば、それだけ地位が低いために、少々強硬なことを述べてでも味方の士気を鼓舞する必要があった、とも言えるようである[219]。

(3) 最近の状況

最近では、日本の独禁法をめぐる状況にも変化が見られる。上記の第1の原

---

219) 岩本章吾『知的財産権と独占禁止法』(晃洋書房、平成20年) 137頁は、次のように指摘している。「すなわち、我が国において戦後ある時期まで独占禁止政策が経済政策の傍流の地位に置かれていたため、ともすれば軽視され勝ちであった競争の意義や重要性を強調するために、[自由競争経済秩序に反すれば直ちに公共の利益に反しているという] 見解が、独占禁止法の研究者や公取委の実務家等から成る狭いサークルの中で、敢えて――あるいは、論者自身も無理を承知の上で――提唱され、そして、そのようなサークルの中だけで神聖不可侵のものとして絶対的な支持を得てきたように思われる」。

因との関係では、独禁法における裁判所の役割が上昇し[220]、同時に、行政の透明化の要請が高まっている[221]。第2の原因との関係では、独禁法や公取委の地位が上昇し、「何でも違反」と言っていたのでは社会的実害が発生するようになった。公取委の文書のなかにも、正当化理由に関する言辞が随所に見られるようになっている。

過去の発想の残滓は簡単に消滅するものではない。違反なしとの結論に至った公取委の文書においても、実は正当化理由があるために違反なしとされたのに、表向きはそう書かれていないものがあるかもしれない[222]。正当化理由という概念を正面から一般的には認めない、という発想は、長年の独禁法教育において当然のこととされていただけに、専門家の間でも根深いものがあった[223]。

しかし最近では、それでは現実を説明できないことが広く理解されるようになり、あるいは、そのようなことを理解した世代が独禁法分野の多数を占めるようになり、正当化理由について原理主義的反対論を意識した議論をする必要性は減っている。具体的な基準等に関する議論を発展させるべき段階に達している。

---

220) 瀬川信久「競争秩序と損害賠償論」NBL863号（平成19年）51～52頁は、裁判所にとっては反競争性の成否よりも正当化理由の成否のほうが判断が容易であるので、正当化理由の成否を優先的に判断し、正当化理由が認められない場合のみ反競争性の成否を判断している、という興味深い分析を行っている。

221) 行政の透明化の一環として毎年度について公表されるようになった相談事例集は、その多くの事例において正当化理由の問題を取り扱っている。

222) 村上政博『弁護士・役人・学者の仕事』（弘文堂、平成9年）109～112頁は、公取委職員としての個人的経験をもとに、興味深い指摘をしている。それによると、「行政」は、単純な法理論を維持することを優先して、そのためには事実認定をまげることにも抵抗がない。例外的法理論を認めると、日頃の画一的事案処理に支障をもたらし、相手方に対しても余計な期待を持たせることになるからである。正当化理由のある価格協定事案を不問とする際に、共同行為があったとは認定できなかった、と説明する場合もあり得ることを示唆している。

223) 「競争促進効果」という言葉は、現に競争を促進する場合にも用いられるが（後記112頁）、そうではなく、「正当化理由」という言葉の単なる言い換えとして用いられることも多い。例えば、グリーンガイドラインにおける「競争促進効果」という言葉の用例の大多数は、実はそれである。正当化理由という概念に本能的に反発する論者でも納得するよう、問題とされた行為が競争に対してプラスの効果を持つことを示唆する表現が用いられているものである。反発する論者を納得させるための便宜的な論法にすぎないので、具体的に何に関する競争にどのような促進効果があるのかは、意識されていないことが多い。

(4) 本書の方針

本書は、正当化理由という概念を、弊害要件を構成する1つの要素として、正面から位置付けて論ずる。実際に存在するものをありのままに描くという、当たり前の執筆方針に基づくものであるが、更に言えば、次のような意味で実践的にも有益であると思われる。

第1に、独禁法のあちこちに散逸している議論を正当化理由という概念で体系化すれば、現時点ではいまだ十分ではない事例を少しでも豊かに積み上げることができ、その成果を次世代に繋げることができるであろう。

第2に、正当化理由という要素について他とは異なる立証負担を観念し、一定程度において公取委にとって有利で行為者にとって不利な立証ルールを採用するのであるならば（後記163～164頁）、そのような立証ルールが採られるのであるということを手続保障の観点から行為者に対して知らしめる標識として、正当化理由の概念は機能するであろう。

2 条文との関係

(1) 総 説

正当化理由という要素は、競争の実質的制限や公正競争阻害性という文言のなかに盛り込まれている。すなわち、正当化理由がなくて初めて、競争の実質的制限や公正競争阻害性が満たされる。正当化理由があれば、競争の実質的制限や公正競争阻害性は満たされない。

同じことを説明する別の方法として、競争の実質的制限や公正競争阻害性の外側に「正当化理由がない」という不文の要件がある、というものもあり得る。しかし、多くの場合は、そのような方法でなく、正当化理由があれば競争の実質的制限や公正競争阻害性が満たされない、とされている。

公正競争阻害性については不公正な取引方法の章で敷衍することとし（後記396～397頁）、以下では競争の実質的制限について敷衍する。

(2) 競争の実質的制限における正当化理由

① **総説**　競争の実質的制限をめぐる正当化理由の主張をどう位置付け、受け止めるか、については、議論の変遷があった。現在では、競争の実質的制限という概念の枠内に盛り込んで行われるのが主流である。以下、敷衍する。

② **過去の議論と昭和59年最高裁判決**　競争の実質的制限と正当化理由をめ

ぐる議論は、長年にわたり種々行われていたが、その最高潮の1つが、石油製品価格協定刑事事件である。この事件は、2条6項の不当な取引制限に関するものであった。

この訴訟では、大きく分ければ2つの考え方が提示されていたが、いずれも、2条6項の「公共の利益に反して」という文言に託して論ぜられていた[224]。

第1説は、「公共の利益に反して」という文言を根拠として、市場支配的状態が生じても正当化される場合があることを認めるべきである、とした。つまり、正当化理由のある行為は、公共の利益に反していないから、独禁法に違反しない、という。

第2説は、市場支配的状態が生ずれば直ちに「公共の利益に反して」いる、とするものである。正当化理由というものの入り込む隙を独禁法の文言は与えていない、と論じた。

このような論争に対して、石油製品価格協定刑事事件の昭和59年最高裁判決は、「市場支配的状態」=「競争の実質的制限」という図式を前提とした上で、それがあれば原則として独禁法違反だとしつつ、極めて例外的に、「公共の利益に反し」ない場合があることを認めた。すなわち、「「公共の利益に反して」とは、原則としては同法の直接の保護法益である自由競争経済秩序に反することを指すが、現に行われた行為が形式的に右に該当する場合であつても、右法益と当該行為によつて守られる利益とを比較衡量して、「一般消費者の利益を確保するとともに、国民経済の民主的で健全な発達を促進する」という同法の究極の目的（同法1条参照）に実質的に反しないと認められる例外的な場合を右規定にいう「不当な取引制限」行為から除外する趣旨と解すべき」であるとする[225]。この判示はすなわち、一方で、第2説のように独禁法の違反範囲を広げることが必ず消費者の利益に合致し国民経済の健全な発展に寄与するという証拠はないと考えつつ、他方で、第1説はあいまいな基準によって正当化理由を認めようとするものであって無限定に認めると独禁法を根底から覆すこと

224）これらの詳細な紹介としては、木谷明・石油製品価格協定刑事最高裁判決調査官解説・最判解刑事篇昭和59年度127〜128頁。この時期は、どの説も、競争の実質的制限=市場支配的状態、という定式を当然の前提としたうえで、「公共の利益に反して」の文言について論じていた。

225）最判昭和59年2月24日・昭和55年（あ）第2153号〔石油製品価格協定刑事〕（刑集38巻4号の1311頁、審決集30巻の257頁）。

になると考えて、第２説に近い立場を宣言しながら、法益の比較衡量によって第１説の主張するところを限定的に汲み取ろうとしたもの、ということができよう[226)]。

同判決に対しては、その実質的内容はともあれ、独禁法の他の違反類型との間の文言上のバランス、という観点からの批判が可能である。独禁法のなかには、２条５項や２条６項のように、「競争の実質的制限」と「公共の利益に反して」とが一対となっている条文がある。しかし他方、８条１号、10条、13条〜16条のように、「競争の実質的制限」だけがあって「公共の利益に反して」がないものもある。「公共の利益に反して」の文言に託して正当化理由の成立を認める最高裁判決の定式を当てはめると、２条５項や２条６項には違反しないが、８条１号、10条、13条〜16条には違反する、というものが出てくる。しかし、例えば２条６項と８条１号は、規制対象となる行為者が異なるだけであり、規制対象行為はほぼ同種である。同じ行為が、規制対象者が異なるだけで、一方では違反なしとされ、他方では違反となる、ということになると、解釈論としては具合が悪い。

③　大阪バス協会審判審決とその後の推移　この食い違いを防ぐ方法を提示したのが、大阪バス協会に対する平成７年の審判審決である[227)]。

大阪バス協会審決は、まさに８条１号（当時の８条１項１号）が問題となった事件であり、石油製品価格協定刑事最高裁判決に対する批判をどうこなすかの試金石であった。

大阪バス協会審決は、過去の議論とは発想を変え、「競争の実質的制限」の概念の枠内で、正当化理由の有無を勘案しようとした[228)]。すなわち、正当化理由があれば「競争の実質的制限」が成立しないので、８条１号を満たさないし、２条６項も満たさない。このように、過去の議論とは違い、正当化理由を勘案しながらもその際「公共の利益に反して」という文言に依拠せず、「競争

226)　木谷・前記註224・128〜129頁。

227)　公取委審判審決平成７年７月10日・平成３年（判）第１号〔大阪バス協会〕。この審決が示した法律論に関する有益な文献として、匿名解説・判タ895号（平成８年）。勘所事例集81〜85頁。

228)　大阪バス協会審決は、排除措置命令をすることの可否を論ずるかのような言い回しを用いており、違反だが排除措置命令をすることができない、という意味に見えなくもないが、その全趣旨は、競争の実質的制限という違反要件の成否を問題としている（審決集42巻の41〜63頁）。

の実質的制限」を狭く解釈することによって、食い違いを解消した。

その後の公取委文書で、同様の論理構造を前提として論じているものは、枚挙に暇がない。排除型私的独占ガイドラインが代表的であるが[229]、相談事例集には、正当化理由を根拠として「競争の実質的制限」なしとの結論に至った事例が多く存在する[230]。

④ 現在の状況 以上のように、正当化理由は「競争の実質的制限」の枠内で議論する、という手法が公取委文書を含めて定着しているが、他方で、裁判所の判決等では、「公共の利益に反して」という文言で論ずる手法が根強く残っている。

「競争の実質的制限」の枠内で議論すれば、「公共の利益に反して」という文言に頼らないので、8条1号や企業結合規制においても正当化理由の議論をすることが妨げられない。この法律構成が公取委実務で好まれる背景には、前述の論争の名残で「公共の利益に反して」という文言への抵抗感が根強いことや、競争の実質的制限の枠内の議論に落とし込めば正当化理由を認めたことが目立ちにくく当局としては都合がよいことなども、あるように思われる。

他方、裁判所の判決などにおいては、過去に「公共の利益に反して」の文言を使った最高裁判決があるためか、今でもこの文言を使った言い回しがされることが多い[231]。このような作法をとるとすれば、8条1号や企業結合規制の場合には、「公共の利益に反して」と同旨の不文の要件がある、として整合性をとるのであろう。公取委実務と、裁判所の判決等との間で、形式的な作法のズレが生ずることになるが、実質的には同じであるから、実害はない。

---

229) 排除型私的独占ガイドライン第3の2 (2) オ。

230) この間、最決平成12年9月25日・平成10年（あ）第148号〔水道メーター談合Ⅰ刑事〕は、原判決の言葉遣いに連携した判示ではあるが、依然として「公共の利益に反して」の文言を用いて議論を行っている。

231) また、審決・判決においては、公取委に少しでも多くのハードルを飛ばせようとして、行為者の側が、「競争の実質的制限」のなかに織り込んで正当化理由の主張をするのと並行して「公共の利益に反して」を根拠とした正当化理由の主張をすることが少なからずあり、それに応えざるを得ないという面もあるものと思われる。

3　判断基準

(1)　総　説

①　目的の正当性と手段の相当性　　正当化理由として認められるか否かの判断基準は、目的と手段の両面において正当であるか否か、である232)。

②　「それなりの合理的な理由」について　　資生堂東京販売・花王化粧品販売の両最高裁判決は、正当化理由の基準らしきものとして、「それなりの合理的な理由」なるものを掲げているので233)、これをどう位置付けるかを明らかにする必要がある。

結論を言えば、「それなりの合理的な理由」という判示に先例的価値を読み込むべきではない。両判決は、販売方法の拘束が一般指定12項（昭和57年一般指定13項）に該当しないと論ずるにあたり、当該拘束が「それなりの合理的な理由」を持つことを最も重要な理由とした。そこで、「それなりの合理的な理由」と、上記の、目的と手段との両面において正当、という基準との、異同が問題となり得る。しかし、両判決の調査官解説は234)、「それなりの合理的な理由」がなくとも違反とならない場合があり、他方で、「それなりの合理的な理由」があっても違反とされる場合がある235)、とする。そうであるとすれば、

---

232)　事業者団体ガイドライン第2の7(2)ア③、第2の8(4)、公取委審判審決平成13年8月1日・平成10年（判）第1号〔SCE〕（審決案63頁）、山口雅高・水道メーター談合Ⅰ刑事最高裁決定調査官解説・最判解刑事篇平成12年度200頁、東京地決令和3年3月30日・令和2年（ヨ）第20135号〔遊技機保証書作成等〕（理由第3の4(1)）など多数。スポーツ移籍制限ルール考え方は、目的の正当性と手段の相当性の両方の要素を明瞭に示す図が特徴的である。

233)　最判平成10年12月18日・平成6年（オ）第2415号〔資生堂東京販売〕（民集52巻9号の1872頁、審決集45巻の458頁）および最判平成10年12月18日・平成9年（オ）第2156号〔花王化粧品販売〕（審決集45巻の464頁）。

234)　小野憲一・資生堂東京販売判決調査官解説・最判解民事篇平成10年度下1010頁。花王化粧品販売判決の解説も併せて行っている。

235)　これを夙に指摘していたものとして、東京高判平成9年7月31日・平成6年（ネ）第3182号〔花王化粧品販売〕。大手供給者がこぞって同様の販売方法拘束を行っており、かつ、当該供給者が市場で有力である場合には、違反となる可能性があり、したがって正当化理由も「それなり」でなく通常の正当化理由が必要となる旨を指摘している（高民集50巻2号の295～296頁、審決集44巻の736頁）。当該事案では、花王化粧品販売の市場シェアが6.5%であることにも触れつつ（高民集50巻2号の293頁、審決集44巻の734頁）、違反ではないとした。この一般論と軌を一にし、市場シェアが約2%の場合には販売方法を直接訪問販売に限定する行為は違反とならないとした事例として、大阪地判平成4年7月24日・平成3年（ワ）第9872号〔オッペン化粧品〕（審決集39巻の584頁）。

「それなりの合理的な理由」という基準は、独禁法違反の成否を最終的に判断する場合には、実は役に立たない[236]。

「それなりの」という表現は、流通取引慣行ガイドラインの解説書の表現に端を発するものであったが[237]、これが最高裁判決に取り入れられたため、逆流的に、平成27年の改正において流通取引慣行ガイドラインにも取り入れられている[238]。

③　**立証負担**　　正当化理由の成否判断を支える事実の立証負担をどう分配するかという問題については、他の通常の違反要件の場合とは異なり、争点形成責任などの特殊な議論が必要となるが、ともあれ立証負担については別の箇所でまとめて論ずる（後記163〜164頁）。

(2)　目的の正当性

①　**総説**　　正当化理由として認められる第1の条件は、達成しようとする目的が正当なものであること、である。

正当な目的とは、具体的には、反競争性という弊害を起こしてでも達成すべきであるもの、ということである。その行為によって達成される善と、それによって必要悪的に生じてしまう反競争性の弊害とを、比較衡量することになろう。弊害が上回るときに、弊害要件が満たされる[239]。

---

236)　メーカーが小売店による横流しを禁止したことが問題となった公取委審判審決平成13年8月1日・平成10年（判）第1号〔SCE〕は、「それなりの合理性」基準によって違反の範囲を必要以上に狭めたようにも見える両最高裁判決の射程を限定しようとしている（審決案62〜63頁）。しかしその射程限定論は説得的ではなく、むしろ端的に、本文で述べたように、両最高裁判決の「それなりの合理的な理由」基準には法的な意味がなかった、と割り切るべきであると思われる。勘所事例集146〜147頁。

237)　もともとの流通取引慣行ガイドラインには「それなりの」という文言はなかったが、担当課長が編著者となった解説書に「それなりの」という表現があった。「指針において「当該商品の適切な販売のための合理的な理由」としている点については、当該メーカーが必要と判断し、一般的に考えてもそれなりに合理的なものであればよい。」（山田昭雄＝大熊まさよ＝楢崎憲安編著『流通・取引慣行に関する独占禁止法ガイドライン』（商事法務研究会、平成3年）187頁）。

238)　選択的流通について書き下ろした部分で「それなりの合理的な理由」という文言を用い（平成29年の改正後の流通取引慣行ガイドライン第1部第2の5）、「小売業者の販売方法に関する制限」でも「それなりの」という文言を採用するに至っている（平成29年の改正後の流通取引慣行ガイドライン第1部第2の6）。

239)　かりに一定程度の合理性が認められるとしても反競争性の弊害のほうが大きいとして違反という結論に至った例として、SCE審決（審決案65頁）など。比較衡量をしたうえで正当化理由

正当とされる「目的」には、多種多様なものがあり得る。以下、いくつかの種類に分けて具体例を見ていくが、これらの分類はあくまで例示であって、限定列挙ではなく、相互に排他的でもない[240][241]。

「目的」は、検討対象市場の外のものであってもよいか、という議論がある。例えば、新たな川下市場が生成するようにするという目的の達成のため川上市場での反競争性を容認する、とか、将来の国土全般の環境を改善するという目的の達成のため現在の特定の商品役務の需要者に負担をかける、といったことである。そのような正当化は、これまでも当然あり得るものと考えられている(例として、後記110〜114頁)。「環境」や「グリーン」などを旗印とした最近の議論においてこれが難問であるかのように論ぜられているが、周回遅れの議論である。

② 不適切な状況を防止するための不適格者排除・共同行為　不適格な商品役務や不適格な事業者を排除しようとする行為は、正当な目的があるとされる場合がある。裁判例で正当化が認められたものとしては、手形交換所の取引停止処分[242]、電話帳への広告掲載拒絶[243]、全国銀行協会連合会における個人信用情報登録制度[244]、不動産鑑定士協会への入会拒絶[245]、仕様書のとおりの作業を行わず虚偽の報告を行っていた取引先との取引拒絶[246]、トナー残量表示の正

の成立を認めた例として、東京地決令和3年3月30日・令和2年(ヨ)第20135号〔遊技機保証書作成等〕(理由第3の4(2)イ)。反競争性と正当化理由を融合させた違反要件論の可能性と、本書の現時点での考え方について、前記94〜95頁。

240) 物事の分類の実益に複数あるうち第2類型のほうにあたる(前記80頁註150)。

241) 以下の随所にわたる多数の例を提供するものとしてグリーンガイドラインがある。過去に既にあった考え方を確認するものが多く、以下では原則として引用を割愛する。

242) 東京高判昭和58年11月17日・昭和57年(ネ)第2535号〔手形交換所〕。

243) 大阪高判昭和56年1月29日・昭和54年(ネ)第1703号〔電電公社電話帳広告〕。なお、公正取引委員会事務局「資格者団体の活動に関する独占禁止法上の考え方」(平成13年10月24日)第2の2も、不適格な広告を排除するための自主基準を、必要な範囲内で容認している。

244) 東京地判平成9年8月28日・平成8年(ワ)第12894号〔全国銀行協会連合会〕(金融法務事情1526号の64頁)。東京高判平成10年2月26日・平成9年(ネ)第3884号〔全国銀行協会連合会〕もこれを引用している(金融法務事情1526号の60頁)。

245) さいたま地判平成23年12月16日・平成23年(ワ)第55号〔埼玉県不動産鑑定士協会〕(審決集58巻第2分冊の253〜254頁)、東京高判平成24年5月17日・平成24年(ネ)第193号〔埼玉県不動産鑑定士協会〕(審決集59巻第2分冊の112頁)。

246) 東京地判平成19年7月25日・平成17年(ワ)第17348号〔ウインズ汐留損害賠償請求〕

確性を確保するための非純正トナーカートリッジに対する「？」の表示[247]、などがある[248]。公取委の審判審決で正当化が認められた古い例として、規格外の粗悪品を排除するため当該事業者からの下請を拒否する行為がある[249]。相談事例では、2000年問題への対応が不十分な金融機関を決済ネットワークから排除する行為を正当化したもの[250]、生産管理等の記録を行っていない事業者からの販売委託を安全性などの観点から拒否することを正当化したもの[251]、ソフトウェアにおけるアイテム提供確率の表示の自主基準を策定する団体の行為を正当化したもの[252]、週休２日制の実現のため特定の曜日を休業とするよう推進する団体の行為を正当化したもの[253]、種苗の表示の適法性を確保するための登録制度を設定する団体の行為を正当化したもの[254]、利用者の依存症を防止するための提供中止を団体が要請する行為を正当化したもの[255]、労働条件の改善のため取引相手方の側の効率化等を団体が要望する行為を正当化したもの[256]、レジ袋有料化を定着させるためレジ袋の単価を団体

（判タ1277号の303頁、304頁）。

247）　知財高判令和4年3月29日・令和2年（ネ）第10057号〔リコー対ディエスジャパン〕。排除効果がない旨の判示とあわせて、正当化理由がないとは言えない旨の判示をしたものである（裁判所PDF 95頁）。

248）　このほか、安全性確保の観点から正当化されることがあり得ることを一般論として述べたものとして、大阪高判平成5年7月30日・平成2年（ネ）第1660号〔東芝昇降機サービス〕（審決集40巻の656頁）。形の上では独禁法上の正当化理由としてではなく民法90条の要件の成否を論ずる次元においてではあるが、暴力団排除のための購入先制限を正当化したものとして、名古屋地判平成9年7月9日・平成2年（ワ）第2755号〔名古屋中遊技場防犯組合〕（審決集45巻の528～529頁）。他の理由で違反なしとしつつ、念のため、紛争中の相手方の取扱いを期間や対象を限定して停止するのはやむを得ないとしたものとして、大阪地判平成24年3月23日・平成22年（ワ）第13213号〔住宅保証機構〕（審決集58巻第2分冊の274頁）。

249）　公取委審判審決昭和30年9月20日・昭和27年（判）第7号〔大阪ブラシ工業協同組合〕のうち、服用ブラシとくつ用ブラシに関する部分（審決集7巻の30～35頁）。

250）　公正取引委員会「コンピュータ西暦2000年問題に関する事業者及び事業者団体からの相談事例について」（平成11年5月31日）相談事項4。

251）　平成23年度相談事例9〔農協受託販売拒否〕。

252）　平成28年度相談事例9〔アイテム提供確率表示自主基準〕。

253）　平成29年度相談事例11〔事業者団体特定曜日休業推進〕。

254）　平成30年度相談事例10〔種苗メーカー団体登録制度〕。

255）　平成30年度相談事例12〔依存症予防等目的自主規制〕。

256）　令和元年度相談事例8〔包装資材メーカー団体効率化等要望〕。

が統一する行為を正当化したもの[257]、非純正品の消耗品を用いた場合には分析機器の品質・性能を保証しない行為に目的の合理性があるとしたもの[258]、などがある。特許ライセンス技術を用いた製品の販売先をライセンサーがライセンシーに対して指示する行為を違反なしと判断するにあたって身体への安全の確保の観点を考慮した事例もある[259]。供給の対価の支払が滞っている者を排除することも、正当な目的があるとされるであろう[260]。

不適格な商品役務や不適格な事業者であることが、明確にわかっていなくとも、そのことの社会的な説明責任を持つ事業者の側がそれを十分に説明しないなかで、それ以外の他の事業者が、不安を払拭し需要者の安心・信頼を確保するために行うような行為なども、正当化され得ると考えるべきであろう[261]。

環境問題や安全性確保などの観点から、不適切な状況とならないよう共同行為を行ったり自主基準を置いたりする行為も、以上のことの裏返しとして、目的において正当とされる[262]。複数事業者が共同でリサイクルシステムを構築する場合[263]、安全性確保のために自主基準を策定する場合[264]、などがあり得るが、その他にも多くあり得よう[265]。

257） 令和元年度相談事例 12〔レジ袋単価統一等〕。

258） 令和 2 年度相談事例 4〔分析機器消耗品関係仕様変更〕。

259） 平成 19 年度相談事例 5〔特許製品の販売先制限〕。

260） 電気通信事業法においては、そのようなとき接続を拒絶できる。電気通信事業法 32 条 3 号を受けた総務省令である電気通信事業法施行規則（昭和 60 年郵政省令第 25 号）23 条 1 号。

261） 東京地判令和 4 年 2 月 10 日・令和 3 年（行ウ）第 4 号〔マイナミ空港サービス〕は、マイナミ空港サービスの行為の標的とされた佐賀航空の品質ないし品質管理の問題性に係る具体的な情報をマイナミ空港サービスが得たのは行為終了後であったことを、正当化理由がないと判断する理由の 1 つとしているが、説得力がない（判決書 77 頁）。

262） もともと、事業者団体ガイドライン第 2 の 7（2）ア③および第 2 の 8（4）の記述は、そのような問題に関する記述である。同様のものとして、平成 13 年相談事例 5〔たばこメーカー自主基準〕、など。

263） リサイクルガイドラインの随所にこの考え方がみられるほか、平成 16 年度相談事例 13〔産業機械向け消耗品リサイクル共同化〕、平成 18 年度相談事例 7〔印刷業者団体リサイクルシステム〕、平成 21 年度相談事例 12〔防災用品共同リサイクルシステム〕。

264） 平成 22 年度相談事例 9〔検査機器販売方法自主基準〕、平成 25 年度相談事例 12〔火気器具消耗品使用期限〕。

265） 正当な目的があるとされ正当化されたものとして、平成 23 年度相談事例 10〔反社会的勢力契約解除モデル約款〕、平成 24 年度相談事例 9〔温室効果旧型品製造販売停止取決め〕、平成 24 年度相談事例 10〔食料品メーカー広告自主基準〕、平成 24 年度相談事例 11〔有料老人ホーム価格

また、正当性をもつ目的に基づいて取引先に対して販売方法の拘束をしたり、それを守る者のみを選択して取引することも、正当化される[266]。

③　**知的創作や努力のためのインセンティブ確保**　知的創作を行ったり努力を注入したりするためのインセンティブを確保しようとする行為は、正当な目的があるとされる場合がある[267]。知的創作や努力の注入は、それによって得られる果実への期待がなければ、されない場合が多い。そのようなものに一定の見返りを保障するため、反競争性が正当化される場合があり得る。例えば、以下のような場合がある。知的財産法による権利の行使[268]。製造受託者に契約中および契約終了後一定期間にわたって課される同種または類似の製品の製造禁止にはノウハウ保護の観点から合理性があるとされた事例[269]。フランチャイズ契約においてフランチャイジーに課される競業避止義務が営業秘密の競争者への漏洩の防止という正当な目的によるものであるとされた事例[270]。商品

表示自主基準〕、平成25年度相談事例6〔不動産情報サイト不当表示排除取組〕。正当な目的があるとはされなかった例として、平成22年度相談事例5〔複数商品広告取扱基準〕（複数商品広告が既に多数存在する現状においても特段の不都合は生じていないことを根拠としている）、平成26年度相談事例9〔測定機器メーカー測定方法統一〕（5社のそれぞれの測定方法も公的機関の定める基準を満たしていること等を根拠としている）。

266）　最判平成10年12月18日・平成6年（オ）第2415号〔資生堂東京販売〕、最判平成10年12月18日・平成9年（オ）第2156号〔花王化粧品販売〕、流通取引慣行ガイドライン第2部第2の5、6 (2)。これらの「それなりの」という文言については前記101〜102頁。結論として違反なしとした相談事例として、平成23年度相談事例1〔医療機器メーカー通信販売禁止〕、平成25年度相談事例3〔リビング用品メーカー陳列方法指定〕、平成26年度相談事例4〔健康器具メーカー広告規制〕、平成26年度相談事例6〔機械製品メーカー機能説明義務付け〕、平成27年度相談事例1〔日用品メーカー販売方法推奨〕、平成27年度相談事例2〔家畜目的外利用禁止〕。結論として正当化を認めなかった相談事例として、平成23年度相談事例2〔医薬品メーカー対面販売義務付け〕、平成26年度相談事例5〔電子機器メーカー対面説明義務付け〕。

267）　白石忠志『技術と競争の法的構造』（有斐閣、平成6年）152〜153頁、156〜158頁。

268）　21条の適用除外規定は、その趣旨を明文化しようとしたものである（後記180〜183頁）。ただ、この適用除外規定は、適用されない場合も少なくない。また、米国やEUの競争法には同種の適用除外規定が見られないが、少なくとも日本独禁法と同程度に知的財産権の権利行使を尊重している。そうであるとすれば、知的創作のインセンティブ確保という要素は、21条がなくとも勘案されるような体系的地位を与えられるべきである。本書では、そのような観点から、正当化理由の1つとして知的創作のインセンティブ確保を掲げ、更にその一例として知的財産法による権利行使を挙げる次第である。

269）　大阪地判平成18年4月27日・平成16年（ワ）第7539号〔メディオン対サンクス製薬〕（裁判所PDF 14〜15頁）。

役務の新規開発や販路拡張に伴う危険に見合う開拓者利潤を追求するための排他条件付取引には社会的にみて合理性があるとした事例[271]。プロ野球球団が多大な投資を行って自己および所属選手の顧客吸引力を向上させていることの見返りとしてプロ野球球団が所属選手の氏名や肖像の独占的使用許諾を受け一定程度の集合的処理をすることには一定の合理性があるとした事例[272]。共同で構築・運営する枠組みへの参加料についてアウトサイダーには合理的範囲で多めの負担を求める行為が許された事例[273]。共同研究開発への貢献度に応じた有利な条件で成果等を利用することは差し支えないとした事例[274]。知的財産権ライセンスや共同研究開発に際してノウハウ漏洩防止などの観点から特定の装置の使用を強制する行為や同一テーマの研究開発を禁ずる行為は許されるとされた事例[275]。ブランドイメージの維持のための行為を許容した事例[276]。共同研究開発の成果の第三者への供与の禁止について一定期間であれば投資回収の観点から許容したが、5年間という長期にわたる場合は許容されないとし

---

270) 例えば、東京地判平成6年1月12日・平成4年（ワ）第12677号〔ニコマート〕（判時1524号の60～61頁）。

271) 東京地判昭和45年9月16日・昭和42年（ワ）第3097号〔中川対妙高工業〕（下民集21巻9＝10号の1314～1315頁、審決集21巻の483～484頁）。

272) 東京地判平成18年8月1日・平成17年（ワ）第11826号〔プロ野球選手氏名肖像〕（裁判所PDF 111～112頁）。控訴審の知財高判平成20年2月25日・平成18年（ネ）第10072号〔プロ野球選手氏名肖像〕も、1審のこの判示を支持している（裁判所PDF 232頁）。

273) 平成22年度相談事例10〔国際航空貨物利用運送事業者空港間陸上輸送〕、平成24年度相談事例7〔バスターミナル維持管理費〕。差が合理的範囲を超えることを理由に問題があるとした事例として、平成24年度相談事例8〔建物補修工事業者技術指導料差別取扱い〕。

274) 平成16年公表相談事例12〔化学品共同研究開発成果使用料〕、平成16年度相談事例5〔建築工法共同研究開発購入先制限等〕、平成27年度相談事例4〔パテントプール非参加者実施料〕。

275) 平成17年度相談事例6〔特許ライセンスと製造装置指定〕、平成23年度相談事例5〔共同研究開発終了後同一テーマ開発制限〕。

276) 最判平成10年12月18日・平成6年（オ）第2415号〔資生堂東京販売〕（民集52巻9号の1872～1873頁、審決集45巻の458～459頁）および最判平成10年12月18日・平成9年（オ）第2156号〔花王化粧品販売〕（審決集45巻の464～465頁）。いずれの判決も、その判示を客観的にみた場合に意味のあるものであるか否かは疑問であるが（前記101～102頁）、判決の主観においては、ブランドイメージの維持を正当な目的として正当化理由とする場合があることを念頭に置いていたものと推測される。流通取引慣行ガイドライン第3部第2の1(2)は、商標の信用を保持するための行為であることが正当化理由となることを示している。相談事例では、平成23年度相談事例4〔花卉ライセンス拘束条件付取引〕。

た事例[277]。適切な商品説明を奨励するリベートを許容した事例[278]。スポーツ競技の統括団体等が各チームの選手育成インセンティブを向上させるために移籍制限ルールを設けることを一定範囲で許容する考え方[279]。新品種の品質向上のため特定の肥料の使用を団体が義務付ける行為を許容した事例[280]。品質向上の取組をする組合員を農業協同組合が優遇する行為を許容した事例[281]。

逆に言えば、見返りを保障する必要性の低いものは、正当化される可能性が低くなる。被拒絶者が検討対象市場で競争するために不可欠な商品役務の取引拒絶等に関する例として、以下のようなものがある。当該不可欠な商品役務を共同作業によって構築した場合には、正当化される可能性がそれだけ低くなる[282]。他人が供給する商品役務が不可欠なものであることを知ったあとでそれを取得したという場合などには、正当化される可能性がそれだけ低くなる[283]。不正な方法によって当該商品役務を不可欠なものとした場合にも、正当化される可能性がそれだけ低くなる[284]。標準化に際してFRAND宣言をした標準必須特許について、ライセンスを受ける意思をもつ者に対し、ライセンスを拒絶したり特許権侵害差止請求訴訟を提起したりする行為は、正当化される可能性がそれだけ低くなる[285]。公的な援助等を多く受けて当該不可欠な商

---

277) 平成28年度相談事例3〔家電メーカー共同研究開発成果〕。平成28年度相談事例4〔機械共同研究開発成果〕では第三者への供与の禁止を無制限に認めているが、前者と異なり、第三者は別の方法によって競争が可能であるという事例であった。

278) 平成30年度相談事例2〔福祉用具メーカーリベート供与〕。

279) スポーツ移籍制限ルール考え方3。

280) 令和元年度相談事例11〔農作物ブランド化推進団体〕。

281) 令和2年度相談事例9〔農業協同組合販売方法設定〕。

282) 共同研究開発ガイドライン第1の2(2)、第2の2(2)ア②、標準化パテントプールガイドライン第3の3(1)、知的財産ガイドライン第3の1(1)ア、第4の2。公取委勧告審決平成9年8月6日・平成9年(勧)第5号〔パチンコ特許プール〕、など。

283) 知的財産ガイドライン第3の1(1)イ、ウ、第4の2(1)。

284) 例えば、技術の優秀さによるのではなく、共同の標準化作業や公的機関による仕様策定作業が自己に有利な方向に動くように不正な手段を用いて誘導することによって、必須の知的財産権利者の地位を得た場合などが考えられる。知的財産ガイドライン第3の1(1)エ、第4の2(2)。知財高判平成18年7月20日・平成18年(ネ)第10015号〔日之出水道機器対六寶産業〕(事実及び理由第3の1(2)が1審判決判示と差し替えた判示中の(2)イ)や公正取引委員会「日之出水道機器株式会社らに対する独占禁止法違反被疑事件の処理について」(平成18年12月12日)1(2)が一般論として懸念した行為もこれに含まれる。勘所事例集248〜249頁。

285) 知的財産ガイドライン第3の1(1)オ、第4の2(4)。

品役務を構築した場合には、正当化される可能性がそれだけ低くなる[286]。競争者にサブライセンスすることを前提に不可欠な知的財産権のライセンスを受けたのにサブライセンスをしない場合には、正当化される可能性がそれだけ低くなる[287]。自ら育成したわけではない登録プロ選手を囲い込もうとする場合には、正当化される可能性がそれだけ低くなる[288]。

また、見返りを保障する必要性はあるが、そのことによって生ずる反競争性があまりにも大きく、見返りを保障する必要性を凌駕する場合には、やはり正当化されにくい[289]。見返りが大きければ大きいほど知的創作や努力のためのインセンティブが増す、という見方が強調され知的財産権の際限なき強化が主張されることも多いが、以上で述べたことは、見返りが一定程度まで大きくなればそれ以上に大きくしてもインセンティブを増加させるわけではない、という認識に立脚している[290]。

④ **物理的・技術的・経済的な困難**　ある行為をすることが物理的・技術的・経済的な困難を伴う場合に、そのような行為をしない行為は、正当な目的を持つとされ得る。供給余力がない場合の取引拒絶が典型例である[291]。知的財産

---

286) 岡山地判平成 16 年 4 月 13 日・平成 8 年（ワ）第 1089 号〔蒜山酪農農業協同組合〕は、不可欠な牧場の利用拒絶が一般指定 5 項に該当すると結論付けるにあたり、当該牧場が公共育成牧場であって県等の援助によって基盤整備がなされたという意味で「公共用性」をもつものであることを指摘している（事実及び理由第五の一 6、二 4）。

287) 公取委公表平成 15 年 4 月 22 日〔コナミ〕。

288) 平成 23 年度相談事例 3〔登録プロ選手他社トーナメント参加制限〕。

289) 知的財産ガイドライン第 4 の 2 (3) は、その例であろう。その他にも、例えば、マイクロソフトの諸事件について、ソフトウェアの著作権者としてのマイクロソフトの立場が正面から取り上げられることは少なかった。これは、忖度するに、反競争性があまりにも大きいので、暗黙のうちに、そのような主張が退けられたのだ、ということであろう。公取委審判審決昭和 37 年 4 月 12 日・昭和 27 年（判）第 5 号〔東武鉄道〕は、所有権を根拠とした行為であっても違反となる場合があることを一般論として明らかにしている（審決集 11 巻の 3～4 頁）。

290) 公取委審判審決平成 20 年 9 月 16 日・平成 16 年（判）第 13 号〔マイクロソフト非係争義務〕は、マイクロソフトのライセンシーによる AV 技術の研究開発意欲は、その技術を AV 家電製品に用いて収益を上げることができるとしても、その技術をパソコンに用いて収益を上げることができないならば、損なわれる蓋然性がある、としている（審決案 117～119 頁）。知的財産権と独禁法との関係に対する公取委をも含めた基本的なスタンスに照らし、危ういものを含んだ判示であるように思われる。公取委審判審決平成 31 年 3 月 13 日・平成 22 年（判）第 1 号〔クアルコム非係争義務〕は、逆の結論となっている（前記 92 頁註 213）。

291) 広島高判平成 15 年 10 月 15 日・平成 15 年（ネ）第 85 号〔病院タクシー待機レーン〕は、

権のように、無限の利用可能性がある場合には、この正当化理由が成り立つことは少ないと考えられる。

⑤ **効率性**　当該行為によって行為者らの事業活動の効率性が高まる場合には、当該行為が正当な目的を持つとされる場合があるのではないか、という論点がある[292]。

企業結合ガイドラインは、効率性を勘案するか否かは、次の3つの観点から判断する、としている。第1に、企業結合固有の効率性向上であること、第2に、効率性の向上が実現可能であること、第3に、効率性の向上により需要者の厚生が増大するものであること、である[293]。

同じ正当化理由は、企業結合以外の分野でも問題となり得るので、企業結合での議論を参考としつつ、企業結合以外にも同じものを当てはめて検討することになる[294]。

このような効率性は、行為者の効率性を高めて他への牽制力となり、反競争性をもたらさないから望ましい、という意味合いで言われる場合と、他には有力な競争者がない状況となり反競争性は発生するのであるが効率性があるから正当化理由がある、という意味合いで言われる場合とがある。両者の境界線は曖昧であるが、両極端の典型例は存在する[295]。公取委が、特に正当化理由の

病院のタクシー待機レーンの利用調整が不調となれば病院の運営管理に支障を来し混乱をもたらすおそれがあるなどの事情があるとして、病院が同レーンの使用について特定のタクシー業者に優先的な地位を与えたことを正当化した（裁判所 PDF 9頁）。その他、農協ガイドライン第2部第2の1 (2) 注5、平成17年度相談事例5〔並行輸入品の修理受託における自社顧客の優先〕、などがある。

292)　武田邦宣『合併規制と効率性の抗弁』（多賀出版、平成13年）。

293)　企業結合ガイドライン第4の2 (7)。効率性に関する企業結合ガイドラインの記述は、EUの企業結合ガイドラインの影響を特に受けているように思われる。企業結合固有とは、企業結合がなければ生じ得なかったものである、という意味である。「需要者の厚生」は、外国競争法で効率性が論ぜられる際の「consumer welfare」の訳だと思われるが、的確な訳である。そのような外国での議論は、需要者が消費者でない場合も想定しながら議論しているので、「消費者の厚生」という訳は適切でない。

294)　企業結合以外の分野で、製品の品質・性能の向上等を目的とした必要性の範囲内の行為を正当化する旨を述べた例として、公取委公表平成16年10月21日〔キヤノントナーカートリッジ〕の公表の際に「別紙」として付された「レーザープリンタに装着されるトナーカートリッジへのICチップの搭載とトナーカートリッジの再生利用に関する独占禁止法上の考え方」がある。

295)　前者の典型的な事例においては、反競争性が発生しないのであるから、正当化理由の議論に

意味合いで効率性に言及することは少ないが、例がないわけではない[296]。企業結合ガイドラインは、独占または独占に近い状況をもたらす企業結合が効率性だけで正当化されることはほとんどない、としているが[297]、論理的にはあり得ることであって、そのような場合には単に、効率性だけで正当化したと当局が説明せずに済むよう、他の説明要素をあわせて掲げているだけである可能性もあるように思われる。

共同行為を行うことで初めて、何らかの商品役務を供給できたり、あるいは、価格や品質を飛躍的に改善したりすることができる場合は、効率性が議論の中核となる。

例えば、現時点では参入するノウハウのない外国事業者が国内事業者と提携して参入する、という場合が考えられ、この場合には、現時点では日本の需要者向けには競争関係がないので、認められやすい[298]。

他方で、例えば、音楽著作権管理事業者による複数音楽著作権の包括許諾やスキー場の共通リフト券などのように、現時点でも競争関係にあり、価格に関するハードコアカルテルであるという側面を含む場合には、若干の検討が必要である[299]。このような場合には、個々の事業者がその枠組みの外で個別に売ることが認められているならば、違反なしとされることが多い。包括許諾や共

ならず、効率性の発生が強調されないことも多いものと推測される。言及された一例として、平成20年度企業結合事例7〔大阪証券取引所／ジャスダック証券取引所〕(事例集64頁)。

296) 平成13年度企業結合事例10〔日本航空／日本エアシステム〕が、企業結合事前相談において当事会社が企業結合後の値下げ等の措置を申し出たことに対し、「本件統合による合理化効果を一般消費者の利益となるよう用いるものとして、一定の評価を行うことができるものと考えられる」と述べたのは、その珍しい例である(事例集24頁)。公正取引委員会「高速バスの共同運行に係る独占禁止法上の考え方」(平成16年2月24日)2も、事業者が単独では達成し得ない効率性を達成して利用者の利便に資することを、共同運行が独禁法違反とならない理由の1つとして掲げている。

297) 企業結合ガイドライン第4の2(7)。

298) 例えば、平成22年度相談事例2〔繊維メーカー総代理店契約〕。このような場合には、外国事業者等が検討対象市場において足場を築いた後においても違反要件を満たさないかどうかが検討事項となろう。その場合には、現時点で競争関係のある者による音楽著作権や共通リフト券などの議論と同様に、各事業者が個別に売ることが契約で禁ぜられていなければよい、ということになろうか。

299) 単独では難しい共同研究開発をほとんど全ての競争者によって行うことは、必要な範囲で、許容されることが多い。平成25年度相談事例8〔輸送機器メーカー共同研究〕。

通リフト券などの枠組みによって価格が上昇しそうな場合にも、個々の事業者が枠組みの外で個別に売ることが認められていれば、個別事業によって実現し得た水準より悪い水準へと共同行為の反競争性のために進行することはないことが保障されるので、共同行為がもたらし得る弊害に対する安全弁となるからである[300)]。

効率性の問題は、技術開発に関連する文脈では、「競争促進効果」という言葉で表現されることも多い。これにも、少なくとも2つの異なるものが存在する[301)]。第1は、検討対象市場における競争を促進する効果であり、これは、上記の、反競争性をもたらそうとする動きに対する牽制力となるような効率性を「競争促進効果」と言い換えているものである。それに対して、第2は、ある行為が検討対象市場における反競争性をもたらすものの、当該行為が別の市場において競争を活発化させるために検討対象市場での反競争性を正当化する場合に、当該別の市場での効果を「競争促進効果」と呼んでいるものである[302)]。

⑥ **公共性**　　反競争性が生じても、公共性の観点から、正当な目的を持つとされる場合がある。芝浦屠場最高裁判決では、略奪廉売の成否が問題となった事案において、食肉価格の低廉化のために地方公共団体の補助金を交付して利用料を安くする、という目的があったことが、弊害要件を満たさないとする理由の1つとされた[303)]。葉書をめぐる大阪高裁判決では、国が郵便の役務を

---

300)　平成22年度相談事例8〔メンテナンスサービス一括交渉〕。公取委公表平成26年2月19日〔志賀高原索道協会〕は、個々の事業者が共通リフト券の枠組みの外で自由に個別リフト券を販売することを制限していたことが鍵となったものであり、共通リフト券の枠組みそのものを問題としたものではない、と理解することができる。勘所事例集491〜492頁。

301)　以下のものを含め、包括的には、前記96頁註223。

302)　白石忠志『技術と競争の法的構造』（有斐閣、平成6年）158頁、168〜170頁。例えば、共同研究開発ガイドライン第1や標準化パテントプールガイドライン第3の1(1)に見られるように、研究開発について競争を停止し共同研究開発を行っても、それによって、研究開発の成果である技術を用いて製造される商品役務の競争を促進する、といった場合である。このような意味での「競争促進効果」は、検討対象市場での競争を促進するのではない以上、検討対象市場での反競争性への牽制力とはなり得ない。したがって、正当化理由としての効率性の一種であるということになる。

303)　最判平成元年12月14日・昭和61年（オ）第655号〔芝浦屠場〕（民集43巻12号の2084〜2085頁、審決集36巻の573〜574頁）。篠原勝美・同判決調査官解説・最判解民事篇平成元年度562〜563頁。勘所事例集40〜41頁。このような観点から、この判決における公正競争阻

なるべく安い料金であまねく公平に提供することによって公共の福祉を増進することを目的としていることが、弊害要件を満たさないとする理由の1つとされた[304]。豊北町の福祉バスに関する山口地裁下関支部判決では、タクシー以外に公共交通手段を持たない地区の住民の利便向上を目的としていることが、弊害要件を満たさない理由の1つとされた[305]。公取委の回答事例においても、廉売の社会公共的目的に触れたうえで廉売を容認したものが存在する[306]。また、いわゆるユニバーサルサービス義務を負う事業者が、内部補助により、過疎地域等に向けた商品役務を安くしているのは周知の事柄である。これが独禁法違反であるという議論は、あまり聞かれないところであり、公共性の観点から廉売が暗黙のうちに正当化されている一例である。働き方改革と呼ばれる労働環境改善のための施策を共同で実施する行為も、正当化されやすい[307]。経済安全保障や人権尊重の観点から反競争性をもたらす行為が、正当化される場合もあり得る[308]。

⑦ **緊急時の取組**　東日本大震災や新型コロナウイルス感染症の蔓延の際の取組にみられるように、緊急時には、平時に想定しにくい種々の問題が生じ、

害性の考慮要素の1つとして「行為の意図・目的」が掲げられたために、この事案においては正当化理由の根拠となるような「意図・目的」を意識していたのであるにもかかわらず、不当廉売ガイドラインなどに平板に盛り込まれ、排除意図・排除目的があれば公正競争阻害性が満たされやすくなるかのように受け止められてしまっていることが多い。

304)　大阪高判平成6年10月14日・平成4年（ネ）第2131号〔葉書〕（審決集41巻の498頁）。当時は国が郵便事業を行っていた。

305)　山口地下関支判平成18年1月16日・平成16年（ワ）第112号〔豊北町福祉バス〕（審決集52巻の930頁）。

306)　いずれも1つの考慮要素として言及があった事例ではあるが、平成18年度相談事例1〔不完全燃焼防止装置付ガス機器原価割れ販売〕、平成19年度相談事例11〔災害時廉価販売〕。

307)　令和4年度相談事例1〔小売業者物流2024年問題対応〕、令和4年度相談事例6〔小売業者団体労働環境改善行動指針〕。

308)　「経済施策を一体的に講ずることによる安全保障の確保の推進に関する法律」（令和4年法律第43号）は、複数の企業が共同で特定重要物資等の安定供給確保のための取組を計画し認定を受けようとする場合があり得ることとし（9条2項）、公取委との関係を規定している（29条）。ビジネスと人権に関する行動計画の実施に係る関係府省庁施策推進・連絡会議「責任あるサプライチェーン等における人権尊重のためのガイドライン」（令和4年9月）は、例えば取引停止に言及するなど、独禁法の行為要件を満たす行為を念頭に置いている場合も多い。以上のいずれにおいても、反競争性が生じにくい方向で配慮することが求められつつも、やむを得ない場合の正当化理由の成立による行為の実行も当然、視野に入る。

共同行為その他の通常であれば独禁法との関係が問題となり得る行為が正当化されるべき場合がある。公取委は、想定事例集[309]、東日本大震災に関連するQ & A[310]、新型コロナウイルス感染症への対応のためのQ & A[311]、個別の相談事例[312]、を公表している。

⑧ **業績不振の他の供給者の救済**　業績不振の他の供給者(「failing company」または「failing firm」)を救済する行為は、かりにそれが反競争性をもたらしても、正当な目的を持つとされる場合がある。

企業結合ガイドラインは、この問題を「当事会社グループの経営状況」の問題と名付け、当事会社の一方が業績不振に陥っている場合には企業結合後の当事会社グループの事業能力に影響があるから考慮する、という説明をしている[313]。しかし、以下のような基準を満たす事例のなかには、現時点で多数の需要者を抱えている退出会社が、やはり現時点で多数の需要者を抱えている別の会社に吸収され、当該別の会社が大きな事業能力を持つこととなる事例も含まれると考えられる。以下の基準を満たすものであれば反競争性が起きない、という説明は、苦しい。経営状況・業績不振の問題は世界の競争当局のガイドラインに載っているので書かざるを得ないが、正当化理由の要素はなるべく認めたくない、という精神構造で書かれた、少々無理な説明である。真に受けず、この問題は正当化理由の問題であると受け止めるのが妥当である。

企業結合ガイドラインは、次の2つの条件を満たす場合には、競争を実質的

---

309) 公正取引委員会「震災等緊急時における取組に係る想定事例集」(平成24年3月)。

310) 公取委ウェブサイト「東日本大震災に関連するQ & A」。

311) 公取委ウェブサイト「新型コロナウイルス感染症への対応のための取組に係る独占禁止法に関するQ & A」。マスクや除菌剤等の小売価格が高騰しないよう「メーカー等」が価格の抑制を指示する行為に正当化理由があり得る旨を述べている。最高「再」販売価格拘束に関するものであると紹介されることがあるが、ここで主に想定されている行為者は、マスクを売ろうとする出品者に場を提供するデジタルプラットフォームであったのではないかと思われ(「メーカー等」の「等」)、再販売ではない最高販売価格拘束であったのではないかと思われる。背景も含め、この問題について詳しくは、白石忠志「パンデミックにおける高価格と法」論究ジュリスト35号(令和2年)。

312) 平成28年度相談事例5〔部材メーカー緊急時部品相互供給〕は、復旧までの間の相互供給は継続的・恒常的な取組ではないから正当化が認められるが、それ以外の場合の相互供給については現時点では判断できない、とした。

313) 企業結合ガイドライン第4の2(8)ア。

に制限することとなるおそれは小さい、とする。第1条件は、一方当事会社が、近い将来において倒産し市場から退出する蓋然性が高いことが明らかであることであり、第2条件は、他方当事会社以外には、競争に与える影響が小さい他の方法で救済できる他の事業者の存在を認め難いことである[314]。

企業統合ガイドラインのこの項目が単体で問題となった事例は多くない[315]。違反なしとする他の要素と並べて業績不振の旨が掲げられることは、少なくない。

一方当事会社Bが業績不振であるという事実を、他方当事会社AはB以外の供給者Cを特に念頭において競争しているのであってAがBを救済する企業結合をしても反競争性への影響は小さい、という判断を支える事情として用いた事例は存在する[316]。

また、一方当事会社の業績不振を因果関係要件の不成立の根拠として用いる議論がされることもある（後記159頁）。

なお、業績不振の他の供給者の救済は、主に企業結合規制で論ぜられるが、同様のことが非企業結合規制で論ぜられることもある[317]。

⑨　**他の法令等に従った行為**　他の法令等、すなわち事業法規制や行政指導などに従ったために行った行為であるということが正当化理由となり得るか、という問題は、正当化理由にとどまらない独禁法違反要件全体の問題として、他の法令等による規制と独禁法、というかたちで論ずることのできる問題であり、別の箇所で述べる（後記197〜201頁）。

314）企業結合ガイドライン第4の2(8)イ。イの①は一方当事会社の全体が退出する場合に会社全体が買収される状況を想定し、②は一方当事会社の特定の事業部門が退出する場合に当該事業部門のみが買収される状況を想定しているが、考え方は同じである。第2条件は、手段の相当性の問題であり、LRA的な表現となっている（後記(3)②）。

315）平成30年度企業結合事例7〔USEN-NEXT HOLDINGS／キャンシステム〕では、第2条件について、条件を満たす他の事業者が、存在する可能性は低いとされたが、存在が認め難いとまでは言えないとされた（事例集55頁）。第2条件を満たさず、企業結合ガイドラインこの項目の記述による正当化はされなかった、ということになる。詳しくは、企業結合事例検討公正取引825号18〜20頁。

316）例えば、平成24年度企業結合事例9〔ヤマダ電機／ベスト電器〕（事例集71頁）。

317）例えば、収益性悪化のため製造から撤退する事業者にOEM供給をする、ということを考慮要素として許容したものとして、平成26年度相談事例7〔化学品メーカー全量OEM供給〕。

(3) 手段の相当性

① **総説**　行為が、その目的において正当であっても、手段において相当でなければ、正当化理由とは認められない（前記101頁註232）。手段の必要性などとも呼ばれる。手段が相当でないという判断が、行為が正当目的のためではなく実は別の目的のためのものであるということを、窺わせる材料となる場合もある[318]。

② **具体的基準**　手段において相当と認められるか否かの判断基準は、正当な目的を実現するために合理的に必要とされる範囲内のものと言えるか否か、である[319][320]。

これを更に厳しく限定して、反競争性が更に小さい代替的手段によっては達成できないかどうか、換言すれば、LRA（less restrictive alternative）がないかどうか、という基準も有力に唱えられている[321]。それに対しては、目的達成のために必要とされる範囲を広めにとり、そのなかに含まれている手段なら正当化される、という観点から、異論もあり得る[322]。代替的手段が1つでも見つ

318）東京地判平成9年4月9日・平成5年（ワ）第7544号〔日本遊戯銃協同組合〕（審決集44巻の682～688頁）、東京地判令和3年9月30日・令和元年（ワ）第35167号〔ブラザー工業〕（裁判所PDF 19～22頁）。

319）最も早い時期にこの問題に触れたものとして、微妙な表現によるものではあるが、事業者団体ガイドライン第2の7(2)ア③、第2の8(4)。一般論を明瞭に示すものとして、スポーツ移籍制限ルール考え方3、東京地決令和3年3月30日・令和2年（ヨ）第20135号〔遊技機保証書作成等〕（理由第3の4(1)および(3)）。

320）具体的に、手段の相当性の成否が問題となった事例として、前記①の事例のほか、例えば、大阪地判平成18年4月27日・平成16年（ワ）第7539号〔メディオン対サンクス製薬〕（裁判所PDF 16頁）、公取委勧告審決昭和51年5月13日・昭和51年（勧）第10号〔伊勢新聞社〕（東京高決昭和50年4月30日・昭和50年（行タ）第5号〔中部読売新聞社〕で独禁法違反とされた廉売行為をやめさせるための排他条件付取引を、違反とした）、東京地判平成23年7月28日・平成20年（ワ）第32415号〔東京スター銀行対三菱東京UFJ銀行〕（審決集58巻第2分冊の240～242頁）。その他、平成16年度相談事例5〔建築工法共同研究開発購入先制限等〕、平成17年度相談事例6〔特許ライセンスと製造装置指定〕、平成17年度相談事例11〔リサイクルシステム処理業者地理的設置基準〕、平成17年度相談事例12〔粗悪品流通注意喚起情報〕、平成26年度相談事例10〔浄化槽メンテナンス標準料金表作成〕、平成28年度相談事例11〔建築資材工業組合販売先制限〕、なども参考となる。

321）公取委審判審決平成13年8月1日・平成10年（判）第1号〔SCE〕（審決案65頁）、公取委審判審決平成20年9月16日・平成16年（判）第13号〔マイクロソフト非係争義務〕（審決案135～137頁）、企業結合ガイドライン第4の2(8)イ。

かれば直ちに違反となる、という基準が神経質にすぎて予見可能性もなく厳しすぎる、という観点からの反論であれば、妥当であり、両者の中間で、野放図でもなく神経質でもないあたりに落とし所があるものと思われる。あとは、そのような基準をどのように表現するかの問題であり、説が分かれているように見えても、実際の差はないことも多い。

③ **行為者から他の事業者への強制がある場合**　目的が正当であっても、問題となった行為者が他人に何らかのことを強制している場合には手段として相当でなく正当化理由と認められない、とする考え方があるが[323]、実際には、目的において正当とされるような基準に反した者を事業者団体から除名する行為が特に独禁法の問題とされていない例は、世の中には多い[324]。結局、強制ならば直ちに違反、ということではなく、手段として相当か否かを事案ごとに検討する、ということなのであろう[325]。

---

322) 山口地下関支判平成18年1月16日・平成16年（ワ）第112号〔豊北町福祉バス〕（審決集52巻の929～932頁）。遊技機保証書作成等東京地決も、こちらの考え方に近い一般論を立てて事案に当てはめている（理由第3の4(3)）。

323) 事業者団体ガイドライン第2の7(2)ア③、第2の8(3)。

324) 公取委ガイドラインが強制を認める例として、リサイクルのマニフェストに関するリサイクルガイドライン第2の4。事業者団体ガイドライン第2の5(2)も、合理的な内容の除名事由を設定することは許されるとしている。

325) 現に例えば、平成17年度相談事例14〔特定建設工法向け部材・部品メーカー団体自主基準〕は、そのような分析を経たうえで、自主基準の強制を問題視している。自主基準の強制を容認した事例として、平成18年度相談事例5〔二輪車用マフラー自主基準〕、令和2年度相談事例8〔資格者団体倫理規則〕。

第3章

他者排除行為の場合の違反要件の構造

第1節　総　説

1　概　要

以上で、基本的な弊害要件総論は終わりである。

以下では、他者排除行為について、弊害要件に特に注目しながら、総論をまとめる。

2　総論の存在意義

他者排除行為の総論的な弊害要件論をこの段階で論ずる背景には、次のような諸事情がある。

第1に、他者排除行為の事案における反競争性を論ずる場合には、いずれにしても、それ以外の事案では登場しない「排除効果」という概念が登場する。すなわち、少なくとも不公正な取引方法すなわち公正競争阻害性については排除効果重視説が採られる。また、私的独占すなわち競争の実質的制限について原則論貫徹説を採り市場支配的状態を立証しようとする場合でも、その前段階として、排除効果を立証し、そのうえで、市場支配的状態が生ずるか否かを論ずることになる（以上、後記**6**）。

第2に、日本においてはこのように、他者排除行為に関する違反類型として私的独占と不公正な取引方法の2種類があり、しかも、不公正な取引方法では、他者排除行為だけに限定しても、いろいろな号・項が散在している。したがって、弊害要件論を1箇所にまとめて総論的に論ずる必要性は高い[1)]。

3　行為要件充足行為

ある問題を違反とするためには、まず、行為要件を満たす行為が存在することが必要となる。独禁法は、反競争性がある状態を規制するのではなく何らかの行為を規制するものであると考えられている。

行為要件を満たす行為が必要であるという観点から類型的に違反なしとなるものを例示するとすれば、ビジネス上の才覚（business acumen）を発揮した商品役務の優秀性そのものによって他者に勝ること（competition on the merits）を挙げることができる。そのようなものは、正当化理由がある、などの理由で違反なしとする方法もあるが、ある程度において明確に類型化でき、およそ独禁法において問題とならない態様のものであるなら、行為要件を満たさない、と扱うのが的確であろう。

それ以外のものは、行為要件を満たすので、他の要件を満たせば他者排除行為として違反となる可能性がある。ありとあらゆる行為があり得るが、略奪廉売系（後記第2節）と取引拒絶系（後記第3節）の2大類型で、ほとんどのものがカバーされる。2大類型の中間形態もあり得るし（後記第3節3）、いずれとも言えないものもあり得るが[2)]、そのようなものへの対応も、略奪廉売系また

1)　原則論貫徹説と排除効果重視説をめぐる議論（後記6）を前提とすれば、立法論的には、排除効果があるにとどまる場合には課徴金納付命令なく排除措置命令のみとし、排除効果に加えて市場支配的状態があれば排除措置命令だけでなく課徴金納付命令も可能とする、とする規定があれば、それで足りる。そのようなことを明確にしないまま、理念の異なる2つの違反類型があるかのように対外的に説明し、同時に、不公正な取引方法の規定を絶望的なまでに複雑なものとしているのが、現行法である。同様の観点から現在の種々の議論を鋭く批判するものとして、辻拓一郎「競争者排除行為に対する独占禁止法による規制の在り方」公正取引782号（平成27年）、とりわけ52頁注25。

2)　デジタルプラットフォーム事業者による自己優遇（self-preferencing）が話題となることがある。例えば、独占的事業である検索サービスを提供する事業者が、合理的理由がないのに、自己が行う別事業へのリンクを検索結果ページの上位で目立ちやすい方法で表示し、当該別事業に係る競争者の事業へのリンクを検索結果ページの下位で目立ちにくい方法で表示する、といった行為である。同様のことは、かねてから、独占的事業を持つ電力会社や通信会社が行う場合があると考えられ議論されていたので、新しい問題ではない。ただ、電力会社や通信会社は、別事業に係る競争者に対し、独占的事業について供給する取引をしているのが通例であったため（送電網による託送供給や市内通信網への接続）、取引拒絶系と位置付けやすかった。それに対し、デジタルプラットフォーム事業者の場合は、独占的事業について別事業に係る競争者と取引をしていないことも多いので（例えば、検索結果ページに表示される事業者は検索サービス事業者とは取引がないことも多い）、取引拒絶系とは言いにくい面がある。しかし、議論の進め方としては、

は取引拒絶系の考え方を踏まえていれば、自ずから導かれる。

4 排除効果

排除効果とは、他の事業者の事業活動を困難にさせたり、新規参入者の事業開始を困難にさせたりする効果を指す。

排除効果は、検討対象市場における供給者に対するものを指すと考えられているのが通常である[3]。

被害事業者が検討対象市場から完全に排斥されていなくとも、排除効果があるというに足りる。当該市場で生き延びていても、不利な立場に置かれれば、反競争性に対する牽制力が減少し、弊害要件が満たされる場合があるからである[4]。

被害事業者は、検討対象市場においてそのような打撃を受けていれば足りる。被害事業者の事業活動があらゆる市場にわたって消滅していなくとも、排除効果の成立の妨げとはならない[5]。

以上のような影響が、既に現実に発生していることは、必要でなく、その蓋然性が高ければ足りると考えられている[6]。

5 人為性

「人為性」というものが、排除型私的独占をめぐる日本の議論においては取り沙汰されるが、本来あるべき要件論の中で一つの項目を立てるには値しない

取引拒絶系に関して得られた知見を基盤として検討を行えば足りる。

3) 公取委審判審決平成18年6月5日・平成12年（判）第8号〔ニプロ〕は、検討対象市場における需要者（ナイガイグループ）の事業活動を排除する旨の記載を含んでいるが、そのようなものは珍しい例外であるうえ、この審決も、検討対象市場における他の供給者（外国の生地管製造業者）の事業活動の排除にも言及している（審決案86～87頁、88頁）。勘所事例集241～243頁。

4) 排除型私的独占ガイドライン第2の1 (1)。

5) 山口地下関支判平成18年1月16日・平成16年（ワ）第112号〔豊北町福祉バス〕（審決集52巻の929頁）。大阪高判平成26年10月31日・平成26年（ネ）第471号〔神鉄タクシー〕も、24条の「著しい損害」に関する判示ではあるが、同様である。勘所事例集504～505頁。

6) 公取委審判審決平成18年6月5日・平成12年（判）第8号〔ニプロ〕（審決案86頁）。公取委審判審決平成24年6月12日・平成21年（判）第17号〔JASRAC〕がその解釈を否定し現実の排除を必要と解した、として攻撃する文献が散見されるが、JASRAC審決を正解したものではないように思われる（後記157頁註13）。

ように思われる（後記373〜375頁）。

6 反競争性（原則論貫徹説と排除効果重視説）

(1) 両説の相違

他者排除行為における反競争性については、見解の相違があり得る。

第1に、弊害要件総論でみたとおり、価格等の競争変数が左右される、すなわち市場支配的状態が生ずる場合に初めて反競争性があるといえる、とする見解があり得る。弊害要件総論の考え方をここでも貫徹するという意味で、原則論貫徹説と呼ぶこととする。

第2に、他者排除の要素をもつ事案においては、市場支配的状態に至らない場合でも、他の供給者が市場に参加する機会を奪われたことを法政策的に重視して、排除効果があるだけで反競争性があるとみるべきである、という見解があり得る。排除効果重視説と呼ぶこととする。

両者の違いは、ある供給者は排除されるが、残った供給者たちでなお競争が行われ、市場支配的状態は生じない、という場合に起こる。そのような場合には弊害は生じていないと考えるのか、それとも、特定の供給者らの市場参加機会が損なわれたことを重くみるのか、の違いであり、競争法の目的をどう考えるかに結びつく深い問題である[7]。

原則論貫徹説と排除効果重視説の対立は、略奪廉売の文脈においては、略奪廉売行為者が他者排除後に値上げをして廉売の赤字の「埋め合わせ（recoup）」をすることが可能であることを違反要件とするか否か、という論点としても論ぜられる。埋め合わせ可能性を違反要件とするということは、他者排除後に行為者が価格等の競争変数を左右し超過利潤を得て赤字を埋め合わせることができる場合に限って略奪廉売を違反とする、ということであり、原則論貫徹説と通底する。他方で、埋め合わせ可能性を違反要件としない考え方は、排除効果重視説と通底する。

(2) ガイドラインと事例

原則論貫徹説を採るか排除効果重視説を採るかについて、一般論を明確に述

---

7) 有益な文献は多数あるが、例えば、市川芳治「EU競争法の規範的考察に関する一試論（上）（中）（下）」公正取引714号、715号、716号（平成22年）。

べたものは多くなかった。

そのなかで、原則論貫徹説を明確にしたのが、平成21年の排除型私的独占ガイドラインである[8)]。排除型私的独占ガイドラインは、略奪廉売についても、埋め合わせ可能性を違反要件とするという考え方を明らかにしている[9)]。

平成22年のNTT東日本最高裁判決も、原則論貫徹説に親和的な判示を行っている。同判決では、NTT東日本の設備に接続して競争に参加しようとする者に対してはNTT東日本の行為による排除効果が生ずるが、自前の設備をもつ東京電力や有線ブロードネットワークスに対しては排除効果は生じない、という事案で、東京電力や有線ブロードネットワークスはNTT東日本に対する牽制力を持たないため市場支配的状態が発生する旨の判示がされ、「市場支配力」という文言も用いられている[10)]。

そのようなかたちで原則論貫徹説を採ったうえで、排除効果が発生したならば市場支配的状態が生じたと推定するという考え方が、採られている[11)]。

公正競争阻害性を弊害要件文言とする不公正な取引方法においては、原則論貫徹説でなく、排除効果重視説が採られている。取引拒絶系他者排除行為においては排除効果があっただけで反競争性が満たされると論ぜられており（後記140～142頁）、略奪廉売系他者排除行為においては埋め合わせ可能性が要件とされていない（後記418頁）。

---

8)　排除型私的独占ガイドライン第3の2(1)。東京高判平成21年5月29日・平成19年（行ケ）第13号〔NTT東日本〕の判示（判決書78頁）を紹介した形となっている。なお、同判決は、「事業者集団」（複数の事業者という程度の意味）とすべきところ、独禁法上特別の意味をもつ「事業者団体」という言葉を用いてしまっており、その点で不適切である。そのためか、排除型私的独占ガイドラインは、同判決の判示を鉤括弧で引用するのを避け、事業者団体を事業者集団に改めたうえで、「旨」の1字を活用し、「……と解される旨判示されている」として同判決を紹介している。

9)　排除型私的独占ガイドライン第3の2注22。伊永大輔・菅久品川他4版105頁注38は、排除型私的独占ガイドラインのこの記述が埋め合わせ可能性要件を求めるのと同様の結果をもたらしていることを認めている。

10)　最判平成22年12月17日・平成21年（行ヒ）第348号〔NTT東日本〕（判決書13頁、民集64巻8号の2080頁）。勘所事例集370～371頁。

11)　そのような考え方（私見）を拙著において「折衷的推定説」と呼んだことがあるが、この「折衷的推定説」を引用しつつ、岡田幸人・最判解民事篇平成22年度下827頁および注46。判決に対する同様の分析として、平林英勝『独占禁止法の歴史（下）』（信山社、平成28年）529頁。

(3) 私　見

排除効果重視説は、市場参加機会の保障という、政策的に魅力的な内容を含んでいるが、同時に、自身の競争力や効率性に問題があるために敗退しようとする者を保護し延命させてしまうというリスクも内包している。

常に正しい法的判断がされるのであれば別であるが、当局や裁判所が誤った判断をする可能性があることを考えれば、狭めに違反要件を解釈したほうがよい、という考え方を、私見としては支持したい。

排除効果重視説の政策的魅力は、ある供給者に対して排除効果が生じた場合には市場支配的状態が生じたと推定する、折衷的推定説という形で、活かすことが可能であろう。

7 排除者と被排除者の競争関係の要否

(1) 問　題

排除者と被排除者との間に競争関係があることは、違反要件か。もともと日本において素朴には、そのようなものを要件として求めるという考えはほとんどなかったと思われる。これを、便宜上、「競争関係不要説」と呼ぶ。しかし米国においては、正反対に、これを要件とするという考え方が根強く、それを明確に述べた判決例もある。便宜上、「競争関係必要説」と呼ぶ。

(2) 競争関係必要説

① **この考え方を採る例**　日本で、競争関係必要説を明示するものは少ない。例えば電気通信ガイドラインは、競争事業者に対する排除効果を問題にするのであることを強調しているが[12)]、単なる例示と受け止めることもできる。競争関係必要説を前提として独禁法上の判断をした判決例は、わずかに存在するが、先例として尊重すべきほどの詳細な検討を行っているわけではない[13)]。

競争関係必要説は、米国において根強い[14)]。

② **根拠**　競争関係必要説の根拠は、必ずしも定かではないが、おおむね、

---

12) 電気通信ガイドラインⅠ第2の2(3)。そこに注3を置いて更に詳述している。

13) 東京地判平成7年2月21日・平成5年（ワ）第19428号〔NTTダイヤルQ^2〕（判時1567号の115頁）。

14) OAG判決（630 F. 2d 920 (2d Cir. 1980)）、Intergraph判決（195 F. 3d 1346 (Fed. Cir. 1999)）、など。

次の2点に帰着するのではないかと思われる。第1は、排除者と被排除者との間に競争関係がなければ、そのような事件は競争に関係がない、というものである。第2は、競争関係がないなら、排除者は、被排除者を排除しても得るものがなく、排除するインセンティブがないはずだ、というものである。

(3) 競争関係不要説

① この考え方を採る例　日本において競争関係不要説を明示的に採った代表者は、昭和57年独占禁止法研究会報告書である。そこでは、「有力な事業者が、取引の相手方の事業活動を困難に陥らせること以外に格別の理由なく、取引を拒絶する場合（いわゆる濫用行為）にも公正競争阻害性があり得よう」というかたちで、競争関係にない者を排除する行為が一般指定2項に該当し得ることが説かれている[15]。昭和57年独占禁止法研究会報告書のこの箇所は、東京高裁の裁判例においてほぼそのまま引用されている[16]。

日本では、競争関係不要説も、さほど活発に論ぜられたり判決等で言及されたりするわけではないが、それは、これが当たり前のことであると考えられているため、そのようなことが論点となるということ自体が従来において必ずしも十分に認識されていなかったというだけではないかとも思われる[17][18]。

② 根拠　競争関係不要説の根拠は、競争関係必要説の2つの根拠への反論として展開することができる。

---

15) 昭和57年独占禁止法研究会報告書第2部1(2)。引用された文面だけからはわかりにくいが、そこでは、競争者の排除を取り上げた第1類型と、独禁法的にみて不当な目的を達成するための手段としての排除を取り上げた第2類型がまず掲げられ、それに続く第3類型として引用部分が登場しており、第3類型と第1類型との違いは競争関係の有無のほかには見あたらないことを考えると、第3類型は競争関係にない者を排除する行為を取り上げたものと受け止めるのが素直である。同報告書より前に、「以外格別の理由なく」行った取引拒絶を不公正な取引方法とした著名事件として公取委審判審決昭和31年7月28日・昭和29年（判）第4号〔雪印乳業等〕の農林中金に関する部分があるが、これも、農林中金にとって競争関係にない者の排除が問題となったものである（審決集8巻の35〜36頁）。

16) 例えば、東京高決平成17年3月23日・平成17年（ラ）第429号〔ライブドア対ニッポン放送〕（判タ1173号の135頁）。

17) 独禁法草創期の石井良三93頁や昭和28年改正解説118〜119頁などは、競争関係不要説を明示していた。

18) 例えば、略奪廉売系の他者排除行為において、廉売される商品役務と排除効果が生ずる商品役務が異なる場合には（後記註26）、行為者と被排除者との間に競争関係がないことが多いと思われるが、その際、競争関係の要否の論点への意識的言及がされることはほとんどない。

第1に、排除者が属しない市場に弊害が生ずるとしても、それもまた競争に関係する弊害である。被排除者に排除効果という弊害がもたらされるという状況は、排除者と被排除者とが競争関係にあってもなくても、同じだからである。現に、例えば、再販売価格拘束は、行為者が属しない市場での弊害に主に着目したものであるが、米国でも規制対象となっている。

第2に、競争関係のない被排除者を排除するインセンティブが排除者にはないはずだという主張は、実際上の説得力が乏しい。まず、インセンティブがあろうがなかろうが、他者排除行為を行う者は現実社会に存在するのであり、そのような行為を規制する必要がないという論それ自体が理解されにくいものである。また、排除者が、自身の属しない市場で反競争性を起こすインセンティブを持つ例は、十分に考えられる。例として、川下市場での競争に必須の商品役務を川上で独占する者による取引拒絶を想定してみると、この場合、川下市場の供給者Bを排除し供給者Aに川下市場での超過利潤を得させれば、排除者は、川上市場で、Aに高めの価格を提示しやすくなる[19]。

以上のように見ると、競争関係不要説が説得的である。

(4) 総　括

この論点は、優越的地位濫用を規制対象とするか否か、という問題と、根を同じくしている（後記470頁）。競争関係のない者の排除は、その者に対する優越的地位濫用と同等だからである。優越的地位濫用規制を行わないとされる米国で競争関係必要説が根強いことも、このように考えれば得心がいく。

8　若干の交通整理

(1) 総　説

他者排除行為の関係で登場する行為類型のなかには、行為類型が共通しているためにまとめて議論されがちであるが実は着眼点の異なる複数のものが混在している、という場合がいくつかある。これらは、実質的着眼点に応じて腑分けをしたうえで論ずるほうが、適切な法的議論につながりやすい。

19）このような考え方が実際の勧告審決の理由に書き込まれた例として、公取委勧告審決平成8年5月8日・平成8年（勧）第14号〔医療食〕の、「協会の検定料収入を安定的に確保するため」という認定がある（審決集43巻の213頁）。日本医療食協会が川上市場の独占者・排除者であり、日清医療食品が供給者Aにあたる。勘所事例集100〜101頁。

(2) 差別対価

差別対価は、取引拒絶に準ずるものとして問題となる場合と、略奪廉売の観点から問題となる場合とがある。

取引拒絶系差別対価の規制とは、高く売られた者が、取引拒絶を受けたのと同様の排除効果を受けることに着目した規制である[20)]。こちらでは、行為者は、検討対象市場の供給者ではない[21)]。

略奪廉売系差別対価の規制とは、競争者に奪われそうになっている需要者のみについて価格を他の需要者よりも安くすることで、自らの競争者に対して排除効果をもたらすことに着目した規制である[22)]。こちらでは、行為者は、検討対象市場の供給者である。

両者は、検討対象市場と行為者の位置関係に違いがあるうえに、コスト割れ要件の要否という面で大きく異なっている。取引拒絶系差別対価では、高いほうの価格が相手方を排除することを問題にするのであるから、安いほうの価格のコスト割れの有無は要件とはならない[23)]。略奪廉売系差別対価では、コスト割れが要件となるか否かが論点となる。要件となるという説も有力であるうえに、とにかくそれが論点になるということが、取引拒絶系差別対価との違いである（後記138〜139頁）。

(3) 抱き合わせ

抱き合わせと呼ばれる行為類型は、それが他者排除をもたらすことに着目して規制される場合と、それが不要品強要をもたらすことに着目して規制される場合とがある（後記143〜144頁）。

(4) 垂直的制限

垂直的制限[24)]と呼ばれる行為類型は、競争停止の観点から問題となることも

---

20) 比較的最近の典型例として、公取委公表平成19年6月28日〔松山共同集金等〕。

21) 行為者が差別対価商品役務と検討対象市場商品役務との垂直統合事業者である場合などの例外は多くあり得る。

22) 比較的最近の典型例として、公取委公表平成24年3月27日〔鹿児島県コンクリート製品協同組合〕。古典的事例として、東京高決昭和32年3月18日・昭和31年（行ウ）第13号〔北國新聞社差別対価〕。

23) 安いほうの価格がコスト割れであることが、高いほうの価格による排除効果の立証を支える間接事実となることはあるであろう。

24) 垂直的制限を論ずる際にしばしば登場する2条9項4号や一般指定12項では「制限」でなく

あれば、他者排除の観点から問題となることもあれば、搾取の観点から問題となることもある[25]。

第1に、複数の相手方に対して垂直的制限を行い、相手方同士の競争を停止させたならば、競争停止の観点から検討することとなる。通常、検討対象市場は相手方らを供給者とする市場であり、行為者はその検討対象市場の外にいることが多い。

第2に、相手方に対して垂直的制限を行い、相手方をして行為者の競争者との取引を拒絶等させたならば、他者排除の観点から検討することとなる。これは、取引拒絶系他者排除の一種である。通常、検討対象市場は行為者やその競争者を供給者とする市場である。

第3に、相手方に対して行っている垂直的制限が相手方に対して不利益となっていることに着目するならば、搾取の観点から検討することとなる。

第2節　略奪廉売系他者排除における行為と排除効果

1　総　説

(1)　概　要

略奪廉売系他者排除の違反要件論においては、コスト割れの成否が大きな役割を果たす。コスト割れがあるというだけで違反となるということはないが、ある種のコスト割れがなければ違反なしとされたり、ある種のコスト割れがあれば排除効果が推定されたりするなど、一定の位置付けを与えられていることが多い。このように、コスト割れは、行為要件の要素と位置付ければよいのか弊害要件の要素と位置付ければよいのか、微妙である、ということにもなるが、もともと、行為要件と弊害要件の区分は頭の整理のための便宜上のものであるから、どちらであるのかと論ずる実益はない。両者にまたがっているものとしてコスト割れを論じ、そのあと、念のため排除効果についてまとめる[26]。

「拘束」という文言を用いており、「垂直的拘束」と呼ぶほうが条文に忠実である。しかし、どういうわけか「垂直的制限」と呼ばれることが多く、流通取引慣行ガイドラインもその例である。このようなところで大勢に逆らうのは避け、やむなく本書も「垂直的制限」という呼称に倣う。

25)　詳しくは、不公正な取引方法に即して改めて触れる（後記第9章第5節）。

他者排除は私的独占と不公正な取引方法のいずれでも規制し得るものであり、したがって、略奪廉売系他者排除は、排除型私的独占ガイドラインと不当廉売ガイドラインのいずれにも関係する。両ガイドラインは、基本概念について平仄をとりながら各々の違反類型にあわせた基準を提示している。そこで本書でも、私的独占か不当廉売かにかかわらず統一的な枠組みで略奪廉売系他者排除を論じ、それを私的独占と不当廉売にそれぞれ当てはめることとする[27]。

(2) **用語の整理**

本書では、安い価格によって他者を排除する行為を一般に「略奪廉売」と呼んでいるが、略奪廉売は、誰に対しても同様に廉売する「単純廉売」と、特定の相手方に対してのみ廉売する「略奪廉売系差別対価」とに、分かれる。これらは、いずれも、排除型私的独占の舞台で論ぜられることもあれば、不公正な取引方法の舞台で論ぜられることもある。

単純廉売は、不公正な取引方法の舞台で論ぜられる場合には、「不当廉売」と呼ばれることも多い。この用語法は、昭和57年一般指定6項の見出しが「不当廉売」であったことなどに起源があるものと思われ、平成21年改正によって昭和57年一般指定6項が2条9項3号と現行の一般指定6項とに分かれたあとは、両者の総称として「不当廉売」の語が用いられることが多い[28]。

略奪廉売と同様の問題が、買手が高い価格で買う場合に生ずることもあるの

---

26) 通常は、廉売される商品役務と、排除効果が生ずる商品役務は、同じであるが、異なることもある。川上取引での廉売によって川下市場で排除効果が生ずることに着目したものとして、公取委公表平成24年8月1日〔酒類卸売業者警告等〕。勘所事例集446〜449頁。先行発注物件の廉売により後続発注物件に排除効果が生ずることに着目する場合のうち両者が発注者によって別個に分けられているときも同様である（後記**2**(3)）。

27) 略奪廉売については、特に不公正な取引方法を念頭に置いて、特定の事業分野から規制の要望が強いと言われる。公取委が、一般的な不当廉売ガイドラインのほかに、特定の事業分野に特化したガイドラインを策定しているのは、それに関係があるのかもしれない。公正取引委員会「酒類の流通における不当廉売、差別対価等への対応について」(平成21年12月18日)、ガソリン不当廉売ガイドライン、公正取引委員会「家庭用電気製品の流通における不当廉売、差別対価等への対応について」(平成21年12月18日)、である。このうち、酒類については、酒税の保全及び酒類業組合等に関する法律（昭和28年法律第7号）86条の3第1項に基づく告示「酒類の公正な取引に関する基準を定める件」(平成29年国税庁告示第2号）により「酒類の公正な取引に関する基準」が置かれており、主な注目はこちらに移っているように思われる。

28) 独禁法典では条にさえ公式の見出しはなく、項や号に公式の見出しがないのは言うに及ばぬことである。公式の見出しとして「不当廉売」を掲げているのは一般指定6項のみである。

で、そのような問題を含めて本書では「略奪価格」と呼ぶこともある。

2　コスト割れ

(1)　総　説

コスト割れについては、複雑かつ大量の議論がある。以下では、あまり深いところに入らないようにしながら骨格を把握する。

コスト割れとは、行為者の価格と行為者の費用とを比較して価格が費用を下回るか否かを問題とするのであり[29)]、したがって、費用が高く算出されればされるほど、違反要件を満たしやすくなる。

(2)　コスト割れが論ぜられる趣旨

コスト割れの成否が論ぜられる趣旨としては、次の2点のうち、いずれかあるいは両方が言われる。

第1は、ある費用を下回らない価格は行為者の効率性を反映した価格であるから略奪廉売規制との関係では常に正常な価格である、というお墨付きを与えることによって、行為者らの予測可能性を高め、望ましい価格競争に資する、という考え方である[30)]。行為者の側の効率性のみに着目する立論である。

第2は、ある費用を下回らない価格によって排除されてしまうような他の供給者は、行為者と同等またはそれ以上に効率的だというわけではないのであるから、排除されてもやむを得ない、という考え方である[31)]。行為者の側の効率性との比較において被排除者の側の効率性にも目を向けた立論である。

このいずれが一般的に物事を説明し得ているかということをあえて検討するならば、前者である。行為者と同等に効率的な他の供給者であっても、例えばそれが新規参入者であって、需要者は既存供給者の商品役務の使い慣れのため

---

29)　本書では、基本的に、「価格」と「費用」という言葉を用いる。条文を含め、「価格」でなく「対価」とされていることもあるが、法令において厳密な使い分けがされているようには思われない（前記31頁註12）。また、本書では、カタカナ語を避けて「コスト」でなく「費用」とするが、「コスト割れ」という表現については、「費用割れ」という表現より人口に膾炙しているように思われ、「コスト割れ」を用いることとする。

30)　例えば、東京高判平成19年11月28日・平成18年（ネ）第1078号〔ヤマト運輸対郵政〕は、行為者の効率性等を反映していない価格で他者を排除する場合のみ規制する、という観点から費用基準を論じており、結局のところ同旨である（審決集54巻の703～704頁）。

31)　事例も多いが、不当廉売ガイドライン3 (1) ア（イ）。

容易には新規参入者には乗り換えない、といった場合には、費用を下回らない低価格によって新規参入者が排除されることもあり得よう。コスト割れを何らかの意味での違反基準とし、ある費用を下回る価格のみを問題とする、という立場は、前者の、行為者に明確な予測可能性を保証する必要があるという観点があって初めて、完全に根拠付けられる[32]。

(3) 何に関する価格と費用を比べるか

具体的に価格と費用を比較してコスト割れの成否を論ずる前に、何に関する価格と費用をみるのかを明らかにしなければならない。

多くの事例では自明であるが、種々のものが交錯する事案では複雑となる。

その典型例が、安値入札または低価格入札と呼ばれる問題である。官公庁の競争入札において、極端な安値で入札し、他者を排除しているのではないか、として、しばしば論ぜられる。先行発注物件を落札すれば後続発注物件の競争において有利になるために先行発注物件に極端な安値で入札しているのではないか、という問題意識である。

これについて公取委は、発注者側が、今回の発注物件である先行発注物件と、後続発注物件とを、別々の商品役務として発注することを予定していたか、それとも、先行発注物件の落札者に自動的に後続発注物件を発注することを発注者が示唆していたか、の違いによって、対応を分けている。前者であれば、先行発注物件に関するコスト割れ廉売により後続発注物件について他者排除を行っている、と評価することが可能となる[33]。後者であれば、先行発注物件と後続発注物件とをまとめて1個の商品役務と見ざるを得ず、コスト割れの成否も両者を合算した価格と費用の比較によって行うことになるから、先行発注物件だけをみればコスト割れのようにみえる場合でも、実際にはコスト割れと評価されないことが多いこととなる[34][35]。

---

32) その他、次のような点も挙げることができる。廉売される商品役務と排除効果が生ずる商品役務とが異なる場合(前記註26)にも、廉売商品役務の価格が費用基準を下回ったか否かが論ぜられる。しかし、排除効果の生ずる商品役務の市場において排除される他の供給者は、廉売商品役務を供給していないかもしれないのであり、廉売商品役務が費用基準を下回るか否かによって被排除者の効率性を論ずることはできないはずであろう。

33) 公正取引委員会「官公庁等の情報システム調達における安値受注について」(平成13年1月31日) 5 (2) ア(後記註34の平成10年文書1 (2) アも簡単ではあるが同旨)。具体的には例えば、公取委公表平成16年12月14日〔松下電器産業安値入札〕。

(4) 価　格

価格とは、名目的な価格ではなく、実質的な価格である[36]。例えば、事後にリベートなどの名称で需要者に還流する割戻金に相当する額は、名目的な価格からは控除して、実質的な価格を得る必要がある[37]。また、商品役務を販売する際に需要者に対し次回の取引における価格の減額に充当できる「ポイント」が提供され、それが実質的な値引きとなっている場合には、実質的値引き分を差し引いた額を実質的な価格として参照すべきことになる[38]。

廉売価格で購入するにはまず入会金や年会費などが必要となっている場合はどのように考えればよいか[39]。入会金や年会費などは、その会員資格を使って便益を得る対象・期間に適切に配賦して、問題の商品役務を購入する価格を割り出すべきであろう。例えば、その年会費で1年間にわたり満遍なく買物をしそうであれば1年間に均霑する。その年会費は当座の廉売商品役務を買うためだけの投資であってその後の期間は会員資格を使いそうになければ当座の廉売

---

34) 公正取引委員会「最近の地方公共団体等が行った入札における安値応札について」(平成10年3月11日) 1 (2) イ。具体的には例えば、公取委公表平成25年4月24日〔林野庁地方森林管理局発注衛星携帯電話端末安値入札〕。このような場合には、発注者の行動が競争政策の観点から好ましくないとして公取委から発注者に対して指摘が行われる等の対応がとられる。

35) いわゆる多面市場または二面市場と呼ばれるような状況に直面する業態（前記52〜55頁）においては、コスト割れの有無の判定は、複数の需要者群に対する価格の総体と費用の総体とを比べることとすべきであるかもしれない。例えば、利用者向けに安い価格で提供していても、コンテンツ提供事業者や広告主から十分な利潤を上げていれば、異常なビジネスであるとは呼びにくいであろう。なお、以上のことは、複数の需要者群に直面することが必須である業態を念頭に置いた議論であり、たまたま複数の需要者群に直面している者が一方での利潤を他方につぎ込んで安売りをすることは内部補助と呼ばれて別の考慮をされることになる（後記132頁)。

36) 略奪廉売の文脈では「対価」と呼ばれることも多い。

37) 不当廉売ガイドライン3 (1) ア（エ) b (b) (ii) 注6に「リベート」という言葉が現れるが、これは、行為者が販売する価格に関するものではなく、行為者が仕入れる価格、つまり費用に関する記述である。

38) 公正取引委員会「家庭用電気製品の流通における不当廉売、差別対価等への対応について」(平成21年12月18日）第1の1 (2) ア（ア) d (c)、ガソリン不当廉売ガイドライン第1の1 (2) ア（ア) f。公正取引委員会「大手航空3社の運賃設定について」(平成14年9月26日および平成14年9月30日）は、航空会社の「マイレージ」についても同様の考え方を採ったことを示唆している。

39) 以下につき、公取委公表平成27年12月24日〔コストコおよびバロン・パーク〕を契機として、事件座談会公正取引790号10頁。

商品役務の価格に加える。

(5) 費用

① **総説**　費用とは、問題の廉売をしている者の費用である[40]。被排除者の費用を基準とすると、非効率的で費用の高い者を排除すればするほど、違反要件を満たしやすくなってしまう。

費用とは、廉売される商品役務に関する費用である。安値入札または低価格入札と呼ばれる問題においては、廉売商品役務すなわち先行発注物件と、検討対象市場商品役務すなわち後続発注物件とが、異なる場合がある[41]。そのような場合も、廉売商品役務すなわち先行発注物件についての費用が論ぜられる[42]。

廉売商品役務に関する費用を計算する際、無関係の他の商品役務との紛れがないようにしなければならない。廉売商品役務に関する費用を他の商品役務に関する費用として計上することは内部補助と呼ばれる[43]。費用の計算の際には内部補助のない状況での費用を計算する必要がある[44][45]。

---

40) 不当廉売ガイドライン3 (1) ア（イ）。

41) 両者が異なる例として、公取委公表平成16年12月14日〔松下電器産業安値入札〕。もちろん、全ての安値入札の事件において先行発注物件と後続発注物件とが異なるというわけではない。例えば、公取委公表平成17年12月9日〔ヤフー・シンワアートオークション〕は、先行発注物件と後続発注物件とが同一と見られる事例である。

42) これとは別の問題として、発注者の行動に照らして先行発注物件と後続発注物件とをまとめて1つの商品役務とみるべきか否かについては、前記130頁。

43) 「内部補助」は、英語の「cross-subsidization」の訳である。「cross」を訳そうとしたのか、「内部相互補助」と訳されることもあるが、同一事業者内の余裕のある部門から競争の激しい部門へと常に一方通行で資金等が投入されることが現実には多いように思われ、「cross」を「相互」と訳すのは単に誤訳ではないかとも思われる。

44) 東京高決昭和50年4月30日・昭和50年（行タ）第5号〔中部読売新聞社〕（高民集28巻2号の180～181頁、審決集22巻の304～305頁）、公取委同意審決昭和52年11月24日・昭和50年（判）第2号〔中部読売新聞社〕（審決集24巻の52頁）、公取委命令平成18年5月16日・平成18年（措）第3号〔濵口石油〕（排除措置命令書3頁）、電気通信ガイドラインII第3の3 (1) ア③注40、(2) ア②注51、(5) ア①注57。ガソリン不当廉売ガイドライン第1の1 (2) ア（ア）e には、給油所の費用を本社等の費用としていないかどうかを確かめるために根拠資料の提出等を求めることがある旨の記載がある。大阪地判平成4年8月31日・平成元年（ワ）第3987号〔葉書〕は、「その発行、販売及び集配の全経費からすると、原価を割つた不採算商品とは到底認め難いから」として（審決集39巻の606頁）、信書送達という商品役務と葉書用紙という商品役務とを区別せず、前者から後者への内部補助をむしろ違反なしという結論の重要な根拠としているが、それに対して大阪高判平成6年10月14日・平成4年（ネ）第2131号〔葉書〕は、そのような論法を採用しなかった（審決集41巻の497～498頁）。勘所事例集75～78頁。

価格と比較する費用としては、2種類のものが議論に登場する。費用が高く算出されるほどコスト割れの認定がされやすく違反となりやすいことになるが、そのような状況下で、低いほうの費用さえ下回るような価格であれば、それだけ違反と認定されやすい価格であるということになる。そのような意味で、2種類の費用のうち、低い水準のものは相対的に重い違反を論ずるときに用いられ、高い水準のものは相対的に軽い違反を論ずるときに用いられる。

② 可変的性質を持つ費用

(i) 総説　相対的に重い違反を論ずるために用いられる低い水準の費用としては、「可変的性質を持つ費用」というものが用いられる。「可変的性質を持つ費用」は不当廉売ガイドラインにおける表現であり、排除型私的独占ガイドラインにおいて「商品を供給しなければ発生しない費用」とされているものと同じである[46]。以下では、排除型私的独占を意識した論述においても、混乱を避けるため、「可変的性質を持つ費用」という表現を用いる。

価格が可変的性質を持つ費用を下回る場合、その商品役務の供給が増大するにつれて損失が拡大するので、通常、経済合理性のない売り方であるとされ、独禁法上も重い違反の根拠とされる[47]。

可変的性質を持つ費用は、平均回避可能費用の実務的な近似値として考案されたものである[48]。

(ii) 法的意味合い　私的独占においては、価格が可変的性質を持つ費用

---

45) 内部補助は、廉売が独禁法違反となるための十分条件でも必要条件でもない。内部補助があったからといって、それだけでコスト割れであると断言することはできないし、また、それ以外の違反要件を満たさない場合もあり得る。他方、逆に、内部補助がなくとも、将来の超過利潤に期待して廉売が行われ違反要件を満たす場合もある。結局、内部補助があるならばそれが独禁法違反の廉売を探知するきっかけとなる、ということであり、それ以上のものではない。

46) 不当廉売ガイドラインにおいては、一旦、「廉売対象商品を供給しなければ発生しない費用」としたあと、これを略して、「可変的性質を持つ費用」と言い換えている (3 (1) ア (エ) a)。

47) 排除型私的独占ガイドライン第2の2 (1)、不当廉売ガイドライン3 (1) ア (エ) a。

48) 排除型私的独占ガイドライン第2の2 (1) 注8。平均回避可能費用とは、廉売による供給量の増分のみについて、可変的性質を持つ費用と同様の費用を算出するものである。増分を知るには、廉売がなかった場合にどれだけの量が売れたかについて確実な数字を得ることが必要となる。しかしその確実な数字を得ることは簡単ではない。そうしたところ、公取委がいう意味での可変的性質を持つ費用は、廉売期間中の供給量の総量に着目して算出できるので、これを実務的な近似値として用いている。

を下回る場合には「排除行為に該当し得る」とされ、他方、下回らない場合には「排除行為となる可能性は低い」とされる[49]。このように、可変的性質を持つ費用は、白黒を決する決定的な要件と位置付けられているわけではないが、実質上は、排除型私的独占の成否にとって、大きな意味をもっている。

不公正な取引方法においては、価格が可変的性質を持つ費用を下回る場合には、累積違反課徴金の根拠となる2条9項3号の行為要件を満たす（後記417頁）。下回らない場合は、累積違反課徴金の根拠とならない一般指定6項の対象となるのみである。

(iii) 具体的内容　　費用が可変的性質を持つ費用に該当するか否かは、廉売対象商品役務の供給量の変化に応じて増減する費用か、廉売対象商品役務の供給と密接な関連性をもつ費用か、という観点から判断される[50]。

供給量の変化に応じて増減する費用か、という観点からは、変動費とされるものや、供給量の変化に応じてある程度増減する運送費、検収費などが、可変的性質を持つ費用とされる[51]。

供給と密接な関連性をもつ費用か、という観点からは、製造原価や仕入原価は可変的性質を持つ費用と推定され、それらのうち、製造直接費や仕入価格は可変的性質を持つ費用であるとされる。営業費のなかにも可変的性質を持つ費用とされるものがある[52][53]。

以上のような観点から、逆に、広告費、市場調査費、接待費などは、特段の事情がない限り可変的性質を持つ費用に該当しないとされ[54]、また、本社組織である人事部や経理部の人件費、交通費、通信費などは可変的性質を持つ費用

---

49) 排除型私的独占ガイドライン第2の2 (1)。

50) 排除型私的独占ガイドライン第2の2 (1)、不当廉売ガイドライン3 (1) ア（エ) b。

51) 排除型私的独占ガイドライン第2の2 (1)、不当廉売ガイドライン3 (1) ア（エ) b (a)。

52) 以上、不当廉売ガイドライン3 (1) ア（エ) b (b)。実際の事件においては、仕入価格を下回る、という認定がされることが少なくない。これは、仕入価格を下回るのであれば可変的性質を持つ費用を下回るのは当然である、という趣旨の認定である。

53) 特定の需要者に対する供給に特化しており他に転用することの見込めない調査・研究業務の支出は可変的性質を持つ費用となるとした相談事例がある（平成21年度相談事例1〔システム製品不当廉売〕)。ガソリン不当廉売ガイドライン第1の1 (2) ア（ア) c 注2は、クレジットカード決済手数料は可変的性質を持つ費用と推定されるとしている。

54) 不当廉売ガイドライン3 (1) ア（エ) b (c) 注7。それによれば、廉売のために集中的に支出した広告費は、特段の事情に該当し、可変的性質を持つ費用に該当するとされる。

とならない、とされる[55]。

③ 平均総費用

(i) 総説　可変的性質を持つ費用を下回らず、短期的視野では赤字が生じないとしても、固定費用的なものを償わなければ、長期的には赤字となる。そのような状態にある廉売を健全なものとは考えない立場からは、そのような廉売であっても一定の場合には独禁法違反となり得ることとして規律するという発想が生まれる。

そのような立場から、相対的に軽い違反を論ずるための高い水準の費用として、「平均総費用」が用いられる。総費用を、供給量で除したもの、という意味合いの表現である。同じものが、「総販売原価」と呼ばれることもある。

(ii) 法的意味合い　私的独占においては、そもそも、可変的性質を持つ費用を下回らない価格は問題となる可能性が低いとされているが、問題となる場合にも、平均総費用を下回ることが前提であり、平均総費用を下回らない価格は問題とならない[56]。

不公正な取引方法においては、平均総費用を下回ることが、累積違反課徴金の根拠とはならない一般指定6項の行為要件である。

(iii) 具体的内容　可変的性質を持つ費用に加え、販売費や一般管理費など、その商品役務と関連性をもつが可変的性質を持つ費用には加えられなかったものをあわせた費用が、平均総費用となる[57]。

そのような費用のうち、他の商品役務と共通化されている費用について、どのようにして各商品役務に配賦し、どれほどのものを廉売対象商品役務の費用と観念するかについては、スタンドアローン方式、増分費用方式、ABC (Activity Based Costing) 方式などがあるが[58]、ABC方式によることを認めるの

---

55) 不当廉売ガイドライン3 (1) ア (エ) b (c) 注8。「本社組織である人事部や経理部における」と明記されており、例えば、廉売のためだけに必要とされた人件費は、可変的性質を持つ費用に該当する余地が残されているものと思われる。

56) 排除型私的独占ガイドライン第2の2 (1) および注10。

57) ガソリン不当廉売ガイドライン第1の1 (2) ア (ア) eは、本社組織である人事部や経理部における人件費、交通費、通信費は平均総費用に含まれる旨を述べる。

58) 公正取引委員会「郵政民営化関連法律の施行に伴う郵便事業と競争政策上の問題点について」(平成18年7月) 15〜18頁。スタンドアローン方式とは、廉売商品役務の供給のみを行ったとして必要となる固定費用を全て算入し、他の商品役務の供給をしないならば不要となる費用のみを

が通常である[59]。

研究開発費等のように初期等に一括して計上される費用については、行為者が実情に即して合理的な期間において当該費用を回収することとしていると認められる場合には、当該期間にわたって費用の配賦を行ったうえで、平均総費用の算定が行われる[60]。

(6) 諸問題

① 価格と市場価格との比較　コスト割れをめぐる議論に関連して、価格が市場価格よりも下回っていることが違反要件となるかのような議論がされることがある[61]。

しかし、その考え方が貫徹されているのか否かが疑問となる類型として、複数の有力な行為者による並行的廉売がある[62]。そこで違反とされた価格は、当該複数の有力な事業者が設定した価格であり、それが市場価格である、という

除外する、という方式である。増分費用方式とは、他の商品役務の供給のみを行ったとして必要となる固定費用を全て当該他の商品役務のほうの費用のなかに算入し、廉売商品役務の供給をしないならば不要となる費用のみを廉売商品役務の費用のなかに算入する、という方式である。ABC方式とは、共通費用が、それぞれの商品役務に対してどれほどの寄与をしているかを可能な限り見極めて、共通費用を各商品役務に配賦する、という方式である。

59) スタンドアローン方式と対比しつつABC方式を採ることを明確に述べるものとして、東京高判平成19年11月28日・平成18年（ネ）第1078号〔ヤマト運輸対郵政〕（審決集54巻の708〜709頁）。排除型私的独占ガイドライン第2の2(1)注11は、行為者が実情に即して合理的に選択した配賦基準を用いていると認められる場合には、という条件のもとではあるが、ABC方式を原則とすることを認めている。ガソリン不当廉売ガイドライン第1の1(2)ア（ア）a注1は、配賦基準の例として、売上高、売上総利益、利用割合、などがあり得ることを明記している。すなわち、共通の費用に相当するものから、問題となっている廉売対象商品役務の売上げ等がどれほど恩恵を受けているかを見る、という趣旨であると考えられる。

60) 不当廉売ガイドライン3(1)ア（ウ）注2。

61) 東京高決昭和50年4月30日・昭和50年（行タ）第5号〔中部読売新聞社〕が夙にそう述べたようにも見えるが（高民集28巻2号の180頁、審決集22巻の304頁）、相対的に明確に述べたものとして、例えば、東京高判平成19年11月28日・平成18年（ネ）第1078号〔ヤマト運輸対郵政〕（審決集54巻の703頁）。

62) 公取委勧告審決昭和57年5月28日・昭和57年（勧）第4号〔マルエツ〕、公取委勧告審決昭和57年5月28日・昭和57年（勧）第5号〔ハローマート〕。公取委命令平成19年11月27日・平成19年（措）第16号〔シンエネコーポレーション〕、公取委命令平成19年11月27日・平成19年（措）第17号〔東日本宇佐美〕。これらについて、勘所事例集294〜296頁。その後の事例として、公取委公表平成27年12月24日〔コストコおよびバロン・パーク〕、公取委公表平成29年9月21日〔カネスエ商事およびワイストア〕。

見方も不可能ではない。それでも違反するとされたのであるから、市場価格を下回らないにもかかわらず違反要件を満たすとされた事例である、とも見える。

結局、この論点は、因果関係・寄与度の問題である（後記第4章）[63]。並行的廉売が違反とされた事件では、当該複数の有力な行為者A・Bが交互に対抗的に販売価格の引下げを繰り返している旨の認定がされるのが例であり[64]、そうであるとすれば、A・Bの廉売がいずれも第三者Cの排除に対して十分な因果関係・寄与度を持っている、ということであろう。また、別の類型として、行為者Aが他者Bの価格に対抗して廉売したために第三者Cを排除してしまうという場合に、行為者Aが廉売をやめても、いずれにしても第三者Cは他者Bの価格によって排除されるであろう、という事例はあり得るものと思われる[65]。この場合には、行為者Aの廉売と第三者Cの排除との間には法的に十分な因果関係・寄与度がない、ということであろう[66]。

② **費用変動による事後的なコスト割れ**　費用の変動によって、同じ価格で販売している期間中にコスト割れとなることがある。この場合でも、コスト割れ期間中について、コスト割れ要件を満たしてしまうことには違いはない[67]。

なお、長期契約によって固定された価格が、長期契約期間中に費用が変動し

63）ヤマト運輸対郵政東京高判は、市場価格を超える価格は競争事業者を排除する競争阻害的効果をもたないから規律の対象とする理由はない、と述べているが（審決集54巻の703頁）、この判示は、市場価格の問題が実は因果関係・寄与度の問題であることを示している。

64）マルエツ・ハローマート審決（審決集29巻の15頁、20頁）、シンエネコーポレーション・東日本宇佐美命令（審決集54巻の503頁、505頁）など。

65）最判平成元年12月14日・昭和61年（オ）第655号〔芝浦屠場〕は、広く全国を見れば廉価の事業者がいることを指摘したうえで、違反なしという結論に至っており、見方によっては、並行的廉売の一例であると考えることもできる（民集43巻12号の2083～2085頁、審決集36巻の572～573頁）。勘所事例集43頁。

66）この種の事案において、行為者Aの廉売と第三者Cの排除との間に法的に十分な因果関係・寄与度があるとする事例として、公取委審判審決平成19年3月26日・平成16年（判）第2号〔NTT東日本〕（審決案62～63頁）、東京高判平成21年5月29日・平成19年（行ケ）第13号〔NTT東日本〕（判決書72～73頁）、最判平成22年12月17日・平成21年（行ヒ）第348号〔NTT東日本〕（判決書13頁、民集64巻8号の2080頁）。その事実認定・事実評価には疑問がある。勘所事例集372～374頁。

67）公取委公表平成25年1月10日〔福井県並行的ガソリン廉売〕において費用変動により廉売期間中にコスト割れとなったことについて、佐久間正哉＝山中義道・公正取引750号（平成25年）71頁は、他の事件とは「構図が異なる」と述べて、違反要件を満たすことには変わりはないことを前提としつつ、一定の配慮をすることがあり得ることを示唆している。

て外見上はコスト割れとなったとしても、そのような価格に固定したうえでその取引について他の供給者に奪われないことを確定したのは長期契約の開始時であることに鑑みれば、そのような長期契約がコスト割れとして問題となることはなく、長期契約という排他的取引をしていることそれ自体を取引拒絶系他者排除の観点から論ずれば足りるものと考えられる。

③ **差別対価とコスト割れ**

(i) 総説　略奪廉売であっても、他では高く売っており略奪廉売系差別対価である場合には、コスト割れを違反要件とするのか否かが論点となる。

(ii) コスト割れ要件不要説　差別対価がある場合には、目前で問題となっている安い価格がコスト割れしていることは要件とならない、とする論がある。差別対価によって他で超過利潤を得て目前の安い販売活動の原資としているのであることに着目し、それを悪質と見て、規制のハードルを低くしようとする論である。便宜上、「コスト割れ要件不要説」と呼ぶ。

(iii) コスト割れ要件必要説　これに対しては、あくまでコスト割れを要件とする「コスト割れ要件必要説」がある。コスト割れ要件の存在意義が、事業者が安心して価格競争をすることのできる領域をある程度において明確に確保することにあるのだとすれば、それを不明確にするコスト割れ要件不要説は適切でないことになる。コスト割れ要件不要説を採ると、事業者の価格設定が硬直的となり、かえって協調的な価格設定の温床となる、という見方もあり得る。差別対価によって他で超過利潤を得て目前の安い販売活動の原資とする行為への対処は、内部補助を許さない費用計算によって実現するほかはない。

私見では、以上の理由で、コスト割れ要件必要説が適切である。

(iv) 公取委と裁判例の状況　公取委は、コスト割れが要件となるともならないとも明言せず、コスト割れの有無が排除効果の考慮要素となるとのみ述べる、という状況にある。まず、排除型私的独占ガイドラインでは、略奪廉売系差別対価を「排除行為」の例として取り上げておらず、この論点に対して沈黙している[68]。不当廉売ガイドラインは、差別対価が違反とされるか否かを判断する際に考慮要素の１つとして、「供給に要する費用と価格との関係」を挙げている[69]。電力ガイドラインは、安い価格が「供給に要する費用を著しく下

68) 排除型私的独占ガイドライン第2の1 (2) 注3およびそれに対応する本文。

回る料金」であることを必要とする旨の記述となっている[70]。略奪廉売系差別対価の事例で、安い価格が供給に要する費用を著しく下回っていたことが指摘されることがあるが、これは、駄目押し的にそのように認定しているものであって公取委がそれを違反要件であると認めたわけではない、と位置付けるのが穏当である[71]。

裁判例には、例外的な事案では必ずしも要件とならないことを前提にしたものがあるが[72]、不当廉売ガイドラインと同様、コスト割れであることを公正競争阻害性の成否の判断において重要な考慮要素としたものもある[73]。

3　排除効果

略奪廉売系の場合も、排除効果の成否を論ずる場合の考慮要素としては取引拒絶系の場合と同じようなものが掲げられている。すなわち、商品役務に係る市場全体の状況、行為者・競争者の市場における地位、行為の期間・商品役務の取引額や数量、行為の態様、などである[74]。

---

69)　不当廉売ガイドライン5 (1) イ (イ)。コスト割れの有無に言及せず略奪廉売系差別対価を排除型私的独占とした公取委事例として公取委勧告審決平成16年10月13日・平成16年（勧）第26号〔有線ブロードネットワークス等〕があるが、名宛人から争われるまではこの問題に触れなかっただけである、という可能性もあり、公取委がコスト割れ不要説を採っているという証拠にはならない。

70)　電力ガイドライン第2部I 2 (1) ①イ ii。平成28年3月7日の改定で「著しく」が削られたが、平成29年2月6日の改定で「著しく」が復活した。

71)　公取委公表平成24年3月27日〔鹿児島県コンクリート製品協同組合〕。

72)　東京高判平成17年4月27日・平成16年（ネ）第3163号〔ザ・トーカイ〕（審決集52巻の810頁）。

73)　東京高判平成17年5月31日・平成16年（ネ）第3204号〔日本瓦斯〕（審決集52巻の826頁）。

74)　排除型私的独占ガイドライン第2の2 (2)。不当廉売ガイドライン3 (2) イは、「他の事業者の実際の状況のほか、廉売行為者の事業の規模及び態様、廉売対象商品の数量、廉売期間、広告宣伝の状況、廉売対象商品の特性、廉売行為者の意図・目的等を総合的に考慮して、個別具体的に判断される」としており、内容的には同様のものとなっている。「廉売行為者の意図・目的」は、最判平成元年12月14日・昭和61年（オ）第655号〔芝浦屠場〕の事案において、正当化理由の根拠となるような「意図・目的」を意識して考慮要素の1つとして掲げられたのであるにもかかわらず（民集43巻12号の2085頁）、その文言のみが不当廉売ガイドラインなどに平板に盛り込まれ、排除意図・排除目的があれば公正競争阻害性が満たされやすくなるかのように受け止められてしまっていることが多い。

第3節　取引拒絶系他者排除における行為と排除効果

1　総　説

取引拒絶、排他的取引、抱き合わせは、排除型私的独占ガイドラインでも排除の例として特に掲げられ論ぜられているが、これらは、本質的には同じものであり、本質的に同じものの違反要件論が異なるはずもなく、排除型私的独占ガイドラインでも同様のことが3度繰り返される結果となっている。

また、不公正な取引方法との関係では、これらの行為については、排除効果重視説を前提として、排除効果の基準が論ぜられており、排除型私的独占に関する排除効果の解釈と一致している。流通取引慣行ガイドラインには、「市場閉鎖効果」という名称で、排除効果に関する記述が多く現れる。

これらをまとめて取引拒絶系他者排除として一括し、まとめて概観する。

2　排除効果

取引拒絶系他者排除においては、そのような行為によって「他に代わり得る取引先を容易に見いだすことができない競争者[75]の事業活動を困難にさせる」かどうかがポイントとなる。流通取引慣行ガイドラインは、「市場閉鎖効果」の定義を、「新規参入者や既存の競争者にとって、代替的な取引先を容易に確保することができなくなり、事業活動に要する費用が引き上げられる、新規参入や新商品開発等の意欲が損なわれるといった、新規参入者や既存の競争者が排除される又はこれらの取引機会が減少するような状態をもたらすおそれ」としている[76]。

すなわち、代替的な競争手段を見出すことができないかどうかがポイントとなる。被拒絶者は、行為者から拒絶されることもあれば、行為者から依頼された者や誘導された者から拒絶されることもあるが、とにかく、被拒絶者が上記

---

75)　この引用文は後記註77の排除型私的独占ガイドラインからのものであるが、しかし実際には、競争者以外の者を排除する事例は多くある。ここでの「競争者」という文言には、競争者以外の者を排除する事例は問題としないという強い意味合いはなく、よくある排他的取引等を典型例として念頭に置いたという程度の軽い意味で用いていると受け止めておくのが穏当である。

76)　流通取引慣行ガイドライン第1部3(2)ア。

のような状況となるかどうかが鍵となって、違反要件論が展開されている[77)78)]。

そして、代替的な競争手段を見出すことができず排除効果があるといえるか否かを判断する考慮要素として、商品役務に係る市場全体の状況、行為者の市場における地位、競争者の市場における地位、行為の期間・相手方の数やシェア、行為の態様、などが挙げられる[79)80)81)]。

---

77) 以上につき、排除型私的独占ガイドラインにおいては、排他的取引（第2の3 (1)）、抱き合わせ（第2の4 (1)）、供給拒絶・差別的取扱い（第2の5 (1)）、流通取引慣行ガイドライン（前記註76に対応する本文）。知的財産権のライセンス拒絶を排除型私的独占とした先駆的事例である公取委勧告審決平成9年8月6日・平成9年（勧）第5号〔パチンコ特許プール〕も、そのような認定を前提としている（審決集44巻の245〜246頁）。同種の事例である東京高判平成15年6月4日・平成14年（ネ）第4085号〔アルゼ対サミー〕は、逆に、プールされた知的財産権が必須のものとは言えないことなどを挙げて、違反の成立を否定した（裁判所PDF 20頁）。公取委審判審決平成21年2月16日・平成15年（判）第39号〔第一興商〕では、「ナイト市場」と呼ばれるスナックやバーなどの需要者群においては通信カラオケ機器に北島三郎や千昌夫などの楽曲が入っていることが不可欠である旨の認定が大きな意味を持った（審決案54頁）。勧所事例集344〜349頁。その他、平成23年度相談事例3〔登録プロ選手他社トーナメント参加制限〕、平成29年度相談事例1〔電子部品メーカー専属契約義務付け〕、平成29年度相談事例4〔プラットフォーム運営事業者取引制限〕、平成30年度相談事例1〔デジタルコンテンツ取引拒絶〕、令和元年度相談事例11〔農作物ブランド化推進団体〕。

78) 米国発の考え方としてEssential Facilities理論というものがあるが、「他に代わり得る取引先を容易に見いだすことができない」とはすなわち、拒絶者がエセンシャルであるということである。Essential Facilities理論には種々の賛否があるが、「他に代わり得る取引先を容易に見いだすことができない」というだけで違反となるのはおかしいという趣旨の批判であるなら、日本でも、そのような排除効果のほかに、正当化理由がないことや、私的独占においては市場支配的状態の形成・維持・強化も違反要件となるのであって、改めていうまでもないことである。Essential Facilities理論に対する批判論は、そのあたりをつかまず、何に反対しているのかが明確でないものが多い。

79) 詳細は、最判平成22年12月17日・平成21年（行ヒ）第348号〔NTT東日本〕（判決書10〜12頁、民集64巻8号の2078〜2080頁）、最判平成27年4月28日・平成26年（行ヒ）第75号〔JASRAC〕（判決書7頁、民集69巻3号の525頁）。勧所事例集370〜371頁、526〜530頁。排除型私的独占ガイドラインにおいては、排他的取引（第2の3 (2)）、抱き合わせ（第2の4 (2)）、供給拒絶・差別的取扱い（第2の5 (2)）。流通取引慣行ガイドラインにおいては、市場閉鎖効果という言葉が用いられている。第1部3 (1)、(2) ア。差別対価の観点から興味深い事例として、仙台地石巻支判平成25年9月26日・平成24年（ワ）第81号〔生かき仲買人販売手数料割戻し〕（判時2297号の105頁）。抱き合わせの観点から興味深い相談事例として、平成24年度相談事例1〔建築用建材メーカー定期点検契約義務付け〕、平成24年度相談事例2〔鉄道事業者電子マネー契約義務付け〕、平成25年度相談事例7〔文具メーカー消耗品認識設定〕、平成26年度相談事例1〔共同住宅賃貸業者電気需給契約義務付け〕、平成27年度相談事例13〔農協によ

行為者が、多数の相手方について一律に採用した施策であっても、当該施策がもたらす結果が、相手方の状況に応じて有利となったり不利となったりする場合には、そのような施策が排除効果を持つことはあり得る[82)83)]。

3 諸論点

(1) 抱き合わせ

① 総説　商品役務αの取引をするに際して、商品役務βの取引も自らまたは自らが指定する者と行うことを条件とする行為を「抱き合わせ」と呼ぶ。商品役務αは「主たる商品役務」と呼ばれ、商品役務βは「従たる商品役務」と呼ばれる。

る補助金と機械・資材の抱き合わせ〕、令和2年度相談事例4〔分析機器消耗品関係仕様変更〕。

80) 同じ事件の1審判決である東京地判令和2年7月22日・平成29年(ワ)第40337号〔リコー対ディエスジャパン〕(裁判所PDF 79〜105頁)と2審判決である知財高判令和4年3月29日・令和2年(ネ)第10057号〔リコー対ディエスジャパン〕(裁判所PDF 80〜96頁)は、問題となる需要者はどのような状況に置かれた者であるか(例えば、予備のトナーカートリッジを用意するのを苦とする者であるか否か)を含む事実認定・評価によって排除効果に関する判断が逆となったものであり、参考となる。

81) 「ネットワーク効果」があるために影響が増幅され排除効果の認定がされやすくなる場合がある。流通取引慣行ガイドライン第1部3(1)注3。「ネットワーク効果」は、もともと、多くの需要者が利用する供給者がさらに多くの需要者によって利用される現象(例えば、メッセージングサービス)について用いられる言葉であった。そうしたところ、供給者が、異なる複数の需要者群に接していて、需要者群Bの数が増えれば需要者群Cの数が増え、需要者群Cの数が増えれば需要者群Bの数が増える、という現象(例えば、プラットフォームにとっての出店者という需要者群と消費者という需要者群)が注目を集め、複数の需要者群を跨いだネットワーク効果が「間接ネットワーク効果」と呼ばれるようになった。前者の、当初は単にネットワーク効果と呼ばれていたものは、間接ネットワーク効果との対比のために「直接ネットワーク効果」と呼ばれることがある。直接・間接という表現よりも適切な表現がありそうであるが、ともあれ、この表現が普及している。なお、「間接ネットワーク効果」の概念が、違反を示そうとする側に不利に働くこともある(前記52〜55頁)。

82) 一般指定4項の「取引の条件又は実施」について公取委食べログ事件意見書第2の2が述べるところ(後記414頁註91)を一般化すると、そのように言えるであろう。

83) 抱き合わせを論じるにあたって頻出する古典的有名事例である、大阪地判平成2年7月30日・昭和60年(ワ)第2665号〔東芝昇降機サービス〕および大阪高判平成5年7月30日・平成2年(ネ)第1660号〔東芝昇降機サービス〕は、当時の議論の水準なども影響して、様々の点で本質を外したり歪めたりされて伝わっている。この事件を素材とするにあたっては、それらの点を的確に把握する必要がある。勘所事例集50〜60頁、特に51〜57頁。

抱き合わせについて、特別な議論があるかのように扱うのが、米国も含めた競争法の「伝統」であるかのようである。しかし、抱き合わせに応じない者には主たる商品役務の取引拒絶をすることになるのであること、そのような取引拒絶と通常の取引拒絶との違いは形式的なものにとどまること、そもそも抱き合わせに関する他者排除型と不要品強要型とを峻別すべきこと、などを押さえれば、他者排除型抱き合わせに関する議論は取引拒絶等の他者排除行為と特に異なることもないことがわかる。排除型私的独占ガイドラインでは、そのあたりに自覚的に、不要品強要型の議論を注意深く取り除いたうえで、取引拒絶と同様の議論を展開している。抱き合わせを取引拒絶系他者排除の一種とする位置付けは、既に十分に定着していると言ってよい。

不公正な取引方法の一般指定10項を素材として論ぜられてきたところも含めて敷衍すれば、以下のとおりである。

② **他者排除型と不要品強要型**　独禁法による抱き合わせ規制には、全く視点の異なるいくつかのものがあり、それらを峻別し整理したうえで論ずる必要がある[84)]。

第1は、抱き合わせによって他者排除が起こることに着目した規制である。便宜上、「他者排除型抱き合わせ規制」と呼ぶ。需要者が主たる商品役務を特定の供給者から購入せざるを得ないという状況のもとで、当該主たる商品役務に特定の供給者の従たる商品役務が抱き合わせられるために、従たる商品役務に関する他の供給者が排除される、という点に着目する[85)]。

第2は、抱き合わせによって不要品強要が起こることに着目した規制である。便宜上、「不要品強要型抱き合わせ規制」と呼ぶ。需要者が主たる商品役務を特定の供給者から購入せざるを得ないという状況のもとで、当該主たる商品役務に対し、需要者にとって不要なものが抱き合わせられる、という点に着目する[86)]。

84）白石忠志「独禁法における「抱き合わせ」の規制」ジュリスト1009号、1010号（平成4年）、白石忠志「優越的地位の濫用と抱き合わせ」経済法学会年報18号（平成9年）。

85）他者排除型規制であるとみられる事例として、公取委勧告審決平成10年12月14日・平成10年（勧）第21号〔マイクロソフトエクセル等〕。勘所事例集113～114頁。小畑徳彦・同審決等解説・NBL663号（平成11年）29頁も、それを明確に認めている。

86）不要品強要型規制であるとみられる事例として、公取委審判審決平成4年2月28日・平成2年（判）第2号〔ドラクエIV藤田屋〕。勘所事例集44～47頁。不要品強要型規制に対しては、

以上のような区別は、抱き合わせ行為をどの角度から問題視して独禁法違反の成否を論ずるのか、という区別であり、個々の抱き合わせ行為がどちらかの型だけに完全に色分けされるという意味のものではない。全ての抱き合わせ行為は、いずれも、他者排除型の観点と不要品強要型の観点の双方から論ずることができる。ただ、多くの場合は、いずれか1つの観点からしか、違反要件を満たさない。

長いあいだの議論の蓄積がある米国反トラスト法では、専ら、他者排除型の観点から抱き合わせ規制が行われており、したがって、世界に流布し日本にも紹介されている抱き合わせ規制論は、主に、他者排除型抱き合わせ規制に関するものであって、本来は不要品強要型抱き合わせ規制に馴染まない議論である[87)]。まさに排除型私的独占ガイドラインのように、関心範囲を他者排除型に限定するのであれば、米国反トラスト法での議論に相当するものだけを見ていてもよいということになるが、それ以外に不要品強要型という大物が存在することを忘れずに臨まないと、全体像を見失うことになる[88)]。

③　**相互取引**　　相互取引と呼ばれる行為がある。商品役務αを買うことの条件として他の商品役務βを売るという行為のように、抱き合わせとは異なり、主たる商品役務が供給される方向と従たる商品役務が供給される方向とが

そのようなものを禁止しても、主たる商品役務の価格が上がるだけであって無意味である、という批判がされることがあるが、世の中を単純化しすぎた論であるように思われる。何らかの事情で主たる商品役務の見かけの価格を上げることができないために不要品強要型抱き合わせをすることは往々にしてあることであり、その点に規制側が注目して価格を上げさせないようにするのが不要品強要型抱き合わせ規制である、という位置付けも可能である。勘所事例集48頁。

87)　米国反トラスト法のそのような傾向は、不要品強要型抱き合わせ規制が結局は優越的地位濫用規制の一類型であるという点に鑑みれば、優越的地位濫用を規制しないという米国反トラスト法の立場と通底するものである（後記470頁）。

88)　上記の2つの代表的な型とは異なる抱き合わせ規制ももちろんあり得る。一例を挙げるならば、従たる商品役務ではなく、主たる商品役務に関する他の供給者を排除することに着目した抱き合わせ規制である。具体的には、例えば、機器とメンテナンスとを抱き合わせることにより、当該機器のメンテナンスのみを専門に行う他の事業者が発生することを阻止すれば、機器に関する他の供給者は、機器を売るためには、自前によるメンテナンス体制の構築を同時に行わざるを得ず、したがって、機器市場への参入障壁が高まることになる、という場合があり得る。主たる商品役務に関する他者排除が関心対象となっており、それをもたらす複数の行為の1つとして抱き合わせが行われている場合には、主たる商品役務を検討対象市場とする弊害を立証するために、抱き合わせ行為をそのような観点から論ずることが有用となる可能性がある。

逆であるものを指す。相互取引に対する他者排除の観点からの規制も、他者排除型抱き合わせ規制と同様に論じ得ることとなる。

④ **行為要件**　他者排除型抱き合わせ規制における行為要件は、主たる商品役務を売る条件として従たる商品役務を買わせる、ということであるが、これと同じことは、従たる商品役務を他から買う者には主たる商品役務を売らない、従たる商品役務を他から買うのをやめることを条件として主たる商品役務の供給をする[89]、などという形で現れることもある。

⑤ **他の商品又は役務を**

(i) 問題　抱き合わせ規制については、主たる商品役務と従たる商品役務が真に2個の異なる商品役務と言えるか、ということが論ぜられることがある[90]。他者排除型抱き合わせ規制においては従たる商品役務の市場が検討対象市場となるので、従たる商品役務というものが存在することが必要である[91]。

(ii) 日米の前提の相違　この論点は、抱き合わせ規制をめぐる主要論点の1つとされることが多いが、しかし、この論点が注目を受けるのは、米国反トラスト法の特殊構造に由来する面が多く、日本では、その点を十分に認識したうえで対応する必要がある。

第1に、米国反トラスト法では、不要品強要型の発想がなく、専ら他者排除型を前提とした議論が行われている。他者排除型の観点からは、従たるものが商品役務と認められ1つの市場を形成することが前提となるために、これが要件とされる[92]。日本において、不要品強要型の観点から抱き合わせ規制を行う

---

89) この点に関する立証ができたか否かで結論が逆となったものとして、新潟地判平成23年1月27日・平成20年（ワ）第701号〔ハイン対日立ビルシステム〕（審決集57巻第2分冊の372～374頁）と東京高判平成23年9月6日・平成23年（ネ）第1761号〔ハイン対日立ビルシステム〕（審決集58巻第2分冊の244～247頁）がある。勘所事例集400～402頁。

90) この論点について、白石忠志「抱き合わせられたものは別個の商品といえるか」公正取引568号（平成10年）。

91) 不要品強要型抱き合わせ規制の様相が強い事案においてではあるが、東京高判令和2年11月19日・令和2年（ネ）第1666号〔UMs対アリババ〕が、主たる部分と従たる部分が一体として提供されており密接に関連しているからそれらは2つの商品役務であるとは言えないとしているのは（事実及び理由第3の3(1)ア）、疑問である。それで違反要件を満たさないこととなるのであれば、行為者は皆、そのような外観を整えることとなるだけであろう。この事案は、主たる商品役務に力がない（同イ）から違反でない、という解決をすることができた。

92) 平成13年公表相談事例3〔シニア住宅と介護専用型有料老人ホーム〕が、現時点では別個の

場合には、従たる商品役務が１つの市場を形成する必要はなく、突き詰めて言えば、従たるものが商品役務である必要さえない。

第２に、米国反トラスト法では、「抱き合わせに関する当然違反原則」が最高裁判例として存在している[93]。そこにおいては、従たるものが主たる商品役務とは異なる商品役務であることが、当然違反とされるための１つの要件とされている。当然違反とされると、それ以上の正当化理由の主張などは許容されない可能性があり、そこで、結論の妥当性を確保するために、正当化理由の主張を「2個の異なる商品役務」の論点のなかに持ち込んで議論しようとする動きが生ずる。すなわち、主たるものと従たるものとを一体として提供するのでなければ効率性を損なう場合には従たるものは独立の商品役務とはいえない、といった主張が行われる。日本には、「抱き合わせに関する当然違反原則」が存在しないから、正当化理由に関することは、弊害要件の枠内で正面から正当化理由の問題として検討すればよいのであって、「2個の異なる商品役務」の要件をめぐる議論に持ち込む必要はない[94]。

⑥　**他者排除型抱き合わせ規制における弊害要件**　　他者排除型抱き合わせ規制における弊害要件としては、これを不正手段的に論ずるものも過去においては多かったが、これは、前記②・⑤に見たような様々な雑音に影響されたうえの主張であったものと考えられる。

現在では、取引拒絶系他者排除行為の一種として、取引拒絶系他者排除行為と同様の弊害要件論を適用すればよい、というところに落ち着いているように思われる（後記435〜436頁）。

(2)　マージンスクイーズ

川下にある検討対象市場だけでなく川上市場でも事業活動を行っている者が、

商品役務ではないが将来のことはわからない、としたのは、将来において従たるものを別の供給者から得たいと望む需要者が増えるかもしれないと考えてのことである、と分析できる。

93)　「抱き合わせに関する当然違反原則」については、白石忠志「マイクロソフト事件米国連邦控訴審判決の勘所」中里実＝石黒一憲編著『電子社会と法システム』（新世社、平成14年）306〜307頁。

94)　公取委審判審決平成4年2月28日・平成2年（判）第2号〔ドラクエⅣ藤田屋〕が、不要品強要型規制と見られる事案で「2個の異なる商品役務」の論点を論じているのは（審決集38巻の45頁）、当時は他者排除型規制と不要品強要型規制との峻別がなく、まして、「2個の異なる商品役務」の論点が他者排除型規制だけに関係するという指摘もなかったからである。

川上の商品役務の価格を、自らの川下の商品役務の価格に近接させるなどの行為をすることがある。マージンスクイーズあるいはプライススクイーズなどと呼ばれる。極端な例では、川上価格と川下価格とが逆転して、川上価格が高くなることもある。

これは、取引拒絶の一種であり、取引拒絶に準じて論ずればよい。取引拒絶とは異なる違反要件論が妥当するのであればともかく、そうでないのであれば、殊更に新たな類型を喧伝する必要はない。

なお、マージンスクイーズが、取引拒絶と同視し得るほどには至らない場合でも、川上価格と川下価格とが近接しており川下の検討対象市場での価格が安いために、川下の検討対象市場での価格が略奪廉売の観点から問題となることはあり得る。この場合も、マージンスクイーズという看板は不要であり、略奪廉売の観点から一般論に即して論ずれば足りる。

マージンスクイーズであるとされる場合に何か特別な違反基準が用いられるのであれば格別、そうでないのであれば、このような用語を使うのは議論の混乱を増幅させるだけで有害無益であるように思われる[95][96]。

(3) セット割引 (bundled discounts)

セット割引は、商品役務 α と商品役務 β とをまとめて購入すれば全体として値引きをする、という売り方である。セット割引は、マージンスクイーズと同様に考えればよい。マージンスクイーズでは、川上商品役務を川下競争者に

95) 最判平成22年12月17日・平成21年（行ヒ）第348号〔NTT東日本〕の調査官解説は、逆に、結果的には通常の基準と同じとなるのであるなら言葉の問題であるからこの種の特殊な言葉を用いてもよい旨を論じている（岡田幸人・最判解民事篇平成22年度下816〜817頁）。適切な議論をできる集団のなかに閉じた説明としては、それでよいかもしれないが、特殊な言葉に特別の基準を託したり議論の新規性を強調したりしようとする主張が複雑に行き交う集団に向けた説明としては、用心深さを欠いているように思われる。現に、NTT東日本最判がマージンスクイーズの判決であるとして殊更に強調する文献は、後を絶たない。そのような文献が、調査官解説のような冷静さを共有していることは少ない。勘所事例集367〜369頁。

96) 過去の拙稿を、マージンスクイーズを取引拒絶でなく略奪廉売の一種として論ずべきであるとした文献として紹介するものが散見される。拙稿は、マージンスクイーズの議論を紹介する特定の文献について、その特定の文献が略奪廉売について論じている内容と結果において大差がないことを指摘して、通常の略奪廉売と同じ基準で論ずればよいと述べただけである。拙稿の主眼は、マージンスクイーズは特別な枠組みを必要とするものではないことを指摘することにあったのであり、取引拒絶として論ずることを否定したものではない。勘所事例集368〜369頁。

売るのに対し、セット割引では、αとβとを同じ需要者に売るという違いがあるだけであり、競争法上の構造は同じである。αについて強い立場にある者がβについて他者排除をするときに、主に問題となる。したがって、セット価格がα単体の価格に近接するか逆転しておりαの取引拒絶すなわちαとβの抱き合わせと同視し得るのであれば抱き合わせとして考えればよいし、それに至らなくとも、セット価格とα単体の価格とが近接しており差し引きでのβの価格が安いために略奪廉売の観点から問題となる場合には、βに関する略奪廉売の観点から一般論に即して論ずれば足りる[97)98)99)]。

行為者Yがαについて強い立場にある場合の略奪廉売の観点からの議論は「割引総額帰属テスト」(discount attribution test) によって行うとするのが有力な考え方である。例えば、Yにとって、商品役務αは価格100円(費用70円)、商品役務βは価格60円(費用30円)、αとβのセット価格120円(セット費用

---

97) 大阪高判平成6年10月14日・平成4年(ネ)第2131号〔葉書〕はセット割引を論ずるための好適な事例であるが、セット割引の議論において言及されることはほとんどない。郵便局の葉書は信書送達役務と葉書用紙という2つの商品役務から構成されているという発想に抵抗を示す論者が当時は多く、そのような論者やその後継者らが、のちの時代にセット割引を論ずる機会に遭遇したということであったように思われる。勘所事例集75~78頁。

98) 最近では、平成30年度相談事例5〔エネルギー商品セット販売〕。排除型私的独占ガイドライン第2の4(1)は、抱き合わせの観点のみを掲げているが、基本的な考え方は同じであろう。逆に、電力ガイドライン第2部I2(1)①イi(i)、電気通信ガイドラインII第3の3(2)ア②、は、略奪廉売の観点のみを掲げているが、価格設定の状況からみて抱き合わせと同視し得るときには抱き合わせと考えるという基本的な考え方を否定するものではないであろう。そのような状況では、コスト割れは容易に認定し得るから、実質的には抱き合わせか略奪廉売かで大差はない。

99) 電力ガイドライン第2部I2(1)①イi(i)は、セット割引を論ずるに際し、区域において一般電気事業者であった小売電気事業者がセット割引をして電気のコスト割れとなり他の小売電気事業者の事業活動を困難にした場合には問題となる、としている。αについて特に強い事業者のみを挙げつつ、βでなくαについての排除効果を問題としているという意味で、限定的かつ捩れた問題意識を示したものである。これは、平成28年4月施行の電力完全自由化にあわせて地元電力会社への牽制効果を特に意識するガイドラインとしたという事情と、電力ガイドラインが基本的には電気の市場を論じようとしているものであるという制約とが、重なったものであると推測される。この記述をもとにセット割引を一般的に論じようとすると、基本的な枠組みを見失うおそれがある。電力ガイドラインは、同所の注において、簡単ではあるが、一般的な議論のための記述を置いており、そこでは、αとβのそれぞれについてコスト割れの有無をみるべきことを述べている。電気通信ガイドラインII第3の3(2)ア②は、電気通信役務における排除効果と、併せて売られた商品役務における排除効果とを、両睨みにした表現となっているが、アの柱書きにおいて、市場において相対的に高いシェアをもつ電気通信事業者の行為に限定している。

は70＋30＝100円)、であるという場合を考える。「α単品」「β単品」「αとβのセット」のいずれを見てもコスト割れでないように見える。しかし、セット割引をしない場合の合計価格からみて、セット価格は、160－120＝40円、割引をしている。ここで、需要者が、αはYから買うが、βはYでなくAから買う、という場合、Yからはαを単品で買うことになるから100円を支払うことになり、需要者がβもYから買うならセット割引で20円追加すれば買えるのに、わざわざAから買うことになる。そこで、セット割引においてはYはβを20円で売っているとみる。そうすると、Yにとってのβの費用は30円であるから、コスト割れをしていることになる。このように、セット割引の場合の割引額40円を、全て(総額)、βに帰属させβを60円から20円に割り引いたものと見て、Yにとってのβの費用30円と比較してβについてコスト割れが生じているか否かを見るのが、割引総額帰属テストである。

以上のような、Yがαについて強い立場にあるという状況とは別の事案に目を転ずると、事案によっては、αとβのセットを1つの商品役務として捉えて検討すべき場合もある。これは、いずれの捉え方が正しいというものではなく、事案により決まるものである。例えば、αとβのセットを供給する事業者Yと、βだけなら自力で供給できる事業者Aがいる場合、AがYのほかにαを供給するパートナー事業者Bを容易に見出すことができ、αとβのセットを供給できる場合には、βだけの市場での反競争性は起こりにくいと判断され、あとは、αとβのセットとして略奪廉売となっていないかを検討することになる[100)]。

(4) 排他的取引と略奪廉売の境界

排他的取引は、取引先が排他的取引に協力することを前提等としながら安く商品役務を売る、という態様で行われる場合には、略奪廉売との境界に位置する行為ともなる。かりに略奪廉売系他者排除と位置付けられれば、コスト割れが要件となる[101)]。

---

100) 排除型私的独占ガイドライン第2の4注16はこのような趣旨であろう。その他、事例として、平成30年度相談事例5〔エネルギー商品セット販売〕。

101) 排他的取引に協力する者には安く売り、協力しない者には高く売る、という態様の場合には、差別対価ということになり、この場合には、コスト割れが必ず要件となるとは限らず、コスト割れが要件となるか否かが論点となる、というにとどまる。しかし、とにかく、論点となることは

そこで、どのような場合には取引拒絶系他者排除と位置付けられコスト割れが要件とならず、どのような場合には略奪廉売系他者排除と位置付けられコスト割れが要件となるか、が、個別の事案処理における大きな問題となる[102]。

排除型私的独占ガイドラインは、この観点から、排他的取引の項目に特に「排他的リベートの供与」という小項目を置き、リベートがどのような場合に排他的取引の道具であると言えるのかを論じている[103]。それによれば、リベートの水準、リベートを供与する基準、リベートの累進度、リベートの遡及性、などが考慮要素となる。排他的取引の道具はリベートだけとは限らないが、同様の考え方を応用すればよいものと思われる[104]。

確かであり、ここでは、論述の簡素化のため、略奪廉売系他者排除と位置付けられればコスト割れが要件となる、という表現にとどめておく。

102) この問題は、忠誠リベート（fidelity rebates; loyalty rebates）の問題などと呼ばれている。包括的研究として、早川雄一郎『競争者排除型行為規制の目的と構造』（商事法務、平成30年）。

103) 排除型私的独占ガイドライン第2の3(3)。

104) 排除型私的独占ガイドラインがリベートを特に取り上げているのは、具体的事案である公取委勧告審決平成17年4月13日・平成17年（勧）第1号〔インテル〕が、排他的取引の道具としてリベートを用いた事案であったことが関係しているのではないかとも思われる。勧所事例集196～198頁。

第4章
因果関係

第1節　総　説

1　概　要

違反要件が満たされるためには、行為要件を満たす行為と、弊害要件を満たす弊害との間に、独禁法違反とするに値するだけの因果関係が必要である[1)]。

行為の弊害への「寄与度」と呼ぶ方法もあり得る。研究を進めるにつれて適切な呼称を模索すべきであるが、本書では取り敢えず、基本的には「因果関係」と呼ぶ。

独禁法違反要件論の枠内における因果関係概念のほか、独禁法関係の民事裁判において、独禁法の違反要件論の枠外で、違反行為と原告の損害等との間の因果関係が論ぜられる場合がある（後記805頁）。

2　条　文

行為と弊害との因果関係は、条文においては、「により」（2条5項・6項、10条1項など）、「によつて」（15条1項など）、などによって表現されている。

2条5項の排除型私的独占においては、「排除」と競争の実質的制限との因果関係のみならず、「排除」の概念の枠内で、行為要件を満たす行為と、排除効果との間の、因果関係が問題となることもある。便宜上、以下ではこれも行

---

1)　因果関係についての文献として、白石忠志「独禁法における因果関係」石川正先生古稀記念論文集『経済社会と法の役割』（商事法務、平成25年）、平山賢太郎「因果関係論」池田毅＝籔内俊輔＝内田清人編著（白石忠志監修）『ビジネスを促進する 独禁法の道標』（レクシスネクシス・ジャパン、平成27年）311～322頁。

為と弊害の因果関係の問題として論じていく。

不公正な取引方法の諸規定では、因果関係に相当するものが明示的な文言となっていないことが多いが、これは、個々の規定全体から当然に読み取れるためにあえて書かなかったものと受け止めるべきであろう[2)]。

3　実質的根拠

行為を違反とするためには行為と弊害との間の因果関係が必要である、とされる実質的根拠は、次のような点に求められる。

第1に、独禁法違反であるという結論は、法的非難・制裁の対象となるので、行為者に対する責任追及の根拠がなければならない。課徴金や刑罰が適用される違反類型である場合にはもちろん、そうでなくとも、独禁法のほぼ全ての違反類型は25条の無過失損害賠償責任の根拠ともなる。

第2に、第一義的には非難・制裁のためのものではないとされる排除措置命令の観点からみた場合であっても、排除措置命令を行って行為を除去することにより弊害の解消をもたらすには、弊害との間に因果関係があるような行為を除去するのでなければ意味がない。因果関係のない行為を除去しても、弊害は解消されないからである[3)]。

4　従来の議論状況

過去においては因果関係というものを独禁法違反要件論の体系の1つの柱として位置付けるものはほとんどなかったが、しかしそれは、そのようなものが存在しないということなのではなく、それを言語化して抽出する作業がされて

---

2)　例えば、2条9項6号柱書きは、平成21年改正の経緯に照らせば、2条9項各号や一般指定の全ての文言上の淵源と考えてよいのであるが、それを見ると、「次のいずれかに該当する行為であつて、公正な競争を阻害するおそれがあるもの」と規定している。「行為」がこの部分での実質的な主語であり「阻害するおそれがある」が述語なのであって、両者の間は「により」と同等のもので結ばれているものと考えてよい。「により」が書かれていないのは、そのあとで公取委の指定について言及する必要があったという言い回し上の原因によるものにすぎない。

3)　排除措置命令は非難・制裁のためのものではないという前提それ自体が机上の想定なのであって、実際には排除措置命令それ自体が社会的制裁の原因となり、また、課徴金や損害賠償責任に繋がっていくという面もある。企業結合規制の場合には、基本的には事前規制という強い規制であるため、弊害と無関係の行為を禁止したり弊害と無関係の問題解消措置を条件としたりすることに対して更に抑制的であるべきではないか、という点を考える必要があろう。

いなかっただけであるように思われる。実際、因果関係という言葉で位置付けるべき事象は独禁法違反要件論の随所に観察され、事例も多い（後記第2節）。多くの事例においては比較的容易に満たされるので、言語化され議論されることがなかっただけであると考えられる。

十分に言語化されていなかったため、従来は、因果関係に相当するものは他の概念のなかに暗黙のうちに包含されていた。

第1の例として、弊害をめぐる議論の中心に位置する「競争の実質的制限」の定義において、価格等の競争変数が左右されるという意味での市場支配的状態の「形成・維持・強化」ということがしばしば言われる。これは、敢えて言えば、行為と、市場支配的状態という弊害との間の、因果関係を指す言葉である（前記35頁）。

第2の例として、因果関係という言葉が言語化され体系化されていなかったために、行為との因果関係を持つ弊害がないことを指して、単に「弊害がない」と言われることも多かった。既存の諸事例には、それに相当するものが多数ある（後記第2節）。本書は、そのような無意識のうちの因果関係事象に言葉を与えて理論化し体系化しようとするものである。

因果関係という概念の存在を否定しようとする論も散見されるが、説得力はない。例えば、ハードコアカルテル事件では因果関係は不要である、とする論が散見されるが、それは、ハードコアカルテル行為があればほとんどの場合にそれと因果関係のある弊害が発生するために、因果関係という概念が議論される機会が乏しいのであるにすぎない。ほぼ常に満たされるから言語化されず議論されない、ということと、それに相当する事象が存在しない、ということとは、全く異なる[4)]。

---

4) 品川武・菅久品川他4版41〜42頁は、東京高判平成22年12月10日・平成21年（行ケ）第46号〔モディファイヤー排除措置〕の判示（判決書82頁）を引用して、ハードコアカルテル事件では因果関係は必要とされない旨を説いている。競争の実質的制限の認定において実際の価格への影響は必要とされない、というのは、そのとおりであろう（後記246〜247頁）。しかしそれは、競争の実質的制限をそのように解釈し、市場支配的状態で足りると解釈する、ということなのであって、行為と市場支配的状態との間の因果関係は、なお必要とされる。弊害要件の解釈として、弊害αは必要でなく弊害βがあれば足りるとされる場合、行為と弊害αとの因果関係が必要とされないのは当然であり、だからといって、行為と弊害βとの因果関係も不要であるということにはならない。

公取委またはその周辺からは、違反を立証するための要件を増やしたくない、という動機で因果関係概念に反対する意見が唱えられることもあるように見受けられる。しかし、そのような概念が存在することを認めたからといって、その概念について公取委に更地からの立証負担が発生するとは限らない。上記のハードコアカルテルの場合を好例として、行為が立証されれば、弊害とそれへの因果関係が推認され、行為者側に重い立証負担が移るという例は多くある。そのような立証負担の割り振りの研究・開発も、因果関係という概念の存在を認めて初めて、行い得る[5]。

5 「counterfactual」について

(1) 総　説

因果関係の議論に相当する文脈で国際的な場でも登場する言葉として、「counterfactual」というものがある。国内で提唱される概念には冷淡な独禁法関係者も、外国で言われているものはすぐに取り入れようとする傾向があり、そのこと自体は困ったことではあるが、時には「外圧」を利用することも、適切な議論の発展のため有益である場合がある。

様々な議論を集約すると、「counterfactual」論とは、行為を実際に行った場合の状態（factual (F)）と、行為を行わなかった場合の状態（counterfactual (C)）とを比較し、反競争性の程度においてＦがＣを上回るとき（F>C）に違反とする、という考え方である[6]。「counterfactual」は、日本の法学の古くからの言葉でいう「行為なかりせばの状態」と同じである。

結論を言うと、以上のような「counterfactual」論は、本書でいう反競争性の要件と因果関係の要件をまとめて１つとして議論しているものである。

第１に、Ｆ＞Ｃなら違反、という場合には、Ｆが、違反とするために必要とされる反競争性の基準以上となっていることが、暗黙の前提となっている。このように、「counterfactual」論は、反競争性の要件論（前記第２章第２節〜第４

---

5) 企業結合規制の条文の「により」が因果関係に関するものであると明確に認める解説として、深町正徳・深町編著２版30〜31頁。

6) 反競争性を「形成」することはないが「維持・強化」するから違反、という場合には、F=Cでも違反となることがあり得る。維持も強化もしておらず単にF=Cである場合には、因果関係がなく違反とはできないであろう。

節）を含んでいる。

第２に、違反とするためにはＦ＞Ｃが必要である、ということは、違反とするためには因果関係が必要である、ということと同義である。このように、「counterfactual」論は、この章で論ずる因果関係の要件論を含んでいる。

以上の紹介は、既に行われている行為にも、まだ行われていない行為（例えば企業結合行為）にも、いずれにも当てはまるように書いた。

(2) 日本での議論における位置付け

日本での議論の平仄を、「counterfactual」論に合わせようとするなら、例えば、「により……競争を実質的に制限する（こととなる）」をひとまとめにして判断する、ということも考えられる。

しかし日本では、競争の実質的制限や公正競争阻害性の議論がされる場合、因果関係の要素が自覚されず、価格等の競争変数が左右されるとか、排除効果があるといった、反競争性の状態だけが意識されて議論されることが多い。

そのような状況においては、「counterfactual」論に平仄を合わせて反競争性と因果関係をひとまとめにするのでなく、まずは大方の議論に平仄を合わせて、反競争性の議論においては状態を中心に論じ、因果関係の要素は別項目として立てるのが、適切であると考えた。それが、この章の解説である。

第２節　具体例

1　並行的行為の累積による他者排除

(1) 総　説

相互に意思の連絡のない複数の並行的な行為が累積して他者排除の弊害をもたらす場合に独禁法違反とできるか、という問題があるが、これは結局、因果関係の問題である。

(2) 並行的な排他的取引

排他的取引が並行する場合については、流通取引慣行ガイドラインが、事業者Ａの行為と他の事業者Ｂの行為とがそれぞれ寄与して市場閉鎖効果が起こり、それによってＡの行為が違反とされる場合があることに言及している[7)8)]。

(3) 並行的な廉売

廉売が並行する場合については、種々の事例がある。並行的な廉売行為者の双方に対して公取委が排除措置命令をした事例では、複数の行為者が互いに販売価格の引下げを繰り返していた旨の認定がされている[9]。これらは、いずれか1社が行為を取りやめれば他の1社も取りやめたであろう、ということを窺わせる事情であると言えるかもしれず、もしそうであると言えるならば、個々の者の行為と排除効果との間に「あれなければこれなし」という条件関係があると言える。別の事例では、コスト割れの廉売を比較的長期間にわたって行っていた行為者に対して排除措置命令でなく警告をするにとどめたことについて、他にも同等の価格で廉売をしていた者がおり、問題の行為者の排除効果に対する寄与度が十分でないために警告にとどめた旨が解説されている[10]。

(4) その他の並行的な他者排除行為

論理的には、取引拒絶系行為と略奪廉売系行為とが並行する場合もあり得る。

(5) 並行的な競争停止行為

競争停止的な垂直的制限行為が並行する場合などについても、流通取引慣行

---

7) 流通取引慣行ガイドライン第1部3(2)ア。これは、東京高判昭和59年2月17日・昭和56年(行ケ)第196号〔東洋精米機製作所〕の、複数の事業者が並行的に排他的取引を行っているならむしろ公正競争阻害性が否定されるかのような判示(行集35巻2号の163頁、審決集30巻の153頁)に対する反論であったと考えられる。勘所事例集28頁。流通取引慣行ガイドラインと同じ観点からのものとして、公正取引委員会「ガソリンにおけるバイオマス由来燃料の利用について」(平成21年7月3日)(公表資料2頁)。同様の観点を含む古典的事例として、公取委審判審決昭和28年3月28日・昭和27年(判)第1号〔大正製薬〕(審決集4巻の128頁)。

8) 滝澤紗矢子『競争機会の確保をめぐる法構造』(有斐閣、平成21年)は、並行的な排他的取引に関する議論を出発点として、弊害要件に関する深い考察を行っている。

9) 公取委勧告審決昭和57年5月28日・昭和57年(勧)第4号〔マルエツ〕(審決集29巻の15頁)、公取委勧告審決昭和57年5月28日・昭和57年(勧)第5号〔ハローマート〕(審決集29巻の20頁)。公取委命令平成19年11月27日・平成19年(措)第16号〔シンエネコーポレーション〕(審決集54巻の503頁)、公取委命令平成19年11月27日・平成19年(措)第17号〔東日本宇佐美〕(審決集54巻の505頁)。これらについて、勘所事例集294〜296頁。その後の事例として、公取委公表平成27年12月24日〔コストコおよびバロン・パーク〕、公取委公表平成29年9月21日〔カネスエ商事およびワイストア〕。

10) 公取委公表平成25年1月10日〔福井県並行的ガソリン廉売〕について、佐久間正哉=山中義道・公正取引750号(平成25年)72頁。勘所事例集467〜470頁。そのほか、並行的廉売をした者のうち1者のみが警告の対象となり他の複数の者が注意を受けた事例として、公取委公表令和5年5月17日〔土浦市並行的ガソリン廉売〕。

ガイドラインは、事業者Aの行為と他の事業者Bの行為とがそれぞれ寄与して価格維持効果が起こり、それによってAの行為が違反とされる場合があることに言及している[11]。

2　他の原因の競合

他の他者排除行為が並行するのでなく、被排除者の実力のなさ等の他の原因が競合して、弊害が起きているために、他者排除行為と弊害との因果関係が問題とされることがある。このような問題を、因果関係という言葉を明示的に用いて論じたものもあるが[12]、用いずに論じたものもある[13]。

3　企業結合規制における因果関係

(1)　総　説

企業結合規制には、因果関係という観点がもたらす多くの事象が存在する。

まず、企業結合規制は基本的には事前規制であるから、将来の弊害の成否の判断それ自体に、因果の連鎖を辿る複雑な思考過程が組み込まれている（後記540〜541頁）。

しかしそれだけでなく、以下のように、かりに将来において弊害が存在することが確実である場合でも、企業結合行為と、その弊害との間の、因果関係が問題となることがある。

(2)　並行的な企業結合

同じ業界で複数の企業結合が同時並行的に計画された場合、それらの企業結

---

11)　流通取引慣行ガイドライン第1部3 (2) イ。

12)　最高裁判決が因果関係という言葉を用いて判示したものとして、最判平成22年12月17日・平成21年（行ヒ）第348号〔NTT東日本〕（判決書13頁、民集64巻8号の2081頁）。勘所事例集372〜374頁。実際の事件において因果関係を否定した例として、東京高判平成16年9月29日・平成14年（ネ）第1413号〔ダイコクI〕（裁判所PDF 28頁）。

13)　公取委審判審決平成24年6月12日・平成21年（判）第17号〔JASRAC〕（審決案71頁、75頁、79〜80頁）。この審決が裁判所で取り消されたのは、審判手続において審査官が主張しなかったとして審決が十分に取り上げなかった事実が裁判所によって認定されたために裁判所で逆の結論となったからである（詳しくは、勘所事例集530〜533頁）。審決の事実認定を前提とすれば、この審決は、因果関係という言葉は用いていないものの実質的には、因果関係を根拠として行為と弊害との因果関係（厳密には2条5項の「排除」の枠内における行為と排除効果との因果関係）を否定したものである。勘所事例集536〜538頁。

合計画が全て実行されたと仮定したならば弊害が生ずるというとき、複数のうち、どの企業結合に問題解消措置を求めるか、という問題がある。両方に求めるのが、ある意味では公平であるが、一方だけが問題解消措置をとれば弊害は生じないという場合などには法適用として過剰であるということにもなりかねない。この場合に、弊害に対する寄与度が大きな側に問題解消措置を求める、という方法が、一応、あり得る[14]。

(3) 企業結合が行われても市場の状況に変化がない場合

① **総説**　企業結合が行われても市場の状況に変化がない場合には、かりに市場において弊害要件を満たす状態が存在するとしても、その企業結合を禁止することはできない。以下、具体例によって敷衍する[15]。

② **もともと弊害がある場合**　企業結合前の時点で既に、懸念される行動が行われやすく、あるいは、弊害が存在する、という場合であって、その企業結合によって懸念される行動が更に行われやすくなり、あるいは、弊害が強くなる、というのでないならば、企業結合という行為と、弊害との間に、因果関係がないので、企業結合を禁止することはできないことになるであろう[16]。

③ **弱小競争者との企業結合**　企業結合後の当事会社の市場シェアが非常に大きい場合でも、一方の当事会社が弱小であるために、違反要件を満たさないとされることがある[17]。また、企業結合による HHI の増分が小さい場合には

14） 平成 23 年度企業結合事例 6〔HDD 並行的企業結合〕については、欧州委員会、公取委、米国連邦取引委員会などが、それぞれ特徴ある対応をした。そのうち、米国連邦取引委員会の対応が、因果関係論に関係の深いものとなっている。勘所事例集 409～412 頁。平成 28 年度企業結合事例 3〔石油会社並行的企業結合〕では、2 つの企業結合計画のいずれにも弊害との因果関係があることが前提とされて、両方に、問題解消措置等が求められたように見受けられる。他の事例として、令和 4 年度企業結合事例 6〔今治造船／日立造船〕（事例集 63 頁、89 頁）。

15） 以下のほか、例えば、当事会社のうち市場シェアが小さいほうと同等の他の供給者を育成しようとする問題解消措置に意味があるものと認める考え方には、因果関係論の要素が含まれている（後記 601 頁註 196）。

16） 平成 27 年度企業結合事例 1〔日本製紙／特種東海製紙〕において、「一斉価格改定がよりやりやすくなるとは言えず」とする部分は、その例である（事例集 8 頁、14 頁、15 頁）。令和 4 年度企業結合事例 4〔古河電池／三洋電機〕は、企業結合行為後の市場シェアが 100% となるにもかかわらず違反なしとした事例であるが、他の考慮要素と相俟って、当事会社間の「競合」の程度が限定的であり、それぞれの需要者がどの供給者から購入するかをある程度決めており他の供給者からあまり購入しない傾向があることにも言及している（事例集 46～52 頁）。因果関係と反競争性を総合考慮する可能性を含め、検討素材を提供している。

セーフハーバーに該当する場合がある（前記 575 頁）。そのような場合を違反なしとするのは、結局、反競争性はあるとしても行為との因果関係がないから違反としないのである、と説明することになろう。

④ **親子会社・兄弟会社による企業結合**　企業結合規制においては、親子会社同士や兄弟会社同士などの企業結合は通常は規制の対象とならないとされているが[18]、これはつまり、かりにそこに競争の実質的制限という弊害が状態として存在するとしても、通常は当該企業結合によって当該弊害が新たに強化されるわけではないから、当該企業結合と当該弊害との間には因果関係がない、ということなのであろう。

⑤ **業績不振の会社を救済しなくとも同じ状況となる場合**　業績不振の会社を救済するために市場での存在感が大きくなる場合、正当化理由があるとして違反なしとされる可能性もあるが（前記 114〜115 頁）、これが認められないときにも、因果関係要件を満たさないために違反なしとされる可能性がある。救済する企業結合をした場合でも、そのような企業結合をしない場合でも、救済する側の当事会社の市場シェア等の存在感が同じであるような事案が典型例である[19]。

(4) 競争を期待すべきでない場合

検討対象市場での規模が十分に大きくなく、効率的な事業者であっても採算が取れないときには、企業結合がされても違反とならないとされている[20]。

---

17) 平成 24 年度企業結合事例 10〔東京証券取引所／大阪証券取引所〕における「上場関連業務」のうち「本則市場」の検討において、大阪証券取引所の本則市場における地位の低下が指摘され、違反要件を満たさないことの説明とされている（事例集 78〜79 頁）。

18) 企業結合ガイドライン第 1 の 1 (4)、第 1 の 2 (4) イ、第 1 の 3 (3)、第 1 の 4 (4)、第 1 の 5 (3)、第 1 の 6 (4)。

19) 平成 30 年度企業結合事例 7〔USEN-NEXT HOLDINGS／キャンシステム〕は、企業結合をした場合としない場合とで同じであるか否かに若干の疑義があったために、救済される当事会社の顧客が解約申入れをした場合の解約違約金条項等の撤廃という問題解消措置が申し出られ、そのうえで、因果関係がない旨の理由で違反なしとされた事例である（事例集 55〜57 頁）。因果関係要件が不成立となることを確実にする問題解消措置、という珍しい例でもある（後記 601 頁註 196）。詳しくは、企業結合事例検討公正取引 825 号 20〜22 頁。

20) 企業結合ガイドライン第 4 の 2 (9)。平成 30 年度企業結合事例 10〔ふくおかフィナンシャルグループ／十八銀行〕における同じ趣旨の判断（事例集 79 頁）を受けて、令和元年の改定で追加された項目である。

公取委は、「当該企業結合により一定の取引分野における競争を実質的に制限することとはならないと通常考えられる」としている[21]。これは、一見すると、反競争性が生じない、という意味に見えるが、そうではない。ここでは、反競争性が生ずることは当然の前提となっている[22]。この表現は、「により」の成立を否定しているのであると受け止めるほかはない[23]。

ここでは、企業結合がされた場合の状況と、法として期待し得る状況とを、比較しているもののように思われる。企業結合がされなければ、当事会社同士の競争が続くであろうと思われるわけであり、事実の純粋な予測のレベルにおいては、因果関係がないわけではない。それでも「により」の成立を否定するのであるとすれば、ここには、事実のレベルでない何らかの規範的な意味での因果関係が想定されていることになる。

この点については、地域銀行と乗合バスに限定して、独禁法を適用除外とする地域特例法も制定されている[24]。

---

21) 企業結合ガイドラインからの引用であるが、ふくおかフィナンシャルグループ／十八銀行の事例にも同様の表現がある。

22) とりわけ、ふくおかフィナンシャルグループ／十八銀行の事例において顕著である（事例集79頁）。以上、この事例について詳しくは、企業結合事例検討公正取引825号14〜18頁。

23) 企業結合ガイドラインで、この点が競争の実質的制限の判断要素として列挙されているのは、企業結合ガイドラインには因果関係要件に関する受け皿がなく、因果関係要件でしか説明できない事象であることを明確に認めたくないという事情も働いた結果ではないかと思われる。

24) 後記193〜197頁。地域銀行でも乗合バスでもない事業分野では地域特例法は適用されないし、公取委としては、そのような法律がなくとも独禁法の解釈で対応できることを強調しようとして企業結合ガイドラインを改定したという思惑もあるように思われる。

第5章
違反要件総論のその他の問題

第1節　立証責任・立証負担

1　問題と前提

独禁法違反要件の成否を判断する際の立証責任・立証負担は、どのように割り振られるのか。立証責任とは、ある事実に関する判断がどちらとも言えないときに立証責任のある側に不利な判断をするということを指した用語である。実際の訴訟等においては、ある事実に関する判断がどちらとも言えないため立証責任で決する、という場合はほとんどないと言われることも多い。しかし、立証責任がいずれにあるかは、法的議論の重要な背景を形成することも多い。

2　排除措置命令や課徴金納付命令の当否を争う争訟

(1)　立証責任の所在

排除措置命令や課徴金納付命令といった公取委の命令をめぐる争訟では、刑事訴訟の考え方にならい、全ての違反要件について、その成立を支える事実の立証責任は公取委にある、とされる[1)]。

刑事訴訟において、全て検察官に立証責任があるとされる理由は、「疑わしきは被告人の利益に」という原則があるからだ、とされる[2)]。公取委の命令を

1)　平成25年改正前の審判制度においても、公取委側の審査官に立証責任があるとされた。公取委審判審決平成7年7月10日・平成3年（判）第1号〔大阪バス協会〕（審決集42巻の57〜58頁）。勘所事例集87〜89頁。平成25年改正施行時の東京地裁民事第8部部総括判事からも、主張・立証責任は公取委にあるとの考え方が発せられたと伝えられている（大東泰雄「改正独占禁止法施行後の弁護士実務のあり方」自由と正義66巻12号（平成27年）12頁）。

めぐる争訟において刑事訴訟に準ずる解釈がされるのも、同様の理念によるものであろう。

行政法分野では、様々な立証責任論が並列的に紹介されるのが通常であるが[3]、ここで考えなければならないことは、行政法一般論は、利益処分に対する名宛人以外による抗告訴訟をも含め、あらゆる場合を想定して論じている、ということである。それに対し、公取委の命令に対する抗告訴訟は、通常、不利益処分に対して名宛人等が提起するものであり、そのような文脈にあわせて、焦点を絞った議論をすることが可能であり、また、必要である。そのような観点から参考となるのは、特に、同じビジネスローの世界で不利益処分に対する抗告訴訟に関する事例と議論が蓄積している租税法分野の知見であろう。租税法分野においては、課税庁側に立証責任があるとする最高裁判決があり[4]、そのような考え方を基本的な土台としたうえで、例えば必要経費について例外的な枠組みを検討するなどの議論がされているようである[5]。

平成25年改正によって審判制度が廃止される際、一部の論が、審判制度廃止後の抗告訴訟では取消し等を求める原告に立証責任がある、との主張を展開した。しかしそれは、行政法の古典的一部学説を過度に一般化したものであり、上記のように、現在の標準的な行政法および租税法の考え方に根拠を持たないものであった[6]。

---

2) 刑事訴訟における立証責任論を明快に整理したものとして、川出敏裕「挙証責任と推定」松尾浩也＝井上正仁編『刑事訴訟法の争点〔第3版〕』(有斐閣、平成14年)。

3) 塩野宏『行政法II〔第6版〕』(有斐閣、平成31年) 170～176頁、藤田宙靖『新版　行政法総論（下)』(青林書院、令和2年) 134～138頁、宇賀克也『行政法概説II〔第7版〕』(有斐閣、令和3年) 249～254頁。

4) 最判昭和38年3月3日・昭和36年（オ）第1214号〔租税法立証責任〕。

5) 金子宏『租税法〔第24版〕』(弘文堂、令和3年) 1135～1140頁。

6) 平成25年改正の内容と同等のものが最初に国会に提出されたのは平成22年であるが（第174回国会閣法第49号)、その後の時期に、審判制度の廃止に反対する論者らが、もし審判制度を廃止したら企業はかえって不利となるのになぜ廃止を求めるのかと問いかけるという、やや複雑な動機・背景による論を展開したものである。そして、政治的な棚上げのゆえに法案提出から成立まで実質3年半以上を要したことにより、そのような見解に対する討論が文献等でされる機会がないまま長い時間が経過した。その結果、審判制度廃止反対論者の上記のような見解が、少なくとも独禁法について刊行された文献のなかで、「通説」であるかのように扱われる状況が生じた（ここでは、そのような論の影響を受け当然の前提としている有力独禁法研究者の著作として、根岸哲「独禁法改正法に問われるもの」公正取引761号（平成26年）13～16頁を挙げるにとど

(2) 証拠提出責任・争点形成責任

公取委に立証責任があるという大きな枠組みのもとで、更に踏み込んだ検討をすべき場合もいくつかある。

代表的な例は正当化理由であって[7]、刑事法における違法性阻却事由や責任阻却事由の立証責任論と同様の議論が可能である。すなわち、立証責任はあくまで公取委にあるとしながら、行為者側に証拠提出責任または争点形成責任が生ずる、という議論である[8]。

同様のものは、独禁法の別の場面にも存在する。その例が、一応の認定をしたうえで、それを動揺させる「特段の事情」があるか否かを検討する判断枠組みである。そのような判断枠組みは、例えば、「意思の連絡」の認定や、「当該商品又は役務」の認定において、現れる。そのような枠組みにおいては、要件全体の立証責任が公取委にあることを前提として、特段の事情の主張は行為者側に主に期待されている[9]。

刑事訴訟においては、違法性阻却事由や責任阻却事由をめぐって、被告人側に、証拠提出責任または争点形成責任が生ずる、とされる[10]。その趣旨は、いくつかの観点から説明が可能であるとされる。1つは、阻却事由は多くの事件では存在しないものであるから、検察官が常にその不存在を立証するのは時間と労力の無駄である、という考慮である。1つは、当事者主義を採る以上、抗

める）。改正成立後は、そのような論はほとんど聞かれなくなっており、むしろ前記註1のように、火消しのための確認的言明がされるに至っている。

7) 他に、基本合意の対象である特定の発注物件が「当該商品又は役務」に該当するか否かという争点（後記289頁）などが考えられる。

8) 独禁法事件においてこのことを明確に述べたものとして、公取委審判審決平成7年7月10日・平成3年（判）第1号〔大阪バス協会〕（審決集42巻の57～58頁）。勘所事例集87～89頁。同審決は、最終的な立証責任は審査官にあると考え、現にそれを根拠として、違反なしとの結論を得ている（審決集42巻の62～63頁）。他に同様の一般論を述べたものとして、公取委審判審決平成22年10月25日・平成16年（判）第10号〔区分機類談合課徴金〕（審決案52頁）。

9) 「当該商品又は役務」に即してこれを明確に述べるものとして、東京高判令和5年5月31日・令和4年（行コ）第147号〔富士通ゼネラル〕（判決書30頁）。他の判決等には、整理が不明瞭で言葉遣いが徹底せず、論理的には、特段の事情があることについて行為者に立証責任を負わせているかのような表現となっているものが散見される。富士通ゼネラル東京高判の原判決にも、「特段の事情があるともいえない」と述べて公取委を勝たせた部分があった。東京高判は、これを、「特段の事情もない」に改めている（例えば、判決書33頁）。

10) 川出・前記註2・158～159頁。

弁的事由を援用する側にも一定の責任を負わせるべきだ、という考慮である。「疑わしきは被告人の利益に」という刑事訴訟の大原則があるので、最終的な立証責任が検察官にあるという点は堅持するが、しかしその枠内で修正を試みようとするものであろう。

行為者側がどの程度の立証活動をすればその責任を果たしたことになるのかについては、事案ごとに様々であり、一般的な定説があるわけではないようである。

もっとも、正当化理由に関連する事業法規制や行政指導の存在を行為者が示せば、証拠提出責任または争点形成責任は尽くされたこととなろう。大阪バス協会審決は、事業法規制が形骸化していることを審査官が示し得ていないことを指摘して、最終的な立証責任のある審査官に不利な結論を得た[11]。そのことを裏から見れば、同事件では、事業法規制の存在が示されたことによって証拠提出責任または争点形成責任は尽くされていたのだ、とも表現することができるであろう。

3　刑事訴訟

独禁法典には刑罰の規定も存在するが、その刑罰の可否を審理する刑事訴訟では、当然のことながら、刑事訴訟での立証責任論がそのまま妥当することになる。そして、刑事訴訟での立証責任論は、前記**2**において排除措置命令や課徴金納付命令の当否を争う争訟での立証責任を論ずる際に、参照した。

4　民事裁判

民事裁判において独禁法が用いられる場合でも、原則として、相手方の独禁法違反を主張する側に立証責任が発生することになろう。

しかし、民事裁判では、「疑わしきは被告人の利益に」という原則が必ずしも絶対とされないので、別途の考慮があり得ることになる。すなわち、公取委の命令や刑事訴訟において証拠提出責任・争点形成責任が論ぜられる正当化理由などの場面では、更に踏み込んで端的に、行為者側に立証責任がある、という議論もあり得る。

---

11)　大阪バス協会審決（審決集 42 巻の 57～58 頁、62～63 頁）。

ただ、独禁法が説明道具となるにすぎない民事裁判（後記776頁）においては、厳密な意味では、独禁法違反要件に関する立証責任の所在を論ずる実益はない。そこでの適用法条は、独禁法典の条文ではなく、民法90条や民法709条などなのであって、その要件の成否について立証責任を観念すれば足りるからである。その要件の成否を判断するための参考資料であるにすぎない独禁法違反要件について、立証責任を観念する必要はない。

第2節　事業・事業者

1　総　説

「事業」や「事業者」という概念は、多くの違反類型において共通して登場する。

「事業者」の定義規定である2条1項によれば、「事業」を行う者が「事業者」である。以下、本書では、文脈に応じて「事業」と「事業者」とを書き分ける場合があるが、本質的には同内容を論じていることになる。

2　条文上の機能

(1)　総　説

事業者の要件には、独禁法上、いくつかの機能が与えられている。多くの文献では、事業者の要件は独禁法の違反者・規制対象を画する機能をもつ、ということのみを念頭に置いて論じている。しかし、条文によっては、その他に、検討対象市場での供給者を画する機能や、被排除者などの他の違反要件要素を画する機能も、与えられている。

(2)　違反者・規制対象に求められる要件

事業者の概念は、違反者、すなわち規制対象を画する機能を与えられている。

事業者を違反者とする主な条文は、次のようなものである。私的独占の場合は、定義規定である2条5項と禁止規定である3条の双方で、事業者が主語となっている。不当な取引制限の場合も同様に、定義規定である2条6項と禁止規定である3条の双方で、事業者が主語となっている。不公正な取引方法の場合は、定義規定である2条9項には主語の記載がないが、禁止規定である19

条で、事業者が主語となっている[12]。事業者団体規制の違反者である「事業者団体」の範囲も、その定義規定である2条2項によれば、事業者の概念を中核として画される。

事業者を規制対象とする主な条文は、排除措置命令[13]、課徴金納付命令[14]、民事裁判[15]のいずれの主要な規定にも、存在する。

事業者の要件を論ずる多くの文献が最も念頭に置いているのは、この、違反者・規制対象を画する機能であり、むしろ、専らこの機能だけが念頭に置かれながら議論が展開されてきた、と言ってよい。

(3) 検討対象市場での供給者に求められる要件

2条4項によれば、「競争」とは事業者が行うものだ、ということが当然の前提とされている。すなわち、検討対象市場での供給者は事業者でなければならない。

違反者・規制対象は、検討対象市場での供給者であるとは限らない。例えば、再販売価格拘束においては、検討対象市場での供給者に川上市場で商品役務を供給する者が違反者とされるのが通常であるし、その他にも、他者排除事例など、検討対象市場での供給者でない者が違反者・規制対象となる場合のある例は、枚挙に暇がない。

(4) それ以外の違反要件要素に求められる要件

事業・事業者の要件は、違反者・規制対象でもなく、検討対象市場における供給者でもない者について、課される場合がある。主な例を掲げれば、次のようなものである。私的独占の定義規定である2条5項は、「排除」「支配」の対象を「他の事業者の事業活動」としている。不公正な取引方法の定義規定のう

---

12) 不公正な取引方法は、10条、13条〜16条にも登場し、そこでは「会社」や「会社以外の者」が主語となっている。少なくとも、「会社以外の者」には事業者と言えない者が含まれよう。2条9項の定義に主語が登場しないことの意味は、立法時に意図されたか否かは別として少なくとも結果としては、そのように説明できる。

13) 7条、17条の2第1項。20条には「事業者」という文言が現れないが、20条の条文中に現れる19条が事業者を対象としている。なお、17条の2第1項と第2項は、企業結合規制の違反法条に応じて、名宛人が事業者である場合とそれ以外とを区別している。

14) 7条の2、7条の9、8条の3、20条の2〜20条の6。事業者団体規制では、排除措置命令の名宛人は原則として事業者団体であるが、課徴金納付命令の名宛人は事業者団体の構成事業者である(8条の3)。

15) 24条、25条。

ち、2条9項1号〜3号などの規定は、被排除者を「他の事業者」とするなどしている。一般指定12項は、拘束条件付取引において拘束されるものを「相手方の事業活動」としている。

3　意味内容

(1)　総　説

それでは、「事業者」とは何か。

結論としては、経済的利益の取引をする者であって消費者でない者である。

この結論を導くためには、多角的な考察が必要である。

「事業者」の定義規定である2条1項は、結局のところ、事業者とは事業を行う者であるという以上のことを述べてはいない。

(2)　前提となる考え方

① **帰納的解釈**　過去においては、事業者という言葉を出発点として演繹的にその解釈が論ぜられたが、近年においては逆に、弊害要件を満たす可能性のある者は全て事業者に該当するように事業者の要件を解釈する、という帰納的な解釈が主流となっている[16)]。また、独禁法の制定当初は労働者や労働組合を違反者・規制対象から外すために事業者要件を置こうとする意図があった模様であるが[17)]、そのような意味合いは次第に薄れ、現在では、後記(3)の芝浦屠場最高裁判決の定式も含め、消費者以外は事業者に該当し得る、という程度の意味しか持たない要件となっている[18)]。

② **相対性**　ある者が事業者にあたるか否かは、場面に応じて相対的に決まる。換言すれば、同一の者が、ある事案では事業者であるとされ、他の事案では事業者でないとされることがあり得る[19)]。

③ **事業のために行う取引**　事業として取引を行う場面だけでなく、事業のための取引を行う場面においても、その者は、事業者に該当する[20)]。

---

16)　大橋敏道「独占禁止法と労働法の交錯」福岡大学法学論叢48巻1号（平成15年）8〜9頁。

17)　橋本龍伍『獨占禁止法と我が國民經濟』（日本経済新聞社、昭和22年）73〜75頁、117頁、石井良三292〜294頁。

18)　労働者・労働組合については、更に別の箇所で述べる（後記171頁）。

19)　消費者契約法2条1項・2項における「消費者」および「事業者」の定義は、同一の個人が消費者である場合もあれば事業者である場合もあるということを要領よく示している。

20)　消費者契約法2条1項・2項は、「事業として又は事業のために」と規定している。

例えば、ある者が購入活動を行う場合でも、事業のために必要なものを購入する場合には事業者に該当し、事業とはいえない活動のために必要なものを購入する場合には事業者に該当しない。

(3) 芝浦屠場最高裁判決とその批判的考察

① 芝浦屠場最高裁判決　独禁法上の事業者の概念については、芝浦屠場最高裁判決が、「[2条1項にいう] 事業はなんらかの経済的利益の供給に対応し反対給付を反覆継続して受ける経済活動を指し、その主体の法的性格は問うところではない」という判示を行っている[21)]。

② 経済的利益の供給　芝浦屠場最高裁判決の定式によれば、事業者は、何らかの経済的利益を供給する者である、とされる。

ここでいう供給とは、当該事案に関連する場で行われていればよく、検討対象市場で行われる供給でなくともよい。当該事案において需要者として登場する者も、購入した商品役務を用いて別の何らかの商品役務の供給に繋げるのであれば、芝浦屠場判決の基準を満たすであろう[22)]。

③ 反対給付の反覆継続した受領

(i) 総説　芝浦屠場最高裁判決の定式によれば、事業者とは、経済的利益の供給にあたって、反対給付を反覆継続的に受ける者である。

しかしこれは、汎用性を欠く基準であるように思われる。以下、敷衍する。

(ii) 反対給付　反対給付が必要であるとする発想が出てくるのは、無償の供給を除外しようとするからであろう。

しかし、無償供給をする者が事業者に該当しないとすると、いくつかの不都合が生ずる。

まず、行為者が無償供給をしている場合について、以下のような問題がある。無償供給によって他者を排除し、そのあとに有償供給を始める、という行為は、無償供給の段階では事業者にあたらないとすると、規制できないことになる。これに対する応急的解釈として、無償供給が有償供給の準備期間であると捉えれば無償供給の期間も事業者であると言える、と考える余地はある[23)]。しかし、

---

21) 最判平成元年12月14日・昭和61年（オ）第655号〔芝浦屠場〕（民集43巻12号の2083頁、審決集36巻の572頁）。勘所事例集41～43頁。

22) 消費者契約法2条1項・2項の条文が、「事業として」という文言と並んで「事業のために」という文言を掲げているのは、主に、そのような趣旨によるものであろう。

排除後も無償供給を続けるが品質が劣化する、という場合には、そのような応急的対応ではやはり事業者とすることはできず、規制できないこととなる[24]。

また、被排除者が無償供給をしている場合、そのような他者排除行為は、被排除者を事業者に限定する私的独占や不公正な取引方法の定義には、該当しないことになる。

そうであるとすれば、反対給付が必要であるという考え方は、捨て去るべきである[25]。その場合、無償供給を続ける望ましい慈善事業は、かりに弊害をもたらしても正当化理由がある、という理由で救うことになろう。

(iii) 反覆継続　反覆継続が必要であるとする発想は、主に、売手としての消費者を独禁法の適用対象から除外しようとするものであると思われる。

売手としての消費者を除外することそれ自体は適切であるとしても[26]、しかし、反覆継続が必要であるとする考え方は、事業者や消費者をめぐる通常の感覚のリステイトメントとしては、空振りだと言わざるを得ない。

中古品の流通が活発な経済社会では、通常の生活者が反覆継続的に商品役務を売って対価を得ることは珍しくはない[27]。

結局、売手としての消費者を除外するには、「社会通念上、通常の生活者に想定される取引は事業とは呼ばない」とでも述べるほかはない[28]。

④ 法的性格を問わない　芝浦屠場最高裁判決の定式によれば、事業者に該当するか否かを判定する際に、その法的性格は問われない。

---

23) そのような解釈を示した事例として、山口地下関支判平成18年1月16日・平成16年(ワ)第112号〔豊北町福祉バス〕(審決集52巻の925頁)。

24) もっとも、多面市場ビジネス(前記52～55頁)において一部の市場で無償供給が行われる場合が少なくないことが注目されるようになり、無償供給に対する問題意識はかなり普及してきたように思われる。現に、無償供給が常態化している市場での違反を公取委が認定した事例が現れている(前記46頁註50)。

25) 消費者契約法を念頭に置きながら同旨、沖野眞已「「消費者契約法(仮称)」の一検討(2)」NBL653号(平成10年)20～21頁。

26) 沖野・前記註25・21頁が、消費者側が売手となる場合でも消費者契約法が適用されるものとすべきであるとの立法論を唱え、現に実際の消費者契約法もそのようなものとして制定されたことは、本文で述べたことと軌を一にするもののように思われる。

27) 他方、1回限りの取引しかしないが事業者とすべき場合もあり得よう。

28) 消費者契約法における事業者と消費者の定義について詳しくは、消費者庁ウェブサイトに掲げられた消費者契約法の逐条解説のうち2条の解説。

国や地方公共団体も、事業者に該当する[29]。

個人も、事案に照らして、事業者に該当するとされる場合がある[30]。

(4) その他の切り口

① **士業・師業**　排除措置命令の名宛人が個人事業主であることは、これまでの例においても珍しくない。「○○士」「○○師」などという名称をもついわゆる資格者も、事業者に該当する[31]。

② **主観的目的**　事業者に該当するか否かを判定する際、当該者の主観的目的は問われない。

そのような判示を行ったのは、豊田商事大阪高裁判決である[32]。この事件では、いわゆる豊田商事問題の被害者が国家賠償請求をし、公取委が独禁法等により豊田商事を規制しなかった責任を追及した。国側は、事業者とは、公正かつ自由な競争を行う余地のある者に限られる、とし、専ら犯罪的な組織は事業者に該当しない、と主張した。国側の主張どおりなら、中途半端に悪い者のみが独禁法等の規制対象となり、極悪人は規制対象とならないこととなる。大阪高裁判決は、当然のことながら国側の主張を斥けた。

③ **人材と競争**

(i) 総説　労働者やフリーランスなどの人材と競争、という議論がある。この議論は、下記の２つに分かれるが、そのことが明瞭となっていない文献等

---

29) 地方公共団体については芝浦屠場最高裁判決そのもの。国については大阪高判平成６年10月14日・平成４年（ネ）第2131号〔葉書〕（審決集41巻の494～496頁）。なお、官業を問題視し、官業による民業の圧迫を問題視する論者の間には、官業を事業と認めるべきでない、とする論もある。独禁法における事業や事業者の概念は、その者の行いを是認するためのものではなく、その者の行いを独禁法違反とする途を開くためのものである。上記の論は、その点を勘違いしているのであろう。その論を採ると、官業による廉売行為は一律に独禁法の適用対象外となり、むしろそのような論の信念に全く反する結果を招く。

30) 東京地判平成２年12月21日・昭和61年（ワ）第12560号〔おニャン子クラブ〕は、いわゆるパブリシティの権利をテレビ局に許諾して使用許諾料を得ている個人が行為者であった事件において、行為者は事業者にあたらないとした（審決集39巻の714頁）。東京高判平成３年９月26日・平成２年（ネ）第4794号〔おニャン子クラブ〕は、別の理由で独禁法違反なしとし、行為者が事業者に該当しないとは述べなかった（審決集39巻の698～699頁）。

31) 公正取引委員会事務局「資格者団体の活動に関する独占禁止法上の考え方」（平成13年10月24日）第１。

32) 大阪高判平成10年１月29日・平成５年（ネ）第2733号〔豊田商事国家賠償〕（審決集44巻の612～613頁）。

が多い。

(ii) 人材が労務を売る競争と独禁法　日本の独禁法が違反者・規制対象について事業者を要件とした背景には、労働者・労働組合を独禁法の適用対象から外そうとする考えがあったといわれる。すなわち、事業者という要件を置き、労働者はそれに該当しない、という法律論である（前記167頁）。

労働者・労働組合を独禁法の適用対象から外すことそれ自体は、不適切なことではないが、法律論としてそのように論ずる必要があるかどうかは、別問題である。少なくとも近年では、事業者でもあるが労働組合法上の労働者でもある、という者が登場している。そのような場合には、事業者という要件を置いて解決しようとする上記のような枠組みは機能しなくなる[33]。

労働者の概念が流動化し事業者の概念と複雑に交錯する状況においては、この問題は、事業者の要件の問題ではなく、正当化理由の要件の問題であると考えるのが適切である。労働組合などの団体的行動は、労働組合法によって正当とされる行為であるならば、独禁法においても問題とされるべきではない（前記115頁）。

労働者・労働組合を違反者・規制対象から外すという議論が思わぬ方向に肥大化し、雇用契約は独禁法の対象外である、とされることがある[34]。しかし、そのように言い切ると、雇用契約の他方当事者である企業も規制対象から外れることになる。それを避けたいならば、そのような議論はすべきでない。

(iii) 企業が労務を買う競争と独禁法　以上のような議論は、最近の「人材と競争」という議論とは、あまり関係がない。以上のような議論は、人材が労務を売る競争について独禁法違反者とならないようにするためのものであった。それに対し、「人材と競争」という議論は、人材から労務を買う競争をする企業の側が、独禁法違反行為をしているのではないか、という問題だからである。需要者として買う競争をする企業の側が、競争停止や他者排除をしたり、人材に対して優越的地位濫用をしたりしているのではないか、という問題である。

---

33) この問題に関する文献として、例えば、荒木尚志「労働組合法上の労働者と独占禁止法上の事業者」渡辺章先生古稀記念『労働法が目指すべきもの』（信山社、平成23年）。

34) かなり前から言われてきたことではあるが、比較的最近では、公取委ウェブサイト「東日本大震災に関連するＱ＆Ａ」問5に対する答。

そこにおいて、企業の相手方である人材が事業者に該当するか否かは、本来は、関係がない。それは、企業が売る競争において、需要者が消費者だからといって独禁法から無罪放免となるわけではないのと同じである。消費者に向けた商品役務に関する企業の価格カルテルは、厳しく取り締まられるはずである。

公取委は、しかし、企業の側が違反者となるか否かという文脈においても、人材の側が労働者に当たるか否かを問題にしようとしている。企業による労働者に対する行為が独禁法の優越的地位濫用に該当し得ることを認めてしまうと、日本中の労働問題が少人数官庁の公取委に殺到し、収拾がつかなくなるので、労働基準法等を適用可能な問題は労働法・労働基準監督署に任せるという交通整理をしようとしているのであろう。つまり、労働基準法等が適用可能であるから公取委は動かなくてもよい、と言えるかどうかを判定するために、人材が労働者に当たるか否かを問題としているのである。相当程度に裏返り、捻れた議論である35)。

このような公取委の考え方の法的な説明として、一時は、労働法制により規律される分野は独禁法上の「問題とはならない」と主張されたこともある。

ところがその後、公取委は、別の文脈で、企業の取引相手方が消費者である場合も優越的地位濫用に該当し得ることを認めるに至った（後記 476〜477 頁）。消費者が相手なら優越的地位濫用に該当し得るが、労働者が相手なら優越的地位濫用に該当し得ない、という議論は、さすがに無理がある。

現在は、「労働関係法令で禁止又は義務とされ、あるいは適法なものとして認められている行為類型に該当する場合には、当該労働関係法令が適用され、当該行為については、独占禁止法や下請法上問題としない」という表現となっている36)。「問題とはならない」でなく、「問題としない」という表現としている。独禁法に違反しないのではなく、法執行の方針として公取委は動かない、という整理としたわけである37)。

35） 以下について詳しくは、白石忠志「消費者に対する優越的地位濫用」河上正二先生古稀記念『これからの民法・消費者法（II）』（信山社、令和 5 年）689〜692 頁。

36） フリーランスガイドライン第 2 の 2。

37） ともあれ、公取委がそのような立場をとる以上、人材を独禁法の優越的地位濫用規制で保護しようとするならば、人材を事業者として位置付けようとすることになる。下請法やフリーランス法も、人材が事業者に該当することを前提として、保護の対象とする。そうしたところ、労働法上の労働者に該当するためには「事業者性」がないことが 1 つの考慮要素とされるようである独禁法の優越的地位濫用規制は、労働基準法と重なっており、以上のような役割分担が可能であった。

それに対し、例えば、人材に対する待遇について、買う側の複数の企業による共同行為が行われたならば、これを取り締まる道具は労働法にはないので、独禁法の出番となる。買う側の不当な取引制限という議論が可能となる[38)39)40)]。他にも、例えば、稀有で少数の人材を排他的に囲い込めば、買う側の競争において他者排除が生ずることもあり得る。

第3節　主観的要素

1　問　題

違反の成否の判断において、故意・過失をはじめとした行為者の主観的要素は考慮されるか[41)]。

2　2つの考え方

(1)　客観説

正統派的な考え方は、独禁法違反の成否にとって主観的要素は関係がない、

（フリーランスガイドライン第5)。そうであるとすると、独禁法や下請法の保護を受けようとすると労働組合法上の保護を受けられない方向となることにもなりそうである。独禁法や下請法の保護を受けるための最低限の「事業者性」であれば労働法上の労働者とも認め得る、などの、解釈運用上の工夫が必要となろう。

38)　正当化理由が成立して独禁法違反なしとなることもあり得る。例えば、スポーツ移籍制限ルール考え方。

39)　いわゆる「田澤ルール」をめぐる公取委の判断は、需要者である企業（球団）の側でなく供給者の側である人材（選手）の側の競争から田澤選手のような者が排除された、という構成となっており、様々の意味で捻れている。公取委公表令和2年11月5日〔日本プロフェッショナル野球組織〕。球団の側がそのような選手を獲得しようとする競争に影響を与えた事例として再構成するほうが、素直であるように思われる。事件座談会公正取引852号19〜22頁。

40)　企業が川下で売る競争に着目した議論がされることが多かった事案において、企業が川上で人材から役務を買う競争に着目すれば別の法的帰結が得られる場合があることについて、前記43頁註44。

41)　この問題を論じたものとして、古川博一「単独事業者の排他行為における行為者の意図と独禁法違反の成否」公正取引631号（平成15年）。

という、客観説とでも呼ぶべきものである[42]。その主な根拠は、独禁法の目的は違反状態の是正であり、違反者が故意に行っているのか否かは法目的との関係で意味をもたないから、というところにある。証券会社による損失補塡は独禁法違反であるとしながら、当時において損失補塡が独禁法違反となるとは誰も思っていなかったことを理由に取締役の責任を否定した最高裁判決も、本書のここでの問題に引き寄せれば、独禁法違反の成否のレベルでは主観的要素を考慮せず、その外側、つまり、取締役の責任論のなかで主観的要素を考慮したもの、ということができる[43]。標準必須特許に関する法的な考え方が定かでない時期に競争者の特許権侵害を告知流布した行為について、後に特許権侵害ではないという考え方が確立し、結果的に当該告知流布行為が独禁法違反とされ、差止請求も認められたが、過失がないとして損害賠償請求は棄却されたという事例がある[44]。

(2) 主観説

他方でしかし、主観的要素を考慮するという、主観説とでも呼ぶべき傾向をもつ事例も多い。つまり、意図があって初めて違反となる、という口吻のものや、やむを得ない行為であれば違反とならない、という口吻のものである。他者排除事件で「意図」や「企図」などといった言葉が強調される例は枚挙に暇がない。ニプロ審決では、自己の競争者とも取引する自己の取引相手方を牽制して制裁を加える目的で行為者が行った行為であるか否かによって、行為者の個々の行為が違反行為の一部に含まれるか否かを選別している[45]。医療食審決

---

42) 東京高決昭和30年11月5日・昭和30年(行ウ)第13号〔大阪読売新聞社〕(審決集7巻の174頁)、公取委審判審決平成3年11月21日・平成2年(判)第1号〔日本交通公社〕(審決集38巻の24頁)(景表法が独禁法の特例法であった時代の景表法の事例)、名古屋高判平成15年1月24日・平成14年(ネ)第247号〔岐阜新聞〕(裁判所PDF 5頁)、公取委審判審決平成19年3月26日・平成16年(判)第2号〔NTT東日本〕(審決案63~64頁)、東京地判令和2年3月26日・平成30年(行ウ)第256号〔神奈川県LPガス協会〕(判決書25~26頁)など。

43) 最判平成12年7月7日・平成8年(オ)第270号〔野村證券損失補塡株主代表訴訟〕(民集54巻6号の1776~1777頁、裁判所PDF 6~7頁)。勘所事例集133~134頁。

44) 一般指定14項に該当し独禁法違反であるとしたものとして、公取委公表平成28年11月18日〔ワン・ブルー〕。社会的に同一の事件について不正競争防止法の条文を適用し、差止請求と損害賠償請求に関する判断をしたものとして、東京地判平成27年2月18日・平成25年(ワ)第21383号〔イメーション対ワン・ブルー〕(後記790頁註42、799頁註71)。

45) 一連の1個の行為と評価できるか否かを判断するための要素としてではあるが、公取委審判

では、不利な協定を押し付けられたとされたメディカルナックスは、競争停止や他者排除を行っていたように見えるにもかかわらず、排除措置命令の名宛人となっていない[46]。富士電線工業審決では、他の違反者の手足にすぎなかったとされた者が、違反者とされなかった[47]。

3 今後への展望

(1) 基 本

客観説を基本とすべきであろう。客観的にみて弊害が生じているのに主観的要素が欠如しているために是正を図れない、という事態が、独禁法の目的に反することは間違いない。そうであるとすれば、制裁よりも是正の要素が強い排除措置命令などを念頭に置きつつ、独禁法違反要件は客観説によって組み立てておき[48]、是正よりも制裁の要素が強い刑罰などにおいては独禁法違反要件の外側で主観的要素の状況を考慮できるようにすればよい、というアイデアが浮かぶ。例えば刑罰については、そのような事件を公取委が告発しない、という行政準則が確立されることによって事実上の対処が可能であるし、裁判例でも、違法性の意識を欠いておりそのことに相当の理由があるとして、違法性はあるが無罪とした例がある[49]。

審決平成18年6月5日・平成12年（判）第8号〔ニプロ〕（審決案76～78頁）。

46) 公取委勧告審決平成8年5月8日・平成8年（勧）第14号〔医療食〕および松山隆英・公正取引550号（平成8年）18～19頁。勧所事例集101～102頁。

47) 公取委審判審決平成27年5月22日・平成23年（判）第84号〔富士電線工業〕（審決案27頁、40～41頁）。

48) 公取委審判審決平成8年6月13日・平成6年（判）第1号〔広島県石油商業組合〕は、ある行為に反競争的目的と正当な目的とが混在している場合にはいずれが「決定的動機」であるかによって決すべきであるという考え方を示唆している（審決集43巻の48頁、51頁）。これについての有益な文献として、匿名解説・判時1571号および判タ916号（いずれも平成8年でほぼ同文）。しかし、客観説を貫徹すれば、このような事例においても、排除措置命令のレベルでは、行為者の主観的要素にとらわれず、反競争性や正当化理由の成否について客観的に判断すべきである、ということになる。大橋敏道・同審決評釈・ジュリスト1113号（平成8年度重要判例解説、平成9年）236頁。審決も、実は客観的な判断を下しながら当該結論の後付けレッテルとして「決定的動機」と言っているだけであるようにも読める。上記匿名解説も、この判示部分は傍論として読まれるべき可能性もある、としている（判時1571号の36頁、判タ916号260頁）。

49) 東京高判昭和55年9月26日・昭和49年（の）第1号〔石油製品生産調整刑事〕（高刑集33巻5号の491～510頁、裁判所PDF 46～53頁）。

もっとも、客観的要件の成否を判断するにあたっての間接事実として、「意図」「目的」「企図」「人為性」などという要素により実質的には主観的要素が勘案される、ということは、あり得る。他者排除事件において行為者に他者排除の「意図」や「企図」があると強調されるのは、他者排除の実効性を間接的に示唆したり、正当化理由がないことを間接的に示唆する、という機能を果たしている可能性がある。また、正当な目的を目指しているという主観的要素らしきものが強調されることが、正当化理由があることを間接的に支えるという場合があろう[50)]。以上のような考え方は、客観説と矛盾するものではない。

(2) **課　題**

客観説を基本とする以上のような考え方には、次のような諸課題がある点も認識し、今後の解決を図る必要がある。事業を所管する官庁や需要者である官庁からの強制に従う行為については、一定の範囲で違反なしとする議論があり(後記198〜199頁、265頁)、それに倣うべき余地もあるであろう。

第1に、是正よりも制裁の要素が強い法執行において独禁法違反要件の外側で主観的要素の状況を考慮する、ということが、十分に行われない場合がある。刑罰においても、常に十分に考慮されるとは限らないし、課徴金に至っては、主観的要素の状況を考慮する契機がその要件構造に盛り込まれていない[51)]。

第2に、制裁よりも是正の要素が強いとされる排除措置命令についても、それが社会的制裁を招くという意味では制裁と無縁ではない。客観説を堅持することが妥当でない結果をもたらす場合がある。

第3に、制裁よりも是正の要素が強いとされる排除措置命令が確定したら、独禁法25条による損害賠償請求の対象となるが、民法709条とは違って独禁

---

50) 最判平成元年12月14日・昭和61年(オ)第655号〔芝浦屠場〕がいう「意図・目的」(民集43巻12号の2082頁、審決集36巻の571頁)は、当該事案においては、正当化理由の成立を間接的に支えるものとして登場している。古川・前記註41がいう「正当化理由としての意図」である。勘所事例集40〜41頁。公取委審判審決平成20年9月16日・平成16年(判)第13号〔マイクロソフト非係争義務〕は、正当化理由の成否の判断において主観的意図を考慮することを否定するかのようであるが(審決案134頁)、主観的意図が正当化理由の成立を支える間接事実となる可能性まで完全に否定する趣旨ではないであろう。

51) 実際には、主観的要素があるとはいえない事案を公取委が取り上げない、ということによってバランスが保たれてきた、ともいえる。なお、排除型私的独占について取り沙汰される人為性の要素は、実際上は、主観的要素のある場合のみに排除型私的独占に該当するとし課徴金を課すための要件として機能する、という見方もできる(後記373〜375頁)。

法25条においては、違反要件の外側に故意・過失という安全弁が用意されていない。これについても、自覚的な議論が必要であろう。

第4節　誰が違反者となるか

当然のことながら、独禁法違反者となるのは、自ら違反要件を満たすものであることを通常とする[52)]。

ところが、狭い意味において自ら違反要件を満たすか否かは別として、本来なら違反者とされるべき者の行為を実質的に主導したために主導者のみが違反者となる場合や、本来の違反者の行為に関与したために本来の違反者とともに違反者となる場合が、あり得る[53)]。具体的には、例えば、実質的にはグループ全体として違反行為を行っている場合に、自らは問題となる商品役務の取引をしていないがグループ内の意思決定やグループ外とのやりとりを主導し、またはそれらに関与した者が、違反者とされている。不当な取引制限や不公正な取引方法について、事例等が蓄積している[54)][55)]。

52）その際、一応、どのようなものが当該者の行為と言えるか、という点を検討する必要がある。独禁法違反者となる者は、多くの場合、従業者等をして行為をさせるものだからである。結論としては、事業者団体の行為に関して定着している考え方（後記525〜526頁）と同様、当該者の正式意思決定機関のものであることを要せず、当該者のものであるとして外部から認識されるようなものであれば足りる、ということになろう。

53）このような考え方を否定するものとして、東京高判昭和28年3月9日・昭和26年（行ナ）第10号〔新聞販路協定〕（高民集6巻9号の480〜481頁、審決集4巻の184〜185頁、審決等データベースのPDF 203〜204頁）があるが、そのような論理は現実の実務において通用していない。

54）不当な取引制限の事例として、公取委勧告審決平成3年10月18日・平成3年（勧）第14号〔ダストコントロール末端レンタル価格協定排除措置〕の各フランチャイズ最高本部、公取委勧告審決平成5年4月22日・平成5年（勧）第9号〔シール談合排除措置〕の日立情報システムズ、公取委命令平成7年3月28日・平成7年（納）第79号〔大型カラー映像装置談合〕の松下通信工業、公取委勧告審決平成11年5月18日・平成11年（勧）第3号〔沖縄県等アルミサッシ〕のトステム（勘所事例集120〜126頁）、公取委勧告審決平成17年1月31日・平成16年（勧）第35号〔防衛庁発注航空機用タイヤ談合排除措置〕および公取委勧告審決平成17年1月31日・平成16年（勧）第36号〔防衛庁発注車両用タイヤチューブ談合排除措置〕における各販売会社、公取委命令平成20年10月17日・平成20年（措）第17号・平成20年（納）第44号〔溶融メタル等購入談合〕におけるDOWAホールディングス（勘所事例集321〜322頁）、公

これらの事例を説明するには、刑法の共犯理論のアナロジーとして、狭い意味での違反要件を満たす者の行為に関与している者も違反者となっている、と位置付けるのが、最も包括的であると考えられる。確かに、上記の事例のなかには、実質的には自らが違反要件を満たしたのと同じであるとされた事例として位置付けることができるものもある56)。また、違反類型と事案によっては、たまたま、そのような関与者が自らも違反要件を満たしたと言える場合があるかもしれない。しかし、全ての事例を包括的に説明するには、共犯理論のアナロジーが採られているのであると位置付けるのが最も据わりがよい57)58)。

取委命令平成21年10月7日・平成21年（措）第23号・平成21年（納）第62号〔ブラウン管〕のMT映像ディスプレイとサムスンSDI（韓国）、公取委審判審決平成27年5月22日・平成23年（判）第84号〔富士電線工業〕の富士電線工業（勘所事例集546〜549頁）、など。主導・関与がないために違反者とされなかったとされる例として、公取委命令平成19年6月29日・平成19年（措）第13号・平成19年（納）第128号〔ガス用ポリエチレン管〕および公取委命令平成19年6月29日・平成19年（措）第14号・平成19年（納）第136号〔ガス用ポリエチレン管継手〕における違反者の親会社JFEエンジニアリング（前田義則＝五江渕晋也・同命令解説・公正取引687号（平成20年）59〜60頁）、違反者と需要者との間に介在した商社等（事例多数）、など。それらに対し、関与した実質親会社が排除措置命令の名宛人とならなかった一例として、公取委勧告審決平成17年12月12日・平成17年（勧）第19号〔PTP用加工箔価格協定〕の三菱アルミニウム。

55) 不公正な取引方法の事例として、以下のようなものがある。公取委勧告審決昭和51年10月8日・昭和51年（勧）第19号〔白元〕、公取委勧告審決昭和53年12月1日・昭和53年（勧）第8号〔オルガン針〕、公取委同意審決平成7年11月30日・平成7年（判）第3号〔資生堂〕（審決集42巻の100〜101頁）においては、行為者は、その子会社の取引相手方を拘束したが、実質的には取引相手方に対する拘束を行ったとされた。公正取引委員会「金融機関の業態区分の緩和及び業務範囲の拡大に伴う不公正な取引方法について」（平成16年12月1日）第2部第1の1 (2)、第1の2 (2)、第1の3 (2) においては、子会社と共同して不公正な取引方法を行った持株会社も違反者となり得るとの考え方が示されている。東京高判平成17年1月27日・平成16年（ネ）第3637号〔日本テクノ〕（審決集51巻の969頁）や東京高判平成17年4月27日・平成16年（ネ）第3163号〔ザ・トーカイ〕（審決集52巻の804〜808頁）では、販売活動について委託を受けた者も違反者となり得るとされた。公取委公表平成10年11月20日〔マイクロソフトブラウザ〕では、本来の意味での違反者に「加担」した者も警告を受けた（公表資料8頁）。

56) シール談合勧告審決、富士電線工業審判審決、などは、その様相が強い。

57) 担当審査官の解説も、違反者としたか否かの分かれ目として関与の有無を強調するものが多い。例えば、前田＝五江渕・前記註54・59〜60頁、岩堀吉一＝相澤央枝・大気常時監視自動計測器事件解説・公正取引702号（平成21年）60頁。

58) 例えば、大量の供給者と大量の需要者を繋げるプラットフォーム事業者が補助をして価格が

第5節　適用除外・事業法・行政指導

1　適用除外

(1)　総　説

特定の行為が類型的に、独禁法の適用除外とされている場合がある。独禁法典に定められている場合もあれば、独禁法典以外の法律において個別に定められている場合もある[59)][60)]。

個々の適用除外規定の性格として、「創設的適用除外」と「確認的適用除外」の区別が言われることがある。創設的適用除外は、本来なら独禁法に違反する行為を違反でないとするものであり、確認的適用除外は、もともと独禁法に違反しない行為を念のために明らかにしたものである、とされる。両者は理念型であり、全ての適用除外規定は2つの理念型の中間のどこかに位置する。規定の制定当初は創設的適用除外に近かったものが、徐々に規範の変容をもたらし、しだいに確認的適用除外に近づく、ということも起こり得る。結局、ある時点において、例外的に認められた適用除外であるという認識のもとにその範囲が限定的に解釈されるものが、後付け的なレッテルとして創設的適用除外と呼ばれる。ある行為が独禁法に違反しないということを念のために定めた適用除外であるという認識のもとに類推解釈が寛容に行われるものが、後付け的なレッテルとして確認的適用除外と呼ばれる[61)]。ある規定が創設的適用除外か確認的

安くなっている場合、これを供給者のコスト割れ廉売とみることができるか、という問題がある。これも一種の内部補助であるとみるとしても、違反者となり得るのは第一義的にはそれぞれ零細の大量の供給者らであり、プラットフォーム事業者はどのように扱うのかという問題が生ずる。共犯理論のアナロジーを採れば、プラットフォーム事業者も違反者となり得ることとなり、直截な是正の機会を探ることができる。

59)　適用除外規定の全体にわたる概要は、毎年度の公正取引委員会年次報告に掲げられている。

60)　「黙示の適用除外」と呼ばれるものが取り沙汰される場合がある。法令上の特定の規定を根拠として、そこに独禁法の適用除外とする旨の明文はないが当該規定の性質からみて独禁法は適用除外となる、という主張である。この、「黙示の適用除外」という概念を観念するか否かは、論者の好みに任せればよい。「黙示の適用除外」と呼ばれる問題は結局、例えばそれに該当するものは正当化理由を満たすから独禁法に違反しない、などという形で、通常の独禁法違反要件論の問題に帰するからである。

61)　したがって、ある同じ規定が、ある者には確認的適用除外であり、他の者には創設的適用除

適用除外かと決めつけようとする画一的かつ抽象的な議論をするのでなく、個々の適用除外規定の個々の要件に即して具体的に考えていくほうが、現実を捉えるのに適している。

本書では、独禁法典に定められた適用除外規定と、令和に入って制定され一定の実務的な注目を受けている地域特例法による適用除外規定のみを取り上げる。それ以外の法律に定められた適用除外は論じないが、それらの規定構造は、独禁法典の適用除外規定のうち22条に近いものが多く、22条をめぐる叙述が一定の参考となるものと思われる（後記(3)）。

(2) 知的財産法による権利行使の適用除外

① **条文**　21条（平成12年改正前は23条）は、「著作権法、特許法、実用新案法、意匠法又は商標法による権利の行使と認められる行為」を適用除外としている。

② **21条の解釈**　21条は、以下に見るように、確認的適用除外に限りなく近い形で解釈されている。21条の解釈については様々なことが言われているが、それらは結局のところ次に紹介する公取委の見解と大同小異である。

知的財産ガイドラインは、21条の解釈につき、従前のガイドラインを踏襲して次のような見解を示している[62]。すなわち、各知的財産法による「権利の行使とみられる行為」であっても、事業者に創意工夫を発揮させ技術の活用を図るという知的財産制度の趣旨を逸脱し、または同制度の目的に反すると認められる場合には、当該行為は「権利の行使と認められる行為」とは評価されな

外である、ということもある。例えば、独禁法を知悉している者には独禁法違反でないことが明らかである場合でも、ある問題に対する反対論を政治的に和らげるために、反対論者の頭のなかで心配の種となる問題を解消してみせるべく、適用除外規定が置かれる、ということがあり得る。その例と言えるのではないかと思われるものとして、消費税法附則30条によって当時の「私的独占の禁止及び公正取引の確保に関する法律の適用除外等に関する法律」（昭和22年法律第138号）に加えられた同法附則2条に基づく消費税の転嫁の方法や消費税の表示の方法に関する共同行為の適用除外がある（昭和66年（平成3年）3月31日までの時限規定）。そこで適用除外とされた共同行為が、適用除外規定がなかったならば独禁法に違反するものであったかというと、疑問がある。同様の適用除外規定は、「消費税の円滑かつ適正な転嫁の確保のための消費税の転嫁を阻害する行為の是正等に関する特別措置法」（平成25年法律第41号）12条にも置かれた（平成33年（令和3年）3月31日までの時限立法）。

62) 知的財産ガイドライン第2の1。公正取引委員会「特許・ノウハウライセンス契約に関する独占禁止法上の指針」（平成11年7月30日）第2の2の内容を踏襲したものである。

い、とする。そしてその判断は、行為の目的、態様、競争に与える影響の大きさを勘案したうえで行う、とする[63]。

このガイドラインを読み解くには、「権利の行使とみられる行為」と「権利の行使と認められる行為」という2つの概念の使い分けに注意する必要がある。21条によって適用除外となるのは、「権利の行使と認められる行為」である。それに対し、「権利の行使とみられる行為」とは、つまり、既存の常識においては「権利の行使と認められる行為」に該当すると考えられてきている行為を指していると考えるとよいであろう。そのような行為のなかには、実は「権利の行使と認められる行為」とは言えないものがある、というわけである。知的財産ガイドラインは、ライセンス拒絶に代表される「技術を利用させないようにする行為」が違反となる場合があることを認めて具体例を列挙している[64]。ライセンス拒絶が通常は知的財産権利行使の中核だと考えられていることに鑑みると、「権利の行使とみられる行為」のなかに聖域を置くつもりはないという考え方が窺われる。

以上のような枠組みによる21条の解釈は、裁判所の事例においても定着している[65]。

---

63) 競争秩序に与える影響に着目して21条の適用除外を解除することを明示した公取委の事例として、公取委審判審決平成13年8月1日・平成10年（判）第1号〔SCE〕（審決案56〜57頁）。勘所事例集147〜149頁。公取委審判審決平成21年2月16日・平成15年（判）第39号〔第一興商〕も、競争秩序に与える影響に着目した事例であり、しかも、公正競争阻害性を満たすのに必要とされるのと同等の影響が掲げられたのみで適用除外が解除されている（審決案66〜67頁）。勘所事例集349〜350頁。

64) 知的財産ガイドライン第3の1 (1)、第4の2。公取委勧告審決平成9年8月6日・平成9年（勧）第5号〔パチンコ特許プール〕のように、知的財産権のライセンス拒絶が違反とされた実例も存在する。

65) 知財高判平成18年7月20日・平成18年（ネ）第10015号〔日之出水道機器対六寶産業〕（事実及び理由第3の1 (2) が1審判決判示と差し替えた判示中の (2) ア）は、製造数量制限が違反となる場合があるという一般論を述べているが、製造数量制限とは、言い換えれば、制限数量を超える部分に関するライセンス拒絶である。勘所事例集250頁。東京地判令和2年7月22日・平成29年（ワ）第40337号〔リコー対ディエスジャパン〕は、特許権侵害を根拠とする特許法上の請求を権利濫用とするにあたり、そのような請求をすることが、独禁法21条の解釈論を経たうえで独禁法違反に相当するものであることを説明道具としている（裁判所PDF 85〜86頁）。この判決の結論は、控訴審である知財高判令和4年3月29日・令和2年（ネ）第10057号〔リコー対ディエスジャパン〕によって覆されているが、事実の認定や一般論の事実への当てはめが覆されたものであり、一般論が否定されたわけではない（控訴審判決は、一般論は述べず、

問題となっている行為と知的財産権とが噛み合っていない場合には、そもそも、21条の問題を提起することはない[66]。

③ **理論的位置付けと今後への展望**　以上のような21条の解釈を理論的に位置付けるには、大所高所に立って次のように考えるのが、最も本質に即している[67]。つまり、反競争的行為の口実にすぎないなどという理由で目的や態様に問題があるとされる権利行使や、市場に大きな反競争性を与える権利行使は、知的財産法の世界においても、実は、権利の行使と認められない行為である。知的財産法も、独禁法と同様、競争という観点を織り込んだうえで設計され解釈されるべき制度だからである[68]。かりに、知的財産法分野での既存の常識的理解において権利行使とみられるような行為であっても、競争の観点から権利の行使と認められない行為については、本来の知的財産法の解釈としても、やはり権利行使と認めるべきでない。そのような処理は、現時点では権利濫用論に頼らざるを得ない場合もあるが、時間が経てば、知的財産法のなかに新たな理論として定着する。すなわち、権利行使とみられるような行為であるが権利行使と認められない、という行為が、法運用を重ねるにつれて類型化されていき、次第に、権利行使とみられる行為であるとさえ認識されないようになるに

事案において排除効果がないこと等を述べたにとどまる。裁判所PDF 88〜96頁)。

66) 公正取引委員会「ガソリンにおけるバイオマス由来燃料の利用について」(平成21年7月3日)では、特定の石油元売会社の系列特約店であって当該石油元売会社のサインポールを掲げている場合でも、店舗の一部において、当該石油元売会社の製品でないことを明確に認識できるように表示して製品を販売する行為は、当該石油元売会社の商標権とは関係がないから、21条の問題をそもそももたらさない旨が説明されている(公表資料2〜3頁)。公正取引委員会事務総局「ガソリンの取引に関する調査報告書」(平成25年7月)は、そこで問題とされた「業転玉」(元売会社から系列外に売られるガソリン)が「系列玉」と品質において差がなく、安定的に供給されており、しかも系列玉と業転玉との間の価格差が常態化している、という認識を掲げたうえでのものではあるが、系列販売店が業転玉を取り扱っても特に問題がないことを示唆している。

67) 以下について詳しくは、白石忠志「「知的財産法と独占禁止法」の構造」中山信弘先生還暦記念論文集『知的財産法の理論と現代的課題』(弘文堂、平成17年)。他方、根岸哲「「競争法」としての民法、知的財産法、独占禁止法」法曹時報56巻1号(平成16年)では、知的財産法は不当な模倣・ただ乗りの防止をするものであるために競争政策と関連しており独禁法と共通している、という認識のもとに議論が構築されている。しかし、独禁法21条を考える際には、知的財産法の諸側面のうち権利保護をしようとする側面が競争政策と関連していることを示しても意味はなく、権利保護を一定の範囲で縮減しようとする側面が競争政策と関連しているために独禁法と共通しているということを、示す必要がある。

68) 知的財産基本法10条も、そのような考え方を示している。

至る[69]。標準必須特許に関する特許権の権利範囲の縮減を特許法の言葉で語った知的財産高裁判決・決定[70]は、そのような観点から位置付けられる[71]。

このように、「権利の行使と認められる行為」の範囲が競争の観点から縮減的に修正されることを前提とすれば、21条の存否によって独禁法上の結論が変化することはない[72][73][74]。21条に相当する規定のない米国反トラスト法やEU競争法の思考枠組みは、結局のところ以上のような考え方に近く、それはとりもなおさず、上記のような21条の解釈と実質的には差異がないことを意味する。ともあれ、議論の舞台は、21条ではなく、知的財産が絡むことによる正当化理由の成否のほうに、移ることになる[75]。

---

69) 鈴木禄彌「財産法における「権利濫用」理論の機能」法律時報30巻10号（昭和33年）の、権利濫用論は、新たな理論が生成するまでの過渡的な法律構成となる、という指摘は、卓見である。現に、競争者にとっての選択肢を奪う大量の商標出願を商標法4条1項7号により商標登録の対象としなかった特許庁審決平成11年3月10日・平成9年審判第20756号〔北海道新聞社函館新聞商標法〕や、ゲームソフトである映画の著作物について頒布権の及ぶ範囲を狭く解釈した最判平成14年4月25日・平成13年（受）第952号〔中古ゲームソフト〕は、いずれも独禁法事件と絡んで議論が進行するなかで新たな知的財産法理論が生成したものである。

70) 知財高判平成26年5月16日・平成25年（ネ）第10043号〔サムスン対アップル標準必須特許損害賠償〕、知財高決平成26年5月16日・平成25年（ラ）第10007号〔サムスン対アップル標準必須特許差止請求I〕。

71) 白石忠志「独禁法とサムスン対アップル知財高裁判決」野村豊弘先生古稀記念論文集『知的財産・コンピュータと法』（商事法務、平成28年）。そのような前提のもとでの独禁法における実務的処理として、前記108〜109頁。

72) 21条による各知的財産法の列挙は例示であって、そこに掲げられていない知的財産法も適用除外の対象となる、と言われる。しかし、21条が以上のような意味での確認規定であるならば、例示列挙であろうが限定列挙であろうが、結論は同じとなる。

73) 権利の行使とみられる行為は原則として違反とならない、という目安をもたらすことには、一定の意味はある。事例として、平成29年度相談事例13〔農業協同組合商標権行使〕、平成30年度相談事例7〔電子部品メーカーライセンス条件設定〕。

74) 以上のように述べたうえで従来の独禁法上の諸説を総括するならば、諸説は、暗黙のうちに、競争政策を担うのは独禁法だけであるという強烈かつ悲壮な自負を背景にしていた、ということができる。競争政策の浸透を願望しながら、しかし、21条は競争政策の及ぶ範囲を知的財産法によって画しており、そして、競争政策を担うのは独禁法だけであると自負する立場からは、知的財産法は競争政策とは無縁でなければならない。願望と自負との狭間で、論者らは呻吟し華々しく論じた。知的財産問題の注目度が大きいために、多数の論者が参加し、それぞれが相互に引用しあうため、微小な差しかない場合や説明の仕方が違うにすぎない場合がほとんどであるにもかかわらず、諸説が割拠する大議論となっているかのような外観を生んでしまった。

75) 同様のことを、正当化理由の箇所でも論じた（前記106頁註268）。

(3) 組合の行為の適用除外

① **総説**　22条（平成12年改正前は24条）は、組合の行為を一定要件のもとで適用除外としている。

その趣旨は、「事業規模が小さいため単独では有効な競争単位たり得ない事業者に対し、組合組織による事業協同化の途をひらくことによって、これらの事業者の競争力を強め、もって、公正かつ自由な競争を促進しようとするにある」とされている[76]。

他方で、22条ただし書は、「不公正な取引方法を用いる場合」または「一定の取引分野における競争を実質的に制限することにより不当に対価を引き上げることとなる場合」には適用除外とならない、としている。そうであるとすれば、適用除外となる行為は、実際にはかなり限られている。法律的に特別の意味のある規定であるというよりは、少なくとも現代においては、組合を設立して活動を行うことに対して安心感を与えるためものにとどまっている[77]。

② **適用除外を受け得る組合**

(i) 総説　組合が適用除外を受けるためには、法律の規定に基づいて設立され、かつ、22条各号を全て満たす必要がある。

(ii) 法律の規定に基づいて設立されたこと　適用除外を受ける組合は、法律の規定によって設立されたものでなければならない。そこにいう「法律の規定」の代表例は、中小企業等協同組合法、農業協同組合法、水産業協同組合法、信用金庫法、森林組合法、消費生活協同組合法、などである。多くの文献は、例えば民法のような一般的法典は独禁法22条にいう「法律の規定」に該当しないかのように述べているが、そのような解釈に根拠があるとは思われない。民法上の組合は22条の要件を全て満たす可能性が低い、ということであるにすぎないのではないかと思われる[78]。

組合の下部組織である部会が組合とは別に独自の行動をしている場合など、

---

76) 公取委審判審決昭和50年12月23日・昭和48年（判）第1号〔岐阜生コンクリート協同組合〕（審決集22巻の110頁）、東京高判令和元年11月27日・令和元年（行コ）第131号〔土佐あき農業協同組合〕（判決書19頁）、農協ガイドライン第2部第1の3注1。

77) 組合と独禁法との関係についてまとめたものとして、公正取引委員会「協同組合等における独占禁止法コンプライアンスに関する取組状況について」（令和2年6月）。

78) 独禁法草創期の解説には、そのような論理構造を的確に伝えているものがある。例えば、石井良三287～288頁。

当該部会が組合とは別の事業者団体であると認められる場合には、当該部会の行為は22条による適用除外の対象とはならない、とされる[79]。その理由付けは明確にはされていないが、独立の事業者団体と見るべき当該部会それ自体は法律の規定に基づいて設立されたわけではないから、という趣旨であろうか。

(iii) 小規模の事業者又は消費者の相互扶助　22条1号は「小規模の事業者又は消費者の相互扶助を目的とすること」を求めており、22条の趣旨をまさに体現する要件となっている。このうち特に、小規模の事業者の相互扶助に該当するか否かがしばしば論ぜられる。もっとも、各組合法にみなし規定があり、実務的にはこれが大きな意味を持っている。

以下、敷衍する。

公取委の事例は、小規模の事業者の相互扶助を目的とすると言えるためには、組合に参加する全ての事業者が小規模の事業者である必要がある、とする傾向にある[80]。

それに対し、そのような解釈は硬直的であるので、小規模とは言えない事業者が加入している場合には小規模事業者の相互扶助とは言えないと推定するにとどめるべきである、と主張する文献がある[81]。条文上の文言との関係ではそのような解釈のほうが素直である。

個々の事業者が「小規模の事業者」と言えるか否かは、資本金の額や従業員数などを総合して判断されている[82]。

煩を避けるため、各組合法において、一定の形式的基準を満たせば独禁法22条1号の要件を満たすものとみなす規定を置いている場合がある。中小企業等協同組合法7条1項、農業協同組合法8条、水産業協同組合法7条、信用金庫法7条1項、森林組合法6条、などである[83][84]。

---

79) 農協ガイドライン第2部第1の3注2。

80) 明確に述べたものとして、岐阜生コンクリート協同組合審決（審決集22巻の110頁）。そのほか、公取委勧告審決平成4年4月17日・平成4年（勧）第7号〔東京木材市売問屋協同組合連合会〕（審決集39巻の57頁）、公取委勧告審決平成7年4月24日・平成7年（勧）第5号〔東日本おしぼり協同組合〕（審決集42巻の121頁）。

81) 糸田省吾・旧条解433頁。

82) 東京木材市売問屋協同組合連合会勧告審決（審決集39巻の55頁）、東日本おしぼり協同組合勧告審決（審決集42巻の120頁）。

83) 中小企業等協同組合法7条2項や信用金庫法7条2項は、独禁法22条1号の要件を満たすと

(iv) 任意設立・任意加入脱退　22条2号は、組合が、任意に設立され、かつ、加入脱退も任意となっているものであることを求めている。適用除外を受けるためには組合員の事業の自主性が確保されていることが不可欠であるという考え方によるもののようである[85]。

組合の設立の要件として認可制が採られていることは、設立が任意か否かとは関係がない[86]。

組合による相互扶助の目的のために必要な範囲での一定の条件を組合員に課し、それに反する組合員を除名することとしていても、そのために22条2号を満たさないということにはならないと解される[87]。

(v) 議決権の平等　22条3号は、各組合員が平等の議決権をもつ組合であることを求めている。議決権の差があると、一部少数の組合員に組合の支配を委ねる結果となり、組合が営利会社に化するおそれがあるからである、とされる[88]。各組合法においても、議決権が平等であることが定められているのが通常である[89]。

(vi) 利益分配の限度の規定　22条4号は、組合員に対する利益分配の限度が法令または定款に定められている組合であることを求めている。利益分配の限度が定められていない組合は営利会社に化するおそれがあるからである、

みなされるための一定の基準を満たさない組合が独禁法22条1号の要件を満たすか否かの判断は公正取引委員会の権限に属する、と明記している。

84) 中小企業等協同組合法107条や水産業協同組合法95条の3は、公取委の権限として、従業員数が所定の基準を超える事業者について、それが実質的に小規模の事業者でないと認めるときは当該事業者を組合から脱退させることができる、と規定している。脱退を命じた例として、公取委勧告審決昭和50年1月21日・昭和49年（勧）第50号〔アサノコンクリート〕等の同日の諸審決。

85) 石井良三286頁。加入脱退が自由でないことを理由に適用除外がないとした事例として、公取委勧告審決平成9年11月17日・平成9年（勧）第12号〔新宮地方建設業協同組合〕（審決集44巻の281頁、283頁）、公取委勧告審決平成15年4月9日・平成15年（勧）第14号〔全国病院用食材卸売業協同組合〕（審決書4頁）。

86) 糸田省吾・旧条解434頁。

87) 福岡高宮崎支判平成5年10月27日・平成4年（ネ）第225号〔都北地区建設事業協同組合〕（審決集40巻の701～703頁）。この判決に対して批判があるとしても、それは、当該条件が本当に相互扶助の目的のために必要な範囲であるか否かという、事案への当てはめの問題であろう。

88) 石井良三287頁。

89) 例えば、中小企業等協同組合法11条1項。

とされる[90]。各組合法においても、利益分配に限度を置くべきことが定められているのが通常である[91]。

③ 「組合の行為」と22条ただし書

(i) 総説　22条本文の「組合の行為」(括弧書き省略) の文言と22条ただし書とについては、コインの裏表のような議論がされている。

すなわち、諸文献に見られる論法として、競争の観点から弊害をもたらすような行為はもともと組合にあるまじき行為であるから「組合の行為」でない、とするものがある。22条を文理のとおりに読むと、ただし書で適用除外を解除される範囲が限定されているため、例えば8条4号を満たすが競争の実質的制限とは言えないような行為は適用除外の対象となる。そこで、それを不適切と見る立場から、そのような行為はそもそも「組合の行為」に該当しない、と論ずることによって、ただし書を実質的に拡大しようとしているわけである。そのような立場においては、22条は限りなく確認規定に近づくことになろう。

(ii) 組合の行為　「組合の行為」は、事業者としての組合の行為のみを指すのか、それだけでなく事業者団体としての組合の行為も含むのか。前者と解する文献も少なくないが[92]、通常は後者が採られており、最近の事例も後者と軌を一にしている[93]。

「組合の行為」は、適用除外の範囲を狭くするため、狭く解釈されることがしばしばある。組合の共同販売事業に関するものであるように装いながら実際には組合員個々の販売事業について取引の相手方と対価を制限していた事例について22条の適用除外に該当しないとした事例がある[94]。農業協同組合法に

---

90) 石井良三287頁。

91) 例えば、中小企業等協同組合法5条1項4号および59条。

92) 詳細に論じた例として、吉川泰宇「事業協同組合に対する適用除外規定の解釈論について」公正取引607号 (平成13年)。

93) 全国病院用食材卸売業協同組合審決。22条2号を満たさないために22条の適用除外がないと論じたうえで、事業者団体を行為者とする8条を適用した事例である (審決書4頁)。

94) 公取委命令平成27年1月14日・平成27年 (措) 第1号・平成27年 (納) 第1号〔網走管内コンクリート製品協同組合〕(排除措置命令書3~4頁)。組合内に受注窓口を置かず組合の名義で受注することもなかった、という (杉浦賢司＝今井啓介＝唐澤斉・担当審査官解説・公正取引776号 (平成27年) 65~66頁)。そのほか、平成27年度相談事例12〔建築資材協同組合の価格決定〕、令和4年度相談事例4〔農作物加工協同組合インボイス対応〕なども、同様の考え方によるものである。

規定された「団体協約」について、その範囲を競争の観点から狭く解釈し、「組合の行為」の範囲を狭めて、22条の適用除外は妥当しないとした相談事例がある[95]。非組合員への販売は「組合の行為」ではないので非組合員への販売について参考価格を決定し組合員に周知するのは違反のおそれがあるとした相談事例がある[96]。

「組合の行為」の限定解釈論の一環として、協同組合が他者と共同して行う行為は「組合の行為」ではない、という主張が見られる。しかし、そこで念頭に置かれているのは、組合が他者と共同行為をして一定の取引分野における競争の実質的制限によって不当に対価を引き上げることとなる事例であり、そのような事例は、「組合の行為」の限定解釈によらずとも、22条ただし書後半によって適用除外を解除されるであろう。

(iii) 22条ただし書　22条ただし書前半は、組合が不公正な取引方法を用いる場合には適用除外が解除されるとしている[97]。事業者団体が不公正な取引方法をさせる場合については、適用除外となるという説とならないという説とに分かれている[98]。

22条ただし書後半は、一定の取引分野における競争の実質的制限により不当に対価を引き上げることとなる場合には適用除外が解除されるとしている。「不当に対価を引き上げる場合」でなく「不当に対価を引き上げることとなる場合」とされているので、実際に当該事案で対価が引き上げられることは必要なく、そのような危険をもつような行為類型に該当する行為がされれば足りる、と解釈されることになろう[99]。

---

95) 平成23年度相談事例13〔農協連合会団体協約〕。詳細な解説として、西川康一「独占禁止法に関する相談事例集（平成23年度）について」公正取引743号（平成24年）48〜49頁。

96) 平成25年度相談事例13〔非組合員向け参考価格〕。

97) 例えば、公取委勧告審決平成13年2月20日・平成13年（勧）第1号〔奈良県生コンクリート協同組合〕、公取委命令平成27年2月27日・平成27年（措）第4号〔岡山県北生コンクリート協同組合〕、平成27年度相談事例13〔農協による補助金と機械・資材の抱き合わせ〕。

98) 糸田省吾・旧条解438頁。

99) 那覇地石垣支判平成9年5月30日・平成7年（ワ）第23号〔八重山地区生コンクリート協同組合〕は、実際の引上げも引上げの具体的危険もあるとは言えないとして、適用除外を認めた（審決集45巻の504頁）。平成13年相談事例11〔協同組合共同斡旋事業〕は、組合による斡旋の仕組みの枠外で受注することは自由とされていることを主な理由として、適用除外を認めた。

(4) 再販売価格拘束の適用除外

① **総説**　23条（平成12年改正前は24条の2）は、特定の商品に関する再販売価格拘束を適用除外としている。このことが俗に「再販制度」と呼ばれることも多いが、23条は再販売価格拘束を独禁法の適用除外としているだけであり、再販売価格拘束を義務付けているわけではない[100][101]。

対象となる商品には、23条1項によって公取委が指定するものと、23条4項により指定をまたずに法定された「著作物」とがある。前者は俗に「指定再販」と呼ばれ、後者は俗に「法定再販」と呼ばれる。

再販売価格拘束が「原則違反」とされることの裏返しで、23条の適用除外の対象とならない再販売価格拘束は必ず違反となる、というニュアンスで議論されることも多いが、再販売価格拘束は必ず違反となるわけではないのであるから（後記452～455頁）、適用除外に該当しないが違反でもない、というものは存在し得る。

② **公取委が指定する商品**

(i) 総説　23条1項に基づく指定による適用除外の制度の趣旨は、主に、略奪廉売やおとり廉売の材料に使われやすい商品について、それらを防止する、ということに求められるようである[102]。おとり廉売とは、当該廉売によって顧客を吸引し他の商品役務を買わせようとする行動のことである。23条1項の「その品質が一様であることを容易に識別することができる」商品であるという要件と、23条2項1号の「当該商品が一般消費者により日常使用されるものである」という要件は、いずれも、おとり廉売に使われやすい商品の性質を示している[103]。

---

100) したがって、適用除外となっている商品について再販売価格拘束を行うことを競争者間で協定するなどの行為は、適用除外の対象とはならない。適用除外である再販売価格拘束を事業者団体が励行した行為が8条4号（当時の8条1項4号）違反とされた事例として、公取委勧告審決昭和35年5月13日・昭和35年（勧）第2号〔再販売価格維持契約励行委員会〕、公取委勧告審決昭和55年4月24日・昭和55年（勧）第4号〔日本レコード協会〕。

101) 新聞業特殊指定と再販売価格拘束の適用除外との関係は、別の箇所で述べた（後記422～423頁）。

102) その旨を述べる例として、最判昭和50年7月11日・昭和46年（行ツ）第83号〔明治商事〕（民集29巻6号の959～960頁、審決集22巻の201頁）。

103) 23条1項は「商品」のみを掲げている。役務であっても23条1項の趣旨に適う例は論理的にはあり得るが、再販売価格拘束という行為のイメージに合致しなかったために条文に盛り込ま

他方、23条2項2号は、「当該商品について自由な競争が行われていること」をも指定の要件としている。再販売価格拘束が行われれば当該商品に関するいわゆるブランド内競争は停止するわけであるから、ここでいう競争とはいわゆるブランド間競争のことであると思われる。ブランド間競争がない場合にブランド内競争をも停止すれば弊害が大きく、おとり廉売防止という目的よりも弊害が凌駕する、という判断が条文に示されている。

平成9年4月1日以後、公取委による指定を受けている商品は皆無である[104]。それまでに指定されていた化粧品や一般用医薬品について指定がされなくなった理由は、主に、23条2項2号のブランド間競争が存在するという要件が満たされなくなったと判断されたことにあったようである[105]。

(ii) 非指定商品役務への援用の可否　23条1項および2項の要件を満たすが公取委の指定を受けていない商品役務について、再販売価格拘束を行うことには、公正競争阻害性があると言えるか。23条を確認規定と見て公正競争阻害性がないと考える確認規定説と、23条を創設規定と見て公正競争阻害性があると考える創設規定説とがある。明治商事最高裁判決は、「[公取委] の指定を受けない以上、当該商品が事実上 [現在の23条] 1、2項の定める指定の要件に適合しているからといつて、直ちにその再販売価格維持行為に右の「正当な理由」があるとすることはできないというべきである」と述べて、創設規定説を支持している[106]。その背景には、ブランド間競争が存在してもブランド内競争の消滅による価格への影響をカバーし得るものではない、という認識があるようである[107]。しかし、その事実認識を一般化することはできないように思われる。かりに、23条1項および2項の要件を満たし、しかもブランド間競争の存在が再販売価格拘束による弊害を抑止していると言える場合には、公正競争阻害性は否定されざるを得ないであろう。

れず、また、適用除外の範囲をできる限り狭めようとする議論の大勢のなかではその後の話題にも上らない、ということであろう。

104) 平成9年公正取引委員会告示第2号により、それまで存在した指定が廃止された。

105) 公正取引委員会事務総局取引部取引企画課「再販指定商品の指定取消しについて」公正取引558号 (平成9年) 61〜62頁。

106) 明治商事最判 (民集29巻6号の960頁、審決集22巻の202頁)。

107) 佐藤繁・和光堂判決調査官解説・最判解民事篇昭和50年度292〜294頁。

③　著作物

(i)　趣旨と賛否　　23条4項に基づく著作物の再販売価格拘束の適用除外の趣旨として、この規定の存続を支持する側は、文化・公共面での悪影響の防止、具体的には、書籍・雑誌・音楽の発行企画の多様性を維持し、新聞の戸別配達制度を維持して国民の知る権利を守る、といったことを挙げる。

これに対しては、賛否両論がある。公取委が、適用除外の廃止を唱える研究会報告書を平成7年に公表したことを契機として[108]、様々な議論が戦わされた。適用除外廃止論の論拠は、結局、上記のような文化・公共面の要素はもちろん重要であるが、それと再販売価格拘束との間に意味のある因果関係がないのではないか、というものであった。

しかし、そのような廃止論に対する反対もまた強かったため、公取委は平成13年3月に廃止論を当面は納めることとした[109]。

(ii)　著作物の範囲　　「著作物」の範囲は、公取委による23条4項の解釈により、著作権法上の著作物とは異なり、書籍、雑誌、新聞、レコード盤、音楽用テープ、音楽用CD、に限定されている[110]。その理由は、23条4項の適用除外は、原則違反とされる再販売価格拘束について例外を定めるものであるから、その範囲は狭く解釈すべきであり、具体的には、23条が制定された昭和28年改正（当時は24条の2）の際に念頭に置かれていた書籍、雑誌、新聞、レコード盤と、機能や効用の面でレコード盤の後継者である音楽用テープと音楽用CDとに限定する、というものである。

電子書籍については、公取委は、23条の適用除外の対象とはならないとしている[111]。上記のように「著作物」に該当しないと公取委が考えることと、23条4項で「著作物」とは別に「物」という表現が用いられているところ電子書籍は有体物ではないこととの、両面から、理由付けを行っている。もっとも、ここで公取委は、電子書籍は23条の適用除外の対象とならない、として

---

108)　政府規制等と競争政策に関する研究会再販問題検討小委員会「再販適用除外が認められる著作物の取扱いについて（中間報告）」（平成7年7月）。ジュリスト1086号に掲載されている。

109)　公正取引委員会「著作物再販制度の取扱いについて」（平成13年3月23日）。

110)　これはあくまで23条4項の解釈として公取委を中心に唱えられ定着しているものであって、公取委がその旨の指定をしているわけではない。公取委の解釈を確認した審判審決として、公取委審判審決平成13年8月1日・平成10年（判）第1号〔SCE〕（審決案66〜67頁）。

111)　公取委ウェブサイト「よくある質問コーナー（独占禁止法）」のQ13に対する回答。

いるだけであり、電子書籍の価格を拘束したら必ず独禁法違反であるとしているわけではない。

(iii) 著作物と非著作物とが混在する場合　　著作物に該当するとされるものとそうではないものとが混在して1つの品物として売られる場合、適用除外の対象となるのはそのうち著作物に該当する部分のみである。したがって、混在した品物の全体について再販売価格拘束をすると、独禁法の適用対象となる[112]。適用除外の対象となるもののみ複数をセットで売る場合には、適用除外の対象となる[113]。

④ **再販売価格**　　23条で拘束が許される「再販売価格」とは消費税を除いた価格であるか含めた価格であるか、という点が論ぜられることがあるが、無意味な議論である[114]。消費税率が法律によって定められており販売者には左右できないものである以上、消費税を除いた価格を拘束すれば、含めた価格も拘束することになり、逆もまた正しい[115]。

⑤ **正当な行為・一般消費者の利益**　　23条1項による指定商品はもちろんのこと、23条4項の「著作物」の適用除外も、23条1項のうち、指定され得る商品の要件を定めた部分以外の規定の適用を受ける。したがって、再販売価格拘束のための「正当な行為」でなければ適用除外されず、また、「一般消費者の利益を不当に害することとなる」場合には適用除外されない。

「正当な行為」に該当しない例としては、価格の拘束を受ける相手方のうち特定の者を不当に差別的に取り扱っている場合などが、想定されている[116]。

「一般消費者の利益を不当に害することとなる」に該当する例としては、再販売価格が不当に高い場合や、販売店に不当に多額のマージンやリベートを供

112) 平成16年度相談事例7〔書籍とフィギュア〕。論理的には、非著作物の部分のみについて適用されるということになるが、品物全体について拘束をすれば、非著作物の部分をも拘束していることになるから、実際上は品物全体についての拘束も独禁法の適用対象となる。

113) 平成21年度相談事例6〔新聞雑誌セット割引〕。

114) 公正取引委員会事務局取引部取引課「消費税導入に伴う再販売価格維持制度の運用について」(平成元年2月22日)(公正取引460号に掲載)、東京高判平成6年4月18日・平成4年(行コ)第46号〔書籍価格表示〕(行集45巻4号の1086～1987頁、審決集41巻の427～428頁)。勘所事例集70～73頁。

115) 書籍価格表示判決の事案における問題の本質は、「再販売価格」とは何か、ではなく、書籍の価格はどう表示すればよいか、という点にあった。

116) 制定時の解説として、昭和28年改正解説288頁。

与している場合などが、想定されている[117]。

⑥　**再販売価格拘束の相手方**　23条5項に掲げられた者を相手方とする再販売価格拘束は、23条による適用除外を受けることができない。それらの相手方が行う販売活動の性格からみて、再販売価格拘束を受けることに馴染まない、と判断されたためである[118]。

⑦　**再販売価格拘束契約の届出**　23条6項は、23条1項に規定する事業者が再販売価格拘束契約を届け出る義務を定めているが、23条1項による指定が現在はされていないので、現在は使われていない[119]。23条5項とは異なって23条6項は、23条4項を掲げていないので、著作物の場合には届出は不要である。

(5)　地域特例法による適用除外

①　**総説**　地域特例法は、地域一般乗合旅客自動車運送事業者（地域特例法2条2号）[120]と地域銀行（地域特例法2条3号）を「特定地域基盤企業」と総称し（地域特例法1条）、特定地域基盤企業が関係する合併等や共同経営について、基盤的サービス（地域特例法2条1号）の提供の維持の観点から、独禁法の適用除外を定める法律である[121][122]。地域特例法によって独禁法を適用除外とするためには主務大臣による認可が必要である[123]。

---

117)　制定時の解説として、昭和28年改正解説289頁。事例として、公取委公表平成5年6月4日〔佐藤製薬〕につき、長谷部元雄・同事件解説・公正取引517号（平成5年）67頁。

118)　23条5項によって原則に立ち戻り再販売価格拘束が違反とされた事例として、公取委勧告審決昭和40年5月20日・昭和40年（勧）第6号〔花王石鹸〕、公取委同意審決平成7年11月30日・平成7年（判）第3号〔資生堂〕、がある。

119)　届出義務違反に対する刑罰規定が残存し（91条の2第13号）、23条6項にいう公正取引委員会規則として「再販売価格維持契約の届出に関する規則」（昭和28年公正取引委員会規則第4号）も残存している。

120)　乗合バスと呼ばれているものを営む事業者を指す。

121)　地域特例法の解説として、例えば、山田晃久＝本行克哉「地域銀行の経営統合と独占禁止法の適用除外に係る特例法」金融法務事情2141号（令和2年）、国土交通省「独占禁止法特例法の共同経営計画等の作成の手引き」（第3版、令和5年10月）。

122)　地域特例法における「主務省令」については、地域特例法16条2項に若干の規定があり、地域特例法の正式題名に「施行規則」が付されたものが制定されている（令和2年内閣府・国土交通省令第6号）。地域特例法における「国土交通省令」は、地域特例法の正式題名に「国土交通省関係」を冠し、「施行規則」を付したものとなっている（令和2年国土交通省令第94号）。

123)　地域特例法における「主務大臣」は、地域銀行については内閣総理大臣であり、地域一般乗

公取委としては、長崎県地銀事例において対馬等3経済圏について示し企業結合ガイドラインにも取り入れた考え方（前記159～160頁）によって独禁法で対応可能であると考えていると推測されるが、これを、金融庁や国土交通省の主導により実現しようとする法律である。

② 合併等の適用除外

(i) 対象　合併等に関する適用除外は、地域一般乗合旅客自動車運送事業者と地域銀行の両方が対象であり、それらの親会社を含めた「特定地域基盤企業等」による合併等を対象としている（地域特例法3条）。

(ii) 適用除外　前記(i)の合併等が主務大臣の認可を受けた場合は、独禁法が適用されない（地域特例法3条1項）。独禁法が適用されないのであるから、違反要件に基づく禁止規定だけでなく、届出義務に関する規定も適用されない[124]。

(iii) 認可　主務大臣は、認可を受けようとする特定地域基盤企業等が提出した基盤的サービス維持計画（地域特例法4条）を参考としながら、地域特例法5条の認可基準に照らし、認可をすることになる。

地域特例法5条1項の認可基準は、3点から成る。第1は、基盤的サービスに係る需要の持続的な減少により基盤的サービスを将来にわたって持続的に提供することが困難となるおそれがあることである。これは、その合併等について独禁法違反の成否を判断する際の、合併等と弊害との間に因果関係がないことを意味する（前記①）。第2は、その合併等によって基盤的サービスの提供の維持が図られることである。第3は、利用者に対して不当な基盤的サービスの価格の上昇その他の不当な不利益を生ずるおそれがあると認められないことで

合旅客自動車運送事業者については国土交通大臣である（地域特例法16条1項）。内閣総理大臣は、金融庁長官に権限を委任する（地域特例法17条）。ただし、共同株式移転の認可に限っては、委任の対象外である（地域特例法17条、地域特例法の施行令（令和2年政令第225号））。銀行法における銀行持株会社の認可が内閣総理大臣から金融庁長官に委任されていないことに対応したものであると考えられる（銀行法59条1項、銀行法施行令17条）。地域特例法によって認可されたものは、地域銀行に関するものは金融庁ウェブサイトに、地域一般乗合旅客自動車運送事業者等に関するものは国土交通省ウェブサイトに、それぞれ掲げられている。

124）他方、特定地域基盤企業等に該当する当事会社が、地域特例法による認可と独禁法適用除外でなく、通常の独禁法の届出による公取委のクリアランスを得ようとすることも、可能性としてはもちろんあり得る。

ある[125)]。

以上の3点、とりわけ第1の点により、問題の基盤的サービスの部分に関しては、認可を受けた合併等は独禁法にも違反しないことが確保されていると言える。これを、主務大臣の認可によって明確化するのが、地域特例法の独自の存在意義である。

(iv) 認可前の公取委との協議と公取委による確認　認可に先立ち、主務大臣は、公取委に協議しなければならない(地域特例法5条2項)。

公取委は、合併等をしようとする特定地域基盤企業等の事業のうち、前記(iii)の第1の点の問題がない基盤的サービスや、その他の商品役務について、競争を実質的に制限することとならないことを確認する(地域特例法5条3項2号・3号)[126)]。

このように、認可された合併等は、問題となる基盤的サービス以外の分野での独禁法違反もないことも、確保されていることになる。

③ 共同経営に関する協定の締結の適用除外

(i) 対象　地域特例法は、合併等だけでなく、「共同経営に関する協定の締結」をも対象としている。こちらは、地域銀行は対象ではない。地域一般乗合旅客自動車運送事業者と地域特例法2条4号にいう公共交通事業者を含む地域一般乗合旅客自動車運送事業者等との間の協定の締結を対象としている(以上、地域特例法9条)。共同経営に関する協定の締結に関する規定においては、「主務大臣」でなく「国土交通大臣」とされ、「主務省令」でなく「国土交通省令」とされている。

(ii) 適用除外　認可を受けた共同経営に関する協定の締結は、独禁法の適用を受けない。そのような協定の多くは、競争関係にある事業者間のもので

---

125) この第3点を実現するための方策を基盤的サービス維持計画に盛り込むよう、主務大臣は求めることができる(地域特例法4条2項)。

126) 地域特例法5条3項1号では、不公正な取引方法を用いるものでないことも確認することになっているが、これは、独禁法の企業結合規制の条文においても規定されている同様の規定に相当するものであると思われ、合併等の当事会社の間に合併等に際して優越的地位濫用がないことを主に意味する。基盤的サービスでない他の商品役務(地域特例法5条3項3号)については、銀行法上の業務範囲規制の問題もあり、現状の地域銀行やそのグループ会社の経営統合がそのような問題をもたらすとは現実には考えにくく、専ら地域一般乗合旅客自動車運送事業者が念頭に置かれていると思われる、と解説されている(山田=本行・前記註121・28頁注20)。

あると考えられる。その場合、関係する独禁法の違反類型は、不当な取引制限である[127]。

(iii) 認可　　国土交通大臣は、認可を受けようとする特定地域基盤企業等が提出した共同経営計画（地域特例法10条）を参考としながら、地域特例法11条の認可基準に照らし、認可をすることになる。

地域特例法11条1項の認可基準は、5点から成る。第1は、計画区域内に、地域一般乗合旅客自動車運送事業者が提供する基盤的サービスに係る路線であって、収支が不均衡な状況にある路線が存することである。これは、その協定の締結について独禁法違反の成否を判断する際の、協定の締結と弊害との間に因果関係がないことを意味する（前記①）。第2は、その協定の締結によって地域一般乗合旅客自動車運送事業者が提供する基盤的サービスに係る事業の改善が見込まれ、かつ、計画区域内において基盤的サービスの提供の維持が図られることである。第3は、地域公共交通の活性化及び再生に関する法律による基本方針に照らして適切なものであることである。第4は、協定地域一般乗合旅客自動車運送事業者等（地域特例法10条1項4号）が提供する運送サービスに係る利用者に対して不当な不利益を生ずるおそれがあると認められないことである。第5は、計画区域内における基盤的サービスの提供の維持を図るために必要な限度を超えない範囲内のものであることである。

以上の5点、とりわけ第1の点により、認可を受けた協定締結行為は独禁法にも違反しないことが確保されていると言える。これを、国土交通大臣の認可によって明確化するのが、地域特例法の独自の存在意義である。

(iv) 認可前の公取委との協議と公取委による確認　　認可に先立ち、国土交通大臣は、公取委に協議しなければならない（地域特例法11条2項）。

公取委は、不公正な取引方法を用いるものでないことや加入・脱退の不当な制限がないことの確認をする（地域特例法11条3項）。

合併等の場合の公取委の確認の制度（前記②(iv)）のように、計画区域内の基盤的サービス以外の分野について独禁法違反がないことを確認する規定は、明示的には、置かれていない。これは、合併等とは異なり、協定の締結は、事業

---

127) 可能性としては、競争関係にない事業の掛け合わせによって基盤的サービスの維持を図ろうとする協定の締結も、あり得ると思われる。その場合などには、関係する違反類型は、不当な取引制限だけでなく、私的独占や不公正な取引方法も含まれることになるかもしれない。

者の事業のうち問題となる基盤的サービスに関する部分のみに絞ったものとすることができるので、問題となる基盤的サービスと一蓮托生となって一体となるものが存在しないような形で協定を作り込むからであると思われる。そのことが、認可基準の第5の点（前記(iii)）によって確保されている。

ともあれ、以上のようなわけで、認可された協定締結行為は、独禁法に違反しないものであると考えられる。

2 事業法規制等と独禁法

(1) 総 説

独禁法違反の有無が問題とされている行為について、他の法令等による規制等、とりわけ、いわゆる事業法規制や行政指導が絡む場合には、独禁法違反の成否にどのような影響があるか、という問題がある[128)][129)]。以下では、他の法令等による規制等を、便宜上、「事業法規制等」と呼ぶ。

問題となっている事業分野や事象について事業法規制等が存在するからという一事をもって独禁法が適用除外となることはない[130)]。

そのうえでしかし、独禁法違反の成否を議論する際に、事業法規制等が存在する事実が一定の影響をもたらすことはある。以下ではそれを論ずる。

事業法規制等には、競争を抑圧することによって何事かを達成しようとするものもあれば、独禁法と同様に競争を促進しようとするものもある。過去のパラダイムにおいては、事業法規制等は反競争的なものであることが当然とされ、それに従うことが正当化理由となるか否かが議論の焦点とされた。しかし最近では、むしろ公取委以外の官庁が競争政策に価値を見出し、競争促進的な事業法規制等を行う例も数多く見られる[131)]。そのような場合に現れる問題も、以

---

128) 「黙示の適用除外」と呼ばれる問題は、結局は以下のような諸問題に帰着するのであり、結論として独禁法違反でないとされる場合に後付けレッテルとして「黙示の適用除外」と呼ばれるのであるにすぎない（前記179頁註60）。

129) 最判昭和57年3月9日・昭和52年（行ツ）第113号〔石油連盟価格協定〕（民集36巻3号の269〜270頁、審決集28巻の167〜168頁）は、行政指導があったことを根拠として行為要件充足行為が消滅したという主張に対する判示であり、この事案特有の判示であるからあまり参考とならない。

130) 公取委審判審決平成7年7月10日・平成3年（判）第1号〔大阪バス協会〕（審決集42巻の41〜55頁）。勘所事例集80〜81頁。

下では視野に入れる。

独禁法と同じ方向を向いた事業法規制等にも、手法の観点からは、様々のものがある。特定の事業分野を念頭に置いて一定の行為を禁止したり、平等取扱いを確保するために約款を作成して認可を受けるなどすることを義務付けたり、といったものがある[132]。そのような規制手法の手前で、取引条件の開示を義務付けることによって、不当な差別的取扱い行為や不当な不利益を課す濫用行為を可能な限り可視化する、という手法をとるものもある[133]。

(2) 事業法規制等により強制されている場合

ある行為が他の法令等の規制によって強制されている場合、当該行為を独禁法違反とすることはできない[134]。行為者が適法行為によって排除措置をとる

131) 同様に、事業法規制等は事前規制であり独禁法は事後規制である、という図式も、必ずしも現実を全て説明できるわけではない。競争促進的な事業法規制等のなかには、いわゆる事後規制の範疇に属するものも存在する。他方、独禁法による排除措置命令は、将来に向けての禁止命令において種々の遵守義務を課するに至れば、実質上、いわゆる事前規制の範疇に属する場合があり得る。企業結合規制に至っては、堂々たる壮大な事前規制である。

132) 電気事業法、電気通信事業法、航空法、など、独禁法との関係でも頻繁に言及される事業法には、自由化による競争導入が次第に進められるなかで、そのような規制が置かれ定着してきた法律が多い。

133) これまで事業法のなかった新たな分野は、出発点となる鋳型がないこともあり、また、流動性が大きいこともあり、そのような手法がとられることがある。デジタルプラットフォームに関する透明化法（特定デジタルプラットフォームの透明性及び公正性の向上に関する法律（令和2年法律第38号））はその典型である（開示に関する規定は透明化法5条、6条など）。もっとも、透明化法にも、例えば、毎年度の「報告書」を契機とする「評価」の結果を踏まえた「自主的な向上」の努力義務（9条）など、行為規制に近いものが規定されている場合がある。本文に書いた類型は、特定の1個の法律を全て説明できるというものではなく、特定の法律の特定の制度を傾向的に説明するための類型である。

134) 大阪高判平成6年10月14日・平成4年（ネ）第2131号〔葉書〕は、図画等のない葉書については、郵便法において特定の価格を強制されているので不公正な取引方法に該当する余地はないとした（審決集41巻の497頁）。また、図画等のある葉書については、その記載に要した経費を勘案した価格設定をしてよいという郵便法の規定の制約の枠内で可能な限りの価格設定が行われていることを、不公正な取引方法に該当しないとの結論の理由付けの1つとした（審決集498頁）。東京地判平成17年4月22日・平成15年（行ウ）第434号〔接続約款認可処分取消訴訟〕は、電気通信事業法に基づく総務省令によって羈束された行為について、独禁法を適用する前提を欠く、とした（裁判所PDF 41頁）。東京地判平成26年6月19日・平成23年（ワ）第32660号〔ソフトバンク対NTT〕は、原告が求める行為について電気通信事業法上の総務大臣の認可がない以上、被告は原告が求める行為をしてはならない義務を課されている、として、原告による差止請求を棄却した（原告側法律事務所ウェブサイトに掲げられた判決書27頁、審決

ことができないような命令を独禁法が行うのは、不都合だからである。

その趣旨に鑑みれば、ここでいう強制は、刑罰によるものには限らず、行政処分による不利益などによるものも含む。

ただ、許認可等の内容に合致する行為が強制されている、というだけでは、通常、独禁法違反なしとする理由とはならない。行為者は独禁法上の問題を払拭するような新たな内容の許認可等の申請をあらためて行うことができるからである[135)]。許認可等の範囲内での自由な価格設定等を制限する行為を行為者が行っている場合は、なおさらである[136)]。

行政指導の場合はどうか。諸般の事情により行政指導に従わざるを得ない、という場合も、適法行為を行うことが可能な場合には、上記の論法により独禁法違反なしとすることはできない。しかし、官製談合の場合の最高裁判決等の判示（後記265頁）に照らせば、行政指導をする側からの指示・要請・主導といったことにより適法行為を行うことが実質的には不可能であると言える場合には、独禁法違反なしとすべきであろう[137)]。

強制の観点から独禁法違反なしとするという考え方に対しては、このような問題は刑事法でいう責任阻却の問題であり、独禁法違反の成否に影響を及ぼすことには理論上の根拠がないのでないか、という反論があり得る。しかし、適法行為を期待できなかった者に命令をするということの不当な重みを考えるべきであるとともに、現行法では課徴金要件として故意過失が求められていないことに鑑みれば、強制の観点から独禁法違反なしとする考え方はなお許容されるべきであろう。

(3) 事業法規制等が存在する事実の勘案

事業法規制等が上記のような意味での強制には該当しない場合であっても、

集61巻の254～255頁)。

135) 最判平成元年12月14日・昭和61年（オ）第655号〔芝浦屠場〕（民集43巻12号の2082～2083頁、審決集36巻の572頁)。

136) 大阪バス協会審決は、運輸大臣の認可が許容する下限運賃と上限運賃の間の運賃による価格協定（学校遠足向け輸送などに関する部分）については、違反としている（審決集42巻の67～71頁)。勘所事例集89～90頁。

137) 東京高判平成28年9月2日・平成27年（行ケ）第31号〔新潟タクシーカルテル〕は、強制であるといえるほどの行政指導はなかった、という認定を行うことにより、この法律問題に答えることを回避している（判決書63～83頁)。

しかし、事業法規制等が存在するという事実が、それに従う行為は独禁法違反なしとなるよう独禁法を解釈・適用すべきである、という判断を支えるための参考資料とはなる。事業法規制等が、当該行為をめぐる専門的な知見を背景としており、そのことが、当該行為における反競争性の不存在または正当化理由の存在を窺わせる場合があるからである。主に、大阪バス協会審決によって確立された考え方である[138)][139)][140)]。もっとも、そうであるとすれば、事業法規制等が、反競争性の不存在や独禁法上の正当化理由の存在とは無関係な観点によって運用されている場合には、独禁法上の判断の参考資料とはならないことになる[141)]。また、事業法規制等の範囲を超えた行為を行為者が行っていた場合

138) 大阪バス協会審決は、「[行為が弊害要件を満たすか否かは] 道路運送法を主管する主務官庁の立場ではなく、あくまでも独占禁止法適用のため同法固有の見地から評価すべきである。[原文改行] もっとも、……元来道路運送法により認可運賃等以外の運賃等による取引が違法とされているからこそ排除措置命令の適用除外が考慮されるのであるから、同法の適用関係、殊にその適用の実態が重要な判断資料となり、中でも同法の運用を主管する主務官庁による同法の現実の運用状況が判断に当たり極めて重要な役割を果たすことは否定することができない」、と判示した（審決集42巻の60～61頁）。認可運賃によらない運賃に対して刑罰を用意した規制があるなかで、実勢運賃が認可運賃を下回ることが常態化していたところ、認可運賃に近づく方向でのカルテルが行われたという事案である。当該規制が形骸化し法執行の気配がなかったことが窺われた事案ではあるが、審査官がそれを立証していないことを根拠として立証責任論で結論を得たものであるので、刑罰を背景とする規制が有効に機能していたことを前提とする判断であったということになる。勘所事例集85～87頁。

139) 最判昭和59年2月24日・昭和55年（あ）第2153号〔石油製品価格協定刑事〕が、この考え方を明らかとした判例であると理解されていることが多いが、判決の読み方として正鵠を射たものではない。同判決は、「適法な行政指導」に従おうとする共同行為は不当な取引制限に該当しない、と述べるが（刑集38巻4号の1314～1315頁、審決集30巻の260頁）、同判決を精読すれば、「適法な行政指導」は、論理必然的に、「公共の利益に反して」いるとはいえないことがわかる（刑集38巻4号の1311頁、審決集30巻の257頁）。したがって、「適法な行政指導」に従った行為は、行政指導に従ったために独禁法違反でなくなるのではなく、もともと独禁法違反ではないのである。勘所事例集30～32頁。

140) 岡山地判平成17年12月21日・平成13年（ワ）第977号〔アールエコ〕は、優越的地位濫用の成立を否定する理由の一部として、種々の法規制が存在する以上は行為者に一方的に有利な取引条件が設定されるとは考えられず、もしそうであるとすれば規制が発動されたはずであるのに発動されていない、ということを挙げている（審決集52巻の916頁）。この理由付けは、広島高岡山支判平成18年12月21日・平成18年（ネ）第18号〔アールエコ〕によって引用されている（審決集53巻の1063頁）。

141) 山口地下関支判平成18年1月16日・平成16年（ワ）第112号〔豊北町福祉バス〕は、自家用自動車の有償運送に対する国土交通大臣による許可は、無償でなく有償で運送することに対

には、事業法規制等そのものに正当な政策的含意があるとしても、それを根拠として独禁法における正当化理由とすることはできない[142]。

以上のような議論における事業法規制等には、他の法令そのもののほか、許認可がされていること、届出に対して変更命令がされていないこと、行政指導が行われていること、などの形態も含む。ここでは、事業法規制等の形式が何であるかよりも、事業法規制等の制定・運用が専門的な知見を背景として行われており競争政策の理念から見て尊重し是認し得るものであるか否かが、重要である[143]。

ただ、独禁法違反の成否の判断のなかで、上記のような意味で事業法規制等が尊重されるためには、当然のことながら、当該事業法規制等が信頼性のある形で制定され運用されていることが必要となる。例えば、当該事業法規制等に反する行為が平穏公然と行われていて当該事業法規制等が所定の命令や刑罰などによって法執行をされる見込みはない、という場合には、当該事業法規制等の存在を独禁法が尊重する必要はなく、独禁法上の判断を更地から行えばよいことになる[144][145]。

する許可であるから、独禁法上の略奪廉売にあたらないとの主張を支えるものとはならない、という趣旨のことを論じている（審決集52巻の925～926頁）。勘所事例集227～228頁。東京高判平成28年9月2日・平成27年（行ケ）第31号〔新潟タクシーカルテル〕の判示について、勘所事例集589～590頁。

142）石油製品価格協定刑事最判（刑集38巻4号の1315～1316頁、審決集30巻の260～261頁）、新潟タクシーカルテル東京高判（判決書83～84頁）。

143）最判平成22年12月17日・平成21年（行ヒ）第348号〔NTT東日本〕は、事業法所管官庁が変更命令等を発出していなかったことを勘案しないことを述べているが、これは、その事案における事実関係等を前提としたものであり、一般的に勘案が否定されるというものではない（判決書13頁、民集64巻8号の2081頁）。勘所事例集375～377頁。

144）大阪バス協会審決（審決集42巻の59頁）。同審決は、事業法規制等が機能していないことについて立証責任を負う審査官が立証をしていないという理由で、行為者を勝たせる結論を得た（審決集42巻の62～63頁）。

145）公正取引委員会「行政指導に関する独占禁止法上の考え方」（平成6年6月30日）が、行政指導に従った行為であっても独禁法に違反することはあり得ると一貫して述べていることは、以上のような思考過程を省略して結論のみを述べたものであろう。

第6節　国際事件と違反要件

1 「国際事件と独禁法」の全体像

国際事件は、どのような場合に日本独禁法に違反するのか、そして、どのような場合に日本独禁法の法執行をすることができるのか[146)][147)]。

「国際事件と法執行」も重要な問題ではあるが、これらは法執行の個々の制度ごとに、行政法・刑事法・民事法の各分野の国際的法執行論の一応用として論じ得るものであって、独禁法に特有のものは少ない。

それに対し、「国際事件と違反要件」は、独禁法特有の議論を必要とする。そこで以下では、「国際事件と違反要件」に絞って、国際事件の問題を論ずる。

「域外適用」という言葉があるが、本書では用いない。国際事件であっても、その事件を前にして日本独禁法として解決すべき問題は、当該事件が日本独禁法に違反するか、および、当該事件が日本独禁法の法執行の対象となるか、ということに尽きる。十人十色の好みによる「域外適用」概念に当該事件が該当するか否かを論じても、法的には全く無意味である[148)]。

2 関係条文

(1) 通常の違反類型

国際事件であっても、独禁法の通常の違反類型がそのまま使われる。すなわち、私的独占・不当な取引制限・不公正な取引方法の3大違反類型、事業者団

146) 国際事件と独禁法の問題に関し、国際法的な議論の枠組みを解説するものとして、小寺彰「独禁法の域外適用・域外執行をめぐる最近の動向」ジュリスト1254号（平成15年）。それによれば、違反要件との関係では国際法上の縛りは基本的にないといってよく（後記3(1)①）、法執行との関係では若干の縛りがある（後記626頁）。違反要件に関する議論は国際法では「規律管轄権」などと呼ばれ、法執行に関する議論は国際法では「執行管轄権」などと呼ばれる。文献によっては、「規律管轄権」を「立法管轄権」「実体管轄権」「事物管轄権」などと呼ぶものがあり、「執行管轄権」を「手続管轄権」などと呼ぶものがある。

147) 民事裁判での国際的管轄合意の取扱いや準拠法選択については、後記782〜783頁。

148) そのようなことは、もともとわかっていたことではあるが、「国際事件と違反要件」が問題となった注目事例であるブラウン管事件において、国内に本店のあるMT映像ディスプレイの行為が違反要件を満たすか否かが論ぜられたことは、「域外適用」という言葉の切れ味の悪さを象徴する出来事であった。

体規制、企業結合規制、などである。

その場合、国際事件を日本独禁法違反とすることができるか否かという問題は、「一定の取引分野における競争を実質的に制限する」や「公正な競争を阻害するおそれ」の解釈問題と位置付けることになる[149]。

(2) 6条・8条2号

独禁法典には、そのほか、国際事件を特に対象とする規定として、6条および8条2号がある。そのうち8条2号は、6条を引用した条文となっているので、以下では6条のみに触れる。

前記(1)の通常の違反類型と比べた場合の6条の独自性は、違反者となるものの範囲を拡張している点にある。すなわち、自ら不当な取引制限や不公正な取引方法の行為者ではない者であっても、それに該当する事項を内容とする国際的協定や国際的契約に参加すれば、6条においては違反者となる。

しかし、このような形での違反者の拡張は、立法論としては、疑問である。6条は、本来の意味での違反者を名宛人とせず、ときには当該行為の被害者でさえ違反者として、それを名宛人とする排除措置命令をする根拠となる。そうであるとすれば、第1に、被害者を違反者とする考え方それ自体が不適切である。第2に、事件によっては、被害者がむしろ率先して排除措置命令を受け、

---

149) すなわち、例えば国際カルテル事件では、2条6項の解釈・適用の問題として論ずることになる。従来の多くの議論は、公取委文書等も含めて、そのような場合に「3条後段」の問題として論じてきた。「後段」と述べることの問題はここでは指摘しないとしても（後記225頁註2)、3条は、違反要件を規定した2条6項と排除措置命令を規定した7条とを結ぶ中二階のようなものにすぎない。しかも、課徴金納付命令を規定した7条の2第1項では3条という中二階を経由せず2条6項が定義した「不当な取引制限」という言葉がそのまま登場している。国際カルテルであることに起因する違反要件論上の論点を3条の問題として論ずると、形式的には、課徴金のほうにはその議論が反映されないこととなる。3条の問題であるかのように論じている審決・判決・文献も、その全趣旨は、2条6項を論じているものであり、かりに3条を論じているかのように装っていても、適宜読み替えればよい。3条が7条の2第1項に登場しないことが知られるようになれば、3条を前面に押し出した議論も行われなくなるであろう。ブラウン管事件のうち、課徴金のみが争われたサムスンSDIマレーシア事件においても、公取委審決と東京高裁は「3条後段」という表現を用いたが、課徴金のみが争われた事例には3条の適用の余地はないのであって、そのような事例において3条に言及するのは適用条文の単なる誤りである。サムスンSDIマレーシア事件のみについて上告を受理し判決した最高裁は、以上のような指摘を踏まえてか3条には触れず、さりとて2条6項とも言わず、排除措置命令・課徴金納付命令に関する規定の適用、という不思議な表現を用いている（後記206頁註158)。

当該協定等を破棄しようとする場合があり得るが、そのような排除措置命令は、本来の意味での違反者に対する適切な手続保障を欠くことになる[150]。

立法論としてそうであるならば、運用としても、違反者の拡張のために6条を用いることは慎むべきであろう。現に、近年において、6条によって違反者の範囲が拡張されたことはない[151][152]。

3 日本独禁法違反となり得る範囲

(1) 総 説

① 国際法と各国法 各国の競争法がどの範囲を違反と論じてよいかという規律管轄権の問題について、国際法が特段の縛りをかけているということはなく、各国が各国法の解釈として共通に採用している考え方に準拠していればよい、という考え方が定着している[153]。

したがって、各国競争法がどの範囲を違反と論じてよいかという問題は、外

---

150) 最判昭和50年11月28日・昭和46年（行ツ）第66号〔ノボ天野〕は、デンマークのノボが行った不公正な取引方法について、契約の相手方である天野製薬のみを名宛人として行われた勧告審決に対し、ノボが取消訴訟を提起した事例である。判決は、原告適格がないとした。かりに今後、このような場合に天野製薬のような立場の者を名宛人とする排除措置命令をノボのような立場の者が争えるようになったとしても、しかし、排除措置命令の段階で本来の違反者を相手としないことの手続上の不十分さは、払拭することはできないように思われる。

151) 文献のなかには、6条の独自性として、日本市場とは言えない市場に関する事件であっても違反とできる条文である、という考え方を示すものがある。例えば、米国企業と欧州企業が米国需要者向けの商品役務について価格協定をした場合でも、不当な取引制限に該当する事項を内容とする国際的協定であるから6条に違反する、という論法である。しかし、6条に現れる「不当な取引制限」や「不公正な取引方法」という概念に該当するのなら、それらは3条や19条に違反するはずである。上記見解は、推測するにそこまで論ずるつもりはないのであろうから、同一法典内の1つの概念に2通りの意味を与える解釈であるということになり、支持し難い。

152) 文献のなかには、6条の独自性として、協定や契約をした時点で違反が成立する、という点が指摘されることがある。通常の不当な取引制限においても、違反成立時期については合意時説が主流であり、そうであるとすれば、6条には独自性がないことになるが、合意時説を採っていると言われる最高裁判決を精読すれば、合意時に常に不当な取引制限が成立するとは限らないのであり（後記249～251頁）、その限りでは、6条には違反成立時期の観点から独自性があることになる。しかし、立法論としては、なぜ国際的協定等の場合だけ常に合意時に違反とすべきであるのか、理由を説得的に説明することは難しい。

153) 小寺彰「独禁法の域外適用・域外執行をめぐる最近の動向」ジュリスト1254号（平成15年）65頁。

国競争法の状況をみながらの各国競争法の解釈問題だということになる。その際に、「○○主義」などの国際法的な色彩をもつ用語が、便宜上、あるいは自説を権威付けするために、用いられることがあるが、結局は、各国法が具体的にどのような基準で適用可能であるのかが大事なのであるから、本書では以下、そのような観点から必要な範囲の言葉遣いに徹し、必要もないのに難解な言葉を用いるのは避ける。

② **複数の段階を追った検討**　日本独禁法違反となり得る範囲に関する諸議論は、複数の段階に分かれる。以下の論述もそのような考え方によるものである。幸い、ブラウン管最高裁判決も全く同様の段階を踏んで、事案に即して3段階の検討を行っている。それが、後記(2)〜(4)に相当する。ブラウン管最高裁判決は私見とは結論が逆であるが、3段階を順に見ていけば、結論の分かれ目も明瞭となるであろう[154]。

(2) 効果理論の受容と定着（第1段階）

① **ブラウン管最高裁判決の前**　第1段階として、どのような場合に国際的事案を自国独禁法違反とできるかに関する抽象的なレイヤーの基準がある。結論としては、効果理論（effects doctrine）が世界的に定着し、日本でも受け入れられている。

この問題について、米国等の議論の発展をみながら早期に基本的な考え方を示したのは、平成初年に刊行された独占禁止法渉外問題研究会報告書である。それによれば、「国内市場」に影響のある行為は日本独禁法の問題として論じ得る[155]、他方、「我が国の市場」に効果を及ぼしていない行為は日本独禁法の問題とすべきでない[156]、とされた。「国内市場」と「我が国の市場」は同義と考えられ、後続する公取委文書で「我が国市場」とされたものとも同義と考えられるので、以下では便宜上、「我が国市場」とする。

154）最判平成29年12月12日・平成28年（行ヒ）第233号〔ブラウン管〕。この章では以下、「ブラウン管最高裁判決」などという。調査官解説は、池原桃子・最判解民事篇平成29年度下である。判示を3段階に分けて紹介・分析した拙稿として、白石忠志「ブラウン管事件最高裁判決の検討」NBL1117号（平成30年）、白石忠志・最高裁判所民事判例研究・法学協会雑誌140巻5号（令和5年）。

155）公正取引委員会事務局編『ダンピング規制と競争政策・独占禁止法の域外適用』（大蔵省印刷局、平成2年）67頁。

156）公正取引委員会事務局編・前記註155・84頁。

これは、米国に端を発して世界的に受け入れられている効果理論と同様の内容である。

その後、この考え方それ自体が批判的に分析されたことはなく、この程度の抽象的なレイヤーでは、考え方として定着していたと言ってよい[157]。

② ブラウン管最高裁判決（第1段階）

そのようななかで現れたのがブラウン管最高裁判決である。次のように述べた。「[独禁法] が、公正かつ自由な競争を促進することなどにより、一般消費者の利益を確保するとともに、国民経済の民主的で健全な発達を促進することを目的としていること（1条）等に鑑みると、国外で合意されたカルテルであっても、それが我が国の自由競争経済秩序を侵害する場合には、同法の排除措置命令及び課徴金納付命令に関する規定の適用を認めていると解するのが相当である。」[158]。

これは、効果理論という文言こそ用いていないものの、実質としては、効果理論を採用したに等しい。最高裁がこれを確認したということになる[159]。

(3)「効果」とは何か、「我が国市場」とは何か（第2段階）

① 自国所在需要者説の原則的定着

（i）問題の所在　　効果理論が定着していたとはいっても、効果理論にいう効果とは何か、「我が国市場」に影響があればよいという場合の「我が国市

---

157) ブラウン管事件が係属中であった時期に、公取委職員の著作において、効果理論は不要である等の旨の主張がされた（紹介として、勘所事例集584頁）。後述のように、最高裁判決は、第1段階で効果理論を採用し、第2段階で自国所在需要者説を例示したうえで、第3段階で公取委の命令は自国所在需要者説で説明できるとして是認したものである。なんとしても勝訴したかったのかもしれないが、世界的に定着した効果理論を否定するような主張をする必要はなかった。

158) 理由第2の2第1段落（判決書10頁）。不当な取引制限に該当する、と述べずに「排除措置命令及び課徴金納付命令に関する規定の適用を認めている」とした理由は定かではない（詳しくは、後記217頁註191および白石・前記註154（法学協会雑誌）654頁）。いずれにしても、2条6項の不当な取引制限の定義に該当しない限りは排除措置命令・課徴金納付命令はできないはずであるから、以下では、判決は2条6項の不当な取引制限の定義にいう「一定の取引分野における競争を実質的に制限する」の解釈として判示したものと翻訳して、紹介・分析する。

159) 引用した判示のなかに、「国外で合意されたカルテルであっても」という文言があり、この点を強調する紹介が少なくない。しかし、第1に、合意の場所が国内か国外かにかかわらず「効果」があれば自国独禁法違反となることは、独禁法分野では既に長年にわたり国際的常識として定着していた。第2に、この事案では、本質的争点は別にあったのであるから、かりに国内で合意されていた場合でも第3段階まで争われていたと思われる。

場」とは何か、という点は、明確に言語化されていたわけではなかった。

(ii) 自国所在需要者説　この点について、「我が国市場」とは需要者が自国に所在するような市場である、と明確な言語で定式化したのが、自国所在需要者説である[160]。

自国所在需要者説は、需要者保護が独禁法の法目的のうち大きな部分を占めることを、その前提としている[161]。

また、自国所在需要者説を採らないと、外国に所在する需要者に向けた取引について課徴金を課する場合が生ずる。他国との間に無用の摩擦を起こすばかりでなく、逆に、日本所在需要者に向けた取引について外国独禁法が課徴金を課したり損害賠償請求を認容したりしても反論することはできなくなる[162]。

自国所在需要者説は、最初に提唱されてから十数年は定説とはなっていなかったが、それは、実際の実務をそのように言語化するものが少なかったというだけであり、実際の実務のほとんどは、それまでにおいても自国所在需要者説で説明できた[163]。平成21年に、後記(4)の論点を提起するブラウン管事件の公

---

160) 白石忠志「自国の独禁法に違反する国際事件の範囲（上）（下）」ジュリスト1102号、1103号（平成8年）。

161) したがって、買う側の競争が問題となる事件では、裏返して、自国に供給者が所在するような市場に影響があれば日本独禁法の問題としてよいこととなる。

162) 米国連邦最高裁に係属していたエンパグラン事件についての日本政府意見書（平成16年(2004年)2月3日）でも、自国所在需要者説を当然の前提とした論述が展開されている。この事件は、国際カルテルによって被害を受けた米国外所在需要者が、米国裁判所において米国法によって損害賠償請求をした、という事案であった。このような事案で米国反トラスト法の適用を認めると、損害賠償額が大きくなるだけでなく、違反者は減免申請をした場合に失うものを予想できなくなり、ひいては各国の減免制度の機能に支障を来す、という問題があった。米国連邦最高裁は、そのような指摘にも言及しながら、米国法の適用を抑制する方向での判決をしている。白石忠志「F. Hoffman-La Roche Ltd. v. Empagran S. A.」白石忠志＝中野雄介編『判例　米国・EU競争法』(商事法務、平成23年) 314〜323頁。

163) 一般論として自国所在需要者説を明確に述べて判断した事例として、東京地決平成28年2月17日・平成27年（仲）第4号〔英国独占販売権仲裁〕(事実及び理由第3の2 (2) エ)、東京高決平成28年8月18日・平成28年（ラ）第497号〔英国独占販売権仲裁〕(理由第3の1)。公取委審判審決昭和47年8月18日・昭和39年（判）第2号〔三重運賃制・審決分〕は、担当者によって、日本で契約が締結されたために日本独禁法が適用された事件であると解説されているが（厚谷襄児＝田中真・公正取引265号（昭和47年）10頁)、審決には、そのような特段の判示はなく、「わが国の荷主」と契約を結んだ旨が書かれているのみである（審決集19巻の59頁)。公取委勧告審決平成10年9月3日・平成10年（勧）第16号〔ノーディオン〕には、契約締結

取委命令がされ、また、日本企業が違反者とされる自動車部品などの多数の国際カルテル事件が平成22年以降に露顕したことをきっかけとして、自国所在需要者説は当然の基盤を提供する考え方として急速に普及した。自国所在需要者説によるのでなければ、違反者の全世界向け売上額に対し、多数の国が多重的に課徴金・罰金を課することになるからである。そのような結論は、各国の競争法・競争当局が本能的に避けて、基本的には自国所在需要者に向けられた部分の売上額のみに注目して、各国が課徴金・罰金を課した。

自国所在需要者説のもとでは、優越的地位濫用事件でも、濫用行為の相手方が自国に所在するのであれば、自国独禁法の問題とすることができる[164)]。

(iii) ブラウン管最高裁判決(第2段階)　ブラウン管最高裁判決は、第2段階として、次のように述べた。「当該カルテルが我が国に所在する者を取引の相手方とする競争を制限するものであるなど、価格カルテルにより競争機能が損なわれることとなる市場に我が国が含まれる場合には、当該カルテルは、我が国の自由競争経済秩序を侵害するものということができる。」[165)]。

末尾の「我が国の自由競争経済秩序を侵害する」が、第1段階(前記(2)②)において、日本独禁法違反を論じ得る条件とされたのであり、それがどのような場合に具体的に満たされるかが論ぜられている。

地が日本である旨の記述があるが(審決集45巻の151頁)、小畑徳彦・同審決解説・NBL659号(平成11年)17～18頁は、当該記述は念のためのものにすぎず、行為地を問題にしようとするものではない旨を明言している。公取委命令平成20年2月20日・平成20年(措)第2号・平成20年(納)第10号〔マリンホース〕では、世界各国の需要者に関係する市場分割協定が認定されたが(排除措置命令書3～4頁)、不当な取引制限という法的評価が与えられたのは、日本需要者に向けた部分のみであった(排除措置命令書5～6頁)。勘所事例集299～303頁。「輸出」の制限が問題となったと紹介されることもあるエポキシ系可塑剤に関する勧告審決は、外国への輸出でなく日本への「輸出」に関するものであり、したがって検討対象市場の需要者は日本に所在する事例なのであるから、むしろ自国所在需要者説を補強するものである(公取委勧告審決平成7年10月13日・平成7年(勧)第14号〔旭電化工業〕、公取委勧告審決平成7年10月13日・平成7年(勧)第15号〔オキシラン化学〕)。

164) 少なくとも、搾取規制説ではそのようになる。公取委が主張する間接的競争阻害規制説では、若干の複雑な論理操作が必要となる。しかし、取引相手方が自国に所在するような事例であれば、多くの場合、行為者が供給者として参加する市場の需要者か、取引相手方が供給者として参加する市場の需要者の、少なくともいずれかは、自国に所在するであろうから、結論に差が出る事例は少ないであろう。搾取規制説と間接的競争阻害規制説については、後記471～472頁。

165) 理由第2の2第2段落(判決書10頁)。

途中に「など」があるので、論理的には、それより後の「価格カルテルにより競争機能が損なわれることとなる市場に我が国が含まれる」が中心的基準であって、その例示として、「当該カルテルが我が国に所在する者を取引の相手方とする競争を制限するものである」が掲げられているということになる。

他方で、第3段階を見ればわかるように、ブラウン管最高裁判決は、「など」の前の例示に該当することを根拠として、公取委審決を是認している。

この例示は、自国所在需要者説そのものである。判決は「需要者」と言わず「取引の相手方」としているが、売る競争においては需要者を指すであろう。買う競争においては供給者を指すことになるであろうが、自国所在需要者説はもとよりその趣旨を含んだ主張である[166]。

最高裁判決は、ブラウン管事件の事案はこの例示に該当するとして公取委審決を是認したのであるから、上記は例示にすぎないとして軽んじるのは、過小評価である。判決も調査官解説も、「競争機能が損なわれることとなる市場に我が国が含まれる」場合のうち、例示に該当しないものが、具体的に何であるのか、全く論じていない[167]。

② 自国所在需要者説に対する異論等の分析

(i) 総説　自国所在需要者説には例外があるのではないか、すなわち、

---

166) 調査官解説は、「需要者」とせず「取引の相手方」とした理由を具体的には述べていないが、この例示の部分は、市場を構成する供給者・需要者といった要素に着目したものであって自国所在需要者説と同様である旨を述べている。池原・前記註154・707頁。

167) 池原・前記註154・707頁は、例示されていない部分があるのであるから判決の考え方は自国所在需要者説とは異なる立場に立つものと思われる、としている。論理的には、そのようになる。しかし、例示に該当しないものが何であるのかは全く説明されておらず、しかも、事案の処理（公取委を勝たせる判断）は例示（自国所在需要者説）によって行われているのである。ブラウン管最高裁判決が、「需要者」とは言わず「取引の相手方」と述べたことや、これを形の上では例示にとどめたことなどに乗じて、ブラウン管最高裁判決は自国所在需要者説をとらなかった、と強調する文献は少なくないが、第3段階まで見通したうえでの本件の処理の現実を直視する必要があろう。判決の前後に、公取委の準備書面や公取委職員の著作において、需要者の概念に依拠した判断をする根拠はない旨の主張がされるなどしたが（後記215頁註185）、繰り返し述べるように、最高裁判決は、第1段階で効果理論を採用し、第2段階で自国所在需要者説を例示したうえで、第3段階で公取委の命令は自国所在需要者説で説明できるとして是認したものである。なんとしても勝訴したかったのかもしれないが、2条4項の「競争」の定義に現れ、また、例えば毎年度の企業結合事例集などに頻出する用語である「需要者」という概念を、否定するような主張をする必要はなかった。

自国所在需要者説では説明できない実務があるのではないか、ということがしばしば論ぜられる。

しかし、自国所在需要者説では説明できないと考えられている実務は、現在では存在感の薄い実務であるか、あるいは、実は自国所在需要者説で説明できるものであるか、のいずれかであり、自国所在需要者説の有効性を脅かすものではない。以下、敷衍する。

(ii) 需要者が国外に所在する市場からの排除　平成4年の米国司法省の方針は、自国所在需要者説で説明できない考え方の代表格である。その内容は、米国の供給者が外国への輸出について排除を受けた場合にも米国の反トラスト法を適用できる、というものであった。需要者が国外に所在するような市場について、自国所在の供給者が排除されたことに着目して自国競争法を適用しようとするものである。

公取委はこれに対して反論した[168]。すなわち、そのような事案においては、米国供給者の供給先が日本であるなら、それは「我が国市場」の問題なのであって、日本独禁法が適用されるべきである、と述べた。

公取委のような考え方が世界において多数であったようで、米国司法省のこの考え方は沙汰止みとなった。そして、同じような問題が生じた場合には米国司法省のような立場の競争当局は需要者所在国の競争当局にその問題を善処するよう要請することができる、という「積極礼譲（positive comity）」の考え方を二国間協力協定に盛り込むことで、米国司法省のような考え方は矛を収めることとなった[169]。

(iii) 輸出カルテル　公取委は過去に、国外需要者に向けた輸出カルテルに排除措置命令をしたことがある[170]。そのような事例は、自国所在需要者説では説明できない。

しかし、これらはいずれも、昭和52年改正によって課徴金が導入される前

168) 公正取引委員会「米国の輸出を制限する反競争的行為に対する米国司法省の反トラスト法の執行方針の変更について」（平成4年4月9日）（公正取引500号53頁に掲載）。

169) 例えば、平成11年締結の「反競争的行為に係る協力に関する日本国政府とアメリカ合衆国政府との間の協定」5条。

170) 公取委勧告審決昭和47年12月27日・昭和47年（勧）第18号〔化合繊国際カルテル〕等の同日の諸審決。

の事例であり、課徴金を課すことになるという緊張感のもとで行われた判断ではなかった。先例としての重みを欠く[171)172)173)]。

生産数量が限定された商品役務においては、輸出カルテルによって輸出数量が決まれば、自動的に国内向け供給量も決まり、国内向けの反競争性に繋がることがある、との旨の指摘がされることがある[174)]。しかし、そうであるのであれば、そのような事例を規制するのはまさに、自国所在需要者説の領域の問題であろう[175)]。

(iv) 国際カルテル　国際カルテルには、世界各国に所在する需要者を対象とするものがある。

しかし、社会的に単一の行為であっても、法的にはその一部のみを切り取ることができる。いわゆる国際カルテルは、かりに全体として1個の行為であるような外観を呈していても、自国に需要者が所在する市場に関する部分だけを切り取って、考察することになる。例えば、それぞれの国において地元供給者

---

171) 公取委勧告審決昭和58年3月31日・昭和58年（勧）第3号〔ソーダ灰〕は、供給者が国外に所在し、買う競争が制限された事例である。売る競争を念頭に置いた自国所在需要者説は買う競争では自国所在供給者説となるのであるから、そのような説では説明できない例だということになる。しかし、買う競争を制限する不当な取引制限が課徴金対象となったのは平成17年改正であり、この事例はやはり、課徴金導入前の事例だということになる。また、この審決は、そもそも、法律構成それ自体に問題があったと見ることもできる。需要者による協定によって購入量を減らし、需要者が自ら供給者となるような川下市場での競争を実質的に制限した、というのが、事件の本質ではなかったか。

172) 公取委勧告審決平成6年5月30日・平成6年（勧）第21号〔全国モザイクタイル工業組合〕は、東南アジア向けの輸出に係る共同行為に関するものではあったが、検討対象市場の需要者が国内の輸出業者であったため、自国所在需要者説で説明できる限界に位置する事例である。

173) 同様に、警告事例も、課徴金を課すことになるという緊張感を欠いており、先例としての重みを欠く。公取委公表平成11年3月18日〔人造黒鉛丸形電極〕や、公取委公表平成13年4月5日〔ビタミン〕には、いわゆる国際カルテルにおいて、日本所在の需要者と国外所在の需要者とをまとめたかたちで論じた部分があり、国外所在の需要者を念頭に置いている部分については自国所在需要者説では説明できないが、警告であり、国外所在の需要者に売った部分が課徴金対象となるという緊張感はなかった。

174) 山田昭雄「国際カルテルに対する規制について」法学新報109巻11＝12号（平成15年）166頁。

175) 公取委勧告審決昭和46年9月28日・昭和46年（勧）第36号〔メタノール・ホルマリン協会〕は、まさにそのような論理構成を採っている。輸出を奨励するための仕組みを事業者団体に置いたことが、国内向け供給数量の増加を抑えるよう機能した事案において、審決は、国内向け市場が検討対象市場であることを明言している。

だけが地元需要者に供給してよいとする国際的市場分割協定であるなら、日本独禁法の観点からは、そのような行為全体から、日本に所在する需要者に対して日本の供給者のみが供給できることとし外国供給者が供給できないよう拘束する行為であるという部分のみを切り取り、日本所在者のみを需要者とする市場を検討対象としたうえで違反とし、日本所在需要者に対する売上額のみを課徴金の対象とすることになる[176]。

(v) 世界市場　企業結合規制において、「世界市場」が画定される、などと言われることがある[177]。当局を含め、市場の地理的範囲をいうとき、需要者の地理的範囲を論じているのか供給者の地理的範囲を論じているのか明確にする習慣のない論者が多いので（前記57頁）、個々の論者が何を目指して世界市場を論じているのかは、不明であることも多い。ただ、供給者が世界に所在する市場が画定される場合があることは昔から当然であると考えられているので、この議論に特徴があるとすれば、需要者が世界に所在する市場が観念されている場合であると推測される。

ともあれ、このようにして、国外に所在する需要者をも含めた部分が検討対象市場に取り込まれることもあるのであるから自国所在需要者説では説明できない、とされることがある。

しかし、世界市場の考え方をその根拠にまで遡って分析すると、むしろ自国所在需要者説に立脚したものであることがわかる。世界市場の画定が認められ

---

176) したがって、日本所在需要者には日本供給者のみが供給し外国供給者は供給しない、という国際市場分割協定の場合、外国供給者には、検討対象市場における売上額がなく、課徴金が課されない。現に、公取委命令平成20年2月20日・平成20年（措）第2号・平成20年（納）第10号〔マリンホース〕では、外国供給者には課徴金納付命令がされなかった。この点について、例えば同種のEU競争法違反行為によって欧州で売上げのない日本企業が多額の課徴金を課せられていることを引き合いに、自国所在需要者説への疑問を提起する見解も聞かれる。しかしこの相違は、違反要件論のレベルにおいて自国所在需要者説を採るか否かという次元にあるのではなく、日本の課徴金制度が現実売上額を課徴金対象としているのに対し、EUの課徴金制度が国際市場分割協定がない場合の想定売上額を課徴金対象としているために生じているものである。勘所事例集303〜305頁。

177) 企業結合ガイドライン第2の3(2)。この記述は、平成23年見直しに伴って追加された。世界市場だけでなく東アジア市場が画定される場合も想定した記述となっているが、同じ論法によるものである。また、論理的には、日本国内を地域ブロックごとに分けるか、地域ブロックの境界を越えて日本全国などの市場を観念するか、という問題も、世界市場の議論と同様に論じ得る。ここではまとめて世界市場の問題として表記して述べる。

るのは、各供給者が世界中の需要者に対して統一価格で供給している場合である[178]。これは、そのようなときには各供給者が国内需要者と国外需要者とを区別して一部の需要者のみの価格を吊り上げたりすることができない状況にあるところ、世界市場において競争が活発であるならば、国内市場で反競争性が起こる可能性は低い、と言っているものと分析できる。すなわち、需要者が世界にまたがる世界市場が画定される、という考え方は、「新幹線飛行機問題」（前記91〜93頁）において、実は狭い市場が画定されるのであるが、市場外の需要者の存在に守られて狭い市場において反競争性が生じない、というパターンの、応用編なのである[179]。

公取委は、初期においてはそのことを明確に説明していたが[180]、その後、明確な説明がされなくなり、世界市場が検討対象市場として画定される、という表層だけが紹介されるようになった。平成23年に企業結合ガイドラインに追加された記述も、そのようなものとなっている。

世界市場の画定が言われるときには、隠れた実際の検討対象市場である国内市場が言及されることはほとんどないが、そのような大雑把な議論が許されているのは、日本を含む世界の競争法において、企業結合規制が課徴金等の金銭的不利益の対象となっていないからである。課徴金等の対象となる違反類型では、課徴金額が何らかの形で市場内売上額と連動していることが多いので、需要者の範囲がどのようになるのかを分析的に的確に議論せざるを得ない。企業結合規制には課徴金がないので、雑駁な議論でも許されている[181]。そのよう

---

178) 企業結合ガイドライン第2の3(2)。この要件を満たさないために世界市場が画定されなかったとみられる事例として、例えば、平成28年度企業結合事例5〔新日鐵住金／日新製鋼〕（事例集46頁）。同じ理論を、2度にわたって用いて当てはめて、日本を各地域に分ける必要はなく日本全国と考えてよいことを認めつつ、世界全体と考えるべきではないとした事例である。

179) 逆に、世界市場が画定されるがそこで反競争性が生ずるので国内市場でも反競争性が生ずる、とされることはある。平成22年度企業結合事例1〔BHPビリトン／リオ・ティントII〕。

180) 平成17年度企業結合事例8〔ソニー／日本電気〕。「世界における競争の状況が国内における競争に反映されていると判断した」としている（事例集42頁）。勘所事例集223〜225頁。

181) EU競争法では、市場画定と課徴金が連動しておらず、域外の需要者を含む世界市場を検討対象市場であるとしつつ、課徴金計算においては、それとは関係なく、EEA域内に所在する需要者に対する売上額を出発点としている。そうであるからこそ、域外の需要者を含む世界市場を掲げてこれが検討対象市場であると言えるのである。したがって、EUでは、世界市場論は企業結合規制であるか否かにかかわらず競争法全体で採り得る考え方であるとされている。市場画定

なものをそのまま持ち出しても、自国所在需要者説への反論とはならない。

(vi) 転々流通　国外の需要者に向けて反競争的行為が行われたが、その商品役務が転々と流通して国内に流入した場合に、どう扱うか。

同じ商品役務が転々として国内に流入した場合は、国内の購入者を検討対象市場の需要者であると言い得る場合もあろう[182]。

しかし、例えば、国外の需要者に向けて部品に関する反競争的行為が行われ、その部品が完成品に組み込まれ、そのような完成品が国内に流入した場合には、どのようになるか[183]。

このような場合にも、日本独禁法の適用対象となり得ると考えるべきであろう。この場合、国内の完成品購入者も部品の需要者である、というように、需要者の概念を拡張する方法もあるが、自国所在需要者説の例外と位置付ける方法もあろう。その違いは、説明の仕方の違いにとどまる。

(4) 需要者とは誰か（第3段階）

① 問題の所在　以上のように自国所在需要者説が定着したとしたところで、次に問題となるのが、需要者とは誰か、という問題である。

様々な場面があり得るが、以下では、商品役務の引渡し・提供を受ける者と、商品役務の購入に関する供給者との交渉をするなどの意思決定をする者とが、別の国に所在している場合に、どの国が自国競争法を適用できるのか、という問題を想定する。自国所在需要者説というときの需要者とは誰のことであるか、ということであり、商品役務の供給を受け使用収益する者を重視する考え方と、交渉などを行う意思決定者を重視する考え方の、いずれを採るのか、ということである[184]。

このようなことは、独禁法が保護するのは誰であるのかが問題となる需要者の側であるから、議論になる。供給者の側は、商品役務を供給せず意思決定を

と課徴金計算が連動している日本では、そのようなわけにはいかない。

182) 純粋の国内事件でも、カルテル参加者と最終購入者との間に商社等が介在し、カルテル参加者を供給者とし最終購入者を需要者とする検討対象市場が確定されることはしばしばある。

183) 完成品に占める部品の割合が小さければ、部品について反競争性が発生しても、完成品については反競争性が発生しないということがあり得る（前記82〜84頁）。ここでは、完成品に占める部品の割合が十分に大きく、完成品についても反競争性が発生することを前提とする。

184) この問題を早期に論じた例として、邵瓊儀「自国競争法の国際的適用範囲」ソフトロー研究22号（平成25年）77〜86頁。

行うだけの者であっても違反者となり得ることには異論はない[185]。

この論点が具体的に争われたのが、ブラウン管事件である[186]。

② 意思決定者を重視する考え方 ブラウン管事件の公取委審決と東京高裁判決は、意思決定者を重視する考え方を採用した。すなわち、自由競争経済秩序においては自由に意思決定をできることが重要であるという一般論を強調して、日本独禁法の適用を肯定した[187]。

③ 供給を受け使用収益する者を重視する考え方 それに対しては、商品役務の供給を受け使用収益する者を重視する考え方がある。この考え方は、商品役務が結局のところどこに供給されるのかが経済の本質に近い、と考えるものである。例えば、患者が購入する医薬品は医師が決定し患者に指示するという場合に医師は薬剤費を負担しないから需要者による牽制力が働かないとした公取委の企業結合事例があるが[188]、そこにおいて、意思決定をする医師を保護すべきであると考える者は少ないであろう。それはまさに、医師は薬剤費を負担しないからである。そうすると、着目すべきなのはやはり、反競争的行為によって意思決定が制約されることではなく、それに基づいて供給を受けることなのである、と考えられる。

---

185) 別の箇所で論じた（前記177〜178頁）。なお、買う競争が問題となった事案では、供給者とは誰かが議論となるのであり、そのような事案では、需要者の側で、供給を受けず意思決定をしただけの者が違反者となることには異論はない（例えば、公取委命令平成20年10月17日・平成20年（措）第17号・平成20年（納）第44号〔溶融メタル等購入談合〕）。ブラウン管事件の係属中に、公取委が、溶融メタル等購入談合の事例を掲げて、需要者は商品役務の供給を受けている必要はない旨の主張をしたが、買う競争に関する溶融メタル等購入談合事件での状況を、売る競争に関するブラウン管事件に持ち込もうとするものであり、論点のすり替えであって、全く説得力はない。後記註187のブラウン管MT映像ディスプレイ等東京高裁判決の判決書25〜26頁（被告公取委の主張）。その紹介として、勘所事例集579〜580頁（初出は最高裁判決の1年6か月ほど前の平成28年6月である（白石忠志「ブラウン管事件東京高裁3判決の検討」NBL1075号（平成28年）10頁））。

186) 以下で見ていくブラウン管事件では、部品であるブラウン管についてカルテルが行われたが、そのブラウン管や、ブラウン管を組み込んだ完成品であるブラウン管テレビが日本に流入したという認定は、カルテルを日本独禁法違反とする理由としては言及されていない。転々流通の観点（前記(3)②(vi)）から日本独禁法の適用を肯定することは同事件ではできないことを前提とした議論をする必要がある。

187) 明確に順を追って判示したものとして、東京高判平成28年4月13日・平成27年（行ケ）第38号〔ブラウン管MT映像ディスプレイ等〕（判決書38〜39頁）。勘所事例集572〜579頁。

188) 平成20年度企業結合事例1〔キリン／協和発酵〕（事例集9頁）。

また、意思決定を重視する考え方を採ると、需要者の所在国が恣意的に操作され、あるいは、経済の本質には関係のないところに競争法の結節点が生まれることになる。供給側と交渉し意思決定をする者は、商品役務の流れに関係なく世界のどこに置かれることもあり得る。交渉等を親会社でなく代理人が行っており供給側はそのような代理人を相手方として交渉する、ということもあり得るが、そのような場合に代理人の所在国を基準とするのも奇妙であろう。全くの日本国内取引であったはずが、国内需要者の意思決定を外国所在者が行っていたために、外国競争当局による外国競争法の適用対象とされ課徴金等の対象となっても、意思決定を重視する考え方では、反論が難しい。

以上の次第で、私見では、供給を受け使用収益する者が自国に所在しなければ、日本独禁法を適用することはできないと考えるべきである。

④ **ブラウン管最高裁判決（第3段階）**　ブラウン管最高裁判決は、この問題について一般論を述べるのを避け、認定された事実関係を並べたうえで、結論としては、事案における意思決定者である需要側親会社も需要者であった旨の結論に至った。判決は、以下の事実を掲げた。(a) 需要側親会社は、需要側子会社によるブラウン管テレビの製造販売事業を統括・遂行していた、(b) その一環として、需要側親会社は、ブラウン管テレビの基幹部品であるブラウン管の購入という需要側子会社の事業について、取引条件を決定し、購入を指示し、現に購入させていた、(c) 需要側親会社は、ブラウン管の取引条件に関する供給側との交渉を自ら直接行っていた[189)]。そのうえで、判決は次のように述べた。「そうすると、本件の事実関係の下においては、本件ブラウン管を購入する取引は、我が国テレビ製造販売業者と現地製造子会社等が経済活動として一体となって行ったものと評価できるから、本件合意は、我が国に所在する我が国テレビ製造販売業者をも相手方とする取引に係る市場が有する競争機能を損なうものであったということができる。」。そのうえで、「本件合意は、……我が国の自由競争経済秩序を侵害するものといえる」とした[190)]。

---

189) ブラウン管最高裁判決は、交渉を需要側親会社が行ったことには触れたが、その交渉が国内で行われた、等の、交渉の場所に関することには、触れなかった。最高裁判決より前には、交渉が日本で行われたことを強調して、日本独禁法の適用を根拠付けようとする論が存在したが、最高裁判決は、そのような見解を全く裏書きしていないということになる。最高裁判決より前の状況の紹介として、勘所事例集580〜583頁。

「我が国に所在する我が国テレビ製造販売業者をも相手方とする取引に係る市場が有する競争機能を損なうものであった」という、この部分の鍵の判示は、第2段階の「など」の後でなく、「など」の前の例示の部分に相当するものである。ブラウン管最高裁判決は自国所在需要者説を根拠として公取委を勝たせた判決であると読めるというのは、そういうことである。

⑤ **ブラウン管最高裁判決に関するまとめ**　ブラウン管最高裁判決の第3段階の判断は、一般論を述べない事案限りのものではあるが、ビジネスにおいて「集中購買」と呼ばれる形態においてはかなりの程度、前記④の(a)(b)(c)の条件は満たすのではないかとも思われる。ブラウン管事件の事案の東南アジアを日本に、日本を外国に、それぞれ置き換えて考えると、日本で供給され使用収益される商品役務について、外国所在の需要側親会社が集中購買をしていることを理由に当該外国の競争法の適用が主張されても、反論は難しい。

以上のような理由で、私見では、ブラウン管最高裁判決の第3段階に対して批判的である。

他方で、この判決は、「効果理論→自国所在需要者説→需要者とは誰か」という、私見として従前から主張していた段階的枠組みを明瞭にそのまま採用した。第3段階で、重点の置き方が異なり、逆の結論となっただけである[191]。

このような適切な枠組みが採用されたことを歓迎しつつ、第3段階における

---

190) 理由第2の3および4(判決書11頁)。

191) ブラウン管最高裁判決は、このほか、供給が外国で行われた本件において課徴金納付命令をすることは妥当である旨の判示を行っている。理由第3の2(判決書12頁)。課徴金に関する7条の2が、不当な取引制限との法的評価を受けた取引の対象となった商品役務(「当該商品又は役務」)の売上額をもとに計算されるものとして法定されている以上(後記282～283頁)、これは、当然である。この事件で私見と同旨であったとみられるMT映像ディスプレイの上告受理申立て理由も、課徴金の論点に触れず、ここまでで見てきた違反要件の議論に集中した(最高裁は、課徴金の論点に触れているサムスンSDIマレーシアの上告受理申立てのみを受理した)。本件のような事案で課徴金を課すべきでないという論は、(a)本件事案は違反でないから課徴金も課し得ないという論(令和元年改正後でいう7条の2第1項1号の条文の通常の解釈に即している)と、(b)本件事案は違反であるが課徴金は課し得ないとする論(私見からは、令和元年改正後でいう7条の2第1項1号の条文を理解できていない)とに分断された。調査官解説には、違反要件論においては(b)の存在を強調し、課徴金論においては(a)の存在を強調する趣がある(池原・前記註154・704～706頁、711～712頁)。つまり、本件における公取委の事件処理に反対する意見は、違反要件に関する反対論と、課徴金に関する反対論とに分断され、それぞれ、他方の論点では賛成論として扱われることもあった、ということである。

不適切な点を相対化する作業を、今後において行う必要がある[192)]。

ブラウン管最高裁判決の直後、公取委は、その考え方を二重に用いて結論を導くことのできる命令を行っている[193)]。

(5) 外国競争法との重複の回避

社会的に1個とされる価格協定や企業結合であっても、複数の法域に所在する需要者らに向けた複数の取引に影響を及ぼす場合には、その価格協定や企業結合に対して複数の法域で競争法が適用されることは当然であると考えられている。

しかし、1個の取引が複数の法域の競争法による刑罰や課徴金の対象となるなら、調整が必要であると考えられる場合が多い。

自国所在需要者説を採り、かつ、意思決定者を重視するのでなく供給を受け使用収益する者が自国に所在するか否かを基準とすべきである、という私見は、そのような調整を違反要件のレベルで実現しようとするものである。

そのように違反要件を縮小することについては、競争当局は慎重であることが多いが、結局は調整の結果として競争当局が同じ結論をとることがある[194)]。

---

192) 調査官解説は、判決の射程は狭く限定される旨の解説をしている（池原・前記註154・709頁）。それ自体は説得力を欠く解説ではあるが（白石・前記註154（法学協会雑誌）654頁）、そのように解説される状況なのであれば、判決の第3段階が一般論を述べない事例判断であったことも相俟って、今後に向けての可塑性は高いと考えられる。

193) 公取委命令平成30年2月9日・平成30年（措）第5号・平成30年（納）第15号〔HDD用サスペンション〕。まず、東芝とSAEとの関係（排除措置命令書4頁）について、ブラウン管事件の需要側親会社と需要側子会社になぞらえた議論が必要である。次に、命令書には明記されていないが、SAEから購入するHGAは国外の東芝の子会社においてHDDに組み立てられていた模様であり、そうすると、東芝と東芝子会社との関係について、ブラウン管事件の需要側親会社と需要側子会社になぞらえた議論が必要である。東芝の子会社の模様については、事件座談会公正取引827号9頁。

194) 典型例として、公取委命令平成20年2月20日・平成20年（措）第2号・平成20年（納）第10号〔マリンホース〕において、世界各国の需要者に関して市場分割行為を認定しつつ、日本所在需要者に関する部分についてのみ違反との法的評価をしたことを挙げることができる。勘所事例集299～303頁。また、公取委命令平成26年3月18日・平成26年（措）第6号・平成26年（納）第102号〔自動車運送業務北米航路〕などの自動車運送業務の価格協定をめぐる事件において往路のみについて行為を認定し違反としたこと（北米航路事件では排除措置命令書別紙の「特定自動車運送業務」の定義）は、自動車運送業務の需要者が出発地（自動車会社）と仕向地（自動車ユーザ）の両方に所在することに鑑みて、法適用の過度の重複を避けようとしたものではないか、とも推測される。

私見としては、それを違反要件の解釈でなく競争当局の裁量に委ねると、過大な法執行をしたときに歯止めが効かなくなることを懸念するものである。

ブラウン管最高裁判決においても、日本所在の需要側親会社が需要者であることを根拠に全ての検討対象商品役務について課徴金を課したほか、同時に、外国所在の需要側子会社が商品役務の供給を受け使用収益をしたことを根拠に当該外国の競争法によって全ての検討対象商品役務について課徴金を課する可能性を否定していない[195]。1個の取引について二重に課徴金を課すことがあり得る判断となっている。このような観点からも、私見としては、ブラウン管最高裁判決の判断に批判的である[196]。

195）公取委審判審決令和元年11月26日・平成25年（判）第22号〔軸受NTN課徴金〕では、違反者が外国所在の需要側本社等と交渉していたとしても、商品役務が日本国内で供給されることを根拠として、公取委の課徴金納付命令を是認している（審決案25～26頁）。

196）ブラウン管最高裁判決の頃の米国の裁判例の状況について、勘所事例集584～586頁。

第2部

各違反類型

第6章
各違反類型序論

第1節　第2部の役割

第2部「各違反類型」では、日本独禁法に規定された各違反類型ごとに、違反要件と法執行の各論を行う。他の違反類型と共通して総論的に論じ得るものについては、第1部や第3部で取り扱う。

第2節　各違反類型の比較

私的独占・不当な取引制限・不公正な取引方法の3大違反類型は、相俟って、「事業者の行為がその時点においてもたらす弊害に着目した規制」となっている。3大違反類型は、相互にかなりの程度において重なり合っている。そのうちどの違反類型を選ぶかは、建前上は違反要件を満たすか否かによって、実質的には法執行の内容がその事件に見合うか否か等の諸事情をも勘案して、決められる。

事業者団体規制は、事業者団体が主導して3大違反類型と同様の弊害をもたらしている場合に、事業者団体を規制対象とする。

企業結合規制は、複数の者による企業結合が、3大違反類型と同様の弊害を将来においてもたらす蓋然性がある場合に、企業結合を事前に規制する。3大違反類型と比べて異質であるというわけではなく、時間軸がずれているだけである。

第3節　複数の違反類型の重畳的適用

同一の行為に対し複数の違反類型を重畳的に適用することは、許されるか。

石油製品価格協定刑事事件の最高裁判決は、不当な取引制限と8条1号について、重畳的適用の可能性を認めた、とされている。同判決は、「独禁法上処罰の対象とされる不当な取引制限行為が事業者団体によつて行われた場合であつても、これが同時に右事業者団体を構成する各事業者の従業者等によりその業務に関して行われたと観念しうる事情のあるときは、右行為を行つたことの刑責を事業者団体のほか各事業者に対して問うことも許され、そのいずれに対し刑責を問うかは、公取委ないし検察官の合理的裁量に委ねられていると解すべきである」とする[1)]。

その理由付けとして、同判決調査官解説は、競争停止行為は、事業者団体によって行われることも事業者によって行われることもあり得るところ、その境界は明らかではなく、常にいずれかに割り切るのには無理がある、との旨を述べている[2)3)]。

同じことは、「不当な取引制限と事業者団体規制」以外の他の組合せについても、言えるであろう[4)]。

---

1)　最判昭和59年2月24日・昭和55年（あ）第2153号〔石油製品価格協定刑事〕（刑集38巻4号の1309頁、審決集30巻の256頁）。「そのいずれに対し刑責を問うかは」という文言は、いずれかの適用しか認めないようにも読めるが、同判決調査官解説によれば、それに先立つ、事業者団体「のほか」各事業者に対して問うことも許され、という文言と併せて読めば、重畳的適用を否定する趣旨ではない、という（木谷明・最判解刑事篇昭和59年度121頁）。勘所事例集34～35頁。

2)　木谷・前記註1・121頁。

3)　重畳的適用が可能であることを前提として不当な取引制限による立件を是認した事例として、東京高判平成20年4月4日・平成18年（行ケ）第18号〔元詰種子価格協定〕（判決書67～69頁）。その他、事業者団体の構成事業者と事業者団体非加盟の事業者との間で行われた共同行為に対し、前者を8条1号（当時の8条1項1号）違反とし、後者を不当な取引制限とした事例がある（公取委命令昭和63年12月8日・昭和63年（納）第15号〔米国海軍発注工事談合〕（審決集35巻の69頁、77頁））。

4)　後記361頁註6の事例は、「支配型私的独占と不当な取引制限」の組合せについて検討する素材として有益である。

第7章
不当な取引制限

第1節　総　説

1　概　要

(1)　違反要件

「不当な取引制限」は、2条6項により、次のように定義されている。「事業者が、契約、協定その他何らの名義をもつてするかを問わず、他の事業者と共同して対価を決定し、維持し、若しくは引き上げ、又は数量、技術、製品、設備若しくは取引の相手方を制限する等相互にその事業活動を拘束し、又は遂行することにより、公共の利益に反して、一定の取引分野における競争を実質的に制限すること」[1]。

3条[2]が禁止規定であるが、それによって付加された違反要件はないので、専ら2条6項のみを見れば足りる[3]。

---

1)　不当な取引制限に関連して「カルテル」という言葉が用いられることが多い。そのような用例において、「カルテル」という言葉は、不当な取引制限と同じ意味で用いられる場合、弊害要件を満たすか否かを問わず共同行為を指す言葉として用いられる場合、入札談合を除いて「カルテル」と言っている場合、など、ありとあらゆる用いられ方をしている。独禁法典で定義されているわけでもなく、しかも様々な意味で用いられている言葉に言及するのは、精確な法律論にとっては有害無益であるとも言えるが、俗称としては便利であるから、法的分析に影響しない俗称としての用法に限定して、本書でも「カルテル」という言葉を用いることとした。

2)　独禁法分野では「3条後段」と言われることが多いが、最近の一般的な法制執務においては、前段・後段という呼称は条・項などが2文に分かれている場合の第1文・第2文を指すことを想定しているようである（ワークブック法制執務新訂2版193〜195頁）。本書では、単に「3条」ということとする。「3条」では私的独占なのか不当な取引制限なのかは判別できないことになるが、「3条」と言わず極力「不当な取引制限」または「2条6項」と言うようにすれば足りる。

不当な取引制限は6条で規制されることもあり得ることとなっている（前記203〜204頁）。

(2) 法執行

不当な取引制限に該当する行為に関する法執行は、次のようになっている。

排除措置命令の根拠となる（7条）。

課徴金納付命令の根拠となる（7条の2第1項）。

限定的に確約制度の対象となる（48条の2、48条の6）。

刑罰の根拠となる（89条1項1号、95条）。

民事差止請求の根拠とはならない（24条）[4]。

25条による損害賠償請求の根拠となる。

その他の民事訴訟において、当該請求の要件の成否を判断するための説明道具として援用される可能性は、もちろんある。

2 位置付け・独自性

不当な取引制限は、共同行為を広く対象とした違反類型である。共同行為の代表例は、価格協定や入札談合である。共同行為は、私的独占にも該当する場合があるが、私的独占に該当すると言えるためには、他の事業者の事業活動を排除または支配することが要件となる。共同行為は、不公正な取引方法にも該当する場合があるが、やはり、対象や切り口が限定的である[5]。

法執行の面では、課徴金と刑罰の根拠となることが特徴的である。不公正な取引方法は刑罰の根拠とはならないし、1回の違反では課徴金の根拠ともなら

---

3) 国際事件など、条文に具体的な明文のない問題を論ずる場合に、2条6項には該当するが3条に違反しない、という余地を認めるかのようにして議論が進められることがある。しかし、そのようなことは2条6項の違反要件の中に適切に位置付けたうえで議論すべきものであり、3条に何らかの不文のものを期待して論ずべきではない。課徴金に関する7条の2第1項は、2条6項で定義された不当な取引制限に該当すれば3条を介さず直ちに課徴金を課すこととしており、これをみても、3条に不文の何かを期待して議論するのは不適切である。7条の2第1項が3条を掲げていないことが専門家のあいだで知られるようになれば、このような議論の仕方は次第に行われなくなるものと期待される。この点についてはさらに、前記203頁註149。

4) 不当な取引制限に該当する行為が不公正な取引方法にも該当する場合には、民事差止請求の対象となる。

5) 例えば、共同の取引拒絶（2条9項1号、一般指定1項）や、取引相手方に対する拘束（2条9項4号、一般指定11項・12項）に限られる。

ない。私的独占も、平成17年改正・平成21年改正により課徴金対象となったが事件数は少なく、刑罰の対象となることもあり得るが確率は低い。

8条1号は、対象とする行為類型においても法執行においても、不当な取引制限と共通する面が多い[6)]。

第2節　行為要件

1　総　説

(1)　条　文

不当な取引制限を定義する2条6項の行為要件は、「契約、協定その他何らの名義をもつてするかを問わず、他の事業者と共同して対価を決定し、維持し、若しくは引き上げ、又は数量、技術、製品、設備若しくは取引の相手方を制限する等相互にその事業活動を拘束し、又は遂行すること」である。

例示等の枝葉を取り除けば、「他の事業者と共同して……相互にその事業活動を拘束し、又は遂行すること」となる[7)]。

(2)　条文の文言の分け方

この行為要件は、長い間、「他の事業者と共同して」と「相互にその事業活動を拘束し、又は遂行すること」とに分けて議論されてきた。後者の「又は」より前は、略して「相互拘束」と呼ばれてきた。

そうしたところ、この行為要件を「他の事業者と共同して……相互に」と「その事業活動を拘束し、又は遂行すること」とに分けるべきであるとする独自の説が現れ、これが多摩談合最高裁判決の判示に取り入れられた[8)]。

---

6)　同一事件での不当な取引制限と8条との選択や重畳については、前記224頁。

7)　「対価を決定し、維持し、若しくは引き上げ、又は数量、技術、製品、設備若しくは取引の相手方を制限する等」という文言は、昭和22年に制定された独禁法にはなかった。現在の2条6項に相当する昭和28年改正前2条4項では、単に「他の事業者と共同して相互にその事業活動を拘束し、又は遂行することにより」と規定されていた。「対価を決定し、維持し、若しくは引き上げ、又は数量、技術、製品、設備若しくは取引の相手方を制限する等」は、昭和28年改正の際、同改正によって削除された昭和28年改正前4条に掲げられていた行為態様を不当な取引制限の定義規定のほうに例示的に追加したものである（昭和28年改正解説123頁、129頁）。

8)　最判平成24年2月20日・平成22年（行ヒ）第278号〔多摩談合課徴金新井組等〕（判決書

「相互に」という文言が諸論点を生む原因となってきたことは確かであるが（後記 **3**）、他方で、これを「他の事業者と共同して」のほうに付けて「他の事業者と共同して……相互に」としたところで、それらの論点が解消されるわけでもない。むしろ、このようにすると「相互に」は、論理的には、「又は」で結ばれる選択肢の１つではなくなり、必ず要求される要件となるわけであるから、事態を悪化させるものであるとさえ言える。そのような奇妙な分け方を採用した多摩談合最高裁判決の調査官解説は、その理由を正面から解説するわけでもなく、依拠した文献を引用しているわけでもない9)。その事件での結論を分ける争点でもないのに、特に理由付けを示したり解説をしたりすることもなく、既存の裁判例や公取委審決例を含む日常実務で長年にわたり用いられてきた組立てを不用意に変えるような判示に今後の実務が従う必要性は、乏しいように思われる10)。

公取委の日常的実務を含む普段の議論の大勢は、多摩談合最高裁判決後も、同判決の判示には関係なく「相互拘束」等の言葉で行われており、ただ、最高裁判決の判示を全く無視するわけにもいかず、議論が大きく歪まない範囲でそれにあわせた認定等をしてみせることもある、という状況にある。他方で、刑事判決は、多摩談合最判の切り分けには従うそぶりも見せていない。刑事判決に繋がる刑事告発をしている公取委の文書も、同様である（後記 259 頁）。

そうであるとすれば、この問題には、次のように対応するのがよい。

まず、行為要件を複数に分けるのをやめて、「他の事業者と共同して……相互にその事業活動を拘束し、又は遂行すること」で１つであるとして扱えばよい。もともと、後記 **2**(1)①のように意思の連絡が必要であるという定説は固ま

14 頁、民集 66 巻 2 号の 810 頁）。

9)　古田孝夫・最判解民事篇平成 24 年度上 199～200 頁（その 206 頁注 12 が、下記の該当文献の別の箇所を、「その事業活動を拘束し」の解釈という個別論点に即して、引用しているにとどまる）。このような独自の分け方を提唱した該当文献は、越知保見 = 荒井弘毅 = 下津秀幸「カルテル・入札談合における審査の対象・要件事実・状況証拠（2）」判時 1980 号（平成 19 年）33～34 頁である。不当な取引制限の行為要件が不当に狭く解釈され事案に当てはめられる場合がある旨を縷々論じたうえで、その解決策として「相互に」を前に付けることを提唱している。

10)　後記 256 頁註 116 で述べるように、多摩談合最判およびその調査官解説には、それが破棄した原判決の論理構造を正解していたとは考えにくい口吻があり、その細部の措辞まで尊重しなければならないほどの重みがあるとは言えない。

っているものの、これが、「他の事業者と共同して」の解釈であるのか「その事業活動を拘束し」の解釈であるのかも定かでなく、曖昧に議論されてきた[11)]。独禁法の草創期にも、「他の事業者と共同して……相互にその事業活動を拘束し、又は遂行すること」は一体として論ぜられていた[12)]。

そして、そのうえで、「相互に」という文言が存在することによって生ずる論点を、後記**3**のように、別枠で論ずればよい。そのような論点が登場する事案は、一部に限られている。

(3) 「又は遂行する」について

以上のような行為要件のうち、「又は遂行する」の部分は、結論をいうと、通常は無視されている[13)]。「相互拘束」と「遂行」は「又は」で結ばれているが、しかし「遂行」は、東宝・新東宝東京高裁判決以来[14)]、伝統的に、「相互拘束」の周縁を固めるにすぎず独立の範疇を形成するものではない、と考えられてきた。不当な取引制限をめぐる通常の議論において、「相互拘束」が必ず満たされる必要がある要件として論ぜられてきたのは、このためである。

しかし、入札談合の刑事事件においては、特殊な状況があり、議論の経緯もあって、「遂行」が実務において一定の役割を果たしている。入札談合を論ずるうえで重要であるから、別の箇所でまとめて述べる（後記第5節）。

2 意思の連絡

(1) 要件としての「意思の連絡」

① 「意思の連絡」説の採用　「他の事業者と共同して」に該当するというためには、共同行為参加者の間に意思の連絡があることが必要である[15)]。換言す

---

11) 多摩談合最判は、「その事業活動を拘束し」は事業活動に関する意思決定が制約されるという意味であるとし、「他の事業者と共同して……相互に」は意思の連絡という意味であると述べているように見えるが、両者は相当に重なっている。その後の下級審判決も同様である。

12) 石井良三 98〜101 頁、昭和 28 年改正解説 123〜129 頁。

13) 「又は遂行する」は、「他の事業者と共同して」とあわせて「共同遂行」などと呼ばれることもある。しかし、「共同」は「相互拘束」のほうにもかかる。

14) 東京高判昭和 28 年 12 月 7 日・昭和 26 年（行ナ）第 17 号〔東宝／新東宝〕（高民集 6 巻 13 号の 906 頁、審決集 5 巻の 143〜144 頁、審決等データベースの PDF 358〜359 頁）。

15) 意思の連絡の要件の内容および後記(2)の立証方法につき、主要な文献に目配りした最近の文献の例として、多田敏明「一実務家から見た不当な取引制限の論点」日本経済法学会年報 37 号（平成 28 年）76〜86 頁。

れば、複数の者の行動が結果的に一致しているというだけでは、「他の事業者と共同して」の要件を満たすとするには足りない。この解釈を夙に明らかにしたのは、昭和24年の湯浅木材等合板談合審決の、「単に行為の結果が外形上一致した事実があるだけでは未だ十分でなく、進んで行為者間に何等かの意思の連絡が存することを必要とするものと解する」という判示である[16)17)]。そしてこの解釈は、平成7年の東芝ケミカルII東京高裁判決によっても確認された。すなわち、「相互の間に「意思の連絡」があったと認められることが必要であると解される。……一方の対価引上げを他方が単に認識、認容するのみでは足りない」[18)]。日常的な独禁法関係実務において、「意思の連絡」説は、当然の前提とされている[19)]。「意思の連絡」を縮めて「合意」と呼ばれることもあるが、基本的に同じ意味である[20)21)]。

---

16) 公取委審判審決昭和24年8月30日・昭和23年（判）第2号〔湯浅木材等合板談合〕（審決集1巻の82頁、審決等データベースのPDF 83頁）。引用は、審決等データベースで入手できるPDFによる。

17) 競争関係にある複数の事業者について「単に行為の結果が外形上一致した事実があるだけ」である状況は、意識的並行行為（conscious parallelism）と呼ばれており、この呼称は、行為要件を満たさない類型の1つを指すものとして定着している。

18) 東京高判平成7年9月25日・平成6年（行ケ）第144号〔東芝ケミカルII〕（審決集42巻の417頁）。

19) 例えば、相談事例等において、競争者間の情報遮断が前提となって公取委に許容される場合が多いのは、将来において意思の連絡の要件を満たすことを予防するためである。

20) 厳密には「合意」よりも広く「共通の意思の形成」も含む、とされることもあるが（後記註23）、些細な点であり、日常的にそのような違いを意識して「意思の連絡」と「合意」を使い分けている論者はほとんどいないといってよい。例えば、成立時期をめぐる「合意時説」（後記249頁）や、入札談合における「基本合意」という言葉（後記255頁）において、意思の連絡よりも狭いものを想定している論者はいないといってよい。

21) ある事業者が他の事業者に対して競争停止の勧誘（invitations to collude）をしただけでは、意思の連絡をしたことにはならないと考えられている。もちろん、事案によっては、競争停止の勧誘があった事実に他の間接事実を付加することで意思の連絡が立証されたとされることはあり得る。いわゆる電力カルテル事件では、命令前の報道では関西電力による競争停止の勧誘の事例であるかのように伝えられることもあったが、少なくとも公取委の命令書では、関西電力と他の事業者とが対等に通常の意思の連絡をしたかのような記載となっている。公取委命令令和5年3月30日・令和5年（措）第2号・令和5年（納）第6号〔関西電力・中部電力〕、公取委命令令和5年3月30日・令和5年（措）第3号・令和5年（納）第8号〔関西電力・中国電力〕、公取委命令令和5年3月30日・令和5年（措）第4号・令和5年（納）第9号〔関西電力・九州電力〕。

「意思の連絡」説が定着している背景には、以下のような諸点がある。

第1に、他者の状況を見ながら自らの行動を決めることそれ自体は、競争の常道である。これを禁止されたのでは、そもそも事業活動を行えなくなる。かりに意思の連絡のない行為を違反としても、排除措置の命じようがない。価格が一致していることを問題視するとしても、売るなと命ずることはできず、公取委が価格を定めて命令することもできない（後記702〜703頁）。

第2に、不当な取引制限の法執行が厳しい。不当な取引制限であると認定されれば、多くの場合、課徴金を課さねばならない。したがって、違反要件のハードルをある程度は高くしておかなければ、妥当でない結論が導かれる可能性がある[22)]。

弊害要件は、違反者とされない者との意思連絡なき協調的行動によって満たされる場合もあるが、その場合も違反者は、いずれかの他の事業者と意思の連絡をしているという行為要件を満たしていなければならない。「意思の連絡」に参加せず、協調的行動をとっているだけである者は、弊害要件の充足に寄与してはいるが、行為要件を満たさないので、違反者とはされない。

② 「意思の連絡」の要件の外延　「意思の連絡」の概念は、もちろん典型的には、価格や入札内容などの明示的な合意を指すが、その外延を画する基準については、必ずしも十分な定式化はされていない[23)]。

東芝ケミカルII判決は、「ここにいう「意思の連絡」とは、複数事業者間で相互に同内容又は同種の対価の引上げを実施することを認識ないし予測し、これと歩調をそろえる意思があることを意味し、一方の対価引上げを他方が単に認識、認容するのみでは足りないが、事業者間相互で拘束し合うことを明示し

22）この点との関連で、昭和52年改正によって導入され平成17年改正によって廃止された、同時期・同程度の価格引上げに関する報告徴収の制度というものが存在した（平成17年改正前18条の2）。この制度は、意思の連絡がない、あるいはその立証が難しい価格引上げに対して、当該供給者らを違反者とは呼ばない緩やかな法執行によって一定の牽制効果をもたらそうとしたものであった。この制度は必ずしも有効に機能しなかったとされ、廃止された（詳しくは、平成15年独占禁止法研究会報告書第2部第5）。

23）「意思の連絡」の外延において、明確な「合意」に該当しないようなものについて、共通の意思の形成などといった言い回しが用いられることもある（例えば、公取委命令平成20年12月18日・平成20年（納）第62号〔ニンテンドーDS用液晶モジュール〕（課徴金納付命令書別紙2頁）、公取委命令平成20年12月18日・平成20年（措）第20号〔ニンテンドーDS Lite用液晶モジュール〕（排除措置命令書4頁））。

て合意することまでは必要でなく、相互に他の事業者の対価の引上げ行為を認識して、暗黙のうちに認容することで足りると解するのが相当である（黙示による「意思の連絡」といわれるのがこれに当たる。）」と述べている[24]。

しかし、そのような状態が、湯浅木材等合板談合審決や東芝ケミカルII判決によって「他の事業者と共同して」と言うに足りないとされた「単に行為の結果が外形上一致した事実があるだけ」あるいは「一方の対価引上げを他方が単に認識、認容するのみ」というものと比較して何が違うのか、必ずしも判然としない。

結局、意思の連絡の概念とは、「単に行為の結果が外形上一致した事実があるだけ」あるいは「一方の対価引上げを他方が単に認識、認容するのみ」を超えて、何らかの形で意思を通じ合わせる行為である、と表現するしかないのが現状である、と言わざるを得ない[25][26]。

③ 「意思の連絡」の諸論点

（i） 意思の連絡の具体的内容　　意思の連絡の認定においては、競争への影響をもたらし得るような内容の合意等を認定できればよく、それ以上の詳細な内容の合意まで存在することについて立証される必要はない。例えば、意思の連絡に参加した事業者の範囲を具体的かつ明確に認識することまでは要しない[27]。合意に参加した者の氏名等を特定できる必要もない[28]。意思の連絡の成

24） 東芝ケミカルII東京高判（審決集42巻の417頁）。

25） 微妙な事案において意思の連絡を否定した一例として、公取委審判審決平成6年7月28日・昭和59年（判）第1号〔昇降機保守〕がある（審決集41巻の81～95頁）。関係事業者間の「競争」の存在は認められたものの（前記42～43頁）、ゼロとは言えないという程度の薄いものであったことが、意思の連絡を否定する判断の基底にあったのではないかとも思われる。木村和也「競争関係の程度は意思の連絡の成否に影響を与えるか」BUSINESS LAWYERSウェブサイト勝因を分析する独禁法の道標6第4回（令和5年）、白石忠志「不当な取引制限と競争関係」（木村・前掲解説の直後に掲げたコメント）。

26） 意思の連絡を否定した一例として、公取委審判審決平成12年8月8日・平成11年（判）第5号〔技研システム〕（審決集47巻の231～236頁）がある。この事案では、受注予定者が2社のいずれとなったかの連絡を受けたうえで他の事業者は協力するとされていたところ、2社のいずれとなるかが決まらない旨の連絡があり、合意の前提が失われた。受注予定者が2社のいずれとなるかには関知せず協力する旨の合意があった、という事案とは異なる。

27） 東京高判平成20年4月4日・平成18年（行ケ）第18号〔元詰種子価格協定〕（判決書75～76頁）。

28） 東京高判平成24年10月26日・平成23年（行ケ）第24号〔荷主向け燃油サーチャージケイ

立時期やその動機・意図について立証する必要もない[29]。

(ii) 会合における沈黙　問題となった会合において沈黙していた場合でも、暗黙の了解がされたと認定できるのであれば意思の連絡を認定できる場合がある[30]。

(iii) 制裁の要否　意思の連絡があったと言えるためには、その実効性を担保する制裁等の定めがあることは必要か。

石油製品価格協定刑事事件の最高裁判決は、価格協定参加者の事業活動が事実上相互に拘束される結果となれば十分であり、制裁等の定めがなかったとしても相互拘束の成立は否定されない、という趣旨の判示を行った[31]。この立場の背景には、不当な取引制限の規制の着眼点は市場における反競争性にあり、被拘束者に対する抑圧にあるわけではない、という考え方があるのだろう[32]。

以上のことは、制裁の定めがなくとも意思の連絡があったと言える場合がある、ということであり、制裁の定め等の実効性確保手段があれば意思の連絡の立証をしやすくなることは確かである。

(iv) 間接の意思の連絡　意思の連絡は、共同行為者間で直接に行われることもあるが、間接に行われたものであってもよい。

例えば、会合には出席していないが事後にその内容を知らされて了承した、という場合も、「意思の連絡」をしたというに妨げはない。その種の事例は枚挙に暇がない。

その１つの応用が、競争者同士が必ずしも直接に意思の連絡をするわけではなく特定の者を媒介として意思の連絡をした、という場合であり、「ハブ＆ス

ラインロジスティックス〕（判決書 75～76 頁）。

29) 東京高判平成 18 年 12 月 15 日・平成 18 年（行ケ）第 7 号〔大石組排除措置〕（判決書 17～18 頁）、元詰種子価格協定東京高判（判決書 66～67 頁）。

30) 東京高判平成 21 年 9 月 25 日・平成 19 年（行ケ）第 35 号〔ポリプロピレン排除措置トクヤマ等〕（判決書 65 頁）。

31) 最判昭和 59 年 2 月 24 日・昭和 55 年（あ）第 2153 号〔石油製品価格協定刑事〕（刑集 38 巻 4 号の 1310～1311 頁、審決集 30 巻の 257 頁）。この事案では、価格協定参加者は、協定内容の実施に向けて努力する意思を持ち、他の者もこれに従うものと考えて価格協定を締結したので、事実上相互に拘束される結果となる、とした。

32) 夙に明快かつ詳細に同旨を論じていたものとして今村成和『独占禁止法〔新版〕』（有斐閣、昭和 53 年）78～81 頁。それによれば、「遂行」という文言も、制裁等の定めが必要ではないかとの論が出ないようにするための補いとして加えられたと解される、という。

ポーク」などと呼ばれている。

(v) アルゴリズム・AIと意思の連絡　アルゴリズム・AIによる意思の連絡はあり得るか、という問題がある。アルゴリズム・AIが「ハブ」であると考えれば、「ハブ&スポーク」の問題の1つの応用であるとも言える。

結局、アルゴリズム・AIを道具として用いて伝統的な意味での意思の連絡が行われるということはあるが、人や組織の作用があるわけでもないのにアルゴリズム・AIが独自に動いて価格の斉一化などをもたらした、というにすぎない場合は、これを意思の連絡と扱って人や組織を法的に非難するコンセンサスは、まだない、ということになろう[33]。

(vi) 意思決定権者の関与の要否　ある事業者において価格等の意思決定権を持たない者が、他の事業者と連絡をとることがあるが、このような場合に意思の連絡があるというためには、意思決定権者がこれに関与している必要があるか否か、が問題となる。

奥村組土木興業東京地裁判決は、連絡をとった者が事業者の事業活動に事実上の影響を及ぼすことができる立場にあれば足りるのであってその事案で実際に影響を及ぼしたと立証できる必要はない旨の公取委の主張を明確に否定し、連絡内容が事業者の意思決定権者に報告され意思決定に影響を及ぼしたことが必要である旨を述べている[34]。

事案において、意思決定権者に報告され意思決定に影響を及ぼしたことが立証された例もある[35]。事案における状況によっては、そのような事実が推認さ

---

33) 以上に関するまとまった文献として、デジタル市場における競争政策に関する研究会「アルゴリズム／AIと競争政策」（令和3年3月)、寺西直子「アルゴリズムと競争法」有斐閣Online記事ID: L2212003（令和5年)。

34) 東京地判令和元年5月9日・平成28年（行ウ）第453号〔奥村組土木興業〕(判決書25頁)。東京地判平成25年2月25日・平成24年（特わ）第956号〔軸受刑事日本精工〕は、自動車用軸受について職務権限を持たず委任も受けていないうえに自動車用軸受の担当者への内部報告もしていない産業用軸受の担当者が、他の事業者の担当者と連絡を取りあったとしても、その時点では意思の連絡は成立していない、とした（審決集59巻第2分冊の426～427頁)。東京高判令和5年4月7日・令和2年（行ケ）第10号〔シャッター〕は、会合参加者に直接の職務権限がある必要はないと述べるかのようであるが、結局は、実質的に同等の権限があったと認定しているのであり（判決書104～105頁)、上記の考え方を否定するものではない。

35) 公取委審判審決平成25年7月29日・平成21年（判）第1号〔ニンテンドーDS用液晶モジュール等シャープ〕(審決案31～82頁)、東京高判平成22年12月10日・平成21年（行ケ）第

れ、事業者としての意思形成の具体的経過の立証までは要しないとされることもあり得る[36]。

(2) 「意思の連絡」の立証

① **総説**　ハードコアカルテルに対して厳しい法執行が用意されていることが広く知られていることもあり、意思の連絡の明確な証拠が残されていることは多くない。審判手続や取消訴訟で争われたハードコアカルテル事件の多くのものにおいて、間接事実による意思の連絡の立証が適切に行われたか否かが審理されている。

意思の連絡が行われる状況は事案ごとに千差万別であるから、立証について特定の決まった枠組みや定式が支配するというものではなく、事案ごとに、事案に関係する様々な間接事実を用いて立証が行われる[37]。そのことを述べたうえで、しばしば現れる間接事実を便宜的に類型化すると、原材料価格の推移等のその業界をめぐる「背景事情」、検討対象市場における商品役務の価格の推移や予測などの情報交換を行う「事前の連絡交渉」[38]、競争関係にある複数の者が同一時期に同様の価格引上げを行うなどの「事後の行動の一致」、価格引上げの実施状況や需要者の反応などの情報交換を行う「事後の連絡交渉」、などを挙げることができる[39]。また、意思の連絡そのものに関する直接証拠とし

46号〔モディファイヤー排除措置〕(判決書67～68頁)。

36) 奥村組土木興業東京地判(判決書25～26頁)。事案に当てはめて意思の連絡を肯定した。

37) 後記註41の東芝ケミカルII東京高判が掲げた枠組みの有用性を認めつつ、そこに掲げられていない要素も総合した認定があり得るのは当然であることを明記するものとして、シャッター東京高判(判決書86頁)。

38) 事前の連絡交渉は「情報交換」と呼ばれることもある。これが間接事実とされるということからもわかるように、事前の連絡交渉や情報交換があったというだけでは、意思の連絡があったとはされない。なお、この点が企業結合取引に係る損害賠償事件の結論に影響した事例として、東京地判令和3年10月27日・平成29年(ワ)第40098号〔コンデンサ事業譲渡時告知義務〕。

39) 公取委審査局管理企画課企画室職員らによる研究である公正取引委員会競争政策研究センター「カルテル事件における立証手法の検討」(平成25年) 7～12頁、96～104頁、別添1～11、は、意思の連絡の立証の構造を、直接証拠である供述調書とともに、間接事実を「背景事情」「事前の連絡交渉」「事後の行動の一致」「実効性の確保」などに分類して分析しており、参考となる。ただ、「実効性の確保」という表現は、意思の連絡が存在したことを当然の前提としたもののように見えてしまう。意思の連絡の立証を論ずる際には、これを事後の連絡交渉とでも呼び、そのような間接事実が立証されるので意思の連絡の実効性確保が図られたのではないかと窺われる、などと位置付けるほうが、議論が公正で穏当であるように思われる。また、この文献は、入札談

て、減免申請者の従業員などによる供述調書などが用いられることも多いようである[40]。他方で、意思の連絡がなくとも同一時期に一致した行動が起こり得たことを示す特段の事情が示されたならば、意思の連絡の成立を打ち消す方向で作用することになる。

平成7年の東芝ケミカルII東京高裁判決が、上記のうち、「事前の連絡交渉」と「事後の行動の一致」を挙げて、これらがあれば意思の連絡が推定される旨を判示したため[41]、この推定の枠組みを中心として意思の連絡の立証をめぐる議論が展開してきたことは確かである[42]。その存在感は現在でも大きい。しかし上記のように、実際には、多様な間接事実が考慮されながら立証が行われている。東芝ケミカルII東京高裁判決が議論を牽引してきた役割を評価しつつ、しかしそれを一定程度において相対化して位置付けるのが、意思の連絡の立証をめぐる現在の状況を理解するには、適切であるように思われる[43]。

意思の連絡の立証は、複数の違反被疑事業者の全てについて論ぜられることが多いが、特定の個別の違反被疑事業者が意思の連絡に参加したか否かについて論ぜられることもある[44]。

合は別の言葉で説明し、複数の個別調整の存在が基本合意の意思の連絡の間接事実となるとしており、そのこと自体はそのとおりであるが、複数の個別調整とはつまり「事後の行動の一致」なのであるから、殊更に異なる枠組みを掲げるまでのこともないであろう。

40) 減免申請者の従業員等による供述の信用性について、後記343～344頁。

41) 東京高判平成7年9月25日・平成6年(行ケ)第144号〔東芝ケミカルII〕(審決集42巻の418頁)。

42) 諸議論のなかには、東芝ケミカルII東京高判が掲げた2つの要素と、推定覆滅の根拠となり得る要素がないことの、合わせて3つを指して「3分類説」などと呼ぶものがあるようであるが、間接事実には様々なものがあり得ることに加え、間接事実の類型分けをどのようにするかは頭の整理の問題にすぎないので、類型の数を論じてもあまり意味はない。

43) シャッター東京高判。

44) 個別の事業者について、談合組織に入会していたものの意思の連絡がないと判断された事例として、東京高判平成23年6月24日・平成22年(行ケ)第6号〔大森工業〕(判決書27～35頁)(類似事案で意思の連絡があるとされたものとして東京高判平成23年10月7日・平成22年(行ケ)第10号〔南建設〕(判決書16～23頁))、公取委審判審決平成22年9月21日・平成16年(判)第26号〔国土交通省関東地方整備局発注PC橋梁工事談合排除措置〕におけるSMCコンクリート(審決案39～42頁)、公取委審判審決令和元年9月30日・平成25年(判)第30号〔段ボール用でん粉〕における加藤化学(審決書2～5頁および公表審決案72～80頁)(同じ事件で、加藤化学と同様に会合には参加していなかったものの、それがコンプライアンス対応によるものであり協調関係は維持されていたと認定されたJ-オイルミルズについて、審決書2頁およ

② 諸論点

(i) 事前の連絡交渉の立証は必須か　事前の連絡交渉が立証されない場合でも、例外的に意思の連絡が立証される場合はある、と言われることがある[45]。

しかしそれに対しては、留保が必要である。

第1に、そのような考え方を明言する区分機類談合排除措置審決は、意思の連絡がされやすい極めて例外的な市場環境が存在したという事案を念頭に置いたものであり、しかも、当該事案での実際の判断にあたっては、やはり事前の連絡交渉に関する立証が重要であると述べ、現にそれに沿った認定をしている[46]。同事件の東京高裁判決も、その延長線上にある[47]。

第2に、そもそも、意思の連絡そのものを直接に立証できず、しかも事前の連絡交渉についての何らの立証すらないまま、市場環境や結果としての行為の一致のみをもって意思の連絡があるとするのは、まさに意思連絡説が否定しようとした考え方そのものである。「単に行為の結果が外形上一致した事実があるだけ」あるいは「一方の対価引上げを他方が単に認識、認容するのみ」で「他の事業者と共同して」の要件を満たすとする考え方と、何ら異なるところがない。その意味で、少なくとも事前の連絡交渉があったことは、単なる間接事実でなく、要件そのものに限りなく近いものであると考えるべきである。

(ii) 事前の連絡交渉の内容　事前の連絡交渉が間接事実とされるために

び公表審決案60～72頁ならびに東京高判令和2年9月25日・令和元年(行ケ)第53号〔段ボール用でん粉〕)。

45) 公取委審判審決平成15年6月27日・平成10年(判)第28号〔区分機類談合排除措置〕。「意思の連絡が容易であるとみられるような市場環境にあることが認定されれば、意思の連絡をするための会合等の事前の連絡交渉が認定できなくとも、意思の連絡に資すると認められる事業者の事前・事後の市場行動等の事実を総合することにより、意思の連絡の存在が推認できることもあり得る」とした(審決案87頁)。

46) 「しかし、事前の連絡交渉等の行為が、どのように行われ、その内容がどのようなものであったかということを確定することが、意思の連絡を推認する上で重要であることは変わりはない」と述べて、それに沿った認定をしている(審決案90～92頁)。

47) 東京高判平成20年12月19日・平成19年(行ケ)第12号〔区分機類談合排除措置II〕(判決書46～54頁)。同判決が「中でも」(判決書51頁)重要であるとした事実には事前の連絡交渉を正面から取り扱ったものは含まれていないように見える。しかし、行為者らが郵政省への対応方法を話し合った会合等についても、同判決は詳細に言及している。

は、その内容が、意思の連絡がされたと疑われる内容に関連するものでなければならない。例えば価格を引き上げるという内容の意思の連絡がされたと論ずるのであれば、事前の連絡交渉は価格引上げに関連する内容のものでなければならない。複数の競争事業者の自然人従業者が同席して何らかの交流をすることは社会における日常茶飯事であり、それらを全て間接事実とすることはできないからである。

(iii) 事後の行動において一致した内容　意思の連絡の立証の間接事実とされるためには、意思の連絡がされたと疑われる内容を実現しようとする行動の一致があれば足りる[48]。実際には、例えば価格を引き上げようとする内容の意思の連絡がされた場合に、それを個々が実現しようとしても、取引相手方から価格引上げを拒絶されるなど、最終的な取引内容においては「一致」していない、という場合があり得る。しかしここでは、あくまで意思の連絡の存在を立証することが目的なのであるから、外部要素によって意思の連絡の内容が実現しなかったなどという事柄は、問題に関係しない。皆が価格を引き上げようとした、という事実があれば、間接事実とするには十分である。

(iv) 不自然な一致であるか否か　たとえ結果としての行為の一致があるとしても、それが不自然なものであって初めて、意思の連絡を立証するための間接事実として意味を持つこととなる。換言すれば、意思の連絡がなかったと仮定してもいずれにせよ同じような行為の一致は見られたはずである、というのでは、間接事実としては弱い[49]。

---

48) 東京高判平成7年9月25日・平成6年（行ケ）第144号〔東芝ケミカルII〕（審決集42巻の421頁）。

49) 東芝ケミカルII東京高判（審決集42巻の417頁）、区分機類談合排除措置審決（審決集50巻102頁）、など。区分機類談合排除措置審決が、それに続けて更に「事後の市場環境」と題して論じている点は、結局のところ、結果としての行為の一致が不自然なものであるか否かを判断するための下位の考慮要素となっている。すなわち、同審決が「事後の市場環境」と述べている場合の「事後」とは、意思の連絡がされた後ではなく、意思の連絡の内容に基づく実行行為等が全てなくなった後を指し、「事後の市場環境」とは、そのような時期においてもなお行為の一致や価格の高止まりなどが見られたか否か、ということを指す。そうであるとすれば、「事後の市場環境」とは、結果としての行為の一致が不自然なものであったか否かを判断する材料であるということになる。

3 「相互に」がもたらす諸論点

(1) 競争関係の要否

① **問題**　「相互に」という文言があるために存在する論点の1つとして、行為要件を満たす複数の違反者の間に競争関係があることは必要か、という論点がある[50)]。

② **競争関係必要説**　長い間、競争関係必要説が採られた。それは、昭和28年の新聞販路協定東京高裁判決が競争関係必要説を採ったからである[51)]。この事件は、昭和28年改正前の4条に関するものであったが、判決は、まず不当な取引制限について競争関係必要説を適切とし、そのうえで、昭和28年改正前の4条もそれにあわせるべきであると判示した。公取委も、その後、不当な取引制限について同判決に従った実務を行った。

③ **競争関係不要説への潮流**　しかしこの状況には批判が強く、少なくとも平成に入ってからの公取委ガイドラインや事例には、競争関係不要説に向けた潮流が見られる。

まず、平成3年の流通取引慣行ガイドラインである。一般論として、相互拘束の内容は全ての当事者について同一である必要はなく、共通の目的の達成に向けられたものであれば足りる、とした[52)]。

また、平成5年の東京高裁判決が、競争関係不要説の方向での判示を行っている[53)]。一般論として、現代では競争関係必要説は疑問であると述べた。この判決は、その理由付けに重大な誤解があるようにも思われ[54)]、また、競争関係

---

50) この論点を含め、不当な取引制限において競争関係の有無が問題となる局面には少なくとも2種類あることについて、白石・前記232頁註25。

51) 東京高判昭和28年3月9日・昭和26年（行ナ）第10号〔新聞販路協定〕（高民集6巻9号の479〜480頁、審決集4巻の184頁、審決等データベースのPDF 203頁）。

52) 平成29年の改正後の流通取引慣行ガイドライン第2部第2の3 (1) 注2。

53) 東京高判平成5年12月14日・平成5年（の）第1号〔シール談合刑事〕（高刑集46巻3号の338〜340頁、審決集40巻の795〜796頁）。同判決は、この論点を、競争関係にない者は独禁法3条の「事業者」と言えるか、という表現で論じており、その点においては日本語の問題として疑問である。

54) 新聞販路協定東京高判は、仔細に読むと、不当な取引制限について競争関係必要説を採ることを当然の前提としつつ、昭和28年改正前の4条もそれにあわせるべきであると判示したものであった（前記②)。したがって、シール談合刑事東京高判が、現在においては同条は廃止されたのであるから不当な取引制限の解釈を同条にあわせる必要はないとしているのは、主従を取り

必要説は疑問であると述べたのみであって当該事案において具体的に競争関係不要説を適用したわけではないのであるが[55]、新たな解釈を提唱しようとする意欲を示した判決であると受け止められ、しばしば引用されている。

その後も、各取引段階から１ずつの者が参加した共同行為を不当な取引制限とした例は見あたらない[56]。

しかし、競争者同士の共同行為が存在する事案において当該事案においては必ずしもそれらの競争者らと競争関係があるとは言えない可能性がある者を不当な取引制限の違反者とする事例が現れている[57][58]。

そのような場合には、競争関係がない可能性がある違反者に課徴金を課し得るのか、課すとしてどの商品役務の売上額を対象とするのか、という問題が生ずる。取引段階が異なるだけであって同じ商品役務を転々と流通させているという場合には、従前から課徴金を課しているようである[59]。検討対象市場の商

違えたものだと言わざるを得ない。勘所事例集 62～63 頁。

55) 当該事案では、問題となった日立情報システムズは実質的には他と競争関係にあると述べて、不当な取引制限に該当するとした（審決集 40 巻の 796～797 頁）。勘所事例集 61～68 頁。

56) 流通取引慣行ガイドライン第１部第２の３(1)においても、取引段階を異にする複数事業者が共同行為を行う諸々の例が①～④として挙げられているものの、それらはいずれも、一方の取引段階に複数の競争事業者を含むものであって、いずれの取引段階にも１ずつの事業者しか存在しないような共同行為は掲げられていない。

57) 公取委命令平成 30 年７月 12 日・平成 30 年（措）第 13 号・平成 30 年（納）第 33 号〔全日本空輸発注制服〕におけるオンワード商事、東京地判令和４年９月 15 日・令和２年（行ウ）第 22 号〔活性炭本町化学工業〕（判決書 21～22 頁、23～26 頁、44～47 頁）。公取委命令令和４年 10 月６日・令和４年（措）第４号・令和４年（納）第 32 号〔広島県発注コンピュータ機器談合〕、公取委命令令和４年 10 月６日・令和４年（措）第５号・令和４年（納）第 35 号〔広島市発注コンピュータ機器談合〕において入札に参加していなかった事業者について、事件座談会公正取引 875 号 15～16 頁。

58) 子会社などが競争者と競争関係にある事案で、親会社などもあわせて違反者とする事例は、少なからず存在する。理由付けが特に示されなかったり、違反行為に関与したから違反者であるという程度の理由付けしか示されなかったりする事例が多い。販売価格の引上げ等を図るという合意の目的の達成に向けて自己の事業活動の拘束を受けるのであれば自己の「事業活動の制約を相互拘束の一端として引き受け」たという位置付けで、メーカーは相互拘束の要件を満たす、とした事例として、公取委審判審決平成 27 年５月 22 日・平成 23 年（判）第 84 号〔富士電線工業〕（審決案 37～39 頁）。この事例は、親会社のみを違反者としたものであるが、親会社を違反者とするか子会社を違反者とするかによって、当時の規定による課徴金算定率が異なったことが背景にあったのではないかと推測される。勘所事例集 546～548 頁。

59) 活性炭本町化学工業東京地裁判決はその例である。

品役務そのものではなく、その原材料等を供給していたとみられる事案では、課徴金を課していないが[60]、令和元年改正によって導入された7条の2第1項3号を使って課徴金を課し得る場合がある（後記308〜310頁）。

(2) 一方的拘束

① **問題**　「相互に」という文言があるために存在する論点の1つとして、専ら一方のみが利益を得る、または、専ら一方が他方を支配し従属させている、という意味での一方的拘束を含むか、という論点がある。

② **伝統的な考え方**　一方的拘束は含まない、とする考え方が、伝統的には根強い。もともと独禁法制定直後から、「相互に」とは、一方的でなく対等、という意味である、とする解説が存在した[61]。続いて、東宝・新東宝東京高裁判決も同旨を述べた[62]。

③ **限界事例**　しかし、一方的拘束は含まないとする伝統的考え方を採っていると、窮することもある。その代表例は、いわゆる市場分割協定において、何らかの事情により、分割後の特定の市場のみに着目して立件する場合である。市場分割協定とは、典型的には、「α地域の需要者にはα地域の供給者のみが供給し、β地域の需要者にはβ地域の供給者のみが供給する」というものであるが、何らかの事情により、α地域の需要者のみに着目した市場を検討対象市場とした場合には、α地域の供給者がβ地域の供給者に対して一方的拘束を行っているようにもみえることとなる[63]。

---

60)　公取委審判審決平成8年8月6日・平成5年（判）第3号〔シール談合課徴金〕の日立情報システムズ（審決集43巻の161〜162頁）、全日本空輸発注制服公取委命令におけるオンワード商事、などは、そのように説明できると思われる。

61)　石井良三99頁。

62)　東京高判昭和28年12月7日・昭和26年（行ナ）第17号〔東宝／新東宝〕（高民集6巻13号の906頁、審決集5巻の143頁、審決等データベースのPDF 358頁）。同判決は、東京高判昭和28年3月9日・昭和26年（行ナ）第10号〔新聞販路協定〕が不当な取引制限について述べた一般論（高民集6巻9号の479〜480頁、審決集4巻の184頁、審決等データベースのPDF 203頁）を引用し支持しているが、新聞販路協定判決の一般論では、競争関係の要否の論点と、一方的拘束の論点とが、渾然一体となっていた。東宝／新東宝判決は、新聞販路協定判決とは異なり、東宝と新東宝とが競争関係にあるとされた事案に関するものであるから、一方的拘束に関する判決であると言える。

63)　公取委勧告審決平成14年12月4日・平成14年（勧）第19号〔四国ロードサービス〕では、α地域すなわち四国地区に所在する供給者は四国ロードサービスのみであったが、当該供給者とβ地域である中国地区の供給者とがいずれも不当な取引制限の違反者とされた。小菅英夫・同審

④ **限界事例への対応**　結局、このような限界事例については、拘束は検討対象市場の外のものであってもよい、と解することによって対応する、というほかはないように思われる。すなわち、検討対象市場においては一方的拘束となっているように見えるが、検討対象市場において拘束を受けていないように見える者は、実は検討対象市場の外で他の供給者に見返りを与えているのである、ということである[64]。

第3節　弊害要件

1　総　説

不当な取引制限を定義する2条6項の弊害要件である「一定の取引分野における競争を実質的に制限する」の解釈は、弊害要件総論のとおりである（前記第2章）。

非ハードコアカルテルについては、正真正銘、そのとおりであるが、ハードコアカルテルについては特別な議論があるかのように言われることも多い。以下、それらを順に見る[65]。

決解説・公正取引628号（平成15年）92～93頁は、四国ロードサービスは必ず受注するという「拘束」を受けていた、と解説しているが、やや苦しい。勘所事例集166～167頁。公取委命令平成20年2月20日・平成20年（措）第2号・平成20年（納）第10号〔マリンホース〕では、α地域すなわち日本に所在する複数の供給者だけでなく、β地域すなわち外国に所在する供給者も不当な取引制限の違反者とされた。同命令で日本所在需要者の市場のみが検討対象市場とされた背景には、国際事件と独禁法をめぐる論点の影響があると思われる（前記211～212頁）。

64）　四国ロードサービス勧告審決では、中国地区の供給者は、四国ロードサービスの「依頼に応じれば、四国ロードサービスは［中国地区の］入札に参加しないと考え」という認定がある（審決集49巻の245頁）。マリンホース事件でも、命令書では検討対象市場とされず違反行為とされなかった外国需要者の部分について、日本供給者が供給せず外国供給者が供給するという合意があった旨が認定されている。

65）　競争者同士の共同行為のうち、通常は特に悪性が強いと考えられる価格協定や入札談合などが俗に「ハードコアカルテル」と呼ばれ、それ以外の競争者同士の共同行為が俗に「非ハードコアカルテル」と呼ばれている。法律上の明確な定義はないが、おおむね、7条の2第1項柱書きに掲げられ、不当な取引制限のうち課徴金対象となる、対価に関係する行為が、「ハードコアカルテル」と呼ばれているものと考えて大過ない。

2　非ハードコアカルテルの場合

(1)　総　説

非ハードコアカルテルに関する弊害要件については、弊害要件総論のとおりである。以下では、いくつかの代表的な類型について補足する。

(2)　競争者同士の業務提携による事業の一部の共通化

①　総説　多くの非ハードコアカルテルは、競争者同士で前向きに何らかの取組をして事業の一部を共通化するというものであり、ビジネスにおいては「業務提携」と呼ばれるものに相当する。OEM 供給、共同物流、共同購入、などが特によく事例となるが、あらゆるものがあり得る[66)][67)]。

②　特徴　弊害要件は弊害要件総論で述べたとおりなのではあるが、次のような特徴がある。

業務提携においては、内発的牽制力が登場する。業務提携の当事者の間でも、一定範囲で業務を共通化するだけであって、それ以外の多くの面で競争の余地を残している。どの程度において共通化するかを共通化割合などと呼ぶことがある。共通化割合が小さいほど内発的牽制力が維持される割合が大きい[68)]。

弊害要件総論で問題となる牽制力は、内発的牽制力だけではないので、かりに共通化割合が大きく内発的牽制力が小さいとしても、必ず弊害要件を満たすとは限らない。

競争者同士の業務提携においては、価格や顧客名簿などの秘密情報が行き来しないよう情報遮断を行う、という取組が添えられることが多い。これは、第1には、秘密情報が行き来したならば実質的にはハードコアカルテルであるから、という発想によるものだと思われる。秘密情報の行き来があれば、疑われ、

---

66)　以下の論述は、弊害要件総論に関することを、業務提携に関係する限りで切り出して述べたものであり、業務提携の事例も含め具体的なことは弊害要件総論に盛り込んでいる場合が多い（前記 81～85 頁）。なお、公取委のガイドラインのレベルで業務提携を初めて包括的に取り込んだのが、グリーンガイドライン第1である。

67)　業務提携の内容が価格の固定化そのものである場合は、ハードコアカルテルとして扱われる。平成 28 年度相談事例 8〔旅客輸送事業者共通回数券〕。

68)　相談事例集などの公取委の文書では、共通化割合が大きく内発的牽制力が小さくなることを指して、協調的な行動が助長される等と表現されることがある。そのこと自体は間違いではないのであるが、弊害要件を検討する場合に協調的行動というと、通常は、他の供給者による牽制力が働くか否かという観点から、当事者と他の供給者の間、または、複数の他の供給者の間、の協調的行動が意識されることが多い。

ハードコアカルテルの温床となると決めつけられる程度は増すであろう[69]。第2に、したがって、秘密情報に関する情報遮断の取組は、内発的牽制力の保持を確実にするためのものである、と見ることもできる。事業の一部の共通化であって内発的牽制力が保持されると標榜しても、秘密情報の行き来が生じたならば、そのような内発的牽制力は画餅となるからである。

③ 川上市場における買う競争も検討される場合　業務提携のうち、共同購入においては、川上市場における買う競争が併せて検討されるのが通常である[70]。共同購入とは、共同購入した部品などを用いた完成品を売る事業にとっては、事業の一部の共通化の取組である。したがって、完成品を売る競争の場を検討対象市場とするのは、他の業務提携の場合と同じである。それに加えて、共同購入される部品そのものについて、それを買う競争も検討する、ということである[71]。完成品の市場から見れば、部品の市場は川上である。そのような意味で、川上市場と言っている。

川上市場での買う競争については、業務提携の当事者間では、共通化割合が100% であることも少なくない[72]。

川上市場での買う競争に関する検討においては、売る競争における需要者に相当する買う競争における供給者からみて選択肢となる需要者の範囲が決め手となることが多い[73]。川上市場の商品役務を全く異なる用途に向けて供給できる場合には、それだけ検討対象市場は広くなり、共同購入の当事者の行為が弊

---

69) しかし、他の供給者による牽制力などの他の牽制力が確保されていたならば、情報遮断措置を講ずることが必須であるとまでは、言えないように思われる。

70) グリーンガイドライン第1の3 (2) イ（エ)。川上での買う競争に着目する場合に、この市場が「調達市場」と呼ばれる場合もある。

71) 平成29年度相談事例9〔素材メーカー原料共同調達〕では、川上市場を検討していない。理由は定かではないが、この事案では、原材料の供給者が外国に所在したこと（共同購入の場合の川上市場では買う競争が問題となるので、自国所在需要者説は自国所在供給者説と読み替えられ、日本独禁法の適用対象ではないことになる）や、原材料が共同購入参加者以外の世界各地の素材メーカーにも販売されていたことなどが、関係したのかもしれない。

72) 完成品全体の特定の品種について部品を共同購入したり、特定の工場などについて部品を共同購入したりすることもあるので、共通化割合が必ず100% となるというわけでもない。

73) 平成13年公表相談事例12〔共同調達ウェブサイト〕、平成16年公表相談事例7〔自動車部品原材料共同購入〕、令和元年度相談事例4〔医薬品メーカー共同購入等〕、令和3年度相談事例4〔化学製品メーカー共同配送〕。

害要件を満たす可能性は小さくなる。

共同物流であれば川上市場を検討する、というような説明がされることがある[74]。これは、論理の階段を堅実に辿らない説明である。共同物流の事例で川上市場での買う競争が検討されるのは、その事例において共同物流をしようとする事業者が、物流の業務を外注しているからである。外注している事業者にとっては、共同物流とは、物流という商品役務の共同購入である、ということになる。それだけである。物流を自前で行っている事業者が共同物流をする場合には、必ずしも、川上市場は検討されない。

(3) 情報交換・枠組み統一

事業者団体などで情報交換を行ったり諸種の枠組みの統一を行ったりする行為は、現在または将来の価格について競争者間に共通の具体的な目安を与えるようなものについては、ハードコアカルテルと同等の厳しい基準が適用されることになる（前記84〜85頁）。

3 ハードコアカルテルの場合

(1) 総 説

不当な取引制限のうちハードコアカルテルについては、原則違反論が唱えられる傾向が根強い。弊害要件総論で論じたことがハードコアカルテル事件において正面から論ぜられることは多くない。ハードコアカルテルの対象となった商品役務が一定の取引分野を構成する、として、狭めの市場画定に誘導する議論がされることも多い。そのようなことを可能とするため、企業結合規制のような弊害要件総論一般論における市場画定と不当な取引制限における市場画定とは異なる、といわれることもある[75]。

しかし、ハードコアカルテルにおける反競争性の解釈について実質上初めて論じた多摩談合最高裁判決は、その言い回しにおいて、弊害要件総論の基盤をなす反競争性の定義と同様のことを述べた。すなわち、「[本件基本合意のような] 当該取決めによって、その当事者である事業者らがその意思で当該入札市場における落札者及び落札価格をある程度自由に左右することができる状態を

---

74) グリーンガイドライン第1の3 (2) イ（オ）。

75) 以上、一例ではあるが公取委審判審決平成27年5月22日・平成22年（判）第2号〔ブラウン管MT映像ディスプレイ等〕（審決書20頁）。

もたらすことをいうものと解される。」としている[76]。既存の事例においても、この方向での蓄積があったところ[77]、これを最高裁判決が確認した形である。

現に、公取委の事例や見解のなかには、ハードコアカルテルは当然に弊害要件を満たすと考えたのでは説明の付かないものも存在する[78]。

価格や数量などについて合意しており形の上ではハードコアカルテルと分類されるような事案でも、正当化理由があるとされる場合はあり得る[79]。

牽制力を考慮することについても、それを一般論としては否定せず、事案への当てはめによって初めて否定した事例がある[80]。

このようにみると、ハードコアカルテルについては異なる弊害要件論があるというよりも、弊害要件論はやはり他の違反類型と同じであり、ただ、ハードコアカルテルの場合にはそれが満たされることが多いので、種々の推認等の方法が発達しているのだ、と位置付けるほうが、据わりがよいように思われる。

⑵ 行為後の競争変数の水準

行為によって価格等の競争変数が実際に影響を受けていることは、立証の必

---

76) 最判平成 24 年 2 月 20 日・平成 22 年（行ヒ）第 278 号〔多摩談合課徴金新井組等〕（判決書 14～15 頁、民集 66 巻 2 号の 810 頁）。

77) 古典的事例として、公取委勧告審決昭和 43 年 11 月 29 日・昭和 43 年（勧）第 25 号〔高松市旧市内豆腐類価格協定〕。勘所事例集 7～8 頁。最高裁判決の審理対象となった審決でも同じであった。公取委審判審決平成 20 年 7 月 24 日・平成 14 年（判）第 1 号〔多摩談合課徴金〕（審決案 148～156 頁）。

78) 一例であるが、電気事業者との交渉において複数の小規模な需要者が共同することは、問題がないとしている。公正取引委員会「電力市場における競争の在り方について」（平成 24 年 9 月）30～31 頁。それに対し、令和 3 年度相談事例 1〔ニュースポータルサイト〕は、複数の報道機関が共同してニュースポータルサイト事業者と交渉することについて、価格等の取引条件を合意しないことなどを条件として、容認している。フリーランス事業者が共同してデジタルプラットフォーム事業者との交渉に臨む行為についても、類似の議論が必要となる場合があると考えられる。

79) 公取委審判審決平成 7 年 7 月 10 日・平成 3 年（判）第 1 号〔大阪バス協会〕。勘所事例集 81～89 頁。平成 23 年度相談事例 7〔災害時最低販売数量割当て〕、平成 24 年度相談事例 12〔災害時共同配送〕、なども、価格協定ほどではないとしても、類型的にハードコアカルテルに近い行為が正当化された事例である。

80) 他の供給者による牽制力について、東京高判令和 5 年 6 月 16 日・令和 3 年（行ケ）第 10 号〔東日本段ボールシート等福野段ボール工業〕（判決書 81～86 頁）、需要者による牽制力について、公取委審判審決平成 25 年 7 月 29 日・平成 21 年（判）第 1 号〔ニンテンドー DS 用液晶モジュール等シャープ〕（審決案 88～89 頁）。

要はない[81]。

このことは、石油製品価格協定事件において損害賠償請求訴訟と刑事訴訟とで違反者の明暗が分かれたことからも傍証される[82]。損害賠償請求訴訟では、損害が存在することが立証されていないとされた。協定された価格が望ましい価格水準の範囲内であることを否定できなかったからである（後記808～811頁）。それに対し、刑罰に関しては、競争変数の水準について格別の事実認定があったわけでもないのに、独禁法違反を前提とした主文が言い渡されている。すなわち、市場支配的状態の成否を論ずる際には、結果としての競争変数の水準がどのようなものであったかは勘案されない。その背景には、結果としての競争変数の水準よりも、競争が行われることそれ自体を法的に保護すべきであるという価値判断がある。

(3) 価格の上限・品質の下限など

価格の上限の設定や品質の下限の設定など、悪化に歯止めをかけるように見える行為であっても、そのために反競争性が否定されることはない[83][84]。価格の上限が設定されると、例えば、価格を高くして品質も高度にするといった競争方法を封ずることになる場合や、設定された上限に皆の価格が貼り付いて実際上は当該価格での価格協定となるという場合も、あるからである[85]。

(4) 効率性をもたらす共同行為

共同行為を行うことで初めて、何らかの商品役務を供給できたり、あるいは、

---

81) 東京高判平成22年12月10日・平成21年（行ケ）第46号〔モディファイヤー排除措置〕（判決書80～83頁）。

82) 損害賠償訴訟は、最判昭和62年7月2日・昭和56年（行ツ）第178号〔東京灯油〕、最判平成元年12月8日・昭和60年（オ）第933号〔鶴岡灯油〕。刑事訴訟は、最判昭和59年2月24日・昭和55年（あ）第2153号〔石油製品価格協定刑事〕。

83) 価格に関する協定について、どのような態様のものであっても厳しく臨むべきであることを一般論的に述べるものとして、公取委審判審決昭和27年4月4日・昭和25年（判）第59号〔醤油価格協定〕（審決集4巻の5頁、審決等データベースのPDF 11頁）。

84) 値下げを要請したにとどまることを主な根拠として許容した事例として、平成29年度相談事例2〔交通インフラ施設値下げ要請〕。

85) 正当化理由があるとされる場合は、なお、あり得る。平成17年度相談事例16〔たばこ自動販売機メーカー上限価格設定〕は、正当化が認められなかった事例であるが（事業者団体による全メーカーに対する上限価格設定が認められなかった部分）、全供給者の上限価格を設定しなければ正当な目的を達し得ない場合も、事案によっては、あり得るものと思われる。競争関係にない者に対する上限価格設定の事例として、前記114頁註311。

価格や品質を飛躍的に改善したりすることができる場合など、共同行為が効率性をもたらす場合がある。別の箇所で述べる（前記110〜112頁）。

(5) 入札談合の場合

ハードコアカルテルの弊害要件も弊害要件総論のとおりであるとして、そのうち入札談合については、複数の個別物件をカバーする基本合意を対象として違反の成否を論ずるという考え方がとられていること（後記第5節）との関係で、やや特殊な議論が展開している。入札談合において、実際に競争制限的な行為が行われるのは個別物件に対応する個別調整においてである。しかし、基本合意が違反行為であるという建前がとられているため、弊害要件の論じ方も少々変わってくるのである。

多摩談合最高裁判決は、合意時に想定できた要素として、基本合意参加者や協力者が指名業者に選定される可能性が高かったこと、協力者による協力が一般的に期待でき、その他のアウトサイダーについても協力または競争回避行動を相応に期待できたこと、などを挙げ、また、入札後にわかった要素として、基本合意の対象となった個別物件のうち相当数において個別調整が現に行われ、そのほとんど全てにおいて受注予定者とされた者が落札し、その大部分における落札率が97％を超える高いものであったこと、を挙げている[86]。

事例に対する判断であるから過度の一般化は禁物であるが、一応ここからは、基本合意参加者等が指名業者に選定される可能性、アウトサイダー等の協力の程度、基本合意に沿った個別調整が現に行われた割合[87]、受注予定者とされた者が落札した割合、落札率、などが考慮要素となることがわかる。

---

86) 最判平成24年2月20日・平成22年（行ヒ）第278号〔多摩談合課徴金新井組等〕（判決書15頁、民集66巻2号の811頁）。

87) その一例として、東京高判平成26年1月31日・平成24年（行ケ）第23号〔川崎市談合取消請求吉孝土建等〕は、個別調整が行われなかったフリー物件があったとしても全体に占める割合が小さいことを指摘し、競争の実質的制限を認定した（判決書26頁）。

第4節　成立時期と終了時期

1　総　説

不当な取引制限の、成立時期や終了時期はいつか。論理的には、他の違反類型と同様、違反要件を全て満たすこととなった時に成立したとされ、違反要件のいずれかを満たさなくなった時に終了したとされる、というに尽きるはずではある。しかし、不当な取引制限の成立時期や終了時期については、必ずしも簡単には割り切れない特別な議論が展開されている状況にある。

2　成立時期

不当な取引制限の成立時期はいつか88)。

合意時説、実施時説、着手時説、の3つの説がある。合意時説は、競争を行わない合意がされた時期、実施時説は、当該合意が実施された時期、着手時説は、当該合意の実施が着手された時期、に、それぞれ、不当な取引制限が成立する、という89)。

不当な取引制限について合意時説を採ったと評されているのが、石油製品価格協定刑事最高裁判決である。同判決は、不当な取引制限について、「事業者が他の事業者と共同して対価を協議・決定する等相互にその事業活動を拘束すべき合意をした場合において、右合意により、公共の利益に反して、一定の取引分野における競争が実質的に制限されたものと認められるときは、独禁法89条1項1号の罪は直ちに既遂に達し、右決定された内容が各事業者によって実施に移されることや決定された実施時期が現実に到来することなどは、同

88)　刑事事件においては、「既遂時期」と表現されることになるが、便宜上ここでは統一して「成立時期」と表記する。

89)　諸見解の紹介として、木谷明・石油製品価格協定刑事最高裁判決調査官解説・最判解刑事篇昭和59年度134頁。「合意時説」と言う場合の「合意」は、「意思の連絡」の言い換えという程度の意味であると受け止めてよい（前記230頁）。「実施時説」にいう「実施」については、石油製品価格協定事件には昭和52年改正によって導入された課徴金が適用されなかったこともあってか定かな議論は少ないものの、実際には、「実行期間」を定義する2条の2第13項にいう「実行」と同義のものと考えてもよいようにも思われ、そうであるとすれば「実行時説」と呼んでもよいかもしれないが、主唱者の意図は不明であるから、当時の呼称にあわせておく。

罪の成立に必要でないと解すべきである」と判示した[90]。引用部分の前半は、条文上当然のことを述べただけであるが、引用部分の後半と併せ読めば、実施時説や着手時説を否定していることが読みとれる[91]。

ただ、事案によっては、合意があっただけでは市場支配的状態がもたらされない場合はあり得る、とする有力な指摘もある[92]。最高裁判決の上記引用部分も、そのような事例があり得ることを否定していない。

結局、調査官解説の内容を参考としながらこの最高裁判決を意訳すると、合意参加者の市場シェアの合計が相当程度を占めるような場合など、かりに当該合意を実施したならば価格や品質などが現に左右されるのが確実である、という場合には、そのような現実の弊害の回避を当該合意が期待不可能としたことそれ自体を「公共の利益に反して、一定の取引分野における競争を実質的に制限する」ものとして扱おう、ということのようである[93]。そうであるとすれば、競争者同士の合意があったからといって常にそれだけで不当な取引制限が成立するわけではない、ということになる[94]。

---

90) 最判昭和59年2月24日・昭和55年（あ）第2153号〔石油製品価格協定刑事〕（刑集38巻4号の1313頁、審決集30巻の259頁）。

91) 合意に基づく値上げ交渉等を行ったものの交渉が中止されたという事案が不当な取引制限とされた例として、公取委勧告審決昭和63年8月5日・昭和63年（勧）第5号〔塗料原料用エマルジョン〕。共同行為が行われたが実際の取引は行われなかったという事案が不当な取引制限とされた例として、公取委命令平成20年12月18日・平成20年（措）第20号〔ニンテンドーDS Lite用液晶モジュール〕、公取委命令平成21年7月10日・平成21年（措）第18号〔岡山市立中学校修学旅行〕。

92) 厚谷襄児『独占禁止法論集』（有斐閣、平成11年）32〜33頁。

93) 調査官解説は、次のように述べている。「合意の内容が実施されれば、競争の実質的制限が顕在化することは明らかであるが、相当の市場占拠率を占める事業者が共同して価格協定を結べば、そのこと自体により、潜在的には競争の実質的制限が生じているとみうることは、合意時説の指摘するとおりと思われ、かかる事態が生じたときは、可及的速やかに右競争制限を排除し、競争の自由を回復させるのが、独禁法の精神に忠実な解釈であると思われる」（木谷・前記註89・134頁。原文内の注番号表示は省略）。勘所事例集33〜34頁。

94) 最判平成24年2月20日・平成22年（行ヒ）第278号〔多摩談合課徴金新井組等〕も、合意があればそれだけで競争の実質的制限があったというのでなく、市場支配的状態（落札者・落札価格をある程度自由に左右することができる状態）をもたらし得るものであったことなどを認定したうえで、競争の実質的制限があったとしている（判決書14〜15頁、民集66巻2号の810〜811頁）。更に言えば、その判断において、「そして」の文では合意時に予想できる状況について述べ、「しかも」の文で実際の結末を述べているのは、合意時説の観点からみれば、前者

もっとも、同最高裁判決が合意時説を採った、という理解は、判決の原文から離れて一人歩きし、多くの独禁法関係者の思考回路に定着していることも確かである[95]。

3　終了時期

(1)　議論の背景

不当な取引制限の終了時期が議論されることがある。終了時期によって課徴金額に差が出ることが議論の動機となることが多い[96][97]。

(2)　立入検査等により一斉に終了する場合

不当な取引制限の終了時期は、一般論としては、当然のことながら、違反要件のいずれか1つが不成立となったときに到来する。多くの事例では、行為要件が満たされなくなったときに到来する。

行為要件が満たされなくなるときについて、モディファイヤー排除措置東京高裁判決は、「不当な取引制限に該当する違反行為の終了時期は、各事業者が当該拘束から解放されて自由に事業活動を実施することとなった時点と解すべきである。それゆえ、不当な取引制限は、各事業者が違反行為の相互拘束に反する意思の表明等相互拘束が解消されたと認識して事業活動を行うまで継続するのであり、いわゆる価格カルテルについては、事業者間の合意が破棄されるか、破棄されないまでも当該合意による相互拘束が事実上消滅していると認められる特段の事情が生じるまで当該合意による相互拘束は継続するというべきである。」としている[98]。

だけで競争の実質的制限を認定できるが念のため後者の認定もした、という論理構造がみてとれるようにも思われ、興味深い。

95)　合意と同時に不当な取引制限が成立するとしても、課徴金との関係で実行の始期をどう捉えるかについてはまた別の考慮がされることになる（後記300～301頁）。

96)　平成17年改正前においては、排除措置命令の除斥期間が1年であったため、除斥期間を徒過した排除措置命令ではないかということが争われやすかった。そのあと段階的に除斥期間が長くなり、平成21年改正後は5年となったので、その関係で終了時期が論ぜられることは少なくなった（令和元年改正後は7年）。

97)　ある時期にはまだ終了していなかった、と認定されたほうが、課徴金対象期間が後ろに動いて課徴金額がかえって小さくなるために、争う、という場合も、あり得る。

98)　東京高判平成22年12月10日・平成21年（行ケ）第46号〔モディファイヤー排除措置〕（判決書83頁）。

通常は、立入検査等[99]があれば、それまでに個別に離脱していた違反者以外の違反者も、違反行為を終了したと認定される。もちろん、立入検査等があれば必ず終了したと認定されるわけではない[100]。他方で、立入検査より前に全員の違反行為が終了したと認定されることもある[101]。他の事件に関する立入検査等がきっかけとなって違反行為の終了が認定されることも少なくない。

(3) 特定の違反者のみが先行して離脱する場合

① 原則的基準　特定の違反者のみが先行して共同行為から離脱する場合[102]には、岡崎管工排除措置東京高裁判決が示した基準が大原則と考えられている。すなわち、入札談合を念頭に置きながらの判示ではあるが、「本件のように受注調整を行う合意から離脱したことが認められるためには、離脱者が離脱の意思を参加者に対し明示的に伝達することまでは要しないが、離脱者が自らの内心において離脱を決意したにとどまるだけでは足りず、少なくとも離脱者の行動等から他の参加者が離脱者の離脱の事実を窺い知るに十分な事情の存在が必要であるというべきである」、と判示している[103]。

離脱の意思が他の参加者に窺い知られる必要があるという考え方は、相互拘束が要件となっているからだ、という考えを根拠としているようである[104]。

岡崎管工判決の基準については、その後、その事案の特殊性に鑑みて「少な

99) 行政調査による立入検査（47条1項4号）のほか、犯則調査による臨検・捜索・差押え・記録命令付差押え（102条）その他の行為者に明確にわかる調査等がきっかけとなり得る。これらを指して「立入検査等」と表現した。

100) 例えば、公取委審判審決平成22年9月21日・平成16年（判）第26号〔国土交通省関東地方整備局発注PC橋梁工事談合排除措置〕（審決案58頁）。

101) 例えば、公取委命令平成28年3月29日・平成28年（措）第5号・平成28年（納）第19号〔アルミ電解コンデンサ〕では、状況の変化に伴い合意参加者がいずれも価格を引き下げたことをもって違反行為の終了としている（排除措置命令書5頁）。東京高判令和2年12月3日・令和元年（行コ）第277号〔コンデンサ〕は、それより前の東日本大震災の際などに終了したとはいえないとする事例である（判決書17〜21頁）。その他、一般的指摘として品川武・菅久品川他4版46〜50頁。

102) 以下に論ずる場合のほか、事業譲渡や会社分割によって違反事業を他に承継させたときには、その時点で違反行為が終了する。

103) 東京高判平成15年3月7日・平成14年（行ケ）第433号〔岡崎管工排除措置〕（審決集49巻の630頁）。

104) 公取委審判審決平成18年3月8日・平成15年（判）第10号〔警視庁発注交通信号機等工事談合松下電器産業〕（審決案41頁）。

くとも」と判示したものであって、実際には、「離脱するとの意思が他の参加者に明確に認識されるような意思の表明又は行動等の存在が必要であると解すべきであり、かつ、かかる意思の表明や行動等は、当該事業者の経営トップのそれのみでは足りず、基本合意に基づいて受注調整行為を実際に担当する者……のそれにおいて認められることが必要というべきである。」とする審決が現れている[105]。他の参加者が「窺い知る」ので足りるか、それとも「明確」である必要があるか、というのは、一種の言葉の問題であり、むしろその事件において経営トップは別として担当者のレベルでは離脱の行動を取っていなかったことが決め手となったと見るべきであろう[106]。そのような結論は、「窺い知る」の基準のもとでも採り得るものである。

② **調査開始日前の減免申請をした場合**　以上のような原則的基準は、平成17年改正によって導入された減免制度によって、やや揺さぶられる形となった[107]。減免制度では、所定の日以後において「当該違反行為をしていない者」であることを減免の要件としている（7条の4第1項～第3項）。また、調査開始日前1位減免申請者以外の減免申請者は、減免申請による違反行為の終了が認定されなければ、課徴金額が増え続けることになる。しかし、岡崎管工排除措置東京高裁判決と同様のことを減免申請者が行ったならば、減免申請をしていない他の違反者が感づき、証拠隠滅等の行動に出る可能性がある。

この点を考えてか、公取委は、減免制度導入の当初から、「当該違反行為をしていない者」であるとされる例として、取締役会等で違反行為を行わない旨の意思決定を行って違反行為従事者に周知することを掲げており、その決定の事実を秘匿していても構わないという考えを示唆している[108]。そして、現に

105）公取委審判審決平成21年9月16日・平成17年（判）第23号〔鋼橋上部工事談合排除措置新日本製鐵等〕（審決案61～62頁）、公取委審判審決平成21年9月16日・平成17年（判）第24号〔鋼橋上部工工事談合排除措置三菱重工業等〕（審決案60～61頁）。

106）鋼橋上部工事談合排除措置新日本製鐵等審決（審決案62～73頁）、鋼橋上部工工事談合排除措置三菱重工業等審決（審決案61～72頁）。

107）志田至朗「課徴金減免制度について」ジュリスト1270号（平成16年）36頁の指摘を嚆矢とする。

108）平成17年規則考え方21頁。令和元年改正減免解説39～40頁は、同様の解説をしたうえで、取締役会で決議したのでは秘密が漏れるおそれがあるという場合には、より少数の経営幹部による決議をして違反行為従事者に周知するのでも足りる、とする。

この基準によって違反行為の終了を認定したことを排除措置命令書において明示する事例も現れている[109]。

③ **小括**　結局、以上のことを整合的に総合すると、公取委命令事件で違反行為の終了が認められるためには、離脱者が再発の余地がないほどに離脱の意思を固めることが必要であって、また、それで足りるのであるが、そのことを示すためには、調査開始日前の減免申請をして内部の担当者に周知することや、他の参加者が離脱者の離脱の事実を窺い知るような状況を形成し担当者にも徹底させることなどが必要となる、と考えればよいであろう[110]。

④ **特定の者の離脱による他の違反者にとっての終了**　以上により特定の者が離脱した場合に、他の違反者にとっても違反行為が終了したと認定されることがある。

違反者が2名である事例で1名が離脱した場合など、残るのが1名のみである場合には、1名では不当な取引制限の要件を満たすことができないという論理的理由により、他の1名も違反行為が終了したことになる。事例は多い。

残る違反者がなお複数である場合も、離脱した者が有力であるときには、他の違反者の違反行為が終了したと認定されることがある[111]。

⑤ **刑事事件の場合**　刑事事件の場合は、刑事法特有の前提も絡むので、更に複雑となる。入札談合に参加して既遂となった者がそのあと共犯から離脱したか否かが争点となった事件で、東京高裁判決は、犯行継続中における共犯関

---

109)　公取委命令平成24年1月19日・平成24年（措）第3号・平成24年（納）第5号〔本田技研工業発注ワイヤーハーネス〕（排除措置命令書4頁）、公取委命令平成25年3月22日・平成25年（措）第1号・平成25年（納）第1号〔日産自動車等発注自動車用ランプ〕（排除措置命令書4～5頁）（同日に数件の同種の命令）、などを皮切りとして、多くの事例がある。

110)　品川武・菅久品川他4版47～48頁はそのような趣旨の解説をしている。同様のことを明確に指摘するものとして、内田清人・自動車用ランプ公取委命令解説・ジュリスト1456号（平成25年）5頁。なお、岡崎管工判決の基準と減免申請による離脱の基準を整合的に理解しようとしたのか、減免申請をして違反行為従事者に周知すれば7条の4第1項～第3項の「当該違反行為をしていない者」には該当しないが違反行為は終了していないこととすればよい旨の技巧的な主張をするものに接することがある。しかし、それでは、調査開始日前1位ではない減免申請者の課徴金額が増え続けることになり、そのような減免申請者は他の参加者が「窺い知る」ことのできる行動をとらざるを得なくなって、具合が悪いであろう。

111)　例えば、公取委命令平成29年3月13日・平成29年（措）第6号・平成29年（納）第14号〔壁紙〕。

係からの離脱が認められるためには客観的に見て犯行の継続阻止に十分な措置をとることが必要である、とし、更に、岡崎管工判決の基準を否定するかのように、行為者が犯行から離脱する旨の意思を表明し、これに対して他の共犯者らが特段の異議を唱えなかった、というだけでは足りないとも述べた[112)]。

公取委事件では、離脱を主張する者が不当な取引制限の違反要件を満たさなくなっていれば違反行為は終了している、という発想が一応はあるのに対し、刑事事件では、当該者だけを見た場合に不当な取引制限の要件を満たさなくなっていても、共犯者が不当な取引制限の要件を満たしている限りは、既遂となった共犯からの離脱についての刑法全体の総論的議論から逸脱した基準を採用することはできない、という発想があるものと思われる[113)]。

第5節　入札談合の取扱い

1　総　説

入札談合は、「基本合意」と「個別調整」の２層構造をなすものとして事実認定をされることが多い。すなわち、入札談合とは、過去のある時期に締結された「基本合意」と、官公庁等からの個別の発注があるごとに行われる「個別調整」とから成る。基本合意とは、官公庁等から発注があるごとに行う個別調整の方法などを、あらかじめ、一般的なルールとして決めておくことを指す。個別調整とは、個別の発注案件について具体的に誰が受注予定者となるのかを決め、その具体的な受注予定者に受注させる行為である[114)]。

---

112)　東京高判平成19年9月21日・平成17年（の）第1号〔鋼橋上部工事談合刑事宮地鐵工所等〕（審決集54巻の780頁）。

113)　刑法総論における「共犯からの離脱」の議論を見ると、いまだ既遂となっていない段階での離脱の場合に当該者の犯罪の成立を認めるか否かが議論の中心となっているようである。そうであるとすれば、既遂となったあとの離脱についてそれと同等あるいは厳しい基準を採るのは当然である、ということになろう。勘所事例集290〜292頁。

114)　本書の旧版では、個別調整を「受注調整」と呼んだことがある。そのような意味で「受注調整」という言葉が使われる例は非常に多いように思われるが、他方、基本合意と個別調整の総体を指して「受注調整」と呼ぶ資料も間々みられる。そこで、内容が明確に伝わりやすい「個別調整」という語を使うこととした。

以上が入札談合事件の基本的な「図式」であるが、生の事件は千差万別であり、複数の個別調整のみが直ちに立証されてそこから基本合意が推認される場合や、基本合意が直ちに立証されて特定の個別調整が推認される場合など、様々である[115)]。

この基本合意と個別調整の2層構造をどのように法律構成するかについて、以下のように、公取委命令事件と刑事事件との間にズレが生じている。

2　公取委命令事件

以上のように事実認定をされる入札談合事件があった場合、公取委の命令においては、基本合意は違反要件（2条6項）の問題として論じ、個別調整は課徴金要件（7条の2第1項）の問題として論ずる、という交通整理が常態となっている。そのような交通整理に基づいて自ら判断し公取委の考え方を是認したのが、多摩談合最高裁判決である[116)]。

115)　通常の分類において入札談合とはされない価格カルテルの事件でも、累次の出荷のたびごとに個別調整に相当する行為をする旨の、基本合意に相当する行為がされたと認定され、当該基本合意に相当する行為が違反行為とされることがある。例えば、公取委命令令和4年12月15日・令和4年（措）第7号・令和4年（納）第42号〔炭素鋼製突合せ溶接式管継手〕（排除措置命令書3～5頁）。不当な取引制限に該当する行為を、便宜上、入札談合とそれ以外の行為に分類しているだけなのであるから、上記のような事例は存在して当然であるが、便宜上の分類を金科玉条のように受け止める関係者は少なくないので、特徴的な事例として認識を共有する意味もあると思われる。

116)　最判平成24年2月20日・平成22年（行ヒ）第278号〔多摩談合課徴金新井組等〕（判決書16頁、民集66巻2号の812頁）。この事件は、公取委が排除措置命令をせず課徴金納付命令のみを行った「一発課徴金」（後記715頁註234）の事件であり、したがって、基本合意と個別調整に関する普段の事件処理の色分けから自由な立場からは、個別調整について、違反要件の名のもとで、行為や弊害の成否を論ずれば足りるという、もっともな考え方が生まれやすい状況にあった。最高裁判決によって破棄された原審判決も、そのような様相の色濃い判決であった（東京高判平成22年3月19日・平成20年（行ケ）第25号〔多摩談合課徴金新井組等〕）。すなわち、原審判決は、個別調整について、行為や弊害がなかったと考え、それを表現して、不当な取引制限が不成立であったとした。基本合意については、基本的には、論じていない。それに対して最高裁判決は、まず基本合意について行為と弊害があったと認定してそれを表現して不当な取引制限が成立したとし、個別調整についても行為と弊害があったと認定してそれを表現して課徴金要件の「当該商品又は役務」に該当するとした。このように、原審判決が不当な取引制限の成否を論じた対象と、最高裁判決が不当な取引制限の成否を論じた対象とは、異なっていた。原審判決と最高裁判決とで結論が分かれたのは、個別調整について行為と弊害があったか否かであり、原審判決はこれを不当な取引制限が不成立と表現し、最高裁判決はこれを「当該商品又は役務」に

この考え方においては、違反行為は基本合意のみであり、個別調整は違反行為に付随する行為であって違反行為そのものではない、とされる[117)118)]。公取委としては、多数存在し得る個別調整の1つひとつを認定する手間を省きたいであろう。また、もし個別調整の数だけ違反行為が登場すると、減免制度の順位決定も複雑を極めることとなるであろう（後記340〜341頁）。基本合意が認定されれば、個別調整の課徴金要件を論ずる際には、課徴金要件を満たすことが推認される（後記289頁）。

公取委実務は、以上のように説明されるのが通常であるが、最近は実は、変化してきている（後記4）。

3　刑事事件

(1)　刑事事件においてあり得る問題

ところが、刑事事件においては、上記のような公取委命令事件での法律構成のままでは、訴追側が不利となる可能性がある。

基本合意というものは相当に昔から継続していることが多いところ、基本合意のような犯罪については「状態犯説」が採られる可能性がある。状態犯とは、窃盗のように、盗んだあと盗品が返却されないために法益侵害が続いても、盗んだ時点で犯罪が成立し直ちに終了するようなものを指す、とされる。かりに裁判官が基本合意について状態犯説を採ったならば、基本合意が長いあいだ継

該当すると表現したのである。最高裁判決は、古田孝夫・最判解民事篇平成24年度上をあわせ読んでも、そのような彼我の位相の違いを明確に認識したものではなかったようである。勘所事例集418〜421頁。

117)　東京高判平成20年9月12日・平成20年（行ケ）第3号〔賀数建設〕は、基本合意そのものが不当な取引制限該当行為であって、個別調整に関する排除措置命令書記載事実は余事記載であると述べ（判決書24頁）、東京高判平成20年9月26日・平成18年（行ケ）第11号〔ストーカ炉談合排除措置〕は、当該事件の原審決において主要事実は基本合意であり、個別調整は間接事実にすぎなかった、と述べている（判決書52頁、81〜82頁）。

118)　最近の公取委の排除措置命令書では、基本合意のうち、特に中核部分の抽象的な表現のみを「合意」と呼んだうえで、「……旨の合意の下に」という文言に続いて、やや具体的な表現で基本合意の内容を敷衍する、という手法が採られることが多い。これは、基本合意のみが違反行為であり、合意時説によって違反は成立する（前記249〜251頁）、という考え方を前提として、名宛人から争われても動きにくい抽象的な部分のみをまずは違反行為として抽出することにより、やや具体的な部分で認定が少々覆されても違反という結論が倒れにくくしようとする工夫であると考えられる。

続している事件であればあるほど、犯罪はかなり昔に起こって直ちに終了したと判断される可能性がある。そうすると、時効の問題が生じ[119]、時効にならない場合でも時期がかなり前であるため立証が相対的に難しくなる[120]。

刑事事件を除く独禁法・公取委の感覚では、不当な取引制限は事業者が行うものであるから基本合意の継続年数だけ不当な取引制限が継続している、という発想を素朴に受け入れやすい。

それに対して刑事法では、現在のところ、自然人が犯罪をし、それを前提として両罰規定を介して法人事業者も罰せられる、という発想が基本であるので、例えば10年前に基本合意をした自然人担当者が現在は人事異動で全く異なる仕事をしているかもしれないのに、それでも現在まで犯罪が継続している、という発想には一定の抵抗が生ずるようである[121]。不当な取引制限の罪は継続犯である、と述べる刑事判決もみられるが[122]、今後も状態犯説を採る判決が現れる可能性はある[123]。

そうすると、刑事責任を追及する側からみれば、継続犯説が採られれば問題はないが、状態犯説が採られれば問題が生ずる可能性が残るわけで、そのようななかで、入札談合をどう捉えればよいのかに関する問題意識が生じた。

(2) 実際の刑事事件の処理

① **総説**　以上のような背景のもと、刑事法的な発想からの問題意識と、あくまで公取委の立場に立った独禁法的な反応とが、一定の論争の観を呈した時期があった[124]。

---

119) 89条、95条4項、刑事訴訟法250条2項5号により、公訴時効期間は5年である。

120) 状態犯に対し、監禁のように、監禁が開始されたあとも解放されないために法益侵害が続けばそれが続く限りは犯罪が継続するようなものは、継続犯と呼ばれる。状態犯と継続犯、そして公訴時効の起算点の問題につき、樋口亮介「競売入札妨害と公訴時効の起算点」ジュリスト1377号（平成21年）156～158頁。

121) 佐伯仁志「不当な取引制限罪（独禁法89条1項1号）を継続犯とした判決」法学教室220号（平成11年）129頁。

122) 東京高判平成9年12月24日・平成9年（の）第1号〔水道メーター談合Ⅰ刑事〕（高刑集50巻3号の192頁、審決集44巻の774頁）、東京高判平成19年9月21日・平成17年（の）第1号〔鋼橋上部工事談合刑事宮地鐵工所等〕（審決集54巻の780頁）。

123) 例えば、山田耕司・防衛庁発注石油製品談合刑事最高裁決定調査官解説・最判解刑事篇平成17年度605～607頁。

124) これらの議論のまとめとして、平林英勝『独占禁止法の解釈・施行・歴史』（商事法務、平

現在では、以下のように、法律論と、個別事件での事実認定との、両面から対応が施され、この論争はほぼ収束している。

② **個別調整も違反行為であるという法律論**　まず、刑事事件では、基本合意も違反行為であるが個別調整も違反行為である、との旨の法律論が採られるようになった[125]。基本合意が「相互拘束」にあたるとされるので、それとの対比を強調しようとしてか、個別調整は「遂行」にあたる、と言われることもある。相互拘束か遂行かという点に問題の本質があるのではなく、個別調整が基本合意とは別に違反行為となり得るのか否かが問題の本質であるわけであるが、議論のレッテルとして、そのように言われているものである[126]。

そこで、個別調整も違反行為であるという考え方を受け容れた刑事判決では、「相互にその事業活動を拘束し、遂行することにより」といった表現が用いられている[127]。公取委も、入札談合事件では、告発状において「相互にその事業活動を拘束し、遂行することにより」という表現を用いている模様であり、このことは、入札談合事件での告発に関する公表資料から窺われる。

基本合意と個別調整は、包括一罪とされている（後記770頁）。

③ **細切れの基本合意がされている旨の事実認定**　上記と並行して、年度ごとに基本合意が行われているという事実認定がされる場合がある[128][129]。

成17年）123〜129頁。

125）刑事事件においては「違反行為」でなく「実行行為」ということが通常のようであるが、ここでは、公取委命令事件との対比を鮮明にするため、「違反行為」と呼ぶこととする。

126）もっとも、個別調整とは、特定の受注予定者に落札させなければならないという「一方的拘束」であるから、「相互拘束」の文言では拾いにくい、という点（前記241〜242頁）を根拠として遂行活用説を唱えるという立場は、あってよい。しかし、主唱者らがそのようなことまで考えていたか否かは不明である。

127）多数の例がある。刑事判決でも、価格協定事件の場合には、入札談合のような2層構造はないとされる場合が多く、単に、「事業活動を相互に拘束することにより」などとされるのが通例である。

128）印象的な判決として、東京高判平成16年3月24日・平成11年（の）第2号〔防衛庁発注石油製品談合刑事〕は、各年度の最初の談合会合で議長が「それじゃ始めましょうか」と発言し、出席者から異論が出なかったことをもって、その年度の新たな基本合意がなされたものと認定しているようである（審決集50巻の964〜965頁）。

129）最近の入札談合の告発事例では、違反行為期間が短期間であったり、平成21年改正によって公訴時効期間が5年となって時効の問題が生じなかったりしたこともあってか、期間で細切れに区切ることが少なくなった可能性がある。

年度ごとに基本合意が認定されるなら、少なくとも最近の年度については、時効や立証の問題は大幅に緩和される。

④ **併合罪**　以上のような対応の副作用として、そのような事実認定がされた場合には、包括一罪とされる犯罪が年度ごとに1個ずつ存在することとなり、それら相互の関係は併合罪とされて、法人事業者の罰金は加重されることになる（刑法45条前段、48条2項）。

4　最近の公取委事件の状況

最近では、公取委の命令事件においても、1件のみの発注に関する合意を不当な取引制限としたものが現れている（前記42頁註40）。これはすなわち、個別調整のみであっても不当な取引制限としたというに等しい。その意味でも、公取委実務と刑事実務との差は縮まっているが、そのことを公取委自身が言語化・理論化する段階には至っていない。複数の発注に関する合意においては、引き続き、伝統的枠組みが採られるであろうという状況である。

第6節　需要者側からの関与

1　総　説

不当な取引制限に、需要者または需要者の自然人従業者が関与することがある。反競争性が発生したなかで商品役務を購入することに需要者またはその自然人従業者が痛みを感じないとき、そのようなことが起こりやすい。不当な取引制限のいかなる類型においても起こり得ることではあるが、とりわけ、官公庁等が発注する商品役務の入札談合事件において起こりやすく、そのようなものは「官製談合」と俗称される。

素朴に考えれば、需要者が自らの購入について供給者を指定するなどの行為は、基本的には自由であるようにも見えるが、なぜそれが問題とされるのか。「官製談合」が悪であることは当然とされ、なぜそうであるのかが、民間企業が需要者である場合と比較しながら論ぜられることはあまりない。結局、官公庁等の場合は、背後に納税者が控えているからであろう。官公庁等やその自然人従業者が是と考えても、納税者が是と考えないものは、規制対象とする、という暗黙の論理が採られているものと推測される[130]。

2　需要者やその自然人従業者の取扱い

(1)　独禁法・刑法の枠内での対応

不当な取引制限に需要者側が関与している場合に、需要者またはその自然人従業者に対してどのような法執行があり得るか、ということが問題となる。

第1に、独禁法の枠内での対応として、需要者自身を事業者と捉え、供給者らと共同行為をする不当な取引制限の行為者と考える方法があり得る。需要者が官公庁等である場合でも、少なくとも、事業と言い得るもののために購入をするときには、事業者と考えるに妨げはないように思われる[131]。ただ、そのような考え方を採った例はこれまで必ずしも見あたらない。

第2に、独禁法に加えて刑法総論の助けを借り、需要者の自然人従業者を不当な取引制限の罪の共犯として罰する、という方法がある（刑法60条～65条）。正犯とする場合もあれば[132]、従犯とする場合もある[133]。不当な取引制限の罪は、本来は、不当な取引制限をした事業者とその自然人従業者しか罰し得ないという意味での身分犯であるが、身分のない者を共犯とすることはできる（刑法65条）。

第3に、独禁法典によらず、刑法典によって需要者の自然人従業者を罰する

---

130)　山田耕司・防衛庁発注石油製品談合刑事最高裁決定調査官解説・最判解刑事篇平成17年度599～600頁は、そのような考え方を明確に論じている。民間企業であっても、当該商品役務の取引について政府等からの資金が大きな割合を占める場合には、官公庁の場合と同様、背後に納税者が控えているという論理が用いられる可能性がある。

131)　官公庁等が自ら事業を行い事業者とされる場合があることには異論はない（前記170頁註29）。そして、事業に必要なものを発注し購入する行為も事業者としての行為であるとするのが、消費者契約法2条1項・2項にいう「事業のために」という文言の趣旨であり、独禁法においても同様に解するのが一般的な考え方であると思われる（前記167～168頁）。

132)　需要者の自然人従業者が共謀共同正犯とされた事例として、例えば、東京高判平成19年12月7日・平成17年（の）第4号〔鋼橋上部工事談合刑事公団理事〕（審決集54巻の839～840頁）、東京高判平成20年7月4日・平成17年（の）第3号〔鋼橋上部工事談合刑事公団副総裁〕（審決集55巻の1081頁）。いずれにおいても、極めて重要かつ必要不可欠な役割を果たした、という判示を鍵として、共謀共同正犯を認めている。

133)　需要者の自然人従業者が従犯として幇助をしたとされた例として、東京高判平成8年5月31日・平成7年（の）第1号〔日本下水道事業団発注工事談合刑事〕（高刑集49巻2号の324頁、審決集43巻の587頁）。

こともできる。刑法96条の6第1項の入札妨害罪の規定をそのまま適用したり、同条第2項の談合罪の共犯と位置付けるなどの方法が考えられる。

(2) 入札談合等関与行為防止法

① **総説**　しかし、上記のような対応では十分でないと考えられているため、入札談合等関与行為防止法が制定され、発注する官公庁等やその職員を直接の対象とした種々の規定を置いている[134]。

② **対象となる発注者**　入札談合等関与行為防止法の適用対象となるのは、国、地方公共団体または特定法人[135]による発注に係る入札談合等である。同法では、国、地方公共団体または特定法人を総称して「国等」と呼んでいる(以上、同法2条4項)。国の各省各庁の長、地方公共団体の長、特定法人の代表者、は、総称して「各省各庁の長等」と呼ばれる(同法2条3項)。

③ **公取委による改善措置要求とそれを受けた諸措置**

(i) 総説　入札談合等関与行為があるときは、公取委は「各省各庁の長等」に対して改善措置要求をし、それを受けて「各省各庁の長等」その他の者は必要な調査や措置を行う。以下、敷衍する。

(ii) 入札談合等関与行為　入札談合等関与行為防止法における「入札談合等関与行為」の定義は、同法2条4項による「入札談合等」の定義を受けて[136]、同法2条5項に置かれている。それによると、「入札談合等関与行為」とは、「国等」の職員[137]が行う行為であって、次のいずれかに該当するものを

---

134) 公取委事務総局によって詳細な解説が作成され(公正取引委員会事務総局「入札談合の防止に向けて」)、随時改訂されて、公取委ウェブサイトで配布されている。

135) 「特定法人」に該当するのは、国または地方公共団体が資本金の2分の1以上を出資している法人(同法2条2項1号)と、特別の法律により設立された法人であって、国または地方公共団体が法律により常時3分の1以上の株式の保有を義務付けられている株式会社(同項2号)とである。ただし、後者からは政令で定めるものを除くこととされている。その政令は「入札談合等関与行為の排除及び防止並びに職員による入札等の公正を害すべき行為の処罰に関する法律施行令」(平成19年政令第19号)であり、日本電信電話株式会社と日本郵政株式会社とが除かれている。

136) それによれば、独禁法3条または8条1号に該当しなければ「入札談合等」とは呼ばない。そうであるとすると、関与行為が強固であるために独禁法には違反しない場合があると考えるならば(後記3)、関与行為が強固であればあるほど「入札談合等」にあたらず「入札談合等関与行為」にもあたらない、という矛盾が生じ得る。

137) 「職員」の定義は同法2条5項柱書きに置かれており、特定法人の役員が含まれている。

いう。すなわち、入札談合等を行わせる行為（同項1号）、どの者が受注者となるべきであると希望するかに関する意向を教示または示唆する行為（同項2号）[138]、入札談合等を容易とする秘密情報を特定の者に対し教示または示唆する行為（同項3号）[139]、入札談合等を容易にする目的で、職務に反し、入札談合等を幇助する行為（同項4号）[140]、である。

(iii) 公取委による改善措置要求　公取委は、入札談合等関与行為があると認めるときは、それを排除するために必要な改善措置をとるよう「各省各庁の長等」に対して要求することができる（同法3条1項）。入札談合等関与行為が既になくなっている場合でも、特に必要があると認めるときは、改善措置要求をすることができる（同法3条2項）。

(iv) 改善措置のための調査と改善措置　「各省各庁の長等」は、改善措置要求があったときは、必要な調査を行い[141]、入札談合等関与行為が現に存在しまたは過去に存在したことが明らかになったならば、改善措置を講じなければならない（同法3条4項）。調査の結果や改善措置の内容は、公表し、かつ、公取委に通知しなければならない（同法3条6項）。公取委は、それを受けて、特に必要があると認めるときは意見を述べることができる（同法3条7項）。

(v) 損害賠償に関する調査と損害賠償請求　「各省各庁の長等」は、改善措置要求があったときは、「国等」の損害の有無について必要な調査を行わなければならず（同法4条1項）、そして、損害が生じている場合には、入札談合等関与行為を行った職員の賠償責任の有無および賠償額についても必要な調査を行わなければならない（同法4条2項）。これらの調査の結果は、公表しなければならない（同法4条4項）。

調査の結果、職員の故意または重大な過失によって「国等」に損害を与えた

---

138) 意向は、明示的に伝えられる場合だけでなく、文脈によって間接的に伝わるようにする場合も含まれる。品川武・菅久品川他4版57〜58頁。

139) 入札談合等を容易とする情報の例について、品川武・菅久品川他4版58頁。

140) 「入札談合を容易にする目的で」および「職務に反し」について、品川武・菅久品川他4版58〜59頁。

141) 「各省各庁の長等」は、調査を、指定する職員に行わせる（同法6条1項）。「各省各庁の長等」は的確な人物を指定しなければならないし（同法6条1項）、指定された職員は調査を公正かつ中立に実施しなければならない（同法6条2項）。以上のことは、損害賠償に関する調査や懲戒事由の調査の場合も同じである。

と認めるときは、当該職員に対し、速やかに賠償を求めなければならない（同法4条5項）。

(vi) 懲戒事由の調査　入札談合等関与行為を行った職員の任命権を持つ「各省各庁の長等」や任命権者は、改善措置要求があったときは、当該職員に対して懲戒処分をすることができるか否かについて必要な調査を行わなければならない（同法5条1項、2項）。これらの調査の結果は、公表しなければならない（同法5条4項）。

④ 職員に対する刑罰

(i) 総説　「国等」の職員に対する刑罰が、同法8条に規定されている。

同法8条の構成要件は、いくつかの例示を含んでいるが結局のところ、職員が、その職務に反し、入札等の公正を害すべき行為を行うことである。「職員」の定義は同法2条5項柱書きに置かれている。「入札等」の定義は同法2条4項に置かれている。

入札談合等関与行為防止法における用語の定義は複雑に交錯しているが、刑罰規定である同法8条においては「入札等」という文言は現れても「入札談合等関与行為」という文言は現れない。すなわち、公取委による改善措置要求に端を発する諸措置の場合とは異なり、同法8条の刑罰規定の場合は、不当な取引制限または独禁法8条1号違反に該当するような入札談合等であることは要件とされない。

公取委による調査とは無関係に、検察庁または警察が独自に捜査を行うのが通常である、とされる[142]。

(ii) 特色　入札談合等関与行為防止法8条の刑罰規定は、同法の平成18年改正（平成18年法律第110号）によって新設されたものである。刑法96条の6との比較において、次のような特色をもっている。

第1に、刑法96条の6が「公の」入札に限定しているのに対し、対象となる「入札等」が特定法人によるものを含んでいる。

第2に、行為の態様として、刑法96条の6が「偽計又は威力を用いて」と限定しているのに対し、唆す行為が例示されている。

---

142) 品川武・菅久品川他4版60頁。

3　需要者側からの関与と供給者側の独禁法違反の成否

以上のこととは全く別の問題として、需要者側からの関与がある場合には供給者の側において不当な取引制限の要件が満たされないのではないか、ということが論ぜられることがある。需要者側からの関与によって、供給者のうち誰が供給するかがあらかじめ決まっているのであるから、競争の余地がなく、供給者は不当な取引制限の要件を満たさない、などといった議論である。

競争が期待できない場合には違反とはできない、という抽象度の高いレベルでは、特に異論はない[143]。

問題は、違反の成立が否定されるのが、需要者側からの強制によって競争の自由が奪われている場合に限られるのか、それとも、需要者側からの指示、要請、主導といったものがあるという程度でも足りるのか、という点である。これまでの事例は、指示、要請、主導といったものがなかったという前提のもとで違反としたものばかりであり、この論点に明確な答えを出すものではない[144]。需要者たる官公庁の指示、要請、主導があれば、強制があったと受け止める供給者もいる可能性もある。

需要者側の関与があった場合の損害賠償の問題については、別の箇所で述べる（後記812頁）。

143）　一般論としてこのような考え方を明確に認めるものとして、公取委審判審決平成19年2月14日・平成11年（判）第7号〔防衛庁発注石油製品談合排除措置コスモ石油等〕（第一次審決案88～89頁）。

144）　指示、要請、主導という言葉を用いている例として、最決平成17年11月21日・平成16年（あ）第1478号〔防衛庁発注石油製品談合刑事〕（刑集59巻9号の1599頁、裁判所PDF 2頁）。これに対し、山田耕司・防衛庁発注石油製品談合刑事最高裁決定調査官解説・最判解刑事篇平成17年度597頁および601頁は、競争入札においては入札者側に自由な入札をする義務があり、入札の自由を奪うに至らない程度の発注者の側からの指示、要請、主導があるという程度では違反の成立を妨げるものではない、と論ずるが、同601～602頁は、その見解は同最高裁決定が必ずしも採用しない独自の見解であることを認めている。東京高判平成21年4月24日・平成19年（行ケ）第7号〔防衛庁発注石油製品談合排除措置〕も、同様の一般論への親近感を窺わせつつ、しかし、本件では少なくとも指示、主導があるとは言えないのであるから違反である、という結論に至っている（判決書47～48頁）。

第７節　グループ内のみにおける共同行為

親子会社あるいはそれに類する形態によって実質的に一体と言えるグループの内部のみにおいて行われた共同行為は、不当な取引制限となるか。

不当な取引制限とはならないと考えるべきである。分社を核とした企業再編が進みグループによる企業経営が極めて多数見られる実情に照らせば、親子会社等のグループ内のみによる共同行為にも不当な取引制限の適用可能性があるとするのは、時代錯誤である。100％兄弟会社のみによる共同行為を不当な取引制限とした事例があるが、先例的価値はない[145)][146)]。

親子会社等の複数の事業者が、グループ外の事業者をも含めた共同行為に参加していた場合には、以上の指摘は当てはまらない。これを違反とした事例は多くある。

---

145)　公取委命令平成19年5月11日・平成19年（措）第7号・平成19年（納）第67号〔関東甲信越地区天然ガスエコ・ステーション〕。甲田健＝遠藤孝史＝三宅一秀・同命令解説・公正取引685号（平成19年）73頁は、違反とした根拠として、これらの兄弟会社が独自の判断で営業活動を行い相互に競争関係にあると認識していることと、指名競争入札である以上は競争することが期待されていることとを、挙げている。しかし、前者は、社会の日常茶飯事である内部競争の奨励に冷水をかけるものである。後者は、その主張が競争入札という仕組み（入札制度）にその根拠をもつのであるならば、談合した親子会社に対するサンクションも入札制度そのものに組み込んでおくべきであろう。競争入札を条件として補助金を給付するというのであるならば、補助金給付ルールに組み込んでおくべきであろう。独禁法は、競争入札や補助金関連取引のみならず、ありとあらゆる取引に適用されるのであり、特定の類型の取引だけに妥当する事情を考慮しながら独禁法の解釈論を立てると、それとは無縁の無数の取引にハレーションをもたらす。現に日頃のコンプライアンスにおいて、グループ内の複数の会社の共同行為をしてもよいかどうかが不透明であるために苦慮している企業は多いようである。特定の類型に目が眩んで一般的事象に害を及ぼす解釈論を唱えてしまうような法律には、「経済憲法」などと自称する資格はないであろう。勘所事例集278〜283頁。

146)　裁判所の事例では、この論点が正面から取り上げられた事例は見あたらない。NTT東日本とNTT西日本の接続料金が同じであることを原告が問題とした東京地判平成17年4月22日・平成15年（行ウ）第434号〔接続約款認可処分取消訴訟〕は、この論点と関連し得たが、判決は別の論点によって違反なしとの結論を得た（前記174頁註117）。

第8節　課徴金納付命令

1　総　説

(1)　この節の守備範囲

不当な取引制限に対する法執行としては、排除措置命令、課徴金納付命令、刑罰、などがあるが、そのなかではとりわけ、課徴金納付命令について、違反要件論とも密接に絡む各論が発達している。

そこで、不当な取引制限に対する課徴金については、法執行総論（後記第3部）でなく、この不当な取引制限の章に節を設けることとした。減免制度は、不当な取引制限のみに適用されるものであり、この章のなかに別の節を設けている（後記第9節）。

他の違反類型の課徴金と共通する問題については、法執行総論で述べる（後記第15章第9節）。課徴金に関する基本的な考え方と、課徴金納付命令を行うための手続が、そちらでは中心となる。

また、不当な取引制限に対する法執行のうち課徴金以外のものについては、専ら、法執行総論（後記第3部）で取り上げることになる。

この節では、課徴金の問題のうち、どのような売上額等に着目し、どのように計算して課徴金を課すか、といった点を取り上げることになる。

実際に課徴金が課される事件の数は、不当な取引制限だけが突出して多い。これは、不当な取引制限に係る課徴金が昭和52年改正で導入されており、平成17年改正や平成21年改正で導入された他の違反類型に係る課徴金よりも歴史が長いことや、不当な取引制限においては弊害要件の成立が比較的明確に示されることなどに原因があると思われる。このように、課徴金をめぐる議論は、おしなべて、不当な取引制限と結びつけて行われる傾向がある。しかし、他の違反類型についても課徴金制度が導入されていることは確かなのであるから、基本的な考え方と、手続については、法執行総論に譲ることとした。他方で、不当な取引制限についてどのような課徴金を課すかという具体的な実体問題については、なるべくこの節にまとめるようにした。

(2)　令和元年改正

令和元年改正は、多岐にわたるが、どのような課徴金を課すかという実体に関するものが多数を占める。したがって、この節で取り上げる内容に関する部分が多い。

とりわけ、課徴金対象期間を意味する「実行期間」が最長3年から最長10年へと改正されたことが大きい（後記301〜302頁）。

その他の点については、随所で述べる[147)]。

課徴金対象となる売上額等の種類の拡張は、結果としては、過去の具体的事件において課徴金を課し得なかった穴をその問題限りで埋めようとするものにとどまっており、包括的に拡張したわけではない。課徴金対象となる売上額等のなかで重要な地位を占めるのは、依然として、令和元年改正前から存在した部分である（後記281〜297頁）。

(3) 以下の構成

以下では、まず、課徴金に関する条文のための定義規定である2条の2に掲げられた用語をまとめて取り扱う（後記**2**）。

次に、7条の2第1項柱書きに規定された対価要件を取り上げる（後記**4**）。不当な取引制限のうち、対価要件を満たすもののみが、課徴金対象行為とされる。

そして、7条の2第1項各号の、課徴金計算の対象となる売上額などの額に移る（後記**5〜8**）。

そのうえで、7条の2第1項柱書きに戻り、算定率や裾切り（後記**9**・**10**）、さらに、7条の2第2項の軽減算定率や7条の3の加重算定率を概観する。

7条の4〜7条の6は減免制度について規定しており、そのなかに調査協力減算制度も含まれる。これらについては、節を改める（後記第9節）。

7条の7は、63条とともに、罰金との調整を規定している（後記**12**）。

7条の8の規定内容の多くは、他の違反類型の課徴金と基本的には共通する問題であり、法執行総論のなかで論ずる（後記721〜724頁）。

2　2条の2で定義された用語

(1) 総　説

令和元年改正により、不当な取引制限と私的独占について規定する独禁法典

---

147)　令和元年改正における他の大きな改正点・変更点は、調査協力減算制度の導入を含む減免制度の改正（後記第9節）と、いわゆる弁護士・依頼者間秘匿特権の観点からの特殊な手続の導入（後記652〜654頁）であるが、いずれも、この節以外で取り扱う事項である。

の第2章の冒頭に2条の2が置かれた。この章におけるいくつかの用語の定義を規定している。

そして、その全ては、課徴金に関するものとなっている。独禁法に関する基本的な考え方を示しているというより、テクニカルな内容のものばかりである。

2条の2で定義された用語の全てが重要であるわけではなく、他方、重要な用語が2条の2において定義されているとも限らない。以下ではあくまで参照の便宜のため、2条の2で定義された用語をまとめて掲げ、本書の他の箇所との関係を示すこととする。

(2) 市場占有率

2条の2第1項は「市場占有率」を定義する。この語は、7条の2第1項柱書き、7条の3第2項2号・3号ロ、7条の9第1項柱書き、において用いられている。全体からみると、重要性が高いわけではない。

(3) 子会社等に関係する用語

① **総説**　2条の2第2項〜第11項は、子会社などの企業グループに関する定義規定である。企業グループに着目して課徴金を課すことを主な目的として、これらの概念が置かれているものである。

中核となる概念は「子会社等」であり、主にこれをもとに、売る競争に係る事件における「供給子会社等」「違反供給子会社等」「非違反供給子会社等」「特定非違反供給子会社等」と、買う競争に係る事件における「購入子会社等」「違反購入子会社等」「非違反購入子会社等」「特定非違反購入子会社等」の、それぞれの概念が定義される。そこに若干、「完全子会社等」の概念も絡む。

「子会社等」と「完全子会社等」を定義するにあたり、「子会社」と「完全子会社」もそれぞれ定義している。以下ではそれにも触れる。

② **子会社**　「子会社」は、「子会社等」を定義する2条の2第2項で定義されており、その総株主[148)]の議決権[149)]の過半数を法人が有する場合に、その、議決権の過半数を持たれている会社をいう。

法人とその子会社が、合計して、他の会社の議決権の過半数を有する場合に

---

148) 総社員を含む、と規定されている（2条の2第2項）。この定義は独禁法の全体に当てはまるものである。

149) 2条の2第2項に定義がある。この定義は、形式的には独禁法第2章だけに関係する。9条5項以下の「議決権」の定義については、10条の箇所で述べた（後記583頁註139）。

は、当該他の会社は当該法人の子会社とみなす（2条の2第2項）。

この「子会社」の定義の特徴は、議決権過半数を基準とした形式判断によるものであるという点である。

独禁法には子会社の定義が全部で3種類ある。2条の2第2項の子会社の定義と顕著に異なるのは、9条以外の企業結合届出基準における子会社の定義であり、議決権のみによる形式判断ではなく、会社法と同様の実質判断をすることとなっている（10条6項）。9条における子会社の定義（9条5項）は、議決権の過半数を基本的な基準とする点では2条の2第2項と同様であるが、9条5項の子会社は国内の会社に限定されている。

③　**子会社等**　「子会社等」の概念は、子会社の概念を中核とし、親会社や兄弟会社等を含め、議決権過半数の関係で繋がっている会社を指す言葉として、定義されている（2条の2第2項）。

「子会社等」の概念は、企業グループに課徴金を課すための諸概念の中核とされるほか（後記④～⑨）、共同の減免申請や（後記334～336頁）、課徴金に関する脱法防止規定においても（後記723～724頁）、用いられる。

「親会社」は、会社でなければならない（2条の2第2項）。子会社の議決権過半数を有する者は「法人」であればよいが、そのうち、「親会社」と呼ばれる者は、会社でなければならないことになる。本書が便宜上「兄弟会社」と呼んでいるものは、事業者にとって親会社が同一である他の会社と規定されているので、子会社等の関係にある企業グループの頂点は、会社でなければならない。会社でない法人などが頂点に立って議決権過半数を有するグループは、課徴金との関係では、一塊とは扱われないことになる。

④　**完全子会社**　「子会社」について述べたこと（前記②）のうち、議決権の過半数、としたものを、議決権の全部、に置き換えた場合の概念が、「完全子会社」である（2条の2第3項）。

「完全子会社」の概念は、課徴金に関する「完全子会社等」の概念（後記⑤）の中核となるほか、違反の累積を根拠に課徴金を賦課したり加重したりする規定において、過去に完全子会社に対して課徴金が賦課された場合も含む、という形で用いられる（後記317頁、後記399頁）。「完全子会社」は、独禁法第2章だけでなく第5章においても、すなわち7条の3だけでなく20条の2～20条の5においても、通用する定義語とされている（2条の2第3項）。

⑤　**完全子会社等**　「子会社等」について述べたこと（前記③）のうち、議決権の過半数、としたものを、議決権の全部、に置き換えた場合の概念が、「完全子会社等」である（2条の2第3項）。すなわち、完全子会社、完全親会社、完全兄弟会社などの総称である。

「完全子会社等」の概念は、7条の2第1項において企業グループに着目して課徴金を課す際、広げる範囲を完全子会社等の範囲のみに限定する、という形で、用いられる。すなわち、7条の2第1項は特定非違反供給子会社等の売上額にも広げているが特定非違反供給子会社等は完全子会社等に限定されており（後記⑨）、7条の2第1項3号・4号は完全子会社等に関するものに限定して広げている。

⑥　**供給子会社等**　「供給子会社等」は、違反者の子会社等であって、違反行為に係る一定の取引分野において当該違反行為に係る商品役務を供給したものをいう（2条の2第4項）。

「供給子会社等」の概念は、主に、企業グループに着目して課徴金を課すための特定非違反供給子会社等の概念を形成するための中間概念として用いられる（2条の2第6項・第7項）。そのほか、課徴金計算における少々テクニカルな道具としても用いられる（2条の2第5項、7条の2第1項1号・4号）。

⑦　**違反供給子会社等**　「違反供給子会社等」は、違反者の供給子会社等のうち、違反行為に係る一定の取引分野において当該違反行為を自らも行ったものをいう（2条の2第5項）。

「違反供給子会社等」の概念は、課徴金計算における少々テクニカルな道具として用いられる（7条の2第1項1号）。

⑧　**非違反供給子会社等**　「非違反供給子会社等」は、違反者の供給子会社等のうち、違反行為に係る一定の取引分野において当該違反行為を自らは行っていないものをいう（2条の2第6項）。

「非違反供給子会社等」の概念は、専ら、特定非違反供給子会社等の概念の要件として用いられる（2条の2第7項）。

⑨　**特定非違反供給子会社等**　「特定非違反供給子会社等」は、違反者の非違反供給子会社等のうち、違反者と完全子会社等の関係にあるものであって、当該違反行為に係る商品役務を他の者に供給することについて違反者から指示を受け、または情報を得たうえで、当該指示または情報に基づき当該商品役務

を供給したものをいう（2条の2第7項）。

「特定非違反供給子会社等」の概念は、企業グループに着目して課徴金を課す場合の中核となる概念である（7条の2第1項1号）。したがってそこには、違反者からの指示または情報に基づいて供給した、という、課徴金を課する着目点とするために必要な要素が盛り込まれている。また、そのような課徴金の拡張を、完全子会社等の関係にある範囲に限定している。

⑩ **買う競争に係る事件における同様の概念**　前記⑥～⑨は、売る競争に係る事件において用いられる概念であった。

それに対し、買う競争に係る事件において用いられる同等の概念として、「購入子会社等」「違反購入子会社等」「非違反購入子会社等」「特定非違反購入子会社等」がある（2条の2第8項～第11項）。

これらについては、売る競争に係る事件に関する諸概念の裏返しであるから、説明は省略する。

(4) 事前通知

「事前通知」は、課徴金納付命令を行うための意見聴取手続に先立つ意見聴取通知を指す（2条の2第12項）。

「事前通知」の概念は、「実行期間」の定義（2条の2第13項）、「違反行為期間」の定義（2条の2第14項）、減免申請関係を除く文脈での「調査開始日」の定義（2条の2第15項）、減免申請関係の文脈での「調査開始日」の定義（7条の4第1項）、において、立入検査等の処分がされなかった場合に代わりの基準として用いられる[150]。

(5) 実行期間・違反行為期間

2条の2第13項で定義される「実行期間」は、不当な取引制限および支配型私的独占の課徴金対象期間を指す概念であるが、課徴金計算における重要概念であるから、別の箇所で詳述する（後記297～302頁）。

2条の2第14項で定義される「違反行為期間」は、排除型私的独占の課徴金対象期間を指す概念である[151]。

150） 不公正な取引方法に係る課徴金の規定における「事前通知」は、18条の2第1項において定義されている。

151） 不公正な取引方法に係る課徴金においても「違反行為期間」という言葉が用いられるが、そちらの「違反行為期間」は、18条の2第1項で定義される。2条の2第14項と18条の2第1項

不当な取引制限に係る課徴金においては、他の違反類型に係る課徴金より遥かに早く昭和52年改正で導入されたこと、違反行為の開始のほかに価格に影響が生じ始める実行行為という概念が観念されたこと、などにより、単純に違反行為期間とするのでなく、実行期間を課徴金対象期間とすることとしていた。現在、もし更地から立法する場合には、違反行為期間に統一するという考え方もあり得ると思われるが、以上のような経年的経緯により、少々異なる概念が定着しているものである。

(6) 調査開始日

2条の2第15項で定義される「調査開始日」は、立入検査などの調査に係る処分がその事件について最初に行われた日である。下記のような「当該事業者に対し」という文言がないので、その事件全体について一律に定まる日であることになる。

この「調査開始日」の概念は、繰り返しの違反に対する課徴金の加重に関する7条の3において用いられる。

減免制度に関する7条の4における「調査開始日」とは異なることが明文で定められている。7条の4の「調査開始日」も、その事件全体について一律に定まる日ではあるが、基準となる処分として、立入検査および犯則調査における同等のもののみが掲げられている。

実行期間の定義（2条の2第13項）や違反行為期間の定義（2条の2第14項、18条の2第1項）において登場する調査開始の日については、2条の2第15項とは異なり、「当該事業者に対し」という文言が付加されており、調査開始の日が違反者ごとに別々に定まるものであることを示している。

3 理解の鍵

不当な取引制限に係る課徴金の複雑な議論を解きほぐすための鍵が、いくつかある。

第1に、不当な取引制限の違反者は複数いるのが通常であるが、課徴金納付命令において問題となる違反者とは、目先の1件の課徴金納付命令の名宛人と

の違いは、不公正な取引方法が犯則調査の対象とならないために（101条1項）、18条の2第1項では犯則調査に触れない、という違いだけである。

なる１の違反者である[152)]。当該１の違反者に対する課徴金納付命令は、必ずしも、他の違反者の状況には依存しない。「実行期間」が違反者ごとに観念されるのが、その典型である（後記298頁）。

第２に、不当な取引制限の課徴金の議論の主要な部分であるところの、７条の２第１項１号のうち違反者自らの売上額の部分（令和元年改正前から存在した部分）に限定した話ではあるが、不当な取引制限の課徴金は、違反者自らに「当該商品又は役務」の売上額があった場合のみが課徴金対象となるので、例えば、入札談合において、ある違反者が落札しなかった物件は、当該違反者を名宛人とする課徴金納付命令の関係では、関係がないため無視されることとなる。課徴金に関する議論において、しばしば、暗黙のうちに、落札しなかった物件についての言及や配慮が省略されることがあるが、それは、このためである。

第３に、なぜ、課徴金を課す根拠として「非違反」が必要とされる場合があるのか、という点である。令和元年改正によって企業グループに着目した課徴金納付命令がされるようになったが、違反者Ａと同じ企業グループに別の違反者Ｂがいる場合には、違反者Ｂに対しては違反者Ａとは別の課徴金納付命令をすることになり、また、それで足りる。したがって、違反者Ａに対して企業グループに着目した課徴金計算をする場合には、Ｂのような他の違反者でなく、同じ企業グループのなかの非違反者の売上額等に着目することになる（後記278頁など）。

第４に、重複回避ということである。上記のように別の違反者に課徴金を課すことを想定して「非違反」に絞って課徴金の範囲を広げることや、重複が生じないよう複雑な括弧書きを置くこと（後記279〜281頁）などにみられるように、１の取引における売上げが重複して課徴金の根拠とならないよう徹底する様子が窺われる。このことは、場面によっては、解釈論としても活かされることになると考えられる（例えば後記297頁）。

152）　排除措置命令においては全ての名宛人が列挙された１つの排除措置命令書となるのが通常であるが、課徴金納付命令においては１の名宛人ごとに１つの課徴金納付命令書となるのが通常である。

4 対価要件

(1) 総 説

7条の2第1項柱書きは、課徴金対象行為を絞るという観点から、行為が不当な取引制限に該当することに加えて、対価との関係に着目した要件を置いている。以下の2つ（後記(2)・(3)）のいずれかを満たすことが必要である。これを、便宜上、「対価要件」と呼ぶこととする。

(2) 対価に係るもの

① **総説**　1つ目は、「商品若しくは役務の対価に係るもの」である。対価を意思の連絡の対象としていることを指す。

典型例は、価格協定である。

商品役務の構成要素の一部について合意をしたにとどまるように見える場合でも、「対価に係るもの」に該当する[153]。

② **入札談合の場合**　入札談合も「対価に係るもの」に含まれる、とするのが公取委の実務である。敷衍すれば、以下のとおりである。

入札談合事件では、通常、まず排除措置命令で、受注すべき価格は受注予定者が定め、受注予定者以外の者は受注予定者がその定めた価格で受注できるように協力する旨の合意があったと認定され、それを受けて課徴金納付命令で対価に係る行為であると認定されることで、入札談合が課徴金対象とされる。

受注予定者を定めて他の全ての者は入札を辞退する、という入札談合も、「対価に係るもの」に該当するものと扱われている[154]。かりにこの考え方に賛成しないとしても、平成17年改正後は、「取引の相手方」（後記(3)①）を制限することによるものに該当していずれにせよ対価要件を満たす。

(3) 対価に影響することとなるもの

① **総説**　もう1つは、「商品若しくは役務の供給量若しくは購入量、市場占有率若しくは取引の相手方を実質的に制限することによりその対価に影響することとなるもの」である。「市場占有率」の定義が2条の2第1項に置か

153) 7条の2第1項でなく2条6項の「対価」に関する判示という形式ではあるが、東京高判平成24年10月26日・平成23年（行ケ）第24号〔荷主向け燃油サーチャージケイラインロジスティックス〕（判決書83～84頁）。

154) 東京高判平成24年2月17日・平成22年（行ケ）第29号〔区分機類談合課徴金〕（判決書35～36頁）。

れている。

供給量・購入量、市場占有率、取引の相手方、のうち、平成17年改正前にも存在したのは「供給量」だけであり、対価への影響が実質的に同等のものを課徴金対象から漏らさないように、拡充的な改正が行われた[155]。

② **実質的に制限**　「実質的に制限」と規定することにより、例えば、供給量そのものを制限することを明示する行為だけでなく、それを明示してはいないが同等の結果となる行為をも課徴金対象とできるようにしている[156]。

しかし、行為によって競争に影響が生じ、したがって供給量に影響がある、というように、競争への影響を媒介項とする論法まで「実質的に制限」という文言を使って根拠付けることは、許されないように思われる。競争への影響があれば供給量に影響があるのは当然である。そのような論法が許されるならば、競争の実質的制限をもたらす不当な取引制限は全てが課徴金対象となることになり、対価要件を置いて課徴金対象を限定した立法趣旨を没却する[157]。

③ **こととなる**　「その対価に影響することとなるもの」は、平成17年改正前において「対価に影響があるもの」とされていたのを改正したものである。「こととなる」は、当該事件において現に対価に影響があったことを立証する必要がなく、そのような類型の行為が行われれば対価に影響が生ずる蓋然性があると言えるなら足りる、ということを示す文言であると解される[158]。実

155）平成17年改正解説52頁は、これが確認的改正であることを強調している。この背景には、公取委が当時、後記註157のような係争を抱えており、今後のためには市場占有率を課徴金対象とする明文を置きたいが、これが創設的規定であると解釈されると目前の係争で不利になる可能性があった、という事情があったものと推測される。

156）東京高判平成23年10月28日・平成21年（行ケ）第11号〔ダクタイル鋳鉄管課徴金〕（判決書54～58頁）。

157）ダクタイル鋳鉄管課徴金東京高判の事案は、この事案に適用された平成17年改正前の規定において市場占有率が掲げられておらず「供給量」のみが掲げられていたという前提のもとで、市場占有率が合意されたという事案であった。すなわち、合意それ自体の内容は供給量に対して中立であり、供給量が増えればその部分について違反者らは市場占有率合意を適用するだけであるという事案であった。東京高判は、そのような合意によって競争に影響が生じ、したがって供給量にも影響があったはずであるので、実質的に供給量を制限したといえる、として公取委の判断を支持した（判決書71～75頁）。疑問である。

158）同種の用例として、22条の「こととなる」がある（前記188頁）。他方、企業結合規制の「こととなる」は、当該事案で競争の実質的制限の蓋然性があることを当該事案の事実関係に即して認定しなければならない、という意味で、課徴金の「こととなる」や22条の「こととなる」

際には、供給量・購入量、市場占有率、取引の相手方のいずれかを実質的に制限する行為は対価に影響する蓋然性を持つ、とされる[159]。もっとも、以上のようには言っても、当該事案において対価への影響が全くないことを名宛人側が立証できる場合には、蓋然性はないとされることになろう[160]。

5　7条の2第1項1号・2号の額

(1)　総　説

7条の2第1項は、1号～4号で、課徴金計算に盛り込まれる額を列挙している。1号～3号の額には算定率（後記**9**）を乗じ、4号の額はそのまま課徴金額に盛り込まれる。

1号と2号は対をなしている。1号は、「商品又は役務を供給することに係るものに限る」としており、売る競争を制限する不当な取引制限の場合の「売上額」を掲げている。2号は、「商品又は役務の供給を受けることに係るものに限る」としており、買う競争を制限する不当な取引制限の場合の「購入額」を掲げている。1号と2号は、供給と購入を裏返せば基本的には同じであるので、以下では1号を中心に見ていくこととする[161]。

1号は、違反者の企業グループによる（後記(2))、「当該商品又は役務」（後記(3)）に係る、「実行期間」（後記(4)）における「売上額」（後記(5)）である。

(2)　違反者の企業グループ

① **総説**　1号は、その末尾に示されるように売上額を対象とした号であるが、まず、その売上額が違反者の企業グループによるものである必要があることを定めている。

令和元年改正前は、違反者自身による売上額のみが課徴金計算に盛り込まれ

とは性質が異なる。

159)　平成17年改正解説53頁。

160)　平成17年改正解説53頁は、そのような事例は想定し得ない旨の牽制球を投げつつ、一般論としてはそれを認めている。

161)　平成17年改正によって購入額が課徴金対象になった後の唯一の事例として、公取委命令平成20年10月17日・平成20年（措）第17号・平成20年（納）第44号〔溶融メタル等購入談合〕。その前に、購入額が課徴金対象となっていなかったために課徴金が課されなかったとみられる排除措置命令の例として、公取委勧告審決昭和58年3月31日・昭和58年（勧）第3号〔ソーダ灰〕、公取委勧告審決平成4年6月9日・平成4年（勧）第14号〔四国食肉流通協議会〕。

たが、令和元年改正により、企業グループ内の別の者による売上額も、違反者の課徴金計算に盛り込まれることになった。

② **違反者**　課徴金納付命令において名宛人となる違反者は、条文では「当該事業者」と表現されている。

③ **特定非違反供給子会社等**

(i) 総説　違反者Aに対する課徴金納付命令において盛り込まれるA以外のグループ会社分とは、特定非違反供給子会社等の売上額である。

以下、特定非違反供給子会社等を定義する2条の2第7項に沿って見ていく。

(ii) 非違反供給子会社等　特定非違反供給子会社等は、2条の2第6項で定義される非違反供給子会社等である必要がある。非違反供給子会社等に該当するためには、2条の2第4項で定義された供給子会社等に該当する必要がある。違反行為に係る一定の取引分野において当該違反行為に係る商品役務を供給したことが必要である。供給子会社等は違反者の子会社等である必要もあるが、特定非違反供給子会社等は後記(iii)のように完全子会社等である必要があるので、そうであれば当然に子会社等に該当することになる。

供給子会社等が自らも違反者であるならば、当該供給子会社等の売上げについては当該供給子会社等に対して別の課徴金納付命令をすることになる。そこで、非違反供給子会社等であることを要件としている。違反者Aの課徴金の計算において違反者である供給子会社等Bの売上げを盛り込むと、重複が生ずる。これを避けようとしているものと考えられる。

(iii) 完全子会社等　特定非違反供給子会社等は、2条の2第3項で定義された完全子会社等である必要がある。すなわち、違反者と、議決権100%の関係でつながる子会社・親会社・兄弟会社などである必要がある。

違反者の課徴金計算に盛り込まれる特定非違反供給子会社等が違反者の完全子会社等であることを求めた趣旨は、議決権が100%に満たない子会社等にとどまるのであれば課徴金計算という不利益を課するにあたって一体として扱うことはできない、という謙抑的な態度によるものと考えられる。

(iv) 行為の要件　2条の2第7項が定義する「特定非違反供給子会社等」は、議決権保有状況などだけでなく、行為の要素を含む概念となっている。すなわち、「他の者に当該違反行為に係る商品又は役務を供給することについて当該事業者から指示を受け、又は情報を得た上で、当該指示又は情報に基づき当該商品又は役務を供給した」ことが必要である。

この指示・情報は、その非違反供給子会社等が違反者の違反行為の実行の内容として商品役務を供給するのに必要なものであれば足りると考えられる162)。

完全子会社等である非違反供給子会社等であっても、違反者からの指示・情報がない状態で商品役務を供給したのであれば、違反行為とは関係のない供給であるということになるので、これを課徴金計算に盛り込むのを避けたものと考えられる。

このように、実質的には行為に着目した概念であるにもかかわらず、そのことが見えにくい名称の概念となっている。例えば、ある部分で指示・情報に基づいて商品役務を供給した者が、別の部分では指示・情報とは関係なく商品役務を供給したという場合には、後者は、課徴金計算に盛り込むべきではないという解釈論があり得ることとなろう。

(v) 複数の違反者の特定非違反供給子会社等　完全子会社等の関係にある1の企業グループに、違反者A・違反者B・非違反者Cがおり、Cが、A・Bのいずれからも、指示・情報を受けていた、という場合も、あり得ると思われる。

この場合も、重複を回避すべきであるという考え方に立てば、Cへの指示・情報という観点から主要なものはAであったかBであったかを見極めて、A・Bのいずれかの課徴金計算のみに、Cの売上げを盛り込むことになろう。このとき、結果としては、Cは、A・Bのいずれかのみの特定非違反供給子会社等であるとすることになる。

④ 括弧書き等による調整

(i) 総説　7条の2第1項1号には「並びに」があり、その前後に2種類の商品役務の取引が書かれていて、それぞれに括弧書きがある。

これは、前者の括弧書きの前の、違反者と特定非違反供給子会社等の売上げを指す単純な内容を、調整し、主に重複の回避をしているものである。

(ii) 「並びに」の前の括弧書きのうち「及び」より前　「並びに」の前の括弧書きのうち「及び」より前で、違反者すなわち「当該事業者」に特定非違反供給子会社等が供給したものを除いている。

---

162) 令和元年改正解説25頁も同旨と考えられる。

違反者が供給を受けた「当該商品又は役務」は、違反者自身が他に供給したものとして算入するから、重複を避ける、という趣旨のものであると考えられる。

実際のビジネスは複雑であり、例えば、ある地域においては違反者が特定非違反供給子会社等やその競争者から「当該商品又は役務」の供給を受け自家消費する、ということもあり得るものと思われる。上記の括弧書きは、そのような場合の特定非違反供給子会社等からの供給分も一律に課徴金対象から除くこととしている。

(iii) それ以外　それ以外の部分の条文は、複雑ではあるが、結局のところ、違反者・特定非違反供給子会社等が、違反者の供給子会社等に供給したものを対象としつつ、違反供給子会社等・特定非違反供給子会社等に供給したもののうち、違反供給子会社等・特定非違反供給子会社等が他の者に「当該商品又は役務」を供給するために供給を受けたものを除いている。敷衍すると、下記のとおりである。

まず、違反者・特定非違反供給子会社等が、違反者の供給子会社等に供給したものを、「並びに」の前の括弧書きの「及び」より後で除き、同じものを「並びに」の後で復活させたうえで、「並びに」の後の括弧書きで、以下のように、一定のものを除いている。

除くものの第1として、「供給子会社等」のうち「違反供給子会社等」である者（E）について、他の者に供給するために「当該事業者」（A）または「当該特定非違反供給子会社等」（D）から供給を受けたものを除いている。そのようなものについては、Eを名宛人とする別の課徴金納付命令における課徴金計算に盛り込めばよく、Eに対するAまたはDによる供給をAに係る課徴金計算に盛り込んでしまうと課徴金の重複になるからであると考えられる。

除くものの第2として、「供給子会社等」のうち「特定非違反供給子会社等」である者（F）について、他の者に供給するために「当該事業者」（A）または「当該特定非違反供給子会社等」（D）から供給を受けたものを除いている。それについては、当該他の者に対するFによる供給を、「並びに」の前の括弧書きの前の「特定非違反供給子会社等」（この文脈ではDでなくFそのもの）による供給としてAに係る課徴金計算に盛り込めばよく、Fに対する供給をAまたはDによる供給としてAに係る課徴金計算に盛り込んでしまうと課徴金の重複になるからであると考えられる。

(iv) グループ内の取引に関する一般的な課徴金論との違い　企業グループと課徴金、という観点からは、令和元年改正前から、違反者とグループ企業との取引は課徴金対象となるか、という論点が存在した（後記286〜287頁）。

7条の2第1項1号が明示的に導入したのは、あくまで、供給子会社等の売上げが課徴金対象となる、ということである。供給子会社等は、2条の2第4項の定義によれば、「当該違反行為に係る一定の取引分野において当該違反行為に係る商品又は役務を供給したもの」であることが必要である。

それに対し、違反者とグループ企業との取引は課徴金対象となるか、という論点は、主に、グループ企業は専ら「当該商品又は役務」の需要者であり、「当該商品又は役務」を自家消費したり、「当該商品又は役務」を原材料として別の商品役務として他の者に供給したり、するのであるということを念頭に置いていた。

このように、違反者とグループ企業との取引は課徴金対象となるか、という論点の検討は、令和元年改正後も、なお、必要である。

(3) 当該商品又は役務

① 総説

(i) 概要　7条の2第1項1号は、「当該商品又は役務」の売上げであることを必要としている。課徴金計算において、しばしば議論となる文言である[163)164)165)]。

---

163) 本書旧版では、「当該商品又は役務」より前に「実行期間」を説明していたが、令和元年改正により、条文における登場順序が逆転したので、本書でもそれに合わせることとした。この順序の逆転は、形式的なものにとどまると考えられる。以下に見ていくように、「当該商品又は役務」の範囲は、時期によって変化し得るものであり、その品をめぐる拘束の状況、競争の状況、子会社である需要者が親会社以外から購入する可能性の有無など、様々の個別要素の影響を受ける。その意味では、時間の感覚を頭のなかに取り入れるのに有益な「実行期間」の概念を先に取り上げることには一定の意味があると思われるが、そのことをここで述べたうえで、やはり条文における登場順を優先することとした。

164) 公取委は、令和元年改正に先立ち、「当該商品又は役務」を「違反行為に係る一定の取引分野において違反行為者が供給した全ての商品又は役務」に改めることを目指していた。独占禁止法研究会「独占禁止法研究会報告書」（平成29年4月）15頁。以下に述べていくような既存の議論に即した実務を続けることを嫌ったのであろう。しかし、かりにそのような改正が成立したとしても、以下に述べていくような議論は、「違反行為に係る一定の取引分野」とは何か、というように形を変えて議論されるようになるだけであったように思われる。公取委の希望が、そのような点を理解したうえでのものであったのかどうかは、定かではない。ともあれ、この公取委の

まず、議論の出発点を固める（後記(ii)）。7条の2第1項3号・4号の「当該違反行為に係る商品又は（若しくは）役務」も、7条の2第1項1号の「当該商品又は役務」と同じ意味となると考えられるが、このことも、以下のように確認して初めて、わかることである。

(ii) 条文において与えられた意味合い　議論の前提として、条文のなかで「当該商品又は役務」という文言が当然に受けるべき負荷について確認する必要がある。現在でも多くの議論には、これを十分に顧みずに条文の文理を無視した解釈論を展開する傾向がある。

まず、「当該商品又は役務」という概念は、7条の2第1項1号の条文において先行する「商品又は役務」という文言を受けたものであると考えるのが自然であり、それは、冒頭の「当該違反行為（商品又は役務を供給することに係るものに限る。……）」にいう「商品又は役務」である[166]。

ここで「当該違反行為」とは、7条の2第1項柱書きに掲げられた、対価要件を満たす不当な取引制限であると考えるのが自然であると考えられる[167]。

そうすると、「当該商品又は役務」とは、「商品又は役務」を供給することに係る不当な取引制限（対価要件を満たすもの）における、「商品又は役務」を指す、ということになる。これは、その「商品又は役務」の供給に関する競争が実質的に制限されたことが必要となることを意味する[168]。

希望は実現しなかった。

165) 価格協定等の対象となった「当該商品又は役務」を実際に販売している販売子会社や商社ではなく、それらの者の販売事業を実質的に行っていたと評価できる者が不当な取引制限の違反者とされることがある（前記177〜178頁）。この場合、課徴金額は、違反者が販売子会社や商社に売った売上額に算定率を乗じて計算する、とされる（事例は多いが、名宛人が争ったために明確な判示のあったものとして、公取委審判審決平成27年5月22日・平成23年（判）第84号〔富士電線工業〕（審決案40頁））。勘所事例集548〜549頁。やや条文の文理から外れて、広めの法解釈をしていることになる。違反者が川上で販売子会社や商社に同じ商流の商品役務を売っていればよいが、持株会社が子会社に指示していた場合等には課徴金計算は難しくなる。

166) 令和元年改正前は、条文の構造が異なっており、「商品又は役務」の場所や位置付けも異なっていた（本書第3版243〜244頁）。たまたま結果としては、以下の結論は同じとなる。

167) 「当該違反行為」という文言に先行して「違反行為」という文言が表れているわけではなく、7条の2第1項に掲げられたその種のもの、という意味合いで「当該」が用いられていると考えるのが自然である（ワークブック法制執務新訂2版779〜782頁）。

168) 例えば、商品役務に関する共同行為は広く認定されたが、その範囲よりも狭い商品役務のみについて不当な取引制限が認定とされた、という場合には、不当な取引制限という法的評価を受

以上のような、条文に基づく解釈に対し、実際上は、条文を十分には参照していないと考えられる裸の解釈が定着している（後記②、③）。結果としては、定着した裸の解釈は条文に基づく解釈に反してはいないように思われるので、問題はないが、それが野放図に独り歩きするようになった場合には、条文によって制御する必要があるであろう[169]。

(iii) 実行としての事業活動であることの要否　「当該商品又は役務」が、違反行為の実行としての事業活動の対象である必要があるか否か、という論点がある。ある商品役務について価格協定が行われても、実行期間中に、価格協定とは関係のないかたちでその商品役務が供給される場合があり得る。そのような、価格協定の対象となっていない商品役務も、「当該商品又は役務」として、その対価の額を「売上額」に算入するのか、という問題である。

この論点は、「当該商品又は役務」をめぐる基準の実質化が進むにつれて、不要な過去の議論となっている。以下、敷衍する。

この論点については、実行不要説と実行必要説とがある[170]。

まず、実行不要説は、実行期間中の対象商品役務の取引であれば、個々の取引における実行の有無にかかわらず「当該商品又は役務」にあたる、とする。実行期間中の個々の取引についていちいち実行の有無を認定するのでは、公取委の負担が重くなりすぎる、という。文理上も、実行必要説のいうような限定はかかっておらず、「実行としての事業活動」の文言は実行の始期と実行の終期を確定させるためにおかれた文言であって「当該商品又は役務」の範囲とは無関係である、という。

それに対して、実行必要説がある。実行とは言えない商品役務取引を対象と

けなかった部分の商品役務は、かりに共同行為の対象となっていたと認定されたとしても、課徴金対象とはならない。公取委命令平成20年2月20日・平成20年（措）第2号・平成20年（納）第10号〔マリンホース〕。勘所事例集304～305頁。

169）　令和元年改正後は、「当該商品又は役務」の前に、「当該違反行為……に係る一定の取引分野において」や「当該一定の取引分野において」という文言が置かれた。「当該商品又は役務」が、本文で述べたような意味で不当な取引制限という法的評価を受ける商品役務のみを指すのだとすれば、「当該商品又は役務」の取引が「当該違反行為……に係る一定の取引分野において」行われるものであることは当然のことであるということになる。この文言は、とりわけ本文で述べたことに十分な配慮をせずに行われる議論に対して、注意を喚起したものであると考えればよい。

170）　対立点について詳細にまとめたものとして、川井課徴金164～169頁。

すれば、売上額と不当利得との関係を見ながら行われた算定率の立法作業の趣旨を没却する、という[171]。文言上も、「当該商品又は役務」とは、課徴金対象違反行為の対象とされた商品役務を指す限定句であることは明らかである、という。公取委の負担を減らし簡便な制度を作る、という要請は、売上額に算定率を乗じたものを課徴金額とするということで達成されており、実行の有無にかかわらず「当該商品又は役務」とすることは許されない、という。

公取委の立場は、表向きは実行不要説を採りつつ、実際には、実行必要説を採っても同様の結論に至る事案であることを、念のために述べる、というものであった[172]。

以上のような議論は、過去のものとなっていると言ってよい。「当該商品又は役務」を実質的に解釈する後記②、③のような考え方が定着し、実行の対象となっていない商品役務は「当該商品又は役務」に含まれないことが当然のこととなって、以上のような議論のみが宙に浮いた形で残されているのが実情である。実行不要説の実際上の根拠は、上記のように、公取委の負担軽減に尽きるのであるが、諸事例は、後記②、③のように、一定の推定原因事実を設定して、商品役務が「当該商品又は役務」にあたるとの推定を行い、推定を揺るがす立証活動を行為者に求めることによって、公取委の負担軽減の要請との折り合いを付けている。

(iv) 小括　以上のように、「当該商品又は役務」を画する基準は、7条の2第1項1号の最初の括弧書きの「商品又は役務」に該当し、かつ、その対価に係る行為であって不当な取引制限という法的評価を受けた行為の対象となったもの、という条文上の限定を受けるほかは[173]、解釈論に委ねられる。

171）このような主張は平成17年改正前からされていたものであるが、改正後も不当利得の額と課徴金額とが相関関係をもつことが基本とされているのであり（後記719頁）、このような主張はなお可能である。

172）公取委審判審決昭和60年8月6日・昭和57年（判）第2号〔自動火災報知設備〕。実行不要説を採り（審決集32巻の25頁）、しかし実行があったことを認定している（審決集33頁）。同様に、東京高判平成15年4月25日・平成14年（行ケ）第552号〔オーエヌポートリー〕も、実行不要説によって結論を得たかのような外観をもっているが（審決集50巻の699～700頁）、しかし同判決は、そこで問題となった商品役務について、他の商品役務に関する価格協定に対応する価格設定がされていたことを理由に、問題となった商品役務が価格協定の対象からあえて除外されたとはいえないとした（審決集697～699頁）。そうであるとすれば、問題となった商品役務についても実行があった、というのと実質的には同じではないかと思われる。

そうしたところ、その解釈論は、体系指向の乏しい時代に一定程度の発展をしてしまったため、相互に連絡のない２つの基準が同時に公取委や裁判所によって採られている、という現状にある。

一応は、一方を入札談合事件における基準と呼び、他方を入札談合事件に限定しない一般的基準と呼ぶことができるが、これらは、分析すれば、基本的には同じ考え方によるものであるといえる。以下、敷衍する。

② 入札談合事件に限定しない一般的基準

(i) 総説　　入札談合事件に限定しない一般的基準は、中国塗料審決で原型が形成され[174)]、それが東京無線タクシー協同組合審決で修正または明確化されて[175)]、これが東京高裁判決においても用いられるに至っている[176)]。

そこではまず、「当該商品又は役務」とは、一定の取引分野における競争を

---

173) 取引の対象となる商品役務の一部の要素についてのみ対価に係る合意をした場合に、「当該商品又は役務」は、取引の対象となる商品役務の全体を指すのか、一部の要素のみを指すのか、という問題がある。公取委審判審決平成 23 年 7 月 6 日・平成 21 年（判）第 18 号〔荷主向け燃油サーチャージ郵船ロジスティクス〕において公取委は、対価要件や競争の実質的制限の要件を満たすと認定する際には取引の対象となる商品役務（国際航空貨物利用運送業務）に着目しつつ、課徴金計算に際しては、合意のあった一部の要素（燃油サーチャージ等）のみを区別可能であるとして、一部の要素のみを「当該商品又は役務」として扱っている（審決案 79～81 頁）。裁判所も、その判断を結論において支持している。東京高判平成 24 年 11 月 9 日・平成 23 年（行ケ）第 16 号〔荷主向け燃油サーチャージ郵船ロジスティクス〕（判決書 70～71 頁）、東京高判平成 24 年 10 月 26 日・平成 23 年（行ケ）第 24 号〔荷主向け燃油サーチャージケイラインロジスティックス〕（判決書 89 頁）。しかしこれは、対価要件や競争の実質的制限の要件を判断する際の商品役務（国際航空貨物利用運送業務）と課徴金要件における「当該商品又は役務」（燃油サーチャージ等）とを別のものとするものであり、法律の規定に反している。結局この事件は、公取委が（おそらくは名宛人らとの交渉の結果として）一部の要素のみに着目した安い課徴金で済ませる命令をしたところ、それでもなお争う名宛人がおり、法律の規定に反した安い課徴金としたことの法的説明を公取委が迫られる結果となって、裁判所がそれを是認した、という事案である。理由付けが矛盾している所以である。そのような判決には先例的価値を認めるべきではない。勘所事例集 452～453 頁。

174) 公取委審判審決平成 8 年 4 月 24 日・平成 7 年（判）第 1 号〔中国塗料〕（審決集 43 巻の 16～18 頁）。この審決の匿名解説・判時 1567 号および判タ 910 号（いずれも平成 8 年でほぼ同文）は、考え方を詳細に論じており有益である。勘所事例集 91～95 頁。

175) 公取委審判審決平成 11 年 11 月 10 日・平成 9 年（判）第 5 号〔東京無線タクシー協同組合〕（審決集 46 巻の 135～136 頁）。

176) 公取委がしばしば引用するのは、東京高判平成 22 年 11 月 26 日・平成 22 年（行ケ）第 4 号〔ポリプロピレン課徴金出光興産〕（判決書 29 頁）である。

実質的に制限する行為の対象商品役務の範疇に属する商品役務であって、当該違反行為による拘束を受けたものをいう、とされる。

対象商品役務の範疇に属する商品役務であれば、違反行為の影響下で取引されたと推定され、この推定を覆すためには、違反者が明示的又は黙示的に当該行為の対象から除外するなど当該商品が違反行為である相互拘束から除外されていることを示す特段の事情が認められる必要がある、とされる[177]。

(ii) 特段の事情　特段の事情がないと判断された事例が多いなかで、特段の事情があるとして推定が覆された事例もある。

例えば、その商品役務が典型的な対象商品役務と代替性・競合性をもたず違反行為の影響を受けていない、と認定され特段の事情が認められた事例がある[178]。代替性・競合性をもたないことを重要な考慮要素として、そもそも合意の対象商品役務に含まれないと判断されることもある[179]。

また、例えば、実質的に同一企業グループ内の取引であって他で取引される対象商品役務と代替性・競合性もなく違反行為の影響を受けていない、として特段の事情が認められた事例がある[180]。もっとも、実質的に同一企業グルー

---

177) 以上のような枠組みに基づいて多種多様の詳細な判断をした事例として、公取委審判審決平成28年2月24日・平成21年（判）第6号〔塩化ビニル管等〕（審決案101～188頁）。

178) 公取委審判審決平成8年8月5日・平成5年（判）第2号〔東芝ケミカル課徴金〕では、代替性・競合性に重点を置きながら、実際に推定が覆された（審決集43巻の73～74頁）。同様のことを検討しながら推定が維持された例として、公取委審判審決平成8年4月24日・平成7年（判）第1号〔中国塗料〕（審決集43巻の18～19頁）、公取委審判審決平成11年11月10日・平成9年（判）第5号〔東京無線タクシー協同組合〕（審決集46巻の141～142頁）、など。なお、東芝ケミカル課徴金審決についての有益な文献として、匿名解説・判時1587号および判タ926号（いずれも平成9年でほぼ同文）がある。

179) 東京地判平成31年3月28日・平成28年（行ウ）第443号〔コンデンサ〕は、タンタル電解コンデンサのうち、松尾電機のみが供給していた湿式タンタル電解コンデンサは合意の対象商品役務に含まれなかったと判断し、ニチコンのみまたは松尾電機のみが供給していた他の品種については合意の対象商品役務に含まれたと判断したが、その理由付けの決定的な違いは、需要者が、特定の供給者のみが供給している品種と他の品種との間に代替性があると考えていたか否かであったようである（審決等データベースのPDF 53～57頁）。この判断は、違反要件（不当な取引制限の要件）としての合意の範囲を論ずる形で行われているが、後記④の構造により、この判断は課徴金要件である「当該商品又は役務」の範囲の判断とも重なるのであり、現にこの判決にもそれに沿う判示がある（審決等データベースのPDF 58～59頁）。

180) 公取委審判審決昭和59年2月2日・昭和57年（判）第1号〔レンゴー〕審決集30巻56頁（審決集30巻の62～64頁）、東京無線タクシー協同組合審決（審決集46巻の136～143頁）。

プ内の取引であっても、常に特段の事情があるとされるわけではない。別法人である以上、当然に特段の事情があるわけではないとしたうえで、問題のグループ内需要者は対象商品役務を原料としてグループ内で調達し製品をグループ内に売るというグループ内加工部門であったというわけでもなく、供給者は価格協定に連動する価格で対象商品役務を当該グループ内需要者に売っていたのであるという事案において、特段の事情があると認めなかった事例がある[181]。

なお、対象商品役務の範疇に属する商品役務であることを理由に、その商品役務が本来想定した需要者とは異なる需要者に売られた部分も「当該商品又は役務」に含まれるとして課徴金対象とした事例があるが[182]、一般論としては、そのような需要者からみた場合には他に選択肢があって競争の実質的制限がなかった可能性があり、常に課徴金を課してよいというものではない。

③ 入札談合事件における基準

(i) 総説　入札談合事件における基準は、平成初年の公取委審決を源流としつつ暫く経ってから定着するに至ったが[183]、現在では、それを事実上裏書した多摩談合最高裁判決の判示を引用するのが最もよいであろう。それによれば、「本件においては、本件基本合意の対象とされた工事であって、本件基

---

181) 東京高判平成22年11月26日・平成22年(行ケ)第4号〔ポリプロピレン課徴金出光興産〕(判決書29〜36頁)、公取委審判審決平成24年5月30日・平成22年(判)第12号〔モディファイヤー課徴金カネカ〕(審決案21〜24頁)、東京高判平成28年5月25日・平成27年(行ケ)第50号〔日本エア・リキード〕(判決書39頁)、東京高判令和4年6月8日・令和3年(行コ)第226号〔アスファルト合材世紀東急工業取消訴訟〕(判決書13頁。この判決は、入札談合事件に限定しない一般的基準に関する他の争点の例も豊富に提供している。判決書8〜17頁)。その他、公取委審判審決平成14年7月25日・平成13年(判)第11号〔協和孵卵場〕(審決案10〜13頁)、東京高判平成25年12月13日・平成24年(行ケ)第10号〔カラー鋼板日新製鋼〕(判決書81〜82頁)。特段の事情があると認めた公取委審判審決昭和59年2月2日・昭和57年(判)第1号〔レンゴー〕でも、その事案における子会社が置かれた状況が前提となっており(審決集30巻の62〜63頁)、東京無線タクシー協同組合審決でも、特段の事情を認めなかった上記の判決・審決と同様の考慮要素について考察したあと、事案への当てはめとして、特段の事情を認めている(審決集46巻の136〜143頁)。

182) 公取委審判審決平成24年5月30日・平成22年(判)第13号〔モディファイヤー課徴金三菱レイヨン〕(審決案14〜19頁)。

183) 公取委審判審決平成6年3月30日・平成3年(判)第4号〔協和エクシオ〕(審決集40巻の81頁)をその源流とし、時代がくだって公取委審判審決平成15年6月13日・平成13年(判)第17号〔土屋企業〕(審決案5頁)によって再認識され、相当数の事例においてそれを前提とした当てはめがされている。

本合意に基づく受注調整等の結果、具体的な競争制限効果が発生するに至ったものをいうと解される。」[184]。「本件においては」という限定を置いてはいるが、多摩談合事件は典型的な入札談合事件であって事案特有の要素は多くなく、この最高裁判決の判示は、基本合意と個別調整[185]が行われるような入札談合事件には事実上全て当てはまるものと受け止めてよい。

この最高裁判決の基準は、以下の3条件に分けることができ、この3条件を全て満たすときに、その個別物件は「当該商品又は役務」に該当する。すなわち、その個別物件について個別調整が行われたこと、当該個別調整に受注者が関与したこと、具体的競争制限効果が発生したこと、の3条件である[186]。

少なくとも過去のほとんどの解説においては、このような整理が行われていなかったため、3条件の全体を具体的競争制限効果の問題と呼んだり、あるいは、個別調整が行われたことを指して具体的競争制限効果があったと呼ぶものもあり、混乱している。本書では、諸事例を分析すれば間違いなく存在する3条件について、客観的にまとめる。

なお、日本の独禁法の課徴金は、現実に売上額を得た者にしか課されないので、特定の個別物件に視野を限定する場合には、当該特定の個別物件を実際に落札し受注した者にしか、課徴金は課されない。以下の論述を追うにあたっては、そのことの理解が前提となることが少なくない。

以下、3条件を敷衍する[187]。3条件は、相互に関連しているが、いずれかが

---

184) 最判平成24年2月20日・平成22年（行ヒ）第278号〔多摩談合課徴金新井組等〕（判決書16頁、民集66巻2号の812頁）。そのように述べたあと、同判決は、同事件の事案に当てはめて、「本件個別工事は、いずれも本件基本合意に基づく個別の受注調整の結果、受注予定者とされた者が落札し受注したものであり、しかもその落札率は89.79％ないし99.97％といずれも高いものであったから、本件個別工事についてその結果として具体的な競争制限効果が発生したことは明らかである。」と述べている（判決書16頁）。

185) 「個別調整」は「受注調整」と呼ばれることも多い（前記255頁註114）。

186) この3条件が必要であるという規範は、事例の蓄積によって生成したものであり、そのことは、以下に見る諸事例の全体が示しているが、3条件のいずれもが登場しており諸論点の概観に好適な事例として、公取委審判審決平成25年5月22日・平成23年（判）第1号〔岩手談合課徴金高光建設等〕。

187) 「当該商品又は役務」に該当する当初物件の受注者が、追加物件をも受注したという事案で、当該追加物件も「当該商品又は役務」に含まれるとされた事例は多くある。そこでは、当該追加物件が当初の工事と一体を成すものであって違反行為の影響が及んでいることが前提となる。一例として、東京高判平成26年11月21日・平成25年（行ケ）第64号〔岩手談合課徴金タカヤ〕

完全に欠けている場合は、「当該商品又は役務」には該当しない[188]。

基本合意の対象となった個別物件は、3条件を満たし「当該商品又は役務」に該当すると推認される[189][190]。

(ii) 個別調整の成立　　第1条件として、個別調整が成立したことが必要である[191]。個別調整は通常は基本合意参加者の間で行われるものであるから、個別調整の成否を論ずる際にはアウトサイダーの動向は基本的には考慮の外に置かれるが[192]、しかし、アウトサイダーの存在感が大きいために個別調整も瓦解したと評価できる場合はあり得るものと思われる。なお、基本合意参加者の全てと個別調整を行っていなくともよい[193]。

受注予定者を1名に絞りきれなかった場合でも、具体的競争制限効果が発生することはあり得るところであり、そのような個別調整でも「当該商品又は役務」の成立を否定する根拠とはならない[194]。

(判決書28〜29頁)。

188) 現に、以下にみる諸事例のうち「当該商品又は役務」に該当することを否定した事例は、3条件を総合勘案したというよりは、3条件の1つが完全に欠けたことを根拠としているように見受けられる。

189) 東京高判平成23年10月28日・平成22年（行ケ）第31号〔ストーカ炉談合課徴金JFE〕(判決書35頁）など。なお、この推認は、個別調整の成立についての積極的立証を要しないものであるので、この推認が覆されなかったからといって、損害賠償請求訴訟において必要な程度に個別調整が立証されたことにはならない、とする損害賠償請求訴訟判決がある。東京高判平成25年10月18日・平成24年（ワ）第11号〔ストーカ炉談合損害賠償小野加東環境施設事務組合〕(審決集60巻第2分冊の313〜314頁)。

190) 特殊な事例として、東京高判令和元年5月15日・平成30年（行コ）第353号〔常盤工業〕がある。常盤工業は、東日本高速道路東北支社発注舗装災害復旧工事談合の基本合意に参加しており、基本合意に基づく個別調整のもと、問題の物件について辞退者も出るなか、受注予定者ではない立場で入札に参加したところ、受注予定者を含む他の入札参加者が初回の入札で失格となり、同日に行われた再入札の資格を持つのが常盤工業のみとなったため、再入札で落札した。判決は、難解な措辞ではあるが、要するに、上記の事案のもとで、初回の入札に至る過程で競争単位の数を減らしたことに常盤工業も関与した点を重視して3条件の充足を認定したもの、と分析できる。

191) 個別調整が成立していなかったと認定して課徴金を否定した例として、岩手談合課徴金高光建設等審決（審決案57〜64頁)、公取委審判審決平成25年5月22日・平成23年（判）第6号〔岩手談合課徴金菱和建設〕(審決案12〜14頁)。

192) そのような趣旨の措辞は、いくつもの審決・判決に見られる。

193) 公取委審判審決平成26年12月10日・平成25年（判）第10号〔高知談合課徴金生田組〕(審決案13頁、14〜15頁)。

その個別物件について受注希望者が１名しかいなかった場合も、そのような者を受注予定者とし受注に協力することが基本合意において約されていたことを認定しつつ、「当該商品又は役務」の成立を認める事例が多い[195]。地域性や関連性などに鑑みて衆目の一致するところ受注希望者が１名しか名乗り出そうにない場合に、受注希望者があえて希望を表明せず、他の指名業者との明確な連絡をしないまま、いわば暗黙の了解によって当該受注希望者が受注予定者とされたときも、「当該商品又は役務」の成立が認められている[196]。

(iii) 個別調整への受注者の関与　第２条件として、個別調整に受注者が関与したことが必要である。個別調整において受注予定者とされたものは、通常、その個別調整に関与しているであろう。しかし、受注予定者が実際に落札し受注するとは限らない。「個別調整への受注者の関与」は、そのように、受注予定者でない基本合意参加者が落札し受注者となった場合に、その受注者が個別調整に関与していたか、を問題とするのが通常である。

受注者が個別調整に関与していなかったことを根拠に課徴金を否定した事例として、土屋企業東京高裁判決がある。同判決は、その個別物件を「当該商品又は役務」とするには「当該事業者が直接又は間接に関与した受注調整手続の結果競争制限効果が発生したことを要するというべきである」との一般論を述べた。当該事案では、名宛人である土屋企業が、高尾建設を受注予定者とする旨の決定を明確に拒絶し、また、土屋企業の入札価格を他の指名業者に連絡したり協力を要請するなどの行為を行っていない、という事実評価のもと、上記基準に該当しないとされ、原審決の該当部分が取り消された[197][198]。

---

194)　例えば、公取委審判審決平成16年8月4日・平成15年（判）第71号〔森川建設〕（審決案6頁）。実際の事例でどのような結論となるかは、個別調整によって競争単位を減少させたこと（1名に絞れなかったとしても数は減ったこと）を具体的競争制限効果の成否の判断においてどのように評価するかによって変わる。

195)　例えば、東京高判平成26年1月31日・平成24年（行ケ）第23号〔川崎市談合取消請求吉孝土建等〕（判決書27頁）、東京地判令和4年3月3日・平成29年（行ウ）第356号〔富士通ゼネラル〕（判決書46～47頁）。

196)　東京高判平成26年4月25日・平成25年（行ケ）第115号〔奥能登談合課徴金大東建設〕（判決書26～27頁）。

197)　以上、東京高判平成16年2月20日・平成15年（行ケ）第308号〔土屋企業〕（審決集50巻の714～716頁）。公取委は上告受理申立てをしたが、上告は受理されなかった（最決平成18年11月14日・平成16年（行ヒ）第135号〔土屋企業〕）。もっとも公取委も、個別調整への関

土屋企業東京高裁判決後の公取委審決の多くは、類似の事案において課徴金納付を命じているように見えるが、これは、他の基本合意参加者を受注予定者とする旨の決定に対し、最終的に落札した課徴金納付命令名宛人が当該物件を特定して明確に拒絶したと認定されてはいない、という点で、土屋企業判決と事案を異にしているからだと理解するのが的確である[199)]。

公取委審決にも、個別調整が成立していないという理由とあわせてではあるものの、個別調整が成立していたとしても受注者がそれに関与していないことを、課徴金を課さない理由の１つとしたものが存在する[200)]。

また、違反者である風間建設が落札した特定の物件について公取委が課徴金を課さなかったのは風間建設が当該物件について個別調整への関与を一切拒否して落札したからである旨に言及した判決も存在する[201)]。

関与の有無に関する具体的論点として、共同企業体（JV）の代表者のみが個別調整への直接の関与をしていた場合に、共同企業体への他の参加者をどう取り扱うか、という問題がある。代表者が個別調整をすることを他の参加者が容認して任せていたことを理由に、他の参加者の関与を認め課徴金を課した事例

与が要件となることを否定していたわけでは必ずしもない。土屋企業事件で結論を分けたのは、関与の要否に関する法解釈の違いではなく、当該事案で関与があったと言えるか否かという事実評価の違いにあったとみられる。勘所事例集 172〜174 頁。

198）土屋企業東京高判が公取委審決を取り消したためか、第３条件である具体的競争制限効果を必要とする解釈は同判決によって打ち立てられたものであると信じて、同判決を批判対象とする文献等が散見されるが、認識が誤っている。同判決は、課徴金を課した公取委審決について、複雑な事実関係のもとで、問題の物件については具体的競争制限効果があったとしてもその原因となった受注調整手続に対して受注者が関与したとは言えないとして、取り消したものである。具体的競争制限効果が必要であるという解釈を初めて打ち立てたわけではなく、具体的競争制限効果がないとして公取委審決を取り消したわけでもない。中里浩・山﨑幕田監修 232〜233 頁は、土屋企業東京高判は競争単位減少説の観点から疑問である旨を述べているが、競争単位減少説の是非は措くとしても（後記(iv)）、競争単位減少説は第３条件に関する一説なのであるから、これを持ち出して土屋企業東京高判を批判しても、的外れである。

199）そのことを明示的に述べるものとして、公取委審判審決平成 20 年 6 月 2 日・平成 18 年（判）第５号〔港町管理等〕（審決案 23〜24 頁）、東京高判平成 21 年 10 月 2 日・平成 20 年（行ケ）第 14 号〔港町管理等〕（判決書 21〜22 頁）。

200）公取委審判審決平成 25 年 5 月 22 日・平成 23 年（判）第１号〔岩手談合課徴金高光建設等〕（審決案 62 頁、64 頁）。

201）東京高判令和元年 5 月 17 日・平成 29 年（行ケ）第 33 号〔石和談合飯塚工業等〕（判決書 55 頁）。

がある[202]。

(iv) 具体的競争制限効果　第3条件として、その個別物件について具体的競争制限効果が発生したことが必要である。そのこと自体については、的確な異論はないといってよい[203]。

具体的競争制限効果の成立を具体的にどのような基準によって判断するのか、という点については、定まった考え方があるわけではない。

公取委は、競争単位減少説と呼ぶべき一般論を主張している。その基本的な考え方は、個別調整によって基本合意参加者のなかでは競争単位の数が減少しており、そのため全体としても競争単位の数が減少しているのであれば、アウトサイダーの行動如何にかかわらず、競争制限効果があるというに足りる、というものである。もっとも、多摩談合審決において公取委は、競争単位減少説を原則としながら、「アウトサイダーの数が比較的多い場合には」例外である、という留保を付している[204]。その後、このような留保を付さず、競争単位減少説を一般的に主張する事例も現れるに至っているが[205]、結局のところ、落札した名宛人の主張を退ける場合には留保のない競争単位減少説を表向き唱えつつ、実際には、具体的に競争への影響があったとはいえない事例においては競争単位が減少していても具体的競争制限効果を否定し課徴金を課さない、ということなのではないかと考えられる。表向き主張される一般論と、実際の規範とが、乖離しており、課徴金を課する結論の場合に、表向きの一般論が、例外のないものであるかのように主張され課徴金の賦課を肯定することに使われ

---

202) 東京高判平成20年9月12日・平成20年（行ケ）第3号〔賀数建設〕（判決書26～27頁）。共同企業体の売上額を構成員である各違反者にどう割り振るかという問題については、別の箇所で述べる（後記308頁）。

203) 種々の見解を引きつつ詳細に論ずるものとして、伊永課徴金制度184～192頁。具体的競争制限効果を条件とすることに異論を唱えても、結局、後記295頁註214のような結果となる。

204) 公取委審判審決平成20年7月24日・平成14年（判）第1号〔多摩談合課徴金〕（審決案156～157頁）。特に問題となった番号11の物件については、「アウトサイダーたる地元業者は2社とかなり少数」と認定したうえで競争単位減少説を適用し課徴金を課した（審決案162頁）。地元業者が多数であるとして競争単位減少説を適用せず結果としても課徴金対象外としたのは、番号1（審決案157頁）、番号4（審決案159頁）、番号19（審決案165頁）、の各物件である。

205) 例えば、公取委審判審決平成22年11月10日・平成19年（判）第4号〔ストーカ炉談合課徴金JFE〕（審決案24頁）、東京高判平成30年8月10日・平成29年（行ケ）第15号〔塩山談合天川工業等〕（判決書69～70頁）。

ているということであって、好ましい状態ではない。

それに対し、多摩談合最高裁判決および多数の東京高裁判決は、競争単位減少説には言及せず、その物件における落札率に言及して、アウトサイダーの存在をも考慮しながら具体的競争制限効果の成否を判断しようとしているようにみえる[206)]。

公取委も、アウトサイダーが競争的な行動をとっていないことを認定したうえで、競争単位減少説は結論を述べる際の修辞にとどめているようにみえる場合もある[207)]。

私見によれば、競争単位減少説とは一線を画する上記の考え方を徹底し、具体的競争制限効果と競争の実質的制限とを同義と考えるべきである[208)]。両者の解釈に違いが生ずると、問題となる個別物件を違反要件のレベルで論ずるか課徴金賦課要件のレベルで論ずるかに応じて結論が異なることになってしまう[209)]。もちろん、基本合意が立証された場合には基本合意の対象となった個別物件は3条件を満たし「当該商品又は役務」に該当すると推認される、という立証ルールが採られることが前提である（前記(i)）。

(v) 具体的競争制限効果をめぐる諸論点　具体的競争制限効果について

---

206) 最判平成24年2月20日・平成22年（行ヒ）第278号〔多摩談合課徴金新井組等〕（判決書16頁、民集66巻2号の812頁）のほか、大多数の東京高裁判決。競争単位減少説に好意的な立場を明示した東京高裁判決は東京高判平成24年3月2日・平成22年（行ケ）第32号〔ストーカ炉談合課徴金日立造船〕（判決書27〜28頁）のように僅かである。公取委審決などの公取委関係文書は、競争単位減少説を唱えたうえでこの例外的な東京高裁判決を引用している。なお、個別調整による競争単位の減少に言及した他の判決として、東京高判平成26年4月25日・平成25年（行ケ）第115号〔奥能登談合課徴金大東建設〕があるが（判決書27頁）、競争単位減少説を一般論として採用したというよりも（その方向で同判決を位置付けるものとして中里浩・商事法務連載2086号38頁）、その事案の判断において軽めに触れた程度であり、現に同判決で問題となった物件は落札率もいずれも90％以上であって高く（判決書別紙2）、競争単位減少説によらずとも具体的競争制限効果を認定し得た事案であったように思われる。

207) 公取委審判審決平成25年5月22日・平成23年（判）第1号〔岩手談合課徴金高光建設等〕（審決案54頁）。

208) 価格等の競争変数が左右されることを述べて具体的競争制限効果を認定する旨を述べる事例として、東京高判平成30年8月31日・平成29年（行ケ）第16号〔塩山談合廣川工業所〕（判決書95頁、98頁）。

209) 競争単位減少説に対して批判的な検討をするものとして、他に、伊永課徴金制度184〜192頁。

は、前記(iv)のような一般的な問題のほかに、個別論点が存在する。

最低制限価格や調査基準価格と呼ばれる価格を下回る価格等で入札した者がいたことは、直ちに具体的競争制限効果の認定を妨げるものではないが[210]、他方で、具体的競争制限効果の成立を否定する方向で考慮されることはあり得るし、また、個別調整の瓦解を示唆してその認定を支える要素とされることもあり得る[211]。

需要者が発注する段階では供給できる者が1名に絞られているとしても、それは、違反行為のもとで他の供給者が営業努力をしなくなったためである、というように、見るべき時間の幅を遡って長くすることで具体的競争制限効果を認定する事例がある[212]。他方で、個別調整の存在と受注希望者が1名だけであったこととの間の因果関係が不明であるために課徴金納付命令がされない場合もある模様である[213]。

④ 総括

(i) 違反の成否をめぐる議論の修正原理　以上のような基準、すなわち、入札談合事件に限定しない一般的基準や入札談合事件における基準は、総合すると結局、個別事件における不当な取引制限の違反要件の成否をめぐる大雑把で全体的な議論を維持しつつ個々の取引に着目しながら課徴金について妥当な結論を導くための、修正原理であるということができる。

価格協定や入札談合をはじめとする不当な取引制限の主たる行為類型は、こ

---

210) 岩手談合課徴金高光建設等審決（審決案54〜55頁）。

211) 公取委審判審決平成20年6月2日・平成18年（判）第5号〔港町管理等〕は、落札者すなわち名宛人が最低制限価格で落札した場合にも具体的競争制限効果を認め、課徴金の対象としている（審決案25〜26頁）。最低制限価格未満の価格では、需要者は商品役務を購入しなかったわけであり、どのような点に具体的競争制限効果を認めるのかについては、やや疑問も残る。個別調整参加者のなかで自らが優先して落札できる地位を確保したことについての制裁である、と位置付けなければ、この判断の理解は難しいように思われる。

212) 東京地判令和4年3月3日・平成29年（行ウ）第356号〔富士通ゼネラル〕（判決書40〜43頁）。東京高判平成30年3月23日・平成29年（行ケ）第3号〔EPSブロック積水化成品工業〕（判決書37〜44頁）、東京高判平成30年4月20日・平成29年（行ケ）第4号〔EPSブロックカネカケンテック等〕（判決書17〜19頁）の「不認識物件」等の判断も同様のものと位置付けることができる。さらに、東京高判平成20年12月19日・平成19年（行ケ）第12号〔区分機類談合排除措置II〕の「禁反言」論（判決書34〜46頁）も、類似の考え方であるといえる。

213) 公取委がそのような判断をした物件が存在したことを述べた判決として、塩山談合天川工業等東京高判（判決書70頁）。

れを「原則違反」とする大勢の理解に後押しされて、市場画定や行為の画定などの面で必ずしも十分な検討を経ないままこれを違反とし排除措置命令を行うという実務が長年にわたり採用されてきた。本来は更にきめ細かく市場や行為を分けて論ずべき場合でも、煩雑さを避けるという観点から、それらを大雑把にまとめて違反要件を論ずることが許されてきた。

かりにそれに簡素な行政という観点からの正当性があるとしても、しかし、課徴金という金銭的不利益を課するという段階になると、それを押し通すことができなくなる。きめ細かく分けて考えれば違反要件を満たさないと言えるかもしれないものを、大雑把にひとまとめにして違反だと論じてしまうのが、上記の立論だからである。

以下、具体例によって確認する。

例えば、入札談合事件に限定しない一般的基準において、代替性・競合性という要素が登場した。これは、市場画定において登場する中核的な考慮要素そのものである（前記69頁）。すなわち、代替性・競合性を勘案するということは、本当に同じ市場に属する商品役務のみを課徴金対象とし、実は同じ市場に属さないような商品役務は課徴金対象としないようにしているもの、ということができる。

やはり入札談合事件に限定しない一般的基準において、当該行為の対象からあえて除外したか否か、という考慮要素が登場した。これは、本来は違反行為に包含されるべきでない行為が違反行為に包含されてしまっている場合に、課徴金を論ずる段階でそれを取り除くようにしているもの、といえる。

入札談合事件における基準では、個別の入札で具体的競争制限効果が発生した場合のみ課徴金対象とする、という考え方が登場した。これはすなわち、当該発注のみに限定して違反要件を論じたならば競争の実質的制限またはそれに準ずるものを満たさない、ということである。これが「当該商品又は役務」とされないのは、基本合意のみが違反行為であってそこで既に競争の実質的制限等が起こっているという公取委の公式見解を維持しつつ、しかし微視的に見て競争制限が発生していない部分がある場合に、それによって導かれる不適切な結論を修正しているもの、ということができる[214]。

214）　勘所事例集174〜175頁。逆に言えば、このような修正原理が存在するからこそ、大雑把な

やはり入札談合事件における基準では、個別調整が成立し、しかもそれに受注者が関与していることが条件となっていた。これはすなわち、当該発注のみに限定して違反要件を論ずる場合には意思の連絡という行為要件を満たす必要がある、ということである。そのような条件を満たさない個別物件が「当該商品又は役務」とされないのは、公取委の公式見解を維持しつつ、しかしそれによって導かれる不適切な結論を修正しようとしたもの、ということができる。

(ii) 修正原理の違反要件への織り込み　以上のような修正原理は、不当な取引制限の違反要件論のなかに織り込まれることもある。というのは、これらの修正原理が発達した背景には、平成17年改正前において、排除措置命令手続によって違反の成否を判断する段階と、課徴金納付命令手続によって課徴金額を計算する段階とが、時間的にずれており、しかも所掌する部署が異なっていた、という事情があったからである。平成17年改正によって、両手続は同時化・同部署化した（以上、後記714～715頁）。そうであるとすれば、改正前であれば修正原理が働いたであろうような事案では、課徴金額の計算とともに違反要件の成否の判断も同時に同部署で行うのであるから、当該事件のその部分は違反行為の範囲にもともと含まれない、などといったきめ細かな違反要件論によって処理することもあり得ると思われる[215)]。

もっとも、違反要件の成否の判断と課徴金額計算とでは目指すものが違うのであるから、修正原理というものが完全に消滅し存在意義を失うということもまた、考えにくい。例えば、共同行為が機能して競争が行われなかった取引と共同行為が機能せず競争が行われた取引とを商品役務の違いなどで類型的に区別できる場合には、違反要件論の段階で商品役務の範囲の細密な定義をすることによって「当該商品又は役務」の議論の必要がなくなっていくことになるかもしれない。しかし、取引ごとの諸事情のために共同行為が機能したり機能し

市場画定や行為の画定が許されてきたのである、とも言える。具体的競争制限効果の有無にかかわらず基本合意の対象となった発注物件は全て課徴金の対象とすべきである、という論を採るのは、この修正原理を放擲することを意味する。それは必然的に、基本合意の対象である全ての発注物件が課徴金対象となるという場合の基本合意の範囲とは何か、そこにおいて市場画定や行為の範囲の画定は適切になされているか、という論争に火を付け、議論の舞台を別の場所に移すだけに終わるもののようにも思われる。前記281頁註164。

215) 平成17年改正後の一例である公取委命令平成19年5月24日・平成19年（措）第9号・平成19年（納）第74号〔けい酸カルシウム板〕を素材として、勘所事例集284～287頁。

なかったりした場合には、商品役務の違いによって類型的に区別することが難しく、なお、「当該商品又は役務」という論点は残るであろう。入札談合事件で特に3条件等の議論が残っているのは、入札談合事件では個別調整が成功したか失敗したか等を商品役務の違いによって類型的に区別できる場合が少ないためであると思われる。

⑤ **複数の違反行為が重なる商品役務**　以上のような問題とは別の問題ではあるが「当該商品又は役務」の問題であると位置付けられるものとして、次のような問題がある。

複数の違反行為が存在するとして立件されたところ特定の商品役務については当該複数の違反行為のいずれにも関係していたという場合に、当該特定の商品役務すなわち重複部分について、それぞれの違反行為においてそれぞれに課徴金を課し、重複して課徴金を課す結果となっても許されるか。

公取委は、重複部分に重複して課徴金を課すことができる場合があるという立場を堅持している。課徴金が単なる不当な利得の剝奪にとどまらずカルテル禁止の実効性確保のための行政上の措置であることを理由としている[216)]。

これに対しては、反論もあり得る。独禁法の違反者は事業者であり、自然人ではない。事業者の複数の自然人担当者が互いに連絡なく他社と価格協定等の行為をしたとしても、それらの複数の行為は1の事業者の行為として集約され、重複部分に関する反競争性という1個の法益侵害となる。そうであるとすれば、課徴金も1個であるべきではないか。

公取委は、これが問題となった具体的事件において、「近畿合意」に基づく特定の受注調整は、「全国合意」を具体的に実現するために行われたものであり、全く別個のものと解するのは相当でないとして、重複して課徴金を課さないこととした[217)]。

(4) 実行期間

① **総説**　7条の2第1項1号は、違反者の企業グループの「当該商品又

216) 公取委審判審決令和2年8月31日・平成22年（判）第17号〔シャッター〕（審決書4頁）。

217) シャッター審決（審決書4～5頁）。かねてから「近畿合意」が継続的に行われていたという認定を根拠に、「近畿合意」のほうのみで課徴金を課すこととした。この事件では、「近畿合意」の対象となった商品役務のうち、「近畿合意」より後に成立したと認定された「全国合意」より後に受注調整が行われたものが、重複部分として争いの対象となった。

は役務」に関する売上げのうち、当該違反行為に係る「実行期間」におけるものを、課徴金計算に盛り込むこととしている[218)]。「実行期間」が明文にない7条の2第1項3号・4号においても、実際には「実行期間」のものが対象となる（後記310頁、311頁）。

「実行期間」は2条の2第13項で定義されている。それによれば、実行期間は、原則として、「違反行為をした事業者に係る当該違反行為の実行としての事業活動を行つた日」から「当該違反行為の実行としての事業活動がなくなる日」までの期間である。前者は便宜上「始期」と呼ばれ、後者は便宜上「終期」と呼ばれている。ただし、始期が、調査開始の日から遡って10年前の日より前であるときは、当該10年前の日から終期までの約10年間のみが「実行期間」とされる（後記⑤）[219)]。

実行期間は、違反者ごとに別々に認定される[220)]。令和元年改正後の条文は、「違反行為をした事業者に係る」という文言を置くことで、そのことを示そうとしているようにみえる。

② 実行としての事業活動

（i） 総説　「実行としての事業活動」という概念は、不当な取引制限においては、通常、合意時に違反行為が成立したとされるため（前記249〜251頁）、違反行為の開始そのものでなく、その違反行為に基づいた事業活動に着目して、その期間だけに課徴金を課そうという発想から出たものである[221)]。

218） 「政令で定める方法により算定した」は、「売上額」を修飾する文言である。令和元年改正前の条文は明確にそのようになっている。施行令の条文も、それを前提としている。

219） このように、実行の始期は、実行期間の開始日と同じであるとは限らない。本来は、「実行期間」は「課徴金対象期間」などと名付けるほうが、混乱を起こさないと思われるが、昭和52年改正による課徴金の導入以来、使われている言葉であるので、課徴金対象期間を「実行期間」と呼ぶという用語法は令和元年改正後も維持された。「始期」という用語は法令に定義のない便宜上のものであるから、実行の始期でなく当該10年前の日である実行期間の開始日を「始期」と呼ぶ用例も、あり得る。本書では、混乱を避けるため、実行の始期を「始期」と呼び、また、混乱を防ぐため、なるべく、「実行の始期」と呼んで、実行期間の開始日とは区別することとする。多くの事案では、実行の始期と実行期間の開始日は一致するが、それは、実行の始期と実行の終期があまり離れていない事案が多いことによる偶々の結果である。

220） 公取委審判審決平成17年9月28日・平成15年（判）第24号〔岡崎管工課徴金〕（審決案9頁）。

221） 支配型私的独占に係る課徴金については、不当な取引制限と同じく2条の2第13項で定義された「実行期間」が用いられている（7条の9第1項）。これは、支配型私的独占とは不当な

(ii) 価格協定の場合　価格協定の場合については、考え方の変遷があったものの、現在では、違反行為である合意が適用されるべき状態で販売することであると解されている（後記③(ii)）。

鋼管杭クボタ東京高裁判決は、需要者に対して交渉し取引条件を合意するという「事実上の営業活動」が「実行としての事業活動」であるとして、これを行った者だけが課徴金対象となる旨の考え方を示したが、日頃当然のように行われ是認されている公取委実務に反した基準であり、先例的価値はない[222)]。

(iii) 入札談合の場合　入札談合の場合は、まとめると、入札と、入札によって落札し契約することとが、「実行としての事業活動」であると考えられている。すなわち、違反行為である基本合意に基づいた入札を初めて行った日が実行の始期とされることが多く（後記③(iii)）、また、違反行為である基本合意が終了した後であっても、それに基づいて落札し契約した場合にはそれを実行期間に含むとした事例がある（後記301頁註228）。

入札も「実行としての事業活動」に含まれるとされることについては、価格協定の場合と比べると、違和感がないわけではない。価格協定の場合は、「実行としての事業活動」とは違反行為である合意が適用されるべき状態で販売す

取引制限に似た影響を単独でもたらす行為であるという理解が、支配型私的独占に対する課徴金を最初に導入した平成17年改正の段階においては強かったからではないかと思われる。排除型私的独占に係る課徴金や優越的地位濫用に係る課徴金については、2条の2第14項や18条の2第1項で定義された「違反行為期間」が用いられている（7条の9第2項、20条の6）。これらの違反類型においては、違反行為の開始について不当な取引制限に係る合意時説のような特別な議論がなく（したがって実行という概念が必ずしも生成されておらず）、違反行為期間という単純明快な枠組みを採用しやすかったものと考えられる。

222) 東京高判平成24年2月24日・平成23年（行ケ）第9号〔鋼管杭クボタ〕。1つの商流に複数の違反者（クボタと新日本製鐵）が関与した事案で、需要者に対して交渉し取引条件を合意するという「事実上の営業活動」を「実行としての事業活動」としたうえで、そのような「事実上の営業活動」を行ったのはクボタであると認定して、クボタだけに課徴金を課した公取委の判断を是認した（判決書47〜52頁）。しかし、通常の事例では、そのような意味での「事実上の営業活動」の有無などは考慮せず、当然に、需要者に対して供給した者（この事例では新日本製鐵にあたる）に対して課徴金を課している。当該事案での公取委の判断を是認するという結論を導くための、その場凌ぎの苦肉の論であって先例的価値はないとみるべきである。なお、以上のことは、いわゆる1商流1課徴金の原則を採らず、かりに1つの商流について複数の名宛人に課徴金を課すことができるという一般論を採る場合にも、その前提のもとで、個別事例においてやはり生じ得る論点である。以上について、勘所事例集427〜432頁。1商流1課徴金の原則については、別の箇所で論ずる（後記725頁）。

ることであると解されている（後記③(ii)）。入札しただけでは、落札するとは限らない。価格協定の場合との整合性を重視するなら、落札し発注者と契約をすることを「実行としての事業活動」と考えるほうが、素直であると思われる。

③　実行の始期

(i)　総説　　実行の始期とは、「違反行為をした事業者に係る当該違反行為の実行としての事業活動を行つた日」である。

実行の始期が、実行期間を最長とした場合の実行期間の開始日より前である場合は、そのことが立証されさえすれば、実行の始期の厳密な日を示す必要はないことになる。

(ii)　価格協定の場合　　価格協定の場合については、考え方の変遷があったものの、現在では、違反行為である合意が適用されるべき状態で最初に販売した日であると解されている。

このような議論は、値上げ協定の場合の実行の始期はいつであるか、という形で行われることが多い。

かつては、実際に値上げが実現した日が実行の始期であると言われた[223)]。

しかしその後、値上げ予定日に実際に価格を引き上げることができたか否かにかかわらず、当該値上げ予定日を実行の始期とする考え方が採られている[224)]。需要者との交渉の結果として値上げ予定日に実際に値上げをすることができなかったとしても、価格協定が存在するために、少なくとも、競争者が低価格での競争を仕掛けてくることを心配して競争的に価格を下げることを検討する必要がほとんどなくなったという意味では違反行為の実行がされているのであり、その日を実行の始期とすることには合理性がある。

---

223)　昭和52年改正要点16頁、相場照美・昭和52年改正知識36頁、川井課徴金154頁。もっとも、価格引上げが合意のとおりに十全に達成されなくとも、一部が達成された場合には、実行の始期というに足りるとされていた。相場・昭和52年改正知識36頁、川井課徴金154頁。

224)　先陣を切ったものとして、公取委審判審決平成14年9月25日・平成13年（判）第14号〔オーエヌポートリー〕（審決集49巻の124頁）。具体的な理由付けを伴う早期の例として、公取委審判審決平成19年6月19日・平成15年（判）第22号〔ポリプロピレン課徴金日本ポリプロ等〕（審決案16頁）。裁判所が明示的に認めた早期の例として、東京高判平成22年4月23日・平成19年（行ケ）第44号〔アスカム〕（判決書36頁）。最近の例として、東京高判令和4年9月16日・令和3年（行ケ）第12号〔大口需要者向け段ボールケース〕（判決書54〜55頁）、東京高判令和5年6月16日・令和3年（行ケ）第10号〔東日本段ボールシート等福野段ボール工業〕（判決書86〜88頁）。

実現の有無を問わず実施予定日を実行の始期とするのであれば、理屈のうえでは、値上げ協定でなく価格維持協定であっても同様の取扱いをすればよいこととなる[225)]。

(iii) 入札談合の場合　　入札談合の場合は、違反行為である基本合意に基づいて最初に入札した日が実行の始期とされることが多い[226)]。

価格協定の場合と比較すると違和感があるが、入札談合事件では入札しても落札しなければ売上額が発生せず実行の始期が早めに認定されても課徴金額が増えるわけではないためか、あまり争われることはないようである。

④ **実行の終期**　　終期とは「当該違反行為の実行としての事業活動がなくなる日」である。

実務上は、原則として、違反行為の終了の日（前記251〜254頁）と、実行の終期とを、連動させているようである[227)]。

違反行為の終了の日より前に個別調整に基づく入札がされた物件について、違反行為の終了の日以後に契約がされた場合には、契約日が終期とされる[228)]。

⑤ **実行期間の上限**　　2条の2第13項によれば、実行の始期が、立入検査などの調査開始の日から遡って10年前の日より前であるときは、当該10年前の日から終期までの約10年間のみが「実行期間」とされる。調査開始の日が実行の終期であると認定された事例では、ちょうど10年となる。実行期間という名の課徴金対象期間は、これより長くはならない[229)]。

令和元年改正前は、実行の始期が、終期から遡って3年前の日より前であるときは、当該3年前の日から終期までの3年間のみを実行期間としていた。3年から約10年へと劇的に長期化し得ることとなったことにより、課徴金額の

---

225) 過去の考え方を前提としつつ実務的問題を論じたものとして、川井課徴金153〜157頁。

226) 品川武・菅久品川他4版227頁。

227) 違反行為の終了の日の前日を終期とすることが多いようである。違反行為の終了の日には終日にわたって違反行為が行われていたわけではないから課徴金対象としないのが安全、ということであろうか。

228) 事例は多いが、例えば、公取委審判審決平成16年6月22日・平成15年（判）第54号〔アベ建設工業〕（審決案6頁）、東京高判平成30年8月10日・平成29年（行ケ）第15号〔塩山談合天川工業等〕（判決書85〜87頁）。

229) 令和元年改正の経過措置により、実行期間の最初の日は、令和元年改正の施行日である令和2年12月25日の3年前の日より前となることはない（令和元年改正法附則6条2項）。

高額化のほか、実行の始期が争われる可能性の高まり（前記③）、課徴金の対象となる売上額などの推計の必要性の高まり（後記8）、など、これまでの課徴金をめぐる議論の相場観が変化する可能性がある。

調査開始の日は、その個別の違反者に関する調査開始の日である。2条の2第13項の条文では、「当該事業者に対し」調査に係る処分が最初に行われた日であるとされている。その意味で、不当な取引制限事件の全体における最初の処分の日を指す2条の2第15項の「調査開始日」や7条の4の「調査開始日」が全ての違反者について統一的に定まるのとは異なる。

そのような調査開始の日から遡って10年とされるのは、その事業者に対して調査に係る処分があったなら、その段階でその事業者において保存されているはずの10年分の帳簿書類[230]は公取委の調査が終了するまでは保存を続けるべきである、という考えによるものである[231]。

(5) 売上額

① 総説

(i) 概要　以上のようにして「当該商品又は役務」の範囲が明らかになれば、次に、その売上額を算定する[232]。

費用を差し引く前の売上額を計算の基準としているのは[233]、計算方法を明確・簡易なものとするための立法措置である。つまり、売上額に費用が含まれることを見込んだうえで、算定率が法定されている。所得税等との大きな違いである。

7条の2第1項1号は「政令で定める方法により算定した」売上額であるこ

230) 株式会社について会社法432条2項、持分会社について会社法615条2項、商人について商法19条3項、など。

231) 令和元年改正解説28〜29頁。令和元年改正前の3年の根拠としては、企業の帳簿保存期間は5年くらいが多く、課徴金納付命令は実行の終期から2年弱を経てされることが多い、という認識が平成3年改正の時点において示されていた。加藤秀樹発言・平成3年改正座談会29頁。

232) 買う側の競争の実質的制限が問題とされたのであれば、7条の2第1項1号でなく2号が適用され、「当該商品又は役務」の購入額を算定することになる。本書では、前記(1)のように、1号を中心に解説することとしている。

233) 売上額に費用を含むことは、昭和52年改正以来の当然の前提であるが、最判平成17年9月13日・平成14年（行ヒ）第72号〔日本機械保険連盟〕がこれを確認した（判決書6〜7頁、民集59巻7号の1956頁）。勘所事例集207〜211頁。この判決を、その意味以上に拡大解釈し、課徴金について争われた当局が無限定に引用しようとする風潮について、後記718頁註247。

とを求めており、これに相当する政令は施行令4条である。

(ii) 類型的に課徴金が課されない行為　課徴金額の計算が、対象となる商品役務の売上額に算定率を乗ずるという方式を採っているため、売上額が零であれば課徴金額も零となるので、売上額がおよそ生じない類型の行為は、課徴金対象とはならないことになる。

その例として、対象商品役務について違反者が自己内取引のみしか行っていない場合[234]、国際市場分割協定に参加して日本に所在する需要者に向けた供給を行わないという拘束を受けた場合[235]、実際に商品役務を供給する者の親会社などとしての関与が違反行為とされた場合[236]、などがある。

② 控除前の売上額

(i) 引渡基準と契約基準　施行令4条は、売上額の算定にあたって、引渡基準を原則とし、契約基準を例外としている。引渡基準とは、実行期間中に引き渡された商品役務の対価の額の合計額を売上額とする手法を便宜上そう呼んでいるものである（施行令4条1項)。契約基準とは、実行期間中に締結された契約に係る取引の対価の額の合計額を売上額とする手法を便宜上そう呼んでいるものである（施行令4条2項)。違反行為が対価に与える影響は、実行期間中の引渡しよりは実行期間中の契約のほうに現れることが多いと言えそうにも思えるが、施行令では、一般に公正妥当とされる会計基準にあわせようとする要請を優先して、引渡基準を原則としているのであろう[237]。

例外的に契約基準を採るための要件として、施行令4条2項は、引渡基準で得られる数値と契約基準で得られる数値との間に「著しい差異を生ずる事情があると認められる」ことを求めている[238]。この要件の成否は、著しい差異が

234) それを理由として課徴金納付命令がされなかったと見られる排除措置命令の例として、公取委勧告審決昭和55年12月10日・昭和55年（勧）第12号〔田村郡石灰石住友セメント〕、公取委審判審決昭和59年10月15日・昭和55年（判）第3号〔田村郡石灰石旭砿末資料〕。

235) 例えば、公取委命令平成20年2月20日・平成20年（措）第2号・平成20年（納）第10号〔マリンホース〕において違反者とされた外国事業者。

236) 公取委命令平成21年10月7日・平成21年（措）第23号・平成21年（納）第62号〔ブラウン管〕において違反者とされた者のうち親会社であるMT映像ディスプレイとサムスンSDI（韓国）。

237) 相場照美・昭和52年改正知識38頁には、そのような思考過程が窺われる。

238) その前提として、対価が契約締結の際に定められることが、明文で求められている。暫定価格や仮価格が定められるにすぎない場合は、契約基準を採ることはできないとされる（平成17

生ずる蓋然性が類型的ないし定性的に認められるか否かによって決すれば足りる、とされる[239]。引渡基準と契約基準の選択は売上額の算定に関する専門技術的な性質をもつものであって政令に委ねられたものなのであるから、行政委員会である公取委に裁量判断の余地がある、とする東京高裁判決がある[240]。具体的には、受注から引渡しまでの期間が長い、個々の取引の売上げが大きい、取引ごとの売上げの差が大きい、引渡しが不定期に行われる、などの場合には、契約基準を採用するための要件を満たす、とされる[241]。

(ii) 税等相当額　取引代金とともに支払われる税等相当額は、売上額に含まれるか。

売手の側が納付義務者であるか買手の側が納付義務者であるかによって、先例の結論が分かれている。

消費税をはじめ、売手の側が納付義務者であるものについては、税等相当額は売上額に含まれるとされる。その理由としては、税等相当額は商品役務の価格に含まれていることが通常であり、施行令4条においてそのような額は控除対象として明記されてもいないのであって、しかも、各種各様に存在し今後も経済情勢の推移に応じて刻々変化する税等を算定し売上額から控除することは実務上極めて困難であって明確性・簡易性という解釈指針に反する、といった点が挙げられている[242]。

他方、買手の側が納付義務者であるものについては、売手の側は特別徴収義務者としていわば代行徴収し代行納付する立場にあるという意味で税等相当額

年施行令改正解説13頁)。

239) 昭和52年施行令売上額解説32頁、東京高判平成9年6月6日・平成8年(行ケ)第179号〔シール談合課徴金〕(審決集44巻の547～548頁)。

240) 東京高判平成18年2月24日・平成17年(行ケ)第118号〔防衛庁発注石油製品談合課徴金東燃ゼネラル石油〕(判決書30頁)。

241) 公取委審判審決平成17年2月22日・平成13年(判)第1号〔防衛庁発注石油製品談合課徴金〕(審決案95～96頁)、東京高判令和5年4月7日・令和2年(行ケ)第10号〔シャッター〕(判決書150～151頁)。

242) 防衛庁発注石油製品談合課徴金東燃ゼネラル石油東京高判(判決書33～36頁)。消費税相当額を控除しないという結論それ自体は、シール談合課徴金東京高判以来のものが維持されているが、東燃ゼネラル石油東京高判は、シール談合課徴金東京高判のやや疑わしい理由付け(審決集44巻の542～546頁)に触れず、消費税相当額は商品役務の価格に含まれていることが通常であるなどの新たな理由付けを行った点に特徴がある。

が商品役務本体の代金とは法的性質を異にしていたことや、その事件において税等相当額が明確に区分されていたことなどを挙げながら、売上額に含まれないとした事例がある[243]。

③ 控除

(i) 総説　以上のような売上額から控除されるものとして、施行令が明文で定めたものが3種類ある。値引き、返品、割戻金、である[244]。

引渡基準で売上額を計算する場合については3種類のいずれもが規定されており（施行令4条1項1号〜3号）、契約基準で売上額を計算する場合については割戻金のみが規定されている（施行令4条2項後段）。これは、値引きと返品については契約基準の場合には契約の変更・取消しとして契約額に反映されるからであると考えられる（後記④）。

(ii) 値引き　施行令4条1項1号は、売上額から控除するものとして、商品の量目不足などによって控除した額を掲げている。これが会計の世界で「値引」と呼ばれるために、課徴金の議論でも「値引き」と呼ばれることが多い。それに対し、俗に「値引き」と呼ばれるものは、ここでいう値引きとは異なり、もともと対価に含まれていないか、後出の割戻金にあたる場合が多い。

施行令の規定は商品のみを掲げているが、役務についても、同種のことがあれば同様と解してよいであろう。

値引きは、実行期間内に行われたものでなければならない。当該取引が後に無効や取消しとなった場合でも、その主張に対応した値引きが実行期間内に行われていなければ、控除されない[245]。明確性・簡易性の要請に基づくものである、とされる[246]。

---

243) 防衛庁発注石油製品談合課徴金審決のうち軽油引取税に関する部分（審決案100〜101頁）。同審決の事案・理由付けの2つの特徴（本文に掲げたもの）を掲げ、事案に現れた免許申請関係費用等は異なるとして売上額に含めた事例として、東京高判令和5年5月31日・令和4年（行コ）第147号〔富士通ゼネラル〕（判決書36頁）。

244) 令和元年改正の際に施行令の規定が整理され、7条の2第1項1号の売上額についての規定が施行令4条に置かれ、独禁法の課徴金に関する他の額についての同様の規定が施行令中の様々の箇所に置かれている。以下では施行令4条のみを念頭に置くが、同様のことは施行令の他の規定にもあてはまる。

245) 東京高判平成9年6月6日・平成8年（行ケ）第179号〔シール談合課徴金〕（審決集44巻の541〜542頁）。

246) 実行期間後に契約が解除された場合を念頭に置きつつ、平成17年施行令考え方5頁。

他方、値引きが実行期間中に行われたものであれば、それが実行期間前に供給された商品役務に関するものであっても、控除される[247]。

値引きは、当該取引の対象となった商品役務と直接の関連性をもつ範囲のものに限って控除される。例えば、供給した素びなが感染症におかされていた事例において、当該素びなそのものに関する補償金は控除されたが、取引先の他の素びなに感染させた可能性に対する補償金などは控除されなかった[248]。

(iii) 返品　施行令4条1項2号は、売上額から控除するものとして、返品された商品の対価の額を掲げている。「商品」のみを対象としているが、役務についても、同種のことがあれば同様と解してよいであろう。

実行期間内に返品されたものに限ること、実行期間内に返品されたのであればよいこと、などについては、値引きと同じである。

(iv) 割戻金　施行令4条1項3号は、売上額から控除するものとして、割戻金の額を掲げている。引渡基準の場合だけでなく契約基準の場合にも準用されることが、明文で規定されている（施行令4条2項後段）。

割戻金を控除する趣旨は、それがあらかじめ明らかにされた対価修正であると考えられるためであろう[249]。

割戻金の控除は、割戻金が商品役務の供給の相手方に対して支払われる場合に限って、行われる[250]。

割戻金の控除は、割戻金を支払うべき旨が書面によって明らかな場合に限られる（施行令4条1項3号）。対価の修正であると言えるためには、その内容が相手方にとって明確である必要があるからであるとされる[251]。この書面は、引渡しより前に作成されている必要がある[252]。

---

247) 昭和52年施行令売上額解説33頁は、この趣旨を含むように見える。

248) 公取委審判審決平成14年7月25日・平成13年（判）第13号〔松尾孵卵場〕（審決案11～13頁）。

249) 相場照美・昭和52年改正知識39～40頁を総合すれば、そのように見える。

250) 相場・昭和52年改正知識39頁。公取委審判審決平成17年5月9日・平成15年（判）第55号〔泰伸建設〕は、工事に伴って第三者に対して支払った被害補償金は割戻金に該当しないとしているが（審決案11頁）、工事という商品役務の供給の相手方に支払うものではないからであろう。

251) 昭和52年施行令売上額解説31頁。

252) 東京高判令和4年9月16日・令和3年（行ケ）第12号〔大口需要者向け段ボールケース〕（判決書64～65頁）。

割戻金は商品役務の供給の実績に応じたものである必要がある（施行令4条1項3号）[253]。

いわゆる累進的リベートなど、契約の内容が、一定期間内の供給の実績に応じて異なる割合または額によって割戻金を算定する、というものである場合は、それらのうち最も低い割合または額によって算定する（施行令4条1項3号）。対価の修正が確実に行われる範囲に限る、という趣旨のようである[254]。供給の実績によっては割戻金が零となる可能性のある契約の場合は、控除を受けることができない（施行令4条1項3号）[255]。

供給の実績は実行期間内のものである必要があるが（施行令4条1項柱書き）、割戻金の支払は実行期間内である必要はない。明らかな契約に基づいて控除額を算定できるものであることを条件としているので、実行期間終了後のものであっても、終了時点において既に割戻金の算定が可能であり、課徴金額の簡易な計算にとって障害とはならないからであろう。

④ **契約の変更・取消し**　契約基準が適用される事例で、実行期間中に契約の変更や取消しがされた場合には、契約額の変更も売上額に反映される[256][257]。

値引きや返品による控除が、引渡基準を定めた施行令の規定のみに掲げられており、契約基準を定めた施行令の規定には掲げられていないのは、わざわざ規定しなくとも上記のように当然に契約の変更・取消しが売上額に反映される

253） 購入額を算定する事件に特有の問題について、後記506頁。

254） 相場・昭和52年改正知識39～40頁。

255） 公取委審判審決令和3年2月8日・平成26年（判）第139号〔大口需要者向け段ボールケース〕（審決案52頁）。

256） いくつもの事例が存在する。実際には課税されないのに誤って違反者が発注者から徴収した沖縄県石油価格調整税相当額の実行期間中の発注者への返金が契約対価の変更であるとして売上額に反映された事例として、公取委審判審決平成17年2月22日・平成13年（判）第1号〔防衛庁発注石油製品談合課徴金〕（審決案101頁）。実行期間終了後に契約が変更されても売上額には反映されないとするものとして、東京高判平成21年10月2日・平成20年（行ケ）第43号〔鋼橋上部工工事談合課徴金宮地鐵工所〕（判決書9～13頁）。

257） 当初の契約後に事情変更があったが、原審決による契約の解釈に基づき、当該事情変更は実は当初の契約に織り込まれていたので契約の変更はなかった、という趣旨の原審決の構成を活用して争点を解決した事例もある（東京高判平成20年6月20日・平成19年（行ケ）第39号〔鋼橋上部工工事談合課徴金栗本鐵工所〕（判決書13～14頁））。もっとも、原審決は、当該事情変更が起きたのは実行期間中であるとも認定しているので、そのような構成をしなくとも同じ結論を導けた可能性がある。

からである旨が解説されている[258]。

⑤ **共同企業体の場合**　違反者らが共同企業体（JV）によって商品役務を供給した場合、どうするか。

既存の事例では、入札談合事件で、基本合意に参加した複数の事業者が共同企業体を構成して個別調整し商品役務を供給した場合、構成員である事業者のみを違反者とし、課徴金を課している[259]。

この場合の各構成員の売上額は、共同企業体全体の売上代金を各構成員の共同企業体への出資比率（JV比率）または共同企業体内部で取り決めた各構成員の代金取得額をもって算定するのが相当だとされている[260]。

発注者とJVとの契約後にJV比率等が変更された場合にはどうなるか。そのような場合の対応が契約に含まれていれば、それに従った形で売上額が計算される[261]。当初契約に含まれていないならば、代金受領時までに変更内容を通知するなど特段の事情がない限り、契約のとおりのJV比率を前提として売上額が計算される[262]。

6　7条の2第1項3号の額

(1)　総　説

7条の2第1項3号は、違反行為に係る商品役務そのものではないものの、それに密接に関連する業務について対価を得ていた場合に、課徴金を課すことができるようにするものである。令和元年改正で新設された。

令和元年改正前には、例えば、一定の取引分野において商品役務を供給するための下請業務は、課徴金の対象とならなかった。したがって、入札談合によ

---

258)　昭和52年施行令売上額解説33頁。購入額について、平成17年施行令改正解説13頁。

259)　公取委審判審決平成18年9月21日・平成17年（判）第20号〔大建建設〕は、構成員である事業者が法人または個人であるから構成員が違反者となる、とするが（審決案6頁）、共同企業体を違反者としない理由付けとしては的外れであるように思われる。同日付で計3件の同種の審決がある。

260)　東京高判平成20年6月20日・平成19年（行ケ）第39号〔鋼橋上部工工事談合課徴金栗本鐵工所〕（判決書13頁）。

261)　栗本鐵工所東京高判（判決書12〜14頁）。

262)　公取委審判審決平成24年11月26日・平成22年（判）第8号〔川崎市談合取消請求吉孝土建等〕（審決案37〜38頁）。

って、自らは落札せず競争者に落札させ、自分は下請に回る、という形で利益を得ていた事業者に課徴金を課すことができない、という事態が生じた[263]。このような者にも課徴金を課そうとするのが、7条の2第1項3号である。

7条の2第1項3号それ自体は、一定の取引分野において制限された競争が売る競争であっても買う競争であっても、対応できる条文となっている（しかし後記(2)）。

(2) 当該商品又は役務に密接に関連する業務

7条の2第1項3号のうち「その他の」の前は例示であるから、「当該商品又は役務に密接に関連する業務」である必要があり、それが政令で定められている必要がある。「政令」は、施行令6条1項である。

「当該商品又は役務」は、条文の読み方の作法によれば、直前の「商品又は役務」すなわち「当該違反行為に係る商品又は役務」を指す。したがって、結果として、7条の2第1項1号の「当該商品又は役務」と同じ意味となる（前記**5**(3)）。

施行令6条1項は、売る競争について違反行為があった場合に限定している。買う競争に参加しないことを条件として業務を行っても、その対価は課徴金の対象とならない。前記(1)の過去の事例のように、過去に課徴金を課せなかったという「立法事実」があるものだけが対象となっていることがわかる。

(3) 密接関連業務を行う者

密接に関連する業務を行う者には、「当該事業者」すなわちその課徴金納付命令の名宛人となる違反者のほか、その完全子会社等が加えられている。

議決権100％未満の関係で繋がっている会社は、課徴金対象を広げる根拠として弱いと考えられたものと思われる。

7条の2第1項3号は、1号のように「特定非違反供給子会社等」とするのでなく「完全子会社等」とすることによって、「当該商品又は役務」の供給を

---

263) 公取委審判審決平成8年8月6日・平成5年（判）第3号〔シール談合課徴金〕（審決集43巻の161～162頁）。公取委命令平成29年12月12日・平成29年（措）第8号〔東京都平成26年度発注個人防護具〕、公取委命令平成29年12月12日・平成29年（措）第9号〔東京都平成27年度発注個人防護具〕、公取委命令平成30年7月12日・平成30年（措）第13号・平成30年（納）第33号〔全日本空輸発注制服〕（オンワード商事）において違反者に課徴金を課すことができなかったのも、同様の原因によるものと推測される。なお、オンワード商事の供給の相手方などについて、事件座談会公正取引827号18頁。

行ったか否かは関係がないことが示されている。密接関連業務を行っていればそれだけで課徴金対象とするに足りるからであろう。違反者から受けた指示・情報に基づいて供給を行った（2条の2第7項）、ということも、必要ない。

「完全子会社等」が自ら違反者であれば、そちらに7条の2第1項3号によって密接関連業務に係る課徴金を課せばよいので、「完全子会社等」の後に括弧書きを付すことによって、そのような者を外している。

(4) 対価の額に相当する額

密接関連業務の対価の額に相当する額は、政令で定める方法により算定する。施行令6条2項・3項であり、7条の2第1項1号の「売上額」における引渡基準・契約基準（前記**5**(5)②(i)）に準じた内容となっている。

7条の2第1項3号には、1号と異なり、「実行期間」という文言がないが、施行令6条2項・3項には「実行期間」という文言がある。

7　7条の2第1項4号の額

(1) 総　説

7条の2第1項4号は、違反行為に係る商品役務を他の者に供給しないことに関し財産上の利益を得ていた場合に課徴金を課すことができるようにするものである。令和元年改正で新設された。

令和元年改正前には、例えば、供給しないことについて談合金などと呼ばれる金銭を受けていた場合でも、違反行為に係る商品役務の売上額のみが課徴金対象となっていた。談合金のようなものにも課徴金を課そうとするのが、7条の2第1項4号である。

7条の2第1項4号は、上記のほか、買う側の競争の実質的制限の場合に違反行為に係る商品役務の供給を受けないことに関する財産上の利益も対象としている。本書では、簡潔化のため、売る側の競争の実質的制限に絞って述べている。

7条の2第1項4号の財産上の利益については、算定率を乗ずることなく、そのものが課徴金額となる（7条の2第1項柱書き）。7条の2第1項1号～3号とは異なり、そのような財産上の利益そのものが、違反行為による不当な利得であると考えられているためである[264)]。

⑵　当該違反行為に係る商品若しくは役務を他の者に供給しないこと

「当該違反行為に係る商品若しくは役務」は、結果として、7条の2第1項1号の「当該商品又は役務」と同じ意味となる（前記**5**⑶)。

「他の者」に括弧書きを付すことにより、括弧書きで除かれた者には供給してもよいこととなっていたとしても、7条の2第1項4号の要件を満たすことが明らかにされている。

「供給しない」は、全く供給しない場合に限られるか、それとも、一定範囲の制限を受け入れさえすればそれ以外の部分は供給してもよいということとなっていた場合を含むか。物事の実質から言えば、一部のみ制限を受けていた場合も競争制限に加担したと言えそうである。他方で、文言の明確性の観点からは、「供給しない」とのみ述べ、しかも、供給してもよかった相手方について括弧書きで明記している以上、一部のみについて供給の制限を受けていた対価として財産上の利益を得ていた場合は含まない、という解釈も可能である。

⑶　財産上の利益を受ける者

財産上の利益を受ける者は、違反者自身とその完全子会社等とされている。これについては、7条の2第1項3号と同様の解説が可能である（前記**6**⑶)。4号の「完全子会社等」は、3号の括弧書きにより、違反者である完全子会社等を含まないものとされている。

⑷　財産上の利益に相当する額

財産上の利益に相当する額は、政令で定める方法により算定する。施行令7条である。商品役務の取引の対価であることを必ずしも予定していないためか、引渡基準・契約基準などに関する細かな規定は置かれていない。

7条の2第1項4号には、1号と異なり、「実行期間」という文言がないが、施行令7条には「実行期間」という文言がある。この点で、7条の2第1項3号に関する施行令6条2項・3項と同様である。

「供給しない」ことに関して、一定の取引分野の外で商品役務を供給して得た利益は「財産上の利益」に含まれるか。明確にそれを否定する文言はないようにみられるものの、「財産上の利益」は算定率を乗ずることなくそのまま課徴金額となることに鑑みると、含まないと解するほかはないであろう。算定率

264)　令和元年改正解説40頁。

を乗じない全ての額を課徴金とするのであるとすると、一定の取引分野の外の商品役務の供給について、売上額でなく、利益の額を把握するのでなければ、筋が通らない。7条の2第1項4号や施行令7条の規定には、それに相応する用意はないようにも見受けられる。

8　7条の2第1項各号の額の推計

(1)　総　説

7条の2第1項各号の額について、公取委による事実報告・資料提出の求めに違反者が応じなかったときは、実行期間のうち事実報告・資料提出がなく課徴金計算の基礎となるべき事実を把握することができない期間における額について、公取委は、入手できた資料によって推計することができる（7条の2第3項）。

「公正取引委員会規則で定める合理的な方法」は、審査規則23条の6に規定されており、把握できた期間の額を当該期間の日数で除して、把握できなかった期間の日数を乗ずることとされている。

令和元年改正によって置かれた規定である。令和元年改正によって実行期間が大幅に長くなる可能性が出たことが1つの原因ではあるが、それとは関係のない短い実行期間の事件でも、使えるような規定となっている[265]。

(2)　推計結果を争えるか

7条の2第3項による推計が行われて課徴金納付命令がされた場合、名宛人は、推計に係る課徴金額を争えるか。租税法における推計課税（所得税法156条、法人税法131条）については、争えることとなっている[266]。

「事実の報告又は資料の提出の求めに応じなかつたときは」という推計の要件の成否や、その事案における推計の内容などを争うことは、もちろん可能であろう。

問題は、抗告訴訟において名宛人が新たな資料を提出して、真の売上額等を示そうとして争えるか、である。

争えない、という立場からは、租税法の条文とは異なり独禁法7条の2第3

---

265)　令和元年改正解説42頁にもその趣旨が含まれている。

266)　その点を含め、推計課税について、金子宏『租税法〔第24版〕』（弘文堂、令和3年）982～988頁。

項においては「事実の報告又は資料の提出の求めに応じなかつたときは」という要件が付されているので、その要件が満たされる限りは争えない、という解釈が提示されるであろう。

争える、という立場からは、次のような議論が可能であろう。課徴金額についてはあくまで7条の2第1項で規定されているのであり、7条の2第3項の規定は、推計によって取り敢えず命令をすること自体は行政法上違法ではなく、争われない限りは効力を持ち続ける、ということを述べたものにとどまるとの解釈があり得る。「みなす」などの強い文言が用いられているわけでもなく、また、そのような争いがあっても、課徴金という金銭の額に関するものにとどまり、違反状態の是正を長引かせるというわけでは必ずしもない[267]。租税法の推計課税においても、解釈として7条の2第3項に似た推計要件が提唱されており[268]、それでもなお推計結果を争えることとなっている。

以上に鑑みると、後者の解釈を採るべきであろうか。

争えるとする場合には、租税法の場合と同様に、推計結果を覆そうとする側に相応の立証負担が課されることとなる[269]。

9　算定率

(1)　総　説

7条の2第1項1号～3号の額には、算定率を乗ずる[270]。これに、同項4号

267)　景表法の措置命令について「みなす」という文言を伴う現在の景表法7条2項の不実証広告手続については、平成15年の制度導入時には裁判所で新たな資料を提出して争える旨の法案作成担当者の解説がされていたが、それに対し、「みなす」こととした制度趣旨や、現在でいう措置命令の確定を遅らせることにつながることなどに鑑みた批判がされ（平成18年の本書初版177～178頁）、批判論と同旨の裁判例が定着している（例えば、東京地判平成28年11月10日・平成27年（行ウ）第161号〔翠光トップライン等〕（裁判所PDF 98～105頁））。もちろん、その場合も、「みなす」ための要件が満たされたか否かは、争うことができる。提出資料が合理的な根拠を示しているか否かが争われた事件が多く存在するのは、そのためである。

268)　金子・前記註266・984頁。

269)　金子・前記註266・1137～1140頁。

270)　算定率は、少なくとも過去の文献においては、「一定率」と呼ばれることが多かった。法律に定められた非裁量的な算定率であることを強調しようとしたのかもしれないが、様々な算定率があるなかで、「繰り返し違反者の場合の一定率は15％である」などと表現するのは、日本語として不自然である。

の額を加えて、課徴金額とする（7条の2第1項柱書き）。

算定率は、7条の2第1項柱書きで10%という原則算定率が定められているほか、同条2項で小規模事業者の軽減算定率が定められ、7条の3で繰り返し違反や主導的役割の場合の加重算定率が定められている。

このうち、少なくとも、原則算定率、軽減算定率、繰り返し違反の場合の加重算定率については、不当利得と課徴金額とが一定の相関関係を保つことを目指して設計されている。

令和元年改正により、その事件における業種が小売業または卸売業である場合の軽減算定率と、違反行為を早期に短期間でやめた場合の軽減算定率は、廃止された[271)][272)]。

以下、それぞれの算定率ごとに敷衍する。

(2) 原則算定率

算定率は、原則として、10%である（7条の2第1項柱書き）。平成17年改正前には6%であったものが引き上げられた。その際、第1に、過去の違反事件での不当利得の推計値、第2に、重加算税や医療保険等の不正受給の加算金などの他法令の状況、第3に、欧米競争法の状況、などが参考とされた。不当利得は売上額の約8%であることが多いという認識のもとに原則算定率をその1.25倍である10%とした[273)]。

(3) 小規模事業者の軽減算定率

7条の2第2項は、小規模事業者についての算定率を軽減することを定める。この算定率軽減は、平成17年改正前から行われていたことであるが、平成17年改正の際、あらためて、小規模事業者は価格交渉力が弱く不当利得が小さい、といった認識のもとで算定率の軽減が法定されたことが確認されている[274)]。

---

271) 小売業は算定率3%、卸売業は算定率2%であった（令和元年改正前7条の2第1項）。早期に短期間でやめた場合は算定率が2割減となった（令和元年改正前7条の2第6項）。廃止の理由について、令和元年改正解説54～56頁。公取委の判断を取り消した大きな事例の1つである東京高判平成26年9月26日・平成25年（行ケ）第120号〔エア・ウォーター〕は、業種による軽減算定率に関するものであった。勘所事例集493～500頁。この2つの軽減算定率について詳しくは、本書第3版264～267頁、268～269頁。

272) これらの軽減算定率は、令和元年改正の施行日以後の課徴金納付命令においても、施行日前の期間の違反行為について、適用されることになる（令和元年改正法附則6条1項・2項）。

273) 平成17年改正解説21～22頁、50頁。

令和元年改正の際にも同様のことが確認されている[275]。

軽減算定率が適用されるか否かは、違反行為の対象となった事業の実態に着目するのではなく、当該違反者の「主たる事業」に着目して決定される[276]。

具体的には、主たる事業の業種ごとに、資本金の額・出資の総額が一定額以下であるか、または、常時使用する従業員の数が一定数以下である場合には、軽減算定率が適用される（7条の2第2項1号～5号）。1号～4号に規定されていない業種については、5号に基づく政令で補充される[277]。以上のものは「会社」または「個人」に関するものであるが、「会社」でも「個人」でもない組合等も、それが特別の法律により設立された組合であって、1号～5号と同様の基準を満たせば、6号により軽減算定率を適用される[278]。

以上のような基準は、名宛人自身だけでなく、名宛人の子会社等の全てが満たす必要がある（7条の2第2項柱書きの括弧書き）。「子会社等」は2条の2第2項で定義されており、親会社や兄弟会社を含む。名宛人が、大企業の子会社で

274）平成17年改正解説29～30頁。

275）令和元年改正解説40～41頁。

276）当該違反者が組合である場合には、当該組合が営む主たる事業に着目して判断する、とされる（平成17年施行令考え方3頁）。

277）5号にいう政令として、施行令8条が置かれている。

278）6号にいう政令として、施行令9条が置かれている。施行令9条は、当該組合に固有の資本金等や従業員数だけでなく、各組合員に固有の資本金等や従業員数を加えたうえで、当該組合の業種に該当する規定を7条の2第2項1号～5号のなかから選んで、軽減算定率の適用の有無を判断するものと規定している。これは、最判平成15年3月14日・平成11年（行ツ）第115号〔協業組合カンセイ〕が示していた判断方法を施行令に取り込んだものである（その実質的根拠について、平成17年施行令考え方3頁）。同最高裁判決は、6号にあたる規定が置かれていなかった平成17年改正前において、「会社」にも「個人」にもあたらない組合であることを理由に軽減算定率の適用を否定した公取委審決および東京高裁判決の考え方を、軽減算定率の適用対象には組合をも含むと拡大解釈することによって否定したものである。公取委審判審決平成10年3月11日・平成9年（判）第2号〔協業組合カンセイ〕において少数意見が付され（審決集44巻の189～195頁）、その少数意見を最高裁判決が支持した事例である。6号が協業組合を例として掲げているのは、最高裁判決の事案に登場したのが協業組合であったからにすぎないのではないかと推測される。現に、最高裁判決後・平成17年改正前の公取委審決には、中小企業等協同組合法に基づく事業協同組合について、最高裁判決が示した判断方法に従い、軽減算定率の適用を認めたものが現れていた（公取委審判審決平成15年9月8日・平成14年（判）第35号〔関東造園建設協同組合〕（審決案10～11頁））。6号の「特別の法律」という文言が何かを除こうとしているのか否かは、明らかではない。なお、その他、施行令9条に関する諸論点について、平成17年施行令改正解説15頁（当時は施行令10条であった）。

ある場合などに、たまたま基準を満たして軽減算定率の適用を受けることを防ごうとする趣旨のものであり、令和元年改正によって追加された[279]。

(4) 違反行為を繰り返す者の加重算定率

違反行為を繰り返す者には、算定率を5割増とする加重算定率が適用される(7条の3第1項)[280]。

課徴金額と不当利得との相関関係を一応は保つよう目指すという原則を離れ、制裁色の強いものとなっている。スムーズな立法のためか、繰り返しの場合には不当利得が大きくなっているというデータを掲げて不当利得との相関関係をあくまで強調しようとする説明がされているが[281]、本当にそうであるとすれば事業者団体の構成事業者にも繰り返し違反の加重算定率が適用されて然るべきはずであるのにそのようにはなっておらず(8条の3が7条の3を準用していない)、そのことの説明においてはやはり、加重算定率の制度は不当利得との相関関係を保つよう目指すのをやめた制裁色の強いものであることを前提とした口吻が見られる[282]。

加重算定率が適用されるための要件は、基本的には、今回の違反行為に係る調査開始日から遡り[283]10年以内に[284]、前回の違反行為について、課徴金納付命令、減免制度による課徴金免除を受けたことの通知、または、罰金との調整の結果として課徴金納付が命ぜられない旨の通知もしくは課徴金納付命令を取り消す旨の決定[285][286]、を受けたことである[287]。前回の違反行為と今回の違反

279) 令和元年改正解説41頁。

280) 平成17年改正によって導入された制度である。

281) 平成17年改正解説62頁。令和元年改正の際にも、法執行を受けてもなお違反行為を行うほどに不当利得が大きい、という説明がされている(令和元年改正解説45頁など)。

282) 平成17年改正解説88~89頁。

283) 調査開始日とは、その事件について立入検査等が最初に行われた日である(2条の2第15項)。遡る起算点を調査開始日とせず今回の課徴金納付命令の日とすると、調査の引延しが行われるようになる可能性があるので、調査開始日が起算点とされた(平成17年改正解説63頁)。

284) 10年とした趣旨については、平成17年改正解説63頁。

285) 63条1項本文の決定は対象となっていないので、当該決定がされた事件では、変更前の課徴金納付命令がされた日を基準とすることになる。

286) この、63条2項による決定は、刑事裁判が長引いた場合には違反行為よりもかなり遅れてされることがあり得る。当該決定で取り消された課徴金納付命令の日でなく当該決定の日を基準とすることには、他との整合性の観点からみて少々疑問がある。

287) 前回の違反行為について1項ただし書の裾切り額を下回ったために課徴金納付命令を受けな

行為とが同じ事業に関するものである必要はない[288]。前回の違反行為が私的独占である場合にも加重算定率が適用される。

前回の違反行為に係る課徴金納付命令などを、今回の違反者の完全子会社が受けた場合でも、加重される（7条の3第1項2号）。令和元年改正によって追加された。「完全子会社等」でなく「完全子会社」とすることで（いずれも2条の2第3項で定義）、今回の違反者の側が支配していたことが必要であることを明確化し、その状態が前回の違反行為に係る課徴金納付命令などの際に存在したことを必要としている。

前回の違反行為に係る課徴金納付命令などを受けた法人と合併した者やそのような法人から違反行為に係る事業の譲受け等をした者が、今回の違反行為をした場合にも、加重される（7条の3第1項3号）。令和元年改正によって追加された[289]。

前回の違反行為に係る課徴金納付命令については、それが確定している場合に限る旨の明文がある[290]。

前回の違反行為に係る課徴金納付命令などの日以後に今回の違反行為をしていた場合に、限る旨の明文がある。違反行為が並行した場合に、課徴金納付命令などのタイミング次第で加重の有無が左右されることを防いでいる[291]。

かった場合は、今回の違反行為について加重算定率を適用されないことになる。平成17年改正解説64頁は、前回の違反行為について課徴金を課してまで違反抑止をする必要がないとされたのであるから、今回の違反行為について加重した違反抑止策をとる必要はない、と説明している。

288）その趣旨の説明として、平成17年改正解説64～65頁。

289）7条の8第3項・第4項に相当する規定は令和元年改正前から存在したが（令和元年改正前の7条の2第24項・第25項）、それらは今回の違反行為を消滅法人が行った場合に関する規定であり、今回の違反行為を存続法人等が行った場合に関する規定ではない。

290）今回の違反行為に係る調査開始日から遡り10年以内であるか否かを決する基準日は、前回の違反行為に係る課徴金納付命令の日であり、それが確定した日ではない。

291）令和元年改正前は、この明文がなかった。したがって、前回の違反行為に係る課徴金納付命令などの前に今回の違反行為が終了していたという事案において、解釈論としては加重しないという立場が有力であるにもかかわらず、文理上は加重すべきであるようにもみえて、解釈論により取り消されることとなる確率の高い課徴金納付命令を公取委が文理上求められるという状況となる可能性があった。令和元年改正は、まずはその不備を修正するための改正（令和元年改正法1条による改正）を先行して施行し（令和元年改正法附則1条1号により令和元年7月26日から施行）、その直後に、そのような事案を持つ事件について加重しない課徴金納付命令を行った（公取委命令令和元年7月30日・令和元年（措）第6号・令和元年（納）第6号〔アスファルト

(5) 違反行為を主導した者の加重算定率

① **総説**　不当な取引制限を主導した者に重い課徴金を課すことで抑止効果とすべく、平成21年改正により、主導者に対して算定率を5割増とする加重算定率が導入された。令和元年改正により、関係する規定が、改正前の7条の2第8項から改正後の7条の3第2項に移され、3号に既に置かれていたイ・ロに加え、ハ・ニが置かれた。

7条の3第2項には1号〜3号があるが、3号を出発点として把握するとわかりやすい。3号は、その柱書きにあるように、「当該違反行為を容易にすべき重要なもの」という要件を置いたうえで、イ〜ニの4つの行為類型を規定している。そのうちイ・ロは、1号・2号と似通っている。1号は、3号イの行為に加えて所定の行為要件を満たした場合には「当該違反行為を容易にすべき重要なもの」であるとみなしているのだ、と理解すればわかりやすい。2号と3号ロの関係も同様である。そうであるとすれば、1号・2号に規定された要件のうち3号にはない要件の成否の判断は、その事案においてその要件の成立を支える事実が、違反行為を容易にすべき重要なものであることを示すに足りるものであったかという観点から、行うべきこととなる[292]。

主導的行為を行った者が複数いることは、当然あり得る。

各号該当行為が、違反行為期間中の一部の期間において行われたものであっても、7条の3第2項の加重算定率は適用される[293]。

合材〕)。令和元年改正の主要部分は、令和元年改正法2条による改正である。

292) 東京地判令和4年9月15日・令和2年(行ウ)第22号〔活性炭本町化学工業〕が、令和元年改正後の7条の3第2項2号に相当する事案で、違反行為を容易にすべき重要なものであったか否か等の観点を踏まえたうえで判断するとしているのは(判決書28〜29頁)、同様の趣旨によるものであろう。

293) 主導的な行為が、実行期間の一部の期間に行われただけである場合であっても、また、実行期間の開始日より前の期間に違反行為が行われた事案で主導的行為が当該期間に行われたという場合であっても、加重算定率は実行期間の全体に適用される。このことは条文から導かれるが、確認的解説として、平成21年改正解説59頁。活性炭本町化学工業東京地判も同旨を述べる(判決書29頁)。平成21年改正解説は、実行期間の開始日より前に違反行為が行われる場合として、実行期間の開始日が実行期間の終了日(実行の終期)から遡って一定年数に限定されているためにそうなる状況のみに言及しているが、違反行為の成立について合意時説を採るのであれば、同様のことは違反行為の期間が短い事案においても起こり得る。活性炭本町化学工業東京地判は、実行期間の開始日より前に違反行為が行われる場合には触れていないが、「違反行為の成立時期」と「実行の始期」と「実行期間の開始日」がそれぞれ異なる概念であることまで考慮した判示で

② **1号**　1号は、「かつ」の前後で2つの要件に分かれる[294]。

第1要件は、「当該違反行為をすることを企て」ることである。

第2要件は、「他の事業者に対し当該違反行為をすること又はやめないことを要求し、依頼し、又は唆すことにより、当該違反行為をさせ、又はやめさせなかつた」ことである。

3号イと比較すると、「他の事業者に対し当該違反行為をすること又はやめないことを要求し、依頼し、又は唆すこと」が完全に重なっている。つまり、それに加えて、違反行為を企て、かつ、要求等により現に「させ、又はやめさせなかつた」場合には、「当該違反行為を容易にすべき重要なもの」に該当することの立証が不要となる。

「当該違反行為をさせ、又はやめさせなかつた」とあるので、要求等の結果として、他の事業者が違反行為を現に行うことが必要である。この点も、3号イとは異なる。

1号に該当することと、7条の6第4号の減免失格要件である「違反行為をすることを強要し、又は当該違反行為をやめることを妨害していたこと」との関係はどうか。要求等により、それを受けた者が自主的に違反行為を行った場合には、「強要」や「妨害」とはいえないときがあろう。そのようなときには、7条の3第2項1号と7条の6第4号との間に隙間が生ずることとなり、加重算定率は適用されるが減免の対象ともなる、ということがあり得る[295]。

③ **2号**　2号は、3号ロの行為を、「他の事業者の求めに応じて、継続的に」行った場合には、「当該違反行為を容易にすべき重要なもの」に該当することの立証が不要となる、という規定である[296]。他の事業者の求めに応じて

はない可能性があり、深読みはしないほうがよい。

294) 1号の事例として、公取委命令平成25年12月20日・平成25年(措)第15号・平成25年(納)第71号〔東京電力発注地中送電ケーブル工事〕、公取委命令平成27年10月9日・平成27年(措)第8号・平成27年(納)第16号〔北陸新幹線消融雪設備工事談合〕、公取委命令平成28年9月21日・平成28年(措)第10号・平成28年(納)第38号〔東日本高速道路関東支社発注舗装災害復旧工事談合〕。

295) 現に、東日本高速道路関東支社発注舗装災害復旧工事談合事件における日本道路の例がある。

296) 2号の事例として、公取委命令平成24年10月17日・平成24年(措)第9号・平成24年(納)第19号〔高知談合土佐国道事務所発注分〕、公取委命令平成24年10月17日・平成24年(措)第10号・平成24年(納)第44号〔高知談合高知河川国道事務所発注分〕、公取委命令平成28年2月5日・平成28年(措)第1号・平成28年(納)第1号〔東北地区ポリ塩化アルミ

行った場合には実効性が高いということであろうか。力の強い事業者から指示されてやむなく事務局を務めたというような場合などには、「他の事業者の求めに応じて、継続的に」の要件を満たさないこととなるよう、この要件の成否の判断においては、「当該違反行為を容易にすべき重要なもの」であったか否かの観点を盛り込むべきであろう[297]。

2号には、3号ロのような括弧書きがないが、他の事業者の求めに応じて専ら自己の取引について取引条件等を指定するということは考えにくいために特にそのような括弧書きを置かなかったということではないかと思われる。

④ 3号

(i) 総説　3号は、7条の3第2項の基本となる規定であり、イ～ニのいずれかに該当する行為であって「当該違反行為を容易にすべき重要なもの」をした場合には加重算定率が適用されるのであることを定めている。

(ii) 3号イ　3号イは、「他の事業者に対し当該違反行為をすること又はやめないことを要求し、依頼し、又は唆すこと」である[298]。

3号イに該当することと7条の6第4号の減免失格要件との関係は、1号の場合とほぼ同様であり、加重算定率は適用されるが減免制度による減額も受ける、ということがあり得る[299]。3号イでは、「当該違反行為をさせ、又はやめさせなかつた」ことを要件としていないので、なおさらであろう。

「当該違反行為をさせ、又はやめさせなかつた」ことを要件としていないので、例えば、そのことの要求等により、要求等を受けた他の事業者が違反行為はやめるが協力は続ける、という態度を取り、そのことによって要求等が「当該違反行為を容易にすべき重要なもの」に該当して3号イを満たす、ということはあり得る[300]。

ニウム〕、公取委命令令和元年11月22日・令和元年（措）第9号・令和元年（納）第18号〔東日本地区活性炭〕。裁判所の判断として、活性炭本町化学工業東京地判（判決書27～34頁）。

297) 活性炭本町化学工業東京地判の判示（前記註292）は、一般論として、その方向を示そうとしたものであると考えられる。

298) 3号イの事例として、公取委命令平成26年1月31日・平成26年（措）第1号・平成26年（納）第1号〔関西電力発注架空送電工事〕。

299) 現に、関西電力発注架空送電工事事件における住友電設の例がある。

300) 関西電力発注架空送電工事におけるかんでんエンジニアリングに対する課徴金納付命令書には、今後は個別調整を行わない旨を表明した弘電社に対し、「当該違反行為をやめないことを依

(iii) 3号ロ　3号ロは、対価や供給量などの所定の競争変数について他の事業者に対し指定する行為である[301]。

3号ロには括弧書きがあり、「専ら自己の取引について指定することを除く」となっている。これは、例えば、自己が違反行為によって受注予定者となっている場合に自己の入札価格について指定して他の事業者がそれより高い価格で入札するようにさせる行為は、入札談合における通常の行動であり、違反行為に付随する行為であることは確かであるとしても、加重算定率を適用するまでのものとはいえない、という考え方を示したものであると考えられる。

(iv) 3号ハ　3号ハは、他の事業者に対し、公取委による調査の際に資料の隠蔽・仮装や虚偽の事実報告・資料提出を行うよう「要求し、依頼し、又は唆す」という行為である[302]。

3号ハの場合も、3号柱書きの「当該違反行為を容易にすべき重要なもの」の要件を満たす必要がある。公取委の立入検査等があって違反被疑行為が終了した後に、「要求し、依頼し、又は唆す」という行為が行われたとしても、「当該違反行為を容易にすべき重要なもの」の要件を満たすとは考えにくい。もし公取委の調査を受けたならば隠蔽・仮装等を行うよう、違反被疑行為の開始時または行為期間中に求めていたことが、加重算定率の適用のためには必要であると解される[303]。

(v) 3号ニ　3号ニは、他の事業者に対し、調査協力減算制度を含む広義の減免制度（後記第9節）を利用しないよう「要求し、依頼し、又は唆す」という行為である[304]。

3号ニと3号柱書きの「当該違反行為を容易にすべき重要なもの」の要件との関係は、3号ハの場合と同様であると考えられる。違反被疑行為の開始時ま

頼し、以後、……受注予定者が受注できるように協力させた」という認定がある（課徴金納付命令書2頁）。やめさせなかった一例として、興味深い認定である。

301）3号ロの事例として、公取委命令平成25年12月20日・平成25年（措）第11号・平成25年（納）第39号〔東京電力本店等発注架空送電工事〕（TLC課徴金納付命令書2頁）、公取委命令平成28年9月6日・平成28年（措）第9号・平成28年（納）第27号〔東日本高速道路東北支社発注舗装災害復旧工事談合〕。

302）解説として、令和元年改正解説51～53頁。

303）令和元年改正解説53頁も同旨と考えられる。

304）解説として、令和元年改正解説51～54頁。

たは行為期間中に、広義の減免制度を利用しないことを求めていたことが、加重算定率の適用のためには必要であると解される。

(6) 重複加重算定率

違反行為を繰り返したことによる加重算定率の要件（7条の3第1項）と、違反行為を主導したことによる加重算定率の要件（7条の3第2項）とを、同時に満たす場合には、形式的には、それらの項でなく7条の3第3項が適用され、算定率が5割増と5割増の合計で10割増となる[305]。

10 裾切り

計算された課徴金額が100万円未満である場合には、課徴金納付は命ぜられない（7条の2第1項柱書きのうちただし書）。「裾切り」などと呼ばれ、100万円は「裾切り額」などと呼ばれる。

趣旨としては、少額の課徴金では違反行為の抑止効果があまりない、公取委の事務負担が課徴金額に見合わない、という点のほか、中小零細業者に対する配慮という面もあった、とされている[306]。

この裾切りは、7条の2第2項の軽減算定率や同条3項の加重算定率が適用された場合には、軽減・加重をしたうえで計算された額について、適用される。これらの算定率は、同条1項所定の算定率を読み替えるものであり、あくまで、同条1項の文言に沿った課徴金額計算のなかに組み込まれるものだからである[307]。そのような扱いは、上記の趣旨にも矛盾しない。

11 減免制度

減免制度は、現行法においては課徴金の減免制度として構築されているが、減免制度それ自体が大きな問題であり、しかも課徴金以外の法執行にも影響を及ぼすものであるので、節を改めて論ずることとした（後記第9節）。

305） 実例として、東京電力発注地中送電ケーブル工事における関電工（課徴金納付命令書3頁）、関西電力発注架空送電工事事件における栗原工業（公表資料で言及があるのみ）。

306） 川井課徴金150頁。平成17年改正に際しては、特に公取委の事務負担の軽減と効率化が強調されている（平成17年改正解説51頁）。

307） その点で、減免制度による減額とは異なる（後記333頁、348頁）。

12　罰金との調整

(1)　総　説

課徴金の対象となる事件と同一事件について罰金刑の確定裁判があるときは、罰金額の半額が、減免制度による減額を含めた計算の結果としての課徴金額から控除される。平成17年改正によって導入された制度である。

課徴金と刑罰が憲法による二重処罰禁止に触れないとしても、総体として制裁が重すぎ比例原則に反するなら、そのこと自体が憲法に違反する可能性がある。その疑念を払拭しようとする制度である。

罰金刑の確定の時期に応じて、半額控除の形式が異なっており、根拠条文もそれに応じて2通りに分かれる[308)]。

(2)　半額控除の時期・形式

①　課徴金納付命令前に罰金刑が確定した場合　　課徴金納付命令より前に罰金刑の裁判が確定したときは、半額控除をしたうえで課徴金納付命令をすることになるので、7条の7に規定がある。控除したうえでの課徴金納付命令が行われ（7条の7第1項）、控除後の額が100万円未満の場合は課徴金納付を命じない旨の通知を行う（7条の7第2項・第3項）[309)]。

②　課徴金納付命令後に罰金刑が確定した場合　　課徴金納付命令より後に罰金刑の裁判が確定したときは、既に行われた課徴金納付命令を新たな行政処分に

---

308)　2通りのいずれにも共通することであるが、複数件の違反行為について刑事裁判において併合罪とされた場合には、罰金が1件しかなく、公取委が複数件に分けて課徴金納付命令をしたのでは、技術的な意味で、控除することができなくなる。公取委は、通常は、違反行為ごとに命令書を分けているが、複数件の違反行為について1件の罰金が科された場合には、複数件の違反行為をまとめて1件とした排除措置命令書や課徴金納付命令書としているようである。公取委命令平成25年3月29日・平成25年（措）第6号・平成25年（納）第9号〔軸受公取委命令〕、公取委命令令和4年3月30日・令和4年（措）第3号・令和4年（納）第29号〔地域医療機能推進機構発注医薬品〕。ただ、端数の切捨て（7条の8第2項）については、課徴金納付命令の段階で罰金刑に処する旨の裁判が確定していない場合には、違反行為ごとに行うべきである旨の審決がある（公取委審判審決令和元年11月26日・平成25年（判）第22号〔軸受NTN課徴金〕（審決案49頁））。違反行為ごとに端数を切り捨てたうえで、それらを合計して1件の課徴金納付命令とすることになる。もっとも、そのようなことが可能なのであるとすれば、同じ手順は、他の事件との間の公平の観点から、課徴金納付命令の段階で罰金刑に処する旨の裁判が確定している場合にもとれるであろうし、端数処理だけでなく裾切り額などについてもとれるのではないかと考えられる。

309)　7条の7第3項にいう「公正取引委員会規則」は審査規則25条2項である。

よって修正することになるので、課徴金納付命令の方式について定めた規定の後の、63条に規定がある。既にした課徴金納付命令について、控除後の額に変更する決定が行われ（63条1項本文）、控除後の額が100万円未満の場合は課徴金納付命令を取り消す決定が行われる（63条2項）[310)][311)]。以上の場合、既に納付された金額で、還付すべきものがあるときは、遅滞なく、金銭で還付される（63条5項）[312)]。

③ **いずれの形式が目指されるか**　上記2種類のいずれの形式を採るかは、制裁の軽重等には関係なく、専ら実務上の便宜によって決まるものと思われる。

公取委の調査をめぐる憲法問題等に鑑み、刑事告発に相当する事件では通常は犯則調査が先行し、告発の後に公取委内部では行政調査部門に引き継がれて課徴金納付命令が目指されることとなるので（後記662頁）、行為者が争わない場合には、罰金刑が課徴金納付命令より前に確定し、あるいは罰金刑の確定を課徴金納付命令が少し待って、63条でなく7条の7の適用がされる結果となるのが通常である。もちろん、違反被疑行為者が刑事訴訟で争った場合や、課徴金納付命令の除斥期間の満了が迫った場合などには、半額控除をしないまま課徴金納付命令を行い、罰金刑が確定したときに63条によって半額控除をす

---

310)　決定の方式および効力発生について、排除措置命令や課徴金納付命令と同等のことが規定されている（63条3項・4項）。

311)　平成25年改正前の手続規定が適用される事件において、罰金刑の確定裁判があったときに課徴金納付命令に係る審判手続が行われているときは、当該審判手続を経た審決において、罰金の半額の控除を織り込む結果となるよう課徴金納付命令を変更するものとされていた（平成25年改正前51条3項）。平成25年改正後は、この場合の審判手続に相当するものが裁判所での取消訴訟であり、特に規定は置かれていない。裁判所では半額控除を考慮せずに課徴金納付命令の是非を判断し、課徴金納付命令が確定した場合に、確定した課徴金納付命令に対して、公取委が63条による半額控除の決定をするのが通常となるのではないかと思われる。他方で、半額控除をすればそれだけで、裁判所で争われている課徴金納付命令を全部取り消すこととなる場合などは、また別の手続も考えられるであろう。

312)　還付の際に利息は付されないものと解される。原処分に瑕疵があったことを理由とする取消しではないからである。63条5項括弧書きで、延滞金が還付されないこととなっているのも、同様の趣旨によるものであると考えられる。平成25年改正前においては、原処分に瑕疵があることを理由として課徴金納付命令の全部または一部が取り消された場合の還付について利息の規定があったが（平成25年改正前70条の10第3項）、これも、平成25年改正で廃止されている。罰金額半額控除には、平成25年改正より前の時期から、利息は付されていない（平成17年改正解説93〜94頁）。

ることになろう[313]。

13 合併・分割・事業譲渡の場合の名宛人

課徴金納付命令の名宛人、とりわけ合併・分割・事業譲渡の場合の名宛人については、他の違反類型に係る課徴金と基本的には共通する問題であるため、法執行総論で触れる（後記722〜725頁）。

14 除斥期間

課徴金納付命令の除斥期間は、実行期間の終了した日から7年である（7条の8第6項）。平成17年改正前は原則3年であり（改正前7条の2第6項）、平成21年改正前は3年であり（改正前7条の2第21項）、令和元年改正前は5年であった（改正前7条の2第27項）。

第9節 減免制度

1 総 説

(1) 概 要

課徴金の対象となる不当な取引制限、すなわちハードコアカルテルについて、公取委の調査に協力して違反行為に係る事実の報告・資料の提出をした違反者は、課徴金の免除または減額を受ける。本書では、「事実の報告」と「資料の提出」の便宜上の総称として「報告提出」という言葉を用いる[314]。

---

313) 現在の63条が適用された例として、公取委審決平成21年11月9日・平成21年（納変）第1号〔GL鋼板半額控除〕（同日に計3件の同種の審決）、公取委決定平成28年12月13日・平成28年（納決）第1号〔東日本高速道路東北支社発注舗装災害復旧工事談合半額控除〕（同日に計10件の同種の決定）、軸受NTN課徴金審決。

314) 令和元年改正前の条文においては、「事実の報告及び資料の提出」とした後に「当該報告及び資料の提出」とされていた。それに対し、令和元年改正後の条文においては常に「事実の報告」と「資料の提出」が対置されている（例えば7条の5第1項に「報告し、又は提出する事実又は資料」という文言があり、事実の「報告及び資料」の提出ではないことがわかる）。他方で、減免規則には、「報告書及び資料」の「提出」という表現がみられ、期限は「提出期限」とされている。担当者により理解が様々であるということであろうか。本書では、上記の独禁法典の表現に従っておく。

対象となる違反類型は、不当な取引制限である。これは、課徴金や刑罰の用意された悪質性の高い違反類型であるハードコアカルテルにおいては、違反者が通常は複数であることに着目して、各違反者の間の利害の均衡を揺さぶり、公取委の調査に協力させようという発想によるものである。このような発想は世界的に採用されている。不当な取引制限と同種の行為が支配型私的独占とされる場合があるが、私的独占に係る課徴金の条文では減免制度の条文が準用されておらず、減免制度の適用対象外である[315)]。事業者団体の違反行為のうち不当な取引制限に相当するものは、減免制度の対象となる（8条の3による7条の4～7条の6の準用）。

令和元年改正により、これに相当する制度が、2つに分かれることになった。違反者が当初の報告提出を公取委に対して行った順位に応じた減免（7条の4）と、さらに報告提出をして公取委の調査に協力する旨の合意の実施に基づく減算（7条の5）とである。本書では、便宜上、前者を「順位減免」と呼び、後者を「合意減算」と呼ぶ[316)]。順位減免と合意減算の総称が「減免制度」である。令和元年改正前は、順位減免の制度しかなく、これが減免制度と呼ばれていたので、合意減算を含んだ令和元年改正後の制度全体を指すことを明確化するため「広義の減免制度」などと呼ぶこともある。順位減免における順位を決める基準となる当初の報告提出は、本書に限らず広く「減免申請」と呼ばれている[317)]。

315） 行為者が減免制度の対象となると信じて減免申請をした場合であっても、公取委が当該事件を私的独占と構成したならば、減免制度の適用は受けられないことになる。公取委は、表向きは、そのようなことは考慮せず私的独占と構成するとしているが（事件座談会公正取引815号9頁、事件座談会公正取引840号8頁、など）、現実問題としては、減免制度を端緒として立件された事件を私的独占と構成して減免制度の対象外とすることは、減免制度の信頼性・安心感を維持強化したい公取委にとって勇気の必要なことであろう。

316） このあたりでは、法律の条文を含め、「減額」と「減算」の両方がほぼ同じ意味で使われるという状況にある。本書では、法令の条文や公取委関係文書が特に「減算」としている場合にはそれになるべく合わせ、通常は「減額」と呼ぶようにする。

317） 令和元年改正前の規定によって減免申請を行った者は、令和元年改正後の規定による順位減免・合意減算を受けることはできない（令和元年改正法附則6条5項）。令和元年改正の施行日より前の期間の違反行為については、減免制度を除く課徴金計算は改正前の規定によって行うが（令和元年改正法附則6条1項・2項）、例えば施行日以後に調査開始日が到来するなど施行日以後に減免申請をすることが可能である場合には、まだ減免申請をしていない者は、施行日前の期間の違反行為についても、改正後の規定による順位減免・合意減算を受けることができる（令和

減免制度は、独禁法典の条文上は課徴金の減免として規定されているため「課徴金減免制度」と呼ばれることも多いが、その効果・影響が課徴金以外の法執行に及ぶことも多いので、本書では単に「減免制度」と呼ぶ。

類似のものとして、刑事訴訟法の合意制度も、独禁法の罪を対象としている（後記757頁註1）。

(2) 趣　旨

減免制度は、違反行為の抑止という課徴金制度の趣旨を、違反行為に関する違反者からの情報提供を奨励することによって、更に徹底するものである、とされている。そのように説明することによって、不当利得を得た違反者の課徴金を免除したり減額したりすることが根拠付けられている。価格協定や入札談合は、課徴金や刑罰の対象ともなるために、違反行為の隠蔽がますます巧妙になっていると言われる。そのようななかで、違反者に対して、公取委に情報を提供する誘因を与え、違反行為の探知や調査を容易なものとしようとするのであるとされる。

そのような説明は、順位減免の制度が導入された平成17年改正の段階から行われていたが、順位を確保した違反者が更に協力する誘因を維持するため、令和元年改正により、合意減算の制度が追加されることとなった。

(3) 制度設計や解釈に際しての基本的な考え方

① **総説**　以上に見たように、減免制度は違反者の微妙な心理を突こうとするものであるだけに、違反者に不安感・不信感を抱かれないようにするための方策が必要となる。以下に述べる基本的な考え方にも、その観点は色濃く反映される。

② **非裁量性**　制度設計や解釈においては、公取委にとっての裁量の余地の少ない、非裁量的なものであることが強調されている。二重処罰の禁止に違反する違憲立法だとの批判をかわし（後記715〜718頁）、また、公取委による恣意的な運用がされるのではないかという懸念を払拭しようとするものであろう。非裁量性は、予測可能性・法的安定性や、複数事業者間の公平にも資する。ただ、非裁量的な制度設計であるため必然的に、限界事例が生じたときに柔軟な対応を行いにくく、また、複雑な制度となっている面も少なくない。具体的に

元年改正法附則4条）。

どの程度の非裁量性を求めるのが適正かという問題意識を、解釈論としても立法論としても、常に持ち続ける必要がある。

③ **予見可能性・法的安定性**　制度設計や解釈においては、協力した違反者にとっての予見可能性や法的安定性の保護も重視される。これを確保しないと、調査に協力しようとする者を萎縮させ、協力を思いとどまらせることとなり、制度が空振りとなって減免制度の趣旨に反すると考えられているからである。

④ **明確性・簡易性**　以上のことの帰結であるとも言えるが、あまりに複雑な制度となることが公取委にとっての過重な負担となり、ひいては独禁法の法執行全体に悪影響をもたらすことのないよう、制度設計や解釈はできるかぎり明確・簡易を旨とすべきことになる。このことは、課徴金制度全体についても言えることである（後記719頁）。

⑤ **柔軟な解釈運用の可能性**　以上のような要請のもと、日本の減免制度は、事細かに、しかもその多くが法律に書き込まれる、という、米国・EU 等と比較した場合の特殊性を持っている。

そのようななかでは、必要に迫られて、法令の文理や当初の解説とは必ずしも合致しない解釈運用がされる可能性も少なからずある。非裁量性や予測可能性といった解釈指針との緊張関係に立つことになるが、当該解釈運用によって利益を害される者が存在しない場合には特に、法令の不備を埋めて制度の信頼性を獲得するために、そのような解釈運用が採られることもあり得よう。

(4) 制度の外延

課徴金は、違反した事業者に対して課されるものであるため、それを減免しようとする制度も、違反した事業者による協力への見返りとして減免をすることになる。公益通報者保護法は、違反行為に係る情報提供を促進しようとする趣旨においては独禁法の減免制度と共通しているが、違反者でない者による情報提供を念頭に置いている点で、独禁法の減免制度とは異なる[318]。

独禁法の減免制度は、第一義的には課徴金のみについて置かれており、刑罰をはじめとする他の独禁法の法執行については置かれていない。したがって、

---

318) したがって、独禁法違反行為を公益通報者保護法の対象とすることと、減免制度とは、並存し得る。「公益通報者保護法別表第八号の法律を定める政令」（平成17年政令第146号）は、独禁法違反行為（同政令20号）や入札談合等関与行為防止法違反行為（同政令392号の2）などが公益通報者保護法の適用対象に含まれることを規定している。

情報提供を真に促進し違反行為を抑止するためには、協力した違反者に対する他の法執行について、一定の配慮をする必要が生ずる（後記 355～358 頁）。

違反行為を実際に担当した自然人従業者に対する刑罰も、法令における明示的な減免対象とはなっていない。減免制度が、自然人従業者でなく違反事業者を対象とし、しかも刑罰を法令における明示的な減免対象としていないからである。したがって、違反事業者による調査協力を真に促進し違反行為を抑止するためには、当該違反事業者の自然人従業者に対する刑罰について、法令の解釈・運用において一定の考慮をする必要が生ずる（後記 355～357 頁）。

(5) 課徴金減免管理官

課徴金減免管理官が、審査局管理企画課に置かれ、減免申請の受理その他課徴金減免に関する事務に従事する（後記 635 頁）。

(6) 違反要件論への影響

不当な取引制限の違反要件論は、従来、「原則違反」の大看板に守られて、大雑把なものにとどまっていた。しかし日本の減免制度は、非裁量性などの要請のもとで厳密に順位決定を行う建前となっており、何をもって１個の違反行為とするか、違反者は誰か、などといった問題に脚光を当て、大雑把な違反要件論を精緻化する方向での１つのきっかけを与えている[319]。

(7) 情報の少なさ

減免制度の運用状況に関する情報は、非常に少ないのが実情である。制度それ自体が違反者の微妙な心理を突いたものであるだけに、公取委側は情報管理に特に注意を払う。違反者・弁護士側も、もとより微妙な情報であるため管理を厳しくするのに加えて、秘匿義務（後記 351 頁）もあって、簡単には情報を明らかにしないという状況にある。

2 順位減免

(1) 総　説

令和元年改正後、広義の減免制度として、既存の、公取委への減免申請の先後の順位に基づく減免（7 条の 4）に加え、減免申請をした者がさらに公取委に協力することを合意して受ける減算（7 条の 5）が新設された。本書では、便宜

319) 白石忠志「課徴金減免制度と独禁法違反要件論」NBL869 号（平成 19 年）。

上、前者を「順位減免」、後者を「合意減算」と呼ぶ。

順位減免の制度は平成17年改正によって導入された。平成21年改正によって、共同減免申請が可能となり、また、減免対象となる事業者数が増やされた。

令和元年改正により、合意減算の制度が新設されたことに伴い、順位減免の割合が引き下げられるなどされた。減免申請後も公取委に協力し、合意減算をあわせて受けて初めて、令和元年改正前と同様の割合の減額を受けることができる。調査開始日前の1位の減免申請者がそれだけで全額免除などを受けることができる点では、変化していない。

順位減免のための減免申請が公取委の調査の端緒となることは、多い。本書では、事件全体の処理の観点から、減免制度を課徴金納付命令の解説の次に置いているが、実際の流れとしては、公取委の調査より前、または初期の段階で、企業の側の、減免申請をするか否かという判断がされることになる。

⑵ 調査開始日

① **総説**　順位減免においては、減免率など様々な面で、「調査開始日」という概念が重要な役割を果たす。令和元年改正後は、7条の4第1項で定義されている。

「調査開始日」とは、当該違反行為に係る事件について行政調査としての立入検査または犯則調査としての臨検・捜索・差押え・記録命令付差押えが最初に行われた日である。当該名宛人について調査が開始された日であるとは限らない。減免制度を導入した平成17年改正後は、調査のための強制処分をした年月日を明らかにしておくべきことが法律に明記されている（行政調査について48条、犯則調査について111条）。当該違反行為についてこれらの処分が行われなかった場合は、2条の2第12項で定義される「事前通知」を受けた日が、調査開始日に代わって基準となる（7条の4第1項）[320]。

このように、調査開始日は、違反行為ごとに観念されることになるが、調査

320）　意見聴取通知を「事前通知」と呼ぶ規定は、ここで言及したものを含め、課徴金に関するいくつかの条文に限られる。これは、この文言を用いた条文が現れたのが平成17年改正であるところ、平成17年改正後・平成25年改正前において命令の事前手続を行う旨の通知には特に略称がなかったために「事前通知」と略称され、それがそのまま残っているものである。命令の事前手続が「意見聴取手続」と呼ばれ、通知が「意見聴取通知」と呼ばれるようになったのは、平成25年改正による。

を開始する段階では、違反行為の範囲が最終的にどのように認定されるかは不明であるので、これが争いのもととなることがある[321]。

② **他の制度における類似の概念との違い**　減免制度以外において、調査開始の時点を問題とする概念が、少なくとも2種類ある。

第1は、2条の2第15項で定義される「調査開始日」である。一定期間内の過去に別の命令があったことが繰り返しの違反に対する加重算定率の要件となっているために必要となっている概念である（7条の3第1項）[322]。減免制度における「調査開始日」との違いは、減免制度においては基準となる公取委の処分が立入検査に限定されているのに対し、2条の2第15項においては報告命令などの他の処分も含んでいる点である。後者が、事後的に客観的に確認できる日であれば足りるものであるのに対して、前者の減免制度のものは、報道されるなど一定程度において誰に対しても広く明確に示されるものであることや、平成17年改正による制度の導入時点から用いられてきた基準であることなどが、関係しているものと思われる。

第2は、2条の2第13項に現れる調査開始の日である。これは、調査を受けた日から10年を遡る書類は保存すべきであるという考えに基づき、実行期間の開始日を定める基準とされているものである（前記302頁）[323]。減免制度における「調査開始日」と違って、2条の2第13項の調査開始の日は、「当該事業者に対し」（同項の括弧書きの冒頭）とあるように、違反者ごとに観念される日である。上記のように、それぞれの違反者が書類を保存すべき範囲を画するものだからである。減免制度のほうは、複数の違反者の間での順位減免の帰趨に直結するものであり、同じ事件においては全ての違反者について一律に調査開始日が決まることになっている。

321）東京高判平成25年12月20日・平成25年（行ケ）第54号〔愛知電線〕では、愛知電線が直接には関係していない違反行為Aを中心とした立入検査が、愛知電線が関係する違反行為Bに関する立入検査でもあった、と認定され、当初の立入検査の対象とされず、違反行為Bを中心とする後日の立入検査のみの対象となった愛知電線の主張が斥けられた。

322）他に、18条の2第2項の「調査開始日」も同様である。一定期間内に複数回の命令があったことが累積違反課徴金を課す要件となっているために必要とされている。

323）私的独占や不公正な取引方法に係る課徴金における「違反行為期間」の定義にも、同様の考えに基づく調査開始の日が登場する（2条の2第14項、18条の2第1項）。

(3) 減免率

順位減免における減免率は、調査開始日前か調査開始日以後か、および、減免申請の順位によって、以下のように変わる。

調査開始日の前に「最初」すなわち1位で減免申請をした者は課徴金の全額が免除される（7条の4第1項）。

調査開始日前に2位で減免申請をした者は20%、調査開始日前に3位から5位で減免申請をした者は10%、調査開始日前に6位以下で減免申請をした者は5%、それぞれ課徴金が減額される（7条の4第2項）[324]。4位以下の場合は、公取委にとって新規性のある事実に関する報告提出である必要がある[325]。

調査開始日以後に、調査開始日前から通算して5位以内かつ調査開始日以後だけで3位以内の順位で減免申請をした者は10%、それより後に減免申請をした者は順位を問わず5%、それぞれ課徴金が減額される（7条の4第3項）[326]。いずれも、公取委にとって新規性のある事実に関する報告提出である必要がある[327]。

以上のように、令和元年改正後は、順位を問わず必ず何らかの減額がされることとなっている。これは、そのような者も合意減算の制度の対象とすることにより調査協力者の幅を広げようとするものと考えられる。

免除と減額とを総称して「減免」と呼んでいる。

7条の4は、7条の2・7条の3によって得られた課徴金額を「減算前課徴金

324） 令和元年改正による合意減算制度の導入より前は、2位が50%、3位から5位までは30%で、6位以下には減額はなかった。

325） 4位と5位については7条の4第2項3号の最初の括弧書きで規定されており、これが6位以下に関する4号でも同じであると規定されている。

326） 令和元年改正による合意減算制度の導入より前は、前者の場合が30%で、後者の場合には減額はなかった。なお、7条の4第3項1号は、文理上は、通算6位以下や調査開始日以後4位以下の者が現れたならば、調査開始日以後の減免申請者は全て、通算5位以内かつ調査開始日以後3位以内であっても、1号を満たさず2号の対象となるように読める。しかし、このような処理は、通算5位以内かつ調査開始日以後3位以内の減免申請者の法的安定性を害するものであり、少なくとも立法論としては、望ましいものではない。公取委は、そのような減免申請者に対する課徴金納付命令書において、名宛人「より先に」減免申請を行った者について、数を数えており、7条の4第3項1号の本来あるべき表現を課徴金納付命令書で行って修正している。

327） 7条の4第3項1号の減免申請者については同号の最初の括弧書きで規定されており、これが他の調査開始日以後減免申請者に関する2号でも同じであると規定されている。

額」と呼んで、これに対して減免を加えるという形式を採っている。したがって、第1に、7条の2第1項の算定率を読み替えるという体裁をとっている7条の2第2項の軽減算定率や7条の3の加重算定率が適用される事件では、そのような軽減または加重を受けた課徴金額から減免をすることになる。第2に、減額によって初めて課徴金額が100万円未満となった場合は、7条の2第1項ただし書の裾切りは適用されないと解される[328)]。

(4) 減免申請

順位減免に関する7条の4における「違反行為に係る事実の報告及び資料の提出」が、便宜上、「減免申請」と呼ばれている。

同様の文言ではあるが、合意減算に関する7条の5における「事実の報告及び資料の提出」は、合意のうえで行われるものであって、「減免申請」とは呼ばないのではないかと考えられる[329)]。

(5) 減免申請を行う者

減免申請は、7条の4第1項～第3項の柱書きにより、「事業者」が行う。事業者としての申請であることを示すため、種々のことが求められる[330)]。

7条の2第2項による軽減算定率や7条の3による加重算定率の適用を受けた者であっても、減免申請による減免を受けることができる[331)]。

課徴金の納付義務を負わない者が減免申請をすることもあり得る。最終的に減免対象者となるのは当然のことながら課徴金の納付義務を本来なら負う者だけに限られるが、減免申請を行おうとする時点においては、自らの行為が不当な取引制限に該当するか否かや自らに納付義務があるか否かが不明であることも十分にあり得る。そのような者が法的安全のために減免申請をすることを妨げることはできないであろう。また、減免申請をしていれば、刑事告発を受けないことを始めとする他の恩恵もあり得るので、課徴金納付義務がないことが

328) 平成17年改正解説77頁もこれを確認する。

329) 法令では、施行令10条が、順位減免における報告提出のみを「減免申請」と呼んでいる。

330) 令和元年改正減免解説37頁。

331) これらが適用される事件であっても同様に違反を抑止する必要があるからである。7条の4第1項～第3項の各冒頭には「第7条の2第1項」としか書かれていないが、7条の2第2項や7条の3は7条の2第1項の準用規定ではなく、7条の2第1項の一部の文言を読み替えて7条の2第1項そのものを適用しようとする規定であるから、7条の4第1項～第3項における「第7条の2第1項」には7条の2第2項や7条の3による読替えの場合を含むと解される。

わかっている違反者も、減免申請をすることがあり得る。既に、課徴金納付義務のない者からの減免申請の実例が少なからず公表されている。

(6) 共同減免申請

① **総説**　前記(5)のように、減免申請を行う者は個々の「事業者」であることが原則であるが、違反者が親子会社等のグループ内に複数いる場合には、これらが一括して共同減免申請を行うことが認められている（7条の4第4項）。

日本の減免制度は、課徴金制度全体に求められている非裁量性の要請により、法律で細部まで事細かに規定しており、しかも平成17年改正による導入当初の減免制度は事業者単位で考える初歩的な規定しか置いていなかった。したがって、グループ内に複数の違反者がいる場合、1グループだけで減免の椅子を全て占めてしまうということも起こり得る状態であった[332)]。そのような問題は、米国やEUなどの多くの競争法においては、融通無碍の運用により対応されるのであるが、日本では非裁量性により法律の文言に照らした厳格な対応がとられざるを得なかった。

その点に鑑み、非裁量性を維持しつつ、導入されたのが、共同減免申請の制度である。もっとも、それも、非裁量性を前提として事細かに要件を法律に書き込む形となっているため、なお、若干の限界がないわけではない[333)]。

② **共同減免申請の効果**　共同減免申請の要件を満たすと、次のような法的効果が得られる。

まず、共同減免申請は、7条の4第1項〜第3項で要求されている「単独で」の要件を満たしたとみなされる（7条の4第4項柱書き前段）。

また、共同減免申請をした複数の事業者は、減免申請に係る順位の決定等に関係する事業者数の数え方との関係では、まとめて1の事業者として扱われる（7条の4第4項柱書き後段）。

共同減免申請の制度を導入した背景に照らせば、後者の、まとめて1の事業者として数える点が、特に重要である。

---

332)　導入当初には減免を受けることのできる事業者の数が3に限定されていたことも、その可能性に拍車をかけたものと思われる。

333)　公取委命令平成20年10月17日・平成20年（措）第17号・平成20年（納）第44号〔溶融メタル等購入談合〕の事案を素材とした説明として、勘所事例集322〜323頁。

③　共同減免申請の要件

(i)　総説　　共同減免申請をすることができるのは、7条の4第4項柱書きおよび1号を満たし、かつ、2号または3号を満たす事業者である。

(ii)　柱書き　　共同減免申請をすることができるのは、会社に限られる。以下の要件の成否を形式的に判断しやすいようにするためであろう。

(iii)　1号　　共同減免申請をすることができるのは、共同減免申請時に、相互に「子会社等」(2条の2第2項) の関係がある複数の者に限られる。

「子会社等」とは、一言で言えば、過半数議決権の関係の連鎖で繋がっている他の会社を指す。すなわち、「子会社等」を定義する2条の2第2項を、括弧書きを除いて読めば、「事業者の子会社若しくは親会社又は当該事業者と親会社が同一である他の会社をいう」となっており、括弧書きを紐解けば、「子会社」とは会社が議決権の過半数をもつ他の会社を指し、それに連鎖する孫会社等も「子会社」とみなし、「親会社」とは会社を子会社とする他の会社を指す、というわけである。

企業結合の届出要件における「子会社」概念では会社法と同様の実質支配基準が採られており (後記579〜580頁)、対照的である。減免制度において、あくまで過半数議決権のみを基準とすることとしたのは、企業結合規制を行うのとは異なる環境のもとで迅速に要件の成否を判断できるようにするためのものではないかと推測される。2号では、過去の特定時点において子会社等の関係にあったか否かも問題とされることとなっており、形式的基準のほうが迅速判断に資するであろう。

過半数議決権を基準としているので、一定の限界がある。例えばAとBが70：30の割合で出資したCがあり、A・B・Cが全て違反行為を行った場合、AとCは共同減免申請をすることができるが、Bは加わることができない。また、50：50であれば、共同減免申請の制度は全く使えないこととなる。

(iv)　2号　　7条の4第4項2号が示す条件は、共同減免申請をしようとする者のうち、グループ内の他の事業者と同時に不当な取引制限を行った事業者が、当該他の事業者と、同時に違反行為を行った全期間にわたって、相互に「子会社等」の関係にあったこと、である。ただし、共同減免申請の日から遡って10年を超えるような古い時期の状況は、見ないことになっている[334]。

以上のような条件は、相互に「子会社等」の関係にある者同士であったなら実質的には1の事業体であったのであるから減免申請においても1の事業者と同等に扱おう、という考えの表れであろう。別の角度から見れば、この要件がないと、例えば、不当な取引制限をした違反者全てが違反行為終了後に企業結合をしたうえで共同減免申請をすることも可能となってしまう。

(v) 3号　7条の4第4項3号が示す条件は、共同減免申請をしようとする者のうち、グループ内の他の事業者と同時に不当な取引制限を行ったのではない事業者が、グループ内の他の事業者から違反事業と違反行為を同日に引き継いだ、あるいは逆に、グループ内の他の事業者へと違反事業と違反行為を同日に引き継がせた、という関係があること、である。引継ぎの時点で相互に「子会社等」の関係にあったことは、必要とされない[335]。

同日であることを求めるのは、当該グループとして実質上は1個の違反行為を継続して行ったのであることを条件としようとする考えの表れであろう。

④ **減免申請後の変更の可否**　減免申請をした後に、共同減免申請者の一部の者について撤回したり、逆に追加したり、複数の単独減免申請をまとめて共同減免申請としたりすることはできるか。

まず、7条の4第5項による通知より前であれば、共同減免申請をした者のうち一部の者について撤回することは可能であり、その場合、残った者が単数であっても複数であっても、順位は維持される、とされる[336]。

また、7条の4第5項による通知より前であれば、既に減免申請をした者が撤回し、他の事業者と改めて共同減免申請をすることも可能である、とされる[337]。

複数の単独減免申請を一本の共同減免申請にまとめたり、既に行った減免申請に他の者を追加したりすることは、認められない、とされる[338]。

(7) 減免申請の手順

① **事前相談**　減免申請をすることを検討している事業者は、課徴金減免

---

334) 令和元年改正前は5年であった。令和元年改正解説63頁は、令和元年改正による実行期間の長期化に伴うものである旨の解説をしている。

335) 条文から導かれるが、確認的解説として、平成21年改正解説64頁。

336) 令和元年改正減免解説81〜82頁。

337) 令和元年改正減免解説82頁。

338) 令和元年改正減免解説82頁。

管理官に対し、事前相談をすることができる。減免申請の順位がどのようになりそうか、どのような資料を提出すべきか、等についての教示を受けることができる[339)]。この事前相談は、自らの事業者名を秘匿して行ってもよく、弁護士が依頼者名を伏せて行うことも多くあろう。しかしそのような場合も含め、違反行為を特定でき、無関係の者からの相談でないと信ずるに足りるだけの説明は必要であるとされる[340)]。

事前相談によって提供された情報それ自体を端緒として調査に着手することはない、とされている[341)]。

② **調査開始日前の場合の手順**　調査開始日前の減免申請は、必要に応じて事前相談をしたあと、次のような手順で行われる。

まず、減免申請をしようとする者は、減免規則様式第1号による概要の報告書を、公取委があらかじめ指定した電子メールアドレスに宛てた電子メールにより、提出しなければならない（減免規則4条1項）。令和元年改正前まではファクシミリによっていたのが、改められた。報告書は公取委のサーバにおいて記録がされた時に提出されたものとみなされる（減免規則4条2項）[342)]。

様式第1号報告書の提出を受けて公取委は、当該報告者に対し、様式第1号報告書の提出の順位と、後続の様式第2号報告書による報告提出の期限とを通知する（減免規則5条）[343)]。この時点では減免申請は完了していない。減免規則5条の通知は、7条の4第5項の通知とは異なる制度である。

そこで、当該報告者は、提出期限までに、減免規則様式第2号報告書と資料とを提出する（減免規則6条）。様式第2号報告書と資料は、様々の方法で提出できる（減免規則9条1項）。様式第2号報告書や資料の提出は部分的に口頭で行うことができる場合がある（後記④）。

調査開始日前の減免申請の順位は、様式第1号報告書の提出の先後によって決する（後記⑽③）。

---

339)　令和元年改正減免解説32～35頁。

340)　令和元年改正減免解説33頁。

341)　令和元年改正減免解説34頁。

342)　事故を防ぐため電子メール受信の有無を電話で確認することが勧奨されている。令和元年改正減免解説43頁。

343)　具体的には、令和元年改正減免解説44～46頁。

③　**調査開始日以後の場合の手順**　　調査開始日[344]以後の減免申請は、必要に応じて事前相談をしたあと、調査開始日から起算して行政機関の休日を算入せず20日を経過した日までに（減免規則2条、8条）[345]、減免規則様式第3号による報告書と資料とを提出することによって行われる（減免規則7条）。期限が定められているのは、調査開始日の直後のこの時期に新たな情報が提供されることが事案の解明に大きな役割を果たすと考えられるためである、とされる[346]。

様式第3号報告書は、公取委があらかじめ指定した電子メールアドレスに宛てた電子メールにより、提出しなければならない（減免規則7条2項）。報告書は公取委のサーバにおいて記録がされた時に提出されたものとみなされる（減免規則7条3項が準用する減免規則4条2項）。

資料は、様々の方法で提出できる（減免規則9条）。様式第3号報告書より後に資料を提出しても差し支えない[347]。

様式第3号報告書や資料の提出は、部分的に口頭で行うことができる場合がある（後記④）。

調査開始日以後の減免申請の順位は、様式第3号報告書の提出の先後によって決する（後記⑽③）。

④　**口頭によることのできる場合**　　口頭による報告・陳述が認められる場合がある。「それを必要とする特段の事情があると委員会が認めるとき」に限る。対象となり得るものは、調査開始日前の減免申請における様式第2号報告書の「備考」欄および資料、ならびに、調査開始日以後の減免申請における様式第

344）　調査開始日前の減免申請の場合には、立入検査や臨検・捜索・差押え・記録命令付差押えがない事件では意見聴取通知の日をもって調査開始日とする旨を示す括弧書きが置かれているが（7条の4第1項1号において「調査開始日」に付された2番目の括弧書き）、この括弧書きは調査開始日前の減免申請のみにおいて意味があることが明文で示されている。したがって、実際にそのような事件があるか否かは別として、立入検査や臨検・捜索・差押え・記録命令付差押えがない事件では、調査開始日以後の減免申請はあり得ないことになる。

345）　減免規則8条において「調査開始日から起算して」と規定されているので、民法140条の初日不算入原則を覆していることになり、調査開始日が1日目となる。減免規則8条において、20日を「経過する日」でなく「経過した日」と規定されている。20日を経過するのは20日目の24時であり、これを「経過した日」、すなわち、21日目が最後の日となる。合意減算の協議の申出に関する減免規則14条1項と対照的である（後記345頁註367）。

346）　令和元年改正減免解説50頁。

347）　令和元年改正減免解説51頁。

3号報告書の「備考」欄および資料、である。口頭による報告・陳述は、期限までに課徴金減免管理官に出頭して行わなければならない。課徴金減免管理官が、その内容について記録する（以上、減免規則6条2項・3項、7条3項）。

この規定の趣旨は、公取委に提出された報告書や資料について、当該提出をした者に対して、外国裁判所から文書提出命令がされる事態が生ずる可能性があって、当該提出をした者が外国裁判所で不利となるおそれが生じ、それがひいては公取委に対して減免申請をすることそれ自体を躊躇させることのないようにしようとすることにある旨の解説がされている[348]。

(8) 減免申請の内容

調査開始日前の4位以下または調査開始日以後の場合には、減免申請は、公取委が把握していない事実に関する報告提出でなければならない[349]。既に公取委は一定の資料を得ているのであり、それに含まれる範囲で減免申請がされても事案の解明に資することはないからである旨が説明されている[350]。ただ、公取委が把握していないことの立証を提出者側にさせるのは酷であり、公取委が既に把握している事実であることの立証責任が公取委側にあると解される。なお、減免申請者の違反行為担当者が自らの経験をもとに説明した陳述書等は新たな資料と認められるケースが多い、と解説されている[351]。

調査開始日前の1位〜3位については同様の規定がなく、公取委が把握している事実についてのものであっても差し支えないことになる。

(9) 単独で

減免申請は「単独で」行わなければならない（7条の4第1項〜第3項）。その趣旨としては、他の違反者の手の内がわからないために生ずる疑心暗鬼によって減免申請が促進されるべきであること、全ての違反者が共同で減免申請をして全ての違反者が全額免除を受ける可能性を封ずる必要があること、などが挙げられる[352]。

---

348) 令和元年改正減免解説72頁。

349) 7条の4第2項3号と第3項1号に規定されており、それぞれ、その内容は次号において同じであるとされている。平成17年改正による減免制度導入当初は調査開始日以後のみに関する要件であったが、平成21年改正により調査開始日前の4位以下の減免申請があり得ることとなった際、そのような場合にも同様の要件が課されることになった。

350) 令和元年改正減免解説48〜49頁。

351) 令和元年改正減免解説49頁。

共同減免申請の場合は、「単独で」行ったものとみなされる（前記(6)②）。

⑽ 順位の決定

① **総説**　減免申請の順位は、減免申請の先後を基準として定められるが、どのような母集団のなかでの先後なのか、ということも重要である。

② **前提となる事業者の数の数え方**　順位を論ずる場合には、どの範囲の者を１と数えるか、という点が前提となる。

事業者ごとに１と数え、共同減免申請を行った者については全体で１と数える（７条の４第４項柱書き後段）、ということが前提とされている。

③ **先後の基準**　減免申請の先後は、以下のような基準で定められる。

調査開始日前の場合の順位は、様式第１号報告書の提出の先後によって定められる（減免規則12条１項、４条２項）。

調査開始日以後の場合の順位は、様式第３号報告書の提出の先後によって定められる（減免規則12条２項、７条３項、４条２項）。

④ **「当該違反行為をした事業者のうち」と順位**

(i) 総説　順位は、条文上は、「当該違反行為をした事業者のうち」の順位であるとされている（７条の４第１項・第２項）[353]。この点に関して、公取委の当初の認識と事後の認定が異なることとなった場合には、特定の減免申請者の順位が繰り上がるなどし、課徴金納付命令が取り消されるべき場合などが起こり得る。

「当該違反行為をした事業者のうち」との関係で順位変動が起こると思われる例として、次のようなものが考えられる。

(ii) 何をもって１個の違反行為とするか　第１に、「当該違反行為」とは何か、換言すれば、何をもって１個の違反行為とするのか、という問題である[354]。これは更に、市場画定の問題と、行為画定の問題とに、分けることが

---

352) 平成17年改正解説72頁。

353) ７条の４第３項には同様の文言がないが、それは平成17年改正以来のことであり、同様に解されると考えられている。

354) 調査開始日前の１位の減免申請者の場合は、検討対象市場がいくら広がっても課徴金は免除されるのであるから関係商品役務の範囲を広めに申請しようとするインセンティブが生ずると考えられるのに対して、その他の減免申請者は、たかだか所定の率の減額を受けるにとどまるのであるから、検討対象市場が広がれば広がるほど課徴金額が増えることに変わりはなく、関係商品役務の範囲を狭めに申請しようとするインセンティブをもつ場合があると考えられる。

できる[355)]。

違反行為の捉え方として複数種類のものが重畳的にあり得る場合には、順位の決定は困難に直面するが、この場合は、明確・簡易という解釈指針（前記328頁）に照らせば、公取委が採用したほうの論理構成によって順位を決めれば足りると解されることとなろうか[356)]。

(iii) 減免申請者は違反者か　第2に、減免申請をして減免の椅子を占めている者は本当に違反者であるのか、という問題である。順位は「当該違反行為をした事業者のうち」で決せられるので、減免申請者が違反者でないと認定される場合には、順位を考える際にそのような者を除かなければならない。

逆に、減免申請者が違反者とされたならば、かりにその者に7条の2第1項による課徴金納付義務がもともとないとされた場合であっても、違反者である以上は、そのような者は減免の椅子を占めたままとなる[357)]。

⑤ 所定の日以後の違反行為や7条の6所定の行為と順位　所定の日以後の違反行為（7条の4第1項2号、2項5号、3項3号）や7条の6所定の行為の観点から減免を受けられない者が現れた場合はどうか。

条文上、順位は、減免申請そのものに関する規定（7条の4第1項1号、2項1号〜4号、3項1号・2号）の枠内で完結して決定されるものであり、その枠外の要件を満たさないために減免申請者が減免を受けられないこととなったとしても、そのことが順位に変動をもたらすことはないように読める[358)]。

---

355) 課徴金の対象となる不当な取引制限について「合意の範囲＝市場」という定式が信じられてきたなかでは、行為画定の議論と市場画定の議論とが撞着することも少なくないが、あくまで別の要件なのであって等しくなることが多いというだけであるから、論理の必然にあわせ、行為画定と市場画定という2つの引き出しを用意しておいたほうが遺漏のない体系化に資するであろう。

356) 公取委が採用した違反行為の切り分けしかあり得ないかのような措辞が気になるものの、結論として同旨のものとして、公取委審判審決平成23年12月15日・平成22年（判）第15号〔NTT 3社等発注光ファイバケーブル製品フジクラ〕（審決案26〜27頁）。

357) これは条文から導かれることではあるが、同旨をあえて判示したものとして、NTT 3社等発注光ファイバケーブル製品フジクラ審決（審決案23〜26頁）。

358) 減免申請をしている事実の秘匿義務違反の場合は、令和元年改正前には、順位が繰り上がる旨の解説がされていた（塚田益徳・山﨑幕田監修295頁）。これは、令和元年改正前においては秘匿義務が減免規則のみに規定されていたため、これに反することは減免申請が完了していないことを意味していたからであると考えられる（「公正取引委員会規則で定めるところにより」減免申請をしていない、という位置付け）。それに対し、令和元年改正後は、秘匿義務は、独禁法典で、しかも7条の6において、規定されることとなった。

実質的に考えても、所定の日以後の違反行為や7条の6所定の行為の要件の成否は、公取委が調査して直ちに明らかにすることが容易ではなく、しかも減免申請の完了後に要件を満たす場合もあり得るものであるため、公取委にとっての明確性・簡易性という解釈指針に照らせば、これらは順位決定に影響を及ぼさないとする条文の構造には合理性がある。

⑾ 7条の4第5項の通知

公取委は、要件を満たす減免申請を受けたときは、当該提出者に対して速やかに文書をもってその旨を通知しなければならない（7条の4第5項）[359]。提出者に情報を提供し、法的安定性・予測可能性の確保を図ろうとするものである[360]。この通知は、様式第1号報告書の提出に対する減免規則2条による通知とは異なり、減免申請が完了したことを示す通知である。

7条の4第5項は、7条の4第1項1号などの減免申請に関する規定を満たすことのみを要件としている。通知のあとに、所定の日以後の違反行為や7条の6所定の行為が明らかとなった場合には、通知を受けた者にとっての不利益変更があり得る。

⑿ 追加の報告提出

7条の4第6項は、減免申請完了後の者に対し、公取委が追加の報告提出を求めることができる旨を規定している。これは、平成17年改正後から存在する規定であるが、この規定が十分に機能しないために、令和元年改正によって合意減算の制度が作られたのであるともいえる。現在の7条の4第6項は、合意減算の制度を利用しない減免申請者のための規定であり、それには、調査開始日前1位の減免申請者が含まれる。

⒀ 所定の日以後の違反行為

所定の日以後に違反行為をしていた者は、減免申請をした場合であっても、減免を受けることができない。ここでいう所定の日とは、調査開始日前の減免申請であれば調査開始日であり（7条の4第1項2号、2項5号）、調査開始日以後の減免申請であれば減免申請日である（7条の4第3項3号）[361]。

359） それほど「速やか」でない場合もあるとの声も聞かれる。事案によっては、違反行為の画定が難しく順位の決定が難しい場合もあると想像される。

360） 平成17年改正解説80～81頁。

361） 調査開始日以後の減免申請に関する7条の4第3項3号の「行つた日」とは、順位の先後の

所定の日以後に違反行為がないことは、7条の4第5項の通知の要件となっておらず、先順位の者がこれらに該当して減免を受けられない場合であっても順位の変動は起こらないと考えられる。

⒁ 減免申請者の従業員等の供述の信用性

減免申請者の従業員等からの供述調書の信用性について、議論がある。

信用性には問題がないとする方向の一般論を述べる判決がある。その理由として、減免申請をすれば刑事責任や民事責任を問われる可能性のみならず社会的信用を大きく失墜させるおそれがある、減免申請は社内決裁を経て行うものである、減免制度は非裁量的である、合意が存在しないのであれば課徴金を納付する必要がないのであるから合意が存在しないのに存在すると供述する合理的な理由は想定し難い、無関係な他社を巻き込んでも減免率は減免申請の順位次第である、などと述べている[362)]。

これらは、制度の建前を強調しすぎており、疑問がある。まず、信用性が特に論ぜられるのは調査開始日前1位の減免申請者の従業員等の供述であると思われるが、調査開始日前1位で全額免除である場合には、目前の事件の対象となる違反行為の範囲が広くなればなるほど全額免除の範囲が広がることに、留意する必要があろう。調査開始日前1位であれば刑事責任を問われることはないことになっている。社内決裁は順位確保のために公取委に電子メール（かつてはファクシミリ）を送る際に経るものであって従業員等の供述の1つひとつについて得るわけでもないと考えられるうえ、ここで論じているような利害得失を考えて社内決裁をする会社は存在し得る。会社や従業員等としては合意が存在しないと考えたのに公取委や裁判所に合意を認定されて課徴金等を課されたという例は多数ある。減免率は減免申請の順位次第であり調査開始日前1位なら全額免除と決まっているからこそ、その地位を確保し拡大するインセンティブを持つこともあり得るであろう。

基準となる様式第3号報告書の提出の日か、それとも減免申請が完了する資料提出の日か、という論点が生じ得るが、多くの事例では調査開始日に違反行為が終了したと認定されることもあってか、この問題は必ずしも関心を持たれていないようである。

362) 東京高判平成29年6月30日・平成28年（行ケ）第3号〔塩化ビニル管等〕（判決書58〜61頁)、東京高判令和2年9月25日・令和元年（行ケ）第53号〔段ボール用でん粉〕（40〜41頁)、など。

刑事訴訟法の合意制度（後記757頁註1）によって得られた供述の信用性については、有利な取扱いを受けたいとの思いから検察官の意向に沿うような供述をしてしまう危険性をはらんでいることなどを指摘し、「客観的な証拠や信用できる第三者の供述等といった裏付け証拠が十分に存在するなど積極的に信用性を認めるべき事情があるかという視点から慎重に検討すべきである」などとした事例がある[363)]。独禁法の抗告訴訟における減免申請者の従業員の供述に関する取扱いと対照的である。

3　合意減算

(1)　総　説

令和元年改正によって、広義の減免制度を形成する双璧の1つとして調査協力減算制度が導入された。7条の5である。減免申請者と公取委とが合意し、これを履行することによって、課徴金を減額することを法定したものである。本書では、改正前から存在した狭義の減免制度を「順位減免」と呼び、調査協力減算制度は「合意減算」と呼んでいる[364)][365)]。

平成17年改正によって導入された順位減免は、令和元年改正前においては、最低限の調査協力のみを行って、それ以上は非協力的な態度を示す違反被疑事業者が少なくなかったとされ、そのような状況を打開しようとするものであるとして合意減算の制度が導入された[366)]。

合意減算に関する公取委規則も基本的には減免規則であり、合意減算に関するガイドラインとして調査協力減算制度運用方針が策定されている。

---

363)　引用は、東京地判令和4年3月3日・平成30年特（わ）第3350号〔日産自動車役員報酬等〕（裁判所PDF 8～10頁）。

364)　法律の条文を含め、減免制度、特に合意減算においては、「減額」と「減算」の両方がほぼ同じ意味で使われている。本書では、法令の条文や公取委関係文書が特に「減算」としている場合にはそれになるべく合わせ、通常は「減額」と呼んでいる。

365)　令和元年改正の施行日より前の期間の違反行為であっても、例えば施行日以後に調査開始日が到来するなど施行日以後に減免申請をすることが可能である場合には、合意減算を受けることができる（前記326頁註317）。その場合も、改正前の減免申請をした者は合意減算を受けることができないが（令和元年改正法附則6条5項）、改正後の順位減免と合意減算の合計減額率は改正前の順位減免による減額率と同程度であるので、制度設計として問題はないと考えられているものと思われる。

366)　令和元年改正解説67頁、令和元年改正減免解説22頁。

(2) 対象となる事業者

合意減算の制度の対象となるのは、減免申請者のうち、調査開始日前1位の者を除く者である。7条の5は、そのような者のみを「報告等事業者」と呼んでいる。

調査開始日前1位の者は、課徴金が全て免除される。調査開始日前1位の減免申請について予測可能性・法的安定性を特に確保して調査開始日前1位の減免申請を特に促そうとするものであると考えられる。

(3) 協　議

報告等事業者は、減免申請による減額に加えて減額を受けたい場合に、調査協力合意に向けた協議の申出をすることができる（7条の5第1項）。

協議の申出の期限は公取委規則で定めることとなっている（7条の5第8項）。報告等事業者は、協議の申出をしようとする場合は、減免申請が完了した旨の7条の4第5項の通知を受けた日から、同日から起算して行政機関の休日を算入せず10日を経過する日までの間に、減免規則の様式第4号による申出書を提出しなければならない（減免規則2条、14条1項）[367]。

協議においては、当然のことながら、合意の内容となるべき事項が説明されることになる。

(4) 合意（調査協力合意）

① **総説**　条文で単に「合意」とされているものを、価格協定や入札談合などの合意と区別するため、本書では、必要に応じ、「調査協力合意」と呼ぶ。

調査協力合意には2種類ある。7条の5第1項で規定された合意と、7条の5第2項で規定された合意である。本書では、前者を「特定割合合意」と呼び、後者を「上限下限合意」と呼ぶ[368][369]。

367）減免規則14条1項は、通知の日「から起算して」と規定しているので、民法140条の初日不算入原則を覆していることになり、通知の日が1日目となる。この通知は、送達される（減免規則13条）。減免規則14条1項は、10日を「経過した日」でなく「経過する日」と規定している。10日を経過するのは10日目の24時であるから、「経過する日」は10日目となる。「経過した日」と規定している減免規則8条と対照的である（前記338頁註345）。令和元年改正減免解説56頁は、以上のようなことを言おうとしたものと考えられる。

368）調査協力減算制度運用方針や令和元年改正減免解説が、前者を「特定割合についての合意」と呼び、後者を「上限及び下限についての合意」と呼んでいるのに倣い、さらに短くしたものである。令和元年改正解説は、独特の呼称を用いているが、上記の公取委関係文書が用いている呼

公取委は、合意後の調査協力の可能性を高めるため、通常、上限下限合意を求める、としている[370]。

② 特定割合合意

(i) 報告等事業者が履行すべき合意内容　特定割合合意において報告等事業者が履行すべき合意内容として、次のものが規定されている。協議において申出を行った報告提出を合意後直ちに行うこと（7条の5第1項1号イ）、減免申請における報告提出の内容について公取委の求めに応じて所定の行為を行うこと（同号ロ）、それ以外に公取委の調査により判明した事実についても同様の行為を行うこと（同号ハ）である。

このうちイについては、減免申請による報告提出によって報告等事業者としては出し尽くしておりさらに報告提出するものがない、という場合には、必要はないものと解される。これが必要であると解すると、減免申請において出し惜しみをしておかなければ合意減算を受けることができないこととなり得るからである。公取委も、同旨を述べている[371]。イの行為を合意に含めることは法律で求められているが、減免申請の段階で出し尽くしている事案では、「当該協議において、公正取引委員会に対し、報告し、又は提出する旨の申出を行つた事実又は資料」が存在しないので、「当該合意後直ちに報告し、又は提出する」ものも存在しないから、イの行為を合意しても報告等事業者はイについては何も履行する必要がない、という扱いとなるものと考えられる[372]。

(ii) 減算率　特定割合合意においては、報告等事業者が合意内容を履行した場合の減算率となる「特定割合」を盛り込むことになる。特定割合は、調査開始日前の減免申請をした報告等事業者については40% を「上限割合」と

称を固める前に書かれたものと考えられる。

369) 審決等データベースには、その事件において最高額の課徴金納付命令を受けた名宛人に対する課徴金納付命令書が登載されるのが通例であり、当該名宛人が調査協力合意をしていた場合には、合意書（抜粋）がPDF ファイルに盛り込まれるのが通例となっている。

370) 調査協力減算制度運用方針3 (2) イ。

371) 調査協力減算制度運用方針3 (2) ア（7条の5第1項1号のうちイが掲げられていない）、令和元年改正減免解説57～58頁。

372) 減免申請による報告提出の時期と調査協力合意の時期との間には違いがあるから、減免申請の段階では出し尽くしていた事案であっても、イの行為が空集合とならない場合は、あり得るものと思われる。

し、調査開始日以後の減免申請をした報告等事業者については20%を「上限割合」とする（以上、7条の5第1項2号）。その範囲でどのような減算率とされるかは、上限下限合意の場合の評価方法を準用して、特定割合合意の時点でわかっている状況を評価し、判断され、特定割合合意に盛り込まれる[373)]。

③　上限下限合意

(i)　総説　　報告等事業者が、特定割合合意の場合でも履行すべきとされる合意内容（7条の5第1項1号）に加えて、合意後に新たな事実・資料を把握したときに直ちにこれについて公取委に報告提出すること（7条の5第2項1号イ）と、その報告提出の内容について公取委の求めに応じて所定の行為を行うこと（同号ロ）とを合意内容とする場合には、合意後の協力の程度を評価して減算率を決定する旨の合意をすることになる。減算率は、合意において定められた上限と下限の範囲内で決定される（以上、7条の5第2項）。

公取委は、通常、特定割合合意でなく上限下限合意を求める、としている[374)]。7条の5第2項の柱書きの前半の、「事件の真相の迅速な解明に必要」や「新たな事実又は資料……を把握する蓋然性が高いと認められる」の要件は、通常は当然に満たすと考えられているものと思われる。

(ii)　上限下限合意における減算率の上限と下限　　減算率については、上限下限合意をする段階での定め方と、最終的にどのような減算率とするかという問題とを、分けて理解する必要がある。

上限下限合意をする段階における上限の減算率（7条の5第2項2号にいう「……加算した割合」）は、7条の5第1項2号にいう「上限割合」に等しいものとする方針が、公取委から示されている[375)]。すなわち、調査開始日前の減免申請をした報告等事業者については40%であり、調査開始日以後の減免申請をした報告等事業者については20%である[376)]。

上限下限合意をする段階における下限の減算率は、その事案において特定割

373)　調査協力減算制度運用方針3 (4) 。公取委において上限下限合意を求めることを原則としているため（前記①)、このような形の記述となっているものと思われる。

374)　調査協力減算制度運用方針3 (2) イ。

375)　調査協力減算制度運用方針4 (3) の表2の次に置かれている記述。合意後に報告等事業者がどのような調査協力をするかが合意時には不明であるので、あらゆる可能性に対応できるようにする趣旨である、と言おうとしているものと考えられる。

376)　以上のことを、減免規則19条の枠内で、運用方針として定めている。

合合意をすると仮定した場合の特定割合とされる（7条の5第2項2号）。

(iii) 最終的な「評価後割合」　最終的に課徴金納付命令をする段階においては、公取委は、合意における上限と下限の間の範囲内で「評価後割合」を決定することになる。「評価後割合」は、法律では、「公正取引委員会が当該行為により得られた前項の公正取引委員会規則で定める事項に係る事実の内容を評価して決定する割合」であるとされる（以上、7条の5第2項2号）。

「前項の公正取引委員会規則で定める事項」は、減免規則17条が定めており、さらに、これを詳細にしたものが調査協力減算制度運用方針の別紙において示されている[377]。

最終的な減算率を決定するための「評価」は、そのような事項に照らして、事件の真相の解明に資する程度はどうであったかという観点から、次の3つの要素を考慮して行われる。第1は、「具体的かつ詳細であるか否か」である。第2は、「公正取引委員会規則で定める「事件の真相の解明に資する」事項について網羅的であるか否か」である。第3は、「当該報告等事業者が提出した資料により裏付けられるか否か」である。

事件の真相の解明に資する程度は、上記の3つの要素のうち全ての要素を満たす場合には「高い」とされ、2つの要素を満たす場合には「中程度である」とされ、1つの要素を満たす場合には「低い」とされる。「高い」場合には、調査開始日前の減免申請者であれば合意減算の減算率は40%、調査開始日以後の減免申請者であれば20%とされ、「中程度である」場合にはそれぞれ20%と10%とされ、「低い」場合にはそれぞれ10%と5%とされる[378]。これに、順位減免における減算率を加えて、課徴金の減額が行われることとなる（7条の5第3項）。

(5) 軽減算定率・加重算定率・裾切り額との関係

7条の5は、7条の4と同様、7条の2・7条の3によって得られた課徴金額を「減算前課徴金額」と呼んで、これに対して更に減免を加えるという形式を採っている。したがって、軽減算定率・加重算定率・裾切り額との関係は、7条の4について述べた内容と同じとなる（前記332〜333頁）。

---

377) この別紙は、調査協力減算制度運用方針4(2)を受けたものである。

378) 以上、調査協力減算制度運用方針4、特に表2。

4　7条の6各号所定の行為による減免不適用

⑴　総　説

7条の6各号所定の行為をした者は、減免申請や調査協力合意をした場合であっても、減免を受けることができない。順位減免に関する所定行為をした場合であっても、合意減算に関する所定行為をした場合であっても、順位減免と合意減算の両方について失格となる（以上、7条の6）。

7条の6各号所定の行為をしないことは、減免申請そのものの要件ではないため、先順位の者がこれらに該当して減免を受けられない場合であっても順位の変動は起こらないと考えられる。

以下、各号を再整理したうえで列挙する。

⑵　虚偽の内容を含む報告提出

報告提出の内容に虚偽の内容が含まれていた場合には、減免が不適用となる。当初の減免申請における報告提出については7条の6第1号に、追加の報告提出については7条の6第2号・第3号に、規定がある。虚偽によって減免を受けることそれ自体が正義に反するし、虚偽によって的確な調査をかえって難しくすることが制度趣旨に反するからであろう。

具体的にどのような場合に「虚偽」とされるか。単に事実と異なる減免申請をしただけでは「虚偽」とはならない。減免申請の実質的な内容に関するものであって、減免申請をした者が事実を知っていたときや知り得る立場にあったときに事実と異なる減免申請をした場合に「虚偽」となる、とされる[379)]。

他の事業者と合意をしたか否かという事実について、合意をした旨の当初の報告をして減免の順位を確保したうえで、のちに、合意をしていない旨の訂正を行った事業者について、虚偽であったとして失格とされた事例がある[380)]。

共同減免申請者のなかに虚偽の報告提出をしたものがいると、共同減免申請者の全てについて、減免不適用となる（7条の6第1号括弧書き）。

⑶　調査開始日前1位の減免申請者が追加の報告提出をしないこと

調査開始日前1位の減免申請者は、7条の4第6項に基づいて公取委から求められる追加の報告提出をしない場合には、免除を受けることができない（7

379)　令和元年改正減免解説70頁。

380)　公取委審判審決令和2年8月31日・平成22年（判）第17号〔シャッター〕（公表審決案154～158頁）。

条の6第2号)。

これに相当する規定は平成17年改正後から存在したものである。これが十分に機能しないために、調査開始日前1位以外の減免申請者について、令和元年改正によって合意減算の制度が導入された。そこで、調査開始日前1位の減免申請者に限って、改正前からの規定を残した、ということであろう。

調査開始日前1位の減免申請者に対する追加の報告提出義務がどのように機能するかは未知数である。他方で、調査開始日前1位の減免申請者は、いずれにしても免除を受けるのであるから、もとより公取委に十分に協力するという事案もあると考えられる。

調査開始日前1位でない減免申請者であって、調査協力合意をしないものについては、追加の報告提出をしないことに対する減免不適用の規定は存在しない(7条の6第3号を同条2号と比較)。追加の報告提出をする場合について合意減算という新たな制度を設けたので、これによる減算を受けようとしない者に対してまで追加の報告提出を義務とすることは難しい、ということであろう。

共同減免申請で調査開始日前1位となった場合には、それに参加した者のなかに7条の6第2号を満たしたものがいると、共同減免申請者の全てについて、免除が不適用となる。

(4) 違反行為の強要・妨害

他の事業者に対し違反行為を強要し、または、他の事業者が違反行為をやめることを妨害していた場合は、減免を受けることができない(7条の6第4号)。

ここでいう強要・妨害とは、何らかの圧力をかけて他の事業者が参加せざるを得ないようにしていたことを指す、とされる[381)]。そうであるとすれば、強要・妨害の概念は範囲が狭く、違反行為の主導による加重算定率(7条の3第2項)が適用されるからといって、ここでいう強要・妨害に該当するとは限らないことになる[382)]。

強要は、違反行為の開始時期より前のものでもよいと解される[383)]。

---

381) 平成17年改正解説83頁。違反行為に参加しなければ事業者団体から有益な情報を一切得られなくなると告げる行為は強要・妨害に該当し、入札談合の持ち回り幹事になるだけでは強要・妨害に該当しない、という例示がなされている。

382) 令和元年改正減免解説70頁、塚田益徳・山﨑幕田監修304頁。

383) 伊永課徴金制度110〜111頁。

強要の相手方は、文理上、違反者でなければならない。行為を強要された者であるから違反者としない、という構成を採れば、当該強要をした者に対して減免不適用とすることはできないことになる。他方、その問題を回避するために被強要者を形式的に違反者とすることも、事案によっては、不適切な結果を招く場合もあろう。

共同減免申請者のなかに強要・妨害をしたものがいると、共同減免申請者の全てについて、減免不適用となるが、共同減免申請をした者らの相互間で強要・妨害があっても、減免不適用とはならない（7条の6第4号括弧書き）。

(5) 減免申請や調査協力合意の協議の申出の妨害

減免申請や調査協力合意の協議の申出を妨害していた場合も、減免を受けることができない（7条の6第5号）。令和元年改正によって加えられた。

(6) 秘匿義務違反

減免申請または調査協力合意やそのための申請を行った旨を、正当な理由なく、第三者に明かした場合は、減免を受けることができない（7条の6第6号）[384]。その趣旨としては、減免申請をしている事実が広く知られることによる証拠隠滅や口裏合わせなどを防ぐ、という点が挙げられている[385]。

「正当な理由」は、親会社の法務部門、弁護士、国際カルテルを減免申請する際の他国の競争当局、会計監査を受ける際の公認会計士、などに明かす場合には通常は満たされる、とされる[386]。

(7) 調査協力合意違反

合意減算のための調査協力合意の内容となっている行為を行わない場合は、減額を受けることができない（7条の6第7号）。

5　合併・分割・事業譲渡の場合

合併・分割・事業譲渡によって、違反者とは異なるものが課徴金納付義務を負うこととなる場合には、減免制度についても特別な配慮が必要となる。すなわち、違反者が法人であって合併により消滅した場合（7条の8第3項）や、違

384）調査協力合意について、7条の6第6号は「前条第1項の合意」としているが、7条の5第3項により、これには、7条の5第2項による上限下限合意を含む。

385）令和元年改正減免解説38頁。

386）令和元年改正減免解説38～39頁。

反者が法人であって分割・事業譲渡をしたあと合併以外の事由で消滅した場合（7条の8第4項）である[387]。

7条の8第5項は、このような場合の減免制度の適用について必要な事項を政令で定めることを規定している。その政令とは、合併について施行令10条、分割・事業譲渡について施行令11条である[388]。

施行令10条は、減免申請等が終わった段階で合併が行われた場合について規定している。それによれば、まず、消滅法人が行った減免申請等は、合併後に存続法人・設立法人が納付義務を負う当該消滅法人分の課徴金について、当該存続法人・設立法人が行った減免申請等とみなされる（施行令10条1項）。また、存続法人が合併前に行った減免申請等は、合併前の存続法人分の課徴金のみについて、減免の根拠となる（施行令10条2項）。

施行令11条1項・2項についても、同様である。

施行令11条3項は、違反者から分割・事業譲渡を受けた者が複数であった場合に関する規定である。

施行令10条、11条に規定されていない事項については、原則に戻り、必要に応じて施行令10条、11条を類推して判断することになる。

6　全額免除通知・課徴金納付命令

(1)　総　説

減免制度の適用の結果は、調査開始日前1位の減免申請による免除がされた場合は全額免除通知（7条の4第7項）として[389]、それ以外による減額がされた場合はそれを反映した課徴金納付命令として、減免を受け得なかった場合は減免がされていない課徴金納付命令として、それぞれ示されることになる。

一旦された全額免除通知や課徴金納付命令が当該名宛人にとって不利益に変更されることは、基本的には、ない。独禁法典には課徴金納付命令の不利益的

387)　このような合併・分割・事業譲渡が減免制度以外の面において課徴金納付命令にもたらす問題については、別の箇所で述べた（後記722～724頁）。

388)　以下について、令和元年改正減免解説83～86頁。

389)　全額免除通知は、他の違反者に対して課徴金納付命令をする際にあわせて行われる（7条の4第7項）。他の違反者に対して課徴金納付命令をしない場合は、その旨の通知がされる時にあわせて、全額免除通知が行われる（審査規則25条2項）。

補正のための仕組みが置かれていない。もっとも、課徴金納付命令を争う抗告訴訟について「総額主義」を採るならば、課徴金額を減らすべき他の争点があった場合に、課された課徴金額の範囲内で、減免制度について不利益変更がされる可能性はあり得る（以上、後記740〜741頁）。

(2) 課徴金納付命令に対する不服

減免を受けられなかったことや不十分な減額しか受けられなかったことに対する不服があれば、課徴金納付命令に対する抗告訴訟で争うことになる。

そのうち、自らが後順位となったことを不服として争って、その主張が認められた場合は、公取委が当該事件において前提とした順位に変動が起こることになる[390]。ただ、その場合であっても、上記のように、全額免除通知または本来の額よりも少ない額の課徴金納付命令を受けた他の違反者がそれを不利益に変更されることはない。また、本来の額よりも多い額の課徴金納付命令を受けた他の違反者がこれを争っておらず確定している場合には、当該課徴金額が事後的に減額されることもない。

減額を受けた者が、自らの行為は不当な取引制限ではないなどと主張することも、許されてよいと解される。減免申請をする段階では、当該事業者にとって、自らの行為が違反であるか否かは明らかでない場合もあるのであり、自らは違反者でないと信じながら法的リスクの軽減のために減免申請をするということはあってよいはずだからである。

(3) 全額免除通知に対する不服

全額免除通知に対する不服ということも、理屈の上ではあり得る。全額免除通知も、次回の違反行為について、7条の3第1項による加重算定率の根拠となるからである。この点だけで、全額免除通知は行訴法にいう「処分」に該当し、それを争うことに同法9条にいう「法律上の利益」がある、というに足りる。したがって、自らの行為は不当な取引制限ではないなどの主張や、不当な取引制限であったと仮定しても課徴金額は100万円未満であったはずであるから7条の2第1項ただし書によりもともと課徴金納付義務がなかったはずであり全額免除通知を受ける筋合いにないとの主張などは、あり得ることになる。

---

390) 順位の変動については、別の箇所で論じた（前記340〜342頁）。自らよりも先順位とされた者は減免制度の適用対象でないから順位が繰り上がるはずであると主張する場合も、自らを名宛人とする課徴金納付命令に係る抗告訴訟において、そのような主張をすることになる。

そのような訴訟をすることがビジネスとして引き合うか、という問題が別途あるのは当然である。

7　公取委による開示の有無

(1)　公取委による自主的開示

公取委は、全額免除通知・課徴金納付命令を行うのと同時に[391]、減免申請を行った違反者と減免率とを、その事件に関する発表資料と、公取委ウェブサイトの「課徴金減免制度の適用事業者の公表」欄とにおいて、公表している。

公取委は、平成28年6月1日以後にされた減免申請については、従前の方針を変更し、法運用の透明性等の観点から、減免申請を行った違反者の全てを一律に公表することとしている[392][393]。

(2)　法律の規定による開示

公取委による自主的な開示の有無にかかわらず、法律の規定により公取委が開示するということはないのか。

まず、民事訴訟法による文書提出命令との関係についてである。減免制度導入当初、公取委は、減免対象者から公取委に提出された報告書や資料が文書提出義務の対象となるなら、減免申請が躊躇されることとなり公取委の公務の遂行に著しい支障を生ずるおそれがあるから、同法220条4号ロにより、文書提出義務の対象とはならないと解される、としていた[394]。もちろん、命令の有無を決するのは裁判所であるが、現在のところ、この問題に正面から答えたも

---

391)　例外として、課徴金納付命令より前の、刑事告発の段階で、刑事告発を見送った事業者名が公表されることがある。ただ、この場合には、当該事件について全額免除通知・課徴金納付命令が行われた際に、刑事告発段階の公表内容それ自体は公取委ウェブサイトの公表欄から削除されるのが通例である。

392)　令和元年改正減免解説87頁。

393)　平成17年改正による減免制度の導入後、平成28年の方針変更までの間、公取委は、減免申請をした者の名称等を積極的には公に開示しないのを原則とし、自ら公表を申し出た減免対象者についてのみ、その名称等および減免率を公表していた。公正取引委員会「課徴金減免制度の適用を受けた事業者名等の取扱いに関する方針」(平成18年9月8日)。公表によって指名停止処分の緩和を受けることができることや株主を納得させることができることなどに減免対象者が利点を感じた場合に、公表を望んだものと思われる。

394)　平成17年規則考え方22頁。令和元年改正減免解説88頁は、そのような考え方を暗黙の前提とした公取委としての立場を改めて述べたもの、と位置付けられる。

のはないようである（後記756頁）。

また、開示すると公取委の公務の遂行に著しい支障を生ずるおそれがあるのだとすれば、情報公開法（行政機関の保有する情報の公開に関する法律）においても、同法5条4号により、報告書や資料は同法における不開示情報であると解されることとなろう。

8　課徴金以外の法執行に関する配慮

(1)　総　説

減免制度によって課徴金の減免を受けることができたとしても、課徴金以外の他の法執行の対象となるのであれば、当該他の法執行の内容によっては、違反者が減免申請を躊躇し、ひいては違反抑止の効果を得られない結果となるおそれがある。

そこで、課徴金以外の他の法執行との関係でも、可能な範囲で、減免申請を行った者が有利となるような工夫が施されている。

(2)　刑　罰

刑罰については、減免制度によって刑罰を免れる可能性があるほか、平成28年の刑事訴訟法改正による合意制度によって減免を受ける可能性がある（後記757頁註1）。以下では、減免制度を念頭において論ずる。

減免制度による減免対象者に対して刑罰を科するか否かについては、公取委が告発をするか否かというレベルで、対応が図られている。

すなわち、調査開始日前に最初に減免申請をした事業者であって、7条の6の減免不適用の要件を満たさないものについては、告発犯則調査方針が示す告発基準によれば、告発が行われない[395)]。実例が蓄積している。

同じ考え方に基づき、当該事業者の自然人従業者についても、減免申請やその後の公取委の調査における対応等において当該事業者と同様に評価すべき事情が認められる場合には、告発犯則調査方針によれば、告発が行われないこと

395)　告発犯則調査方針1 (2) ア。共同減免申請の場合については同様のことが同イに記されている。告発犯則調査方針の文理上は、7条の4第1項2号に反して調査開始日以後に違反行為を行っていた場合がどのように扱われるのか定かではないが、たぶん、そのような場合は7条の4第1項による減免申請を行ったとは言えないので同方針により告発しない対象から除かれる、という趣旨で書かれているのであろう。

とされている[396]。

調査開始日前に最初に減免申請をした事業者については、そのような事業者に対して例外的に排除措置命令はしたという場合でも、刑事告発は見送っている[397]。刑事告発を見送ることが、減免申請のインセンティブを高めるために重要である、という考えに基づくものと思われる。

減免申請において2位以下であった事業者やその自然人従業者については、告発犯則調査方針には明示的記述がないが、調査開始日前の2位以下の者については、必ず告発されるという意味ではなく、公取委の調査への協力状況などを総合的に考慮して告発の有無が決せられるという意味であり、したがって、やはり告発されないことはあり得る、とされる[398]。

刑事訴訟法においては、独禁法96条に対応する同法89条〜91条のように告発を待って論ずることとなっている罪については、ある事件について告発がされたならば、共犯であって告発がされなかった者についても告発の効力が及ぶこととされている[399]。法務省刑事局長は、減免制度を導入する平成17年改正のための国会審議において、専属告発権限をもつ公取委があえて一部の者のみを告発したという事実を検察官は起訴・不起訴の決定にあたり十分考慮するので、減免制度は有効に機能する、と説明している[400]。

なお、当該事件について告発するときまでに公取委が減免不適用となる事実（前記4）を見つけることができず特定の者について告発しなかった場合でも、

---

396) 告発犯則調査方針1(2)ウ。事業者が適切に対応していても特定の自然人従業者が適切に対応していなければ当該特定の自然人従業者について告発することはあり得るという趣旨であると解説されている（令和元年改正減免解説90〜91頁）。

397) 公正取引委員会「名古屋市営地下鉄に係る土木工事の入札談合事件に係る告発について」（平成19年2月28日）、公正取引委員会「独立行政法人鉄道建設・運輸施設整備支援機構が発注する北陸新幹線融雪・消雪基地機械設備工事の入札談合に係る告発について」（平成26年3月4日）、公正取引委員会「東日本高速道路株式会社東北支社が発注する東日本大震災に係る舗装災害復旧工事の入札談合に係る告発について」（平成28年2月29日）。

398) 令和元年改正減免解説90頁。

399) 刑事訴訟法238条2項が準用する同条1項。同条1項の規定内容に着目し、「告訴不可分の原則」と呼ばれることが多い。独禁法の専属告発制度との関連がある同条2項だけに着目する場合には、「告発不可分の原則」と呼ばれることもあろう。

400) 大林宏法務省刑事局長の衆議院経済産業委員会（平成17年3月11日）および参議院経済産業委員会（平成17年4月19日）での答弁。後者では、更に刑法の談合罪等をめぐる起訴・不起訴の決定においても同様の配慮が行われるかのような答弁もされている。

その後において検察官が減免不適用となる事実を見つけた場合には、起訴され得る、とされる[401]。

(3) 排除措置命令

減免対象者に対して排除措置命令をするか否かは、あくまで、排除措置命令の必要性に関して7条に定められた要件に従って決する（後記704～707頁）。

調査開始日前の減免申請をした減免対象者に対しては排除措置命令をしないのが通例となっている。このことは、調査開始日前の減免申請を行った者は排除措置命令の要件を満たさないことが多い、あるいは更に一歩進んで、そのような者は排除措置命令の要件を満たさないと推定される、という認識が採用されていることを窺わせる。

もっとも、あくまで排除措置命令に関する要件に照らして決せられるのであるから、調査開始日前の減免申請をした場合であっても、排除措置命令がされることはある[402]。

(4) 民事訴訟

減免対象者について独禁法関係民事訴訟による法執行がされるか否かについては、あくまで民事訴訟一般の基準によって決まるのであって、調整規定は置かれていない[403]。

減免申請の内容の開示との関係では、公取委は、開示の求めに積極的に応じないこととすることによって、民事訴訟で不利となることをおそれて減免申請を躊躇する者が出ないよう配慮に努めている（前記**7**(2)）[404]。

---

401) 平成17年改正解説26～27頁。

402) 事例は、平成17年改正による導入直後から始まり多数に上っている。当局の動きを察知して減免申請をしたこと、違反行為が長期間に及ぶこと、などが理由となっているのではないかと窺われるが、定かではない。調査開始日前1位の減免申請者が排除措置命令を受けた最近の例として、公取委命令令和4年10月6日・令和4年（措）第4号・令和4年（納）第32号〔広島県発注コンピュータ機器談合〕および公取委命令令和4年10月6日・令和4年（措）第5号・令和4年（納）第35号〔広島市発注コンピュータ機器談合〕。

403) ただし、調査開始日前1位である場合には、課徴金納付命令を免除されるので、排除措置命令を受けない限り、独禁法25条による損害賠償責任は免れることが多いと思われる（26条1項）。したがって、例えば、時効が早期に成立するメリットは享受することができると思われる（後記799頁）。

404) 外国裁判所での民事訴訟との関係では、減免申請をした者に対する外国裁判所による文書提出命令制度の存在に配慮して、報告や資料の提出を口頭で行うことが認められる場合がある（前

(5) 指名停止処分

官公庁等の発注において独禁法違反者に対して行われる指名停止処分は、減免対象者に対して行われるか。指名停止処分は各発注官公庁等ごとに行うものであって、それらごとの各基準を網羅的に述べることはできないが、多くの発注官公庁は、中央公共工事契約制度運用連絡協議会が策定している指名停止モデルの運用申合せに準拠しており、そこにおいて、配慮すべきことが規定されている。事業者の独禁法違反に着目して指名停止を行う場合も、その事業者に減免制度が適用されたことが公表された場合には、減免制度が適用されなかった場合の指名停止期間の2分の1の期間についてのみ指名停止とする、というものである[405)]。

9 減免制度と取締役等の役員等の責任

減免申請をせず、あるいは高い減免率を確保できなかったことに対し、取締役等の役員等の責任を問えるか、という議論がある。

これについては、例えば、減免制度の建前を強調し、減免申請義務がある、とする論も行われる。

しかし、減免申請をしても必ず減免を受けることができるという保証がなく、しかも外国法によるものも含めた多大の民事責任等のきっかけとなり得るという意味でも、減免申請義務はない、すなわち、そのようなことを考慮したうえで減免申請を断念したとしても責任を問われることはない、という論も有力である。

記 290 頁)。

405) 中央公共工事契約制度運用連絡協議会の指名停止モデルとその運用申合せの最新の状況を確認することは必ずしも容易ではないが、例えば、工事契約制度研究会編著『中央公共工事契約制度運用連絡協議会　指名停止モデルの解説〔新版〕』(新日本法規出版、平成 28 年) がある。

第8章 私的独占

第1節　総　説

1　概　要

(1)　違反要件

「私的独占」は、2条5項が次のように定義している。「事業者が、単独に、又は他の事業者と結合し、若しくは通謀し、その他いかなる方法をもつてするかを問わず、他の事業者の事業活動を排除し、又は支配することにより、公共の利益に反して、一定の取引分野における競争を実質的に制限すること」。

「排除」によるものは便宜上「排除型私的独占」と呼ばれ、「支配」によるものは便宜上「支配型私的独占」と呼ばれる。両者が相俟っての私的独占もあり得る。

3条[1]が禁止規定であるが、それによって付加された違反要件はないので、専ら2条5項のみを見れば足りる。

(2)　法執行

私的独占に該当する行為に関する法執行は、次のようになっている。

排除措置命令の根拠となる（7条）。

課徴金納付命令の根拠となる（7条の2第2項・第4項）。

1）独禁法分野では「3条前段」と言われることが多いが、最近の一般的な法制執務においては、前段・後段という呼称は条・項などが2文に分かれている場合の第1文・第2文を指すことを想定しているようである（ワークブック法制執務新訂2版193～195頁）。本書では、単に「3条」ということとする。「3条」では私的独占なのか不当な取引制限なのかは判別できないことになるが、「3条」と言わず極力「私的独占」または「2条5項」と言うようにすれば足りる。

確約制度の対象となる（48条の2、48条の6）。

刑罰の根拠となるのが条文上の建前であるが（89条1項1号、95条）、これまで、公取委が私的独占を根拠として刑事告発をしたことはない[2]。

民事差止請求の根拠とはならない（24条）。ただ、私的独占該当行為のほとんどは不公正な取引方法にも該当するので（後記**2**(3)）、その意味において実質的には、ほとんどの場合に民事差止請求の対象となる。

25条による損害賠償請求の根拠となる。

その他の民事訴訟において、当該請求の要件の成否を判断するための説明道具として援用される可能性は、もちろんある。

2　位置付け・独自性

(1)　総　説

① **はじめに**　私的独占という違反類型の位置付け・独自性については、多くのことを語ることができるが、以下では、概括的に、そのネーミングと、課徴金導入がもたらした問題に触れたうえで、各論として不当な取引制限および不公正な取引方法との関係をみておくこととする。

② **ネーミングがもたらす誤解**　私的独占は、独禁法において最も誤解されることの多い違反類型である。その主な原因は、「私的独占」というネーミングそのものにある。

第1に、「私的独占」という名称が、2条5項によって与えられた意味内容を的確に表していない。「私的独占」とは市場を独占することである、と誤信されている例が極めて多い。独占するだけでは違反とならず、排除や支配により競争の実質的制限をもたらして初めて違反となる。逆に、排除や支配により競争の実質的制限をもたらせば、市場を独占していなくとも違反となる。「私的独占」という文字列は、2条5項で定義された内容を短く表現しようとする記号であるにすぎず、それ自体には意味はない、と受け止めるのが的確である。「私的独占」とは、私的な独占ではないのである。

第2に、独禁法の正式の名称において、私的独占が先頭に来るために、私的独占が独禁法の代表的な違反類型であると誤信されている例が極めて多い。そ

---

2)　私的独占に対する刑罰の可能性については別の箇所で述べる（後記768頁）。

のような理解は、制定後の独禁法の適用状況からは著しく乖離している。入札談合などを規制するために頻繁に適用される不当な取引制限は、法律の名称には登場しない。

③ **課徴金制度の導入**　支配型私的独占には平成17年改正により、排除型私的独占には平成21年改正により、それぞれ課徴金が導入された。

課徴金納付命令をした実例は、課徴金額が612万円である小規模な排除型私的独占事件1件が、施行後10年以上を経てようやく現れたにとどまっている[3)]。非裁量性の課徴金制度を導入したために、課徴金計算が負担となり、しかも争われやすくなって、立件が躊躇されているのではないか、という見方も不可能ではない[4)]。

ともあれ、そのような状況も頭に入れて、私的独占の位置付け・独自性を論ずる必要がある。

(2) 不当な取引制限との比較

不当な取引制限は複数事業者による共同行為を対象とするが、私的独占も複数事業者による結合・通謀をその対象としている。平成17年改正によって支配型私的独占が課徴金対象となったので、「支配」の要件を満たす結合・通謀については、不当な取引制限と大差はないということになる。ただ、私的独占の場合には減免制度の適用がない（前記326頁）。

共同行為の相手方が、支配を受けて共同行為に従っている場合、そのような相手方を共同行為の当事者の1名として不当な取引制限を適用することもできるが[5)]、私的独占では、そのような相手方との結合・通謀でなく、そのような相手方に対する「支配」であると法律構成することが可能である。相手方を違反者としたくない場合には、支配型私的独占は好適な違反類型だ、ということになる[6)]。なお、支配側に複数の事業者がいる場合は、それらの事業者による

---

3)　公取委命令令和3年2月19日・令和3年（納）第1号〔マイナミ空港サービス〕。なお、支配型私的独占の事例として公取委命令平成27年1月16日・平成27年（措）第2号〔福井県経済農業協同組合連合会〕が現れたが、課徴金納付命令はされていない（後記379頁註70）。

4)　平林歴史下398～399頁は、このような状況を踏まえ、平成21年改正による課徴金の導入を「見かけ倒しの厳罰主義」と評している。

5)　公取委勧告審決平成14年12月4日・平成14年（勧）第19号〔四国ロードサービス〕。

6)　福井県経済農業協同組合連合会公取委命令においては施主代行者を支配型私的独占の違反者とし、入札参加事業者を被支配事業者としてのみ扱い違反者としなかったのに対し、公取委命令平

不当な取引制限であると法律構成し、支配を受けて共同行為に従っている者は不当な取引制限の違反者とはしない、という論法も可能である[7]。

(3) 不公正な取引方法との比較

私的独占と不公正な取引方法は、違反要件の観点から、かなり重なっている。

まず、行為要件の観点からは、私的独占に該当し得る行為のほとんど全ては不公正な取引方法にも該当し得る。例外は、支配事業者と被支配事業者とが取引関係になくとも支配型私的独占に該当し得ることや、排除型私的独占において行為類型に囚われず包括的に違反の網をかけることができ行為者と被排除者との間の競争関係も必要とされないことなどがある、という程度である。

他方で、弊害要件の観点からは、私的独占においては排除効果重視説でなく原則論貫徹説がとられ市場支配的状態が必要とされるという分だけ、不公正な取引方法よりも狭くなっている(前記121～123頁)。

ともあれ、違反要件の観点からはかなり重なっており、しかも、独禁法制定後の長いあいだは法執行においても差はなかったのであるが[8][9]、平成21年改

成27年3月26日・平成27年(措)第5号・平成27年(納)第9号〔穀物乾燥調製貯蔵施設等・北海道以外〕においては、施主代行者を違反者とせず、入札参加事業者を不当な取引制限の違反者とした。なお、一般論として、同一事案において、支配型私的独占と、被支配事業者による不当な取引制限との、重複適用をすることは許されると考えられる(前記224頁)。事件座談会公正取引778号5～10頁、勘所事例集513～516頁。

7) 公取委審判審決平成13年9月12日・平成12年(判)第1号〔福岡市発注造園工事談合〕(審決案19～20頁)など。

8) したがって、2つの違反類型が存在する意義は必ずしも大きくなかったのであるが、事例が乏しいことに加え、地に足のついた法律論が乏しかったこともあって、一方が高度の違反行為、他方が軽度の違反行為、という程度の情緒的で論理性を欠く暗黙の理解が蔓延していたのが、ある時期までの独禁法分野の状況であった。

9) 私的独占として法律構成をするほうが、不公正な取引方法として法律構成をするよりも、包括的な排除措置を命ずることができる、と言われることがある。私的独占のほうが、違反要件が抽象的であり大摑みであるので、不公正な取引方法であれば個々の小さな行為に分解してそれぞれ論じたであろうようなものを大きくまとめて1個の私的独占とすることはあり得るから、そのときに排除措置命令が包括的となるのは当然のことである。つまりこれは、排除措置命令に関する私的独占と不公正な取引方法との違いであるというよりは、違反要件に関する両者の違いがもたらす結果であるにすぎない。私的独占の排除措置の包括性を強調する論者は、ときに、同じ行為を違反行為とする場合でも私的独占とするか不公正な取引方法とするかでは格上の私的独占とするほうが包括的な排除措置を命ずることができる、という論を唱えることがあるが、これは、単に情緒的な主張であり、条文上の根拠はない。

正により、私的独占には課徴金があり、不公正な取引方法にはない、という差が確立した[10]。もっとも、私的独占に対する課徴金納付命令の数はわずかであり、課徴金を軸とした色分けが現実味を帯びる状況にはない。

それはそれとして、私的独占のほうが不公正な取引方法よりも違反要件が包括的であるので、私的独占のほうを中心に包括的な違反要件論を行い、その成果を不公正な取引方法のほうでも活用する、という議論の仕方をすることには意味がある。

3 これまでの私的独占事例

(1) 総 説

ここで簡単に、これまでの私的独占事例を、公取委が正式事件として命令を行ったものを中心に、まとめて掲げる。私的独占と不公正な取引方法の行為要件がほぼ共通しているなかで、たまたま私的独占とされた事例だけを列挙することにどれほどの意味があるか、本来は疑問である。しかし私的独占は、独禁法の代表的な違反類型であると広く信じられており、これまでは事例数も少ないので、このような列挙をすることにも全く意味がないわけではないであろう。

(2) 昭和23年の事例

初期の事例として、賠償施設梱包運輸組合審決と全国衛生材料協会審決がある。いずれも、不当な取引制限に付随してアウトサイダーを排除した部分を排除型私的独占とし、不当な取引制限とあわせて3条違反としている[11]。

(3) 昭和25年～昭和31年の事例

昭和25年～昭和31年の時期に、いくつかの有名な事例がある。

排除型私的独占の事例として、埼玉銀行・丸佐生糸審決[12]、雪印乳業等審

---

10) 不公正な取引方法の一部には累積違反課徴金というものがあるが、その存在感は今のところ大きくはない（後記399頁）。1回の違反行為で直ちに課徴金が課される優越的地位濫用は、通常、私的独占の行為要件は満たさないと考えられている。

11) 公取委審判審決昭和23年3月27日・昭和22年（判）第2号〔賠償施設梱包運輸組合〕、公取委審判審決昭和23年3月27日・昭和22年（判）第3号〔全国衛生材料協会〕。これらはいずれも、被審人の申出に基づき審判手続を経ないで審決をしている。当時は同意審決の制度が昭和24年改正によって正式に導入されるより前であり、勧告審決と審判審決の制度しかなかった。審判開始決定はされていることもあり、便宜上、審判審決と表記した。

12) 公取委同意審決昭和25年7月13日・昭和25年（判）第30号〔埼玉銀行・丸佐生糸〕。

決[13]、がある。いずれも取引拒絶系の排除が問題となった事例である[14]。

支配型私的独占の事例として、野田醤油審決[15]がある。自己の商品役務について再販売価格拘束をすることにより他の供給者の価格決定を支配したとされた特徴的な事例である。

(4) 昭和47年の事例

その後、昭和47年まで、私的独占の事例はない[16]。

東洋製罐審決[17]は、支配と排除が相俟って1個の私的独占を認定している。株式所有を背景とする支配と、取引拒絶系の排除とが、問題となった。

このあと平成8年まで24年間、私的独占の事例はない[18][19]。

(5) 平成8年〜平成21年の事例

平成8年に、医療食審決が現れた[20]。排除と支配が相俟っての私的独占の事例である。

平成9年には、パチンコ特許プール審決が現れた[21]。特許プールを形成しラ

---

13) 公取委審判審決昭和31年7月28日・昭和29年(判)第4号〔雪印乳業等〕。この審決で排除型私的独占とされたのは雪印乳業と北海道バターであり、農林中央金庫(農林中金)と北海道信用農業協同組合連合会(北信連)は不公正な取引方法とされている(審決集8巻の35〜36頁)。

14) 他に、この時期に審判が開始され結局は排除型私的独占が不成立とされた事例として、公取委審判審決昭和37年4月12日・昭和27年(判)第5号〔東武鉄道〕。

15) 公取委審判審決昭和30年12月27日・昭和29年(判)第2号〔野田醤油〕。東京高判昭和32年12月25日・昭和31年(行ナ)第1号〔野田醤油〕。

16) 公取委同意審決昭和40年5月20日・昭和39年(判)第1号〔手編毛糸〕は、行為を認定できないとされたが、製造業者複数が共謀して小売価格を支配したことを問題としようとする支配型私的独占の事例であった。別途、関連する別の行為について不当な取引制限も問題とされているが、それとは別に独立に支配型私的独占を問題としている。

17) 公取委勧告審決昭和47年9月18日・昭和47年(勧)第11号〔東洋製罐〕。勧所事例集9〜11頁。

18) 平成3年の流通取引慣行ガイドラインが私的独占に全く触れていないことは、再販売価格拘束、地域制限、排他的取引などに対する現実的な違反類型として不公正な取引方法のみが想起され、私的独占が長いあいだ用いられていない伝家の宝刀あるいは高嶺の花のような位置付けを与えられていたことと無縁ではないように思われる。

19) 高松高判昭和61年4月8日・昭和51年(ネ)第141号〔伊予鉄道対奥道後温泉観光バス〕は、民事裁判において契約が無効であることの説明道具として排除型私的独占が用いられたものである。長年にわたり私的独占の事例がなかった時期であるから、それなりの注目を受けた。

20) 公取委勧告審決平成8年5月8日・平成8年(勧)第14号〔医療食〕。

21) 公取委勧告審決平成9年8月6日・平成9年(勧)第5号〔パチンコ特許プール〕。

イセンス拒絶をする取引拒絶系行為が排除型私的独占とされた。

平成10年のパラマウントベッド審決は、支配型私的独占1個と排除型私的独占1個を認定した[22]。支配は検討対象市場における供給者の競争入札における行動に対するものであり、排除は発注者の発注仕様書に関与して別の検討対象市場の供給者を排除したものである。

以後は排除型私的独占の事例が続く。ノーディオン審決[23]、北海道新聞社函館新聞審決[24]、有線ブロードネットワークス審決[25]、インテル審決[26]、ニプロ審決[27]、NTT東日本審決[28]、JASRACに対する命令[29]、である。北海道新聞社函館新聞審決では、商標大量出願行為に取引拒絶系の行為や略奪廉売系の行為が絡んで全体として1個の行為が排除とされた。有線ブロードネットワーク

---

22) 公取委勧告審決平成10年3月31日・平成10年（勧）第3号〔パラマウントベッド〕。この審決を、排除と支配が相俟っての私的独占の事例であるとして紹介する文献が散見されるが、誤りである。この事例では、他の医療用ベッド製造業者に対する排除と販売業者に対する支配とが認定されているが、「法令の適用」欄において、排除と支配とが「それぞれ」競争を実質的に制限しているとされ、「これらは」私的独占に該当するとされている（審決集367頁）。排除と支配とが相俟って1個の私的独占が認定された事例ではなく、排除型私的独占1個と支配型私的独占1個の計2個の私的独占が認定された事例である（担当審査官による解説として、岩渕恒彦・NBL643号（平成10年）20〜21頁、斉藤隆明＝奈雲まゆみ＝池内裕司・公正取引572号（平成10年）68〜69頁）。勘所事例集107〜111頁。

23) 公取委勧告審決平成10年9月3日・平成10年（勧）第16号〔ノーディオン〕。

24) 公取委同意審決平成12年2月28日・平成10年（判）第2号〔北海道新聞社函館新聞〕。勘所事例集128〜132頁。

25) 公取委勧告審決平成16年10月13日・平成16年（勧）第26号〔有線ブロードネットワークス等〕。関係する民事事件である東京地判平成20年12月10日・平成17年（ワ）第13386号〔USEN対キャンシステム〕でも私的独占への言及がある。

26) 公取委勧告審決平成17年4月13日・平成17年（勧）第1号〔インテル〕。

27) 公取委審判審決平成18年6月5日・平成12年（判）第8号〔ニプロ〕。勘所事例集240〜245頁。これを受けた独禁法25条訴訟として、東京高判平成24年12月21日・平成19年（ワ）第10号〔ナイガイ対ニプロ〕。

28) 公取委審判審決平成19年3月26日・平成16年（判）第2号〔NTT東日本〕。東京高判平成21年5月29日・平成19年（行ケ）第13号〔NTT東日本〕、最判平成22年12月17日・平成21年（行ヒ）第348号〔NTT東日本〕。勘所事例集363〜377頁。

29) 公取委命令平成21年2月27日・平成21年（措）第2号〔JASRAC〕。公取委審判審決平成24年6月12日・平成21年（判）第17号〔JASRAC〕、東京高判平成25年11月1日・平成24年（行ケ）第8号〔JASRAC〕、最判平成27年4月28日・平成26年（行ヒ）第75号〔JASRAC〕。勘所事例集521〜545頁。

ス審決では、略奪廉売系差別対価が問題となった。その他の事例は、公取委の認定によれば、いずれも取引拒絶系の行為である。

ここまでが、平成21年改正前で、私的独占に課徴金のなかった時期の事例である[30]。

(6) 平成22年以後の事例

平成21年改正による課徴金導入後、私的独占の事例は減っている。

平成27年に、福井県経済連に対する命令が現れた[31]。検討対象市場における供給者らへの支配に着目した支配型私的独占の事例である。しかし、課徴金の対象となる売上額が零であったため課徴金納付命令はされていない。

令和2年にマイナミ空港サービスに対して排除型私的独占を根拠とする排除措置命令がされ、令和3年に課徴金納付命令がされている[32]。

平成28年改正で導入された確約制度やそれ未満の警告などにおいて私的独占に言及するだけであれば、課徴金を課して争われることもないので、私的独占に言及する事例が多く現れても不思議はない。令和2年に日本メジフィジックスに対して、排除型私的独占を根拠の一端とする確約認定がされている[33]。

第2節　単独、結合・通謀、その他

2条5項の「単独」「結合」「通謀」などの概念を、詳細に論ずる必要はない。「単独に、又は他の事業者と結合し、若しくは通謀し」という表現は、「その他いかなる方法をもつてするかを問わず」と締めくくられているからである。

不当な取引制限が共同行為であるため、私的独占は単独行為であると考えられていることが多いが、条文上の根拠はない。

---

30) 厳密には、対価要件を満たす支配型私的独占には平成17年改正によって課徴金が導入されていたが、この時期には事例がなかった。

31) 公取委命令平成27年1月16日・平成27年（措）第2号〔福井県経済農業協同組合連合会〕。勘所事例集513～516頁。その後、このような事案に課徴金を課せるようにするための改正がされている（後記381頁）。

32) 公取委命令令和2年7月7日・令和2年（措）第9号〔マイナミ空港サービス〕、公取委命令令和3年2月19日・令和3年（納）第1号〔マイナミ空港サービス〕。

33) 公取委確約認定令和2年3月12日〔日本メジフィジックス〕。

第3節　他の事業者の事業活動の排除または支配

1　条　文

2条5項は「他の事業者の事業活動を排除し、又は支配することにより」を要件としている。

2　他の事業者の事業活動

(1)　事業者・事業活動

2条5項は、「他の事業者の事業活動」の排除または支配であることを求めている。

「事業者」「事業」については、別の箇所で論じた（前記第5章第2節）。

特に排除の事例では、排除の対象を「他の事業者の事業活動」に限定することに合理性があるか否かが疑われる場合がある。「他の事業者の事業活動」とは言えないものが反競争性を牽制する力を持つ場合があるからである。例えば、無償のボランティア的活動が反競争性を牽制する場合がある。その牽制力を低下させる行為が行われても、「他の事業者の事業活動」が要件となっている以上、私的独占にはあたらない可能性がある[34]。そのようなものも「他の事業者の事業活動」に該当すると解釈できればよいが、種々の抵抗もあろう。「他の事業者の事業活動」という要件を置くこと自体が、上記のような状況に対する想像力を欠くものである、と言わざるを得ない。

(2)　行為者と競争関係があることの要否

「他の事業者」が、行為者と競争関係にあるか否かは問わない。排除については、別の箇所で述べる（前記123～125頁）[35]。支配についても、競争関係の有

34)　不公正な取引方法も、差別的取扱いの対象を事業者に限定している。

35)　検討対象市場に属さない行為者からみて競争関係にない検討対象市場供給者の排除が私的独占とされた事例として、公取委同意審決昭和25年7月13日・昭和25年（判）第30号〔埼玉銀行・丸佐生糸〕における埼玉銀行の行為、公取委勧告審決平成8年5月8日・平成8年（勧）第14号〔医療食〕における日本医療食協会の行為、があるが、これらの事案では、当該行為者は、被排除者の競争者である別の行為者と共同で当該行為を行っていた。検討対象市場供給者が、検討対象市場需要者を排除したとされた事例として、公取委審判審決平成18年6月5日・平成12年（判）第8号〔ニプロ〕があるが（審決案86～87頁）、そこでは需要者が行う輸入事業の排除

無にかかわらず、支配による私的独占が認定された事例がある[36)]。

(3) 行為者と取引関係があることの要否

「他の事業者」が行為者と取引関係にあるか否かも問わない。競争関係にも取引関係にもない者を排除したり支配したりすることによって特定の市場での反競争性をもたらすことは、あり得ることであり、そのようなものを私的独占の対象から除外する理由は見あたらない[37)]。

3 排　除

(1) 総　説

① 概要　「他の事業者の事業活動を排除」することによる競争の実質的制限が私的独占として違反行為とされているのは、他の事業者が市場に参加する機会を奪われることに着目して規制しようとするものである[38)]。

「排除」については、平成22年のNTT東日本判決と平成27年のJASRAC判決の2件の最高裁判決があり、これらに沿って論ずべきであるが、しかしそれらの内容や相互関係は入り組んでいるので、ここでは検討結果のエッセンスのみを掲げ、最高裁判決の検討は項を改めて行う（後記(2)）。

が問題とされており、すなわち、実質的には、検討対象市場供給者である外国供給者の排除が問題となっている。勘所事例集241～243頁。

36) 競争関係にある者を支配したとされた事例として、東京高判昭和32年12月25日・昭和31年（行ナ）第1号〔野田醤油〕、公取委勧告審決昭和47年9月18日・昭和47年（勧）第11号〔東洋製罐〕、医療食審決における日清医療食品によるメディカルナックスに対する支配。競争関係にない者を支配したとされた事例として、医療食審決における上記以外の支配、公取委勧告審決平成10年3月31日・平成10年（勧）第3号〔パラマウントベッド〕、公取委公表平成12年2月15日〔日本電気硝子〕（公表資料第2）、公取委命令平成27年1月16日・平成27年（措）第2号〔福井県経済農業協同組合連合会〕。

37) 取引関係がない者を支配した私的独占の事例として、医療食審決における日清医療食品とメディカルナックスの関係、福井県経済連に対する排除措置命令。

38) 後出のNTT東日本最高裁判決は、「「他の事業者の事業活動を排除」する行為」を「排除行為」と略称している（判決書10頁）。しかし、条文には「行為」という文言はなく、また、分析的には、以下に述べるように、「排除」は行為要件充足行為の要素と排除効果の要素に分解される。条文にないのに「排除」を「排除行為」と呼ぶのは、紛らわしい。後出のJASRAC最高裁判決は、「排除行為」という文言は用いていない。本書では、単に「排除」とする。なお、本書は、体系的には排除型私的独占と他者排除的な不公正な取引方法とを総合的に観察するのが本来のあり方であると考えているため、不公正な取引方法をも総合して観察する場合には、排除型私的独占のみに条文上与えられている「排除」という言葉を避けて、「他者排除」と呼んでいる。

「排除」は、「行為要件充足行為」があるという要素と「排除効果」があるという要素とに分解して論ずることができる。「人為性」という概念がしばしば議論に登場するが、これは「行為要件充足行為」「排除効果」「正当化理由」のいずれかに帰着する。

「排除」は、通常、検討対象市場の供給者を排除するものである[39]。

② **行為要件充足行為**　「排除」は、抽象的な要件であり、細かな行為類型が規定されているわけではない。

不公正な取引方法の各号・項のように行為の内容を具体的に特定する文言は置かれておらず、行為とは呼べないものを取り除くにとどまっている。

行為とは呼べないものとしては、例えば、ビジネス上の才覚（business acumen）の発露としての商品役務の優秀性そのものによって他者に勝ること（competition on the merits）を挙げることができる[40]。その外縁を画定するのは難しく、競争法の永遠のテーマである[41]。商品役務の優秀性そのものによって他者に勝ることは、正当化理由がある、などの理由で違反要件から除く方法もあるが、正当化理由があり、不公正な取引方法の行為要件も満たさないものであれば、「排除」に該当するための行為要件も満たさない、と扱うのも１つの方法であろう[42]。

「排除」は、抽象的な要件であるから、取引拒絶系や略奪廉売系というような典型的な行為類型だけでなく、いずれにも当てはまらないような行為を取り

39）ニプロ審決について、前記註35。

40）排除型私的独占ガイドライン第２の１(1)も、「事業者が自らの効率性の向上等の企業努力により低価格で良質な商品を提供したことによって、競争者の非効率的な事業活動の継続が困難になったとしても」、２条５項の「排除」に該当することはないとしている。

41）議論の材料の一例となり得るものが、インターネット上の検索エンジン運営者が特定の情報の見やすさを恣意的に操作することにより特定の者を有利に扱い特定の者を不利に扱う行為である。日本では、公取委が検索エンジン運営者を問題とした唯一の事例において、少々異なる問題に焦点が当てられ、上記の問題については「具体的な事実は認められなかった」と述べるにとどまった。公正取引委員会「ヤフー株式会社がグーグル・インクから検索エンジン等の技術提供を受けることについて」（平成22年12月２日）第２の３(3)イ。

42）他方、ビジネス上の才覚によるものであっても、それが知的財産権として取引対象となり得るものとなり、その取引拒絶等が行われれば、行為要件は満たすことになる。そのようなものは、類型的に違反の範囲から外すことはできないので、インセンティブを保護する必要があるなら、正当化理由の問題と位置付けて検討するのが適切である（前記106〜109頁）。

上げることもできるし[43]、種々の行いを合わせ技一本として1個の行為と観念して取り上げることもできる[44]。

不正手段行為とされるものも、それが排除効果をもたらし正当化理由なく市場支配的状態をもたらすのであれば、私的独占とすることができる[45]。私的独占の場合には、不公正な取引方法の場合とは異なり、不正手段があるというだけでは弊害要件を満たすとは考えられていないが、誹謗中傷などの不正手段的行為によって市場支配的状態がもたらされたならば、私的独占に該当し得る。

「人為性」と呼ばれるものは、以上のような意味での行為要件充足行為性を指すものであると理解し、何か特別な意味のあるものではないと位置付けるのが、最も据わりがよい（後記(2)⑥）。

③ **排除効果**　他者排除行為の違反要件総論において論じたことがそのまま当てはまる（前記第3章）。

(2) 最高裁判決の検討と整理

① **NTT東日本最高裁判決**　NTT東日本最高裁判決は、以下のように判示した[46]。

まず、一般論として次のように述べた。「本件行為が独禁法2条5項にいう

---

43) 例えば、以下のような行為がある。公取委勧告審決平成10年3月31日・平成10年（勧）第3号〔パラマウントベッド〕のうち排除型私的独占とされた部分、すなわち、自社の知的財産権を用いなければ達成できないような内容を発注担当者を欺いて仕様書に書き入れさせる行為。排除型私的独占事件である公取委同意審決平成12年2月28日・平成10年（判）第2号〔北海道新聞社函館新聞〕における、競争者が使用し得る新聞題字を軒並み商標出願する行為。合わせ技一本とされたうちの一部分ではあるが、公取委確約認定令和2年3月12日〔日本メジフィジックス〕における、特定地域のみで強みのある新規参入者が特定地域のみで安く売ろうとした場合に取引をしないよう卸売業者に求める行為。

44) 例えば、北海道新聞社函館新聞審決、ニプロ審決、日本メジフィジックス確約認定。合わせ技一本とは、同一市場に影響を及ぼす複数の行為をまとめて1個の行為として構成しようとする論法を便宜的に指した言葉であり、この論法によれば、個々の行為ごとに弊害要件を満たすということを示す必要がなくなる。

45) 例えば、前記註43のパラマウントベッド審決や北海道新聞社函館新聞審決に現れたような行為は、不正手段というに近い。合わせ技一本とされたうちの一部分ではあるが、日本メジフィジックス確約認定における、新規参入者の自動投与装置では自社の放射性医薬品を使用できない旨を確証なく需要者に伝える行為も、不正手段の一種であろう。

46) 最判平成22年12月17日・平成21年（行ヒ）第348号〔NTT東日本〕（判決書10頁、民集64巻8号の2078頁）。

「他の事業者の事業活動を排除」する行為（以下「排除行為」という。）に該当するか否かは、本件行為の単独かつ一方的な取引拒絶ないし廉売としての側面が、自らの市場支配力の形成、維持ないし強化という観点からみて正常な競争手段の範囲を逸脱するような人為性を有するものであり、競業者のFTTHサービス市場への参入を著しく困難にするなどの効果を持つものといえるか否かによって決すべきものである。」。

そのうえで、判断の際の考慮要素として次のように述べた。「この点は、具体的には、競業者（FTTHサービス市場における競業者をいい、潜在的なものを含む。以下同じ。）が加入者光ファイバ設備接続市場において上告人に代わり得る接続先を確保することの難易、FTTHサービスの特性、本件行為の態様、上告人及び競業者のFTTHサービス市場における地位及び競争条件の差異、本件行為の継続期間等の諸要素を総合的に考慮して判断すべきものと解される。」。

② **JASRAC最高裁判決**　JASRAC最高裁判決は、以下のように判示している[47]。

まず、一般論として次のように述べた。「本件行為が独占禁止法2条5項にいう「他の事業者の事業活動を排除」する行為に該当するか否かは、本件行為につき、自らの市場支配力の形成、維持ないし強化という観点からみて正常な競争手段の範囲を逸脱するような人為性を有するものであり、他の管理事業者の本件市場への参入を著しく困難にするなどの効果を有するものといえるか否かによって決すべきものである」として、括弧書きにおいてNTT東日本最高

47)　最判平成27年4月28日・平成26年（行ヒ）第75号〔JASRAC〕（判決書6～7頁、民集69巻3号の524～525頁）。なお、排除効果の成立を否定した公取委審判審決平成24年6月12日・平成21年（判）第17号〔JASRAC〕（公取委命令平成21年2月27日・平成21年（措）第2号〔JASRAC〕を取り消した）は、排除効果について狭い解釈を採ったものと論評されることも多いが、その判示を分析すると、そのようなものではなく、むしろ後の東京高裁判決や最高裁判決と同様の解釈論を採りつつ、審査官が主張した狭い範囲に限定して事実認定を行い、その事実に上記解釈論を当てはめたために、排除効果の成立を否定するに至ったものと考えられる（審決案41～43頁、79～80頁）。東京高裁判決（東京高判平成25年11月1日・平成24年（行ケ）第8号〔JASRAC〕）は、審査官が主張した狭い範囲についても審決とは事実認定を異にしただけでなく（判決書58～94頁）、審査官が特に主張しなかったが提出証拠には現れていた背景事情（判決書94～96頁）をも踏まえて判断したため、排除効果の成立を肯定したものと考えられる。最高裁判決も、東京高裁判決と同様である。勘所事例集526～538頁。

裁判決を引用した。

そのうえで、判断の際の考慮要素として次のように述べた。「そして、本件行為が上記の効果を有するものといえるか否かについては、本件市場を含む音楽著作権管理事業に係る市場の状況、参加人及び他の管理事業者の上記市場における地位及び競争条件の差異、放送利用における音楽著作物の特性、本件行為の態様や継続期間等の諸要素を総合的に考慮して判断されるべきものと解される。」。

③ **言葉の整理**　以下では、便宜上、他の者の「市場への参入を著しく困難にするなどの効果」を「排除効果」と呼び、「自らの市場支配力の形成、維持ないし強化という観点からみて正常な競争手段の範囲を逸脱するような人為性」を単に「人為性」と呼ぶ。最高裁調査官による解説も、そのような言葉を用いている[48)]。

NTT 東日本最高裁判決が用いた「競業者」という用語は、知的財産法分野の裁判例などに頻出するものであるが、法令には用例はない。独禁法関係法令では「競争者」という文言が用いられている。JASRAC 最高裁判決も、以上のような指摘を踏まえてか、「競業者」という用語の使用は控えている。以下では、引用を除き、「競業者」でなく「競争者」とする。

④ **両最高裁判決の違い**　さて、2つの最高裁判決の判示は、一見すると似通っているが、よく読むと違っている。

NTT 東日本判決が掲げる考慮要素は、「他の事業者の事業活動を排除」の全体に関するものと位置付けられている。すなわちそこでは排除効果と人為性が一体となって論ぜられている。

それに対し、JASRAC 判決が掲げた考慮要素は、「上記の効果」すなわち排除効果に関するものと位置付けられている[49)]。人為性については、排除効果について論じ終えたあと、段落を改め、「なお」としたうえで論じている。

⑤ **違いの原因**　上記のような違いが生じた原因は、以下のような争訟経緯にあると考えられる。

---

48)　清水知恵子・最判解民事篇平成 27 年度上。

49)　現に JASRAC 最判は、考慮要素を事案に当てはめたあと、「他の管理事業者の本件市場への参入を著しく困難にする効果を有するものというべきである。」と述べている（判決書 9 頁、民集 69 巻 3 号の 527 頁）。

前記①のように、NTT 東日本判決においては、排除効果と人為性が一体となって判断され排除の成否が決せられることとなっていた。

そうしたところ、NTT 東日本判決を挟んで判決後も数年にわたって展開された JASRAC 事件の公取委審判手続においては、排除効果と人為性が異なる別個の争点として整理され、そして、排除効果だけについて、これが不成立であるとして排除措置命令を取り消す審決がされた[50)]。

したがって、その審決の当否を論ずべき裁判所でも、人為性を切り離した形で排除効果のみについて判示することとなった[51)]。

以上のように、NTT 東日本判決において一体として判断していた排除効果と人為性を、JASRAC 判決において分けて判断することとしたのは、考え方が変わったものではなく、以上のような JASRAC 事件の経緯によるものと考えられる。

⑥ **人為性**　さてそこで、排除効果と一体として判断されたり、形の上では分けて判断されたりしている人為性とは、何であるのか。排除効果とは何かの違いがあるのか。

JASRAC 判決では、人為性について述べるにあたって、JASRAC の競争者でなく、JASRAC からの供給を受ける需要者である放送事業者が包括徴収による契約を「余儀なくされて」いたなどと、需要者に対する抑圧的な状況があったことが強調されている[52)]。

しかし、一般的に考えると、排除は、需要者に対する抑圧的な状況がなく、需要者が喜んで従うような場合にも生ずるのであって、むしろそのような場合のほうが需要者は行為者のほうに流れ、排除効果が大きくなる場合がある。したがって、人為性を独立の要件として、かつ、需要者等に対する抑圧的な状況などを常に求めるような解釈となるとすれば、適切でない。JASRAC 判決のこの部分は、その事案においてはそのような抑圧的な状況が排除効果に結びついたのであることを認定したという、その事案限りの状況を描いたものであって、需要者に対する抑圧がなくとも排除効果があるために排除型私的独占とさ

50） JASRAC 審決（審決案 14～15 頁、80～81 頁）。その後の手続の展開について、勘所事例集 522～525 頁。

51） 最高裁判決のほか、JASRAC 東京高判（判決書 94～98 頁）も同様である。

52） JASRAC 最判（判決書 9～10 頁、民集 69 巻 3 号の 527～528 頁）。勘所事例集 533～536 頁。

れるべき行為が存在する余地を残している、とみたほうがよいであろう[53]。

もともと人為性とは何を指していたのかというと、結局、行為要件を満たし排除効果があるものを言い換えて人為性があると言っていた、というにすぎないように観察される。すなわち、自らの商品役務の優秀性以外の何らかの方法、すなわち行為がある、という程度の意味合いで用いているものや[54]、行為要件が満たされることを前提として、排除効果があることを言い換えて人為性と呼んでいるものなどが存在するにとどまる[55]。

そうであるとすれば、人為性という正体不明の「要件」は、行為要件充足行為があるという要素、排除効果があるという要素、正当化理由がないという要素、のいずれかに吸収し、行為＋排除効果（＋市場支配的状態）＋正当化理由不存在、という体系のなかに解消して論じても差し支えなく、そのようにして論じても現に存在する規範から乖離することはない。

マイナミ空港サービス東京高裁判決は、JASRAC事件の手続的制約が解け

53） 清水・前記註48・228〜230頁によれば、JASRAC判決が人為性の有無について考慮した事情は、排除効果の有無について考慮した事情と多くの点において共通するが、JASRACによる包括徴収は「排他条件付取引とは異なり、本来的に作為性を有する行為とはいえない」ものであって「通常の経済活動にすぎない」という観点から、人為性の有無の判断において追加的に次のような事情も考慮した、という。すなわち、「JASRACがその使用料規程において個別徴収につき高額の単位使用料を定めたことにより、放送事業者がJASRACとの間で包括徴収による利用許諾契約を締結することを余儀なくされ、徴収方法の選択を事実上制限されていた」などという事情である。高額の単位使用料により「余儀なく」し「事実上制限」したことを、排除効果とは異なる「人為性」特有の事情として考慮したとの考え方を強調している。通常の排他条件付取引とは異なるから、そのような「人為性」がなければ違反とできない、という趣旨であろう。以上のような判決と解説に対しては、まず、この事件に内在的な指摘として、JASRACの行為と排他条件付取引（排他的取引）との間には意味のある違いはあるのか、という点を挙げることができる。また、外在的な指摘として、調査官解説も認識しているとみられるように、「余儀なく」させるというような抑圧的な事情は、全ての行為類型において必要とされるべきではない、という点を挙げることができる。

54） 例えば実方謙二『独占禁止法〔第4版〕』（有斐閣、平成10年）64頁。

55） 岡田幸人・最判解民事篇平成22年度下817〜819頁の全趣旨は、このようなものであるように見える。同解説は、人為性について具体的な解説をしておらず、どのような文献等に依拠してこの文言を用いたのかも明らかにしていない。そのような程度にとどまる言葉が、JASRAC事件の手続経緯により、また、この言葉を自説の主張のための根拠として使おうとする諸論者の思惑とも相俟って、独立の重要要件であるかのように排除型私的独占の議論の舞台に躍り出てしまったのである、ということに、留意する必要がある。

た状態において判断がされたものであり、再び、排除効果と人為性をまとめて2条5項の「排除」（排除行為）の成否を論じようとしているように見える[56)]。

4 支 配

(1) 総 説

2条5項にいう「他の事業者の事業活動を……支配」することによる競争の実質的制限が私的独占として違反行為とされているのは、支配により他の事業者の自由な事業活動が制約されることに着目して規制しようとするものである。

「支配」とは、何らかの意味において他の事業者に制約を加え、事業活動における自由な決定を奪うことである、とされる[57)]。そうであるとすれば、「支配」の具体的内容は、不公正な取引方法における「拘束」と同様のものだと考えればよい（後記442～445頁）。

事例は多くもなく少なくもない。野田醤油事件では、自己の価格設定が他者の価格設定を支配したとされた[58)]。パラマウントベッド事件では、メーカーが販売業者による入札価格を支配したとされた[59)]。福井県経済連事件では、需要者側の施主代行者が供給者の入札行動を支配したとされた[60)]。このほか、排除

---

56) 東京高判令和5年1月25日・令和4年（行コ）第70号〔マイナミ空港サービス〕（判決書60～77頁、特に60～61頁）。そのなかには、人為性のみについて検討した部分があるようにも見えるが、これは、マイナミ空港サービス（控訴人）の主張に応えたという体裁であり（判決書61頁）、判決理由の主な流れとしては、排除効果と人為性をまとめて1つとして判断する体裁をとっている。そして、マイナミ空港サービスが人為性の概念に託して主張した点は、「一定の取引分野における競争を実質的に制限する」の要件の成否の判断のなかにおける正当化理由の成否の判断（後記378頁）と重なっている。

57) 東京高判昭和32年12月25日・昭和31年（行ナ）第1号〔野田醤油〕（高民集10巻12号の784～785頁、審決集9巻の91～92頁）。他の事業者の自由意思を完全に奪うことまでは必要ない（奥村豪・山﨑幕田監修135～136頁）。なお、公取委命令平成27年1月20日・平成27年（措）第3号・平成27年（納）第7号〔北海道低温空調設備工事〕におけるホクレンと、公取委命令平成27年1月16日・平成27年（措）第2号〔福井県経済農業協同組合連合会〕における福井県経済連は、類似の状況に置かれていたが、前者は支配には当たらないとされて供給者らによる不当な取引制限とされ、後者は支配に当たるとして施主代行者による私的独占とされた。勘所事例集515～516頁。

58) 野田醤油東京高判。自らの商品役務について再販売価格の拘束をしたことが、競争者の意思決定に影響した、とされた（高民集10巻12号の783～784頁、審決集9巻の90～91頁）。

59) 公取委勧告審決平成10年3月31日・平成10年（勧）第3号〔パラマウントベッド〕。

60) 前記註31。

と支配とが相俟っての私的独占の事例がある（後記**5**）。

(2) 不公正な取引方法との異同

「支配」と「拘束」が同じ意味なのであるから、支配型私的独占は不公正な取引方法における垂直的制限（後記第9章第5節）と重なっている。

他方で、支配型私的独占の場合は、行為者と被支配者とのあいだに取引関係があることが要件とされていない。支配・拘束により他の事業者の自由な事業活動が制約されることに着目して規制するのであるなら、支配者と被支配者との間に取引関係があるか否かは物事の本質には関係がないはずであり、支配型私的独占のほうが純粋型であるといえる。ただ、支配型私的独占とするには市場支配的状態を立証する必要があり、また、課徴金の問題を伴う。支配・拘束をめぐる議論は、通常、不公正な取引方法を前提に行われている。

(3) 諸論点

① **被支配事業者による不当な取引制限**　支配型私的独占が成立する場合、支配を受けて競争が停止された被支配事業者らが、不当な取引制限などとして独禁法違反となることはあるか。

一般論としては、あり得る。ただ、支配が強い場合には、やむを得ず行った行為であるとして取り上げない方向とされたり（前記174～175頁）、そもそも被支配事業者には行為要件充足行為がないとされたり[61)]することがある。

② **直接支配と間接支配**　行為者が、他の者を介して、支配することもあり得る[62)]。「直接支配」と「間接支配」という分類をする文献も少なくないが、どちらも「支配」に該当するのであるから、分類する実益はあまりない[63)]。

---

61) 例えば、不当な取引制限の事例である公取委命令平成27年3月26日・平成27年（措）第5号・平成27年（納）第9号〔穀物乾燥調製貯蔵施設等・北海道以外〕においては、福井県経済連に対する排除措置命令において施主代行者による供給者に対する支配型私的独占があったとされた部分については、対象商品役務から除かれており（3月26日排除措置命令書2頁）、この部分には意思の連絡がなかったと解説されている（関尾順市＝髙木勝＝宮本太介・担当審査官解説・公正取引780号（平成27年）64頁）。

62) 公取委勧告審決平成8年5月8日・平成8年（勧）第14号〔医療食〕。この審決における支配等の図解として、岡田哲也・公正取引550号（平成8年）9頁。

63) 「間接支配」と言われる場合には、野田醤油事件の事案（前記(1)）のようなものが想定されているようである。

5　排除と支配が相俟っての私的独占

1個の私的独占該当行為のなかに排除と支配とが混在し、両方が同時に認定されて1個の私的独占を構成することがある[64]。排除と支配とが相俟って1個の競争の実質的制限が認定されれば足り、いずれか一方だけで競争の実質的制限がもたらされたか否かを論ずる必要はない。

6　排除とも支配とも言える場合

同じ行為が、排除と支配のいずれとも構成できそうな場合もある。排除にあたるか支配にあたるかの違いは、課徴金計算方法の違いをもたらすので（後記第6節）、その観点から論ずべきことになる。

第4節　公共の利益に反して

「公共の利益に反して」という文言について、2条5項を舞台とした特段の議論はない。

これは単に、2条6項の「公共の利益に反して」についてみられた尖鋭な議論（前記97～100頁）がされる機会がなく、かりにそのような議論をする機会が生じたとしても、正当化理由を「競争の実質的制限」の概念の枠内で論ずるという暗黙の考え方が確立した後であった、ということであろう。

排除型私的独占ガイドラインは、「公共の利益に反して」に関する項目は特に置かず、正当化理由に関する議論は「競争の実質的制限」の概念の枠内で行っており、また、同様の枠組みで正当化理由について具体的な判断をした事例が現れている（後記第5節**3**(2)）。

64)　公取委勧告審決昭和47年9月18日・昭和47年（勧）第11号〔東洋製罐〕、医療食審決。なお、パラマウントベッド審決が、排除と支配が相俟っての私的独占の事例ではないことについては、前記365頁註22。

第5節　一定の取引分野における競争の実質的制限

1　総　説

一定の取引分野における競争の実質的制限については、基本的には弊害要件総論（前記第2章）のとおりであるが、私的独占に特有の問題を補足する。

2　一定の取引分野

私的独占における「一定の取引分野」は大きなものに限る、という趣旨の主張が過去において散見されたが、根拠はない。現に、例えば地理的観点からいえば、全国市場ではなく、函館地区における一般日刊新聞の発行分野[65]、福井県に所在する農協が「おいしい福井米生産体制整備事業」によって発注した工事の市場[66]、八尾空港における機上渡し給油による航空燃料の販売分野[67]、などが私的独占の適用対象となっている。

3　競争の実質的制限

(1)　反競争性

他者排除の要素がある事案でも原則論貫徹説が採られる（前記121〜123頁）。原則論の詳細は弊害要件総論に譲る。

(2)　正当化理由

私的独占においても、当然のことながら、正当化理由が認められる場合があり、その場合には競争の実質的制限が成立しない[68]。排除型私的独占ガイドラインも、公取委のガイドラインであるから明確に正当化理由という概念を公認することはしないが、正当化理由という概念でしか説明できない事例を含む解説を行っている[69]。

---

65)　公取委同意審決平成12年2月28日・平成10年（判）第2号〔北海道新聞社函館新聞〕（審決集46巻の153頁）。

66)　公取委命令平成27年1月16日・平成27年（措）第2号〔福井県経済農業協同組合連合会〕。

67)　公取委命令令和2年7月7日・令和2年（措）第9号〔マイナミ空港サービス〕。

68)　そのことを確認する例として、東京高判令和5年1月25日・令和4年（行コ）第70号〔マイナミ空港サービス〕（判決書82〜88頁、特に82〜83頁）。

69)　排除型私的独占ガイドライン第3の2 (2) オ「消費者利益の確保に関する特段の事情」。

第6節　課徴金納付命令

1　総　説

私的独占には、平成17年改正と平成21年改正により、結果的には段階的に、課徴金が導入された。大雑把に言えば、平成17年改正によって支配型私的独占に、平成21年改正によって排除型私的独占に、課徴金が導入された。

私的独占の課徴金も非裁量的なものとして設計されているので、かりに課徴金納付命令をしたならば争われやすいと予測され、また、そのことも視野に入れての課徴金計算は公取委にとって重荷になると予測される。課徴金導入後、公取委が排除措置命令をした私的独占の件数は僅か2件であり、課徴金納付命令をしたのは1件のみである[70)][71)]。この事実は、私的独占への課徴金導入が公取委にとっての重荷となっていることの傍証であるように思われる。平成28年改正による確約制度の導入により、課徴金納付命令が行われにくい傾向は強まっている。

以上のようなわけで、私的独占の課徴金の条文は、以下、概括的に紹介するにとどめる。

---

70)　公取委命令令和3年2月19日・令和3年（納）第1号〔マイナミ空港サービス〕。課徴金額は612万円である。公取委命令平成27年1月16日・平成27年（措）第2号〔福井県経済農業協同組合連合会〕では、福井県経済連は、需要者である農協に施主代行業務を供給しているだけであり、被支配事業者である施工業者との間の取引は認定されておらず、競争の実質的制限が生じた施工という商品役務も供給していなかったため、課徴金納付命令がされなかった。

71)　公取委命令平成21年2月27日・平成21年（措）第2号〔JASRAC〕は、平成21年改正で排除型私的独占に課徴金を導入する前の排除型私的独占の事例であるため、課徴金は課されていない。この事例では、排除措置命令後も行為が取りやめられず、その間に平成21年改正が施行されたため、排除措置命令が是認され確定すれば課徴金が課されることになる、とする文献等が存在した。この排除措置命令は、その後、最高裁判決を含む複雑な経緯を経て確定したが、排除措置命令は命令日である平成21年2月27日（平成21年改正の施行前）までの事実認定と法的評価しか行っていないので、この排除措置命令において排除型私的独占が行われていたと認定されたからといって当然に課徴金納付命令が課されるという関係にはなかった。詳しくは、白石忠志・事例解説・ジュリスト1502号（平成29年）。この解説が公刊された直後の平成29年2月1日事務総長定例会見記録において、同旨が述べられている。その後のまとめとして、勘所事例集539～542頁。

2　7条の9第1項の課徴金

(1)　総　説

7条の9第1項の課徴金は、不当な取引制限と隣接する支配型私的独占を念頭に置きながら平成17年改正によって導入された[72]。

(2)　対象となる違反行為

7条の9第1項は、支配型私的独占を対象としているが、更に、その支配型私的独占が、被支配事業者が供給する商品役務の対価に係るものであること、または、被支配事業者が供給する商品役務の供給量・市場占有率・取引相手方を実質的に制限することによりその対価に影響するものであること、を求めている。支配型私的独占版の対価要件ということになる[73]。対価要件を満たさない支配型私的独占は、排除を含む私的独占であれば7条の9第2項によって課徴金が論ぜられるが、排除を含まない場合には課徴金の対象外となる。

(3)　課徴金額の計算

①　総説　7条の9第1項の課徴金は、実行期間における、1号の額と2号の額の合計に算定率を乗じた額と、3号の額の、合計額である。これらについて、7条の2第3項の推計の規定が準用される（7条の9第3項）。

②　実行期間　7条の9第1項では、1号では法律の明文で、2号・3号では施行令の明文で（2号について施行令13条、3号について施行令7条）、実行期間におけるものであることを求めている。

「実行期間」は2条の2第13項で定義されており、不当な取引制限の場合と共通である。

平成17年改正によって、不当な取引制限に準じたものとして課徴金が導入されたため、不当な取引制限の課徴金に特有の「実行」の概念が、支配型私的独占についても用いられている。そのようなものから解き放たれた平成21年改正による排除型私的独占や優越的地位濫用の課徴金が、単純に違反行為期間に着目して課徴金を課しているのと対照的である。

---

72)　令和元年改正前は7条の2第2項であった。

73)　排他的取引を、排除型私的独占でなく、取引相手方に対する支配型私的独占と構成すれば7条の9第1項の適用対象となる、との論が少なくとも過去（平成17年改正後・平成21年改正前）には存在したが、その場合、排他条件を求められた被支配事業者が供給する商品役務の競争への影響を見るわけではないことが多く、そうであるならば対価要件を満たさないと思われる。

③　**7条の9第1項1号の額**　7条の9第1項1号は、基本的には、違反者が被支配事業者に供給した商品役務と、違反者が検討対象市場で供給した商品役務の、売上額である。これに、特定非違反供給子会社等や供給子会社等などの文言が絡むが、基本的には不当な取引制限に関する7条の2第1項1号と同じ発想によるものである。

不当な取引制限に関する7条の2第1項2号に相当するような、購入額に関する規定がない。先例がないために立法事実がないとされたためである、と説明されている[74]。

④　**7条の9第1項2号の額**　7条の9第1項2号は、密接関連業務に関する対価の額である。

その内容は、同号を受けた施行令13条1項が狭めており、違反行為に係る商品役務の供給を受ける者に対し、供給を受けるために必要な役務を供給する業務、としている。令和元年改正前の規定によっては課徴金を課し得なかった福井県経済農業協同組合連合会の事案における需要者に対して違反者から供給されていた施主代行業務を意識したものである（前記379頁註70）。

⑤　**7条の9第1項3号の額**　7条の9第1項3号は、違反行為に係る商品役務を供給しないことに関して受ける財産上の利益に相当する額である。これは、算定率を乗ずることなくそのまま、課徴金の一部となる。同号にいう政令は施行令7条である。

⑥　**算定率**　算定率は10%であり、不当な取引制限の場合と同じである[75]。

以下のことが、不当な取引制限の課徴金の規定の準用について定めた7条の9第3項により、導かれる。

小規模事業者の軽減算定率は準用されない[76]。

繰り返しの違反行為の場合の加重算定率は、準用される。前回の違反行為が支配型私的独占でなく不当な取引制限や排除型私的独占であっても、加重される。

複数違反者による違反行為を主導した場合の加重算定率や、複数違反者がい

74)　平成17年改正解説54頁。

75)　平成17年改正解説55頁。

76)　そのことの趣旨につき、平成17年改正解説58頁。必ずしも判然とはしないが、支配型私的独占をすることのできる小規模事業者は不当利得が大きいはずであるという意味に読める。

ることを当然の前提とした減免制度は、準用されない。

罰金額の半額調整は、準用・適用される[77]。

(4) その他

① **合併・分割・事業譲渡の場合**　合併・分割・事業譲渡の場合の取扱いについては、7条の9第3項により、不当な取引制限に関する7条の8第1項～第4項が準用される。

② **除斥期間**　除斥期間は、7条の9第3項により、不当な取引制限に関する7条の8第6項が準用され、実行期間の終期から7年である。

3 7条の9第2項の課徴金

(1) 総　説

7条の9第2項の課徴金は、平成21年改正によって導入された。独禁法違反類型の全般にわたって課徴金の対象とすべきである、という考え方に基づいて導入されたものであるが、かえってそれが規制を鈍化させたのではないか、との見方もできる（前記361頁）。

(2) 対象となる違反行為

対象となる違反行為は、排除型私的独占である（7条の9第2項の最初の括弧書き）。その括弧書きで、「前項の規定に該当するものを除く」とあるのは、排除と支配とが相俟っての私的独占を念頭に置いたものであろうが、排除と支配とが相俟っての私的独占であっても、7条の9第1項各号の対価要件を満たさないものは、「前項の規定に該当するもの」ではないこととなるから、7条の9第2項の適用対象となる。

(3) 課徴金額の計算

① **総説**　7条の9第2項の課徴金は、違反行為期間における対象商品役務の売上額に算定率を乗じて計算する。

② **違反行為期間**　違反行為期間は、2条の2第14項で定義されている。

7条の9第2項には、実行期間という概念はない。不当な取引制限のように違反の成立と実行との間の差が明確に観念されておらず、また、7条の9第1

---

77) 課徴金納付命令前に罰金の刑が確定した場合には7条の7が準用され、課徴金納付命令後に罰金の刑が確定した場合には63条が適用される。

項のように不当な取引制限の付随物として規定するという歴史的負荷を受けているわけでもないので、単純に、違反行為の期間に着目して課徴金を課することとしている。

その点を除けば、2条の2第14項は、実行期間に関する2条の2第13項と同様の規定となっている。

③ **対象となる商品役務**　対象となる商品役務は、基本的には、違反者が検討対象市場において供給した商品役務と、検討対象市場において商品役務を供給する他の事業者に違反者が供給した商品役務であり、後者には、他の事業者による供給のために必要な商品役務を含む[78]。これに、特定非違反供給子会社等や供給子会社等などの文言が絡むが、基本的には不当な取引制限に関する7条の2第1項1号と同じ発想によるものである。

④ **売上額**　7条の9第2項の売上額の算定方法については、施行令14条に規定がある。

「購入額」を規定せず「売上額」のみを掲げているのは、平成17年改正によって先行して課徴金が導入された7条の9第1項がそのようになっていることにあわせたものである旨の解説がされている[79]。

7条の2第3項の推計の規定が準用される（7条の9第4項）。

⑤ **算定率**　算定率は6%である。

以下のことが、不当な取引制限の課徴金の規定の準用について定めた7条の9第4項により、導かれる。

小規模事業者の軽減算定率は、準用されない[80]。

繰り返しの違反行為の場合の加重算定率は、準用される。前回の違反行為が排除型私的独占でなく不当な取引制限や支配型私的独占であっても、加重される。

複数違反者による違反行為を主導した場合の加重算定率や、複数違反者がい

78) 公取委命令令和3年2月19日・令和3年（納）第1号〔マイナミ空港サービス〕では、マイナミ空港サービスから需要者に直接売られる商流と中間業者が介在する商流とがあり、後者が他の事業者による供給のために必要な商品役務の供給として算入されたようである。事件座談会公正取引852号9～10頁。

79) 平成21年改正解説52頁。

80) 平成21年改正解説52頁、54頁は、明確な解説ではないが、支配型私的独占でも準用されない（前記註76）のと同じ趣旨であるとの旨であるようにみえる。

ることを当然の前提とした減免制度は、準用されない。

罰金額の半額調整は、準用・適用される[81]。

(4) その他

① **合併・分割・事業譲渡の場合**　合併・分割・事業譲渡の場合の取扱いについては、7条の9第4項により、不当な取引制限に関する7条の8第3項・第4項が準用される。

② **除斥期間**　除斥期間は、7条の9第4項により、不当な取引制限に関する7条の8第6項が準用され、違反行為期間の終期から7年である。

81) 前記註77と同じである。

第9章
不公正な取引方法

第1節　総　説

1　概　要

(1)　違反要件

「不公正な取引方法」は2条9項によって定義されており[1]、その主な禁止規定は19条である[2]。2条9項には不公正な取引方法を行う者についての定めがないが、19条は、事業者であるとしている[3]。

(2)　法執行

不公正な取引方法に該当する行為に関する法執行は、次のようになっている。

排除措置命令の根拠となる（20条）[4]。

課徴金納付命令の根拠となる場合がある（20条の2～20条の6）。

確約制度の対象となる（48条の2、48条の6）。

刑罰の根拠とはならない（89条）。

---

1)　不公正な取引方法を略して「不公正取引」と呼称する例が見られるが、「不公正取引」は独禁法を離れた一般的文脈でもしばしば用いられる言葉であるから、2条9項で定義されたものを「不公正取引」と呼ぶのは的確な議論のためには有害である。

2)　不公正な取引方法は、更に、19条以外のいくつかの条文で、それぞれの特定の文脈において禁止されている。すなわち、6条、8条5号、10条1項、13条2項、14条、15条1項2号、15条の2第1項2号、15条の3第1項2号、16条1項、である。

3)　2条9項が違反者に関する記述をしていないため、例えば14条において、事業者とは言えない者による不公正な取引方法というものがあり得ることになる。

4)　不公正な取引方法が19条以外の条文を根拠として違反となる場合は、7条、8条の2、17条の2、によって排除措置命令がされる。

民事差止請求の根拠となる（24条）。

25条による損害賠償請求の根拠となる。

その他の民事訴訟において、請求の要件の成否を判断するための説明道具として援用される可能性は、もちろんある。

2　位置付け・独自性

不公正な取引方法の行為要件は、広い範囲をカバーしている。

そのため、他の違反類型、特に私的独占の行為要件とは、かなりの程度、重なっている。競争の実質的制限よりも公正競争阻害性のほうが満たされやすいので、私的独占に該当する行為はほとんど全てが、不公正な取引方法にも該当する[5)]。不公正な取引方法には、弊害が強まれば私的独占に該当する可能性のある行為を、広めの違反要件で、相対的に緩やかな法執行によって、禁止する、という位置付けが与えられることになる[6)]。

不当な取引制限とは、あまり重ならない。取引相手方でなく競争者を拘束する行為は、通常、不公正な取引方法の行為要件を満たさない[7)]。私的独占とは違って不当な取引制限には、同様の行為を広めの違反要件と相対的に緩やかな法執行によって禁止する、という受け皿はないことになる。もっとも、不当な取引制限の規制の中核をなすハードコアカルテルは、原則違反とされているので、そのような受け皿は必要ない、ということになるのかもしれない。

不公正な取引方法の守備範囲は、優越的地位濫用や不正手段型行為にも及んでいる。

不公正な取引方法の弊害要件である公正競争阻害性は、「一定の取引分野」という文言を持たないために市場概念とは無縁であると言われる場合があり、また、「おそれ」という文言が付加されている、という二重の意味で、的確な

---

5)　私的独占の行為要件が抽象的であるため、不公正な取引方法に該当せず私的独占のみに該当する行為もないではない。例えば、取引相手方でない者を拘束しても支配型私的独占の行為要件を満たすが、そのような行為は不公正な取引方法の行為要件は満たさない（後記439～442頁）。しかし、全体からみればそのような例は僅かである。

6)　私的独占に課徴金のなかった平成17年改正・平成21年改正より前には、そのような説明をすることはできず、私的独占と不公正な取引方法の法執行の違いが実質的にはないなかで、一部の事例に箔をつけるために私的独占としているにすぎない、という論評も可能であった。

7)　例外が、2条9項1号・一般指定1項の共同取引拒絶である。

法律論による歯止めをしなければ放縦な解釈運用がされかねない。

3　2条9項の構造

(1)　総　説

不公正な取引方法を定義する2条9項には、独禁法典だけで完結的に定義されている1号～5号と、公取委による指定に委ねられている6号とがある[8)]。

この2区分は、課徴金対象であるか否かと一致している。法案作成時に、課徴金対象となる類型は完結的に定義すべきであるとされたものと推測される。

不公正な取引方法に課徴金の全くなかった平成21年改正前には、不公正な取引方法の全体について、2条9項で大枠の定義がされ、そのもとで公取委が指定する、という構造となっていた。平成21年改正は、その公取委の指定のうち、課徴金対象とすべきものを抽出し、改正後の2条9項1号～5号として格上げして、残ったものにつき、改正前の2条9項と同様の構造をもつ2条9項6号を置いたものである。

以上のような不公正な取引方法の規定の状況をやや突き放してみると、必要以上に規定が細分化され、独禁法のわかりにくさを増幅しているようにも思われる。不公正な取引方法を公取委が指定しなければ具体的内容がわからないなどと言われたのは独禁法の草創期の話であり、現在では、そのようなことはなく、具体的な記述が必要であればガイドラインなどに委ねればよい。規定の簡素化の努力が必要であるように思われる[9)]。

(2)　2条9項6号に基づく公取委の指定

① **総説**　2条9項6号は、1号～5号に該当する行為以外で、イ～ヘのいずれかに該当する行為であって、公正な競争を阻害するおそれがあるもののうち、公取委が指定するものを、不公正な取引方法に加えている。

以上のような要件は、いずれも公取委の指定に盛り込まれていると無意識のうちに考えられているため、日常実務においては、2条9項6号の要件をいちいち確認することなく、公取委の指定のみによって議論がされることが多い[10)]。

---

8)　前者は「法定類型」、後者は「指定類型」、などと呼ばれることもあるが、難解な装いの用語を増やさないという趣旨で、本書ではこの呼称は用いない。

9)　同様の観点から現在の種々の議論を鋭く批判するものとして、辻拓一郎「競争者排除行為に対する独占禁止法による規制の在り方」公正取引782号（平成27年）、とりわけ52頁注25。

弊害要件である公正な競争を阻害するおそれも、指定の文言のなかに改めて盛り込まれていると考えられており（後記**4**）、事案ごとに成否を判断することが当然の前提とされている[11]。

公取委の指定は、告示によって行う（72条）。公取委規則でなく公取委告示という形式であるため、e-Gov 法令検索に登載されておらず、かえって不便である。

② **一般指定と特殊指定**　公取委による指定は、特定の事業分野における特定の取引方法を指定する特殊指定と、それに限定されない一般指定とに、分けることができる。特殊指定をする際には、公聴会を経なければならず（71条）、特殊指定と一般指定を区別する意義は、まずはそこにある。現在は、1件の一般指定[12][13]と、3件の特殊指定[14]が、存在している。

しかし、以下の次第で、本書では、特に断らない限り、公取委の指定につい

10） 例外的に、例えば、一般指定11項では「相手方」が事業者であることを求めていないようにみえるが一般指定11項の親条文であると考えられる2条9項6号ニでは相手方の事業活動を拘束することを要件としているので一般指定11項の「相手方」も事業者であることが必要である、といった形で、2条9項6号を参照すべき場合はあり得る。しかしそれは例外的であり、常に2条9項6号の条文が参照されているとは、いえない。好むと好まざるとにかかわらず、それが実態である。

11） この点で、景表法5条3号が「……おそれがあると認めて内閣総理大臣が指定する」と規定し、指定を適用する事案ごとに「……おそれ」の成否を判断する必要がないと考えられていることと対照的である。近年のデジタルプラットフォーム問題を含め、新たな問題に対する類型的・画一的な規制を導入しようとする論者が特殊指定の新設を提唱することがあるが、不公正な取引方法の指定については事案ごとに公正競争阻害性の認定が必要とされていることが知られるようになれば、そのような主張はあまりされなくなるであろう。

12） 一般指定の各項に添えられた見出しは、独禁法典の場合とは異なり、制定者が付した公式の見出しである。

13） 一般指定は、全ての商品役務に適用され得るものであるので、ある程度は抽象的にならざるを得ないが、しかしなお2条9項6号イ～ヘよりは具体的なのであって、流動する経済情勢のもとではこの程度に特定されていればよい、とされる。昭和28年一般指定に関するものではあるが、最判昭和50年7月10日・昭和46年（行ツ）第82号〔和光堂〕（民集29巻6号の896頁、審決集22巻の177頁）。

14） 平成18年に公取委は、特殊指定を整理し、いくつかのものを順次廃止した（平成18年公正取引委員会告示第1号、平成18年公正取引委員会告示第8号、平成18年公正取引委員会告示第9号、平成18年公正取引委員会告示第11号）。残存しているのは、比較的最近になって公取委が指定した物流特殊指定（後記508～509頁）および大規模小売業特殊指定（後記509頁）と、廃止への反対が強かった新聞業特殊指定（後記422～423頁、507～508頁）の、3つである。

ては一般指定のみを想定して論ずることとする。

特殊指定は、業界の特性に鑑みて公取委が具体的に指定するところに意味があるものと思われるが、一般指定が２条９項６号の範囲をほぼ隈無く対象としており、特殊指定も２条９項６号の範囲を超えて制定できるわけではない以上、特殊指定は、一般指定の一部の例示を超えるものではあり得ない[15]。

そして、平成21年改正によって課徴金が導入され、残った３件の特殊指定は、そのほとんどの部分において、例示としての存在意義さえ、失った。３件の特殊指定は、新聞業特殊指定１項・２項を除き、優越的地位濫用に関するものであるところ、平成21年改正によって優越的地位濫用は、２条９項５号に基づき１回の違反行為によって課徴金対象となることとなった。平成21年改正後は、特殊指定を適用するということは２条９項６号を適用することを意味することになり、論理必然的に、課徴金対象外となる。わざわざ特殊指定の名で例示規定を置き、公取委が重点を置くことを強調してきたにもかかわらず、平成21年改正後は、その特殊指定を適用したら課徴金対象外となる、という逆転現象が生ずることとなった。公取委は、特殊指定を廃止はしないが、使わず店晒しにする、という行動をとっている。平成21年改正施行後の命令事例は、いずれも、大規模小売業特殊指定の範疇に入る行為であるが、２条９項５号が適用され、課徴金対象となっている[16]。

---

15)　平成21年改正前は、公取委は特殊指定制定の独自の意義を強調する傾向があったので、例示であるという位置付けを論ずると、反発もあった。しかし現在では、公取委自身が、例示であったことを論理的には自認した形となっている（後記467頁註257）。

16)　大規模小売業特殊指定などの特殊指定に規定された優越的地位濫用行為が２条９項５号の対象となるのだとすれば、２条９項６号が「前各号に掲げるもののほか」と規定しているのであることを考えると、厳密には、大規模小売業特殊指定などの特殊指定の優越的地位濫用関係部分は、２条９項６号の委任を受けていない空振りの指定である、ということになる。もっとも、課徴金とは無関係の民事裁判においては、「前各号に掲げるもののほか」という条文上の細部は措いて、その業種等に着目して規定された特殊指定が説明道具として参照されることがしばしばあるように見受けられる。説明道具にすぎないのであるから、それでよいのかもしれない。もちろんその際にも、説明道具とするにふさわしい内実を備えた形で参照する必要がある（その点が特に新聞業特殊指定３項において問題となることについて、後記507頁註391）。

4 「公正競争阻害性」「正当な理由がないのに」「不当に」

(1) 総　説

不公正な取引方法の弊害要件を示す条文上の文言は「公正な競争を阻害するおそれ」であるとされるのが通常であり、結論としては、おおむね、それでよいのであるが、これには以下のように若干の論述を要する。

なお、条文に登場する「公正な競争を阻害するおそれ」の略称として「公正競争阻害性」というものが広く用いられており、本書でもそれに倣う。

(2) 条文の状況

平成21年改正後、2条9項と一般指定のうち、公正競争阻害性を明文で規定しているのは2条9項6号柱書きのみである。

2条9項1号～5号や一般指定各項など、実際の事例において前面に登場する規定には、「正当な理由がないのに」「不当に」といった文言があるだけであり[17)]、公正競争阻害性という文言が明記されているわけではない。一般指定は、2条9項6号柱書きの委任を受けているものであるので、公正競争阻害性が要件となる範囲で規定されなければならない。しかし2条9項1号～5号については、法令上当然には、公正競争阻害性が要件となるとはいえない。公正競争阻害性が要件となるか否かは、以下のように、解釈論に委ねられる。

(3) 「正当な理由がないのに」「不当に」の解釈

① 公正競争阻害性との関係　解釈論のレベルでは、2条9項1号～5号についても、平成21年改正前と同様の解釈が維持されている[18)]。

そして、平成21年改正前は、一般指定に規定された「正当な理由がないのに」や「不当に」は、公正競争阻害性と同義だとされていた[19)]。

---

17) 2条9項5号、一般指定9項、一般指定13項、には「正常な商慣習に照らして不当に（な）」という文言があるが、その詳細は各規定に即して検討することとし、ここでは、単に「不当に」と規定されているものと同等のものとして検討する。

18) 例えば、平成21年改正解説50頁が、不公正な取引方法となるものの全体の範囲は改正の前後で変わらない旨を述べているのは、公正競争阻害性の解釈が不変であることを前提としたものであろう。また、不公正な取引方法の規定を含むガイドラインが、平成21年改正を受けて関係条文の参照を新しくするための改定を受けた際、その実質的内容が改められることはなかったことも、平成21年改正の前後で不公正な取引方法の解釈変更がなかったことを窺わせる。

19) 最判昭和50年7月10日・昭和46年（行ツ）第82号〔和光堂〕（民集29巻6号の894頁、審決集22巻の175～176頁）、最判昭和50年7月11日・昭和46年（行ツ）第83号〔明治商事〕（民集29巻6号の959頁、審決集22巻の201頁）。

したがって、平成21年改正後も、2条9項1号～5号であるか一般指定であるかを問わず、同様の考え方が採られるということになる[20]。

以下の諸点を補足する。第1に、「正当な理由がないのに」や「不当に」以外の文言が公正競争阻害性の一部を担っているという項は、いくつか存在する[21]。第2に、同義だという言辞は、それ以外の要素を読み込んで違反の範囲を狭くすることはない、という意味で唱えられたものであるが、公正競争阻害性は、正当化理由がないことをその重要な要素としているのであって、公正競争阻害性の概念の枠内で違反の範囲を狭める要素はなお残っている。

② 「正当な理由がないのに」と「不当に」の書き分け　「正当な理由がないのに」と「不当に」とは、どのように書き分けられているのか。各規定の全体から「不当に」または「正当な理由がないのに」を除いた部分を便宜上「摘示事実」[22]と呼ぶこととして、この書き分けについて述べる。

この書き分けは、各規定の摘示事実だけで公正競争阻害性の存在を「かなり」表現できていると公取委が考えたか否か、を示している。「かなり」表現できていると考えた場合には、「正当な理由がないのに」と書いている。このような表現によって、結論として公正競争阻害性がないとされるのは例外的であることを示そうとしている。そうではなく、摘示事実それ自体が「ニュートラル」であると考えた場合には、「不当に」と書いている。このような表現によって、更に加えて何らかの事実関係が示されなければ公正競争阻害性があるとはされないことを示そうとしている。

---

20)　もっとも、優越的地位濫用については、平成21年改正前は、2条9項の「競争」という文言のもとにあるために説明に苦心してきた経緯がある（後記471～472頁）。従来の実務を維持しつつ説明を直截で簡素なものとするために、2条9項5号の「正常な商慣習に照らして不当に」については、条文上は公正競争阻害性の文言のもとにはないことになった平成21年改正を機に、公正競争阻害性とは関係のない要件であると説明するのは1つの方法であろう。

21)　例えば2条9項2号や2条9項3号は、「正当な理由がないのに」や「不当に」という文言のほかに、「他の事業者の事業活動を困難にさせるおそれがある」という文言をもっており、これは、「正当な理由がないのに」や「不当に」という文言から公正競争阻害性の一部の要素が暖簾分けされ明確化されたもの、と位置付けることができる。この場合の「正当な理由がないのに」や「不当に」は、実際上、公正競争阻害性のうち残った要素を担うことになり、公正競争阻害性と同義だというわけではない。

22)　「摘示事実」、ならびに、続いて登場する「かなり」「ニュートラル」「大ざっぱ」は、いずれも田中寿発言・昭和57年一般指定解説17～18頁が用いた表現である。

この書き分けは、ある程度の「大ざっぱ」な交通案内として一定の成果を上げているが、全てが上記のとおりとなっているわけではない。例えば、2条9項1号および一般指定1項は「正当な理由がないのに」を冠しているが、摘示事実に加えて排除効果がなければ、反競争性はないと解されている（後記406〜407頁）。排除効果は、重要な要件であり、これを欠いた2条9項1号・一般指定1項の摘示事実は、公正競争阻害性を「かなり」表現できているとは言えない。逆に、例えば、一般指定8項は「不当に」を冠しているが、摘示事実は「かなり」公正競争阻害性を表現できている。

「正当な理由がないのに」と書かれているからと言って、直ちに立証責任が行為者側にあるとされるわけでもない[23]。「正当な理由がないのに」と「不当に」の書き分けは、以上のような「大ざっぱ」なものにとどまる。

(4) 公正競争阻害性の解釈

① 総説　公正競争阻害性は、問題となる場面に応じて3つの考え方のいずれかによってその成否が判断される、とされている。3つの考え方とは、「自由競争侵害」「能率競争侵害」「自由競争基盤侵害」である[24]。3つのいずれの観点からも問題がないのが公正競争なのであるから、3つのいずれかが害されれば公正競争阻害性が満たされる、ということであろう。

このうち、「自由競争侵害」は市場支配的状態の形成・維持・強化と質的に同様の観点であり、「能率競争侵害」は、それとは異なって、不正手段を問題とする観点である。「自由競争基盤侵害」への見方は、観察者によって様々である。以下、個別に述べる。

② 自由競争侵害＝反競争性　「自由競争侵害」は、本書のいう「反競争性」と同義である。

もっとも、公正な競争を阻害する「おそれ」という文言が条文に存在するように、競争の実質的制限の場合よりは違反の範囲が広めであると考えられている[25]。再販売価格拘束など競争停止による弊害を中心として検討する場合には

---

23) 川越憲治発言および田中寿発言・昭和57年一般指定解説17〜18頁。

24) これが「通説」であるが、昭和57年一般指定の制定の際に作成された昭和57年独占禁止法研究会報告書の内容をそのまま引用または孫引用する文献の数が多い、というだけの話である。

25) 東京高判令和元年11月27日・令和元年（行コ）第131号〔土佐あき農業協同組合〕は、具体的に競争を阻害する効果が発生していることや、その高度の蓋然性があることまでは要件にな

市場支配的状態の「おそれ」があるか否かを検討することになる（後記458～460頁）。取引拒絶や不当廉売など他者排除による弊害を中心として検討する場合には、競争の実質的制限の解釈論として提起されつつも採用されていない排除効果重視説が、ここでは採用されることになる（前記121～123頁）。

「おそれ」という外縁があり、また、排除効果重視説が採られるとしても、そのような弊害の成否を判断する際には、競争の実質的制限の場合と同様、市場画定をすることが有益である場合が多い（後記(5)）。

③　能率競争侵害＝不正手段

（i）総説　「能率競争侵害」は、反競争性が立証されなくとも、行為それ自体を問題とするものである。本書では、このような観点から公正競争阻害性があるとされるものを総称して「不正手段」と呼ぶ[26]。

このような、独禁法における不正手段は、「自己または他人の商品役務の競争変数を、歪めて需要者に伝えること、または、全く伝わらないようにすること」と定式化することができる。独禁法は、市場において価格等の競争変数が左右されること等の反競争性を問題とするのであるが、そこでは、各供給者が自己の商品役務の競争変数を需要者に対してありのままに伝えることができ、現に伝えている、という環境の存在が、当然の前提となっている。そこで、その前提を崩すような行為は、行為それ自体があればそれだけで、独禁法上の問題とされるわけである。

っておらず、公正競争の確保を妨げる一般的抽象的な危険性があることで足りると解されるとしている（判決書24頁）。公取委審判審決平成31年3月13日・平成22年（判）第1号〔クアルコム非係争義務〕は、そうであるとしても、この「おそれ」の程度は、競争減殺効果が発生する可能性があるという程度の漠然とした可能性の程度でもって足りると解するべきではないという点を繰り返し述べて（公表審決案44頁、61頁）、公正競争阻害性なしという結論に至った。同様の一般論は公取委審判審決平成20年9月16日・平成16年（判）第13号〔マイクロソフト非係争義務〕（審決案94頁）も述べていたが、クアルコム審決はこの点を強調し違反不成立の根拠とした点で重要である。

26）昭和57年独占禁止法研究会報告書第1部2 (4) が、「競争手段の不公正さ」と呼び、「能率競争」の観点から問題がある旨を述べている。「不公正」という語を用いると、不公正な取引方法という違反類型の全体がそのように性格付けられるかのような誤解があり得るので、それを避けるため本書では「不正手段」と呼んでいる。また、「能率競争」というものが、自己の商品役務の優秀性（価格・品質等）のみによって競争する、という意味なのであれば、価格協定や品質協定も能率競争侵害であるようにも思われ、不正手段のみを指すものとして「能率競争」という言葉を使うのは適切な用語法ではないように思われる。

反競争性がないにもかかわらず競争という観点から法的に問題となり得る行為は、これ以外にも種々考えられる。そのうちのいくつかは、不正競争防止法2条1項に「不正競争」として掲げられている。

(ii) 行為の広がり　不正手段を独禁法の問題とする場合には、当該行為の相手方の数、当該行為の継続性・反復性、伝播性などを考慮する、と言われる[27]。このような要素は、「行為の広がり」と呼ばれている[28]。

「行為の広がり」は、違反要件か、公取委の事件選択基準にすぎないか。

第1に、「行為の広がり」が、公正競争阻害性の概念の一部であって1つの違反要件である、とする説がある。便宜上、「違反要件説」と呼ぶ。違反要件説の前提には、公正競争阻害性にいう「競争」というものを重く見て、一定以上の広がりがなければ競争とは関係がない、という認識がある[29]。

第2に、「行為の広がり」は違反要件ではなく、公取委による事件選択の基準であるにすぎない、とするものである。便宜上、「事件選択基準説」と呼ぶ[30]。事件選択基準説の前提には、自己または他人の価格や品質等の競争変数を歪めたり全く伝わらないようにする行為は、競争の前提を損なっているのであるから、広がりがなくとも悪性がある、という認識がある。現に、不正競争防止法にいう「不正競争」は、競争という言葉を使いながら、「行為の広がり」の有無には頓着しない。

いずれの説をとるかによって、いくつかの法的場面において相違が生ずる。まず、公取委が事件を取り上げた際、違反要件説であれば「行為の広がり」を立証しなければならないが[31]、事件選択基準説なら立証は不要である。また、民事裁判において独禁法が説明道具として援用される場合にも違いが生ずる場合がある[32]。

---

27) 昭和57年独占禁止法研究会報告書第1部2 (4) ウ。

28) 昭和57年独占禁止法研究会報告書第2部5 (3)。

29) 違反要件説の源流の1つとして、田中寿発言・昭和57年一般指定解説35頁。

30) 根岸哲『独占禁止法の基本問題』(有斐閣、平成2年) 163頁、白石忠志・損失補塡審決評釈・ジュリスト1002号（平成3年度重要判例解説、平成4年) 237頁、田村善之『市場・自由・知的財産』(有斐閣、平成15年) 36〜37頁。

31) 平林英勝『独占禁止法の解釈・施行・歴史』(商事法務、平成17年) 256〜257頁は、違反要件説を堅持しつつ、「行為の広がり」の立証は通常容易だとする。

32) 東京地判平成9年3月13日・平成6年（ワ）第5500号〔日興證券損失補塡株主代表訴訟〕

④　**自由競争基盤侵害＝優越的地位濫用**　「自由競争基盤侵害」は、優越的地位濫用を念頭においている概念である。優越的地位濫用についてはまとめて詳述できる箇所があるので、そちらに委ねる（後記第6節）。

(5)　公正競争阻害性と市場

①　**総説**　市場とは2条4項の「競争」が行われる場であるので、「一定の取引分野」という文言がない「公正競争阻害性」も、市場における弊害を問題とする概念である。そうすると、具体的な法的議論を補助するため、不公正な取引方法についても市場という概念を用い、何らかの精度による市場画定をすることになる。少なくとも、どのような需要者に向けた競争が問題となるのか、ということが明らかになっていなければ、公正競争阻害性に関する議論をすることもできない[33]。

②　**具体例**　不公正な取引方法の議論に「市場」という言葉が使われている例を類型的に示すなら、以下のとおりである。

第1に、競争の行われる場である市場を画定しなければ公正競争阻害性の成否の判断は不可能であるから不公正な取引方法の事件においても市場画定は必要であると明確に述べた判決が存在する[34]。

第2に、公取委の事例では、たしかに、不公正な取引方法を根拠とする場合の「法令の適用」欄において検討対象市場を特定する記述が行われることはないが[35]、しかし、実質的に見れば、市場画定に相当する作業を行っている例が

は、この論点の存在を明確に認識しつつ、しかしその事案では「反復継続性・伝播性」があるので、それが一般指定9項の要件であるかどうかにかかわらず結論には影響しない、とした（審決集43巻の523頁）。

33)　日本では、不公正な取引方法は市場概念とは無関係であると言われてきたことを奇貨として、市場の範囲に関する的確な認識を省略し、曖昧な論法によって結論を出そう、とする論法が、好むと好まざるとにかかわらず、しばしば観察される。

34)　東京高判平成19年1月31日・平成17年（ネ）第3678号〔ウインズ汐留差止請求〕（審決集53巻の1056頁）。それに対し、大阪地判令和5年6月2日・令和2年（ワ）第10073号〔エコリカ対キヤノン〕は、不公正な取引方法の事件において「一定の取引分野」の画定は不要である旨を述べているが（裁判所PDF 34～35頁）、結局その事案においては、その事案が自由競争侵害＝反競争性の有無を問題とする事件であることを指摘して、具体的な市場画定を行っている（裁判所PDF 35～36頁）。「一定の取引分野」という明文の有無に照らした形式的な一般論よりも、判決の具体的判断に着目する必要がある。

35)　「一定の取引分野」という文言を持つ違反類型を根拠とする場合の「法令の適用」欄では、検討対象市場を特定する記述が行われる。

みられる[36]。

第3に、公取委ガイドラインでは、不公正な取引方法を論じた部分においても、「市場」という言葉が頻出する。その例は枚挙に暇がない[37]。

③ **不正手段と市場画定**　不正手段規制においても、市場画定は必要である。

まず、需要者の範囲の画定が必要である。そこに登場する需要者の判断力を基準として、表示による誤認が生ずるか否か、誹謗によるマイナスイメージが生ずるか否か、などを判断するからである。

また、かりに「行為の広がり」について違反要件説をとるのであれば、供給者の範囲の画定もある程度は必要となろう。当該不正手段行為がどのような広がりをもつのかを知るためには、当該市場の供給者の範囲を知る必要があるはずだからである。

(6) 公正競争阻害性における正当化理由

① **総説**　公正競争阻害性をめぐっては、この概念の枠内に正当化理由の要素を盛り込んで解釈することに対し、ほとんど異論は見られない。すなわち、正当化理由がない場合に初めて、公正競争阻害性が満たされる。

② **和光堂・明治商事最高裁判決**　この問題に関連してまず触れるべきは、和光堂・明治商事の両最高裁判決である。そこでは、「単に通常の意味において正当のごとくみえる場合すなわち競争秩序の維持とは直接関係のない事業経営上又は取引上の観点等からみて合理性ないし必要性があるにすぎない場合などは」公正競争阻害性がないとする理由にはならない、とされた[38]。

---

36) そのような作業は、「法令の適用」欄に正面から記述されないとしても、「法令の適用」欄または排除措置命令の理由を述べた部分において間接的に行われている。例えば、東京高判昭和59年2月17日・昭和56年（行ケ）第196号〔東洋精米機製作所〕、公取委審判審決平成13年8月1日・平成10年（判）第1号〔SCE〕、公取委勧告審決平成14年7月26日・平成14年（勧）第7号〔三菱電機ビルテクノサービス〕、公取委勧告審決平成16年4月12日・平成16年（勧）第1号〔東急パーキングシステムズ〕。以上の事例のそれぞれの内容について、簡単には、前記61頁。

37) 2条の2第1項は、「市場占有率」を定義し、「市場占有率」にいう「市場」を「一定の取引分野」という文言に一対一で対応させている。これは、2条の2が、独禁法第2章の用語に関する定義規定であり、不当な取引制限と私的独占という、その違反要件に「一定の取引分野」という文言をもつものだけを想定しているからである。不公正な取引方法については市場というものを観念しないという根拠とはならない。

38) 最判昭和50年7月10日・昭和46年（行ツ）第82号〔和光堂〕（民集29巻6号の894頁、

この両判決を卒然と読むと、正当化理由があっても、公正競争阻害性の成否には関係がないかのように見える[39)]。

③　**現在の状況**　しかし、両判決は、正当化理由という概念を完全に否定したのではなく、弊害を正当化するに足りる理由でなければ正当化理由とは認められないことを判示したにすぎないとも読める。

その後の最高裁判決も、そのような読み方に沿っている。略奪廉売の事件である芝浦屠場最高裁判決は、公正競争阻害性の有無の判断において、公益的な目的を1つの考慮要素として勘案した[40)]。かりに和光堂・明治商事の両判決が正当化理由を完全に否定したとすれば、両判決と芝浦屠場判決とを整合的に理解することはできない[41)]。

下級審裁判例や公取委の事例では、正当化理由があれば公正競争阻害性はない、という枠組みのなかで、いくつもの具体例が蓄積されている。一般論を提示したものとして有名な東芝昇降機サービス大阪高裁判決は、いまや一例であるにすぎない[42)]。現在では、公正競争阻害性をめぐる正当化理由を論じたものが多く存在する[43)]。

審決集22巻の175～176頁)、最判昭和50年7月11日・昭和46年(行ツ)第83号〔明治商事〕(民集29巻6号の959頁、審決集22巻の201頁)。本文中の引用は前者による。以下について、勘所事例集14～15頁。

39)　両最高裁判決をそのように読んだのではないかと思われる下級審判決として、大阪地判平成2年7月30日・昭和60年(ワ)第2665号〔東芝昇降機サービス〕がある。もっとも、それでは常識的な法感情に反するという直観がはたらいたのか、同判決は、民法709条のレベルで正当化理由を勘案する、という枠組みを採用した(後記779～780頁)。

40)　最判平成元年12月14日・昭和61年(オ)第655号〔芝浦屠場〕(民集43巻12号の2082頁、2084～2085頁、審決集36巻の571頁、573～574頁)。勘所事例集40～41頁。

41)　最判平成10年12月18日・平成6年(オ)第2415号〔資生堂東京販売〕(民集52巻9号の1872頁、審決集45巻の458～459頁)および最判平成10年12月18日・平成9年(オ)第2156号〔花王化粧品販売〕(審決集45巻の464～465頁)も、判決そのものの意図としては、やはり、正当化理由を勘案しようとしたのであろう。

42)　大阪高判平成5年7月30日・平成2年(ネ)第1660号〔東芝昇降機サービス〕(審決集40巻の656頁)。勘所事例集59頁。

43)　SCE審決(審決案63～65頁)は、初期の貴重な事例である。その後、一般論を述べたもの、一般論を前提としつつ事案においては正当化理由の成立を否定したもの、など多数あるが、正当化理由の成立を認めて違反なしとした事例として、例えば、東京地決令和3年3月30日・令和2年(ヨ)第20135号〔遊技機保証書作成等〕。

5　不公正な取引方法の課徴金

(1)　総　説

平成21年改正により、不公正な取引方法のうちいくつかの類型に課徴金が導入されたが、それらは、1度の違反行為で直ちに賦課される通常の課徴金と、10年以内に2度の違反行為を行うと2度目について賦課される累積違反課徴金とに分かれる。

違反の累積を要しない通常の課徴金の対象となるのは、優越的地位濫用である（2条9項5号、20条の6)。

累積違反課徴金の対象となる4類型は、特定の共同取引拒絶（2条9項1号、20条の2)、特定の差別対価（2条9項2号、20条の3)、特定の不当廉売（2条9項3号、20条の4)、再販売価格拘束（2条9項4号、20条の5)、である。

通常の課徴金か、累積違反課徴金か、の違いが生まれたのは、平成21年改正に至る検討の過程において、当初から課徴金対象とすることとなっていたか、それとも途中から課徴金対象とすることとなったか、ということによる。途中から課徴金対象とすることとなったものは、いわば政治的妥協の産物であったので、制度としても中二階的な、累積違反課徴金となった[44)]。

---

44)　換言すれば、公正競争阻害性にとどまらず競争の実質的制限があるとされれば私的独占に該当し私的独占の課徴金を課し得るものは累積違反課徴金、競争の実質的制限があるとされても私的独占に該当し得ない場合があると考えられる優越的地位濫用は通常の課徴金、となっている。平成19年内閣府懇談会報告書は、独禁法の非企業結合規制に違反し得る行為類型を全て課徴金対象としようとしたが、不公正な取引方法だけでなく私的独占にも該当し得る行為類型は、私的独占に課徴金を導入するので、不公正な取引方法に該当するにとどまる場合には課徴金の対象外としようとした（平成19年内閣府懇談会報告書20頁、公正取引委員会「独占禁止法の改正等の基本的考え方」(平成19年10月16日))。そうしたところ、不当廉売と差別対価については、これらを特に取り締まるべきであるとする政治的要望が強く、課徴金の対象とすることとなったものとみられる。共同取引拒絶と再販売価格拘束は、いずれも「正当な理由がないのに」という文言の置かれた類型であって、類型的に違反となる確率の高い行為であるとされているために（前記391～392頁)、不当廉売と差別対価が課徴金対象となるのにあわせて課徴金対象とされた。この見方を裏付けて、竹島一彦発言・竹島一彦他『回想独占禁止法改正』(商事法務、平成28年) 216頁は、「[不当廉売と差別対価] だけ入れるのもどうかということで、お友達を探しもしました」と述べている（そこでは、優越的地位濫用に加えて課徴金対象とされたものとしては不当廉売しか掲げられていないが、差別対価を除外するような強い意味を含む発言ではないであろう)。平成21年改正のうち不公正な取引方法に係る部分の詳細については、白石忠志「不公正な取引方法に係る課徴金の導入と定義規定の改正」ジュリスト1385号（平成21年)。

通常の課徴金については2条9項5号の箇所で論ずることとし、以下では、2条9項1号〜4号のそれぞれの累積違反課徴金に共通する点について論ずる。

(2) 累積違反課徴金

累積違反課徴金が問題となるのは、10年以内に2度目の命令を受けるときであって、その時点で検討することになるのであるから、以下では便宜上、2度目の違反行為を「今回の違反行為」などと呼び、1度目の違反行為を「前回の違反行為」などと呼ぶ。

今回の違反行為に係る調査開始日[45)]から遡り10年以内に前回の違反行為について公取委の命令を受けていた繰り返しの違反者は、今回の違反行為について課徴金対象となる（20条の2〜20条の5の各1号）[46)]。前回の違反行為についても遡って課徴金の対象となるわけではない。

今回の違反行為と前回の違反行為は、2条9項の同じ号が適用されたものでなければ、累積違反課徴金の対象とはならない。例えば、前回は2条9項2号を根拠として排除措置命令がされ、今回は2条9項3号を根拠として排除措置命令がされるのであれば、今回の違反行為も課徴金の対象とはならない。

除斥期間は、違反行為がなくなった日から7年である（20条の7が読み替えて準用する7条の8第6項）。

今回の違反行為の終了後に、今回の違反者が消滅した場合には、承継者に対しても、今回の違反行為に累積違反課徴金は課し得ない[47)]。

---

45) 「調査開始日」とは、当該事件について最初に立入検査などの調査に係る処分が行われた日を指す。18条の2第2項において定義されている。2条の2第15項の「調査開始日」の定義が用いられていないのは、2条の2が対象とする不当な取引制限や私的独占とは違って刑罰規定がなく犯則調査の対象とならないために犯則調査の開始について規定する必要がないからである。その点を除けば、実質的には同じ概念である。18条の2第2項には、2条の2第15項と同様に、その事件において立入検査などの調査に係る処分がされない場合の規定もある。

46) 前回の違反行為に係る命令の名宛人が今回の違反者の完全子会社である場合も、同様となる（20条の2〜20条の5の各2号）。「完全子会社」の定義は2条の2第3項にある。「完全子会社」であって「完全子会社等」ではないので、完全親会社や完全兄弟会社は含まない。7条の3第1項とは異なり、同項3号のような規定はなく、前回の違反行為に係る命令の名宛人が消滅法人等であって今回の違反行為を存続法人等が行った場合には累積違反課徴金の対象とはならない。

47) 7条の8第3項・第4項の規定のうち、前回の命令等を承継者が受けた命令等とみなす部分が、20条の7による読替えによって、消えているからである。今回の違反行為を承継者の違反行為とみなす20条の7の準用規定は、2条9項5号・20条の6との関係で、意味をもつ。以上は、平成21年改正以来のものであり、その後の改正は条番号などの形式的な変更にとどまる。

6　以下の構成

以下では、2条9項6号イ～ヘに相当する大きな項目ごとに分け、それぞれについて、課徴金対象となって2条9項6号から出世独立したものと[48)]、2条9項6号のもとで規定された一般指定の項などを、みていくことにする。

平成21年改正後の規定は、改正前には昭和57年一般指定において一応は整然と並んでいたもののうち課徴金対象とするもののみを抽出して2条9項1号～5号として規定し、その抜け殻などを2条9項6号のもとで一般指定に規定する、という構造となっている。したがって、2条9項1号～5号をみたあと一般指定に移るという構成をとると、例えば共同取引拒絶に関する記述が、実質的には共通するにもかかわらず、2条9項1号と一般指定1項とで離ればなれとなってしまう。

そこで、もちろん平成21年改正後の規定について論ずるのではあるものの、順序だけは、平成21年改正前の昭和57年一般指定の順序にあわせたほうが、いくぶんかは複雑さを抑えることができる。そして、昭和57年一般指定の各項は、その親条文である平成21年改正前2条9項各号の順に並んでいたものであるから、平成21年改正前2条9項各号に相当する大きな項目を設けて、そのもとで論じていくのがよい、ということになる。平成21年改正前2条9項各号は、平成21年改正後の2条9項6号イ～ヘと同様である。

第2節　取引拒絶等の差別的取扱い

1　総　説

(1)　概　要

2条9項6号イ「不当に他の事業者を差別的に取り扱うこと」に相当するものには、課徴金対象として出世独立した2条9項1号・2号と、一般指定1項～5項がある[49)]。取引拒絶も、もともとは、差別的取扱いの一例として規定さ

48)　課徴金対象となったものは2条9項1号～5号として規定されており、2条9項6号の適用は受けない。便宜上「出世独立」と言っている所以である。

49)　2条9項1号は昭和57年一般指定1項から、2条9項2号は昭和57年一般指定3項から、それぞれ平成21年改正によって出世独立したものであり、それぞれの抜け殻が現行の一般指定1

れている。以下では、これらを総称して「取引拒絶等の差別的取扱い」と呼び、共通問題を確認したうえで、各規定の各論に移る。

各規定を論ずる順序は、昭和57年一般指定における規定順に従い、2条9項1号、一般指定1項、一般指定2項、2条9項2号、一般指定3項、一般指定4項、一般指定5項、の順とする。

(2) 3類型

① **総説**　取引拒絶等の差別的取扱いとして不公正な取引方法に該当し得るものには、3類型がある。多くの文献では、取引拒絶のみについて、この3類型があると言われるが[50]、論理的には、取引拒絶以外の差別的取扱いについても同じことが言えるので、ここでは全体に通ずる特徴として紹介する。

② **競争者の排除**　第1は、競争者の排除である[51]。差別的取扱い規制が最も強く念頭に置いているものであり、多言を要しない。

③ **非競争者の排除**　第2は、競争者でない者の排除である[52]。これを独禁法の問題とするか否かについては根源的な対立があるが、日本では、当然のように独禁法の問題とされる（前記121〜123頁）。

④ **不当目的の実効性確保手段**

(i) 総説　第3は、独禁法の観点からみて不当な目的を達成するための手段としての差別的取扱いである[53]。例えば、再販売価格拘束の要請を聞き入れない安売り小売店に対して直接取引拒絶が行われることがあるが、この場合に、再販売価格拘束に着目して2条9項4号を用いるのでなく、直接取引拒絶に着目して一般指定2項を用いる、という論法である[54]。

(ii) 目的行為　実効性を確保される側の、いわば目的行為としては、再販売価格拘束だけでなく、他者に依頼して行う行為であれば全て登場し得る。排他条件付取引が目的行為となる場合もあり得る[55]。間接取引拒絶が目的行為

項・3項である。

50) 代表例として、昭和57年独占禁止法研究会報告書第2部1(2)。

51) 昭和57年独占禁止法研究会報告書第2部1(2)①。

52) 昭和57年独占禁止法研究会報告書第2部1(2)③。

53) 昭和57年独占禁止法研究会報告書第2部1(2)②、流通取引慣行ガイドライン第2部第3の2。

54) この論法を用いた代表的な事例として、公取委勧告審決平成13年7月27日・平成13年（勧）第8号〔松下電器産業家庭用電気製品〕。

となり、実効性確保のため被依頼者に対して直接取引拒絶をする、という場合もあり得る。

(iii) 手段行為　実効性を確保する側の、いわば手段行為としては、取引拒絶等の差別的取扱いがカバーする行為であれば全て登場し得る。取引拒絶が議論の念頭に置かれる場合が多いが、価格や取引条件の差別も、論理的には、手段行為となり得る。

(iv) 論評　たしかに、手段行為に着目して「取引拒絶等の差別的取扱い」の規定を用いることには、条文上は、妨げはない。

ただ、その際、行為要件の成否は手段行為を見ながら論ずるのに、弊害要件の成否は目的行為を見ながら論ずる、ということになる。それが、議論を複雑化させ、混乱の原因となることもあり得る[56]。また、独禁法の種々様々な問題が「取引拒絶等の差別的取扱い」の議論のなかに投げ込まれ、「取引拒絶等の差別的取扱い」本来の、他者排除をめぐる議論が、混乱するおそれもある。独禁法をめぐる議論が理路整然と行われる環境が整えば、これらを杞憂として片付けることもできようが、現状では心許ない。手段行為でなく目的行為のほうに着目して適用条文を選ぶほうが適切であるように思われる。例えば、再販売価格拘束の実効性を確保するために直接取引拒絶が行われた場合でも2条9項4号を適用する、という具合にである。

それに加えて、平成21年改正によって不公正な取引方法の一部のみに課徴金が導入されたことも、以上のような問題を増幅している。改正前は、昭和57年一般指定のどの項によって論じても法執行に大差はなく、目くじらを立てる必要はない、という再反論も可能であった。しかし改正後は、例えば、目

---

55)　公取委公表平成29年6月30日〔北海道電力戻り需要差別対価〕では、電力会社が、自分から離れていった需要者が結局は自分に戻ってきたという「戻り需要」に対して高い価格を提示したことが、他の需要者と差を付けているという意味で差別対価であるとされた。しかし、このような行為の実際のねらいは、戻り需要となった場合には不利な扱いとなることを現在の需要者に知らしめ、他の電気事業者に切り替えないようにさせることにあったのではないかと推測される。そうであるとすると、この行為は、目的は排他的取引であり、手段が差別対価であった、ということになる。勘所事例集613～615頁。なお、この事件は、令和4年からのロシアとウクライナとの間の戦争などにより電気の価格が高騰し電力会社が戻り需要に対して厳しい態度をとることに対する許容度が高まったと考えられる時期より前のものである。

56)　そのような混乱を象徴する事例として、東京地判平成16年4月15日・平成14年(ワ)第28262号〔三光丸〕。勘所事例集182～187頁。

的行為に着目して再販売価格拘束（2条9項4号）と構成すれば累積違反課徴金の対象となり、他方で手段行為に着目して単独取引拒絶（一般指定2項）と構成すれば課徴金対象とならない、という現象も生ずるに至った。このような場合にはやはり、課徴金の有無は目的行為をみながら決するのが適切である。

他方で、現状では、例えば、再販売価格拘束の実効性を確保するための取引拒絶について差止命令を裁判所で得るには、取引拒絶を前面に出す一般指定2項を用いるほうが裁判官に理解されやすい、という意見も聞かれる。

(3) 差別的取扱いを受ける者

差別的取扱いを受ける者は事業者でなければならないことが条文により求められている（2条9項1号・2号、2条9項6号イ、一般指定1項〜5項）。

(4) 自己以外を全て不利に扱う場合

「差別的に取り扱う」には、全ての他者を同等に扱い、しかし他者と自己とを差別している、という場合を含むか。この論点は、従前から、電力会社が自己のみを優遇する、通信会社が自己のみを優遇する、という形で問題となり得たが、最近では、デジタルプラットフォームによる自己優遇に関心が集まっている[57]。

この論点についての十分な議論はない[58]。

自己との差別しか存在しない場合でも、私的独占の行為要件である「排除」は満たし得る。しかし、私的独占の違反要件である「一定の取引分野における競争を実質的に制限する」は公正競争阻害性より狭く解されるので、なお、2条9項1号に関するこの論点を論ずることには一定の実益がある。

この点は、形式的な法の欠缺であり、他者と自己との差別も「差別的に取り扱う」に含めるよう解釈してよいのではないかと思われる。ただ、立法で明確

57) デジタルプラットフォームによる自己優遇は、自己と他者との間にそもそも取引がないという状況にある場合（その事例に関係のない場面で取引があるにすぎないときを含む）が、電力や通信よりも多い。他者との間にそもそも取引がなく、そのために取引拒絶が問題となる可能性もないならば、その段階で既に、2条9項1号・2号や一般指定1項〜4項の行為要件を満たさないであろう（一般指定5項は満たす場合があり得る）。そもそも取引がない場合を含め、デジタルプラットフォームによる自己優遇について全体的には、前記119頁註2。

58) 古い事例では、公取委審判審決昭和30年8月22日・昭和29年（判）第1号〔東北新潟歯科用品商組合〕が、「ある事業者」という文言は自己以外の他の全ての事業者を自己と差別するという場合を含まない趣旨であると述べるなどしている（審決集7巻の18頁）。

化するのが望ましいのは確かである。

2　2条9項1号

(1)　総　説

2条9項1号は、共同取引拒絶のうち、供給の拒絶のみを取り上げて、累積違反課徴金の対象としている[59)]。

これが課徴金対象となったのは、この規定が昭和57年一般指定1項において「正当な理由がないのに」という文言をもっていたために、行為が行われれば違反の可能性が高く、2条9項2号・3号と横並びで課徴金対象とすべきであるという意見が存在したためであるとみられる（前記398註44)。

供給の拒絶のみが課徴金対象となったのは、私的独占において売る側の競争の実質的制限が成立する場合のみを課徴金対象とするため違反者の購入額でなく売上額のみに着目して課徴金額を計算することとなっていること（前記381頁、383頁）にあわせたものだとされている[60)]。しかし、不公正な取引方法の共同取引拒絶では、売る側の競争の制限・阻害に限定するというように弊害要件に着目して絞るのでなく、供給の拒絶のみに限定するというように行為要件に着目して絞ったので、結果にずれが生じている[61)]。

(2)　競争者と共同して

①　**総説**　　2条9項1号では、競争者と共同して行う取引拒絶が対象となっている。単独で行う取引拒絶や、競争者でない者と共同して行う取引拒絶は、一般指定2項で拾うことになる。2条9項1号に該当するか一般指定2項に該当するかによって、累積違反課徴金の有無が変わる。

②　**競争者**　　「競争者」の定義は独禁法典にはないが、2条4項で「競争」の定義をしているので、2条4項の意味で互いに競争する関係に立っている者を指していると考えるのが素直であろう[62)]。

---

59)　2条9項1号は平成21年改正によって昭和57年一般指定1項から課徴金対象として出世独立したものである。

60)　平成21年改正解説48頁。

61)　例えば、買う競争の競争者を排除するため、共同で、他の者をして供給を拒絶させた場合には、私的独占では課徴金対象とならないが、不公正な取引方法では課徴金対象となる。

62)　昭和57年一般指定1項では、現行の一般指定1項と同様、「競争者」を「自己と競争関係にある他の事業者」と定義していた。これがこのまま法律に格上げされたのが2条9項1号なので

競争者であるか否かは、本業か否かではなく、問題となっている行為に関係する事業について競争者であるか否かによって決すべきである[63]。

③ **共同して** 「共同して」は、不当な取引制限における「共同して」の解釈（前記229〜238頁）と同じ内容であると考えてよい[64]。

(3) イ・ロ

① **総説** 共同取引拒絶のうち、2条9項1号イは直接供給拒絶を掲げ、同号ロは間接供給拒絶を掲げている。いずれに該当しても、結局は公正競争阻害性=「正当な理由がないのに」を満たす必要がある。イは、いかにも共同取引拒絶という様相を呈しているが、ロは、被依頼者に対して依頼する者たちが共同で依頼しているという意味であり、共同取引拒絶という通称からみた場合に少し距離感があると受け止められる場合もあるかもしれない。

② **イ**

(i) ある事業者に対し 「ある事業者」は被拒絶者を指している。被拒絶者が事業者といえることを要件としていることになるが、この点については、排除型私的独占について述べたことと同じことが当てはまる（前記367頁）。

(ii) 供給を拒絶し……制限すること 「拒絶」だけでなく「数量若しくは内容を制限」を含んでいる。その意味で、共同取引拒絶という通称とはイメージが異なっている[65]。「拒絶」に該当するか「制限」に該当するかは、行為要件を論ずるうえで区別する実益はないが、事案に即して、公正競争阻害性の成否の判断に影響を及ぼすことはあり得よう。

あるから、意味も同様であると考えてよいであろう。

63) 公取委勧告審決平成12年10月31日・平成12年（勧）第12号〔ロックマン工法〕におけるワキタについて、他の違反者に適用された昭和57年一般指定1項でなく一般指定2項が適用された理由として、その本業に照らせば他の違反者と競争関係にない旨が解説されているが（高橋明克=小菅英夫=野田聡・公正取引603号（平成13年）80〜81頁）、疑問である。当時は、共同取引拒絶に該当するか一般指定2項とするかによって法執行に差はなかったが、平成21年改正後は課徴金の有無が分かれる。

64) それを前提とした議論を行った例として、東京高判平成22年1月29日・平成20年（行ケ）第19号〔着うた〕（判決書58〜59頁）。

65) 本来なら「共同取引拒絶等」と呼ぶべきであるが、同様の状況にある一般指定1項の公式の見出しが「共同の取引拒絶」であるので（2条9項1号の源流である昭和57年一般指定1項も同様）、あえて「共同取引拒絶」としておく。本来なら、公式の見出しに「等」を付けるべきであろう。

「供給」を拒絶等することを要件としている。これのみを課徴金対象とするための要件である（前記(1)）。

③ ロ

(i) 他の事業者に　「他の事業者」は、被依頼者、すなわち、依頼されて実際に拒絶する者を指している。被依頼者が事業者といえることを要件としていることになる。消費者が依頼を受けて同様の公正競争阻害性が生ずることもあるように思われるが、そこまで深くは考えていないのであろう。

(ii) ある事業者に対する……させること　イのようなことを他の事業者にさせることを要件としている。他の事業者が複数であることは、要件となっていない。

ここでは、被依頼者が供給の拒絶をすることを要件としている。共同して被依頼者に依頼している行為者らが買う競争をしており、買う競争に関する競争者を排除するために、被依頼者に供給拒絶を依頼する、ということは、論理的には、あり得る。

(4) 正当な理由がないのに

① **排除効果**　2条9項1号には、弊害要件に相当する文言として「正当な理由がないのに」だけが置かれており、反競争性に相当する文言がないようにもみえる。そこで、2条9項1号の行為要件を満たす行為が行われたならば反競争性は要件とならないであるとか、反競争性は必ず発生するのであるなどといった旨の主張も散見される。公取委も、条文の文言にないためか、命令書において、反競争性に相当するものを明示的には認定しないことがある[66)]。

しかし実際、排除効果がないことを理由として違反なしとした民事判決例が存在する[67)]。また、一般論を述べ現在でも影響力の強い公取委関係文献では、取引拒絶をされた商品役務が不可欠であることが必要とされており、これは、排除効果を要件と考えているのと同等である[68)]。

---

66) 例えば、公取委命令平成19年6月25日・平成19年（措）第12号〔新潟タクシー共通乗車券〕。

67) 大阪高判平成17年7月5日・平成16年（ネ）第2179号〔関西国際空港新聞販売〕（審決集52巻の874～875頁）。勘所事例集203～205頁。

68) 昭和57年独占禁止法研究会報告書第2部1 (3) イ。伊永大輔・菅久品川他4版125頁も、これに沿った解説をしている。

排除効果の詳細は、別の箇所で論じた（前記140〜142頁）。

条文の文言との関係では、排除効果がない場合には「正当な理由がないのに」とはいえない、として扱うことになる[69]。

共同取引拒絶について、排除効果は不要であるとか、排除効果は当然にあるなどとする主張は多いが、そのような立場を採ると、微々たる市場シェアの複数の者が意気投合して共同取引拒絶をした場合でも当然に違反となることになって、不適切である。

② **正当化理由**　共同取引拒絶がある場合でも、正当化理由があるとされる場合がある。不適格な商品役務・事業者の排除や、知的創作・投資のインセンティブ確保の観点から論ぜられることが多いであろう（前記103〜109頁）。

(5) 累積違反課徴金

2条9項1号に該当する行為は、累積違反課徴金の対象となる（20条の2）。

課徴金を課す場合に対象となる商品役務は、以下のとおりである。

直接取引拒絶の場合は、当該違反者が被拒絶者の競争者に供給した「同一の商品又は役務」である[70]。

間接取引拒絶の場合は、以下のものをあわせたものである。第1に、求めを受けて拒絶する「拒絶事業者」に対して当該違反者が供給した「同一の商品又は役務」であり、これには、「同一の商品又は役務」を供給するために必要な商品役務を含む。第2に、被拒絶者の競争者に対して当該違反者が供給した「同一の商品又は役務」である。第3に、当該違反者に対して拒絶事業者が供給した「同一の商品又は役務」である。

以上のような商品役務の、違反行為期間（18条の2第1項）の売上額の3%が課徴金額となる。

3　一般指定1項

一般指定1項は、共同取引拒絶のうち、課徴金対象として2条9項1号とな

69）このように、「正当な理由がないのに」という文言は、正当化理由がないことのほか、排除効果があることを指すという役割を期待されている。言い換えれば、「正当な理由がないのに」と、正当化理由がない、とは、同じ意味ではない。

70）取引拒絶の対象となった「商品若しくは役務」（2条9項1号）と同一のものを、20条の2では「同一の商品又は役務」と呼んでいる。

った部分を除いた、残りの部分である[71]。そのことを、一般指定1項1号・2号において「供給を受ける」ことの拒絶等、すなわち購入の拒絶等と表現している[72]。それ以外については、2条9項1号について述べたことと同じであるから、繰り返さない[73][74]。

4　一般指定2項

(1)　総　説

一般指定2項は、2条9項1号および一般指定1項に規定された意味での共同取引拒絶を除いた取引拒絶を対象としており、そのような意味で「その他の取引拒絶」という見出しとなっている[75]。単独取引拒絶以外にも、競争者ではない者と共同して取引拒絶をするという行為も含む[76]。また、条文では、「拒絶」だけでなく「制限」も含んでいる[77]。しかし、主な適用対象が単独取引拒絶であることも確かであり、一般指定2項は主に単独取引拒絶の項であると通常は認識されて議論されている。

弊害要件を示す文言として「不当に」があり、行為要件を示す要素が、「又は」の前と後の2種類に分かれている。便宜上、前者を「一般指定2項前半」、

---

71)　平成21年改正によって昭和57年一般指定1項から2条9項1号が出世独立し、その抜け殻が現行の一般指定1項である。

72)　購入に係る共同取引拒絶が課徴金対象とされなかった理由については、別の箇所で述べた（前記**2**(1)）。そこで述べたように、購入の拒絶であるか否かと、売る競争の阻害か買う競争の阻害かとは、同じではない。

73)　2条9項1号と違って、一般指定1項には公式の見出しが付されているが、そこでは「共同の取引拒絶」という見出しとなっている。しかし、2条9項1号・一般指定1項は、拒絶だけでなく「制限」でも行為要件を満たすのであるから、その意味で、公式の見出しである「共同の取引拒絶」はミスリーディングである。「等」を付けるべきであろう。

74)　平成21年改正後の一般指定1項の事例として、一般指定1項1号に該当する行為をさせたとして8条5号を用いるとしたものが現れている。公取委公表令和2年11月5日〔日本プロフェッショナル野球組織〕。この事例に8条5号と一般指定1項を適用したことに関しては、これらの規定そのものとは関係のない大きな意味で、疑問がある（前記173頁註39)。

75)　一般指定2項は、平成21年改正前の昭和57年一般指定2項をそのまま引き継いでいる。

76)　競争者でない者と共同しているという観点から一般指定2項が用いられた例として、公取委勧告審決平成12年10月31日・平成12年（勧）第12号〔ロックマン工法〕におけるワキタ。

77)　その意味で、公式の見出しである「その他の取引拒絶」はミスリーディングである。「等」を付けるべきであろう。

後者を「一般指定2項後半」などと呼ぶ[78)]。

取引拒絶等の差別的取扱いの全体に関する問題として、3類型、すなわち、競争者の排除、非競争者の排除、不当目的の実効性確保手段、の3類型の適用対象分野がある、と述べたが（前記**1**(2)）、これが特に論ぜられるのは、一般指定2項である。

(2) 前 半

前半は、直接取引拒絶である。その文言は、2条9項1号イと同様であるから、そちらに譲る（前記**2**(3)②）。ただ、一般指定2項では、「供給」の拒絶等に限定せず、「取引」の拒絶等であるから、供給を受けること、すなわち、購入の拒絶も含む。

(3) 後 半

後半は、間接取引拒絶である。「他の事業者」が取引拒絶の被依頼者であり、2条9項1号ロと同様であるから、そちらに譲る（前記**2**(3)③）。前半と同様、「取引」の拒絶等である。

(4) 不当に

① **総説**　弊害要件すなわち公正競争阻害性を表す文言としては「不当に」があるのみであり、この「不当に」が、排除効果があり、かつ、正当化理由がないことを、指している。

② **排除効果**　排除効果については、他の箇所で論じた（前記140～142頁）。単独取引拒絶は通常は合法であるという認識が根強いが、排除効果があれば、「不当に」を満たす可能性があることになる[79)]。

一般指定2項を不当目的の実効性確保手段の規制として用いる場合は、排除効果でなく、当該不当目的について弊害が出ることが「不当に」の要素となる。

③ **正当化理由**　一般指定2項の場合の正当化理由は、不適格な商品役務・事業者の排除や、知的創作・投資のインセンティブ確保の観点から論ぜられる

---

78) 独禁法関係者の間では「一般指定2項前段」「一般指定2項後段」と呼ばれることが多いが、最近の一般的な法制執務においては、前段・後段という呼称は条・項などが2文に分かれている場合の第1文・第2文を指すことを想定しているようである（ワークブック法制執務新訂2版193～195頁）。

79) 東京高決平成17年3月23日・平成17年（ラ）第429号〔ライブドア対ニッポン放送〕（判タ1173号の135頁）。勘所事例集192～195頁。

ことが多いであろう（前記 103〜109 頁）。

単独取引拒絶は通常は合法であるという認識が根強いが、そのような認識を言語化すると、単独で取引が拒絶されるようなものについては、単独で当該地位を築いたのであろうから、知的創作・投資のインセンティブ確保の観点から正当化すべきである、ということなのであろう。しかし、例外として、排除効果があり、知的創作・投資のインセンティブ確保の観点からの正当化が認められない場合がある。その典型例が、標準必須特許のライセンス拒絶である。

5　2条9項2号

(1)　総　説

2条9項2号は、差別対価のうち、一定のもののみを取り上げて、累積違反課徴金の対象としている[80)]。

2条9項2号の文言上、取引拒絶系差別対価と略奪廉売系差別対価（前記 126 頁）のいずれも拾い得る。

差別対価が課徴金対象となったのは、とりわけ取引拒絶系差別対価について、政治的な要望が強かったからである[81)]。

ところが、差別対価を規定していた昭和 57 年一般指定3項は、違反の可能性が高いとされる「正当な理由がないのに」でなく、「不当に」という文言をもつ項であった。

そこで、「継続して」「供給する」および「他の事業者の事業活動を困難にさせるおそれがある」という要件を明示することによって、違反の可能性が高いもののみを選び取ったかのような外観を作出している。

---

80)　2条9項2号は平成 21 年改正によって昭和 57 年一般指定3項から課徴金対象として出世独立したものである。

81)　略奪廉売の規制に対する政治的要望も強いが、それは略奪廉売（不当廉売）のほうに向けられており、政治的要望の文脈で差別対価と言われる場合には、取引拒絶系差別対価が念頭に置かれていることが多いように見受けられる。もちろん、論者ら自身が略奪廉売系差別対価と取引拒絶系差別対価を峻別していることは少ない。なお、取引拒絶系差別対価については、単独取引拒絶（一般指定2項）が累積違反課徴金の対象とならないのに、なぜそれよりも緩い違反行為である差別対価が累積違反課徴金の対象となるのか、という疑問を提起できる。不公正な取引方法に関する平成 21 年改正が政治的要望に翻弄されたことによる、というほかはない。

⑵　地域又は相手方により

2条9項2号は「地域又は相手方により」という2区分を掲げており、この2区分に影響された判決等や文献等も散見されるが、意味のある区別ではない。差別対価はおよそ常に「相手方」による差別であり、その具体的一例が「地域」による差別である。包括的概念とその具体的一例とを対等に並べていることそれ自体に、この2区分における論理性の欠如が露呈している。そのような両者において異なる解釈論が成り立つはずはない[82]。

⑶　差別的な対価

2条9項2号は、行為者が「差別的な対価」を設定していることを要件としている。

対価が差別的であると言えるためには、同じ時期に供給された同一の商品役務について、対価が異なっている必要がある[83]。

対価の差が、正当なコスト差などの合理的な理由によるものであれば、問題はない[84]。そのような考慮要素は、正当化理由の問題として整理することもできるが、実社会に大量に存在するこの種の事象には独禁法上の懸念がないことを明確に示すために、そのような場合には「差別的な対価」に当たらない、と整理することにも意味はあると思われる。

---

82)　「地域」による差別対価が略奪廉売型であって「相手方」による差別対価が準取引拒絶型であるかのように説明する文献があるが、これは、たまたま、略奪廉売型の有名な古典的事例が、地域によって差別する事件であったためであると推測される（東京高決昭和32年3月18日・昭和31年（行ウ）第13号〔北國新聞社差別対価〕）。その事例を離れて広く世の中を見れば、地域によって差別する準取引拒絶型差別対価もあり得るし、地域以外の基準によって差別する略奪廉売型差別対価もあり得る。

83)　2条9項2号が昭和57年一般指定3項であった時期の事例ではあるが、一般論として比較的明確に述べるものとして、東京地判平成16年3月31日・平成14年（ワ）第12459号〔ザ・トーカイ〕（審決集50巻の820頁）、東京地判平成16年3月31日・平成14年（ワ）第12459号〔日本瓦斯〕（審決集50巻の846頁）。同一か否かが詳細に論ぜられた例として、当時の特殊指定が適用された事例ではあるが、東京高決昭和32年3月18日・昭和31年（行ウ）第13号〔北國新聞社差別対価〕。

84)　一例であるが、令和4年度相談事例9〔運送業務協同組合共通乗車券インボイス対応〕は、一般論として、消費税インボイス制度のもとでインボイスを交付できる取引先と交付できない取引先との間で差を設けても正当なコスト差によるものであるから問題はなく、同じことは一般指定3項・5項にも当てはまる旨を述べている。「インボイス制度と独禁法等」の問題の全体については、後記468頁註259。

安い価格がコスト割れであることが要件となるか、という問題がある。詳しくは、排除型私的独占とあわせて総合的に論じた（前記138～139頁）。

(4) 継続して

2条9項2号は、「継続して」を要件としている。

「継続して」は、昭和57年一般指定3項にはなく平成21年改正において2条9項2号に入れられた要件である。「不当に」を冠するにとどまる2条9項2号を、「正当な理由がないのに」を冠する他の課徴金対象類型と比肩し得るものとするために、「不当に」に加えて添えられたものだと考えられる（前記398頁註44）。

差別対価における「継続して」に特化した議論の蓄積はない。不当廉売における「継続して」を参考とするほかはないように思われる（後記417頁）。

(5) 供給する

2条9項2号は、「供給する」を要件としている。

昭和57年一般指定3項では、現行の一般指定3項と同様、「供給」だけでなく「供給を受ける」を要件としていたので、そのうち「供給」のみを課徴金対象としたことになる[85]。

(6) 不当に……他の事業者の事業活動を困難にさせるおそれ

① **総説**　2条9項2号における弊害要件＝公正競争阻害性は、「不当に」に加え、「他の事業者の事業活動を困難にさせるおそれがある」という文言によって表現されている。後者は、一般指定2項・3項のように、明文がなくとも、「不当に」のなかに読み込むことになっている規定もある。したがって、2条9項2号における弊害要件の規定は、一応は「不当に」に全て盛り込まれており、それに含まれる要素である「他の事業者の事業活動を困難にさせるおそれがある」が念のため特記されているのである、とみれば、据わりが良い。

② **排除効果**　上記のように特記されている「他の事業者の事業活動を困難にさせるおそれ」とは、すなわち排除効果のことである。

準取引拒絶型差別対価の場合には行為者の川下で高い対価で売られる者に対する排除効果（前記140～142頁）を、略奪廉売型差別対価の場合には行為者の

85）平成21年改正解説48頁は、2条9項1号が供給の拒絶のみを対象としていることにあわせた旨の口吻を示している。

安い対価によって需要者を奪われる行為者の競争者に対する排除効果（前記139頁）を、それぞれ論ずることになる。

③ **正当化理由**　正当化理由があれば、「不当に」を満たさないことになる。詳しくは別の箇所で述べた（前記101〜117頁）。

(7) 累積違反課徴金

2条9項2号に該当する行為は、累積違反課徴金の対象となる（20条の3）。

課徴金の対象は、「当該行為において当該事業者が供給した［2条9項2号］に規定する商品又は役務」とされている。準取引拒絶型規制の場合はこれでよいかもしれないが、略奪廉売型規制の場合には、実際に弊害をもたらす安いほうの商品役務だけを対象とするのでなければ、2条9項3号に係る課徴金との均衡を保てなくなる。

以上のような商品役務の、違反行為期間（18条の2第1項）の売上額の3%が課徴金額となる。

6 一般指定3項

一般指定3項は、差別対価のうち、課徴金対象として2条9項2号となった部分を除いた、残りの部分である[86]。2条9項2号は、「継続して」に絞り、「供給する」に絞り、「他の事業者の事業活動を困難にさせるおそれがある」を明記したので、そのほかのものということになる。

「他の事業者の事業活動を困難にさせるおそれ」すなわち排除効果については、一般指定3項においても要件となるのであり、そのことが「不当に」に読み込まれている。差別対価という行為は日常的にみられるものであって、排除効果もないのに不正手段的に規制することはできない[87]。

諸々の要件については、以上のことに加え、2条9項2号について述べたことに準じて考えればよい。

---

86) 平成21年改正によって昭和57年一般指定3項から2条9項2号が出世独立し、その抜け殻が現行の一般指定3項である。

87) 昭和57年独占禁止法研究会報告書第2部2(3)が、その旨を明言している。

7　一般指定4項

(1)　総　説

一般指定4項は、価格に限定せず、ある事業者に対し、「取引の条件又は実施について」、「有利又は不利な取扱い」をすることを対象としている[88][89]。

(2)　取引の条件又は実施

「取引の条件又は実施」は、取引を取り巻く品質、数量など各般の諸状況を指す[90]。行為者が取引の有無にかかわらず多数の者について一律に採用した施策であっても、当該施策が「ある事業者」との取引と一定の関係を持つ場合であって、当該施策が当該「ある事業者」にとって有利または不利な影響を持ち得るものであるならば、そのような施策は「取引の条件又は実施」に該当する。取引の有無にかかわらず一律に採用された施策であっても、特定の者にとってのみ事業活動への影響が生ずるということはあり得るからである[91]。

価格に関する差別と価格以外に関する差別とが合わせ技一本とされて一般指定4項が適用された事例がある[92]。この場合、個々の差別だけで公正競争阻害性がもたらされたか否かを論ずる必要はなくなる。

(3)　有利又は不利な取扱い

「有利又は不利な取扱い」は、2条9項2号などにみられる「差別的」と大差ない。2条9項2号における「差別的な対価」に関する考え方を読み替えて準用すればよい[93]。

---

88)　一般指定4項は、平成21年改正前の昭和57年一般指定4項をそのまま引き継いでいる。

89)　最近の事例として、公取委命令平成30年2月23日・平成30年（措）第7号〔大分県農業協同組合〕。

90)　パテントプールにおける各特許の評価ポイントや評価請求件数に関する施策が一般指定4項の観点から検討された事例がある。令和2年度相談事例11〔パテントプール評価ポイント〕、令和3年度相談事例6〔パテントプール評価請求件数上限〕。

91)　公取委食べログ事件意見書第2の2は、このような観点から理解できる。このことは、他者排除行為一般について言える一般論を含んでいる。他方で、同様のことは、優越的地位濫用については、当てはまらない場合がある（後記485頁註311）。

92)　公取委勧告審決平成12年2月2日・平成11年（勧）第30号〔オートグラス東日本〕。価格の差別と配送回数の差別とをあわせて一般指定4項該当とした。

93)　一般指定4項を念頭に置きつつ、ネット販売業者と比べてコストが余分に必要な店舗販売業者のみにリベートを供与する行為は差別に当たらないという趣旨を述べて許容した相談事例がある。平成25年度相談事例4〔福祉用品メーカー店舗販売リベート供与〕。

(4) 不当に

一般指定4項の「不当に」については、一般指定3項の「不当に」と同様の考え方が当てはまり、したがって、2条9項2号の「不当に……他の事業者の事業活動を困難にさせるおそれ」と同様の考え方が当てはまる（前記5(6)）。

8 一般指定5項

(1) 総 説

一般指定5項は、事業者団体や共同行為において他の事業者を差別的に取り扱うよう、ある事業者が主導的に行動する行為を対象とする[94][95]。不公正な取引方法を19条によって違反とする場合には、行為者は事業者でなければならない。この事業者には、事業者団体等の構成事業者が該当する場合があるほか、事業者団体自身が事業者と位置付けられたうえで該当する場合もある[96]。

(2) 存在意義

一般指定5項の存在意義は、以下のように整理できる。

第1に、事業者団体を違反者としたいときに、種々の適用除外規定を掻い潜るために必要とされる場合がある。すなわち、当該事業者団体について8条を適用除外とする規定が置かれ、しかし不公正な取引方法を用いる場合は適用除外が解除されるとの規定もあわせて置かれている場合には、これを不公正な取引方法とすることに意味がある[97]。当該者が組合であって、22条の適用がある場合も、やはり不公正な取引方法を用いる場合は適用除外が解除されるので、これを不公正な取引方法とすることに意味がある。

第2に、事業者団体に対する24条の差止請求の可能性を広げるために必要とされる場合があり得る。24条による差止請求は、8条を根拠とする場合には、

---

94) 一般指定5項は、平成21年改正前の昭和57年一般指定5項をそのまま引き継いでいる。

95) 昭和57年一般指定の制定時に書かれた詳細な解説として、根岸哲「差別対価と差別的取扱い」金子晃ほか『新・不公正な取引方法』（青林書院新社、昭和58年）114〜118頁。

96) 昭和57年一般指定解説51頁、根岸・前記註95・116〜117頁。一般指定5項の先例である公取委勧告審決昭和32年3月7日・昭和32年（勧）第2号〔浜中村主畜農業協同組合〕および岡山地判平成16年4月13日・平成8年（ワ）第1089号〔蒜山酪農農業協同組合〕では、いずれも、事業者団体が事業者と位置付けられたうえで違反者とされた。勘所事例集179〜180頁。

97) 根岸・前記註95・117頁。同121頁は、「苦肉の策のきらいはあるが……規制する必要はある」とする。

事業者団体が事業者をして不公正な取引方法をさせるようにする行為のみが対象となる。事業者団体そのものによる不公正な取引方法を対象とするためには、事業者団体を事業者と位置付けて19条違反と法律構成するしかない。

第3に、とにもかくにも事業者団体を事業者と位置付けるのである以上、一般指定5項によらずとも、一般指定の他の項を適用することも可能なのであるが、しかし、一般指定5項は取引することや取引拒絶をすることを要件としていないので、その意味での一般条項として用いられる余地がある[98]。

(3) 不当に

一般指定5項においては「不当に」が弊害要件を示している。排除効果があって正当化理由がないものが「不当に」を満たす。

第3節　略奪価格

1 総　説

2条9項6号ロ「不当な対価をもつて取引すること」に相当するものには、課徴金対象として出世独立した2条9項3号と、一般指定6項・7項がある[99][100]。以下では、共通問題を確認したうえで、各規定の各論に移る。

なお、略奪価格のうち略奪廉売は、不公正な取引方法を舞台とする場合には、「不当廉売」と呼ばれることが多い（前記128頁）。

2 2条9項3号

(1) 総　説

2条9項3号と一般指定6項は、いずれも、「供給」を要件としており、すなわち、略奪価格のうち略奪廉売を対象としている[101]。不公正な取引方法で

---

98) 昭和57年一般指定解説51頁、根岸・前記註95・117頁。

99) 2条9項3号は平成21年改正によって昭和57年一般指定6項からその前半のみが出世独立したものであり、その抜け殻である昭和57年一般指定6項後半が現行の一般指定6項である。

100) このほか、2条9項2号および一般指定3項には、2条9項6号イに相当する部分（準取引拒絶型差別対価）と同時に、2条9項6号ロに相当する部分（略奪廉売型差別対価）が含まれる（前記410～413頁）。

101) 2条9項3号は平成21年改正によって昭和57年一般指定6項のうち前半のみが課徴金対象

あるから、あわせて不当廉売と呼ばれることも多い。

2条9項3号は、累積違反課徴金の対象となる（20条の4）。不当廉売の中核部分、すなわち、可変的性質を持つ費用を下回る対価で継続して供給する行為を対象とする。それ以外のものは、一般指定6項が対象とする。

(2) その供給に要する費用を著しく下回る対価で

2条9項3号の「その供給に要する費用を著しく下回る対価で」は、可変的性質を持つ費用を下回る対価で、という意味であると解釈されている（前記133～135頁）[102]。

(3) 継続して

2条9項3号は、一般指定6項にない要件として、「継続して」を要件としている。

不当廉売ガイドラインによれば、「継続して」とは、「相当期間にわたって繰り返して廉売を行い、又は廉売を行っている事業者の営業方針等から客観的にそれが予測されること」である[103]。

「継続して」は、もともと昭和57年一般指定6項の前半に規定されていたものが、平成21年改正によって課徴金対象となる際にそのまま法律に昇格したのであるが、平成21年改正前は、昭和57年一般指定の前半に該当しても後半に該当しても法執行は同じであったのであるから、「継続して」には、単に典型例を例示するという程度の意味合いしかなかった。平成21年改正によって2条9項3号の要件となり、単なる例示ではなくなったのであり、それ相応の緊張感のある法律論が必要とされる。

(4) 他の事業者の事業活動を困難にさせるおそれ

① **総説**　2条9項3号では、「他の事業者の事業活動を困難にさせるおそれ」という文言が、排除効果が違反要件となることを表現している。略奪廉売における排除効果については別の箇所で述べた（前記139頁）。

として出世独立したものである。その抜け殻が現行の一般指定6項である。

102) 「その供給に要する費用」は平均総費用であると考えられていることが多く、可変的性質を持つ費用を下回る対価が、「その供給に要する費用」すなわち平均総費用を「著しく」下回る対価であると考えられているものである。

103) 不当廉売ガイドライン3(1)イ。毎日継続していなくとも、例えば毎週末のみであっても、需要者の購買状況に照らし、「継続して」に該当する場合がある、とされている。

「おそれ」という文言があるように、現に事業活動が困難になることは必要なく、諸般の状況からそのような結果が招来される具体的な可能性が認められる場合を含む、とされる[104]。

② **埋め合わせ可能性**　略奪廉売において、「埋め合わせ可能性」が違反要件となる、とする論がある。すなわち、廉売をした者は、他者を排除しただけでは違反とならず、他者排除のあとに超過利潤を得て廉売の赤字を埋め合わせることができそうである場合に初めて違反となる、という考え方である。

不当廉売ガイドラインや既存事例は、この論点に触れること自体がなく、すなわち、埋め合わせ可能性を要件としない立場を採っていることになる。

この論点は、他者排除一般における「原則論貫徹説か排除効果重視説か」の論点の、略奪廉売版である（前記121〜123頁）。

③ **廉売の時点で有力であることの要否**　廉売の時点で行為者が市場において有力であることが要件となるかのように言われることがある。

しかし、廉売の時点で行為者が市場において有力であることは、2条9項3号の要件であるとは考えられない。廉売の時点で市場において有力でなくとも、廉売によって他の事業者の事業活動を困難にさせることは可能であるし、かりに「埋め合わせ」を要件とするとしても、廉売後に価格等の競争変数が左右される状態をもたらしさえすればよいのであって廉売時点で有力である必要はないからである。このことは、例えば、他の市場で有力な地位にある事業者が、そこで得た利潤を原資として新たな市場に参入する場合を考えれば、直ちにわかる。現に、既存事業者が存在するなかで、新規参入事業者の廉売行為を不公正な取引方法とした事例がある[105]。公取委は、郵便事業の民営化に際して、ようやく以上のような点を一般論としてむしろ強調する態度に転じた[106]。有

104)　不当廉売ガイドライン3 (2) イ。その注9では、廉売の結果、急激に販売数量が増加し、当該市場において販売数量で首位に至るような場合には、個々の事業者の事業活動が現に困難になっているとまでは認められなくとも、「事業活動を困難にさせるおそれがある」に該当する、とされている。

105)　東京高決昭和50年4月30日・昭和50年（行タ）第5号〔中部読売新聞社〕（高民集28巻2号の187頁、審決集22巻の309頁）、公取委同意審決昭和52年11月24日・昭和50年（判）第2号〔中部読売新聞社〕（審決集24巻の53頁）。

106)　公正取引委員会「郵政民営化関連法律の施行に伴う郵便事業と競争政策上の問題点について」（平成18年7月）30頁。

力であることが要件であると論じているかのように見える資料は、実は、有力であれば弊害要件が相対的に満たされやすい場合が多いことに鑑みて当該文脈での1つの考慮要素として掲げているにすぎないものと理解するのがよい。

④ **キャンペーン等の期間限定廉売**　新規参入の際などの無料キャンペーンや緊急事態などにおける廉売などであっても、コスト割れであれば独禁法の問題となるか。「継続して」いないから違反でないと論ぜられることがしばしばあるが、そのような期間限定の廉売が通常は独禁法違反の問題とされないのは、通常はそのような事例において他の事業者の事業活動を困難にさせるおそれという要件が満たされないからであり、的確に検討された文書はこの点を理由として掲げている[107)]。

(5) 正当な理由がないのに

① **総説**　2条9項3号では、「正当な理由がないのに」という文言が、正当化理由がないことが違反要件となることを表現している[108)]。

② **売れ残りや瑕疵ある商品役務の廉売**　売れ残った商品役務の見切り販売をする場合や、瑕疵ある商品役務を処分する場合には、正当化理由が認められるかのように言われる[109)]。当然のことのようにも見えるが、しかしこのような考え方が示される背景にはやはり、前記(4)④の期間限定廉売と同様、そのような販売が他の事業者の事業活動を困難にさせるおそれがない場合がほとんどである、という実情も作用しているようにも思われる[110)]。

(6) 累積違反課徴金

2条9項3号に該当する行為は、累積違反課徴金の対象となる（20条の4）。
課徴金の対象は、「当該行為において当該事業者が供給した［2条9項3号］

107）新規参入の際などのキャンペーンの例として、平成16年公表相談事例1〔金融商品取引開始キャンペーン〕、平成16年度相談事例10〔セキュリティソフト新規参入キャンペーン〕、平成17年度相談事例4〔映像機器販売促進キャンペーン〕。災害時の廉価販売の例として、社会公共的目的による正当化理由の要素をあわせて掲げたものではあるが、平成19年度相談事例11〔災害時廉価販売〕。

108）不当廉売ガイドライン3(3)。

109）不当廉売ガイドライン3(3)、知財高判平成19年4月5日・平成18年（ネ）第10036号〔サクラインターナショナル対ファーストリテイリング〕（裁判所PDF 118頁）。

110）そのような論理構造を示しているように思われる相談事例として、平成21年度相談事例10〔CD等値引き販売〕、平成22年度相談事例1〔大量在庫品原価割れ販売〕。

に規定する商品又は役務」とされている。

以上のような商品役務の、違反行為期間（18条の2第1項）の売上額の3%が課徴金額となる。

3　一般指定6項

(1)　総　説

一般指定6項は、不当廉売のうち、課徴金対象として2条9項3号となった部分を除いた、残りの部分である[111]。累積違反課徴金の対象とはならない。

(2)　法第2条第9項第3号に該当する行為のほか

一般指定6項の「法第2条第9項第3号に該当する行為のほか」という文言は、2条9項3号に該当する行為が重ねて一般指定6項の対象とならないことを、論理的に忠実に、念のため規定したものである。

2条9項3号に該当しない不当廉売としては、可変的性質を持つ費用を下回らない対価によって弊害をもたらすもの、下回る対価と下回らない対価とが相俟って弊害をもたらすもの[112]、下回るが継続しない対価によって弊害をもたらすもの、などが考えられる。

(3)　低い対価で

一般指定6項の「低い対価」は、平均総費用を下回る対価で、という意味であると解釈されている（前記135〜136頁）。平均総費用は、小売業では、総販売原価と呼ばれることも多い。

(4)　他の事業者の事業活動を困難にさせるおそれ

一般指定6項では、「他の事業者の事業活動を困難にさせるおそれ」という

---

111)　平成21年改正によって昭和57年一般指定6項のうち前半が2条9項3号として出世独立し、抜け殻として残った昭和57年一般指定6項後半が現行の一般指定6項である。

112)　その実例として、公取委命令平成18年5月16日・平成18年（措）第3号〔濱口石油〕。当時の昭和57年一般指定6項を、前半か後半かを明確にせずその全体として適用した事例である。平成21年改正後において同様の立論をするとすれば、一般指定6項を適用することになろう。もっとも、平成21年改正前であった当時においては、可変的性質を持つ費用を下回る対価だけでも弊害は生じたとして昭和57年一般指定6項前半で立論しても、得られる法執行は同じであり、そのような立論をするインセンティブが公取委にはなかったとも考えられる。今後、同様の事案が生じた場合に、公取委が、下回る対価のみによっても弊害は生じたとして2条9項3号の適用を試みる、ということは、あり得ることであろう。もちろん、その事案における当否を論ずるには、因果関係論が必要となる。

文言が、排除効果が違反要件となることを表現している。これについては、2条9項3号について述べたことと同様である（前記**2**(4)）。

(5) 不当に

一般指定6項には、「不当に」という文言がある。項によっては、「不当に」が、正当化理由がないことに加え、排除効果があることを表現している場合もあるが、一般指定6項では、「不当に」のほかに「他の事業者の事業活動を困難にさせるおそれ」という文言がある。したがって、一般指定6項の「不当に」は、専ら、正当化理由がないことを示す文言である、ということになる。正当化理由については、2条9項3号の「正当な理由がないのに」について述べたことと同様である（前記**2**(5)）。

4 一般指定7項

一般指定7項は、高く買うことによって他の需要者を排除する「不当高価購入」であり、一応は、不当廉売の裏返しだと理解できる[113)114)]。

1つの考え方としては、一般指定7項においては単なる不当廉売の裏返しよりも違反となる範囲を広げるような違反基準を採るべきだという立場もあり得る。需要者が高く買う場合は、供給者が安く売る場合とは違って、最終消費者が安い商品役務を買える期間が存在しないからである。

それに対しては、反論が可能である。すなわち、重要なのは最終消費者が短期的に有利となる期間があるか否かではなく、競争という過程が保護されるか否かなのであって、競争という過程が保護されるべきであるのは売手側の競争においても買手側の競争においても同じである、という考え方である。

何をもって一般指定7項にいう「高い対価」とするかについては、更に今後の検討を要するが、それを論ずる際にも、上記のような基本的意見対立を解決することが必要である。

---

113) 一般指定7項は、平成21年改正前の昭和57年一般指定7項をそのまま引き継いでいる。

114) そのほか、携帯電話通信市場でMVNOを不利にしたり、携帯電話端末価格を高止まりさせるために、中古の携帯電話端末を高価で購入する行為に、一般指定7項を適用する可能性が論ぜられている（公正取引委員会「携帯電話市場における競争政策上の課題について」（平成28年8月2日）17頁）。

5　新聞業特殊指定

(1)　総　説

新聞業特殊指定は、新聞発行業者や新聞販売業者による差別対価や、新聞発行業者による新聞販売業者に対する「押し紙」を規定している。前者は以下で論じ、後者は優越的地位濫用に関する箇所で触れる（後記507〜508頁)。

新聞業特殊指定は平成11年に全部改正され、新聞について再販売価格拘束の適用除外（23条）があることを前提としながら、字句や内容の明確化が行われた[115]。その後、公取委はこの特殊指定の廃止を含めた検討を行ったが、反対が強く、そのまま存置している（前記388頁註14)。

(2)　1項・2項

新聞業特殊指定1項は新聞発行業者による差別対価を、2項は新聞販売業者による差別対価を、それぞれ規定している。2条9項6号ロを受けたものであるとされている[116]。

新聞業特殊指定1項および2項が示す違反要件は、2条9項2号・一般指定3項の違反要件に包含される（前記410〜413頁)。差別対価が見られるとされるそれぞれの商品役務は、同一のものでなければならない。特殊指定といえども2条9項6号柱書きの縛りを受け公正競争阻害性が要件となることは当然であるから、排除効果をもたらさない行為や正当化理由のある行為は、対象とならない。新聞業特殊指定1項が、正当かつ合理的な理由がある割引を例外としているのは、そのことを確認するものと考えられる[117]。新聞業特殊指定2項にそのような文言がないのは、平成11年の全面改正の時点で、再販売価格拘束

115)　詳細な解説として、山木康孝「「新聞業における特定の不公正な取引方法」の全部改正について」公正取引587号（平成11年)。

116)　山木・前記註115・49頁、51頁は、平成21年改正前2条9項2号を受けたものであると解説しており、これは平成21年改正後の2条9項6号ロに相当する。新聞業特殊指定は、差別対価を対象としているという意味では2条9項2号・一般指定3項に近いのであるが、新聞業に特化した規定の内容からみて、高く新聞を売られた者が準取引拒絶型の排除効果を受けるというより、安く新聞を売ることによる略奪廉売型の排除効果が問題となることのほうが多いように思われる。相手方が事業者に限定されていないのも、そのことと関係しているであろう。2条9項2号・一般指定3項も、略奪廉売を問題とすることがある。

117)　そのような例外を認めた事例として、平成20年度相談事例9〔長期購読者向け新聞割引〕、平成21年度相談事例6〔新聞雑誌セット割引〕、平成22年度相談事例6〔一人住まい学生向け新聞割引〕、平成23年度相談事例6〔大量一括購入向け新聞割引〕。

の適用除外の存廃論に一応の決着がついておらず、それに関係する既存の規定を修正することが政治的に難しかったことに基づくものと推測される。もちろん、新聞業特殊指定2項も2条9項6号柱書きの公正競争阻害性の要件のもとにあるから、明文の規定がなくとも1項と同じ扱いになるはずではある。

新聞業特殊指定2項は、23条により新聞について再販売価格拘束の適用除外が認められていることとの関係で、その役割が強調されることが多いが、必ずしも根拠のない主張である。再販売価格拘束の適用除外は、再販売価格拘束をしてもよいということであるにすぎない。新聞販売業者が自由に価格設定をしてはならないという論理は、新聞発行業者と新聞販売業者との再販売価格拘束契約から出てくるものであって、独禁法そのものからは出てこない（前記189頁）。上記のように、新聞業特殊指定2項の要件を満たすかのように見える行為であっても、差別対価による排除効果に起因する公正競争阻害性がなければ不公正な取引方法には該当しないのであって、新聞業特殊指定2項は新聞販売業者の差別対価を一律に禁じているわけではない。そのことが必ずしも十分に知られていないことも一因となり、新聞業特殊指定2項は、政治的には、再販売価格拘束契約を新聞販売店に守らせるための象徴としての意味合いを与えられているようである。しかし法的には、2条9項2号・一般指定3項に包含される内容しか持たないのであって、それ以上のものではない[118)]。

第4節　不当顧客誘引

1　総　説

(1)　概　要

2条9項6号ハ「不当に競争者の顧客を自己と取引するように誘引し、又は強制すること」に相当するものには、一般指定8項〜10項がある。このうち一般指定8項・9項は「誘引」に関するものであり、一般指定10項は「強制」に関するものである。課徴金対象として出世独立したものはない。

118)　以上と同趣旨を公取委が述べたものとして、公正取引委員会「特殊指定の見直しについて」（平成18年6月2日）。

「誘引」の規制に関連する特例法として制定された景表法は、平成21年の景表法改正[119]により公取委から消費者庁に移管され、形式上は、独禁法の特例法ではなくなった。他に譲ることとし、本書では基本的には触れない。

以下では、共通問題を確認したうえで、各規定の各論に移る。

(2) 競争者の顧客

2条9項6号ハは、「競争者の顧客」に対する誘引や強制であることを要件としており、一般指定8項~10項はいずれもこの要件の枠内で指定されなければならないことになる。

一般指定8項・9項でも「競争者の顧客」という文言が登場するが、この文言は、解釈運用に際しては重視されていない。一般指定8項・9項の違反行為の悪性の本質は、競争者の顧客を奪うことにあるのではなく、価格や品質などの競争変数に表現されるべき自己の実力を歪めて伝えることによって需要者と取引することにある。したがって、「競争者の顧客」の文言は緩やかに解釈され、現に競争者の顧客である者だけではなく、競争者の顧客となる可能性のある自己の顧客も含む、とされる[120]。しかし、極端に考えれば、競争者が存在しない100%独占の事業者が不当表示等をした場合には、この緩やかな解釈でも一般指定8項・9項の適用に疑義が生ずることとなる。立法論としては、「競争者の顧客」でなく単に「需要者」と規定すべきであろう。

一般指定10項については、他者排除型抱き合わせ規制として用いるのであれば問題はあまり生じないが[121]、不要品強要型抱き合わせ規制として用いるのであれば、「競争者の顧客」を誘引することに問題の本質があるわけではないので、上記の一般指定8項・9項と同じ問題が生ずる[122]。

---

119) 「消費者庁及び消費者委員会設置法の施行に伴う関係法律の整備に関する法律(平成21年法律第49号)」12条による景表法改正。

120) 昭和57年一般指定解説60頁。実際にそのような顧客を念頭に置きながら違反とされた事例として、公取委勧告審決平成3年12月2日・平成3年(勧)第20号〔野村證券損失補塡排除措置〕等の同日の諸審決、最判平成12年7月7日・平成8年(オ)第270号〔野村證券損失補塡株主代表訴訟〕(民集54巻6号の1775頁、裁判所PDF6頁)、などがある。豊澤佳弘・野村證券判決調査官解説・最判解民事篇平成12年度下612頁も、この点を確認する。

121) それでも、一般指定10項の「自己の指定する事業者から」購入させる場合には、自己にとっての「競争者の顧客」を奪っているわけではないという問題は生ずる。

122) 本書では、不要品強要型抱き合わせ規制には一般指定10項でなく2条9項5号を用いるべきであると考えている。

2　一般指定8項

(1) 総　説

一般指定8項の見出しは、「ぎまん的顧客誘引」である[123]。

これに相当するものとして景表法による不当表示規制が置かれている。実際問題としては、消費者庁による景表法の不当表示規制で対応できるものについて公取委が一般指定8項を適用して命令をすることは考えにくい。

一般指定8項に独自の領域があるとすれば、次の2つであろう[124]。

第1は、景表法の不当表示規制は一般消費者を需要者とする場合しか規制対象としないため[125]、一般消費者でないものを需要者とする不当表示に公取委が一般指定8項を適用する、というものである。

第2は、独禁法24条による差止請求において、景表法の不当表示規制の対象となるような行為であるか否かにかかわらず、一般指定8項に該当する不公正な取引方法であると構成する、というものである。

なお、一般指定8項に相当する部分を特例法的に切り出した景表法5条には、一般指定8項と共通する文言も多い。事例数が多く議論が発達している景表法の状況が一般指定8項にとっての参考となることは多いと思われる[126]。

(2) 自己の供給する商品又は役務

一般指定8項は「自己の供給する商品又は役務」と規定しているので、広告代理業、広告の場所を貸す媒体、販売の場所を貸すネットモール、などは、問題となった商品役務を自ら供給しているのでない限り、対象外となる。同様の

---

123)　一般指定8項は、平成21年改正前の昭和57年一般指定8項をそのまま引き継いでいる。

124)　無料の取引であっても独禁法を適用可能であるとすれば（前記46頁註50）、一般指定8項も、無料の取引に関する行為を規制し得ることとなる。もっとも、この点は、景表法の不当表示規制においても同じであると考えられる。

125)　連鎖販売取引やフランチャイズ契約における不当表示が景表法でなく一般指定8項で論ぜられる背景には、そのような認識も含まれているであろう。連鎖販売取引に関して一般指定8項を用いた事例として、公取委勧告審決昭和50年6月13日・昭和50年（勧）第16号〔ホリディ・マジック〕、東京高判平成5年3月29日・平成元年（ネ）第3011号〔ベルギーダイヤモンド東京〕（審決集39巻の620頁）、福岡高判平成8年4月18日・平成7年（ネ）第212号〔ベルギーダイヤモンド福岡〕（判タ933号の180頁）、などがある。フランチャイズ契約に関して一般指定8項を用いた事例については、以下の随所で触れる。

126)　景表法の不当表示規制については、白石忠志「景品表示法の構造と要点（1）～（11）」NBL1043号～1063号（奇数号のみ）（平成27年）。

文言が、景表法5条柱書きに存在する[127]。

(3) **内容又は取引条件その他これらの取引に関する事項**

「内容又は取引条件その他これらの取引に関する事項」は、当該商品役務を取引する際に判断材料とされる、価格や品質を初めとする競争変数を指す。「内容」の主なものは品質であり「取引条件」の主なものは価格であるが[128]、「その他これらの取引に関する事項」という文言が付いていることもあり、細かいことを論ずる実益はあまりない。

(4) **優良又は有利との誤認**

「優良」は「内容」が優れていること、「有利」は「取引条件」が優れていること、をそれぞれ指す、という認識のもとに、条文が書かれている。しかし、言葉の整理の問題であるにすぎず、細かいことを論ずる実益はあまりない。

フランチャイズガイドラインによれば、フランチャイズ契約においてフランチャイザーがフランチャイジー希望者に対して収益等の予測を述べることがあるが、その内容が合理性を欠けば、一般指定8項に該当する、とされる[129]。

(5) **実際のもの又は競争者に係るもの**

顧客、つまり需要者が受けた認識と比較されるべき対象は、「実際のもの」または「競争者に係るもの」とされている。「競争者に係るもの」が掲げられているのは、「実際のもの」よりも優れているとの誤認を直接に与えはしないが競争者の商品役務と比べて自己の商品役務が優れているかのような誤認を与えている、という事案を違反としようとするものである。

(6) **著しく**

「著しく」の判断基準については、景表法の不当表示規制の同様の文言について事例等の蓄積がある。そこでは、「著しく」とは、誇張・誇大が社会一般に許容されている程度を超えていることを指し、その成否の判断は、需要者が

---

127) 詳しくは、白石忠志「景品表示法の構造と要点 (9)」NBL1059号（平成27年）。

128) 昭和57年一般指定解説60頁。

129) フランチャイズガイドライン2 (3) ①。それに対し、京都地判平成3年10月1日・昭和63年（ワ）第1808号〔進々堂製パン〕（審決集39巻の732頁）、千葉地判平成13年7月5日・平成7年（ワ）第425号〔ローソンフランチャイズ契約〕（審決集48巻の642頁）、は、予測内容を保証したわけではないから一般指定8項に該当しない、とした。もっとも、一般指定8項との関係で重要なのは、需要者がどのように認識したか、であるから、保証したか否かは、需要者の認識を知るための間接事実にとどまることとなろう。

当該表示により誤認して誘引されるか否かで判断され、その誤認がなければ需要者が誘引されることは通常はないであろうと認められる程度に達する誇大表示であれば「著しく」の要件を満たすとされている[130]。

(7) 競争者の顧客

「競争者の顧客」という文言については、2条9項6号ハの総説において述べた。簡単に言えば、「需要者」と読み替えてよい（以上、前記1(2)）。

(8) 誘　引

「誘引」とは、当該取引が実際に行われたことを要せず、当該取引が供給者から提案されていれば足りる、とされる[131]。

(9) 不当に

以上にみてきた一般指定8項の他の要件を満たせば、「不当に」も自動的に満たす。一般指定8項の「不当に」を除く部分に該当する行為は、反競争性がなくとも違反となる不正手段である、とされており[132]、したがって、「不当に」には、格別の意味はないことになる。競争においては価格や品質等の競争変数がありのままに需要者に伝えられることが大前提であり、それを損なう行為であると考えられているからであろう。

3　一般指定9項

(1) 総　説

一般指定9項の見出しは、「不当な利益による顧客誘引」である[133]。

これに相当するものとして景表法による不当景品類規制が置かれている。実際問題としては、消費者庁による景表法の不当表示規制で対応できるものについて公取委が一般指定9項を適用して命令をすることは考えにくい。

一般指定9項に独自の領域があるとすれば、次の3つであろう[134]。

130）　東京高判平成14年6月7日・平成13年（行ケ）第454号〔カンキョー〕（審決集49巻の603頁）。景表法の不当表示規制の事件である。

131）　昭和57年一般指定解説60頁。

132）　昭和57年独占禁止法研究会報告書第2部5。

133）　一般指定9項は、平成21年改正前の昭和57年一般指定9項をそのまま引き継いでいる。

134）　無料の取引であっても独禁法を適用可能であるとすれば（前記46頁註50）、一般指定9項も、無料の取引に関する行為を規制し得ることとなる。もっとも、この点は、景表法の不当景品類規制においても同じである可能性がある。景表法4条・6条に基づく告示として、無料の取引

第1は、景表法の不当景品類規制が「取引……に付随」するものを対象としているために、取引に付随せず射幸心をあおる行為を一般指定9項の独自の対象とする、というものである。取引に付随しない懸賞として「オープン懸賞」の問題があり[135]、また、かつての損失補填事件も、取引に付随しない懸賞だという見方をすることができた[136]。

第2は、一般指定9項の文言が包括的・抽象的であることを利用して、射幸心をあおる不当景品類ではなく、他の法令またはその趣旨に反するような顧客誘引行為を対象とする、というものである（後記(6)①）。

第3は、独禁法24条による差止請求において、景表法の不当景品類規制の対象となるような行為であるか否かにかかわらず、一般指定9項に該当する不公正な取引方法であると構成する、というものである。

(2) 利　益

① 総説　「利益」とは、有体物、無体物、金銭、その他いかなるものであっても、受け取れば需要者にとって有利であると客観的に通常は認められるもの全てを含む、とされる[137)138]。

しかし、以下のように、いくつかの例外が論ぜられている。

② 金銭　まず、金銭については、それを供与することが商品役務の価格引下げと同視し得る場合は、一般指定9項の対象とはならないとされ、そのよ

を念頭に置いたものが制定されていないだけである、と理解できる可能性がある。

135) 取引を求めることなく広告などで賞品等を提供するものは「オープン懸賞」と呼ばれる。これについては特殊指定が制定されていたが（「広告においてくじの方法等による経済上の利益の提供を申し出る場合の不公正な取引方法」（昭和46年公正取引委員会告示第34号））、廃止された（平成18年公正取引委員会告示第9号）。廃止の理由として公取委は、消費者が商品役務を選択する際にオープン懸賞によって射幸心をあおられるということが少なくなったという点や、同特殊指定が設けた上限の数値基準の近辺でのオープン懸賞が見られなくなったという点などを挙げている（例えば、平成18年4月26日の公表資料）。違反事件が発生する確率が低いので特殊指定は廃止し、例外的な事件が発生したら一般指定9項で対処する、ということなのであろう。

136) 公取委勧告審決平成3年12月2日・平成3年（勧）第20号〔野村證券損失補塡排除措置〕等。

137) 昭和57年一般指定解説60頁。

138) 東京地判平成27年8月27日・平成26年（ワ）第19616号〔二重打刻鍵〕は、行為者の鞄だけでなく競争者の鞄も解錠できるという便宜は「利益」には該当しない旨の判示を行っている（裁判所PDF 17頁）。しかし、これは一般指定9項の「利益」に関する通常の考え方に反している。同判決の結論は、同判決も述べている他の理由付けによって導かれるべきものであったように思われる。

うな事案は2条9項3号・一般指定6項をもって処理すべきであるとされる[139]。2条9項3号・一般指定6項では、何らかの意味でコスト割れであるという要件や他の事業者の事業活動を困難にさせるおそれの要件などがあるのであって、一般指定9項を広く解釈し不正手段として違反としたのでは、2条9項3号・一般指定6項について慎重な議論をする意味が全く失われる。

他方、金銭の供与であっても、損失補塡のように、供与することそれ自体が他の法令やその趣旨に照らして不適切な場合には、そのことをもって一般指定9項の土俵の上で論ずることが許される場合がある（後記(6)①）。

③ **商品役務の一部**　供与されたものを、需要者が、取引対象である商品役務の一部であると受け止めている場合には、「利益」にはあたらない[140]。

(3) 競争者の顧客

「競争者の顧客」という文言については、2条9項6号ハの総説において述べた。簡単に言えば、「需要者」と読み替えてよい（以上、前記**1**(2)）。

(4) 誘　引

「誘引」については、一般指定8項について触れたことが同様に当てはまる（前記**2**(8)）。

(5) 需要者以外の者に対する利益供与

需要者以外の者に対する利益供与は、一般指定9項に該当するか。例えば、需要者の商品役務選択に関与する者への利益供与や[141]、供給者と需要者との間の取次ぎを行う者に対し、自己の系列に取り込むために利益供与をすることなどが考えられる。

---

139) 東京地判平成14年2月5日・平成13年（ワ）第10472号〔ダイコクI〕（裁判所PDF 14頁)、および、東京地判平成16年2月13日・平成14年（ワ）第5603号〔ダイコクII〕（裁判所PDF 22頁)。

140) 景表法上の景品類の指定においても、同様の考え方が採られている。「不当景品類及び不当表示防止法第二条の規定により景品類及び表示を指定する件」（昭和37年公正取引委員会告示第3号）1項。

141) 平成18年公正取引委員会告示第11号によって廃止された教科書業特殊指定（「教科書業における特定の不公正な取引方法」（昭和31年公正取引委員会告示第5号））1項は、「選択関係者」に対する利益供与の問題を明示的に規定していた。事例として、公取委同意審決昭和38年2月13日・昭和37年（判）第3号〔東京書籍〕など同時期の諸審決。現行法では、特殊指定がないので、一般指定9項によることとなる。事例として、公取委公表平成28年7月6日〔義務教育諸学校教科書発行者〕。

需要者以外の者に対する利益供与は不正な競争手段としての色彩を帯びることも多く、一概に問題なしとすることはできないように思われる。一般指定9項の対象となるのは需要者に対する利益供与に限る、とする判決があるが[142)]、疑問である。かりに一般指定9項をそのように限定したとしても、需要者の商品役務選択に関与する者への利益供与による他者排除の観点から一般指定14項を用いるなどの方法は残るであろう。

(6) 正常な商慣習に照らして不当な

① 不当な　一般指定9項に該当する行為は、反競争性がなくとも違反となる不正手段である、とされている[143)]。価格や品質などの競争変数がありのままに需要者に伝えられることが競争の大前提であり、それを損なう行為であると考えられているからであろう。

一般指定9項の事例には、競争の大前提を損なう形態として、少なくとも2種類がある。

第1は、需要者の商品役務選択を歪め、また、商品役務そのものの競争変数ではなく商品役務とは無関係の経済上の利益の多寡によって商品役務が選択されるようになることを問題視する観点である。これが、一般指定9項の本流である[144)][145)]。

第2は、他の法令やその趣旨に反するような方法によって顧客誘引をすることを問題視する観点である。損失補塡を一般指定9項該当とする諸事例は、そのような観点からのものである[146)][147)][148)]。他の法令やその趣旨に反する行為を

---

142) 東京高判平成19年11月28日・平成18年（ネ）第1078号〔ヤマト運輸対郵政〕（審決集54巻の707頁）。取次店に対する利益供与を念頭に置いた判示である。

143) 昭和57年独占禁止法研究会報告書第2部5。

144) 昭和57年独占禁止法研究会報告書第2部5 (2) イは、主にこのような観点からのみ一般指定9項を説明している。

145) 不当でないとされた事例として、平成30年度相談事例3〔レジ向けプリンタ無料提供〕。

146) 公取委勧告審決平成3年12月2日・平成3年（勧）第20号〔野村證券損失補塡排除措置〕等の同日の諸審決、最判平成12年7月7日・平成8年（オ）第270号〔野村證券損失補塡株主代表訴訟〕（民集54巻6号の1775頁、裁判所PDF 6頁）、など。事後的損失補塡は、当時の証券取引法の明文では禁ぜられていなかったが、その精神に照らし、自己責任原則や証券取引の公正性には反するものであった。勘所事例集133～138頁。

147) 電力ガイドライン第2部V 2 (2) において、オール電化を独禁法の観点から検討する部分（同⑤）には、オール電化を電気事業法の観点から検討する部分（同①～④）と重なるものが多

あらためて独禁法の不公正な取引方法に該当するとすることの実益は、独禁法24条の差止請求の根拠となる、という点などにある。

② **正常な商慣習に照らして**　一般指定9項では、弊害要件を表そうとして、「正常な商慣習に照らして不当な」という文言が使われている。これは現存の商慣習を追認しようとするものではなく、現存の商慣習それ自体が「正常な商慣習に照らして不当」とされることはある、とされる[149]。むしろ、この「正常な商慣習に照らして」という文言の存在意義は、現存の商慣習よりも大きな利益を付けているときに、これが弊害要件を満たす可能性が高いことを推定させる、という点にある[150]。一般指定の文言が裁判所による公正競争阻害性の解釈を縛ることはないが、「正常な商慣習に照らして」の文言は、以上のような公取委の解釈を示したもの、ということになる。

4　一般指定10項

(1)　総　説

① **抱き合わせと取引強制**　一般指定10項の見出しは、「抱き合わせ販売等」である[151]。

一般指定10項は、その条文においても見出しにおいても、抱き合わせを前面に押し出しているが、厳密にいえば、取引の強制に関する項のなかで一例として抱き合わせを掲げているにすぎない。ただ、そのことは、実際の議論において必ずしも十分に意識されていないことが多い。取引強制の規制は、抱き合わせ規制に廂を貸して母屋を取られている。

以下では、一般指定10項の「その他」より前を便宜上「抱き合わせ」と呼

く、電気事業法に反するような方法による顧客誘引を問題視したもの、とも考えられる。もっとも、そのような考え方が明示されているわけではなく、一般指定9項以外の項も掲げられている。オール電化を問題とした公取委公表平成17年4月21日〔関西電力オール電化〕も、一般指定9項によらずに立論している。

148)　東京地判平成27年8月27日・平成26年（ワ）第19616号〔二重打刻鍵〕は、競争者の鞄も解錠できるような鍵を行為者が需要者に供給する行為が問題となり、事案の特殊性のもとで不当でないとしたが（判決書17頁）、これが、秘密保持等の観点から問題とされるような行為であったならば、一般指定9項の観点から不当とされることとなったであろう。

149)　昭和57年一般指定解説60頁。

150)　昭和57年一般指定解説59頁、60頁は、具体的事例を素材として、その旨を述べる。

151)　一般指定10項は、平成21年改正前の昭和57年一般指定10項をそのまま引き継いでいる。

んで主に論じ、そのあと補助的に、「その他」以下の抱き合わせ以外の取引強制を論ずる。

② **抱き合わせ**　一般指定10項の行為要件論は後述するとして、あらかじめ大雑把に述べるならば、抱き合わせとは、ある商品役務を供給するに際し、需要者が他の商品役務もあわせて購入することを条件とする、という行為である。本書では、この場合の「ある商品役務」を「主たる商品役務」と呼び、「他の商品役務」を「従たる商品役務」と呼ぶ[152)]。

③ **抱き合わせ規制の諸種**　抱き合わせ規制は、他者排除に着目して規制する他者排除型と、不要品を押し付けることに着目して規制する不要品強要型とに分けられる（前記143〜144頁）。

少なくとも平成初年までは、他者排除型と不要品強要型の峻別はほとんどされていなかったので、一般指定10項も両方をカバーするかのように議論されることが多かったが、平成21年改正により、優越的地位濫用が2条9項5号として課徴金対象となり、一般指定10項は課徴金対象となっていないなかでは、不要品強要型は、その本質に照らし、2条9項5号で論ずることとするのでなければ、公取委が恣意的に2条9項5号と一般指定10項を使い分けて課徴金をかけたりかけなかったりすることができることとなり、適切でないように思われる。もっとも、事例は少なく、そのような考え方が完全に定着したと確認できるわけではない。以下では、一般指定10項が両方の型をカバーする可能性があることを頭に入れながら論ずる。

(2) 相手方に対し

行為の相手方は、事業者には限定しない。相手方が供給者となるような競争を問題としないのであるから、当然であろう。

(3) 抱き合わせ

① **自己又は自己の指定する事業者から**　一般指定10項のうち抱き合わせを例示する部分では、まず、「自己又は自己の指定する事業者から」従たる商品役務を併せて購入させることを要件としている。

これは、従たる商品役務の供給者を自己に限定せず広げる趣旨であって、他

---

152) 「主たる商品役務」は英語で「tying product」と呼ばれ、「従たる商品役務」は英語で「tied product」と呼ばれる。これらを訳して、「抱き合わせ商品」と「被抱き合わせ商品」、「抱き合わせる商品」と「抱き合わされる商品」、などと呼ぶ文献もある。

者排除型規制の場合にも不要品強要型規制の場合にも意味を持つ。つまり、自己が供給者となっていない従たる商品役務の市場での他者排除が問題となることもあるし、自己以外の者が売る不要品の強要が問題となることもある。

② **他の商品又は役務を**　「他の商品又は役務を」という文言は、従たるものが真に主たる商品役務とは別の異なる商品役務であると言えるか、という論点の舞台とされる。この論点は、抱き合わせ規制をめぐる主要論点の1つとして注目されることが多いが、しかし、この論点が注目を受けるのは、米国反トラスト法の特殊構造に由来する面が多く、日本では、その重要性はかなり相対化される（前記145～146頁）。

③ **併せて購入させ**

(i) 総説　「併せて……購入させ」は、一般指定10項の行為要件のうち特に議論の的になりやすいものであるが、結局、これに該当しない他者排除行為であっても、一般指定11項、12項、14項などで拾えるので、あまり拘った議論をしても仕方がないという面がある[153]。

(ii) 態様　併せて購入させる態様は、いかなるものであるかを問わない。物理的に分けることのできないものとして売る、併せての注文でなければ応じない、併せての注文でなければ不利な取引条件とする、などをはじめ、様々な態様があろう。併せて購入させることによって他者排除または不要品強要という弊害が生ずることが関心対象なのであるから、併せて購入させる態様がどのようなものであるかということは、本質的な問題ではない。

主たる商品役務と従たる商品役務とをまとめて1つの品物として1つの価格を付けているが、別途、ばら売りもしている、という、セット割引（bundled discounts）などと呼ばれる行為は、通常、併せて購入させているとは言えず、2条9項3号・一般指定6項などの略奪廉売規制の文脈で論ずることになる（前記147～149頁）。ただし、ばら売りの場合の合計価格があまりにも高く、ばら売りで需要者が買うことがおよそ考えられないほどである場合には、併せて

153）大阪地判令和5年6月2日・令和2年（ワ）第10073号〔エコリカ対キヤノン〕は、被告の行為によって原告が需要者に対して訴求できなくなった機能は、需要者が商品役務の選択の条件とすることは少ないとして、被告が被告の商品役務を「併せて……購入させ」たとは言えない旨の判断をした（裁判所PDF 37～43頁）。そのように言えるならば、一般指定11項・12項・14項などにも該当するとは言いにくいであろう。

購入させていると見ることもできよう。

(iii) 不本意であることを要するか　併せての購入は、需要者にとって不本意なものであることを要するか。

まず、他者排除型規制においては、需要者にとって不本意であるか否かは問題の本質には関係がない。むしろ、需要者が喜んで特定の者から従たる商品役務を買えば買うほど、他者排除の弊害は大きくなる。したがって、例えば、従たる商品役務を「無料」で付けているからといって、独禁法上の悪性が減るわけではない[154)]。

他方、不要品強要型規制においては、需要者にとって不本意であることに着目するのであるが、それは、弊害要件を吟味する段階で検討するわけであるから、併せて購入させているか否かのレベルで検討する必要は必ずしもない。

(4) 抱き合わせ以外の取引強制

一般指定 10 項の「その他」以下の抱き合わせ以外の取引強制行為とは、具体的にはどのようなものか。

その例であるとされるのが、松竹等に対する審判審決である[155)]。そこでは、行為者がもつ全ての劇映画の供給を受けるよう行為者が求めていた。

たしかにこれは、一般指定 10 項の「その他」より前の抱き合わせには厳密には該当しないかもしれないが、主たる商品役務の取引に際して従たる商品役務を併せて購入させたという本質においては、同じである。必要であると感ずる劇映画すなわち主たる商品役務と、そうとは感じない劇映画すなわち従たる商品役務とが、需要者ごとに異なる、というだけである。

主たる商品役務の取引に際して行うわけではない取引強制が、抱き合わせ以外の取引強制の主眼となる。しかし、それにあたる過去の実例は見あたらない。

(5) 不当に

① **前提**　一般指定 10 項をめぐる旧来の弊害要件論では、他者排除型と不要品強要型との峻別が十分でなく、いずれの観点からも違反とできるような

---

154) 形式的には、「無料」である場合には「購入」とはいえない、という論点が登場するかもしれない。しかし、「無料」といっても現実には主たる商品役務の価格の一部が従たる商品役務の価格であることも多いし、一般指定 10 項以外の項、すなわち一般指定 11 項、12 項、14 項、などを使える場合も多い。さほどの大きな問題ではない。

155) 公取委審判審決昭和 25 年 2 月 27 日・昭和 24 年（判）第 7 号〔松竹等〕。

キャッチオール的な違反要件論が採られることが少なくなかった[156]。異質なものを十把一絡げに論ずると、どのようなものでも受け止められるよう、ハードルが低く抽象的な違反要件論が蔓延することとなる。

以下では、他者排除型と不要品強要型との峻別を前提として、個々に、弊害要件総論への架橋をする。

② **他者排除型規制**　他者排除型抱き合わせ規制は、従たる商品役務の市場での他者排除に着目したものであり、他者排除に関連する一般指定の他の項の場合と同様の弊害要件論をすることになる（前記140〜142頁）。

抱き合わせの場合は、他の他者排除行為とは違って、弊害要件を不正手段的に論じようとする傾向も根強いが、必ずしも的を射た考え方ではない。

第1に、それでは現実の規制を説明することができない。実際の事例では、従たる商品役務の市場での排除効果を示す事実認定が行われ[157]、あるいは、そこでの影響が軽微であるとして要件の成立が否定されている[158]。現行一般指定が制定された際の解説でも、他者排除型との関係では不正手段的な説明はされていない[159]。他者排除型抱き合わせの観点から排除効果を認定する場合には、主たる商品役務に関する行為者の力が強いことが、有力な考慮要素となる[160]。

---

156)　かなり以前から、他者排除型と不要品強要型とに分けた違反要件論の萌芽を示すものもあった。例えば、昭和57年一般指定解説63頁。しかし、そのような文献は、検討対象市場の違いや違反基準の違い、米国の議論との異同、などを明確に認識していたわけではない。

157)　公取委勧告審決平成10年12月14日・平成10年（勧）第21号〔マイクロソフトエクセル等〕（審決集158頁）。勘所事例集113〜114頁。

158)　東京高判平成17年1月27日・平成16年（ネ）第3637号〔日本テクノ〕（審決集51巻の986頁）。

159)　昭和57年一般指定解説63頁。不要品強要型との関連でのみ不正手段的な説明を用いている。昭和57年独占禁止法研究会報告書第2部6(2)は、やや不明確な記述をしているが、昭和57年一般指定解説はこれを明確化したもの、と考えられる。流通取引慣行ガイドライン第1部第2の7(2)が、抱き合わせを違反とするために必要とされる反競争性として基本的には市場閉鎖効果を前面に出しているのは、同旨であると考えられる。令和2年度相談事例4〔分析機器消耗品関係仕様変更〕も、他者排除型の観点から一般指定10項を挙げるにあたり、市場閉鎖効果が必要となるとしている。

160)　前記註159の流通取引慣行ガイドラインは、「市場における有力な事業者」が行う場合にのみ問題となる旨の記述をしている。アフターマーケットの事案で一般指定10項が適用され、または、一般指定14項でなく一般指定10項を用いるべきであったと考えられる事案は、故障時の

第2に、解釈論としても説得的でない。ある同じ行為が、それによる同種の弊害を問題としているのにもかかわらず、一般指定10項で論ぜられることもあれば、他の項で論ぜられることもある、ということはあり得る。その際、一般指定10項の場合だけ不正手段的な違反基準が採られるという解釈をしたのでは、均衡を欠く。両者は競争という観点からは本質的に同じ問題性を持つ。それにもかかわらず、前者を不正手段的な弊害要件論の対象とし後者を反競争性を中核とした弊害要件論の対象とする論は、論理的に破綻している。米国においても、抱き合わせにおける当然違反原則を相対化しようとする有力な動きがあり、これもまた、たまたま抱き合わせの行為要件を満たすというだけの理由で他の他者排除行為と弊害要件論を異にすることの破綻を修正しようとするものであろう[161]。

③ **不要品強要型規制**　不要品強要型抱き合わせ規制において、独禁法上の弊害をどのように説明するかについては、2種類がある。

第1の説明は、不要なものを買わせることによって、従たる商品役務の市場において不正手段によって他者の需要者を奪っている、という点に着目するものである。昭和57年一般指定の制定の際にそのような考え方が唱えられたため[162]、多くの文献がこれを主張する。

第2の説明は、不要品強要型抱き合わせ規制を、端的に、主たる商品役務に関する優越的地位濫用規制の一局面である、と捉えるものである。

第2の説明のほうが、適切である。

交換用部品などの中間品が主たる商品役務であってメーカー系に独占されている事案か、または、主たる商品役務について行為者が高い市場シェアを持っていると考えられる事案であった（公取委公表平成16年10月21日〔キヤノントナーカートリッジ〕、令和2年度相談事例4〔分析機器消耗品関係仕様変更〕)。東京地判令和3年9月30日・令和元年（ワ）第35167号〔ブラザー工業〕は、中間品が登場しない事案で一般指定10項を用い、ブラザー工業のプリンタを主たる商品役務として、主たる商品役務に関する力に触れないまま違反とした点で、疑問がある。以上について詳しくは、白石忠志・ブラザー工業判決評釈・ジュリスト1568号（令和4年)。

161）詳しくは、白石忠志「マイクロソフト事件米国連邦控訴審判決の勘所」中里実＝石黒一憲編著『電子社会と法システム』(新世社、平成14年) 306～307頁。

162）昭和57年一般指定解説63頁。同文献は、不正手段であるということを示すために「能率競争の観点からみて、競争手段として不公正」という言葉を使っているため、能率競争侵害説などという表現を使う後続文献が多い。流通取引慣行ガイドライン第1部第2の7 (2) 注10は、その遺物である。

まず、第1の説明は、不要品強要型抱き合わせ規制を独禁法によって行おうとする実質的感覚と、合致していない。例えば、人気ゲームソフトと不人気ゲームソフトとを抱き合わせる行為について、不人気ゲームソフトの競争への影響があるから規制する、と説明されると、通常は、違和感を感じるのではないだろうか[163]。

また、不要品強要型抱き合わせ規制は、優越的地位濫用規制の一種として、2条9項5号イに規定されている。このようななかで第1の説を採ると、全く同じ行為の全く同じ悪性に着目するのであるのにもかかわらず、2つの異なる違反基準が唱えられ、課徴金の有無という大きな差も生ずることになる。

行為者は、威迫や詐術によって従たる商品役務を押し付けているのではなく、主たる商品役務に関する力を使って従たる商品役務を押し付けているのであるから、主たる商品役務に関する力には何が許容され何が許容されないかということを考えさせる契機となる優越的地位濫用規制の考え方で、統一して論ずべきであろう。

④ 抱き合わせ以外の取引強制規制　一般指定10項の「その他」以下の類型、すなわち、抱き合わせにおける主たる商品役務にあたるものがそもそも登場せず、商品役務の取引強制が、専ら、威迫や詐術などの方法によって行われる類型においては、当該商品役務に関する不正手段として検討することになる。

第5節　垂直的制限

1　総　説

(1)　概　要

2条9項6号ニ「相手方の事業活動を不当に拘束する条件をもつて取引する

163)　例えば、公取委審判審決平成4年2月28日・平成2年（判）第2号〔ドラクエⅣ藤田屋〕を読んで、その論法を素直に受け止めることができるかどうか、という問題である。ついでながら、同審決は、第1の説明に忠実なあまり、更に、主文において、「他の家庭用テレビゲーム機用ゲームソフトを抱き合わせて購入させてはならない」としており、不人気ゲームソフト以外のものを抱き合わせても排除措置命令違反とならないかのような帰結を導いている。それでよいのか、という問題である。勘所事例集44～49頁。

こと」に相当するものには、課徴金対象として出世した2条9項4号と、一般指定11項・12項がある164)。これらはいずれも、取引相手方を拘束することに着目した規定である。条文の文言に忠実な呼称とするなら「垂直的拘束」と呼ぶべきことになるが、どういうわけか公取委の流通取引慣行ガイドラインを含め「垂直的制限」という呼称が定着しているので、条文の文言とは異なるが、便宜上の呼称として、本書でもそれに倣うこととする165)。以下では、共通問題を確認したうえで、各規定の各論に移る166)。

各規定を論ずる順序は、昭和57年一般指定における規定順に従い（前記400頁）、一般指定11項、2条9項4号、一般指定12項、の順とする。

(2) 各規定の相互関係

垂直的制限という概念は、少なくとも2つの異質なものを同居させている。

一般指定11項・2条9項4号・一般指定12項のなかでは、一般指定12項が一般条項的な受け皿となっている。そして、そのうちの他者排除的な典型例を掲げたのが一般指定11項であり、競争停止的な典型例を掲げたのが2条9項4号である。一般指定11項と2条9項4号は、行為要件の観点からはいずれも垂直的制限であるという共通性を持っており、そこに着目して両者を緩やかな紐帯で結んでいるのが一般指定12項である167)168)。

---

164) 2条9項4号は平成21年改正によって昭和57年一般指定12項の全体がそのまま（些細な文言の修正を経て）課徴金対象として昇格したものである。したがって、昭和57年一般指定12項は抜け殻を残しておらず、以後の項番号は1つずつ繰り上がり、昭和57年一般指定13項が現行の一般指定12項となっている。

165) 流通取引慣行ガイドラインについて統括的には、前記8頁註16。

166) 垂直的制限の議論において、「選択的流通」というものが取り沙汰されることがあるが、これも、垂直的制限とほぼ同義である。「選択的流通」とは、一定の基準を満たす販売業者のみにメーカーが自社商品を取り扱わせる、というものであるが、虚心に考えればこれは結局は、そのような基準を守るよう相手方を拘束しているということであり、広い意味での拘束条件付取引の全般とほぼ同義である。単に、EU競争法等で「selective distribution」が活発に論ぜられたため、これがバズワード化し、独自の問題であるかのように論ぜられているにすぎない。

167) 一般指定12項の見出しが「拘束条件付取引」であるため、一般指定11項や2条9項4号は拘束条件付取引ではないと理解されていることも多い。しかし、一般指定11項や2条9項4号もその実質は拘束条件付取引の一種なのであって、垂直的制限すなわち広義の拘束条件付取引のなかに、一般指定12項という狭義の拘束条件付取引が存在する、と見るのが的確である。

168) 一般指定12項は、「法第二条第九項第四号又は前項に該当する行為のほか」と規定しているので、論理的に正確には、2条9項4号または一般指定11項に該当する行為それ自体は一般指

そうであるとすれば、しかし、垂直的制限のなかには、弊害要件論の様相が異なる2つのものが同居していることになる。すなわち、一般指定11項は、取引相手方を拘束することによって自己の競争者を排除し、自己が供給者となっている市場に影響が生ずることに関心を向けている。2条9項4号は、取引相手方を拘束することによって取引相手方相互間の競争を停止させ、取引相手方が供給者となっている市場に影響が生ずることに主に関心を向けている。主な検討対象市場は異なる。そして、他者排除行為の場合には排除効果があるだけで反競争性があるとされ、競争停止行為の場合にはそうとは言えない[169)]。

まとめれば、垂直的制限は、行為要件の観点からは全体的共通性が保たれているが弊害要件の観点からは異質なものを同居させているのであり、独禁法違反の成否を論ずる際には弊害要件の成否が特に重要である、という立場から見れば、2条9項6号ニの垂直的制限というまとめ方は体系的整理として的確なものではないということになる。ただ、垂直的制限（vertical restraints）という言葉は世界中に広く普及しており、知識として知っておいたほうがよい。

以下では、まずは垂直的制限の全体に共通した行為要件を論じ、そのあと各規定に移って、行為要件論を補足し弊害要件を論ずる。

(3) 垂直的制限の共通問題

① 相手方

(i) 総説　垂直的制限の各規定には、いずれも、「相手方」という文言が登場する。文理上、この「相手方」とは取引の相手方を意味すると考えられる[170)]。この要件には、以下のような諸論点がある。

(ii) 単なる取次ぎ　取引先事業者が負うべき最小限の危険と計算を超え

定12項に該当することはない。2条9項4号または一般指定11項の周縁にある行為を拾うという意味で、一般条項と呼んでいる次第である。

169) 今後の議論の進展により、両者には結局はさほどの違いはない、ということになる可能性はある。しかし現時点では、流通取引慣行ガイドラインなどにおいて市場閉鎖効果と価格維持効果という異なる表現が用いられるなどしている。

170) 競争者同士の拘束は、競争者同士の間に取引がないのであるならば、互いに取引の「相手方」ではないわけであるから、垂直的制限の各規定の対象外である。競争者同士の間にたまたま取引があっても、当該取引に際して拘束を行っている、という関係になければ、「相手方」の拘束という要件は満たさないと解される。競争者同士の拘束は、共同取引拒絶などの例外を除いては、不公正な取引方法でなく、不当な取引制限または私的独占の土俵で論ぜられることになる。

る部分を行為者が負担し、取引先事業者が「単なる取次ぎ」として機能していて、実質的にみて行為者が最終需要者に対して販売していると認められる場合には、行為者が取引先事業者の価格を拘束しても、通常、違反とはならないとされている[171)]。

自社直営の内部組織の価格を拘束しても独禁法の問題にはならないのであり、行為者が相応の危険と計算を負担するのであれば自社直営の内部組織と同様に扱う、という趣旨であると考えられる。

流通取引慣行ガイドラインは価格拘束にしか触れていないが、そのような趣旨であるならば、取引先事業者の価格でなく販売地域や販売方法などを拘束して競争を停止させる場合にも、同様に違反とはならないと考えることになろう。

他方で、他者排除行為は、行為者が単独で行っても違反となり得るのであるから、取引先事業者をして行為者の競争者と取引させない行為などは、いかに行為者が危険と計算を負担していても、そのことを理由に独禁法違反でなくなることはない。

以上のような考え方の条文上の根拠は、本質的には、そのような取引先事業者には2条4項の「競争」を期待すべきでないからである、ということに求めるべきである（前記48頁）。しかし、そのような論が受け入れられて定着するまでは、そのような取引先事業者は「相手方」にあたらない、という論法を用いるほうが、安定性が高いかもしれない。ただ、この後者の論法においては、

171） 流通取引慣行ガイドライン第1部第1の2(7)。公取委審判審決昭和52年11月28日・昭和49年（判）第4号〔育児用粉ミルクII森永乳業〕は、委託と称しながら行為者が相手方に相手方の危険と計算で取引をさせている場合に、価格拘束を違反とした事例である（審決集24巻の112〜113頁）。委託受託関係や取次ぎの関係であるために価格拘束に該当しないとされた事例として、平成13年相談事例2〔医薬品メーカー卸売業者再販売価格指示〕、平成16年度相談事例1〔医療機器メーカー価格指示〕、平成16年度相談事例3〔音楽配信価格指定〕、平成17年度相談事例16〔たばこ自動販売機メーカー上限価格設定〕、平成21年度相談事例2〔産業用部品メーカー代理店再販売価格拘束〕、平成26年度相談事例2〔情報サービス提供業者代理店価格拘束〕、平成28年度相談事例1〔家電メーカー販売価格指示〕、令和元年度相談事例5〔家電メーカー販売価格指示〕、令和4年度相談事例3〔アジレント・テクノロジー〕。なお、平成16年度ころの諸事例では、間に立つ者が自らの判断で更に値引くことまで禁止するのは独禁法に違反するおそれがある、とされていたが、それでは委託受託関係や取次ぎの関係なら価格を決めてもよいと言われても実際にはよいわけではないということになり、疑問があった。平成21年度以降の事例では、そのような記述はないようである。

取引先事業者をして行為者の競争者と取引させない行為などの場合には取引先事業者は「相手方」にあたる、という、少々技巧的な議論が必要となる。

流通取引慣行ガイドラインが掲げている2類型は、あくまで例であり、これらの中間形態があり得る。流通取引慣行ガイドラインには、取引先事業者が最終需要者を見つける委託販売と、行為者が最終需要者を見つける販売とが掲げられているが、取引先事業者が最終需要者を見つけるけれども形態としては委託販売ではない、というものもあり得る[172)]。

(iii) 親子会社・兄弟会社　親子会社・兄弟会社など実質的に自己と一体である事業者は、相手方と言えるか。かりに、同一事業者内の製造部門が販売部門に対して価格を拘束しても、それは独禁法の問題になり得ない。それと同様の発想で、形式的には別個の事業者ではあるが実質的には一体であるところの一方事業者が他方事業者に対して当該他方事業者の事業活動を拘束する行為が行われても、他方事業者は「相手方」にはあたらない、と考えられている[173)]。

実質的に一体であるために「相手方」でないと言えるためには、何が必要か。一方が他方の議決権の100%を保有している場合は、実質的に一体とされる[174)]。更に、100%未満かつ50%超である場合も、意思決定が共通化するのが通常であり、実質的に一体とみられるようである[175)]。50%以下の場合には、種々の要素を考慮する、とされる[176)][177)]。

以上のような議論が意味を持つのは、行為者以外に独立の相手方がいる場合に初めて独禁法違反要件を満たすような行為に限られる。他者排除行為は、単独で行っても違反となり得るのであるから、例えば相手方をして取引拒絶をさ

---

172) 例えば、前記註171の事例のうち、平成28年度相談事例1にその萌芽がみられ、令和元年度相談事例5においてそのことがさらに明確になっている。

173) 流通取引慣行ガイドライン「付」1および2が想定するのは、このような問題であろう。

174) 流通取引慣行ガイドライン「付」1。

175) 流通取引慣行ガイドライン「付」2および4。

176) 流通取引慣行ガイドライン「付」4。

177) 国内大手家電メーカーが外国の大手家電メーカーと50%ずつを出資した共同出資会社が当該国内大手家電メーカーの完全子会社に対して販売価格を指示しても当該完全子会社は「相手方」に当たらない旨の判断をした事例として、平成13年公表相談事例7〔大手家電メーカー共同出資会社〕。

せる排他的取引が、相手方が親子会社・兄弟会社であるからという理由で違反でなくなるということはない。同一法人内の製造部門が販売部門をして取引拒絶をさせても違反となり得るのと、同じである。流通取引慣行ガイドラインの「付」は、その点を留保しておらず、記載として不十分である。

(iv) 頭越しの拘束　以上のこととは似て非なる問題として、形式的には子会社の取引相手方である者に対して子会社の頭越しに拘束をする場合に、その被拘束者は「相手方」にあたるか、という問題がある。子会社でなくとも、例えば自己がメーカーであって卸売業者の頭越しに小売業者を拘束する、といった場合も法的論点としては同様であろう。

このような場合には、取引の実態を見れば自己の取引相手方である、といった言い回しがされ、「相手方」の要件が満たされるとされることが多い[178]。現行法のもとでの苦心の論理構成であり、被拘束者が取引相手方でなければならないとする現行法の不備を露呈している。欧米の「垂直的制限（vertical restraint)」という便宜的な分類を真に受けて法律にまで書き込んでしまったために背負った余計な重荷である[179][180]。

② 条件を付けて取引する（拘束）

(i) 総説　垂直的制限の各規定では、行為要件として、相手方を拘束する、あるいは、条件を付けて相手方と取引する、ということが必要とされている。条文上は、一般指定11項では「条件として……取引し」、2条9項4号では「拘束の条件を付けて……供給する」、一般指定12項では「拘束する条件を

---

178) 例えば、公取委命令平成18年5月22日・平成18年（措）第4号〔日産化学工業〕について、甲田健・同命令解説・公正取引673号（平成18年）72頁。勧所事例集235～237頁。なお、流通取引慣行ガイドライン「付」3は、この問題を扱っているようにも見えるが、子会社の違反行為に対する関与を根拠として共犯理論のアナロジーで親会社をも違反者とする、という問題（前記177～178頁）を扱っているという面が強い。いずれにしても、流通取引慣行ガイドライン「付」は、「親子会社・兄弟会社」は相手方と言えるか、という問題と、例えば「子会社の取引先」は相手方と言えるか、という問題とを混在させており、体裁のよいものではない。

179) EUにおいては、「垂直的制限」の定義として、取引段階の異なる者同士の合意、としており、直接の取引の相手方であることを要件としていない。

180) 東京高判令和元年11月27日・令和元年（行コ）第131号〔土佐あき農業協同組合〕では、農協が組合員を拘束したとする公取委の認定に対し、農協でなく支部園芸部が拘束した旨の主張がされたところ、農協と支部園芸部は一体である旨の判示がされた（判決書13～18頁）。他の者の頭越しでもなく、また、自己とは異なる者の行為でもない、とされたということになる。

つけて」、というように区々であるが、その本質は同じである。以下では便宜上、これらを総称して「拘束」の要件と呼んで論ずる。

(ii) 態様　「拘束」は、契約書に明記されるなどの定まった方式を要しない。和光堂最高裁判決は、「「拘束」があるというためには、必ずしもその取引条件に従うことが契約上の義務として定められていることを要せず、それに従わない場合に経済上なんらかの不利益を伴うことにより現実にその実効性が確保されていれば足りるものと解すべきである」としている[181]。具体的には、様々な態様による「拘束」があり得る[182]。

従わない場合に不利益が発生する場合だけでなく、従った場合に利益が発生する場合も含む[183]。両者の間に実質的な差異はない。従った場合に利益が発生する典型例が、いわゆるリベートである[184]。もちろん、実質的には利益をもたらさないリベートもある[185]。

価格や取引先について調査をする、いわゆる流通調査についても、何らかの不利益を課すものでない限りは問題はない[186]。

---

181) 最判昭和50年7月10日・昭和46年(行ツ)第82号〔和光堂〕(民集29巻6号の893頁、審決集22巻の174～175頁)。流通取引慣行ガイドライン第1部第4の2注8も同旨。

182) 流通取引慣行ガイドライン第1部第1の2(3)は、再販売価格拘束を素材として、様々な態様の「拘束」を例示している。その他、需要者が1の供給者としか契約しないのが通常である場合に高額違約金に担保された長期契約が結ばれたならば、少なくとも「拘束」の要件は満たすことになる。私的独占が掲げられた事例ではあるが公取委公表平成14年6月28日〔北海道電力長期契約〕。平成28年度相談事例12〔農業協同組合最低出荷量一律指定〕は、設定される最低出荷量が多いために系統外の商系業者に農産物を供給しない旨の拘束と同等となることを問題視したものと考えられる。

183) 流通取引慣行ガイドライン第1部第1の2(3)②b。

184) 流通取引慣行ガイドライン第1部第3。排除型私的独占とされた事件であるが、公取委勧告審決平成17年4月13日・平成17年(勧)第1号〔インテル〕、など。

185) 平成25年度相談事例4〔福祉用品メーカー店舗販売リベート供与〕は、ネット販売業者にはリベートを供与せず店舗販売を行う販売業者のみにリベートを供与する、という事案であったが、店舗販売に要する余分のコストを支援するためのリベートであることを説明できたので、公取委に許容されたものと考えられる。事例集は一般指定4項に該当するような差別がなかった、という説明となっているが、一般指定12項の拘束がなかった、と位置付けることもできる。

186) 流通取引慣行ガイドライン第1部第1の3。再販売価格拘束の項目に置かれているが、非価格拘束も念頭に入れた記述となっている。価格調査を問題なしとした相談事例として、平成25年度相談事例1〔玩具メーカー販売価格調査〕、平成29年度相談事例3〔住宅設備機器メーカー販売価格調査公表〕。

(iii) 有無の判断手法　「拘束」の有無は、どのようにして判断されるか。

判断の考慮要素を示したのが、SCE 審決である。どのような行為を行ったかという行為者の状況、自由な活動が可能か否かという相手方の受け止め方、相手方の行動の推移を示す客観的な指標、の3要素が掲げられている[187]。

この3要素のなかでは、相手方の受け止め方が、最重要の考慮要素であろう。独禁法は、市場における弊害発生の有無を客観的に見ることを主眼としているので、相手方を裏から操る行為者の状況よりも、拘束内容の市場への作用の最先端に位置する相手方自身の状況が最大の関心事となる[188]。相手方の行動の推移を示す客観的な指標は、相手方の受け止め方という間接事実を知るための間接事実となる。

しかし、垂直的制限に係る各規定があくまで、「拘束」という、相手方ではなく行為者の行為を問題としている以上、相手方がいかなる受け止め方をしていても、行為者が、「拘束」と呼べるような何らかの原因行為を行っていないならば、「拘束」とは呼べないであろう。例えば、行為者側が何らの原因行為を行っていないのに、相手方が行為者の考えを勝手に忖度して行動することがあっても、「拘束」とは呼べない。もちろん、そのような状況下では、行為者側は、疑われることのないよう、「拘束」をしていないことを示すための打消し行為を普段から行うのが安全策である、とは言える。

(iv) 他の原因との競合　「拘束」であるようにも見える行為が、他の原因によるものであるようにも見える場合には、どのように判断するか。

しばしば登場する具体例としては、販売店が販売方法の拘束を遵守していないと称してメーカーが販売店との契約を解約する等の行為が、建前どおりに販売方法の拘束であるにすぎないのか、それとも実は安売りをやめさせようとする再販売価格の拘束であるのか、という点が争われる場合がある。

事例等を総合すると、次のような処理がよくみられる。一方で、他にも安売り店が存在するにもかかわらず特定の安売り店だけに対して販売方法拘束不遵

---

187)　公取委審判審決平成13年8月1日・平成10年（判）第1号〔SCE〕（審決案47〜48頁）。これらの総合考慮をすることになる。勘所事例集143〜144頁。

188)　東京高判平成23年4月22日・平成22年（行ケ）第12号〔ハマナカ〕は、特定の相手方に対する出荷停止が他の相手方に対する「見せしめ」的な効果をもったことを重視した認定をしている（判決書17〜18頁）。

守と称して解約したという事情がある場合は、建前どおり、販売方法の拘束であるにすぎないとされる方向での考慮要素とされる[189]。他方で、他にも販売方法拘束不遵守をしている販売店が存在するのに、安売りをしている販売店に対してのみ販売方法拘束不遵守を理由として解約したという事情がある場合は、実は再販売価格拘束であるとされる方向での考慮要素とされる[190][191]。

しかし、相手方がどう受け止めるかが最重要である、という前記(iii)の考え方を応用すれば、そのような準則のとおりにはいかない例もあり得るものと思われる[192]。他にも拘束不遵守者がいるのに放置し、不遵守者のうち特定の者のみに不利益を加える、ということは、一罰百戒という言葉が示すように、十分にあり得ることである。他にも従わない者がいるなかで特定の者のみが不利益を受けた場合、一罰百戒であるから他の相手方にも無言の拘束として受け止められる、という事案もあれば、従わなくても大丈夫だと受け止められる、という事案もあろう。結局は、相手方がどう受け止めるか、という考慮要素を基本に据えて、事案ごとの状況を検討するほかはないように思われる。

③ **相手方が1名のみである場合**　拘束の相手方が1名のみである場合は、垂直的制限に係る各規定に該当し得るか。

ここでもまず、場合分けをする必要がある。

一般指定11項に代表されるように、相手方を単なる道具として市場への弊害をもたらすような行為の場合には、道具が1名であるか複数であるかは本質とは関係がないのであるから、1名であっても違反となり得る。

それに対し、2条9項4号に代表されるように、相手方を供給者とする市場

189) これに沿う事例として、東京高判平成6年9月14日・平成5年(ネ)第4019号〔資生堂東京販売〕(審決集41巻の487～488頁)、東京高判平成9年7月31日・平成6年(ネ)第3182号〔花王化粧品販売〕(高民集50巻2号の289～291頁、審決集44巻の731～732頁)、大阪地判平成30年3月23日・平成28年(ワ)第229号〔化粧品供給拒絶差止請求〕(審決集64巻の459～461頁)。

190) 流通取引慣行ガイドライン第1部第2の6注9、東京地判平成6年7月18日・平成4年(ワ)第11586号〔花王化粧品販売〕(審決集41巻の458頁)。

191) メーカーが求める特定の販売方法の必要性が乏しく、当該特定の販売方法をとらない商流に安売りが多いという場合に、価格拘束に近い観点から独禁法上問題があるとした事例として、平成26年度相談事例5〔電子機器メーカー対面説明義務付け〕。

192) 長谷川彩子「化粧品の対面販売と再販売価格の拘束」専修コース研究年報(東京大学)2003年度版(平成16年)164頁。

への弊害をもたらすことが問題となる場合には、問題となる競争者のうち1名しか拘束しないのであるから、この論点を正面から議論する必要が生ずる。

1名では足りず、複数の相手方を拘束することが必要であると解する立場からは、複数の相手方による競争に影響が生じて初めて公正競争阻害性を論じ得る、という主張が行われよう。

それに対し、1名で足りると解する立場には、いくつかの背景があり得る。まず、自己以外の事業者の判断を拘束すること自体に問題があるとする考え方によれば、相手方が何名であるかは無関係であるということになろう。また、そのような考え方を採らないとしても、拘束された1名が、その者を供給者とする市場において単独による反競争性を起こすことのできる立場に立っているのであれば、その者の努力を制約する拘束行為は、たとえ相手方が1名であっても規制すべきである、という考え方もあろう。

公取委の一般論は明確ではないが、相談事例のなかには、相手方が1名のみであっても当然のように2条9項4号に該当すると論じたものが存在する[193]。しかし、いくつもの事例が蓄積した状態でもない。

(4) 優越的地位濫用との関係

取引の相手方を拘束する行為は、その独禁法違反の有無を検討する場合、相手方の活動が拘束されることによっていずれかの市場に弊害が生ずる、という可能性だけでなく、拘束すること自体が相手方に対する優越的地位濫用であるとされる可能性に注意する必要がある。前者と後者は、一方が他方を包含する関係にはなく、概念的に次元を異にする。拘束があるために相手方が他者排除に加担したり競争停止に参加したりするか否か、という問題と、相手方が当該拘束により不利益を受けているか否か、という問題とは、全く別の問題だからである[194][195]。

---

193) 平成13年公表相談事例4〔医薬品卸売価格拘束〕。

194) 農協などの組合が組合員に対して系統外業者（「商系業者」）への出荷をさせないという問題も、この意味で、様々の切り口に分かれる。系統外業者の排除の観点から問題としたものとして、東京高判令和元年11月27日・令和元年（行コ）第131号〔土佐あき農業協同組合〕（一般指定12項）。組合員に対する優越的地位濫用の観点から問題としたものとして、公取委公表平成29年10月6日〔阿寒農業協同組合〕（2条9項5号）。系統外業者に出荷する組合員を他の組合員と差別して排除しているという観点から問題としたものとして、公取委命令平成30年2月23日・平成30年（措）第7号〔大分県農業協同組合〕（一般指定4項）。

垂直的制限を扱うこの節においては、前者の問題のみを論ずる。後者の問題は、優越的地位濫用の問題だと割り切り、そちらに譲る（後記第6節）。

2 一般指定11項

(1) 総 説

① **概要**　一般指定11項の見出しは、「排他条件付取引」である[196]。

一般指定11項の条文のうち、市場への弊害に関する文言は、「不当に」および「競争者の取引の機会を減少させるおそれがある」であり、他が行為要件である。

一般指定11項は、垂直的制限のうち他者排除的なものの典型を例示した規定にすぎず、一般指定12項という一般条項が背後に控えているのであるから、いずれにしても一般指定12項の行為要件を満たす行為なのであれば、それが一般指定11項の行為要件を満たすか否かを論ずる実益は大きくない。

② **優越的地位濫用との関係**　排他条件付取引が論ぜられる際、他者排除の問題と同時に、またはそれに代えて、優越的地位濫用の問題が念頭に置かれる場合がある。これは、論理的には、垂直的制限のいずれにおいても起こり得ることであるが（前記1(4)）、特に排他条件付取引は、そのような論ぜられ方をしばしばされてきた。他者排除の問題と優越的地位濫用の問題とは、切り分けて論ずる必要がある。本書でも、優越的地位濫用の問題は、別の箇所に譲る（後記第6節）。

(2) 相手方が競争者と取引しないことを条件として

① **総説**　一般指定11項は、「相手方が競争者と取引しないことを条件として」を要件としている。

「相手方」については別の箇所で論じた（前記439～442頁）。

「競争者」についても別の箇所で触れた（前記47頁）。一般指定11項の文脈

195）　公取委審判審決平成20年9月16日・平成16年（判）第13号〔マイクロソフト非係争義務〕は、行為者の相手方に対する拘束だけでなく、行為者と相手方との当該取引が「均衡を欠いた」「不合理」なものであることを強調している（審決案101頁、105～106頁）。一般指定12項の判断のなかに優越的地位濫用の要素を混入させることによって行為者の悪性を強調しようとしたものであるようにも見える。勘所事例集316～318頁。

196）　一般指定11項は、平成21年改正前の昭和57年一般指定11項をそのまま引き継いでいる。

では、行為者の競争者を指すことになる。

「相手方が競争者と取引しないこと」は条件としないが、相手方が競争者との取引を抑制することを求める、ということがある。そのような事例は、一般指定12項で拾うことになる。

② **事業活動としての取引**　相手方の、行為者の競争者との取引は、事業活動としてのものである必要がある。一般指定11項にはそのような明文はないが、一般指定11項が2条9項6号ニを受けたものであると考えられ、2条9項6号ニで「相手方の事業活動を不当に拘束する条件をもつて」が要件とされているからである。ただ、相手方と競争者との取引が事業活動でない場合、典型的には相手方が消費者である場合には、一般指定14項を適用して同じ法執行を実現することが可能であるので、実益の大きい議論ではない。

③ **特定の競争者のみとの取引を拘束する場合**　「相手方が競争者と取引しないこと」が、およそ全ての競争者と取引しないことに限定されるのか、それとも、特定の競争者と取引しないことだけでも足りるのか、という問題が、一応はある。前者の解釈が採られている模様である（後記455頁）。しかし、その解釈を採る場合でも、特定の競争者と取引しないことを条件とする行為は一般指定12項で拾うことになり、一般指定11項と一般指定12項とで法執行に差があるわけではない。単に適用規定の整理のための論点であるにすぎない。

④ **全量購入・全量供給の要請**　全量購入の要請とは、相手方が問題の商品役務を買う場合には必ず行為者から買わなければならないと求める行為であり、全量供給の要請とは、相手方が問題の商品役務を売る場合には必ず行為者に売らなければならないと求める行為であるが、そのような行為は、通常、一般指定11項の行為要件を満たす[197)]。ただし、そのような行為によって、相手方自身が競争者となることを防いでいる場合には、一般指定11項の行為要件を満たすとは言い難く、一般指定12項で拾われる（後記455頁）。

---

197)　公取委勧告審決平成10年9月3日・平成10年（勧）第16号〔ノーディオン〕は、全量購入契約が、一般指定11項と同じ他者排除の観点から私的独占とされた事例である。公取委審判審決昭和31年7月28日・昭和29年（判）第4号〔雪印乳業等〕では、自らにとっての供給者と全量供給契約を結んだことが私的独占とされた（審決集8巻の35頁）。公取委確約認定令和5年6月27日〔福岡有明海漁業協同組合連合会〕のうち、指定商社に対し、傘下の生産者の乾海苔を自ら以外から購入しないよう求めた行為も、全量購入の要請の一種であり、この事例で一般指定11項が言及されているのはこの点に関係するのではないかと思われる。

⑶ 条件として当該相手方と取引し

① **総説**　「条件として当該相手方と取引し」については、垂直的制限に係る規定に共通する問題として論じたこと（前記439〜446頁）をそのまま用いれば足りる。

② **2つの「取引」の異同**　一般指定11項のうち、「相手方が競争者と取引しないこと」の「取引」と、「条件として当該相手方と取引し」の「取引」とは、同じ商品役務の取引である場合もあれば、異なる商品役務の取引である場合もある。換言すれば、一般指定11項は、商品役務αの取引を競争者と行わないことを条件として商品役務αの取引をするという場合と、商品役務αの取引を競争者と行わないことを条件として商品役務βの取引をするという場合との、いずれをも含む。後者は、βを主たる商品役務としαを従たる商品役務とする抱き合わせであって、すなわち、他者排除型抱き合わせ規制は、かりに一般指定10項が存在しなくとも、一般指定11項によって行い得ることがわかる[198]。これは、一般指定10項について異なる弊害要件論をすることに実際上の説得力がないことの1つの根拠となり得る（前記435〜436頁）。

⑷ 競争者の取引の機会を減少させるおそれがある

一般指定11項では、「競争者の取引の機会を減少させるおそれがある」という文言が、排除効果が違反要件となることを表現している。

実質的には、一般指定12項のうち他者排除的なものと同じ扱いになるから、そちらでまとめて論ずる（後記461〜463頁）。

⑸ 不当に

一般指定11項には、「不当に」という文言がある。項によっては、「不当に」が、正当化理由がないことに加え、排除効果があることを表現している場合もあるが、一般指定11項では、「不当に」のほかに「競争者の取引の機会を減少させるおそれがある」という文言がある。したがって、一般指定11項の「不当に」は、結果的には専ら、正当化理由がないことを示す文言となっている。

実質的には、一般指定12項のうち他者排除的なものと同じ扱いになるから、そちらでまとめて論ずる（後記461〜463頁）。

198）ただ、一般指定11項では、抱き合わせの相手方が事業者でなければならない。

3　2条9項4号

(1)　総　説

2条9項4号は、再販売価格拘束（再販）を対象としている[199][200]。イは直接の取引相手方による価格設定を拘束する行為、ロは取引相手方Aにとっての取引相手方Bによる価格設定を取引相手方Aに拘束させる行為、を対象とする。弊害に関する文言は、「正当な理由がないのに」のみである。

2条9項4号は、競争停止的な弊害をもたらす垂直的制限の典型例を示したものであり、それに該当しない競争停止的な垂直的制限は一般指定12項で拾われることになる。

そのようななかで平成21年改正は、2条9項4号のみを累積違反課徴金の対象とした。

しかし、2条9項4号と一般指定12項の切り分けは、課徴金の有無を分ける切り分けとしては、切れ味の良いものではない。2条9項4号は、再販売価格拘束であり原則違反であると言われることが多いわけであるが、一般指定12項で拾われる行為にも、価格拘束であるために同様に原則違反であると言われる行為は多くある（後記459頁）。すなわち、2条9項4号と一般指定12項の切り分けは、弊害要件について原則違反とされるか否かの切り分けとは、一致していない。「再販売価格拘束」という2条9項4号の捉え方は、欧米で定着している「resale price maintenance（RPM）」という考え方を忠実に条文として表現したものなのであるが、もともとそのような考え方それ自体が、物事の本質を明晰に切り取っていなかった、ということであろう。弊害要件に関する基準または立証ルールに差がある場合に規定を分けるというのであれば、価格拘束か非価格拘束かで分けるべきであり、現在の2条9項4号のように、「商品」の「再」販売価格拘束、という捉え方をするのは適切でない。

---

199)　2条9項4号は平成21年改正によって昭和57年一般指定12項の全体がそのまま課徴金対象として出世したものである。

200)　最近の事例として、公取委命令平成24年3月2日・平成24年（措）第7号〔アディダスジャパン〕、公取委命令平成28年6月15日・平成28年（措）第7号〔コールマンジャパン〕、公取委命令令和元年7月1日・令和元年（措）第3号〔アップリカ〕、公取委命令令和元年7月24日・令和元年（措）第5号〔コンビ〕、公取委確約認定令和4年5月19日〔一蘭〕。

⑵　自己の供給する商品を購入する相手方に

2条9項4号は、再販売価格拘束を言語化しようとして、「自己の供給する商品を購入する相手方に」という要件を置いている。

これにより、2条9項4号では、直接の取引相手方に対する拘束しか拾えないこととなる。もっとも、一般指定12項でも、直接の取引相手方に対する拘束しか拾えないので、この問題は、垂直的制限の全体に共通する問題である（前記439〜442頁）。「相手方」についての、委託受託関係などをめぐる諸問題も、そこで論じた。

⑶　次のいずれかに掲げる拘束の条件を付けて

①　**総説**　　2条9項4号は、「次のいずれかに掲げる拘束の条件を付けて」として、拘束の態様を2種類、掲げている。

これらはいずれも、「当該商品の販売価格」を拘束するという文言を持っているので、相手方による役務の販売価格の拘束は、2条9項4号でなく一般指定12項で拾うことになる（後記**4**⑴①）[201]。

また、「当該商品」の「当該」という文言により、2条9項4号柱書きの「商品」と同じものを相手方が販売するのであることを要件としている。したがって、原材料供給業者が完成品の価格を拘束する場合などは、2条9項4号でなく一般指定12項で拾うことになる（後記**4**⑴①）。

「拘束の条件を付けて」の基準については、垂直的制限の全体に共通する論点として別の箇所で論じた（前記442〜445頁）。

②　**イ**　　2条9項4号イは、行為者が、その取引相手方による価格設定を拘束する行為を、規定する。

「当該商品」は、2条9項4号柱書きの「自己の供給する商品」を指す。これによって「再」販売価格拘束であることを表現している。

「販売価格を定めてこれを維持させること」だけでなく、「販売価格の自由な決定を拘束すること」をも対象とすることによって、価格に関する拘束を広く捉えている[202]。

201）　役務と区別した「商品」の定義は不可能かつ不要であるというのが本書の私見であるが（前記49頁)、2条9項4号が現に存在することを前提にあえて定式化すれば、有体物を中心とする商品役務を「商品」という、というほかはないように思われる。

202）　流通取引慣行ガイドライン第1部第1の2 ⑸ が具体例を挙げている。

③ ロ　2条9項4号ロは、行為者が、その取引相手方Aにとっての取引相手方Bによる価格設定を取引相手方Aに拘束させる行為を、規定する。

「相手方の販売する当該商品」と、それを購入する事業者の販売価格を定めるところの「当該商品」とは、いずれも、2条9項4号柱書きの「自己の供給する商品」と同じである。これによって「再」販売価格拘束であることを表現している。細かくいえば「再々」販売価格拘束である。

行為者にとって究極的に拘束したいのはBによる価格設定であるが、「相手方をして……拘束させること」という拘束、すなわちAに対する拘束であるということにして、行為者にとっての直接の取引相手方を拘束するのであるという建前を維持している。2条9項4号は2条9項6号ニを受けた規定ではないので、そのような建前に拘る必要はないのであるが、平成21年改正前においてそのような制約を受けていた昭和57年一般指定12項をそのまま2条9項4号としたので、そのような制約を受けた条文となっている。

「販売価格を定めて……これを維持させること」だけでなく、「販売価格の自由な決定を拘束させること」をも対象とすることによって、価格に関する拘束を広く捉えている。

(4) 正当な理由がないのに

① **総説**　2条9項4号の弊害要件は、条文上は、柱書きの「正当な理由がないのに」のみである。これは、原則違反とされることを示そうとしたものではあるが[203)]、しかし、例外的には、反競争性がないとされる場合や、正当化理由があるとされる場合があり得る[204)]。

② **反競争性**　2条9項4号は、競争停止的な弊害をもたらす垂直的制限の典型例であり、原則違反、などと言われることがある（前記①）。これは、弊害要件総論で登場した反競争性をめぐる一般論を否定するものではなく、この一般論の枠内に位置するものである。すなわち、商品役務 α について再販売

---

203) そのことを述べたものとして、流通取引慣行ガイドライン第1部3 (2)、第1の1、があるほか、最判昭和50年7月10日・昭和46年（行ツ）第82号〔和光堂〕（民集29巻6号の894～895頁、審決集22巻の175～176頁)、東京高判平成23年4月22日・平成22年（行ケ）第12号〔ハマナカ〕(判決書19～20頁)。それらの前提の脆弱性について、勘所事例集12～16頁。

204) 米国連邦最高裁判決の実像を描き、再販売価格拘束の弊害要件をめぐる議論の基礎を提供するものとして、滝澤紗矢子「再販売価格維持行為規制に関する一考察（1）～（3・完）」法学（東北大学) 78巻6号、79巻4号、80巻3号（平成26年～28年)。

価格拘束が行われた場合、かりに、需要者にとっての選択肢が商品役務 α 以外にもあり、かつ、そのような商品役務は安く買えるのであれば、商品役務 α についての再販売価格拘束が行われて成功するはずはないのであるから、商品役務 α について再販売価格拘束が行われたということは、商品役務 α 以外に選択肢はないか、あるいは、他の選択肢も同様に価格が高止まりしているかの、いずれかであったはずである、という推論をしているのであるにすぎない。現に、再販売価格拘束の排除措置命令においては、「小売店は当該メーカーとの取引を強く希望」などの認定が常にされているが、これは、上記の推論が成り立つ事案であることを示そうとしたものであると考えられる[205]。

以上のように見れば、再販売価格拘束について特別な弊害要件論が妥当しているのではなく、再販売価格拘束以外の行為の場合と比べて弊害要件の内容は同じなのであるが再販売価格拘束が行われる場合にはそれが満たされる場合が多い、というのであるにすぎないことがわかる[206]。

以上のような推論は、ハードコアカルテルに対する不当な取引制限の議論においても行われる（前記 245～246 頁）。

相手方の販売価格の上限を拘束しようとする最高再販売価格拘束についても、上限価格カルテルをめぐる議論と同じ考え方が妥当する（前記 247 頁）[207]。

③ 正当化理由

（i） フリーライダー問題　　再販売価格拘束の正当化理由として最も言及

205） 換言すれば、公取委は、そのような認定をできない再販売価格拘束は、そもそも取り上げない可能性がある。公取委確約認定令和 4 年 5 月 19 日〔一蘭〕には、そのような認定がないが、違反の「疑い」で足りる確約認定に関する記載はこのような場合には参考とならない。根岸哲「「競争の実質的制限」と「競争の減殺」を意味する公正競争阻害性との関係」甲南法務研究 4 号（平成 20 年）3 頁は、当該ブランドのみで市場が画定されるのでない限り再販売価格拘束によって直ちに反競争性が生ずるとは言えないとの考え方を示している。

206） 流通取引慣行ガイドラインも、平成 27 年の改正により、価格拘束と非価格拘束とに共通し得る総論を充実させている（第 1 部 1～3）。そのうえで、再販売価格拘束は原則違反、その他はそれぞれの具体的弊害要件を満たすことを示す必要がある、とする（第 1 部 3 (2)）。

207） 最高再販売価格拘束は、二重限界化（double marginalization）を防止するのに有効である、と言われることがある。これはつまり、行為者（メーカー等）と取引相手方（小売業者等）のそれぞれが別々に超過利潤を限界まで得ることになるのを防ぐ、ということである。要するに、商品が高くなりすぎるのを防ぐ、ということを難しく言えばこうなる、ということであろう。価格が高くなりすぎると、最終需要者が困るだけでなく、行為者にとっても、販売数量が減って目論見のとおりには儲からない可能性がある。

されることが多いのは、最終需要者への説明をする販売店で説明のみを聞いて他の安売り店で購入するといった、販売店すなわち取引相手方の投資に対するフリーライドを防止する必要がある、というものであろう。流通取引慣行ガイドラインは、平成27年の改正によって、垂直的制限の全体に共通する「競争促進効果」の記載を置き[208]、再販売価格拘束は原則違反としつつ[209]、再販売価格拘束について正当化理由が成立する場合を論じている[210]。それによれば、再販売価格拘束によってフリーライダー問題が解消等され、その競争促進効果によってブランド間競争が促進され、それによって商品の需要が拡大し消費者利益の増進が図られ、そのような効果が更に競争阻害的でない他の方法によって生じ得ないものである場合には、正当化される、という[211]。

(ii) 略奪廉売・おとり廉売の防止　略奪廉売やおとり廉売に対する自力救済措置として再販売価格拘束を行うことは、許されるか[212]。略奪廉売やおとり廉売を行っていない相手方に対してまで一般的に再販売価格拘束を行うことについては、明治商事最高裁判決が、許されないと判示している[213]。正当化理由が認められるための条件の1つである手段の相当性を満たさない、ということであろう。それに対し、略奪廉売やおとり廉売を行っている相手方に対してのみ再販売価格拘束を行うことについては、明治商事最高裁判決は明確には述べておらず、事案ごとに正当化理由の成否を検討することになろう。

(iii) その他　中小小売業者の生き残りを図るというだけでは正当な目的

---

208) 平成29年の改正後の流通取引慣行ガイドライン第1部3 (3)。

209) 平成29年の改正後の流通取引慣行ガイドライン第1部第1の1。

210) 平成29年の改正後の流通取引慣行ガイドライン第1部第1の2 (2)。

211) 流通取引慣行ガイドラインのこの記述は厳しく、実際にはこれを満たす行為はなかなかないのではないか、との見方もできるが、公取委がこのとおりの厳しい摘発方針を実践しているかというと疑問もある。実際には公表文書に書かない形で緩めの運用をしていたのに、再販売価格拘束の正当化理由が規制改革関係で話題となり、公表文書に詳しく書かざるを得なくなったところ、公表文書に緩いことを書くわけにもいかないので、従来の実際の基準よりも厳しく書く結果となった、というあたりではないかと思われる。

212) 略奪廉売やおとり廉売の問題に鑑みて、公取委の指定による適用除外制度が23条に置かれている。それに対し、ここでの問題は、公取委の指定を受けていない場合であっても、略奪廉売やおとり廉売に対抗した再販売価格拘束は正当化されるか、という問題である。

213) 最判昭和50年7月11日・昭和46年（行ツ）第83号〔明治商事〕（民集29巻6号の960頁、審決集22巻の202頁）。

とは言えず、また、文化としての伝統産業維持は、正当な目的とはなり得るが、再販売価格拘束が手段として必要・相当ではない、とした事例がある[214]。

(5) 累積違反課徴金

2条9項4号に該当する行為は、累積違反課徴金の対象となる（20条の5）。

課徴金の対象は、「当該行為において当該事業者が供給した［2条9項4号］に規定する商品」とされている。

以上のような商品の、違反行為期間（18条の2第1項）の売上額の3%が課徴金額となる。

4 一般指定12項

(1) 総　説

① 守備範囲　一般指定12項の見出しは「拘束条件付取引」である[215]。

一般指定12項は、垂直的制限にとっての一般条項であり、したがって、他者排除的な行為も競争停止的な行為も取り扱う。

他者排除的な拘束条件付取引の典型例は一般指定11項であるが、それを形式的に満たさないけれども実質的には他者排除的な垂直的制限であるという意味で同種である、という行為は、一般指定12項で拾われる。例えば、完全な排他的取引を求めるのでなく自己との取引を高い比率に保つよう求める場合[216]、自己の全ての競争者と取引させないのでなく特定の競争者のみと取引させないようにする場合[217]、自己の競争者を排除させるのとは異なり取引相手方自身が自己の競争者となることを阻止する場合[218]、などがある。以上の

---

214) ハマナカ東京高判（判決書19〜20頁）。

215) 一般指定12項は、平成21年改正前の昭和57年一般指定13項をそのまま引き継いでいる。昭和57年一般指定12項が抜け殻を残さず全て2条9項4号となったため、項番号が1つ繰り上がった。

216) 公取委勧告審決平成9年8月6日・平成9年（勧）第6号〔山口県経済農業協同組合連合会〕、公取委公表平成22年6月10日〔中澤氏家薬業〕。排除型私的独占として構成された公取委勧告審決平成17年4月13日・平成17年（勧）第1号〔インテル〕も、不公正な取引方法として構成されるなら、この範疇に属し一般指定12項（昭和57年一般指定13項）で論ぜられることとなったであったろう。

217) 公取委命令平成21年12月10日・平成21年（措）第24号〔大分大山町農業協同組合〕では、特定の競争者のみと取引しないことを求めた行為について、一般指定12項（昭和57年一般指定13項）が適用されている。

ように、一般指定11項の見出しとしての「排他条件付取引」と一般指定12項の見出しとしての「拘束条件付取引」との間には、例示と受け皿という意味合いの違いがあり、また、それにとどまる。

競争停止的な拘束条件付取引の典型例は2条9項4号であるが、それを形式的に満たさないけれども実質的には競争停止的な垂直的制限であるという意味で同種である、という行為は、一般指定12項で拾われる。価格以外のものを拘束する行為、例えば、地域や販売方法など価格以外の事柄を拘束する場合[219]、相手方が他に横流しをすることを禁止する場合[220]、などが代表的である。そのほか、価格の拘束や、それに近いものでも、2条9項4号を形式的に満たさないものは、一般指定12項で拾われる。例えば、商品でなく役務の価格を拘束する場合[221]、自己が販売する商品と同じものではないものの価格を拘束する場合[222]、価格を直接に拘束しないが相手方の広告での廉価表示をやめさせる場合[223]、一体的に販売されることが多いスマートフォン端末と通信

218) 公取委勧告審決平成2年2月20日・平成2年（勧）第1号〔全国農業協同組合連合会〕、公取委勧告審決平成11年3月9日・平成11年（勧）第2号〔鳥取中央農業協同組合〕、公取委勧告審決平成12年5月10日・平成12年（勧）第5号〔姫路市管工事業協同組合〕、公取委勧告審決平成12年5月16日・平成12年（勧）第6号〔サギサカ〕のうち「購入先製造業者」に関する部分（審決書7～11頁）。公取委確約認定令和5年6月27日〔福岡有明海漁業協同組合連合会〕のうち、全量出荷を漁協に要請した行為も、これに当たる。同じ事件で、全量出荷を、漁協を通じて生産者に要請した行為も、複雑ではあるが、本質的には同じである。

219) 地域の拘束については流通取引慣行ガイドライン第1部第2の3。販売方法の拘束については流通取引慣行ガイドライン第1部第2の6のほか、最判平成10年12月18日・平成6年（オ）第2415号〔資生堂東京販売〕および最判平成10年12月18日・平成9年（オ）第2156号〔花王化粧品販売〕、などの多くの事例等がある。

220) 公取委勧告審決平成3年8月5日・平成3年（勧）第7号〔エーザイ〕、公取委審判審決平成13年8月1日・平成10年（判）第1号〔SCE〕（審決案57～66頁）。後者について、勘所事例集140～142頁。

221) 公取委勧告審決平成15年11月25日・平成15年（勧）第25号〔20世紀FOXジャパン〕。

222) 例えば、ライセンスされた技術を用いて製造された製品の販売価格を知的財産ライセンス契約において拘束しても、2条9項4号には該当せず、一般指定12項が適用される（知的財産ガイドライン第4の4(3)）。また、フランチャイジーがフランチャイザー以外の者から仕入れた商品についてフランチャイザーが価格拘束をする行為も、2条9項4号には該当せず、一般指定12項を論ずることになる（フランチャイズガイドライン3(3)、福岡地判平成23年9月15日・平成20年（ワ）第1917号〔セブン－イレブン博多〕（審決集58巻第2分冊の454頁））。なお、このような事案で適用されるのは「12項」でなく「13項」であると福岡地判が述べているのは正しいが、「12項」は現在の2条9項4号であり、「13項」は現在の一般指定12項である。

役務のうち前者について割引をするよう求めることで後者の価格に影響を与える場合[224]、スマートフォンのアプリにおける課金の決済手段を拘束してアプリの価格に影響を与える場合[225]、などである。

一般指定12項は一般条項であるから、一般指定11項や2条9項4号と同種と言えるのかどうかも定かでないような様々な行為が対象となり得る。「非係争義務」（後記(5)⑤）や「同等性条件」（後記(5)⑥）は、その例である。

一般指定12項は一般指定11項や2条9項4号の一般条項であるため、いずれにも該当しない行為だけでなく、いずれかに該当する複数の行為の合わせ技一本や、いずれかに該当する行為といずれにも該当しない行為との合わせ技一本を行うために、使われることもあり得る[226][227]。

② **規定の構造**　一般指定12項の条文のうち、弊害要件に関する文言は「不当に」のみである。

(2) 法第2条第9項第4号又は前項に該当する行為のほか

一般指定12項には「法第2条第9項第4号又は前項に該当する行為のほか」という文言がある。したがって、2条9項4号や一般指定11項に該当する行

---

223) 流通取引慣行ガイドライン第1部第2の6(3)。公取委勧告審決平成3年7月25日・平成3年（勧）第6号〔ヤマハ東京〕、公取委勧告審決平成5年3月8日・平成5年（勧）第1号〔松下エレクトロニクス〕等の同日の諸審決、平成16年公表相談事例2〔工作機械用消耗品インターネット販売〕、公取委命令平成22年12月1日・平成22年（措）第20号〔ジョンソン・エンド・ジョンソン〕、平成26年度相談事例3〔インテリア用品メーカー安売り広告禁止〕、平成27年度相談事例3〔ライセンシーに対する安売り広告禁止〕、公取委確約認定令和2年6月4日〔クーパービジョン〕、公取委確約認定令和2年11月12日〔シード〕、公取委確約認定令和3年3月26日〔日本アルコン〕。

224) 公取委公表平成30年7月11日〔アップル端末購入補助義務付け等〕で念頭に置かれた問題。

225) 公取委公表令和3年9月2日〔アップルアプリ内課金〕で念頭に置かれた問題。

226) 合わせ技一本とは、同一市場に影響を及ぼす複数の行為をまとめて1個の行為として構成しようとする論法を便宜的に指した言葉であり、この論法によれば、個々の行為ごとに弊害要件を満たすということを示す必要がなくなる。

227) 他方で、一般指定12項より2条9項4号のほうが公正競争阻害性が容易に認められると考えていたためか、2条9項4号に該当する行為と該当しない行為とが同時に行われて同一市場に弊害を及ぼしている場合、一般条項である一般指定12項を使うのでなく、2条9項4号に該当しない行為を2条9項4号に該当する行為の付属行為だと論理構成したうえで、2条9項4号が使われる場合も、少なくとも過去には、あった。その例として、2条9項4号が昭和57年一般指定12項であった時期の事例ではあるが、SCE審決（審決案50〜52頁）。勘所事例集140〜142頁。事案次第であろう。

為は、形式的には、一般指定12項には該当しない[228)]。

(3) 相手方とその取引の相手方との取引その他相手方の事業活動

拘束の対象は「相手方とその取引の相手方との取引その他相手方の事業活動」である[229)]。「相手方」は、取引の相手方のことであると解され、そのことは、一般指定12項の末尾の「当該相手方と取引する」という文言で裏打ちされている。「相手方」に関する論点は、垂直的制限の全体に共通する問題として論じた（前記439〜442頁）。

(4) 拘束する条件をつけて

「拘束する条件をつけて」については、垂直的制限に共通する問題として別の箇所で述べた（前記442〜445頁）。

(5) 不当に

① 総説　一般指定12項は、競争停止的な行為と他者排除的な行為のいずれをもカバーする一般条項であるから、弊害要件論においても、その事案でどのような行為が問題となっているのかに応じて、雑多なものが同居せざるを得ない[230)]。それらの基準は相互に重なっているところもあり、また、事案の側が競争停止的とも他者排除的とも言える場合もあって、簡単には区別できないが、両極に異なる事案が少なからず存在することも確かであり、まずは両極を型として押さえることが理解への早道である。

② 競争停止的な事案

(i) 総説　競争停止の観点から規制の要否が論ぜられる事案での弊害要件については、弊害要件総論における原則論に準拠することになる。

---

228) 一般指定12項は、このような点では、通常の意味での「一般条項」ではないかもしれないが、2条9項4号や一般指定11項と実質的に同内容であるにもかかわらず形式的理由でこぼれ落ちるものを拾うのが一般指定12項であるということを示すため、本書では便宜上、これを一般条項的であると呼んでいるものである。

229) 「その他の」でなく「その他」で結ばれているので、「相手方の事業活動」には「相手方とその取引の相手方との取引」が含まれないことになるが、どれほど考え抜いて書かれているのかは定かではない。一般指定12項のこの部分だけを見ると、「相手方とその取引の相手方との取引」は相手方の事業活動でなくともよいことになりそうであるが、一般指定12項は2条9項6号ニを受けた規定であるから、「相手方とその取引の相手方との取引」は相手方の事業活動でなければならない。なお、立法論的に、本来はこのような限定に意味がないことは、前記442頁。

230) 流通取引慣行ガイドライン第1部3 (2) は、アとイとして、市場閉鎖効果と価格維持効果の両者を並べ、いずれかに該当すれば問題がある旨の表現としている。

価格を拘束する行為については、弊害要件についても、2条9項4号の場合と同様、原則違反といわれる。価格拘束の要素を含むにもかかわらず2条9項4号でなく一般指定12項が適用されるのは、2条9項4号の行為要件のうち「販売価格」の要件には該当するがそれ以外の行為要件に該当しないという場合である。その例は、別の箇所に掲げた（前記(1)①）。

競争停止的な事案ではあるけれども、価格とは異なる要素を拘束する非価格拘束行為であるために2条9項4号の「販売価格」の要件に該当せず一般指定12項が適用される場合には、原則違反、ということは言われず、更に実質的な検討がされる[231]。もっとも、価格を拘束する行為についても、実際には同じ弊害要件論が妥当し、ただ、実際にはそれが満たされやすいと扱われるだけであって、そのことを指して原則違反と呼んでいるのである、と捉えるのが、全体を整合的に理解するためには据わりがよい[232]。

以上のような意味で、主に非価格拘束行為を念頭に置きながら、価格拘束行為をも一応は含めた意味での弊害要件論を、以下、反競争性と正当化理由とに分けて論ずる。いずれも、一般指定12項の「不当に」の構成要素である。

(ii) 反競争性　競争停止事案での一般指定12項については、「価格維持効果が生じる場合」に反競争性が認められるという基準が定着している。「価格維持効果が生じる場合」とは、「非価格制限行為により、当該行為の相手方とその競争者間の競争が妨げられ、当該行為の相手方がその意思で価格をある程度自由に左右し、当該商品の価格を維持し又は引き上げることができるような状態をもたらすおそれが生じる場合」とされている[233][234]。

231）価格表示の方法を拘束した場合には、価格の拘束とは言いにくいため2条9項4号ではなく一般指定12項が適用されることになると考えられるが、弊害の実質はかなり価格拘束に近く、2条9項4号の場合と同様に原則違反という扱いがされる。前記註223。

232）流通取引慣行ガイドラインが、平成27年の改正によって長大な総論をおいたのは（平成29年の改正後の第1部2、3）、価格拘束行為と非価格拘束行為とで弊害要件論が一応は共通していることを示そうとしたという意味で、本書と同旨である。

233）流通取引慣行ガイドライン第1部3 (2) イ。第1部3 (1) が、具体的な考慮要素を掲げている。小林慎弥・佐久間編著41〜48頁、56〜59頁。

234）流通取引慣行ガイドライン第1部第2の3は、取引相手方に対する地域の拘束には「責任地域制」「販売拠点制」「厳格な地域制限」「地域外顧客への受動的販売の制限」の4種類があるとし、同ガイドライン第1部第2の4は、取引相手方の取引先の制限に「帳合取引の義務付け」「仲間取引の禁止」「安売り業者への販売禁止」の3種類があるとしているが、それらの内容を精

「非価格制限行為により」としているが、価格制限行為の場合にも同じ基準が妥当し、価格制限行為の場合にはこの基準が比較的容易に満たされる、と考えるほうが、汎用的であろう。

弊害が生じる競争変数として「価格」だけを挙げているが、「品質」など他の競争変数も含むであろう。公正競争阻害性よりバーが高いとされる競争の実質的制限という要件は、品質や数量など、価格以外の競争変数が左右される場合をも取り込んでいる。バーが低いとされる公正競争阻害性要件においては価格への影響しか見ない、という解釈は、採られがたいのではないかと思われる。

「市場における有力な事業」については、別にまとめて述べる（後記④）。

(iii) 正当化理由　正当化理由については、弊害要件総論のとおりである（前記101〜117頁）。流通取引慣行ガイドラインは、2条9項4号について原則違反としつつ正当化理由の成立の余地を認めており、非価格制限行為についてはなおさらである[235]。「競争促進効果」という言葉が用いられているが、具体的に何に関する競争にどのような促進効果があるのかは意識されていないことも多く、その点は深く考える必要はない（前記96頁註223）。

販売方法の拘束も、正当化理由があれば、当然、許容される（前記103〜109頁）。ただ、資生堂最高裁判決や流通取引慣行ガイドラインは、正当化理由を「それなりの合理的な理由」とし、それがあれば反競争性がいかに強くとも正当化されることとしている点で、違反の範囲を狭く見せすぎているようにも思われる（前記101〜102頁）。

選択的流通（前記438頁註166）について、流通取引慣行ガイドラインは、「消費者の利益の観点からそれなりの合理的な理由」がある場合には正当化理

読すると、反競争性の基準は結局のところ「価格維持効果が生じる場合」に帰着している。「地域外顧客への受動的販売の制限」の場合には特にブランド内競争への影響が大きい旨を述べ、市場における有力な事業者でない者が行う場合でも違反のおそれがあることを前提とした記述となっているが、「地域外顧客への受動的販売の制限」の場合にも価格維持効果が要件となることは認めている。なお、「厳格な地域制限」は、「責任地域制」や「販売拠点制」より拘束性が大きいという意味で名付けられたものと思われるが、「地域外顧客への受動的販売の制限」より拘束性が小さいものとして対比される面もあり、その場合は「厳格」という文言が意味をわかりにくくさせることになる。地域外顧客への積極的販売の制限などと呼ぶほうがよいように思われる。

235）以上、流通取引慣行ガイドライン第1部3(3)。「フリーライダー問題」などの典型例を例示したものであり、限定列挙ではない。

由があるとしている[236]。「消費者の利益の観点から」が付いているから正当化理由の範囲は狭めであると解説されている[237]。販売方法の拘束について「それなりの合理的な理由」が最高裁判決で採用されてしまったことへの反省もあって、狭めに誘導しようとしているものであろう。言おうとしていることは理解できるが、もともと、全ての類型に共通の正当化理由について、様々な分派を発生させていること自体がおかしいのであり、それを改善せず弥縫的なことを述べると物事はますます複雑となってしまうであろう[238]。

③ **他者排除的な事案**

(i) 総説　他者排除の要素を持つ事案においては、排除効果があり、かつ、正当化理由がない、という場合に「不当に」すなわち公正競争阻害性が満たされる。そのことは、他者排除の要素を持つ事案に一般指定12項が適用される場合だけでなく、一般指定11項が適用される場合も同じであるので、ここでまとめて論ずる。

(ii) 排除効果　まず、排除効果（前記140〜142頁）が生じている必要がある。排除効果に関する基準の中心としては、代替的な競争手段を見出すことができないおそれがあること、というものが確立している[239]。流通取引慣行

---

236) 流通取引慣行ガイドライン第1部第2の5。

237) 織田佳哲・佐久間編著141頁、145頁。

238) そのことを述べたうえで、流通取引慣行ガイドラインの「消費者の利益の観点から」という文言について、以下の点を指摘できる。第1に、目的が正当であれば正当化理由となり得るのであり、正当化理由となり得るもののなかには、第一義的には、消費者の利益のためのものとは言えないものもある。第2に、正当化理由は目的が正当であることが必要なのであるから、第一義的には消費者の利益のためのものとは言えないものであっても、少なくとも長い目では、消費者の利益になる。このような様々の意味で、「消費者の利益の観点から」という文言には、実は、あまり意味がない。販売方法の拘束において最高裁判決のお墨付きまで出てしまった「それなりの合理的な理由」という広めの文言への反省から、選択的流通について弥縫的な修正を試みたもの、という意味があるだけであろう。

239) 東京高判昭和59年2月17日・昭和56年（行ケ）第196号〔東洋精米機製作所〕は、「[排他条件付取引の場合の] 公正競争阻害性の有無は、結局のところ、行為者のする排他条件付取引によつて行為者と競争関係にある事業者の利用しうる流通経路がどの程度閉鎖的な状態におかれることになるかによつて決定されるべきであ」る、と判示している（行集35巻2号の163頁、審決集30巻の153頁）。勘所事例集27頁。公取委命令平成21年12月10日・平成21年（措）第24号〔大分大山町農業協同組合〕は、競争者の店舗の「運営に支障を来している」という認定により、同旨を明示した事例である（排除措置命令書8頁）。

ガイドラインでは、排除効果と同じ意味で「市場閉鎖効果」という言葉が使われており、「市場閉鎖効果が生じる場合」とは、「非価格制限行為により、新規参入者や既存の競争者にとって、代替的な取引先を容易に確保することができなくなり、事業活動に要する費用が引き上げられる、新規参入や新商品開発等の意欲が損なわれるといった、新規参入者や既存の競争者が排除される又はこれらの取引機会が減少するような状態をもたらすおそれが生じる場合」とされている[240]。

取引先を排他条件付取引等によって奪われた競争者が、そもそも当該取引段階をバイパスして競争できる場合には、弊害は生じない[241]。そのように考えると、代替的な取引先を容易に確保することができなくなるというより、代替的な競争手段を容易に確保することができなくなると表現するほうが包括的である。この、代替的な競争手段を見出すことができないおそれがある、という要素を中心として、他の補助的な諸要素を総合考慮しながら、排除効果の成否を認定することになる。

---

240) 流通取引慣行ガイドライン第1部3 (2) ア。第1部3 (1) が、具体的な考慮要素を掲げている。小林慎弥・佐久間編著41～48頁、52～56頁。以上と同旨を述べるものとして、東京地判平成31年3月28日・平成29年（行ウ）第196号〔土佐あき農業協同組合〕（判決書51頁）。なお、夙に、東京高判昭和29年12月23日・昭和28年（行ナ）第7号〔北海道新聞社夕刊北海タイムス〕は、「ある事業者Aが［排他条件付取引］をとつても、その競争者たる別の事業者Bにとつて、Aと取引ある者を除外してこれに代るべき取引の相手方を容易に求めることができるかぎり、……公正な競争を妨げるものといい得ない」としていた（行集5巻12号の3062～3064頁、審決集6巻の119～120頁、審決等データベースのPDF 479～480頁）。神戸地判昭和54年12月11日・昭和51年（ワ）第928号〔関西ヤマノビューティメイト〕（審決集29巻の266～267頁）、東京地判昭和56年9月30日・昭和53年（ワ）第9905号〔あさひ書籍販売〕（下民集32巻9～12号の896～897頁）、も同旨。公取委審判審決昭和27年9月3日・昭和25年（判）第55号〔日本光学工業オーバーシーズ〕は、夙に同様のことを詳細に述べていた（審決集4巻の33～36頁、審決等データベースのPDF 48～51頁）。私的独占とされた事例であるが、公取委勧告審決平成17年4月13日・平成17年（勧）第1号〔インテル〕は、CPUメーカーによる排他条件付取引の被依頼者である主なパソコンメーカー5社のCPU購入シェア合計が約77%であったことに言及して、違反としている（審決書6頁）。

241) 公取委公表平成10年11月20日〔マイクロソフトブラウザ〕では、競争者が他の手段でブラウザを配布することができるために、一般指定11項を満たすとは直ちには認められない、とされた（公表資料8頁）。夙に、北海道新聞社夕刊北海タイムス東京高裁判決は、直売の可能性がないことにも触れたうえで違反としている（行集5巻12号の3063～3064頁、審決集6巻の120頁、審決等データベースのPDF 480頁）。

複数の事業者による複数の排他的取引が累積したことによる他者排除が論ぜられることがあるが、これについては別の箇所で述べた（前記155頁）。

「市場における有力な事業者」については、別にまとめて述べる（後記④）。

(iii) 正当化理由　正当化理由については、弊害要件総論の応用として論ずることができる（前記101～117頁）[242]。

④ **垂直的制限のセーフハーバー**　流通取引慣行ガイドラインは、排他的取引、厳格な地域制限（地域外顧客への積極的販売の制限）、抱き合わせ販売、については「市場における有力な事業者」が行う場合に問題となるおそれがある、という形で、それに該当しない者の行為のためのセーフハーバーとしている。「市場における有力な事業者」は、市場シェア20%を超えることが一応の目安となる、とされる[243]。

しかし、流通取引慣行ガイドライン自身が自認するように、この基準は、市場閉鎖効果や価格維持効果といった基準の下位にある参考資料にすぎない[244]。現に、市場シェアの大きな事業者が対象行為を行ったにもかかわらず問題なしとした事例は多くある[245]。

---

242) まずは流通取引慣行ガイドライン第1部3(3)の「競争促進効果」の総論を見ることになるが（小林慎弥・佐久間編著59～65頁）、これは典型例として「フリーライダー問題」などを例示したものであり、限定列挙ではない。また、「競争促進効果」と呼ばれるもの以外の目的による正当化ももちろんあり得る。

243) 流通取引慣行ガイドライン第1部3(4)。平成3年の策定以来、市場シェア10%以上または市場シェア3位以内の事業者であるとしていたのを、平成28年の改正によって引き上げた。新たな基準を裏返せば、市場シェア20%以下であれば一応はセーフハーバーに該当する、ということになる。なお、このセーフハーバーは、「地域外顧客への受動的販売の制限」や、流通取引慣行ガイドラインが言及する範囲での「帳合取引の義務付け」や「仲間取引の禁止」には適用されない。これらの制限行為が、相手方が指定外の取引先と取引することを一切禁止する内容であるからである、と解説されている。石谷直久「「流通・取引慣行に関する独占禁止法上の指針」の一部改正について」公正取引790号（平成28年）54～55頁。これは、市場シェアだけを理由に問題なしとはしない、という意味であり、原則違反という意味ではない、とされる（同54頁注6）。同55～56頁は、EUとの比較をしている。

244) 流通取引慣行ガイドライン第1部3(4)。東京高判昭和59年2月17日・昭和56年（行ケ）第196号〔東洋精米機製作所〕も、あくまで流通経路の閉鎖度、つまり代替的競争手段の有無を中心に据えつつ、有力事業者が排他条件付取引をすれば「原則的に」公正競争阻害性が認められる、としているにすぎない（行集35巻2号の163頁、審決集30巻の153頁）。勘所事例集27頁。

245) 排他条件付取引があったにもかかわらず、競争者が他に代替的競争手段を持っていたために違反でないとされた事例として、マイクロソフトブラウザの件（前記註241）、平成16年度相談

⑤ **非係争義務**　一般指定12項は一般条項であるから、以上のようなものでは説明し尽くせない特殊な議論を要する事例を扱うこともあり得る。

いわゆる「非係争義務」は、その好例である。非係争義務とは、知的財産権のライセンス契約において、ライセンシーが既に保有する知的財産権や将来において取得するであろう知的財産権をライセンシーはライセンサーその他の者に対して行使できない、という条項を指す246)。非係争義務は、ライセンシーがライセンサー自身の競争者となることを阻止しているのだと見れば他者排除の要素を持つ行為類型であるようにも見えるし、ライセンシーの研究開発意欲を低下させることによってライセンサーの研究開発が緩慢なものであっても許される環境を作るものだと見れば競争停止の要素が色濃い行為類型であるようにも見える。しかし、以下のように、一般指定11項類似の行為や2条9項4号類似の行為とは異なる言葉を使った議論が既に緒に就いているところであり、本書では、分類論に拘泥せず差し当たりこの場所で論ずることとする。

知的財産ガイドラインは、以下の2つの場合に弊害要件が満たされ、ライセンサーが違反者となる、とする。第1は、ライセンサーが当該契約でライセンスされる知的財産権を用いてつくられる商品役務の市場または知的財産権そのものの市場における有力な地位を強化することに繋がることによって、弊害要件を満たす場合である。第2は、ライセンシーの研究開発意欲を損ない新たな技術開発を阻害することによって、弊害要件を満たす場合である247)。第1の観点と第2の観点との違いは、第1の観点が、将来における研究開発競争への影響よりも現在においてライセンサーが知的財産権を召し上げ有利になることに着目するものだという点にある。

非係争義務については、結論が正反対の2件の審決がある248)。

事例2〔証券仲介業者の専属契約〕。地域外の顧客への販売を制限する行為は、類型的には影響が大きいとされセーフハーバーの対象とされていないほどであるが（前記註243）、そのような行為を市場シェア約20%の事業者が行っても問題なしとされた事例として、平成25年度相談事例2〔健康食品メーカー販売地域制限〕。

246)　非係争義務は、ライセンスされた特許権の有効性を争ってはならないというライセンシーの義務を指す言葉として定着している「不争義務」とは異なる。

247)　以上、知的財産ガイドライン第4の5(6)。

248)　公取委審判審決平成20年9月16日・平成16年（判）第13号〔マイクロソフト非係争義務〕、公取委審判審決平成31年3月13日・平成22年（判）第1号〔クアルコム非係争義務〕。

⑥ **同等性条件（MFN条項）**　いくつもの市場における競争停止や他者排除など、事案ごとに多様な側面が問題となり得る行為類型として、同等性条件がある。

同等性条件とは、相手方に対して、自分との取引条件よりも良い取引条件で他と取引することを禁ずるという契約条件を指す。国際法上の最恵国待遇と同様の要求であるので、MFN（most favored nation）条項などとも呼ばれている。

プラットフォーム事業者（宿泊予約サイトなど）が出品者（宿泊施設など）に対して課す契約上の条件であって、そのプラットフォームにおいて出品者が最終需要者に対し取引条件としてどのようなものを提示するかに関するもの、を想定して議論される場合が多い。

一般論としては、(a) 特徴的な取引条件を最終需要者に提示して競争しようとする他のプラットフォームの排除、(b) 既に地位を確立している他のプラットフォームとの間の競争停止、(c) 同一の品について出品者自社サイトや他のプラットフォームとの間に生じ得る販売競争の競争停止、などが問題となり得る[249)][250)]。

同等性条件には、「ナロー同等性条件」と「ワイド同等性条件」というものがあることが世界的に知られている。「ナロー同等性条件」とは、相手方である出品者の自社サイトにおける取引条件のみを拘束するものの呼称である。「ワイド同等性条件」とは、出品者自社サイトのみならず出品者が他のプラッ

両者の結論の分かれ目については、別の箇所で述べた（前記92頁註213）。

249）　公取委確約認定令和4年3月16日〔Booking.com〕と公取委確約認定令和4年6月2日〔エクスペディア〕は、(a) または (b) の法的観点からのものであることを比較的明確に示している。公取委の早期の見解等として、公取委公表平成29年6月1日〔アマゾン同等性条件I〕、公取委公表平成29年8月15日〔アマゾン同等性条件II〕、公取委確約認定令和元年10月25日〔楽天トラベル〕。詳細な解説として、吉川泰宇＝古川博一＝村田利紀・Booking.com確約認定解説・公正取引861号（令和4年）、吉川泰宇＝大黒一憲＝堀夏子・エクスペディア確約認定解説・公正取引863号（令和4年）。

250）　Booking.com確約認定ではランキングアルゴリズムなどの仕組みを利用して同等性条件を遵守させる行為をしないことが確約措置に盛り込まれたが、エクスペディア確約認定では盛り込まれていない。これは、出品者が同等性条件（黙示的なものを含む）に従わない場合にランキングアルゴリズムを操作してプラットフォームにおける検索順位を下げる行為を念頭に置いたものである。そのような行為が明示的に書かれていないエクスペディア確約認定においても、同様の行為を行えば、同等性条件を求めないことが盛り込まれた確約認定に違反する可能性がある。

トフォームに出品する場合の取引条件をも拘束するものの呼称である。両者は便宜的な区別にすぎず、境界線に拘る意味はないが、傾向的には、ワイド同等性条件のほうが反競争性をもたらす可能性は高い。ナロー同等性条件は、自社サイトのほうが最終需要者にとっての取引条件が不利となる傾向のある業種であれば競争上の問題は小さいが、自社サイトのほうが最終需要者にとっての取引条件が有利となる傾向のある業種では競争上の問題が生じやすい[251]。

第6節　優越的地位濫用

1　総　説

(1)　概　要

2条9項6号ホ「自己の取引上の地位を不当に利用して相手方と取引すること」に相当するものには、課徴金対象として出世独立した2条9項5号と、一般指定13項および3件の特殊指定がある[252][253]。

「優越的地位の濫用」と呼ばれることが多く、本書では「優越的地位濫用」と呼ぶ[254][255]。

---

251)　Booking.com 確約認定とエクスペディア確約認定のそれぞれの公表文では、宿泊料金のナロー同等性条件について、契約書には書かれているが実際には出品者によって遵守されていないことを理由に、検討の対象外としたことが説明されている。吉川ほか・Booking.com 確約認定解説74〜75頁、吉川ほか・エクスペディア確約認定解説64〜66頁。いずれも、出品者が自社サイトで最も安い価格を提示しようとする方針を持つ場合にはナロー同等性条件がワイド同等性条件と似た影響を持ち得ることなどに触れている。前者はフリーライダー防止の観点からの正当化の主張についても触れている。後者は欧州におけるナロー同等性条件に関する種々の事例の捉え方も紹介している。

252)　2条9項5号は平成21年改正によって昭和57年一般指定14項から出世独立したものであり、その抜け殻が現行の一般指定13項である。

253)　優越的地位濫用についての詳細かつ体系的な解説・分析として、長澤哲也『優越的地位濫用規制と下請法の解説と分析〔第4版〕』(商事法務、令和3年)。

254)　昭和57年一般指定14項に付されていた公式の見出しが「優越的地位の濫用」であったことが、このような用語の定着に寄与したものと考えられる。現在の一般指定には「優越的地位の濫用」という見出しのある項は存在せず、2条9項5号には当然のことながら見出しはないので、「優越的地位の濫用」と呼ばなければならない法令上の根拠はない。優越的地位濫用ガイドラインの題名が「優越的地位の濫用」としているという程度であろう。公取委や多くの関係者は「優

2条9項5号が、累積違反課徴金でなく、1回の違反行為で課徴金が課される通常の課徴金の対象であって、しかも、その行為要件は包括的である。そのため、一般指定13項と3件の特殊指定は、ほとんど出る幕がなくなっている[256]。これらを適用すると、課徴金の根拠となる2条9項5号を適用しないことを意味するので、なぜそのようにするのか、説明は容易ではない[257]。

そこで、以下の論述においては、総論的な論点も基本的には2条9項5号のみについて論じ、一般指定13項と特殊指定は簡単に紹介するにとどめる。

公取委のガイドラインも、2条9項5号のみを念頭に置いた包括的なものが、課徴金制度の導入に対応する違反要件規定を2条9項5号として整備した平成21年改正の後に策定されている。それが優越的地位濫用ガイドラインである。基本的にはこのガイドラインを中心に見ることになる[258]。

越的地位の濫用」を用いるが、そのため、「優越的地位の濫用行為」や「優越的地位の濫用規制」のように、「行為」や「規制」などのような直後の語がどこまでかかるのかが不明瞭な表現が頻出している。本書では、違反類型を示す一塊の文言であることを明瞭にするため、「の」を削り、「優越的地位濫用」としている。

255) 公取委や少なからぬ関係者は、「優越的地位の濫用」をさらに短く表現しようとして、「優越」という言葉を用いることがある。短く表現したいこと自体は理解できるが、優越的地位があるだけでは違反でなく、それを利用して濫用する行為があって初めて違反となるという基本的な事柄が伝わりにくいので、本書では用いない。

256) 特殊指定については、前記388～389頁。特殊指定で拾われているが2条9項5号で拾われていない行為として、公取委への報告に対する不利益取扱いが挙げられることがあるが、平成21年改正解説49～50頁は、これも2条9項5号の対象として解説している。

257) 現に、課徴金を導入した平成21年改正後の公取委命令事例は全て、平成21年改正前に大規模小売業特殊指定を適用していたような事例に2条9項5号を適用したものである。これらの事例はいずれも、平成21年改正の施行日前の時期の行為について、大規模小売業特殊指定でなく昭和57年一般指定14項を適用している。従来と同じように大規模小売業特殊指定を適用したのでは、細かい行為類型ごとに別々の違反行為を認定することになり、施行日以後の時期について2条9項5号を包括的に適用し1個の違反行為を認定して課徴金額を計算することとの平仄がとれなくなるために、施行日前の行為についても包括的に1個の違反行為を認定することとしやすい包括的な規定をもつ昭和57年一般指定14項を用いたのではないか、と推測される。平成21年改正前の時期には、特殊指定は昭和57年一般指定14項の例示にすぎない、と述べると、特殊指定の重要性を強調する側から反発を受けたものであるが、上記のような対応により、例示であったことを公取委自身が認めたということになる。

258) 優越的地位濫用ガイドラインのほか、個別の事象を念頭に置きつつ優越的地位濫用に大きな比重をかけたものとして、個人情報等優越的地位濫用ガイドライン、フランチャイズガイドライン、フリーランスガイドライン、公正取引委員会＝経済産業省「スタートアップとの事業連携及

(2) 課徴金制度のもとでの法執行の状況

公取委は、平成21年改正によって課徴金が導入された後、平成23年～26年の時期に5件の排除措置命令・課徴金納付命令をしたが[259]、その後は1件も排除措置命令・課徴金納付命令をしていない。

他方で、世の中から優越的地位濫用の問題がなくなるわけではなく、むしろ、デジタルプラットフォームの取引先に対する行為や企業の人材に対する行為など、これまでは注目を受けなかった分野での優越的地位濫用の可能性が活発に論ぜられるようになっている。また、インボイス制度の導入に伴う独禁法等の問題も、優越的地位濫用の観点からのものが多い[260]。これらにおいては、実態調査報告書、ガイドライン改定、個別事件の場合は確約認定、など、違反認定をせず課徴金納付命令をしない手法が用いられている。

5件の排除措置命令・課徴金納付命令のなかには、裁判所に係属中のものがあり、裁判所の判断があれば違反要件論に一定の影響をもたらす可能性があるが、上記のような流れを念頭に置いたうえで状況をつかむ必要がある[261]。

びスタートアップへの出資に関する指針」（令和4年3月31日）、などがある。

259) 公取委命令平成23年6月22日・平成23年（措）第5号・平成23年（納）第87号〔山陽マルナカ〕、公取委命令平成23年12月13日・平成23年（措）第13号・平成23年（納）第262号〔日本トイザらス〕、公取委命令平成24年2月16日・平成24年（措）第6号・平成24年（納）第10号〔エディオン〕、公取委命令平成25年7月3日・平成25年（措）第9号・平成25年（納）第31号〔ラルズ〕、公取委命令平成26年6月5日・平成26年（措）第10号・平成26年（納）第113号〔ダイレックス〕。

260) 財務省＝公正取引委員会＝経済産業省＝中小企業庁＝国土交通省「免税事業者及びその取引先のインボイス制度への対応に関するQ＆A」（令和4年1月19日）のうち特にQ7に対するA。詳しくは、白石忠志「インボイス制度と独禁法・下請法・フリーランス法」ジュリスト1588号（令和5年）。独禁法のうち優越的地位濫用以外においても、課税事業者と免税事業者との間の差別取扱い（前記411頁註84）、事業者団体などにおける競争者間の共同行為（後記531頁註45）、などの問題にもインボイス制度が絡むことがあり得る。

261) 5件はいずれも、公取委の審判手続を廃止する平成25年改正より前の手続が適用される事件である。そのもとでは、命令の是非を決する公取委審決の取消請求訴訟が東京高裁を第1審として争われるという形となる。1件について、公取委審決を全て是認する東京高裁判決に対する上告受理申立てが不受理となっている（公取委審判審決平成31年3月25日・平成25年（判）第28号〔ラルズ〕、東京高判令和3年3月3日・平成31年（行ケ）第13号〔ラルズ〕、最決令和4年5月18日・令和3年（行ヒ）第271号〔ラルズ〕）。上告不受理決定は最高裁が東京高裁判決の考え方を是認したことを必ずしも意味しないので、優越的地位濫用に関する裁判所の判断については、裁判所で係属中の2件の帰趨を待つ必要がある（公取委審判審決令和元年10月2

(3) 体系的位置付け

① **総説**　単独の供給者による何らかの地位が既に存在する場合にも、それ自体は禁止されず、取引の相手方に対する濫用行為があって初めて違反となる。また、濫用行為があれば、競争停止や他者排除がなくとも違反となる[262]。

優越的地位濫用規制における優越的地位が成立するためには「市場」における絶対的優越は必要なく相対的優越で足りる、と言われることがある[263]。ここでいう「市場」とは、問題の行為に関係のあるものが画定されているわけではなく、その周囲にまつわる「業界」のようなものが何となく観念されているだけである。問題の行為に関係のないものを観念して、それとは関係のない規制である、と述べているのであるから、ある意味では当然であるが、そもそも述べる必要のない無意味な表現である。

優越的地位の成立のためには、何らかの程度の取引必要性が必要とされている。取引必要性をめぐる議論は、行為者の相手方にとっての選択肢の幅をめぐる議論と重なっており、したがって、相手方を出発点とする市場画定の議論と重なっている。すなわち、優越的地位濫用は、相手方を出発点として選択肢と

日・平成24年（判）第40号〔エディオン〕、公取委審判審決令和2年3月25日・平成26年（判）第1号〔ダイレックス〕、東京高判令和5年5月26日・令和2年（行ケ）第5号〔ダイレックス〕）。別の1件は公取委審決が争われず確定している（公取委審判審決平成27年6月4日・平成24年（判）第6号〔日本トイザらス〕）。さらに別の1件は優越的地位濫用の課徴金第1号事件であったことに起因する手続的な不備を理由に命令が全部取消しとなっている（公取委審判審決平成31年2月20日・平成23年（判）第82号〔山陽マルナカ〕、東京高判令和2年12月11日・平成31年（行ケ）第9号〔山陽マルナカ〕、公取委審判審決令和3年1月27日・平成23年（判）第82号〔山陽マルナカ再審決〕）。

262）優越的地位濫用規制と他者排除規制は、重なる領域も多いが、それぞれ独自の領域も多く、やはり別々に観念しておくのが有益である。前者は、行為者を供給者とする市場を検討対象市場とし（売る側の濫用行為の場合）、後者は、被排除者を供給者とする市場を検討対象市場とするので、そもそも発想が異なる。更に具体的に見ても、例えば、消費者に対する搾取は、優越的地位濫用規制には該当し得るが、他者排除規制に該当するとは言いにくい。他方、例えば、略奪廉売は、取引関係にない者に対する排除を問題とするので、他者排除規制には該当し得るが、優越的地位濫用規制に該当するとは言いにくい。そして、米国では他者排除規制は行うが優越的地位濫用は行わないとされ、かつ、国際的な事案も多いなかでは、他者排除規制で説明できる事案であるのか（米国の専門家等に理解されやすい）、優越的地位濫用規制で説明することしかできない事案であるのか（米国の専門家等に理解されにくい）、を見極めることは、実際上も重要である。

263）優越的地位濫用ガイドライン第2の1など。

なる範囲を論ずるような意味での市場における違反行為である[264)265)]。

そのような、相手方を出発点とする市場において、行為者が相手方にとってどの程度の取引必要性のある地位にあれば優越的地位があると見るか、については、程度問題の争いがある（後記**2**(3)③）。公取委のように、少しでも取引必要性があれば優越的地位があるとみる立場は、相手方を出発点とする市場における市場支配的地位が必要であるとする立場とは、かなり異なる。

ともあれ、優越的地位濫用規制の特徴は、既に何らかの程度の地位が存在する状況で、競争停止や他者排除を要件とせず、濫用行為があることを要件として規制する、という点にある。既に競争がなくなっている場合に行われる行為は、もはや新たに競争を阻害するわけではないので、本来は独禁法の問題とはなり得ないのではないか、という発想は根強い[266)]。

この問題をどのように受け止めるかが、優越的地位濫用規制の位置付け論に深く関係する。以下、項を改めて論ずる。

---

264)　優越的地位濫用規制が取引相手方を出発点とする市場に着目した規制であることを指摘したものとして、白石忠志「「取引上の地位の不当利用」規制と「市場」概念」法学（東北大学）57巻3号（平成5年）、白石忠志「優越的地位濫用規制をめぐるICN京都総会特別プログラム」公正取引693号（平成20年）。

265)　公取委が取引必要性説を採っているということは、当該需要者を出発点とした狭い市場が画定されているということである、という本書のような論に対しては、公取委はそのような思考方法を採っていない、とする「反論」を受けたことがある。本書は、関係者の思考方法が客観的にどのように位置付けられるかということを論じているのであり、関係者がそれを自覚しているか否かということを論じているのではない。論者のなかには、企業結合行為や他者排除行為などについては限られた需要者のみを念頭に置いた狭い市場を好んで論じつつ、優越的地位濫用規制の取引必要性の議論も需要者にとっての選択肢の範囲を論じているのであるから狭い市場に関係する規制であるとする論に対しては拒否反応を示すものが少なくない。前者は外国競争当局・裁判所も論じているからであり、後者は日本の一部の論者が論じているにすぎないからである、ということであろうか。いずれにしても、単なる論理性の欠如である。

266)　この考え方は米国反トラスト法において特に根強く、したがって、その影響を受けた日本の論者に根強い。このような理解は、排除者と被排除者との競争関係必要説とも根を同じくしているように思われる（前記123～125頁）。米国では、競争の勝者に可能な限り大きな報酬を与えることによって競争を促進する、という考え方が根強く、そのような政策論が、既に競争がなくなっている状態での行為を規制するのは反トラスト法の役割ではない、という発想を強化している。そのような状況を含む国際的な模様を描いたものとして、Tadashi Shiraishi, "The Exploitative Abuse Prohibition: Activated by Modern Issues", Antitrust Bulletin Vol. 62 (4) (2017)（日本語では、白石忠志「競争法における搾取型濫用規制と優越的地位濫用規制」廣瀬久和先生古稀記念『人間の尊厳と法の役割』（信山社、平成30年））。

② 2つの位置付け論

(i) 総説　優越的地位濫用規制の独禁法体系全体における位置付け論としては、2つの考え方がある。

いずれの考え方を採るかによる解釈論上の帰結の相違は、平成21年改正によって課徴金が導入されるより前は、さほど大きくなかった。

しかし、平成21年改正による課徴金の導入によって、この位置付け論が、違反行為の切り分け方に影響するようになり（後記500〜502頁）、俄に、この位置付け論は実益を伴う議論となった。

(ii) 間接的競争阻害規制説　まず、前記①の問題のような疑問を持ち、現に2条9項5号において公正競争阻害性が要件となるという考え方を前提としつつ、優越的地位濫用規制をどうにかして「競争」との関係で位置付けようとして、「間接的競争阻害規制説」と呼ぶべきものが唱えられている。つまり、「取引の相手方はその競争者との関係において競争上不利となる一方で、行為者はその競争者との関係において競争上有利となるおそれがある」という点に着目するものである[267)][268)]。

(iii) 搾取規制説　間接的競争阻害規制説に対しては、次のような批判をすることができよう。

競争がなくなった状態を利用して行為者が相手方から搾取しようとする行為を、広い意味での競争政策の観点から規制しようとする態度は、あってよいの

---

267) 優越的地位濫用ガイドライン第1の1。そこでは、「取引の相手方の自由かつ自主的な判断による取引を阻害する」という、搾取規制説的なものとも読める記載もされているが、本文で紹介した間接的競争阻害規制説的な記載が強調されることが多い。自由かつ自主的な判断による取引を阻害する、という視角は、昭和57年独占禁止法研究会報告書第1部2(5)が示した「自由競争基盤侵害」という概念に通ずるものではあるが、この概念は抽象的かつ多義的であり、間接的競争阻害規制説を含む公取委の考え方を示すものとして言及されることも多い。

268) これらのうち、取引相手方とその競争者との競争より、行為者とその競争者との競争への影響を重視することを提唱するものとみられる文献として、田辺治「「能率競争」概念からみた優越的地位の濫用の公正競争阻害性に関する一考察」公正取引860号（令和4年）がある。本質は、相手方が実際に経済的不利益を受けたかどうかではなく、行為者が本来なら得ることのない利益を得て、または、本来なら負担すべき不利益を回避するものであったかどうかである、としている（公正取引860号の41頁）。しかし、この考え方を突き詰めると、行為者には利益が生じず、取引相手方には不利益が生じる、という事案で、優越的地位濫用を問題とすることができなくなる。公取委食べログ事件意見書は、取引相手方に生じる不利益から直接的に行為者が利益を得ていなくとも優越的地位濫用に該当し得る旨を述べている（第3の3(1)第2段落末尾）。

であって、それを明文化したのが2条9項5号である、という考え方である。間接的競争阻害規制説と対比して「搾取規制説」と呼ぶ[269)][270)]。

少々現実離れした想定に頼る間接的競争阻害規制説よりも、規制の実態をありのままに直視した搾取規制説のほうが優れているように思われる。間接的競争阻害規制説によれば、極端に考えると、行為者とその全ての競争者が同様の行為を自らの取引相手方に対して行っており、相手方とその全ての競争者がそのいずれかの行為による不利益を受けている、という場合は、違反とできないこととなりかねない。物事の本質から乖離した持って回った技巧的な説明は、必ず綻びるものである。

なお、平成21年改正によって、優越的地位濫用に関する主要な違反要件規定である2条9項5号では、公正競争阻害性の要件が、条文上は、求められていないので（前記391頁註20）、そのような形式的意味からも、上記のような実質的な議論をしやすくなっている。

(4) 下請法

独禁法の優越的地位濫用規制については、これを補完するものとして下請法が制定されている。実務的に重要な法律であり、僅かに触れるだけではあまり意味はないので、本書では基本的には省略して他の文献に譲り[271)]、独禁法の

---

269) 今村成和『独占禁止法〔新版〕』（有斐閣、昭和53年）148頁は、実質的にはそのように理解しつつ、条文の文言に配慮して形式的には間接的競争阻害規制説をも唱えた。しかし後年、この説明は「技巧的に過ぎた」と自ら評するに至り（今村成和『私的独占禁止法の研究（五）』（有斐閣、昭和60年）258頁）、結局、取引当事者間の地位に優劣の差が生ずることによる弊害の除去をはかるのは当然のことであるとしたうえで、「公正競争阻害性ということのうちにこのような場合も含めるのが立法の趣旨であるとすれば、それはそのままに受止めるより外はないように思われる」と論じて、搾取規制説を実質的にも形式的にも前面に押し出している（同259頁）。今村成和『独占禁止法入門〔第4版〕』（有斐閣、平成5年）166頁も同様であろう。

270) 日本の優越的地位濫用規制との比較という観点からEU競争法の搾取型濫用規制について論じ、両者には共通する部分や互いに参考となる部分があることを指摘するものとして、帰山雄介「EU競争法における支配的地位搾取型濫用規制（上）（下）」国際商事法務39巻4号、5号（平成23年）、日本法との関係ではとりわけ5号660頁。このほか、白石忠志「支配的地位と優越的地位」日本経済法学会年報35号（平成26年）および前記註266に掲げる文献。

271) 下請法については、毎年11月頃に公正取引委員会＝中小企業庁「下請取引適正化推進講習会テキスト」が両官庁のウェブサイトに掲げられるほか、当局関係者による解説書として鎌田明編著『下請法の実務〔第4版〕』（公正取引協会、平成29年）、弁護士の立場からの解説書として、長澤哲也『優越的地位濫用規制と下請法の解説と分析〔第4版〕』（商事法務、令和3年）、村田

優越的地位濫用規制に関係する範囲で若干のことを述べるにとどめる[272]。

優越的地位濫用規制と下請法の違いは、違反要件と法執行のそれぞれにある。

違反要件の違いは、まず、独禁法が優越的地位を要件とし、取引必要性を基準としているのに対し（後記**2**(3)②）、下請法は、資本金の額などの比較による形式基準を採っている点である（下請法2条7項・8項）。下記のように機動的な法執行を特色としており、違反要件を形式化したもの、と位置付けることができる。これにより、日頃のコンプライアンスにおいても要注意の取引先を特定しやすくなっている。

公取委による機動的な法執行を特徴としているために、優越的地位濫用規制のうち特に濫用行為の認定において行われている柔軟な実質判断が行われない傾向があると指摘されている。

法執行の違いは、優越的地位濫用規制が排除措置命令・課徴金納付命令をもつのに対し、下請法は勧告という命令未満のものしか持たず（下請法7条）[273]、その分、機動的な法執行が可能となっている点である。公取委が勧告をした場合、その勧告に従えば、独禁法の優越的地位濫用規制を適用されることはないことが法定されている（下請法8条）。

優越的地位濫用規制と下請法が重なるような行為については、「通常、下請法を適用することとな」るとされる[274]。必ず下請法を優先適用する、とされているわけではない。

下請法には、違反行為を自発的に申し出れば勧告がされないという下請法リニエンシーの仕組みがある（後記502頁）。

恭介「下請代金支払遅延等防止法」白石忠志＝多田敏明編著『論点体系　独占禁止法〔第2版〕』（第一法規、令和3年）762～805頁、長澤哲也＝小田勇一編著『Q＆Aでわかる　業種別　下請法の実務』（学陽書房、令和3年）、内田清人＝石井崇＝大東泰雄＝籔内俊輔＝池田毅編『下請法の法律相談』（青林書院、令和4年）、などがある。

272）平成25年に制定され平成33年（令和3年）3月31日まで効力を持った「消費税の円滑かつ適正な転嫁の確保のための消費税の転嫁を阻害する行為の是正等に関する特別措置法」（平成25年法律第41号）には下請法の特別法ともいうべき規制が存在し、公取委が規制の経験・実績を積む上でも一定の役割を果たした。

273）ただ、原状回復として減額分を返還することなどが勧告されるので（下請法7条2項）、そのようなことが命令されない独禁法の優越的地位濫用規制とは異なる面がある。独禁法の優越的地位濫用規制における状況については、後記675～676頁、703～704頁。

274）優越的地位濫用ガイドライン考え方6頁。

⑸ フリーランス法

独禁法の優越的地位濫用規制と下請法をさらに補完するものとして、フリーランス法が制定されている。令和6年11月11日までの政令指定日から施行される（フリーランス法附則1項）。

フリーランス法では、規制対象である「業務委託事業者」や「特定業務委託事業者」に個人や小規模な法人を含み得ることとしている（フリーランス法2条5項・6項）。下請法では、保護対象である「下請事業者」には個人が含まれ得るのに対し（下請法2条8項）、規制対象である「親事業者」は一定以上の資本金の額等を持つものである必要がある（下請法2条7項）。

また、規制対象取引が「業務委託」であって広く定義されており（フリーランス法2条3項）、下請法のように狭く複雑に限定した規定（下請法2条1項～4項）とは異なる。

そのような前提のもとで、保護対象である「特定受託事業者」（フリーランス法2条1項）のための様々な禁止規定等を置いている（フリーランス法3条～5条）。

法執行においては、下請法と同様の勧告（フリーランス法8条）のほか、正当な理由なく勧告に係る措置がとられない場合の命令（フリーランス法9条）や、命令違反に対する業務主処罰を含む刑罰（フリーランス法24条・25条）が、あり得ることとなっている。

フリーランス法には、独禁法と下請法を補完する以上のような内容のほか、労働法を補完するため厚生労働省が所管する部分（主にフリーランス法12条～20条）が同居している。

事業者といえない者は「特定受託事業者」（フリーランス法2条1項）には該当しない。独禁法・下請法による保護があり得るが、基本的には労働法に期待することになる（前記170～173頁）。

2　2条9項5号

⑴　総　説

2条9項5号は、平成21年改正により、課徴金対象となる優越的地位濫用を法定するために置かれたものである[275)]。

その構造は、柱書きにおいて「優越的地位」の要件にあたるものと「濫用」

の要件にあたるものとを規定し、両者を「利用して」で結んだあと、イ・ロ・ハにおいて行為要件を規定する、というものとなっている。

以下では、行為者と相手方について確認したあと、「優越的地位」、「利用して」、「濫用行為」の順でみていく。行為要件をめぐる議論と濫用の要件をめぐる議論はしばしば「濫用行為」という形で一体化しており、本書でも組立てとしてはそれに倣う。

(2) 行為者と相手方

① **行為者**　行為者については、不公正な取引方法の他の号等の定義規定と同じく、何らの規定がない。通常用いられる禁止規定（19条)、排除措置命令の規定（20条)、課徴金納付命令の規定（20条の6)、では、事業者であることが求められている[276)]。

② **相手方**

(i) 総説　2条9項5号は、「相手方」と規定するのみであり、特段の限定を付していない。

(ii) 行為者との取引関係の有無　2条9項5号柱書きでは「自己の取引上の地位が相手方に優越」とされ、イ・ロ・ハでは常に「取引する相手方」「取引の相手方」とされているので、実際上は、行為者と取引関係にある者であることが求められる。

対価が無料であっても、「取引」に該当し得る。個人情報等優越的地位濫用ガイドラインは、金銭的には無料であるが相手方が自己の個人情報等を提供している場合には「取引」に該当する旨を述べるが、そのような場合には「当然」そのようになる、としており、そうでない場合にも「取引」に該当する余地を残した表現となっている[277)]。そのように理解したほうが、特に断りなく無料取引の市場に独禁法を適用している公取委実務と整合的である（前記46頁註50)。

2条9項5号の文理によれば、行為者の取引の相手方に対する濫用行為のみ

---

275)　平成21年改正前は昭和57年一般指定14項が優越的地位濫用を担当しており、そのほとんど全てが課徴金対象として出世したのが2条9項5号である。

276)　10条および13条～16条で「不公正な取引方法」の1つとして用いられる場合には、事業者であることは要件ではない。そのことは、とりわけ14条において、意味があるであろう。

277)　個人情報等優越的地位濫用ガイドライン2。

が問題となるはずであるが、実際には、取引関係の複雑さを反映して、直接の取引関係のない相手方に対する濫用行為が違反とされる場合があり得ると考えられる。例えば、子会社の店舗に対する従業員派遣の要請を親会社が行う場合には、このような事例が現れる可能性があり得る[278)279)]。このような場合には、課徴金をめぐっても論点が生ずる（後記 505〜506 頁）。

不利益な条件を呑まない相手方との取引を拒絶して取引しない場合は行為要件を満たすか、という問題は、別の箇所で述べる（後記 486 頁註 314）。

(iii) 消費者など　「相手方」は、これを事業者に限らなければならない旨の文言は2条9項5号にはなく、消費者などであってもよい[280)]。

公取委は、長い間、相手方が事業者であることを当然の前提としたかのような物言いをしており[281)]、裁判所の事例にもそれに沿うものが存在した[282)]。

令和元年、ドイツ競争当局による Facebook に対する命令があるなどした後、公取委は一転して、相手方は消費者であってもよい旨を含むガイドラインを策定した[283)284)]。

---

278) 向井康二＝中島菜子・アマゾンジャパン減額等確約認定解説・公正取引 842 号（令和 2 年）68 頁は、実質的には製造業者と小売業者が取引をしており間に形式的に卸売業者が入った場合の小売業者の製造業者に対する濫用行為を例に掲げ、製造業者が「相手方」に該当し得る旨を論じている。

279) 相手方の従業員個人に対して商品役務の購入を要請する行為も、取引関係のない者に対する濫用行為であるようにもみえるが、法的には、そのような行動を通じて相手方に対する濫用行為をしているのであると構成すれば、ここでの問題ではないことになる。公取委命令平成 21 年 3 月 5 日・平成 21 年（措）第 3 号〔大和〕。

280) この項目について詳しくは、白石忠志「消費者に対する優越的地位濫用」河上正二先生古稀記念『これからの民法・消費者法（II）』（信山社、令和 5 年）。

281) 代表例として、平成 22 年の優越的地位濫用ガイドライン第 2 の 1 は、「優越的地位」について取引必要性説を採るにあたって、相手方が「事業経営」者であることを前提としたかのような記述をしている。

282) 先例的価値は疑問であるが、名古屋地判平成 22 年 1 月 28 日・平成 20 年（ワ）第 3188 号〔中日私設応援団〕（裁判所 PDF 42〜43 頁）、名古屋高判平成 23 年 2 月 17 日・平成 22 年（ネ）第 229 号〔中日私設応援団〕（裁判所 PDF 16 頁）。東京地判平成 28 年 10 月 6 日・平成 27 年（ワ）第 9337 号〔京セラ対ヘムロック〕は、消費者に対する優越的地位濫用が成立し得ることを当然の前提とした判示を行っていたが（審決集 64 巻の 509 頁）、控訴審の東京高判平成 29 年 10 月 25 日・平成 28 年（ネ）第 5514 号〔京セラ対ヘムロック〕はその部分を削った（事実及び理由第 3 の 1 (5) によって原判決 29 頁から 30 頁を改めた部分であり、審決集 64 巻の 449 頁）。

283) 個人情報等優越的地位濫用ガイドライン 2。

公取委関係者は、長年の物言いを糊塗しようとしてか、種々のことを述べることがあるが、有効な説明ではない[285]。

優越的地位濫用規制の位置付け論（前記1(3)②）との関係は、次のように整理できる。搾取規制説においては、相手方が事業者であっても消費者であっても、そのような者が不利益を受け搾取されることに着目して規制するというのであるから、消費者に対する優越的地位濫用を規制することに何らの問題はない。間接的競争阻害規制説においては、消費者に対する優越的地位濫用を規制する場合には、相手方とその競争者との競争への影響を掲げることはできなくなるが、行為者とその競争者との競争への影響などを掲げて、なお説明することが不可能ではない[286]。

公取委は、「相手方」に消費者を含むことを認める以上、「相手方」に労働者を含むことも、認めざるを得ないであろう（前記172頁）。

(3) 優越的地位

① 総説　2条9項5号の「自己の取引上の地位が相手方に優越していること」を略して「優越的地位」の要件と呼んでいる。

② 取引必要性説の定着

(i) 総説　優越的地位の具体的内容としては、「甲が取引先である乙に対して優越した地位にあるとは、乙にとって甲との取引の継続が困難になることが事業経営上大きな支障を来すため、甲が乙にとって著しく不利益な要請等を行っても、乙がこれを受け入れざるを得ないような場合である」というものが定着しており、これは、取引の相手方が行為者と取引する必要がある場合に

---

284) 独禁法関係者の間では、消費者に対する優越的地位濫用が略されて「消費者優越」と呼ばれることがあるが、この言葉に接した者は消費者が優越していると受け止めるのが普通であると思われ、本書ではこの略語は用いない。「優越」については、前記467頁註255。

285) 令和4年4月13日付の事務総長定例会見記録の、「対消費者の優越的地位濫用の問題に対して法律上適用できないわけではなくて、ただ、これまで問題が無かったので取り上げてこなかった」とする説明が典型である。これと同様の文脈で、優越的地位濫用ガイドラインを「B to B ガイドライン」と呼び、個人情報等優越的地位濫用ガイドラインを「B to C ガイドライン」と呼ぶ説明に接したことがあるが、種々の意味で誤導的である。優越的地位濫用ガイドラインが策定された頃には、消費者に対する優越的地位濫用という問題意識が公取委において稀薄であっただけである。個人情報等優越的地位濫用ガイドラインは、消費者に対する優越的地位濫用のうち、ごく一部の事象を取り上げたものであるにすぎない。

286) 個人情報等優越的地位濫用ガイドライン1も、そのような説明となっている。

行為者が優越的地位にあるとする取引必要性説の考え方である[287][288]。実際の事例においてもそれに沿った認定がされている[289][290][291]。

私見としても、2条4項にいう「競争」の定義との親和性がある取引必要性説が適切であるように思われる[292]。

---

287) 優越的地位濫用ガイドライン第2の1。同第2の2において考慮要素（後記④）について述べる際、「乙は甲と取引を行う必要性が高くなるため」という表現を常に用いているのは、取引必要性説の考え方を裏付けている。以上のような優越的地位濫用ガイドラインと同様のことを最初に述べた公取委ガイドラインは、平成3年の流通取引慣行ガイドラインである（策定当初の第1部第5の2(3)注13および第2部第5の2。平成3年1月17日の原案の段階では、取引必要性説的な要素と総合的事業能力説的な要素とを、並べて掲げていた。公正取引委員会事務局「流通・取引慣行に関する独占禁止法上の指針（原案）」（公正取引484号などに掲載）第1部第5注13、第2部第5の1(2)）。そのことを含め、平成初年までの状況について詳しくは、白石忠志「「取引上の地位の不当利用」規制と「市場」概念」法学（東北大学）57巻3号（平成5年）。流通取引慣行ガイドラインにおける優越的地位濫用関係の記述は、平成29年の改正により、優越的地位濫用ガイドラインに譲ることとなり、削られている。

288) 優越的地位濫用ガイドライン第2の1には、前段（相対的に優越した地位であれば足りる）と後段（取引必要性）とがある。前段は、具体的基準でなく位置付け論であって、しかも、当該事案に関係なく根拠のない市場画定に基づいて相対的優越で足りる云々と述べているものである。以下では言及しない。

289) 遅くとも、優越的地位濫用規制の古典的有名事例である公取委同意審決昭和57年6月17日・昭和54年（判）第1号〔三越〕（審決集29巻の34頁）のあたりから同様の状況が続いている。公取委の命令をめぐる最近の事例については、後記③〜⑤。

290) 多数の下級審判決例がある。なお、行為者が「金融機関」であり相手方が「中小企業等」であり「経済的弱者」であることなどに触れたにとどまる最高裁判決があるが（最判昭和52年6月20日・昭和48年（オ）第1113号〔岐阜商工信用組合〕（民集31巻4号の456頁、458頁、審決集24巻の295頁、296頁）、時期的に古く、優越的地位濫用に関する判示は判決の結論には関係がなかったものであることを考えると（後記779頁）、重みを認める必要はない。

291) 契約法の分野における「継続的契約の解消」論で、「やむを得ない事由」がある場合にのみ解約可能とした裁判例は、被解約者にとって解約者との取引が必要か否かに最も着目している。その意味で、これらの一連の裁判例は、独禁法の優越的地位濫用規制と軌を一にするものである。白石忠志「契約法の競争政策的な一断面」ジュリスト1126号（平成10年）。

292) 今村成和『独占禁止法入門〔第4版〕』（有斐閣、平成5年）165頁も同旨。次のように述べている。「ここで優越的地位というのは、独占禁止政策の観点から問題があると認められる場合でなければならないから、市場における需給関係の単なる反映というのではなく、競争原理が機能するための前提条件である取引先選択の自由が、一方の側にのみ有利に働く場合において、そのことに基づく優越的地位と考えるべきであろう」。この論者の影響力から見て、公取委を含む大多数が取引必要性説を採るようになったことの原因の1つが上記のような思考過程にある可能性は、かなり高いであろう。

(ii) 総合的事業能力説　行為者と相手方とを、資本金・売上高・従業員数などに着目して比べ、行為者のほうが勝っている場合に行為者が相手方に対して優越的地位にあると考える総合的事業能力説[293)]は、2条4項の「競争」の定義とは相容れない。相手方にとって広く選択肢がある場合でも「優越的地位」の成立を認めることとなり、相手方にとって選択肢が他にない場合でも相手方の事業能力が大きければ「優越的地位」が認められないことになる。最近では、主張されることはほとんどない。

(iii) 情報非対称性説　行為者と相手方とを、商品役務やそれをめぐる取引についての情報をどれほど持っているかに着目して比べ、行為者のほうが勝っている場合に行為者が相手方に対して優越的地位に立っている、と考える情報非対称性説も存在した[294)]。消費者保護問題が全て優越的地位濫用規制に流入してしまうこととなる一方で、平成21年改正によって優越的地位濫用規制には課徴金が導入されており、情報非対称性説を採る前提が失われているように思われる。最近では、主張されることはほとんどない[295)]。

③　**どの程度の取引必要性が必要か**　そこで、さて、優越的地位が成立するためには具体的にどの程度の取引必要性が必要か、という問題がある。この点で、大きな対立がある。

図式化すると、次のような対立である。第1は、相手方が行為者との取引を解消すると痛手があるという場合に、取引必要性があり優越的地位がある、とする考え方である。第2は、相手方が行為者との取引を解消して、少々の痛手を負いつつも、行為者以外の取引先に切り替えて、乗り越えることができる、という場合には取引必要性がなく優越的地位はないとする考え方である。

公取委は第1の考え方であり、特定の相手方において行為者との取引割合が

---

293) 総合的事業能力説は、特定の主唱者をもつというよりは、過去において、顔のない多数説であった。取引必要性説などとの違いを自覚して論じた文献は少なく、むしろ、素朴に主張されることが多かった。特定の文献を総合的事業能力説と位置付けると、その論者自身が今度は取引必要性説に相当することを主張する、といったような状況であった。

294) 例えば、正田彬『全訂独占禁止法I』(日本評論社、昭和55年) 412〜414頁、本城昇「情報の非対称性と優越的地位の濫用規制」公正取引507号(平成5年)。

295) 優越的地位の判断基準について情報非対称性説をとるか否かと、取引相手方について消費者も含むと考えるか否かは、全く別の問題である。現に公取委が、取引相手方に消費者も含むとしつつ、取引必要性説をとっている。

10% に満たない場合でも、当該特定の相手方が行為者との取引終了によって一定の痛手があるというのであれば優越的地位を認めようとする[296)297)]。

もっとも、公取委自身が、個人情報等優越的地位濫用ガイドラインにおいては、価格等の競争変数が左右される状態がもたらされるという競争の実質的制限と同程度の基準を掲げており、場当たり的となっている感は否めない[298)]。

第1の考え方と第2の考え方との間には、程度問題としての違いはあるものの、取引必要性という同じ枠の中での議論であることも確かである。判断における考慮要素については、2つの考え方の違いを踏まえつつ、ある程度において共通の議論をすることが可能である。

④ 取引必要性の成否判断における考慮要素

(i) 総説　優越的地位濫用ガイドラインは、取引必要性の認定に際しての考慮要素を4つに分けて掲げている[299)]。そのなかでは、「乙にとっての取引先変更の可能性」が、取引必要性の同義反復に近い内容であり、重視されるべきものである（後記(iv)）。取引必要性の同義反復の考慮要素と、他の考慮要素とが、同列であるかのように並べられ、4つの考慮要素の論理的粒度のばらつきがある点は、論理性を欠いており、気になるところではある。

以下では、優越的地位濫用ガイドラインが掲げる4つの考慮要素を掲げたあと、公取委が主張する推認について述べる。

296）例えば、取引依存度が10% 未満でも優越的地位が認定される場合があると一般論として述べる例として、公取委審判審決令和元年10月2日・平成24年（判）第40号〔エディオン〕（公表審決案71頁）。前記註261の多くの事例における個別の相手方を詳細に見ると、取引依存度が10% よりかなり低いにもかかわらず優越的地位が認定された例がいくつも見られる。

297）公取委は、このような場合に、相手方にとっての行為者の取引依存度の順位が比較的高いことを考慮要素の1つとして挙げることがある。しかし、順位は、その事業分野にどれほどの数の事業者がいるかによって、その意味合いが異なる。例えば、取引依存度が3位であっても、全体で10社いる場合と全体で3社しかいない場合とでは、3位であるという事実の意味合いは異なるであろう。

298）個人情報等優越的地位濫用ガイドライン3(2)。この基準が一般的に妥当することとなると、公取委は、公取委が裁判所で争っている事件で相当程度において不利となる。個人情報等優越的地位濫用ガイドライン1は、同3(2)の基準は「優先的に審査を行う」か否かの基準であるとすることで、競争変数が左右される状態は優越的地位の成立に必ずしも必要ではないことにして、整合性を保とうとしている。何らかの理由で、裁判所での主張とは異なる基準を前面に出さざるを得ず、両者の矛盾を回避するため都合よく体裁を整えたもの、と言わざるを得ない。

299）優越的地位濫用ガイドライン第2の2。

(ii) 相手方の行為者に対する取引依存度（取引割合）　優越的地位濫用ガイドラインが掲げる第1の考慮要素は、「乙の甲に対する取引依存度」である[300]。「一般に、乙が甲に商品又は役務を供給する取引の場合には、乙の甲に対する売上高を乙全体の売上高で除して算出される」。甲が乙に供給する取引が問題となる場合には、乙の甲からの購入高を乙全体の購入高で除して算出することになるであろう。

ここにおける「取引依存度」という言葉は、現時点において相手方にとって行為者が占める地位を問題としている。「取引依存度」という語感からは、将来において取引を続けざるを得ないか否かを問題とするようにも見えるが、そのような要素は、優越的地位濫用ガイドラインの論理では、後記(iv)の「乙にとっての取引先変更の可能性」の項目で拾われることになる。本来は、「取引依存度」でなく、現時点での「取引割合」などの中立的な言葉を用いるべきであろう。

優越的地位濫用ガイドラインによれば、取引依存度が大きいと、相手方は行為者と取引を行う必要性が高くなる、という。現時点において相手方にとって行為者が占める地位が大きくとも、相手方が後腐れなく他の取引先に乗り換えることが可能である場合はあり得るので、取引依存度は取引必要性を認定するための絶対の基準ではない。他方で、取引依存度が大きいことが取引必要性のあることの徴表であったり、取引依存度が大きいことと即時の取引先変更が容易でないこととが相俟って取引必要性が認定されることもあるであろう。

しかし、そもそも、相当に小さい取引依存度でも優越的地位を認めるのが公取委の考え方であり、そちらの問題を議論すべき必要性が高い（前記③）。

(iii) 行為者の市場における地位　優越的地位濫用ガイドラインが掲げる第2の考慮要素は、「甲の市場における地位」である[301]。これが高いと、乙は甲と取引する必要性が高くなる、という。

しかし、「市場」なるものの定義がなく、あやふやな考慮要素であることは否めない（前記1(3)①）。通常の市場画定の方法によって、当該事例に即した市場画定をしたならば、相手方からみた選択肢の範囲が市場であるということに

300) 優越的地位濫用ガイドライン第2の2 (1)。

301) 優越的地位濫用ガイドライン第2の2 (2)。

なり、相手方にとっての取引依存度の大きな行為者は当然のことながらそこにおける地位が高いことになるであろうが、そのような突き詰めたことを考えた文章とは思えない。

(iv) 相手方にとっての取引先変更の可能性　優越的地位濫用ガイドラインが掲げる第3の考慮要素は、「乙にとっての取引先変更の可能性」である[302]。

取引先変更可能性があることと取引必要性がなく優越的地位がないこととは、ほぼ同義である。優越的地位濫用ガイドラインの記述も、その趣を感じさせる。

したがって、例えば、公取委が、取引依存度や市場における地位を強調し、取引先変更の可能性に言及しないまま、優越的地位を認定したならば、その認定は根拠が弱い可能性が高い。

他方、他には取引先はないかもしれないが、そもそも、そのような取引をしないで済ませることができる、という場合には、相手方が行為者と取引できないために大きな支障を来すこともなく、優越的地位を認定することはできないであろう。そのような場合には、取引必要性と取引先変更可能性は同義ではなく、取引先変更可能性はないが取引必要性もなく優越的地位もない、ということがあり得る。

(v) その他　優越的地位濫用ガイドラインが掲げる第4の考慮要素は、「その他甲と取引することの必要性を示す具体的事実」である[303]。その例は、「甲との取引の額、甲の今後の成長可能性、取引の対象となる商品又は役務を取り扱うことの重要性、甲と取引することによる乙の信用の確保、甲と乙の事業規模の相違等」であるとしている。これらが大きいと、乙が甲と取引を行う必要性が高くなる、という。

(vi) 濫用行為の存在による優越的地位の推認　濫用行為を認定できる事例では特段の事情がない限り優越的地位の成立を推認する、という考え方がある[304]。著しく不利益な要請等、すなわち濫用行為を行っても受け入れざるを

302) 優越的地位濫用ガイドライン第2の2 (3)。特に明確に認定された事例として、公取委勧告審決平成17年12月26日・平成17年（勧）第20号〔三井住友銀行〕（審決書3～4頁）。勘所事例集215～216頁。

303) 優越的地位濫用ガイドライン第2の2 (4)。

304) 公取委審判審決平成27年6月4日・平成24年（判）第6号〔日本トイザらス〕（公表審決案19～20頁）。

得ないのが優越的地位である、と定義されているので（前記②(i)）、このような考え方が出てきたものと思われる。

優越的地位に全く立たれていないのに円滑な社会交流のため濫用に該当する行為を受け入れる場合もあり得るので、濫用行為があれば優越的地位が常に成立するとは言えない[305)]。

その後、公取委は、行為者が濫用行為を行い、相手方がそれを受け入れている場合には、これを受け入れるに至った経緯や態様によっては、優越的地位の成立を窺わせる重要な要素となり得る、という一般論を述べるところに落ち着いている[306)]。

⑤ 諸論点

(i)「相互優越」の場合　相手方が行為者に対して強い地位にあり行為者のほうに相手方との取引必要性がある場合でも、相手方も行為者との取引必要性があるのであれば、行為者の相手方に対する優越的地位は認定し得ると考えられる[307)]。これは、「相互優越」の問題として、しばしば議論されるものであるが、相手方にとって行為者との取引必要性があるなら、優越的地位の要件の認定としては十分であり、「相互優越」があるとされる両者の力関係は、濫用の成否の判断に組み入れれば足りるように思われる。行為者にとって相手方との取引必要性がある状態が並行しているために、相手方が行為者からの要請を断っても取引は継続する、という場合は、あるかもしれない。しかしそれでもなお、相手方が行為者からの要請を断ることができない状況はあり得るのであり、そのような場合にまで、「相互優越」を根拠として行為者の相手方に対する優越的地位を否定することはできない。

---

305) 小室尚彦＝土平峰久・山﨑幕田監修 181～182 頁も、そのようなことがあり得ることは認めている。

306) 例えば、公取委審判審決平成 31 年 2 月 20 日・平成 23 年（判）第 82 号〔山陽マルナカ〕（審決書 43 頁）。この審決の場合、この一般論に対応して「経緯や態様」を認定しているのは審決書 100～101 頁である。

307) そのことを前提とした判断だと考えられるものとして、例えば、日本トイザらス審決（公表審決案 42～43 頁）、山陽マルナカ審決（公表審決案 49～51 頁）。仙台地石巻支判平成 25 年 9 月 26 日・平成 24 年（ワ）第 81 号〔生かき仲買人販売手数料割戻し〕は、被告の「絶対的に優越的な地位」を強調して原告の優越的地位を否定したかのようにも見えるが、原告の優越的地位を否定するとまでは言っておらず、他方で、濫用行為の成立を否定する要素を多く掲げている（判時 2297 号の 105～106 頁）。勘所事例集 476～477 頁。

(ii) 相手方の特定の事業部門のみに対して強い地位にある場合　相手方の全体に対して強い地位にあるのではなく、相手方の特定の事業部門のみに対して強い地位にある場合がある。多くの場合があり得るが、例えば、特定地域で有力な小売業者が行為者で、相手方である納入業者が全国的に著名なメーカーの当該特定地域の事業所である場合である。

このような場合にも、その取引が行われる空間においては、強い地位に基づく行為が行われ得るのであるから、優越的地位の認定をすべきであろう[308]。

この場合には、課徴金計算においても、そのような実態に照らした解釈が採られるべきである（後記505頁）。

(4) 利用して

2条9項5号には、優越的地位を「利用して」濫用行為を行う、という文言がある[309]。

これは、優越的地位と濫用行為との因果関係を必要とするもの、と理解するのが素直であろう。

問題となった取引条件の約定に至る段階では優越的地位にはなかった、という場合には、そのような約定の瞬間に優越的地位が発生した場合でも、問題にならないことになる[310]。

---

308) 例えば、山陽マルナカ審決（審決書53～54頁）、東京高判令和5年5月26日・令和2年(行ケ)第5号〔ダイレックス〕（判決書32～33頁）。

309) 優越的地位濫用ガイドライン第2の3は、優越的地位にある者が濫用行為をすれば「通常」これを満たす旨の簡単な記述を置いているにとどまる。

310) 東京地判平成23年12月22日・平成21年（ワ）第29786号〔セブン－イレブン収納代行サービス等〕（審決集58巻第2分冊の265～268頁）、東京高判平成24年6月20日・平成24年（ネ）第722号〔セブン－イレブン収納代行サービス等〕（審決集59巻第2分冊の116～117頁）において、加盟者側が不利益として主張した内容が加盟店基本契約に含まれていると解釈できるか否かが問題となったことは、このような文脈において理解することができる。すなわち、加盟店基本契約の締結に至る段階では、相手方すなわち加盟者になろうとする者は行為者すなわちセブン－イレブンに優越的地位に立たれていないから、加盟店基本契約のなかに読み取れる不利益は濫用とならなかった、と分析できる。勘所事例集439～441頁。公取委命令平成21年6月22日・平成21年（措）第8号〔セブン－イレブン排除措置〕において、加盟店基本契約に書かれていると解釈できるロイヤルティ算定方法それ自体は問題とされず、加盟店基本契約には書かれていない見切り販売の禁止行為が問題とされたことも、同様の現象として理解することができる。フランチャイズガイドラインは、令和3年4月28日の改正で、営業時間（24時間営業など）の短縮に係る協議の拒絶が優越的地位濫用に該当し得るとしているが、これは、加盟店基本契約が

行為者が、取引の有無にかかわらず、しかも一律の、施策を採用した場合には、取引の相手方が当該施策の結果として濫用行為と呼ぶに足りる不利益を受けたときであっても、「利用して」には該当しないと考えられる。当該施策が、行為者の取引上の優越的地位を原因として問題の相手方に不利益をもたらすのであれば別であるが、そうでないならば、「利用して」の成立を認めることはできない[311]。

優越的地位濫用ガイドラインが「利用して」について簡単な記述しか置いていないのは、公取委が、優越的地位に立たれていない相手方であるならば回避し得るような濫用行為しか念頭に置いておらず、そうでない濫用行為を事件として取り上げないからであり、そのことは、優越的地位の成否の判断基準に如実に現れている（前記(3)②(i)）。そのような絞りのない民事裁判においては特に、「利用して」の要件にも適切な注意を払うべきである。優越的地位そのものは、世の中に無数に存在するものであって、そのような地位に立つ者が不利益を与えれば常に優越的地位濫用になり排除措置命令・課徴金納付命令・差止請求などの根拠となり得るというのでは、法律上の違反要件として適切さを欠くこととなる[312]。

継続している期間中であっても両者で合意すれば契約時等に定めた営業時間の短縮が認められるとされていることが前提となっている（フランチャイズガイドライン3 (1) ア）。

311）公取委食べログ事件意見書第3の3 (2) は、そのような施策は「取引［の］実施」に該当し得るとする限度で、理解できるが、「利用して」の要件に触れていない点で、適切でないように思われる。差別的取扱いの規制においては、そのような施策の結果として不利になる者とそうでない者が出るのであれば問題とすべきである（前記142頁、414頁）。優越的地位濫用の規制においても、行為者がその取引の相手方に対して優越的地位にあるために、そのような施策の結果として不利益が生ずるのであれば、違反とする道を残すべきである（後記491頁註335）。しかし、行為者が優越的地位に立っている相手方に対しても、行為者が優越的地位に立っていない相手方に対しても、そのような施策による不利益が同じように生じ得るのであれば、もはや、そのような不利益は、優越的地位を「利用して」生じたものとは言えないであろう。

312）東京地判令和4年6月16日・令和2年（ワ）第12735号〔韓流村対カカクコム食べログ〕は、優越的地位濫用ガイドラインと同様、優越的地位と濫用行為があれば「利用して」は当然に満たされるかのような口吻であるが（事実及び理由第5の1 (4)）、有料店舗会員・無料店舗会員・非会員のいずれであっても等しく適用されるアルゴリズム変更による有料店舗会員に対する「不利益」を優越的地位濫用とするということであるならば、疑問がある。

(5) 濫用行為

① 総説

(i) 概要　「優越的地位」があるだけでは違反ではなく、それを利用して「濫用行為」がされることが違反要件となる。行為の要件と濫用の要件に分かれる。

(ii) 行為要件と条文　2条9項5号における行為要件は、イ・ロ・ハに規定されているが、結論を言うと、何らかの行為があれば満たすような内容となっている。ハのうち「その他」以下が包括的な一般条項であり、何らかの行為がありさえすれば、これに該当する[313)][314)]。換言すれば、いずれハの「その他」以下で拾われるので、イ、ロ、ハの「その他」より前、の行為要件について、細かな議論をする実益はない。それらはいずれもハの「その他」以下の例示である。

(iii) 濫用の要件と条文　濫用は、2条9項5号の条文では、「正常な商慣習に照らして不当に」という文言で表現されている。

公取委は、課徴金事件の審決などにおいて、少々異なる枠組みを用いている。行為者と相手方との間の利害状況に相当することは2条9項5号イ・ロ・ハのなかに読み込み、これを満たすものを「不利益行為」と呼んで、さらに、公正競争阻害性が要件となることを強調して、これを「正常な商慣習に照らして不当に」に読み込み、公正競争阻害性を満たす不利益行為を「濫用行為」と呼んでいるようである[315)]。

本書では、そのような枠組みはとらない。2条9項5号イ・ロ・ハのなかで、行為者と相手方との間の利害状況を読み込める明確な文言があるのは、ハの

---

313) 要求拒否に対する不利益取扱い、公取委への報告に対する不利益取扱いなども、ハの「その他」以下を満たす旨の解説がされている（平成21年改正解説49～50頁）。

314) 不利益な条件を呑まない者との取引を拒絶し取引をしないことは行為要件を満たすか、という問題がある。ハの「その他」以下のうち、「取引の相手方に不利益となるように取引の条件を設定し」に該当すると考えられる。民事裁判などでは、安全策として、そのような取引拒絶を一般指定2項もあわせて用いて論ずる主張等が行われることがある。

315) 優越的地位濫用ガイドライン第4は、行為者と相手方との間の利害状況を、2条9項5号イ・ロ・ハの行為類型ごとに詳論する、という形をとっているのであって、イ・ロ・ハの文言のなかにその問題を読み込むと明記しているわけではない。「不利益行為」という言葉を用いるようになったのは、優越的地位濫用ガイドラインが策定された平成22年より後の、課徴金事件の審決の時期（平成27年の日本トイザらス審決を除く、平成31年／令和元年頃）からである。

「その他」以下の「不利益となるように」だけであり、他は、そのような文言を置いていない。行為者と相手方との間の利害状況とは関係なく、形式的にイ・ロ・ハ所定の要件を満たしてしまう事案があり得る。「正常な商慣習に照らして不当に」は、行為者と相手方との間の利害状況をイ・ロ・ハの全てにわたって読み込める唯一の文言である[316]。優越的地位濫用規制において競争への影響を要件とする必要があるか否かは、別の問題である（後記(6)①）。行為者と相手方との間の利害状況を論ずべきことには争いはなく、そのことを明確化する文言として、「正常な商慣習に照らして不当に」には存在意義がある。

以下では、2条9項5号イ・ロ・ハに規定された行為類型ごとに濫用の基準をみることとし、しかしその前に、行為類型を横断した共通の実質的観点があることを指摘する。

(iv) 濫用の成立を根拠づける主要な視角　濫用の成立を根拠づける視角として、主に次の2つがある[317]。

第1は、相手方にとってあらかじめ計算できない不利益である、という視角である。

第2は、相手方にとってあらかじめ計算できたとしても、とにかく合理的範囲を超える不利益となる取引条件を課することが濫用にあたる、というものである[318]。行為類型ごとの各論に何度も登場する、「直接の利益」を超える負担、という考え方は、そのようなものは合理的範囲を超える不利益の観点から濫用となる、という考え方を示している。「直接の利益」とは、その行為によって相手方に実際に生ずる利益を指し、その負担を引き受けることで将来の行為者との取引が有利になるという間接的な利益は含まない、とされる点で、横断的に共通している[319]。相手方が行為者から相応の見返りを受けるなどしている

316) 下請法4条では、それに相当するものとして、「下請事業者の責に帰すべき理由がないのに」や「下請事業者の利益を不当に害し」などの文言を置いている。フリーランス法5条も同様である。

317) 公取委食べログ事件意見書第3の1 (3) イ。

318) 米国法の歴史研究により、過大な不利益の問題を検討するための基礎を提供するものとして、大久保直樹「事業法および反トラスト法の歴史研究がもつ現代的意義 (1) ～ (3・完)」法学協会雑誌121巻10号、11号、12号（平成16年）。

319) 協賛金の要請について、優越的地位濫用ガイドライン第4の2 (1) ア注9、イ。従業員派遣の要請について、(2) ア注12、イ。返品について、第4の3 (2) イ注23。減額についても、返

場合には、合理的範囲を超える不利益にはあたらない[320)321)]。

後記②〜④に掲げる行為類型のいずれにおいても、2通りのいずれもが関係し得る。例えば、2条9項5号イは合理的範囲を超える不利益だけであり、2条9項5号ロの従業員派遣要請はあらかじめ計算できない不利益だけである、ということではない。特定の行為類型について、一方のみが言及されることがあるとすれば、それは、当該特定の行為類型については当該一方のみが起こりやすいと考えられている、というだけであり、論理的にそちらしかあり得ないということではない。

(v) 正当化理由　　濫用に正当化理由がある場合もあり得る。優越的地位濫用規制においては、正当化理由がある場合にはそもそも濫用にあたらない、というように、濫用という概念に組み込んだ形で正当化理由の問題を論ずることが多くなるものと思われる[322)]。

② **2条9項5号イ**　　2条9項5号イが規定する行為は、「継続して取引する相手方……に対して、当該取引に係る商品又は役務以外の商品又は役務を購入させること」である。これはすなわち、主たる商品役務以外の従たる商品役務の購入を強制する購入強制であり、更に言い換えれば不要品強要型抱き合わせ規制である（前記143〜144頁）。イは、従たる商品役務を「購入させる」としているのに対し、主たる商品役務については売買の方向を規定していないので、例えば、主たる商品役務の買手が売手に対して従たる商品役務の購入を強制す

品と同様のことを述べた事例がある（後記493頁）。

320）例えば、大阪高判昭和56年3月27日・昭和55年（ネ）第188号〔石原開発対第一勧業銀行I〕（判時1036号の109頁）、大阪高判昭和58年1月25日・昭和57年（ネ）第1346号〔石原開発対第一勧業銀行II〕（金融商事判例670号の29頁）、東京高判平成3年8月26日・平成2年（ネ）第4256号〔塚本商事対東京銀行〕（金融法務事情1300号の29〜30頁）、札幌地決平成5年8月16日・平成5年（ヨ）第386号〔カブトデコム対北海道拓殖銀行〕（判タ843号の256頁）、平成30年度相談事例6〔ソフトウェアメーカー保守契約義務付け〕。

321）相手方が行為者から相応の見返りを受け、当該濫用被疑行為に従ったために、他の観点で独禁法違反の問題を起こす場合はある。例えば、排他条件付取引の拘束を、相応の見返りによって遵守させれば、それだけ、他者排除の観点からの排他条件付取引の違反要件は充足される方向に作用する。

322）例えば、東京地判平成17年3月3日・平成15年（ワ）第1807号〔日本信販株主代表訴訟〕は、相手方の信用不安を根拠として行為者が追加負担を求めても濫用にはあたらない、とした（判時1934号の146頁）。不適格な事業者の排除という正当化理由と通底するものがある（前記103〜106頁）。

る行為をも守備範囲としている。その典型例が、大規模小売業者による納入業者に対する購入強制である。

ハの「その他」以下があるため、実質的にはイは全体として例示である。例えば、「継続して取引する相手方」の意味などについて精密な解釈論をする実益はない[323]。また、例えば、従たる商品役務のなかには相手方が必要とする数量も存在するけれどもその必要数量を超えて購入させているという事案で、イでなくハを掲げた事例がある[324][325]。

優越的地位濫用ガイドラインは、2条9項5号イが例示する購入強制における濫用の基準について、次のように述べている[326]。

まず、相手方にとって不要であり購入を希望しないにもかかわらず、今後の行為者との取引に与える影響を懸念して行為者の購入要請を受け入れざるを得ない場合には、濫用となるとする[327][328]。

他方、行為者が相手方に商品役務の供給を発注する際に、商品役務の内容を均質にしたり内容の改善を図ったりするために必要があるなどの合理的な必要性から、必要な原材料や必要な設備を購入させる場合には、濫用とならないとする。

購入強制は、以前から継続している取引に付随して行われるなど、あらかじめ計算できない形で行われる場合と、新たな取引に付随して計算できる形で行われる場合とが、あると思われる。後者の場合でも、購入強制は、上記のような正当化理由がない限りは、濫用に該当すると考えられる。

---

323) そのことは、優越的地位濫用ガイドライン考え方21頁、44頁も認めている。

324) 公取委公表平成31年1月24日〔大阪瓦斯ファンヒーター〕。

325) 引取義務数量を設けて、実際の引取数量がそれに足りない部分についての支払を求めるという「Take or Pay条項」も、この一種ということになろう。これに言及した例として、公正取引委員会事務総局「液化天然ガスの取引実態に関する調査報告書」(平成29年6月) 173頁。

326) 優越的地位濫用ガイドライン第4の1。そこでは「購入・利用強制」とされているが、条文は「購入させること」とされている。

327) 事例として、例えば、公取委勧告審決平成17年12月26日・平成17年(勧)第20号〔三井住友銀行〕。勘所事例集216頁。

328) 相手方にも購入によるメリットがあり、それらの総合的検討の結果として購入したのであることを理由に、優越的地位濫用の成立を否定した事例として、東京地判平成26年12月16日・平成24年(ワ)第28083号〔三菱東京UFJ銀行対ミュージアム一九九九〕(金融商事判例1462号の50頁)。

③　2条9項5号ロ

(i)　総説　　2条9項5号ロが規定する行為は、「継続して取引する相手方に対して、自己のために金銭、役務その他の経済上の利益を提供させること」であり、典型的には、大規模小売業者による納入業者に対する、協賛金の要請や、従業員派遣の要請を対象としている。

ハの「その他」以下があるため、実質的にはロは全体として例示であり、例えば、「継続して取引する相手方」の意味などについて精密な解釈論をする実益はない。

2条9項5号ロにおける濫用の基準について、優越的地位濫用ガイドラインは、「協賛金等の負担の要請」「従業員等の派遣の要請」「その他経済上の利益の提供の要請」に分けて述べている[329)]。

(ii)　「協賛金等の負担の要請」と「従業員等の派遣の要請」　　優越的地位濫用ガイドラインは、「協賛金等の負担の要請」と「従業員等の派遣の要請」とについて、実質的に同じ内容を2度繰り返している。これらの2つが代表的な例であるために、あえて繰り返したのであろう。

優越的地位濫用ガイドラインによれば、これらの2つが問題となるパターンは2つある[330)]。

第1は、要請の具体的内容が行為者と相手方との間で明確になっておらず、相手方にあらかじめ計算できない不利益を与えることとなる場合である。

第2は、相手方が得る直接の利益（前記①(iv)）等を勘案して合理的であると認められる範囲を超えた負担となり、相手方に不利益を与えることとなる場合である[331)332)]。

---

329)　優越的地位濫用ガイドライン第4の2 (1)～(3)。

330)　優越的地位濫用ガイドライン第4の2 (1) アおよび (2) アにおいて、問題となる場合の角度からの記述があり、(1) イおよび (2) イにおいて、問題とならない場合の角度からの記述がある。

331)　直接の利益に関する判断の例として、公取委審判審決令和元年10月2日・平成24年（判）第40号〔エディオン〕（公表審決案98～134頁）、公取委審判審決令和2年3月25日・平成26年（判）第1号〔ダイレックス〕（公表審決案88～102頁）。

332)　向井康二＝中島菜子・アマゾンジャパン減額等確約認定解説・公正取引842号（令和2年）69頁は、提供される経済的利益は、相手方の直接の利益の範囲内である必要があるだけでなく、行為者の当該取組に必要な範囲内である必要もある旨を論じている。例えば、オンラインモールにおける広告に必要であるとする協賛金は、納入業者の直接の利益の範囲内であるだけでなく、

(iii) 「その他経済上の利益の提供の要請」　優越的地位濫用ガイドラインは、その他経済上の利益の提供の要請として、発注内容に含まれていない金型等の設計図面、知的財産権、従業員派遣以外の役務提供などを例として掲げ、相手方が今後の取引に与える影響を懸念してそれを受け入れざるを得ない場合には、濫用となるとする[333]。逆に、それらが主たる商品役務の販売に付随して提供されるものであって主たる商品役務の価格にそもそも反映されているようなときは、濫用にはならないとする[334]。

④　2条9項5号ハ

(i)　総説　2条9項5号ハは、「その他」の前と後に分かれる。

「その他」より前は、受領拒否、返品、支払遅延、減額、を掲げており、これらは、下請法やフリーランス法において禁止行為とされる典型例である。下請法やフリーランス法において禁止行為とされるのと同様の類型の行為について、優越的地位が成立するなかで行ったならば独禁法違反の優越的地位濫用となることを明確化する意味を持っている。「その他」以下があるので、「その他」より前は実質的には全て例示である。

「その他」以下は、「その他取引の相手方に不利益となるように取引の条件を設定し、若しくは変更し、又は取引を実施すること」と規定している。「取引の相手方に不利益となるように」は、「又は」の前と後とにかかっている。また、単発取引であっても行為要件を満たす場合があることがわかる[335]。

2条9項5号ハにおける濫用の基準について、優越的地位濫用ガイドラインは、「受領拒否」「返品」「支払遅延」「減額」「取引の対価の一方的決定」「やり直しの要請」「その他」に分けて記述している。

オンラインモールが実際に支出した広告費用の範囲内であることも必要である、ということである。優越的地位濫用ガイドラインが「直接の利益……等を勘案」という場合の「等」とはそのような意味である、という。

333)　優越的地位濫用ガイドライン第4の2 (3) ア。

334)　優越的地位濫用ガイドライン第4の2 (3) イ。

335)　行為者が、取引の有無にかかわらず、しかも一律の、施策を採用した場合でも、当該施策の結果として特定の取引の相手方に対して不利益を与えるということはあり得るので、そのような施策の実施は「取引を実施」に該当すると考えてよいと考えられる（他者排除に関する同様の議論について、前記142頁、414頁）。もっとも、そのような行為は、「利用して」の要件を満たさない可能性が多分にある（前記485頁）。

これらのうち、「取引の対価の一方的決定」を除くものは、あらかじめ計算できない不利益である要素の強いものであり、「取引の対価の一方的決定」は、合理的範囲を超える不利益である要素の強いものである。したがって、前者は原則として濫用とされ、後者は原則として濫用でないとされる傾向が強い。

(ii) 受領拒否　受領拒否は、相手方が今後の取引に与える影響等を懸念して受け入れざるを得ない場合には濫用となる、という原則論が掲げられる[336]。

そのうえで、例外的に濫用とならない場合がある、とされる[337]。相手方の責めに帰すべき場合、あらかじめ一般的に受領拒否を行える条件を合意し実際にその条件に従って受領拒否をした場合、個別の受領拒否についてあらかじめ相手方の同意を得て相手方に通常生ずべき損失を行為者が負担する場合、である。

(iii) 返品　返品は、相手方が今後の取引に与える影響等を懸念して受け入れざるを得ない場合には濫用となる、という原則論が掲げられる[338]。

そのうえで、例外的に濫用とならない場合がある、とされる[339]。まず、受領拒否と同様に、相手方の責めに帰すべき場合、あらかじめ一般的に返品を行える条件を合意し実際にその条件に従って返品をした場合、個別の返品についてあらかじめ相手方の同意を得て相手方に通常生ずべき損失を行為者が負担する場合、である。返品の場合はそれに加えて、相手方から返品を受けたい旨の申出があり、かつ、相手方が返品を受けた商品を処分することが相手方の直接の利益（前記①(iv)）となる場合、にも、濫用とはならない、とされる。

(iv) 支払遅延　支払遅延は、相手方が今後の取引に与える影響等を懸念して受け入れざるを得ない場合には濫用となるのが原則とされる[340]。

そのうえで、例外的に濫用とならない場合として、個別の支払遅延についてあらかじめ相手方の同意を得て相手方に通常生ずべき損失を行為者が負担する場合が掲げられている[341]。

---

336) 優越的地位濫用ガイドライン第4の3 (1) ア。

337) 優越的地位濫用ガイドライン第4の3 (1) イ。

338) 優越的地位濫用ガイドライン第4の3 (2) ア。

339) 優越的地位濫用ガイドライン第4の3 (2) イ。

340) 優越的地位濫用ガイドライン第4の3 (3) ア。ここでは、あらかじめ定められた支払期日に遅れることが念頭に置かれている。他方、支払期日をこれから定めようとする場合にも、一方的に遅く設定したり支払期日の到来を恣意的に遅らせることは、濫用となりやすい、との旨の記載も添えられている。

(v) 減額　優越的地位濫用や下請法の分野では、「減額」とは、あらかじめ定められた取引金額より少ない金額のみを買手が支払う行為を指す[342]。

減額は、相手方が今後の取引に与える影響等を懸念して受け入れざるを得ない場合には濫用となる、という原則論が掲げられる[343]。

そのうえで、例外的に濫用とならない場合がある、とされる[344]。第1に、相手方の責めに帰すべき場合に、相当の期間内に相当の金額の範囲内で減額する場合が掲げられる。第2に、今後の対価交渉の一環として約定済みの対価の減額の要請が行われ、その額が需給関係を反映したものである場合、も掲げられる[345]。第3に、優越的地位濫用ガイドラインには明記されていないが、返品の場合と同様に、あらかじめ一般的に減額を行える条件を合意し実際にその条件に従って減額をした場合にも、濫用とはならない、とされる[346]。第4に、優越的地位濫用ガイドラインには明記されていないが、やはり返品の場合と同様に、相手方から減額を受けたい旨の申出があり、かつ、減額を原資とした値引き販売の実施により旧商品が処分されることが新商品の販売増に繋がるなど相手方の直接の利益（前記①(iv)）となる場合にも、濫用とはならない、とされる[347]。

(vi) 取引の対価の一方的決定　「取引の対価の一方的決定」が問題となる場合がある。売る側の価格が高いことが問題となる場合もあれば、買う側の

341) 優越的地位濫用ガイドライン第4の3 (3) イ。

342) それに対し、これから取引金額を定めようとする際にこれを安くしようとする行為は、優越的地位濫用や下請法の分野では、「買いたたき」と呼ばれている。公取委関係の文書は基本的にこれで統一されているが、公取委が関与しない民事裁判例では、ときに、「買いたたき」に当たるものを「減額」と呼んでいる場合などがある。

343) 優越的地位濫用ガイドライン第4の3 (4) ア。

344) 優越的地位濫用ガイドライン第4の3 (4) イ。

345) これは、行為類型としては、取引の対価の一方的決定（後記(vi)）の問題であり、したがって、需給関係を反映しているという判断基準も、取引の対価の一方的決定について掲げられるものに沿うものとなっている。

346) 日本トイザらス審決には、このような考え方によって特定の減額を濫用なしとした部分がある（公表審決案49～50頁）。

347) 日本トイザらス審決が、まず一般論を述べ（公表審決案21頁）、それを当てはめていくつもの行為につき濫用なしとしている（公表審決案30～32頁、35～36頁、39～40頁、43～44頁、53～54頁、57頁、57～59頁、72～73頁）。後続のいずれの事例においても、この種の個別の成否判断が行われている。

価格が安いことが問題となる場合もある。

優越的地位濫用ガイドラインは、判断基準として以下のように述べる[348]。まず、「一方的に、著しく低い対価又は著しく高い対価での取引を要請する場合であって、当該取引の相手方が、今後の取引に与える影響等を懸念して当該要請を受け入れざるを得ない場合には」濫用となるとする。この判断に当たっては、対価の決定に当たり取引の相手方と十分な協議が行われたかどうか等の対価の決定方法のほか[349][350]、他の取引の相手方の対価と比べて差別的であるかどうか[351]、取引の相手方の仕入価格を下回るものであるかどうか[352]、通常の購入価格や販売価格との乖離の状況、取引の対象となる商品役務の需給関係、等を勘案して総合的に判断する、とされる[353][354][355]。また、行為者が相手方に

348) 優越的地位濫用ガイドライン第4の3(5)ア。

349) 交渉が十分に行われたとみられることを濫用なしとの結論の理由の1つとする事例として、東京高決平成22年9月1日・平成22年(ラ)第1259号〔買いたたき差止め仮処分申立て〕(裁判所PDF 6頁)、令和3年度相談事例7〔消費税インボイス制度対応〕、公取委公表令和5年4月13日〔みずほ証券〕。

350) 公取委公表平成24年6月22日〔東京電力〕は、価格が高いことそれ自体を問題としたというよりは、十分な交渉を行わず長期契約の価格を上げようとしてあらかじめ計算できない不利益を負わせようとしたことに着目したもの、という様相が強い事例である(遠藤光=山下剛=八子洋一・同事件担当審査官解説・公正取引743号(平成24年)82頁)。平成25年度相談事例9〔電気料金引上げ・燃料費等増加〕も、同様の観点を含んでいる。以上につき、勘所事例集442~444頁。

351) 岡山地判平成17年12月21日・平成13年(ワ)第977号〔アールエコ〕は、行為者が供給者である事案で、濫用の成立を否定する理由の1つとして、料金額が他県と比較して特に高額であるとまでは言えないことを掲げており(審決集52巻の916頁)、この理由付けは、広島高岡山支判平成18年12月21日・平成18年(ネ)第18号〔アールエコ〕によって引用されている(審決集53巻の1063頁)。買いたたき差止め仮処分申立て東京高決(前記註349)も、差別的か否かの観点から濫用を認定できる要素がその事案にないことを述べて、濫用の成立を否定した例である(裁判所PDF 7頁)。

352) 公取委勧告審決平成10年7月30日・平成10年(勧)第18号〔ローソン〕(審決集45巻の139頁)、公取委勧告審決平成17年1月7日・平成16年(勧)第34号〔ユニー〕(審決書3頁)、大阪地判平成22年5月25日・平成20年(ワ)第4464号〔フジオフードシステム〕(判時2092号の118頁)。

353) 優越的地位濫用ガイドライン第4の3(5)ア(イ)には、需給関係によって高い販売価格や安い購入価格を求める場合や、ボリュームディスカウントによって低い購入価格を求める場合などには問題とならないことが記されている。

354) 令和5年10月からの消費税インボイス制度の導入において、売手が免税事業者である場合にも経過措置により買手は一定範囲の仕入税額控除が可能であるにもかかわらず、買手が売手に

特定の出費の負担を求める場合、その出費を相手方が負担することに合理的な理由があるかどうかということも、考慮要素となる356)。

公取委は、労務費、原材料価格、エネルギーコスト等のコストの上昇が話題となった時期に、上昇分の取引価格への反映について十分な交渉をせずに価格を据え置いた企業の企業名を公表している。優越的地位濫用であるとまでは言い切れないが、一定の懸念を持たれる行為について、公取委として踏み込んだ態度を示そうとするものである357)。

当初の契約において、将来に向けた価格等の取引条件が定まっている場合にも、実質的な事情変更があれば、その見直しについて、協議をし、取引条件に関する合理的な理由が説明される必要が生ずるとされる。コンビニエンスストアの24時間営業義務について、本部が、加盟者に対し、契約期間中であっても両者で合意すれば契約時等に定めた営業時間の短縮が認められるとしている場合や358)、労務費・原材料価格・エネルギーコスト等の高騰などの場合などが考えられる。

(vii) やり直しの要請　需要者である行為者が供給者である相手方にやり直しを要請することは、相手方が今後の取引に与える影響等を懸念して受け入れざるを得ない場合には濫用となる、という原則論が掲げられる359)。

消費税相当額を全く支払わないこととする行為も、この例である。公正取引委員会「インボイス制度の実施に関連した注意事例について」(令和5年5月)、令和4年度相談事例9〔運送業務協同組合共通乗車券インボイス対応〕。

355) 仙台地石巻支判平成25年9月26日・平成24年(ワ)第81号〔生かき仲買人販売手数料割戻し〕は、原告と被告との間の合意による手数料の割戻しが原告側の優越的地位濫用によるものであるか否かが論ぜられた事例であるが、被告のほうが強い地位にある旨の認定に加え、被告の手数料値上げ要請が合意のきっかけとなったという経緯、割戻しの額の水準、被告が他の取引先にも割戻しに類似したことをしていること、などを認定して、濫用行為の成立を否定している(判時2297号の105～106頁)。

356) 平成21年度相談事例5〔システム利用料徴収〕。

357) 最初の例となったのが、公正取引委員会「独占禁止法上の「優越的地位の濫用」に関する緊急調査の結果について」(令和4年12月27日)である。根拠条文として独禁法43条を掲げている。対象となる事業者に対して意見を述べる機会を付与した、としている(公表文4(3)注3)。優越的地位濫用に該当することや下請法違反またはそれらのおそれを認定したものではないが、優越的地位濫用の違反要件の1つに該当するおそれがあるとしている。

358) フランチャイズガイドライン3(1)のうち「(営業時間の短縮に係る協議拒絶)」。

359) 優越的地位濫用ガイドライン第4の3(5)イ(ア)。

そのうえで、例外的に濫用とならない場合がある、とされる360)。あらかじめ定められた内容に満たない場合、個別のやり直しについてあらかじめ相手方の同意を得て相手方に通常生ずべき損失を行為者が負担する場合、試作品の作製を含む取引においてやり直しに係る費用が対価に含まれている状況で試作品につきやり直しを要請する場合、である。

(viii) 見切り販売の取りやめを余儀なくさせる行為　優越的地位濫用ガイドラインは、「その他」として、特に、具体的事例で問題となった、見切り販売の取りやめを余儀なくさせる行為を掲げている361)。これが排除措置命令に至ったセブン－イレブンの事例は、あらかじめ計算できない不利益を与えたために問題となったものと位置付けることができる362)363)。

(ix) その他　以上に掲げたものは例示であり、それ以外にも様々な行為があり得る。

そのいくつかは、優越的地位濫用ガイドラインに例示されている364)。

更にその他にもあり得る。

第1の例として、オンラインプラットフォーム事業者が出店者に対して求める販売条件を変更し、販売価格の外側で送料を上乗せすることを禁止する行為は、従前からの出店者にとってあらかじめ計算できない不利益である場合には、濫用となり得る365)。

---

360) 優越的地位濫用ガイドライン第4の3(5)イ（イ）。

361) 優越的地位濫用ガイドライン第4の3(5)ウ（ウ）。

362) 公取委命令平成21年6月22日・平成21年（措）第8号〔セブン－イレブン排除措置〕。

363) 見切り販売の取りやめを余儀なくさせる行為は、加盟者に対する価格拘束の問題として一般指定12項で捉えることも可能である。民事裁判では、課徴金の有無は関係がないから、一般指定12項を用いた立論によって行為者の行為の違法性を説明することもあり得る。実例として、福岡地判平成23年9月15日・平成20年（ワ）第1917号〔セブン－イレブン博多〕（審決集58巻第2分冊の454～455頁）（同判決が用いた昭和57年一般指定13項は現在では一般指定12項である）。なお、セブン－イレブン事件に関する福岡の裁判所の判決は他に数件あるが、いずれも、独禁法によらずに行為の違法性を説明している。

364) 優越的地位濫用ガイドライン第4の3(5)ウ（イ）。

365) 社会的注目のもとで公取委が事件として取り上げつつ、具体的な法的判断がないまま終わった楽天市場送料無料化問題は、このように位置付けられるのではないかと思われる。公取委は、令和2年2月28日に緊急停止命令の申立てをした旨を公表し、令和2年3月10日に楽天が方針の実施を取りやめたことを理由に申立てを取り下げた旨を公表し、公取委公表令和3年12月6日〔楽天市場送料無料化〕によって楽天が改善措置をとっていることを理由として審査終了の旨

第2の例として、取引相手方に長期間の排他的取引義務を課し、他との取引の可能性を失わせたり、過去の遺物というべき高価格で購入し続けることを余儀なくする行為は、2条9項5号ハにより拾われることになろう[366)]。この場合にも、取引の対価の一方的決定（前記(vi)）に関する考え方を応用できるであろうが、排他的取引義務を課しているという、価格以外の行為が並存するため、相対的には、濫用といいやすいであろう。もっとも、取引開始時に相手方もそのような条件を受け入れたわけであり、その事情も勘案される必要がある。その場合でも、行為者による投資回収やリスク負担分の回収が終わっているにもかかわらずなお相手方を縛る長期排他的取引義務というものは存在するのであり、そのようなときには正当化理由の成立は難しいであろう。人材に対して、契約中や契約期間終了後に競争者と契約しないようにさせる行為も、以上と同様に検討することになろう。

第3の例として、川上事業者が川下事業者に対し、川下事業者がその川下へと販売することにより得ることのできる収益が販売に要する費用を下回ることになるにもかかわらず大幅な値引き販売を実施させる行為は、濫用行為となり

を公表した。公取委は、楽天による送料無料化方針の公表以後に出店した出店者については、楽天が送料無料化を求めることを問題視していない。そうであるとすると、送料無料化の方針の公表から実際の送料無料化方針の実施まで半年以上の期間を置いていたことをどのように評価するか、という問題が生ずる。公取委は、それでもあらかじめ計算できない不利益の観点から濫用のおそれがあるという立場であったように見える（事件座談会公正取引864号15〜16頁など）。プラットフォームの設置を法律上義務付けられているわけでもない販売プラットフォームの運営者がルールを変更することを一切認めないという態度であるようにも見えて、疑問が残る。

366）このような観点から優越的地位濫用を問題とした例として、名古屋地判昭和49年5月29日・昭和44年（ワ）第1967号〔畑屋工機〕（下民集25巻5〜8号の528〜529頁）、東京地判昭和56年9月30日・昭和53年（ワ）第9905号〔あさひ書籍販売〕（下民集32巻9〜12号の897〜898頁）、大阪地判平成元年6月5日・昭和58年（ワ）第1857号〔日本機電〕（判時100〜101頁）、公取委公表平成29年10月6日〔阿寒農業協同組合〕。なお、このような問題は、外形上は排他条件付取引のようであるため、現在の一般指定11項に相当する規定を適用するとしつつ、実質は優越的地位濫用の観点から判断されることもあった。そのような観点から、違反の成立を否定した例として、大阪地判昭和52年1月27日・昭和50年（ワ）第4820号〔鉄谷商店対稲畑産業〕（審決集24巻の355〜356頁）、東京地判昭和53年1月23日・昭和50年（ワ）第6808号〔重美産業対日本リズマー〕（審決集25巻の199〜200頁）。フランチャイズガイドライン3(1)が、契約終了後の競業禁止について2条9項5号を掲げているのは、同様の観点によるものであろう。流通取引慣行ガイドライン第3部第1の1(2)②が総代理店契約の終了後の競業禁止に言及しているのも、特定の規定を掲げていないものの、同様の趣旨を含むであろう。

得る[367]。

第4の例として、知的財産権の利用とは無関係なライセンス料を設定する行為や、知的財産権の保護期間の終了後にも利用制限や金銭支払を求める行為も、通常は濫用行為となる[368]。

(6) 公正競争阻害性

① **総説**　公取委は、2条9項5号においても公正競争阻害性の要件が満たされることが必要である旨を強調する。

平成21年改正前は、優越的地位濫用を規定した昭和57年一般指定14項が2条9項の「公正な競争を阻害するおそれ」という要件のもとにあったので、条文上当然であった。

それに対し、平成21年改正後は、「公正な競争を阻害するおそれ」という文言を明文で要件としているのは2条9項6号のみであり、2条9項5号においては公正競争阻害性は明文では要件とされていない。

そのもとで、公取委が、公正競争阻害性が要件であると強調するのは、課徴金導入後、違反行為の個数の問題が重要な争点となってしまったことに関係しているものと推測される（後記(8)①(iii)）。

公正競争阻害性を要件とするとすれば、「正常な商慣習に照らして不当に」のなかに読み込むことになる。公取委は、むしろ、公正競争阻害性が要件となることを強調しようとしてか、行為者と相手方との間の利害状況は2条9項5号イ・ロ・ハに該当するか否かの段階で論じてこれを満たす行為を「不利益行為」と呼び、それが公正競争阻害性を満たす場合に「正常な商慣習に照らして不当に」を満たす「濫用行為」であると論ずるようになっているように見受けられる。平成22年に優越的地位濫用ガイドラインが策定された時期には、まだ、違反行為の個数が課徴金額を大きく左右することが理解されていなかった

367）移動体電気通信事業者による端末設備の販売業者に対する行為を想定して、電気通信ガイドラインII第5の3イ（イ）。

368）知的財産ガイドライン第4の5 (2)、(3)（第4の1 (3) イにより優越的地位濫用に該当し得る)。そこに記されているように、計算等の便宜上、無関係の部分が盛り込まれ、その内容に合理的理由がある場合などには、問題がない。事案に即して、知的財産権の保護期間の終了後にライセンス料を徴収することに合理的な理由があるとされた事例として、一般指定12項を掲げた判断ではあるが、大阪地判平成29年9月14日・平成27年（ワ）第12265号〔WBトランス〕（裁判所PDF 40頁）。

ので、上記のような枠組みは明示的にはとられていない。課徴金納付命令が争われ、公取委が審決をする段階で、上記のような枠組みがとられるようになったものである。

② **公正競争阻害性が要件であるとする場合の基準**　優越的地位濫用ガイドラインは、公正競争阻害性について、まず、問題となる不利益の程度や行為の広がり等を考慮して、個別の事案ごとに判断する、とする。そのうえで、①行為者が多数の相手方に対して組織的に不利益を与えている場合や、②相手方が多数でない場合でも不利益の程度が強い場合や他に波及するおそれがある場合には、公正競争阻害性が認められやすい、としている[369]。

もっとも、その直前に、相手方とその競争者との間の競争や行為者とその競争者との間の競争への影響に言及した間接的競争阻害規制説的な記載がある。そのような考え方をバックボーンとしつつ、上記のような基準で判断する、というのであろう。

実際には、間接的競争阻害規制説と搾取規制説との関係に関する箇所で述べたように、この認定は観念的で形骸化したものとなっている。公正競争阻害性の成否そのものが重要であるというより、公正競争阻害性が要件であるから相手方が多数であっても違反行為は1個であるという主張を支えるために、公取委は公正競争阻害性を強調しているもの、と考えてよい。

(7) 排除措置命令・確約認定などによる是正措置

違反行為や違反被疑行為に対する是正措置は、基本的には他の違反類型と共通であるが（後記700〜702頁）、優越的地位濫用において特に議論されるものとして、金銭的価値の回復がある（後記675〜676頁、703〜704頁）。

(8) 課徴金納付命令

① 総説

(i) 概要　2条9項5号に該当する行為であって、継続してするものは、課徴金の対象となる（20条の6）。不公正な取引方法のうち他の課徴金が累積違反課徴金であるのとは異なり、1回の違反行為で直ちに課徴金対象となる。

この優越的地位濫用の課徴金は、平成21年改正によって導入された。

課徴金が伴うこととなった平成21年改正後の公取委命令は全て争われてい

---

369) 以上、優越的地位濫用ガイドライン第1の1。

る。平成21年改正前は、争われて審判審決に至った事例は皆無であった。

課徴金額は、違反行為期間の、相手方との間の売上額または購入額の、1%である。裾切り額は100万円である。

他の違反類型の課徴金とも共通する問題については、法執行総論で論じた(後記第15章第9節)。

(ii) 相手方ごとの違反認定　課徴金が導入されて最も変化したのは、課徴金そのものというよりも、優越的地位濫用の違反認定の方法であった。

課徴金を導入する平成21年改正より前は、争われて審判審決に至ることがなかったこともあるが、行為者が、多数の相手方に対して優越的地位に立っていることを概括的に認定するのみであった。

課徴金導入後は、課徴金の計算について定めた20条の6が、「当該違反行為の相手方」との間の売上額・購入額の1%が課徴金額であると規定している[370)]。違反行為の相手方との間の売上額・購入額しか課徴金対象とならない。行為者が問題の行為を行った多数の相手方のうち、行為者の行為が違反要件を満たす相手方は誰と誰であるのかが、重要な争点となってしまったのである。

課徴金納付命令が争われた事例では、優越的地位や濫用行為(公取委がいう「不利益行為」)について、多数の相手方1名ごとに、成否が判断されている。優越的地位濫用の違反認定が、多大のリソースを必要とするものとなっているように見受けられる原因であるように思われる[371)]。

(iii) 違反行為の切り分け方・違反行為の個数　課徴金の関係で重要性を増した一般的論点として、優越的地位濫用の違反行為の切り分け方、あるいは、同じことであるが、社会的意味での1個の事件における違反行為の個数、の問題がある。行為者が、多くの相手方に対して濫用行為を行っていたり、複数類型の濫用行為を行っていたりした場合に、これらを1個にまとめるか、複数に

---

370) 平成21年改正後・令和元年改正前は、「当該行為の相手方」であったが、その直前の「行為」という文言は、20条の6の冒頭の「行為」であり、やはり、2条9項5号に該当して19条に違反するものであることが必要であった。

371) 消費者が相手方となるような事案では、事業者が相手方となる事案の比ではない数の相手方が登場する可能性がある。個人情報等優越的地位濫用ガイドライン3注6が、「個々の消費者ごとに判断するのではなく、一般的な消費者にとって利用をやめることが事実上困難かどうかで判断する」としているのは、争われた場合に少しでも立証負担を軽くしようとする公取委の希望の表れであろう。

分けるかによって、課徴金額が大きく変わる場合がある[372]。

公取委は、平成21年改正による課徴金導入後、社会的意味での1個の事件において違反行為を全体で1個として認定するようになった[373]。

しかし、これに対しては、相手方の数だけ違反行為を認定すべきである、などの批判があり得る。

違反行為の切り分け方には正解が1つだけあるわけではなく、複数の正解があるが、ただ、課徴金の計算については、かりに全体で1個の違反行為を認定する場合にも、複数の違反行為を認定した場合と同様の課徴金額が得られるよう、課徴金額計算の段階で解釈論的操作をし、相手方ごとに違反行為期間を認定すべきである[374]。そうでなければ、違反行為の切り分け方が複数あり得るなかで、公取委は課徴金額が高くなる切り分け方を恣意的に選べることとなるからである[375]。課徴金計算が簡易であるべきことを強調して公取委の考え方

---

372) 不当な取引制限では、全体で1個の違反行為とした場合でも、それを複数個の違反行為に分けた場合でも、合計の売上額は同じである（裾切り額の問題だけが残る）。違反要件についても、7条の2第1項1号の「当該商品又は役務」の解釈によって実質的には個々の取引についても違反要件を論ずるに近い判断がされているため（前記294〜297頁）、違反行為を1個とするか複数個とするかによって大きな差は生じない。

373) 例えば、日本トイザらス審決は、優越的地位濫用を独禁法違反とする根拠として間接的競争阻害規制説（前記471頁）を強調し（公表審決案19頁、77頁）、行為者の行為が自社の利益確保のための組織的かつ計画的な一連の行為であると強調して（公表審決案76頁）、それを前提として違反行為期間を認定している（公表審決案79頁）。公取委の考え方を一般的に述べるものとして、山口正行＝黒澤莉沙・山﨑幕田監修259〜260頁。

374) 優越的地位の認定と濫用行為の認定は、相手方ごとに行っているのであり、違反行為期間の認定のみが複数の相手方にまたがって1個のみとなるのは不自然であるとも言える。これに対し、同じ相手方に対して複数類型の濫用行為を行っていた場合の取扱いについては、2条9項5号のイ〜ハの分類が結局はハの「その他」以下の一般条項で吸収され、類型の間の境界が明確でないなど、分類に大きな意味があるとは考えにくいため、別個の違反行為に分ける必要はないように思われる。

375) 平成21年改正による課徴金導入後の公取委命令事件は、大規模小売業者による納入業者に対する濫用事件が続いているが、課徴金導入前には、公取委は、このような事件について大規模小売業特殊指定の各項をそれぞれ適用し、違反類型ごとの複数個の違反行為を認定していた。それが、課徴金導入と同時に、1個の違反行為を認定するように変化した。ちなみに、それらの事件では、過渡期であるため、平成21年改正の施行日をまたいで違反行為が行われているのであるが、公取委は、施行日前の部分について、施行日以後の部分と個数の平仄をあわせようとしたためか、大規模小売業特殊指定でなく、昭和57年一般指定14項を適用している。このように、違反行為の切り分け方に唯一の正解があるわけではないことは、公取委自身が認めている。

を支持する判決もあるが[376]、そのような判決も、優越的地位の認定と濫用行為の認定は相手方ごとに行うことを前提として判断をしているのであり、それぞれの相手方が濫用行為を受けた最初の日と最後の日を認定するのが本当に難しいのかどうか、定かではない。また、違反行為の個数が全体で1個でしかあり得ないような判示を繰り返していると、独禁法24条を根拠として単一の相手方が民事裁判を起こした場合の法律判断に対しても過大な負荷をかけることになるのではないか。全体で1個と見ることができる事案においても相手方ごとに違反行為が認定されることもあり得ることを前提とした枠組みが模索される必要があるように思われる。

(iv) 下請法リニエンシーとの関係　公取委は、下請法について、違反行為についての自発的な申出をした親事業者には勧告をしないという方針を公表している[377]。それによれば、公取委が当該違反行為に係る調査に着手する前に自発的に申し出たこと、当該違反行為を既に取りやめていること、当該違反行為によって下請事業者に与えた不利益を回復するために必要な措置を既に講じていること、当該違反行為に係る再発防止策を講ずることとしていること、当該違反行為について公取委が行う調査・指導に全面的に協力すること、を求めている。不当な取引制限における減免申請に類似しているため、「下請法リニエンシー」と呼ばれている。

そして、下請法リニエンシーを適切に行った事業者は、申し出た内容が下請法の規定する下請取引の範囲にとどまる限り、優越的地位濫用の課徴金を受けることもない、とされている[378]。

② **継続してするもの**　20条の6は、課徴金対象となる行為を、2条9項5号該当行為のうち、「継続してするもの」に更に絞っている[379]。

この「継続」は、違反行為が継続している、ということである。違反要件に関する2条9項5号イ・ロの「継続」は、行為者と相手方の取引が継続してい

---

376) 東京高判令和5年5月26日・令和2年（行ケ）第5号〔ダイレックス〕（判決書46～48頁）。

377) 公正取引委員会「下請法違反行為を自発的に申し出た親事業者の取扱いについて」（平成20年12月17日）。

378) 優越的地位濫用ガイドライン考え方6頁。

379) 単発のものは日常的に起こり得るので、それらを課徴金対象外として事業者の萎縮を防ぐためのものであるとする説明として、伊永課徴金制度241～243頁。

る、ということであり、全く別のものである。

③ 違反行為期間

(i) 総説　優越的地位濫用の課徴金は、「違反行為期間」の所定の売上額・購入額の1%となる(20条の6)。

「違反行為期間」は、18条の2第1項で定義されている。原則として、「当該違反行為をした日」から「当該違反行為がなくなる日」までの期間である。「当該違反行為をした日」が立入検査などの日から遡って10年前の日より前である場合には、遡って10年前の日から「当該違反行為がなくなる日」までが「違反行為期間」とされる。違反行為の期間の全てが「違反行為期間」とされるとは限らないのであれば、本来は、「課徴金対象期間」などの文言のほうが適切である[380)][381)]。

(ii) 当該違反行為をした日(始期)　「当該違反行為をした日」は、違反行為の開始日である。

(iii) 当該違反行為がなくなる日(終期)　「当該違反行為がなくなる日」は、論理的には、違反要件のいずれかが不充足となる日である。

具体的にどのようなことを行えば「なくなる」と認定されるのか。ラルズ東京高裁判決は、行為者の代表者等が、違反行為に該当する行為を今後行わないとの意思決定を行い、内部的に役員や従業員等に周知することを要する、とし、

---

380) 令和元年改正前は、「当該違反行為がなくなる日」から遡って3年を上限として「違反行為期間」としていた。令和元年改正の基本的な考え方は、不当な取引制限の「実行期間」と同じであり、そちらに譲る(前記301～302頁)。不当な取引制限の場合は、共同行為であることもあって、立入検査の日に違反行為が終了したと認定されることが多いが、優越的地位濫用の場合は、単独行為であるためにむしろ、立入検査の日からさらに相当日数を経て違反行為の終了が認められる場合もあり(後記(iii))、課徴金の対象となる「違反行為期間」が10年を大きく超えることもあり得ることになる。経過措置により、違反行為期間の開始日は、令和元年改正の施行日(令和2年12月25日)の3年前より前には遡らない(令和元年改正法附則6条4項)。

381) これに関係して、平成21年改正法附則5条をめぐる争いがある。東京高判令和3年3月3日・平成31年(行ケ)第13号〔ラルズ〕は、問題となった行為は平成21年改正の施行日前には昭和57年一般指定14項に該当していたのであるから、施行日に具体的な濫用行為が行われたか否かにかかわらず、施行日を、課徴金対象期間である違反行為期間の開始日としてよい、と論じている(判決書174～175頁)。違反要件を定める規定が改正の前後を通じて同じであって課徴金が新設されただけであるのなら理解できるが、改正により、新たに導入された課徴金制度を念頭に置いて違反要件を定める規定が新たに書き下ろされた場合にまでそのような論理を貫けるのか、疑問がある。

さらに、相手方に対して要請を行っていた行為が問題となった事例では、そうした要請行為を解消することが必要である、とした[382]。

④　当該違反行為の相手方との間における売上額・購入額

（i）総説　20条の6は、「違反行為期間」における、「当該違反行為の相手方との間における政令で定める方法により算定した売上額」や「購入額」を課徴金対象とし、これに算定率を乗ずることとしている。

売上額でなく購入額となるのは、「当該違反行為が商品又は役務の供給を受ける相手方に対するものである場合」であるとされている（20条の6の2番目の括弧書きの前半）。これは、同条全体の文脈から見て、相手方が商品役務の供給を受ける場合ではなく、行為者が商品役務の供給を受ける場合の、相手方に対する違反行為であるときには、そのような相手方からの購入額をみる、ということであると解される[383]。

当該違反行為の相手方が複数ある場合には、売上額・購入額の合計額とする（20条の6の2番目の括弧書きの後半）。

（ii）当該違反行為の相手方　「当該違反行為の相手方」における「当該違反行為」は、20条の6の文脈上当然、同条冒頭の「第19条の規定に違反する行為（第2条第9項第5号に該当するものであつて、継続してするものに限る。）」を指す。

「当該違反行為」とは、単なる事実としての行為ではなく、2条9項5号に該当するなどという法的評価を含む概念である。例えば、従業員派遣の要請を受けた相手方であれば全てが「当該違反行為の相手方」に該当するのでなく、優越的地位濫用の違反要件を満たすような相手方に限って、「当該違反行為の相手方」と言えることになる。

このため、平成21年改正による課徴金の導入後は、優越的地位濫用の違反要件の認定を相手方ごとに行うことになったのである。

複数の相手方に対する行為を全体として1個の違反行為と構成することもで

382）ラルズ東京高判。行為の取りやめ等を内容とする取締役会決議をし、そのことを相手方に周知した時点までは終了しておらず、しかしそこで終了しており、その後に一部の相手方から協賛金の振込みがあったとしても違反行為が終了していないことにはならない、とした（判決書163〜167頁）。

383）平成21年改正解説90頁も同旨を述べている。

きる場合であって、個々の相手方に対してはそれぞれ区々の期間に問題の行為を行っていた、という事例があり得る。このような場合、公取委は、そのような複数の相手方の全体について、最初に行為を行った日から最後に行為を行った日までの全体としてみて違反行為期間を観念し、課徴金を課している。しかし、それでは、違反行為の切り分け方（違反行為の個数）に応じて、課徴金額が左右されることになる。「当該違反行為の相手方」を柔軟に解釈し、その相手方に対して問題の行為を行っていた期間の売上額・購入額のみを課徴金対象とするのである、と解釈すれば、違反行為の切り分け方によって課徴金額が左右されることがなくなり、恣意的な運用を防ぐことができるように思われる。現に、不当な取引制限に対する課徴金において、「当該商品又は役務」については、同じ商品役務であっても、違反行為期間（実行期間）のうち特定の時期には「当該商品又は役務」に該当し、別の時期には「当該商品又は役務」に該当しない、という解釈を採ることで、違反行為の切り分け方によって課徴金額が左右されることのない結果が導かれている（以上について、前記①(iii)）。

(iii) 特定の事業部門のみに対して優越的地位に立っていた場合の売上額・購入額　　行為者が、相手方のうち特定の事業部門のみに対して優越的地位に立っていたことを利用して違反行為をした場合（前記484頁）、行為者が優越的地位に立っていなかった相手方の他の事業部門をも、ここでいう「当該違反行為の相手方」に含むか、という問題がある。

含むことを前提とし、相手方の全体との売上額・購入額をもとに課徴金計算がされている模様である[384]。

相手方の特定の事業部門のみに着目して優越的地位を認めたのであれば、その特定の事業部門との取引額に注目して課徴金を課すのが実質に即しており、適切な解釈であるように思われる。

(iv) 直接の取引関係のない相手方との売上額・購入額　　2条9項5号の文理によれば、行為者との取引の相手方に対する濫用行為のみが問題となるはずであるが、実際には、取引関係の複雑さを反映して、直接の取引関係のない

384)　例えば、前記註308で見た山陽マルナカ審決において、特定の事業部門との間の購入額に絞る計算が行われた形跡はない。さらに、公取委審判審決令和2年3月25日・平成26年（判）第1号〔ダイレックス〕（審決案142頁）、ラルズ東京高判（判決書134〜135頁）も、同様の考え方を前提としているものと思われる。

相手方に対する濫用行為が違反とされる場合がある（前記475〜476頁）。

このような場合に、20条の6にいう当該違反行為の相手方との間の売上額・購入額があるか、ということが問題となる。20条の6の文理に忠実に、そのようなものはない、と解する考え方もあり得るが、違反要件論と同様に実質的に考えて何らかの実質的な売上額・購入額とする考え方もあり得る。

(v) 政令で定める方法により算定した売上額・購入額　売上額・購入額の算定については、施行令30条および31条に規定されている。そこでは、原則として引渡基準が採られ（施行令30条）、例外として契約基準が採られて（施行令31条）、値引き・返品、割戻金などについての規定が置かれている。これらについては、基本的には、不当な取引制限の場合と同じである（前記302〜308頁）。

購入者が違反者となる事例の多い優越的地位濫用で出現しやすいと考えられる論点として、次のようなものがある。施行令30条2項3号は、相手方から違反者に対する供給実績に応じた割戻金を購入額から控除することとしている。そうしたところ、相手方（納入業者など）の違反者（小売業者などの購入者）に対する供給実績でなく、違反者からさらに川下で供給を受ける者（消費者など）に対する供給実績に応じて相手方から違反者に割戻金が支払われる場合に、控除されるか、という問題がある。このような事案で、相手方の違反者に対する供給実績と違反者の川下への供給実績とが一定程度関連するものとなっており近い数字になるという事情がある場合に、違反者の川下への供給実績に応じた相手方から違反者への割戻金を控除した事例がある[385]。

⑤ **算定率**　算定率は、一律であり、1% である。中小企業の軽減算定率が置かれていない理由は、優越的地位濫用規制が相手方への優位性を背景に行われるものであるから、と説明されている[386]。違反行為の繰り返しの場合の加重算定率も置かれていない。

---

385) 公取委審判審決令和元年10月2日・平成24年（判）第40号〔エディオン〕（公表審決案152〜153頁）。この事案において、納入業者が、納入業者の小売業者に対する供給実績に応じて割戻金を計算するか小売業者の消費者に対する供給実績に応じて割戻金を計算するかを選択できたことにも触れている。納入業者も、最終的に消費者にどれほど売れるかに関心があるといえるかもしれない。

386) 平成21年改正解説90頁。

3　一般指定13項

2条9項6号ホを受けて、優越的地位濫用に関係するものとして、一般指定13項が置かれている[387]。

一般指定13項は平成21年改正前において昭和57年一般指定14項5号であったものであり、昭和57年一般指定14項の他の号とは異なり課徴金対象とはされなかった、と解説されている[388]。

しかし、一般指定13項に該当するような違反行為があるとすれば、2条9項5号ハの「その他」以下の行為要件を満たし、2条9項5号に該当し得ると考えられる。

4　新聞業特殊指定3項

新聞業特殊指定[389]3項は、新聞発行業者が正当かつ合理的な理由がないのに新聞販売業者に対して注文部数を超えて新聞を供給することによって新聞販売業者に不利益を与える行為を規定している。「押し紙」と呼ばれる行為である。2条9項6号ホを受けた指定である[390]。新聞業特殊指定3項の柱書きで、「正当かつ合理的な理由がないのに」が明文で要件となっている[391]。また、2

---

387)　平成21年改正によって、昭和57年一般指定14項のほぼ全てが、課徴金対象となる2条9項5号として出世独立し、その僅かな抜け殻が現行の一般指定13項となった。

388)　平成21年改正解説48～49頁。

389)　新聞業特殊指定について一般的には、別の箇所で述べた（前記422～423頁）。

390)　解説として、山木康孝「「新聞業における特定の不公正な取引方法」の全部改正について」公正取引587号（平成11年）。公取委の事例として、平成11年に改正される前の新聞業特殊指定（新聞業における特定の不公正な取引方法（昭和39年公正取引委員会告示第14号））のもとでのものであるが、公取委勧告審決平成10年2月18日・平成9年（勧）第26号〔北國新聞社押し紙〕。民事裁判は、広く知られていないものを含め、多くのものがあるようである。新聞業特殊指定3項に該当して不法行為に該当するとしたものとして、例えば、佐賀地判令和2年5月15日・平成28年（ワ）第249号〔佐賀新聞〕。否定したものとして、例えば、名古屋高判平成15年1月24日・平成14年（ネ）第247号〔岐阜新聞〕。

391)　この明文の要件は、新聞業特殊指定の平成11年改正の際に盛り込まれたものであるが、改正前にも新聞業特殊指定は平成21年改正前の独禁法2条9項の公正競争阻害性の要件のもとにあったのであるから、解釈上、同様であったはずである。しかし、当時は、少なくとも新聞業特殊指定については、そのように整理された解釈論は展開されておらず、現在の新聞業特殊指定3項各号のいずれかに相当するものを満たせば直ちに違反となるかのような議論が展開される傾向があった。そして、そのような傾向を継承した論が、平成11年改正後も、現在に至るまで、散見される状況にある。そのような状況にかかわらず法的検討を行い、新聞業特殊指定3項のいず

条9項6号ホのもとにあるのであるから、「取引上の地位」すなわち優越的地位があることが要件となる。新聞業特殊指定3項の条文のなかで読み込むならば、その点も「正当かつ合理的な理由がないのに」が成立するための必要な要素とすることになろう。新聞発行業者と新聞販売業者の関係にあれば当然に地位の要件を満たすわけではなく、事案ごとに検討する必要がある[392]。

5　物流特殊指定

物流特殊指定は、荷主による物流事業者に対する優越的地位濫用を規定している。2条9項6号ホを受けたものである[393]。

物流特殊指定は、平成15年下請法改正を成立させるための、いわば交換条件として制定されたもののようである[394]。元請物流事業者が業として行う物流の全部または一部を他の事業者に委託する場合は下請法2条4項にいう「役務提供委託」に該当し下請法の適用対象となるが、その元請物流事業者が荷主から物流を受注する場合の取引は下請法の適用対象とならず、専ら独禁法の適用対象となる。物流特殊指定は、「役務提供委託」を下請法の適用対象に加える平成15年下請法改正が施行されるのにあわせて、元請物流事業者が抱いた不公平感を緩和させるために、荷主と元請物流事業者との取引についても具体的な規定を置こうとしたもののようである[395]。

平成21年改正によって、特殊指定については、重要であるために特に制定

れかの号に該当する行為があったとしつつも、同項柱書きの「正当かつ合理的な理由がないのに」を満たさないことを理由に、同項の全体には該当しないとして販売店の請求を棄却した事例として、大阪高判令和5年4月14日・令和4年（ネ）第1299号〔日本経済新聞社京都販売店〕（事実及び理由第3の2(3)）、福岡地判令和5年5月17日・令和3年（ワ）第576号〔読売新聞西部本社佐世保販売店〕（事実及び理由第3の2(1)ウ）。

392）　日本経済新聞社京都販売店大阪高判の「正当かつ合理的な理由がないのに」に関する判示には、販売店にとって日本経済新聞社との取引が困難になることが事業経営上大きな支障をもたらすと認めるには足りない旨の判示が含まれている（事実及び理由第3の2(3)イ）。

393）　解説として、公正取引委員会取引部企業取引課「「特定荷主が物品の運送又は保管を委託する場合の特定の不公正な取引方法」の告示について」公正取引642号（平成16年）。

394）　参議院経済産業委員会平成15年5月22日、衆議院経済産業委員会平成15年5月30日、6月4日、6月6日、6月11日、の各審議。

395）　この特殊指定を「物流業特殊指定」と略称する文献が散見されるが、以上のように、物流業者の不公平感を緩和させるために荷主の行為に関心を向けようとする特殊指定なのであり、物流業者に適用しようとするものではない。

されたものであるにもかかわらず、これを適用すると課徴金が課されなくなる、という逆転現象が生じている（前記389頁）。特殊指定の対象であるように見える事案であっても、法的議論は2条9項5号において行われるべきであり、特殊指定やその解説等は、どのような行為が違反となるかを関係事業者に示すための注意喚起の道具またはガイドラインのような意味合いを持つにとどまる状況となっている。

6　大規模小売業特殊指定

大規模小売業特殊指定は、2条9項6号ホを受けており、百貨店業特殊指定[396]の後継として平成17年に制定されたものである[397]。大規模小売業者による納入業者に対する優越的地位濫用を対象としている。

平成21年改正後の特殊指定をめぐる逆転現象等は、物流特殊指定について述べたのと同じである（前記5）[398]。

第7節　競争者に対する取引妨害

1　総　説

2条9項6号へに相当するのは、一般指定14項・15項である[399]。課徴金対象として出世独立したものはない。

2条9項6号への前半がほぼそのまま一般指定14項となっており、2条9項6号への後半がほぼそのまま一般指定15項となっている。

実際の事例や議論が圧倒的に多いのは一般指定14項であり、一般指定15項の既存事例は皆無に近い。

396）「百貨店業における特定の不公正な取引方法」（昭和29年公正取引委員会告示第7号）。

397）運用基準として、「「大規模小売業者による納入業者との取引における特定の不公正な取引方法」の運用基準」（平成17年6月29日公取委事務総長通達第9号）。解説として、粕渕功『大規模小売業告示の解説』（商事法務、平成17年）。

398）現に、2条9項5号が適用されて課徴金納付命令がされた5件（前記468頁註259）は全て、大規模小売業者の納入業者に対する優越的地位濫用の事案である。

399）平成21年改正により項番号が1つずつ繰り上がっており、それより前は一般指定15項・16項であった。

2　一般指定 14 項

(1)　総　説

①　一般指定 14 項の構造　一般指定 14 項の見出しは、「競争者に対する取引妨害」である[400]。

一般指定 14 項のうち、市場への弊害に関する文言は「不当に」のみである。

②　排除型私的独占との比較　後記(4)、(5)のように、一般指定 14 項が、不正手段型行為に対応するだけでなく、排除効果必要型の他の項の一般条項としても用いられるため、少なくとも他者排除行為については、不公正な取引方法で論じ得ない行為態様はほとんどない、という状況となっている。

ただ、一般指定 14 項では被排除者が競争者に限定されているが、排除型私的独占の違反要件にはそのような限定はない。

また、排除型私的独占には課徴金があり、一般指定 14 項にはない。

③　非事業者による行為　一般に、不公正な取引方法の行為者は非事業者でもよく、事業者であることは 2 条 9 項でなく 19 条で初めて要件とされている。したがって、例えば企業結合規制のうち 14 条において不公正な取引方法を根拠として規制する場合には、非事業者が違反者となることがあり得る[401]。

(2)　役　員

「役員」の定義は、一般指定 13 項の定めにより、独禁法 2 条 3 項の定義規定に依拠することとなっている。

(3)　競争関係

①　総説　「競争関係」は、2 条 4 項にいう「競争」を行う関係、すなわち、同一の需要者に供給しようとし、または、同一の供給者から供給を受けようとする、複数の事業者の関係を指す[402]。

②　関与者の取扱い　自らは「他の事業者」と競争関係になく、「他の事業者」と競争関係にある者から委託を受けて顧客獲得活動等を行っている者は、一般指定 14 項の行為者となり得るか。

委託者と意思を通じて顧客獲得活動を行っている受託者について、一般指定

---

400)　一般指定 14 項は、平成 21 年改正前の昭和 57 年一般指定 15 項をそのまま引き継いでいる。

401)　昭和 57 年一般指定解説 94 頁も、その点を明示した解説を行っている。

402)　このことを明示して論じた例として、大阪高判平成 26 年 10 月 31 日・平成 26 年（ネ）第 471 号〔神鉄タクシー〕（審決集 61 巻の 269～270 頁）。勘所事例集 502～503 頁。

14項の行為の「主体となる余地がある」とした事例がある[403]。

(4) 取引を……妨害

一般指定14項には、「契約の成立の阻止」「契約の不履行の誘引」というものが挙がっているが、すぐに続いて「その他」とあるように、「契約の成立の阻止」や「契約の不履行の誘引」の外延を論ずる実益はなく、結局は「取引を……妨害」に該当するか否かを論ずれば足りる。

この「取引」は、条文から当然に、行為者の競争者と、その取引の相手方との間の、取引である[404]。

そして、「取引を……妨害」は抽象的で広く、およそ全ての他者排除行為を含むと考えて差し支えないであろう。それだけに、弊害要件である「不当に」について、慎重な議論が必要となる（後記(5)）。

「取引」は、現存する取引でなくともよく、当該妨害がなければ行われたであろう取引も含む[405]。条文においても、「契約の成立の阻止」というように、現存しない取引が例示されている。

(5) 不当に

① **総説**　一般指定14項は、行為要件が「取引を……妨害」という広汎なものだけであるため、守備範囲が際限なく広がる可能性を持っている[406]。

そのなかには、行為それ自体によって公正競争阻害性が認められる行為類型と、行為それ自体に加えて反競争性があって初めて公正競争阻害性が認められる行為類型とが、混在している。便宜上、前者を「不正手段型行為」と呼ぶ。

---

403) 東京高判平成17年1月27日・平成16年（ネ）第3637号〔日本テクノ〕（審決集51巻の969頁）。一般指定14項を用いた請求もされたところ現在の不正競争防止法2条1項21号のみについて判断された、という事例においても、同様の観点から競争関係が認められている（東京地判平成27年2月18日・平成25年（ワ）第21383号〔イメーション対ワン・ブルー〕（裁判所PDF 39頁））。勘所事例集519頁。公取委公表平成28年11月18日〔ワン・ブルー〕は、理由を具体的に示さないまま競争関係があるとして一般指定14項を用いている。

404) すなわち、行為者と競争者とのあいだに取引があることは、必要ではない。大阪地判平成24年3月23日・平成22年（ワ）第13213号〔住宅保証機構〕は、原告と被告との間に取引がないことを指摘して一般指定14項の成立を否定しているが（審決集58巻第2分冊の274頁）、この限りでは、誤っている。

405) 昭和57年一般指定解説94頁。

406) 白石忠志「独禁法一般指定15項の守備範囲」NBL585号、586号、587号（平成8年）。一般指定14項は当時は昭和57年一般指定15項であった。

後者は、「反競争性必要型行為」と呼んでもよいのであるが、他者排除型行為を不公正な取引方法で論ずる場合の反競争性は排除効果で足りると解されているので、以下では、直截に、「排除効果必要型行為」と呼ぶ407)。

そして、一般指定14項は、その一面において不正手段型行為を取り扱うという特徴的な項であるため、他の面である排除効果必要型行為についてまで、不正手段に相応した低いバーを越えただけで違反とするかのような論調が見られる場合がある。

以下、事例等を見ながら検討する408)。

② 不正手段型行為

(i) 総説　反競争性を必要とせず公正競争阻害性ありとされる不正手段型行為は、競争者の価格等の競争変数がありのままに需要者に伝わらないようにする、または、全く伝わらないようにする、という行為である。

以下、いくつかの類型を例示する。

(ii) 物理的妨害　競争者の取引を物理的に妨害する行為である409)。需要者が必要とする機能を競争者が発揮することができないようにする行為も、これに当たる可能性がある410)。

---

407) 過去の拙著・拙稿では「反競争性必要型行為」と呼んだことがあるが、以上の次第で、その意味するところに変化はない。

408) 一部の裁判例においては、一般指定14項の「不当に」について、勧誘に用いられた手段が客観的にみて顧客の自由な意思決定に支障を来す程度のものであったかどうかにより判断することが相当である、などとされることがある。新潟地判平成23年1月27日・平成20年（ワ）第701号〔ハイン対日立ビルシステム〕（審決集57巻第2分冊の373頁）、東京地判平成27年8月27日・平成26年（ワ）第19616号〔二重打刻鍵〕（裁判所PDF 15頁）。抽象的な基準であるからどのようにも読めるともいえるが、不正手段型のみを想定しているようにもみえる点や、顧客（需要者）が不正手段であると気付かない場合や不正手段を歓迎している場合などを法の網から逃すことになる点で、基準として問題があるように思われる。

409) 公取委勧告審決昭和35年2月9日・昭和35年（勧）第1号〔熊本魚〕では、競争者の競り場の周囲に障壁を設けた行為が問題となった。大阪高判平成26年10月31日・平成26年（ネ）第471号〔神鉄タクシー〕では、競争者のタクシーの前に立ちはだかるなどしてタクシー待機場所を使わせない行為が問題となった。勘所事例集501～502頁、503～504頁。

410) 大阪地判令和5年6月2日・令和2年（ワ）第10073号〔エコリカ対キヤノン〕は、被告の行為によって原告が需要者に対して訴求できなくなった機能は、需要者が商品役務の選択の条件とすることは少ないとして、その事案において、その可能性を否定した（裁判所PDF 37～43頁、44～45頁）。

(iii) 誹謗中傷　競争者に関する誹謗中傷である[411]。並行輸入業者の扱う品物を偽物扱いして吹聴する行為[412]、知的財産権侵害ではないのに侵害があるかのように吹聴する行為[413]、契約違反ではないのに契約違反があるかのように吹聴する行為[414]、官公庁などの需要者に自己の商品役務等しか適合しないと誤信させたうえでその旨を仕様書に盛り込んだ発注をさせる行為[415]、などがある。不正競争防止法2条1項21号によっても「不正競争」とされている行為であるが、一般指定14項には、不正競争防止法2条1項21号の「他人の営業上の信用を害する」という要件がなく、その成否が定かでない事例も問題なく含むという意味で、一般指定14項のほうが広い[416]。

(iv) 競争入札の発注者からの便宜享受　競争入札の発注者から不適切な便宜を享受する行為である。総合評価落札方式の競争入札の発注者である需要者から、技術提案書の添削を受け、技術提案書に係る他の入札参加者との関係での順位を聞き出したうえで入札し、落札した行為に、一般指定14項が適用された事例がある[417]。そのような行為が総合評価落札方式の競争入札のルールに反することが明確であるのなら、不正手段として問題となり得る[418]。

(v) 買占め　競争者の商品役務の買占めである[419]。商品役務を買って

---

411) 昭和57年一般指定解説95頁。

412) 流通取引慣行ガイドライン第3部第2の2 (4)。

413) 昭和57年一般指定解説94頁。形式的には一般指定2項が掲げられた事例ではあるが、東京高判平成18年9月7日・平成17年（ネ）第303号〔教文館〕。一般指定14項を用いたものとして、公取委公表平成28年11月18日〔ワン・ブルー〕。公取委のこの判断は、一般指定14項を用いた請求もされた事件において現在の不正競争防止法2条1項21号のみを適用した東京地判平成27年2月18日・平成25年（ワ）第21383号〔イメーション対ワン・ブルー〕の判示を、ほぼそのまま活用したものである。勘所事例集518頁。

414) 東京地決平成23年3月30日・平成22年（ヨ）第20125号〔ドライアイス〕。

415) 公取委確約認定令和4年6月30日〔サイネックス・スマートバリュー〕。同様の行為が排除型私的独占とされた事例もある（前記370頁）。需要者が民間企業であっても、誤信させた場合には同様となるのではないかと考えられる。また、そのような仕様書に沿った納入をすることができる事業者が他にも残っている場合にも、そのような仕様書によって納入が困難になった事業者が存在する蓋然性があれば、一般指定14項の適用は可能であると考えられる。

416) 一般指定14項は、誹謗中傷以外の行為を含むという意味で不正競争防止法2条1項21号よりもともと広いが、誹謗中傷だけに絞っても同号よりも広いということになる。

417) 公取委命令平成30年6月14日・平成30年（措）第12号〔フジタ〕。

418) 担当審査官による解説として、石谷直久＝白石文男・公正取引819号（平成31年）52〜54頁。

もらえれば競争者は困らないようにも見えるが、例えば、当該商品役務について広告宣伝している場合に売切れが続出すれば「おとり広告」である旨のクレームがついて信用を落とす場合もあるし[420]、また、当該商品役務についていわゆる「リピーター」や「クチコミ」を全く期待できないことにもなる。

(vi) 従業員等の引き抜き　従業員の大量引き抜きである。たしかに、従業員の大量引き抜きを独禁法違反とすることは、職業選択の自由との緊張関係をもつ。したがって、例えば、引き抜かれた側が従業員を長期的計画のもとに多大の投資をして育成していた、などといった要素があるときに限って、一般指定 14 項の対象となり得よう。そのような場合には、育成済みの従業員を大量に引き抜くことは上記の物理的妨害と同様の悪性を持つ[421]。

③　不正手段型か否か微妙なもの

(i) 総説　それらに対して、不正手段であるという方向で例示されることもあるがそのように言えるのかどうか微妙な行為も、いくつか存在する。

(ii) 競争者の取引相手方への脅迫・威圧　第 1 に、競争者の取引の相手方に対して脅迫・威圧を行う行為である[422]。競争者に対する脅迫・威圧とは異なり、競争者の取引の相手方に対する脅迫・威圧は、一般指定 2 項後半や一般指定 11 項・12 項の対象ともなり得る行為である。そして、一般指定 2 項後半における取引拒絶の依頼や一般指定 11 項・12 項における拘束は、「脅迫」「威圧」と紙一重である。そうであるとすると、「脅迫」「威圧」があるというだけで不正手段とし弊害要件を別に論ずるのでは、一般指定 2 項後半や一般指定 11 項・12 項について行われている弊害要件論を没却する危険がある[423]。これらは、排除効果必要型行為として論ずべきであろう。「脅迫」や「威圧」が社会的正義の許容範囲を超えているならば、刑法その他の一般的な法律によ

---

419)　昭和 57 年一般指定解説 95 頁、流通取引慣行ガイドライン第 3 部第 2 の 2 (5)。

420)　流通取引慣行ガイドライン第 3 部第 2 の 2 (5) 注 2。

421)　東京高判平成 19 年 1 月 31 日・平成 17 年（ネ）第 3678 号〔ウインズ汐留差止請求〕は、傍論的な判示ではあるが、引き抜かれた従業員が取得していた資格は取得困難な特別のものではないから新たな従業員の雇用により対応可能であったことを、一般指定 14 項に該当しないことの理由の 1 つとしている（審決集 53 巻の 1057 頁）。

422)　これを掲げるものとして昭和 57 年一般指定解説 94 頁。

423)　このような事例は平成 10 年代にはみられなかったが、残念ながら、平成 20 年代から再び現れるようになった（後記註 428）。

って対応されることが期待される。

(iii) 解約金を負担する等による顧客奪取　第2に、競争者の顧客に対して、競争者との解約金を負担してまで、自己と取引するようにさせる行為である[424]。しかし、このような行為は、現実の取引社会において日常茶飯事として行われていることである。したがって、解約金の負担まで考慮したうえで計算すると費用を下回っており2条9項3号・一般指定6項の略奪廉売規制の要件を満たすというのであれば格別、そうでないのに一般指定14項を適用することは、価格競争を萎縮させないために略奪廉売規制について注意深く違反要件論を行っている趣旨を没却することになる[425]。金銭的な便宜によって需要者を獲得しようとする行為に関する違反の成否は、2条9項3号・一般指定6項の略奪廉売規制の基準によって統一的に判断すべきである。

④ 排除効果必要型行為

(i) 総説　一般指定14項に関する近年の公取委事例は、ほとんど全て、排除効果必要型行為に関するものである。

排除効果必要型行為規制のためにやむを得ず一般指定14項を使う場合には、その行為が反競争性すなわち排除効果の要件を満たしていることを、常に確認する必要がある。ややもすれば、一般指定14項が不正手段型行為規制のためのものでもあることを奇貨として、排除効果がなければ違反とできない行為を安易に違反とするための道具として一般指定14項を用いようとする議論が行われがちである。あくまで、排除効果必要型の観点からの一般指定14項の適用は、他の項の行為要件が形式的に不備であるために行う緊急避難的なもので

---

424) これを掲げるものとして昭和57年一般指定解説94頁。これに該当する事例だとされるものとして、公取委勧告審決昭和38年1月9日・昭和37年（勧）第6号〔東京重機工業〕。

425) 東京高判平成17年1月27日・平成16年（ネ）第3637号〔日本テクノ〕は、「価格と品質による自由な競争の結果、顧客が既に締結済みの契約を解消し、新たな商品・役務を選択することは当然許容されるべきであるし、その新たな商品・役務の選択を提示すること自体は自由競争の範囲内と解される」と述べて、それをこえる不当な方法や態様で既存の取引の解消を求める場合にのみ一般指定14項に該当し得る、という考え方を示した（審決集51巻の970頁）。東京高判平成19年11月28日・平成18年（ネ）第1078号〔ヤマト運輸対郵政〕も同旨（審決集54巻の707頁）。LPガスの供給者の切替工事を働きかける行為がその事案において自由競争を逸脱するような違法・不当なものではなかったと判断した事例として、東京地判平成30年5月10日・平成28年（ワ）第20683号〔LPガス切替工事〕、東京高判平成30年10月25日・平成30年（ネ）第2793号〔LPガス切替工事〕。

あり、弊害要件については排除効果の成否を折り目正しく検討する必要がある。

以下では、いくつかに分けて、排除効果必要型行為を具体的に掲げる[426]。

(ii) 他の項で拾える行為　第1類型として、排除効果必要型の他の項の行為要件を満たす行為がある。

これらは、一般指定14項のような一般条項的な項に投げ込むことなく、個々の項において発展した具体的な基準に照らして、議論するのが適切であろう[427]。例えば、間接取引拒絶であるが弊害要件を満たしそうにないので一般指定14項に持ち込む、とか、廉売であるが費用を下回っていると言えそうにないので一般指定14項に持ち込む、などといった論法は、一般指定2項や2条9項3号・一般指定6項で発展した違反要件論を没却するものであり、適切でない。

間接取引拒絶または拘束条件付取引の行為要件を満たし、排除効果が必要とされる事案であると思われるにもかかわらず、その行為が不正手段であることを強調しつつ一般指定14項を適用し、排除効果について曖昧な認定しかしていない場合がある[428]。しかし、そのような事例において不正手段的であると

---

426) いわゆるアフターマーケット事案は、一般指定14項の問題とされることが多い。それらには、他の項、すなわち、一般指定10項で拾えるのであるが過去において抱き合わせ行為であると観念されなかったために一般指定14項(昭和57年一般指定15項)の問題とされていたものが多い(過去には、主たる商品役務の供給を遅らせることで従たる商品役務の排除をもたらすことも抱き合わせであると観念される論理性や競争法的な素地が乏しい時代があった)。他方で、アフターマーケット事案にも、不正手段的な行為はあり得る。非純正品を偽物扱いするような行為は、不正手段型として一般指定14項の適用対象となり得る。

427) 昭和57年一般指定解説94頁にも、同様の趣旨が示されているように思われる(「……は他の項で規制できるので、本項が対象となる妨害の手段としては……」)。

428) 公取委命令平成23年6月9日・平成23年(措)第4号〔DeNA〕(勘所事例集388～391頁)、公取委命令平成27年2月27日・平成27年(措)第4号〔岡山県北生コンクリート協同組合〕(排除措置命令書4～5頁)。公取委審判審決平成21年2月16日・平成15年(判)第39号〔第一興商〕が一般指定14項を用いたことも、同様の様相が強いであろう(ただし、その理由付けを善意に解釈すれば排除効果もあったといえる事案であったことについては前記141頁註77)。これらの事例では、不正手段であることを強調するあまり、排除措置命令の内容がその手段の取りやめのみに縮減し、排他的取引をすること一般の取りやめを命じていないので、潜脱も容易なものとなっている(第一興商審決は違反宣言審決である)。類似の事案である公取委命令平成21年12月10日・平成21年(措)第24号〔大分大山町農業協同組合〕が、「元氣の駅の運営に支障を来している。」(排除措置命令書8頁)と、排除効果の認定に相当すると考えられる比較的明確な認定をしたうえで、一般指定12項を適用し、排他的取引の取りやめを一般的に命じている

された手段は、排除効果必要型行為の通常の手段の範疇に属しており、これを不正手段と呼んだのでは全ての排除効果必要型行為が不正手段となるのではないか、と思われるものである。排除効果の認定に自信がないときに、その行為が不正手段にあたると強調しつつ一般指定14項を適用し、争われたときのための安全弁としようとしているもの、と言わざるを得ない[429]。

(iii)　他の項の行為要件を形式的に満たさない行為　　排除効果必要型行為に一般指定14項が用いられる第2類型として、排除効果必要型の他の項の行為要件を形式的に満たさないか、あるいは、そうである可能性が疑われる行為がある。

具体例を例示するなら、拘束の相手方が事業者でない排他条件付取引や間接取引拒絶、間接取引拒絶をするよう他者に依頼する行為[430]、などである。

このような行為を拾って、実質的に妥当な結論を導くために一般指定14項を用いるのであれば、緊急避難的なものとしてやむを得ないところであろうが、

ことと、対照的である。

429)　大胡勝＝今野敦志＝増田達郎・DeNA排除措置命令担当審査官解説・公正取引733号（平成23年）94〜95頁、田邉陽一＝石本将之・岡山県北生コンクリート協同組合排除措置命令担当審査官解説・公正取引779号（平成27年）70頁、の解説も、そのように評するほかないように思われる。なお、特にDeNA排除措置命令については、この事案においては排除効果があったとする論評が数多く存在するが、それらのほとんどは、排除措置命令書認定事実に独自の事実認識を付加することによってそのように述べているものである。本書の批判的分析は、排除措置命令書の記載事項を前提とするものであり、議論の前提が異なる。

430)　いわば「間接の間接取引拒絶」とも呼ぶべきものである。いわゆる並行輸入阻害行為について一般指定14項を用いた議論が多いのは、総代理店による並行輸入阻害行為が「間接の間接取引拒絶」であることが多いからであるのかもしれない。すなわち、国内輸入代理店が、外国ブランドメーカーをして、外国の他の販売店をして並行輸入業者に品物を横流ししないようにさせる行為をさせている、という論理構成を採るからである。過去の代表的事例として、公取委勧告審決平成8年5月8日・平成8年（勧）第12号〔松尾楽器商会〕。勧所事例集96〜98頁。これらの考え方をまとめた流通取引慣行ガイドライン第3部第2も、一般指定14項を中心とした論述となっている。それから暫くの空白期間を置いたあとの事例として、公取委確約認定令和4年3月25日〔アメアスポーツジャパンおよびウイルソン〕。この事例は、国内の総代理店だけでなく国外のブランド本社をも違反被疑事業者としている点で特徴があるが、この事例での国内総代理店は、国外ブランド本社の子会社であった。国外ブランド本社の行為も、「間接の間接取引拒絶」であった。また、この事例は、並行輸入業者に対して受動的販売をすることを制限する行為のみを取りやめる確約措置がとられた事例でもある。通常、受動的販売の制限は、それを課される販売業者による競争が失われることに着目して論ぜられるが（前記459頁註234）、この事例では、受動的販売をしてもらえない並行輸入業者の排除が問題となっている。

しかし、そのような場合には、排除効果があって初めて公正競争阻害性が成立するのであるという大前提を忘れないようにしなければならない[431]。

(iv) 他の項の行為要件では全く拾えない行為　排除効果必要型行為に一般指定14項が用いられる第3類型として、排除効果必要型の他の項とは全く異なる行為がある。

例えば、検討対象市場の川上市場を独占しているために検討対象市場での競争者の営業情報を把握し得る立場にある事業者が、競争者の営業情報を、川上市場部門から検討対象市場部門に横流しして、検討対象市場部門において有利な立場に立つ行為がある[432]。このような行為は不正手段と言える、という説もあろうが、現時点では定説はない。現に、これまでは、川上市場を独占している者が行う場合のみが話題とされているのが実情である。

(v) 合わせ技一本　第4類型は、合わせ技一本である。合わせ技一本とは、他の項に該当する行為であるか否かを問わず、複数の行為をまとめて1つの行為であるとして構成することにより、それらの行為が相俟って同一市場に及ぼす影響を検討しようとする論法である[433]。

3　一般指定15項

一般指定15項の見出しは、「競争会社に対する内部干渉」である[434]。

---

431) 総代理店の行為に関する流通取引慣行ガイドライン第3部が、「価格を維持するために行われる場合には」という表現を頻出させているのは、排除効果（市場閉鎖効果）を要件としているのと実質的には同じであると読むこともできる。

432) 公取委公表平成12年12月20日〔NTT東日本DSL〕では、このような行為が他の行為と相俟って私的独占を構成しているおそれがあるとされたが（公表資料1 (3) および2 (2)）、このような行為だけを捉えて、しかも不公正な取引方法としようとする場合には、一般指定14項を使うことになろう。電力ガイドライン第2部IV 2 (2)-1-④イの末尾、電気通信ガイドラインII第1の3 (1) ウ。

433) 公取委公表平成13年8月7日〔ダスキン〕、公取委勧告審決平成15年11月27日・平成15年（勧）第27号〔ヨネックス〕（勘所事例集169〜170頁）、公取委確約認定令和2年3月12日〔日本メジフィジックス〕、などがある。日本メジフィジックス確約認定のように、合わせ技一本とされた一部に不正手段行為が混じる場合もある（前記370頁）。公取委確約認定令和5年6月27日〔福岡有明海漁業協同組合連合会〕は、一般指定11項・12項にしか言及していないが、傘下の生産者や漁協が自らの競争者とならないようにしたとみられる行為が、公取委の公表文が掲げるだけでも4種類あり、これらの合わせ技一本によって弊害が起きている疑いがあったとみる方法も、あったように思われる。

一般指定15項は、具体的な事例が皆無に近い[435]。

434) 一般指定15項は、平成21年改正前の昭和57年一般指定16項をそのまま引き継いでいる。

435) 全くないわけではない。東京高判昭和46年10月12日・昭和42年（ネ）第2132号〔芙蓉交通対志村交通〕（高民集24巻3号の394～396頁、審決集18巻の266～267頁）。

第10章
事業者団体規制

第1節　総　説

1　事業者団体規制の概要

事業者団体規制は、8条を中心としたいくつかの条文によって構成される。8条の2は排除措置命令、8条の3は課徴金納付命令に関する規定であり、89条1項2号や90条1号・2号などに刑罰が規定されている。事業者団体の定義は2条2項に置かれている。

8条において違反要件を定める規定は、昭和28年改正以来の長い間、「8条1項○号」であったが、平成21年改正により2項以下の届出規定が削られたため、「8条○号」と呼ばれることとなった。内容には、変更はない。

2　事業者団体規制の存在意義

(1)　総　説

私的独占・不当な取引制限・不公正な取引方法を3大違反類型と呼ぶとするならば、3大違反類型に加えて事業者団体規制を置く意義は、事業者団体が違反行為を主導している場合に事業者団体を排除措置命令の名宛人とすることができる点と[1]、競争の実質的制限が満たされないような事案でも規制することが可能となっている点とにある。以下、それぞれ敷衍する。

---

1)　1の事業者団体が構成事業者の行動に影響を与え、違反者となるのが通常のパターンであるが、複数の事業者団体が情報交換をしつつ構成事業者の行動に影響を与えていずれもが違反者となる場合もあり得る。公取委公表平成24年6月14日〔白干梅〕。

(2) 排除措置命令の名宛人

事業者団体規制の第1の特徴は、事業者団体を排除措置命令の名宛人とすることができるという点にある。3大違反類型においては、排除措置命令の名宛人は基本的には事業者であり、事業者団体は、事業者に対する排除措置命令の際に非公式の「要請」などの対象となり得るにすぎない。

もっとも、事業者団体規制においても、課徴金納付命令は構成事業者に課されるし(8条の3)、排除措置命令も、事業者団体を名宛人とするほか、「特に必要があると認めるときは」構成事業者などに対しても行うことができる(8条の2第3項)。

同一事件において3大違反類型と事業者団体規制のいずれを選択するか、あるいは、重畳的に適用するか、という点に関連しては、別の箇所で述べた(前記224頁)。

なお、立法の方法としては、3大違反類型において違反者を「事業者」に限定するのをやめ、事案に応じて関与者を柔軟に排除措置命令の名宛人とする、ということも考えられよう。あるいは、3大違反類型において、特に必要があると認めるときは事業者団体をも排除措置命令の名宛人とすることができるよう排除措置命令の規定を工夫する、とする立法もあり得よう。

(3) 競争の実質的制限のない行為の規制

事業者団体規制の第2の特徴は、一定の行為態様について、競争の実質的制限があるとは言えない行為の規制を可能としている点にある。

3大違反類型では、不公正な取引方法において、「おそれ」という文言を根拠に、同種の規制が行われている。それを裏から見れば、3大違反類型の枠内では、不公正な取引方法の行為要件を満たさない行為、特に競争者同士の共同行為のうち多くのものについては、競争の実質的制限があるとは言えない場合にも発動できる規制が用意されていない。事業者団体が主導する行為である場合にそれを可能とするのが、8条3号・4号である。

事業者団体規制においてこのように違反の範囲を拡張する理由は、事業者団体というものは拘束力が強いため、その行為は事業者の行為と比べて競争に及ぼす潜在的な危険性が大きいからである、と説明されている[2)]。しかしこれは、

---

2) 事業者団体ガイドライン解説25頁。

法律の規定がそのようになっていることを後付け的に正当化しようと苦心した結果の理屈である[3)]。

3　事業者団体

(1)　2以上の事業者の結合体又はその連合体

2条2項によれば、事業者団体は、「2以上の事業者の結合体又はその連合体」でなければならない。

事業者団体が法律の規定によって設立されている場合でも、事業者団体の構成事業者の範囲は独禁法の観点から実質的に検討すればよい[4)]。構成事業者といえるか否かは、課徴金に影響する（後記第7節）。

連合体が事業者団体に該当し得るということからわかるように、事業者団体が入れ子のように成立するということはあり得る。逆に、事業者団体の支部や部会などと呼ばれるものが独立の事業者団体とされることもある[5)]。

(2)　事業者としての共通の利益の増進が主たる目的

① **総説**　2条2項によれば、事業者団体は、事業者としての共通の利益の増進を主たる目的とするものでなければならない。

しかしこの要件は、以下のように、要件として必ずしも成功していない。

② **主たる目的**　「主たる目的」は、他の主たる目的と並存し得るものであり、唯一最大のものである必要はない[6)]。

---

3)　現行法が事業者団体規制においてのみ違反の範囲を拡張しているのは、昭和28年独禁法改正法附則2項によって廃止された事業者団体法（昭和23年法律第191号）を継承したという立法経緯に由来するものである、と割り切ることもできるかもしれない。8条3号・4号について刑罰の定めがあるのも（90条2号)、その名残であろう。立法経緯を詳細に紹介したものとして、事業者団体ガイドライン解説26〜28頁、大橋敏道「事業者団体規制の再検討」福岡大学法学論叢48巻3=4号（平成16年）287〜291頁、305〜308頁。

4)　中小企業等協同組合法による組合の行為が8条1号違反とされた事案において、同法上の組合員でない「賛助会員」を構成事業者とした事例がある。公取委命令平成27年1月14日・平成27年（措）第1号・平成27年（納）第1号〔網走管内コンクリート製品協同組合〕。組合の違反行為に関与し、それに沿った行動によって利益を享受していたことなどを踏まえた、とされる（杉浦賢司=今井啓介=唐澤斉・担当審査官解説・公正取引776号（平成27年）66〜67頁)。

5)　事業者団体ガイドライン解説35頁。

6)　事業者団体ガイドライン第1の2、事業者団体ガイドライン解説32頁。この解釈は、文理からも導ける。すなわち、2条2項は、事業者としての共通の利益の増進を「主たる目的」とするものを事業者団体と定義しつつ、そのうち、営利目的で事業を営むことを「主たる目的」とする

しかし、「主たる目的」という要件を置くことそれ自体が、立法論的には疑問である。かりに、事業者としての共通の利益の増進が主たるものではない目的であっても、当該主たるものではない目的に関連して行われた行為が市場への弊害をもたらした場合に、それを禁止しない理由があるのか、問われざるを得ないであろう[7)]。

③ **事業者としての**　「事業者としての」共通の利益とは、構成事業者の経済活動上の利益に直接または間接に寄与するもの、とされる[8)]。そして、純粋に社会公共的な利益にのみ資する場合は、「事業者としての」共通の利益にあたらない、とされる[9)]。

この点についても、種々の疑問がある。純粋に社会公共的な利益の副作用として市場に弊害が起こる場合はどうするのか。純粋に社会公共的な利益というものが存在するのならば、それは、事業者団体という行為者の要件に盛り込むのではなく、正当化理由という事案ごとの要件に盛り込むべきではないか。

④ **共通の利益**　「共通の利益」については、必ずしも全ての構成事業者にとっての共通の利益である必要はなく、主要な構成事業者にとっての共通の利益であれば足りる、とされる[10)]。

(3) 営利事業を主たる目的とする団体の除外

① **総説**　2条2項ただし書により、「資本又は構成事業者の出資を有し、営利を目的として商業、工業、金融業その他の事業を営むことを主たる目的とし、かつ、現にその事業を営んでいるもの」は、2条2項本文の要件を満たしても、事業者団体とはされない。以下では、便宜上、上記鉤括弧内を「営利団体」と呼ぶ。

② **趣旨と立法論的批判**　営利団体が事業者団体に該当しないとする理由は、

ものを事業者団体の概念から除外している。「主たる目的」が、他の主たる目的と並存し得ず、唯一最大のものである必要があるならば、主たる目的が複数存在するはずはなく、2条2項は矛盾しているということになるから、そうではない解釈が必然となろう。

7) 事業者団体ガイドライン解説32頁も、このような疑問を明言する。

8) 事業者団体ガイドライン第1の2、事業者団体ガイドライン解説30頁。

9) 事業者団体ガイドライン解説30～31頁。事業者団体ガイドライン第1の2が「事業者としての共通の利益の増進を目的に含まない学術団体、社会事業団体、宗教団体等は事業者団体に当たらない」とするのも同旨とも見える。

10) 事業者団体ガイドライン解説31頁は、複数の事例を批判的に紹介しつつそのように述べる。

営利団体はそれ自体が事業者であるので、営利団体の行為は3大違反類型を中心とした事業者規制に委ねればよいのであって、これがあわせて事業者団体規制の対象ともなるとすれば、事業者規制と事業者団体規制の重複となるからである、とされる[11]。2条2項本文の要件をも満たす営利団体の活動には、事業を営む者としての活動と、構成事業者の共通の利益を増進する活動とが、あるわけであるが、後者の活動によって市場に弊害をもたらす場合も、事業者たる営利団体が構成事業者をしてそのような弊害をもたらした、と構成して、事業者たる営利団体に事業者規制を適用すればよい、という趣旨であろう。

しかし、立法論的には、この規定に対して疑問が提起されている[12]。

第1に、規制の重複をいうのであれば、2条2項ただし書を満たさない事業者についても、同じ処理を施すべきである、とされる。営利を目的としない事業を行う者や、営利を目的とする事業を行うがそれが主たる目的でない者の場合には、事業者としての活動に関しては事業者規制が、構成事業者の共通の利益を増進する活動に関しては事業者団体規制が、それぞれ適用される[13]。これを調整しないのなら、意味がない、という疑問提起である。

第2に、営利団体は事業者団体とはされないので、予防的規制（前記**2**(3)）の対象外となるが、そのことには合理的な根拠がない、とされる。営利団体が、拘束力において、非営利団体よりも劣るとは考えにくい、とされる。

③ **主たる目的**　2条2項ただし書の「主たる目的」は、2条2項本文の「主たる目的」について既に論じたところ（前記(2)②）と同様、他の主たる目的と並存し得るものであり、唯一最大のものである必要はないと解される。

④ **現に営んでいる**　2条2項ただし書において「現にその事業を営んでいる」ことを要件とするのは、脱法を防ぐため、とされる[14]。

(4) 独立の社会的存在

2条2項にいう事業者団体に該当するためには、当該団体が「独立の社会的存在」となっている必要がある、と言われる場合がある[15]。そのような主張に

11) 従来の考え方の紹介として、事業者団体ガイドライン解説36～37頁。
12) 以下は、おおむね、事業者団体ガイドライン解説36～37頁による。
13) それを前提として、一般指定5項の存在意義が説明されてきた（前記415～416頁）。
14) 事業者団体ガイドライン解説36頁。
15) 事業者団体ガイドライン解説34頁。そこでは、2条2項の「事業者の結合体」という文言が

よれば、「独立の社会的存在」とは、ある程度継続して存続する組織体であって、それに該当するか否かは、名称、規約、代表者・役員、総会・理事会等の機関、従業員、事業計画、独立した経理・財産、事務所等、の存否を総合的に勘案して判断する、という。

しかし、そのような意味で「独立の社会的存在」と言えない者の行為は、当該者が事業者団体ではないから事業者団体規制の対象とすべきでないのではなく、当該者の行為は実質的には構成事業者らの行為と構成して事業者規制の対象とすべきである、ということなのではないかと思われる。当該者をわざわざ事業者団体の定義からはずす必要は、特にないように思われる。

(5) 役員等を事業者とみなす

なお、事業者を定義した2条1項後段は、「事業者の利益のためにする行為を行う役員、従業員、代理人その他の者」は、事業者団体規制との関係では、事業者とみなす、という[16][17]。

この規定により、ある団体において、役員等が個人の名前で団体の構成員となっており、本来の意味での事業者は複数は存在しない、という場合にも、そのような団体は事業者団体に該当し得ることになる。

4 事業者団体の行為

どのようなものが、事業者団体の行為と言えるか。大阪バス協会審判審決は、事業者団体の何らかの機関で決定がされた場合であって、その決定が構成員により実質的に団体の決定として遵守すべきものとして認識されたときは、事業者団体の行為であるとしてよい、とした[18]。定款上の正式意思決定機関の決定

根拠とされる。

16) この規定が適用された具体例として、公取委命令平成19年6月18日・平成19年（措）第10号〔滋賀県薬剤師会〕（排除措置命令書5頁）。

17) 鉤括弧内と同じ文言は、排除措置命令の名宛人を拡張する規定や課徴金納付命令の名宛人を拡張する規定においても使われている。特に後者においては、2条1項後段によらなくとも事業者と言える者も「その他の者」に含まれると考えられている点で、2条1項後段とは異なっているという考え方が明らかにされている（後記535頁）。

18) 公取委審判審決平成7年7月10日・平成3年（判）第1号〔大阪バス協会〕（審決集42巻の20頁）。ただ、事業者団体規制が、構成事業者の行動を決定付ける行為だけでなく、構成事業者の行動を介さずに事業者団体がアウトサイダー等を排除する行為にも及ぶのであることを考えると、遵守すべきものとして構成員が認識する、という要素は、相対化されてもよいであろう。当

によるものであることを要しない。この一般論と軌を一にして、夙に、構成員の営業担当者の会合であるにすぎないが事業者団体が会合費用を負担し事業者団体が会合事務を行っているものによる決定を事業者団体の行為とした事例[19]、定款上は事業者団体の業務執行機関であって意思決定機関とはされていない理事会による決定を事業者団体の行為とした事例[20]、などが存在する。

第2節　8条1号

1　総　説

8条1号は、事業者団体が一定の取引分野における競争を実質的に制限することを違反としている。この号に違反する行為に対しては課徴金と刑罰が用意されている。すなわち、課徴金については8条の3が、不当な取引制限の場合の課徴金の規定である7条の2等を準用している[21]。刑罰については89条が規定している。その意味において、8条1号は不当な取引制限や私的独占の事業者団体版、とでもいうべき内容となっている[22]。

2　行為要件

8条1号には、行為要件の定めがない。

しかし、不当な取引制限、私的独占、不公正な取引方法など、競争の実質的制限または公正競争阻害性があれば独禁法違反となるとされている行為と実質的に同等の行為である必要があろう[23]。

該行為が事業者団体の行為であるとして外部から認識されれば足りる場合がある。

19）公取委勧告審決昭和36年4月6日・昭和36年（勧）第1号〔日本写真機工業会〕（審決集10巻の27頁）。

20）公取委審判審決昭和45年2月17日・昭和42年（判）第1号〔兵庫県牛乳商業組合〕（審決集16巻の150～152頁）。

21）ただし、課徴金については、8条1号違反行為のうち不当な取引制限に相当する行為に対してのみ課される（8条の3）。

22）具体的な事件について、どの違反類型を選択するか、あるいは複数の違反類型の重畳的適用が認められるか、については、別の箇所で述べた（前記224頁）。

23）不当な取引制限と私的独占について、事業者団体ガイドライン解説40頁。不公正な取引方法の行為要件を満たすような行為についても同様であろう。

8条1号と8条4号との比較は、別の箇所で触れる（後記531〜532頁）。

3 弊害要件

弊害要件は、一定の取引分野における競争の実質的制限であり、不当な取引制限や私的独占の弊害要件論をそのまま用いればよい（前記第2章、第7章第3節、など）。

8条1号には、2条5項や2条6項とは違って、「公共の利益に反して」という文言がないので、一応の注意を要するが、しかし、正当化理由に関する議論はこの文言の有無にかかわらず行い得る（前記94〜117頁）。

第3節 8条2号

8条2号は、6条に規定する国際的協定・契約、すなわち、不当な取引制限または不公正な取引方法に該当する事項を内容とする国際的協定・契約を事業者団体がすることを禁じている。6条および8条2号については、その内容と、立法論的是非に関して、別の箇所で論ずる（前記203〜204頁）。

第4節 8条3号

1 総 説

8条3号は、事業者団体が一定の事業分野における現在または将来の事業者の数を制限することを禁じている[24]。

この号は、事業者団体が他者排除行為を行う場合について、価格等の競争変数が左右される状態にまでは至らない行為についても禁止している[25]。

---

24) 8条3号に関する総合的文献として、大橋敏道「事業者団体規制の再検討」福岡大学法学論叢48巻3=4号（平成16年）287〜305頁。

25) これを確認するものとして、東京地判令和2年3月26日・平成30年（行ウ）第256号〔神奈川県LPガス協会〕（判決書18〜19頁）、東京高判令和3年1月21日・令和2年（行コ）第122号〔神奈川県LPガス協会〕（判決書16〜17頁）。

この号に違反すると、8条の2により排除措置命令の対象となる。90条2号によって刑罰の対象ともなり得るが、実例はない。課徴金納付命令の根拠とはならない（8条の3)。

2　行為要件

8条3号には、行為要件の定めがない。

しかし、不当な取引制限、私的独占、不公正な取引方法など、競争の実質的制限または公正競争阻害性があれば独禁法違反となるとされている行為と実質的に同等の行為である必要がある。例えば、競争を奨励したために優勝劣敗の状況が生まれて事業者の数が制限される結果となっても、8条3号違反とはならないと解される。

3　一定の事業分野

8条3号にいう「一定の事業分野」とは、市場における供給者群または需要者群のいずれか一方を指す、とされる[26]。そのように言われる趣旨は、推測するに、以下のようなものであろう。市場というものは、供給者群と需要者群との双方が存在して初めて成立するのであるが、市場または一定の取引分野における事業者の数の制限、と言ってしまうと、供給者と需要者の合計を数えることとなってしまい、規定の趣旨と噛み合わない。そこで、一定の事業分野という概念を編み出し、いずれか一方の側のみの数に注目するのであることを明確化したのだ、ということであろう。もちろん、供給者の範囲は需要者の選択肢をもとにして画定されるのであるから、論理上当然に、一定の事業分野の範囲の画定に際しては双方の側に目を配る必要がある。ただ、8条3号の要件にいう「事業者の数」を数えるときには片方の側しか数えない[27]。

一定の事業分野は、事業者団体の構成事業者が属する事業分野であるか否かを問わない、とされる[28]。

26）事業者団体ガイドライン解説46頁。

27）「一定の事業分野」という文言は、独占的状態の定義を定めた2条7項にも登場するが、8条3号にいう「一定の事業分野」とは異なる解釈がされている（後記619～620頁)。

28）事業者団体ガイドライン解説46頁。排除者と被排除者の競争関係を違反要件としない発想と通底する（前記123～125頁)。

4 現在または将来の事業者の数の制限

現在または将来の事業者の数を制限していると言えるためには、新規参入事業者の参入を阻止したり現存事業者を退出させたりするような影響をもつ行為を行っていることが必要である。例えば、事業者団体への入会に制限を加える行為が8条3号に該当するためには、当該事業者団体への入会が、当該市場において競争するために不可欠であることが必要である[29]。参入禁止の約定を結ぶ場合などは、当該約定が効力を持つこと自体が事業者の数を制限することに繋がるのであるから、入会が不可欠であることは要件とならない[30]。

5 正当化理由

正当化理由があるときには、一定の事業分野における現在または将来の事業者の数を制限しても、8条3号該当とはされない[31]。8条3号の文言には、8条4号における「不当に」のような、正当化理由の受け皿となりやすい抽象的文言が見あたらないが、正当化理由に相当する主張を受け容れた例は既に存在する。例えば、目的・手段の両面から妥当な範囲で不適格事業者を排除することは容認される[32]。事業者団体の入会金や事業者団体が提供する便益の負担金を合理的な基準によって設定することは許される[33]。

---

29) 事業者団体ガイドライン第2の5 (1) も、それに近い趣旨を含む。裁判例では、例えば、東京高判平成13年2月16日・平成11年（行ケ）第377号〔観音寺市三豊郡医師会〕（審決集47巻の568頁）、東京地八王子支判平成13年9月6日・平成12年（ワ）第734号〔茨城県不動産鑑定士協会〕（審決集48巻の684~685頁）、神奈川県LPガス協会東京地判（判決書20～25頁）。

30) 公取委勧告審決平成5年11月18日・平成5年（勧）第23号〔滋賀県生コンクリート工業組合〕。特定事業者の製造設備を買い上げて廃棄し、その際に再参入禁止の約定を結んだ（審決集40巻の173頁）。

31) 神奈川県LPガス協会東京地判（判決書27～30頁）。

32) さいたま地判平成23年12月16日・平成23年（ワ）第55号〔埼玉県不動産鑑定士協会〕（審決集58巻第2分冊の254頁）、東京高判平成24年5月17日・平成24年（ネ）第193号〔埼玉県不動産鑑定士協会〕（審決集59巻第2分冊の112頁）。

33) 事業者団体ガイドライン第2の5 (2)。

第5節　8条4号

1　総　説

8条4号は、事業者団体が構成事業者の機能または活動を不当に制限することを禁じている[34]。

この号は、後出の「不当に」について述べる箇所で見るように、価格等の競争変数が左右される状態にまでは至らない行為についても禁止している。

この号に違反すると、8条の2により排除措置命令の対象となる。90条2号によって刑罰の対象ともなり得るが、実例はない。課徴金納付命令の根拠とはならない（8条の3）。

2　構成事業者

8条4号括弧書きは、「構成事業者」とは、事業者団体の構成員である事業者をいう、としている。

2条1項により事業者とみなされた役員等が構成員となっている事業者団体において、「構成事業者」とは誰か。8条4号が「不当に」の文言を介して反競争性の成否を問題とする条文である以上、「構成事業者」は、2条1項によって事業者とみなされた役員等ではなく、当該役員等が利益をもたらす対象となっている事業者である、ということになろう[35]。

そのような拡大解釈が許されるのであれば、事業者団体が連合体である場合に、当該事業者団体の形式的意味での構成員ではない下部組織構成員が「構成事業者」にあたる、とする解釈も、許されることとなるであろう[36]。

34）　8条4号に関する総合的文献として、大橋敏道「事業者団体規制の再検討」福岡大学法学論叢48巻3=4号（平成16年）305〜311頁、武田邦宣「独占禁止法8条1項1号と4号の問題」厚谷襄児先生古稀記念論集『競争法の現代的諸相（上）』（信山社、平成17年）。

35）　事業者団体ガイドライン解説34頁、公取委命令平成19年6月18日・平成19年（措）第10号〔滋賀県薬剤師会〕（排除措置命令書5〜6頁）。ただし、当該役員等は、8条の2第3項により、排除措置命令の名宛人となり得る。

36）　事業者団体ガイドライン解説33頁。

3　機能又は活動

「機能又は活動」とは、結局のところ事業活動の全般を指す、とされる[37]。

最近の事例から具体例を挙げるならば、広告の制限[38]、販売地域の制限[39]、品質の制限[40]、供給量等の制限[41]、安価な輸入品の取扱いの制限[42]、需要者との直接取引の禁止と収入の調整配分[43]、所管行政庁への届出価格の協定[44]、価格協定[45]、などがある。

価格協定も8条4号の問題となり得ることに示されているように、どのような行為が8条1号でどのような行為が8条4号、という色分けはない。逆に、通常なら8条4号で論ずるのではないかともみえる行為類型が8条1号とされることもある[46]。8条4号と8条1号の違いは、結局、課徴金の有無に帰着す

37）事業者団体ガイドライン解説48頁。

38）公取委審判審決平成8年6月13日・平成6年（判）第1号〔広島県石油商業組合〕、公取委勧告審決平成11年1月25日・平成10年（勧）第26号〔浜北市医師会〕、公取委勧告審決平成12年4月26日・平成12年（勧）第3号〔石川県理容環境衛生同業組合金沢支部〕、滋賀県薬剤師会公取委命令。

39）公取委勧告審決平成15年4月9日・平成15年（勧）第14号〔全国病院用食材卸売業協同組合〕。

40）公取委勧告審決平成11年11月2日・平成11年（勧）第24号〔教科書協会〕では、教科書のページ数や色刷りページ数の割合が制限されていた。

41）東京高判平成13年2月16日・平成11年（行ケ）第377号〔観音寺市三豊郡医師会〕では、医療機関の診療科目追加・病床増設・増改築や老人保健施設が制限されていた。公取委勧告審決平成2年2月2日・平成元年（勧）第9号〔三重県バス協会排除措置〕では、所管行政庁への事業計画変更認可申請が制限され増車が抑制されていた。

42）公取委勧告審決平成12年2月2日・平成11年（勧）第29号〔東京都自動車硝子部会〕。

43）公取委命令平成27年4月15日・平成27年（措）第6号〔東京湾水先区水先人会〕、公取委命令平成27年4月15日・平成27年（措）第7号〔伊勢三河湾水先区水先人会〕。

44）公取委審判審決平成12年4月19日・平成7年（判）第4号〔日本冷蔵倉庫協会〕（審決案60～62頁）。

45）公取委審判審決平成7年7月10日・平成3年（判）第1号〔大阪バス協会〕（審決集42巻の71頁）のほか、武田・前記註34・523頁が掲げる諸事例。令和5年10月からの消費税インボイス制度の導入において、取引先が免税事業者である場合にも一定範囲の仕入税額控除が可能であるにもかかわらず取引先に消費税相当額を全く支払わないことを事業者団体が決定して構成事業者に指示する行為も、価格そのものの協定ではないものの、それに近い。令和4年度相談事例4〔農産物加工協同組合インボイス対応〕は、8条1号と8条4号を併記している。「インボイス制度と独禁法等」の問題の全体については、前記468頁註260。

46）入学試験日の統一や学級数の制限などについて8条1号を掲げて注意の対象とした例として、公取委公表平成27年6月30日〔西日本私立小学校連合会等〕。児童の転出入を制限する行為に

るので、課徴金を課すべきでないと判断されれば8条4号、課すべきであると判断されれば8条1号、など[47]ということであろう。

4 不当に

8条4号の弊害要件は、「不当に」という概念で表現されている。

「不当に」が満たされるためには、市場支配的状態が現に起こることまでは必要なく、競争政策上看過できない影響を競争に及ぼすこととなるのであれば足りる、とされる[48]。8条4号違反は、法定刑が8条1号違反の場合よりも低く、また、8条1号とは違って課徴金納付命令の対象ともならないのであるから、弊害要件の要求度を低くする上記のような解釈には根拠がある。以上のことを指して、「不当に」は公正競争阻害性と同義である、とも言われる[49]。

このように、8条4号の弊害要件の要求度が相対的に低いため、この号は、8条3号と並んで、8条1号の弊害要件を満たさない行為を違反とするために用いられることがある。このような広い規制が可能である根拠は、事業者団体は拘束力が強いので弊害が起こりやすいからである、と説明されている（前記521〜522頁）。また、8条4号は課徴金納付命令の根拠とならないため、公取委にとって、課徴金をかける必要性を感じないが競争停止の事件として取り上げる価値はある、という事件を処理するための便利な条文となっている。

正当化理由があれば、「不当に」に該当しない[50]。

ついて8条1号を掲げた警告とあわせて行われた注意である。細かいことをいえば、この事例には、構成事業者の機能・活動を制限しつつ、構成事業者でない者にも同様の要望をした、という行為が含まれており、少なくともこの後半部分は8条4号の行為要件を満たさないので、全体として8条1号を用いざるを得なかったという面はあろう。

47) 命令未満の処理をすることとなったなら、いずれにしても課徴金を課すことにはならないので、強めに8条1号と述べておく、ということもあるであろう。

48) 事業者団体ガイドライン解説46〜47頁。大阪バス協会審決は、価格協定について、一定の取引分野における競争の実質的制限に関する立証不足を理由として8条1号（当時の8条1項1号）違反を否定しつつ、8条4号（当時の8条1項4号）違反とした（審決集42巻の71頁）。勘所事例集89〜90頁。およそ価格協定は市場支配的状態をもたらすものである、という趣旨の文献も少なくないが、現実はそれほど単純ではない。

49) 多くの文献が、そのような説明を行っている。このような表現に対して批判的な文献もあるが、競争の実質的制限ほどの影響は必要ないが一定程度の影響は必要である、という点を争わないのであれば、いずれにしてもその内容は似通ったものとなろう。

50) いずれも、違反なしとする理由の一部ではあるが、福岡地小倉支判平成元年3月7日・昭和

第6節　8条5号

1　総　説

8条5号は、事業者団体が事業者に不公正な取引方法をさせるようにすることを禁じている[51]。

8条5号に違反すると、8条の2により排除措置命令の対象となる。課徴金納付命令の根拠とはならないし（8条の3)、刑罰の根拠ともならない。差止請求訴訟の根拠となる（24条)。

2　事業者

「事業者」には、文言上の限定がない。したがって、事業者団体の構成員でない事業者も含む、とされる[52]。

3　不公正な取引方法に該当する行為

不公正な取引方法の具体的内容については、その箇所に譲る（前記第9章)。

8条5号において問題となるのは、「不公正な取引方法に該当する行為」の解釈である。

第1の説として、行為要件だけでなく弊害要件つまり公正競争阻害性をも満たす行為に限定する、という解釈が当然にあり得る。不公正な取引方法の定義規定である2条9項が、いうまでもなく、行為要件だけでなく公正競争阻害性の成立を要件としているからである。条文の論理的な読み方に忠実であるという意味で、以下では便宜上、「文理説」と呼ぶ。

第2の説として、行為要件を満たす行為であることだけを求め弊害要件の成否を問わない、という考え方があり得る。上記のような意味での文理よりも拡張しようとするものであるから、以下では便宜上、「拡張説」と呼ぶ[53]。この

57年（ワ）第1516号〔北九州市獣医師会〕（審決集35巻の147～151頁)、広島高岡山支判平成5年2月25日・平成4年（ネ）第25号〔岡山県獣医師会〕（審決集40巻の809頁)。

51)　8条5号を用いた例として、公取委公表令和2年11月5日〔日本プロフェッショナル野球組織〕。

52)　事業者団体ガイドライン解説49頁、50頁注14、品川武・菅久品川他4版68～69頁。

説は、「不公正な取引方法に該当する行為」という文言を、不公正な取引方法の行為要件を満たす行為、というほどの意味として受け止めている。

文理説と拡張説との違いは、事業者団体によって行為を行うようにさせられた個々の事業者の個々の行為は、不公正な取引方法の行為要件は満たすが弊害要件を満たさない、という場合に発生する。単独直接取引拒絶を例に取るなら、個々の事業者それ自体は被拒絶者にとって必須ではないが、当該事業者団体によって単独直接取引拒絶を指示されている全ての事業者を塊として見れば被拒絶者にとって必須である、という場合である。文理説ならば、この状況下では事業者団体による指示は8条5号に違反せず、拡張説ならば、違反する。

結局、文理を重んずるか、実際の弊害を重んずるか、という観点から決着を付けるべき問題である。

少なくとも立法論的には、3大違反類型の違反者の範囲を事業者に限定せず事業者団体をも含むように修正するか、あるいは、8条5号の文言を拡張説に合致した方向で修正すべきであろう。

4　させるようにする

「させるようにする」という文言は、「させる」とは違い、事業者団体が事業者に対して働きかけることを意味するのであって、強制に至る必要はなく、また、事業者が現実に当該行為を行うか否かを問わない、とされる[54]。

第7節　課徴金納付命令

1　8条の課徴金の名宛人

8条1号・2号の場合の課徴金納付命令の名宛人は、違反者たる事業者団体の構成事業者である（8条の3）。事業者団体の構成事業者といえるか否かは、独禁法の観点から実質的に判断される（前記530頁）。構成事業者は、8条の3においては、読替えにより、「特定事業者」と表現されている。

53）　事業者団体ガイドライン解説49～50頁は、拡張説を主張する。

54）　事業者団体ガイドライン解説50頁。

課徴金額が不当利得と同額またはそれ未満となるよう目指して算定率を法定するのであればともかく、平成17年改正に際して明確とされたように、そうとは限らないのであるとすれば、事業者団体の違反行為について構成事業者が名宛人となることの根拠があらためて問題となる。平成17年改正の法案作成担当者は、その根拠として、特定事業者は自らが不当な取引制限をする場合と同様に不当利得を得ることと、8条が適用される場合でも実際には特定事業者の意思決定があって初めて違反行為が行われ実行されるのであることとを、挙げている[55)]。

ところで、「特定事業者」とは、事業者団体の構成事業者が他の事業者の利益のために事業者団体に名を連ねている場合の当該他の事業者をも、含む概念である（8条の3の表）。この規定は、まず、「事業者の利益のためにする行為を行う役員、従業員、代理人その他の者」が、それ自体は本来は事業者ではないのに2条1項後段により事業者とみなされて事業者団体構成事業者となっている場合には、役員等たる事業者でなくその所属先の事業者が課徴金納付命令の名宛人となることを示している[56)]。しかし、8条の3の表における「事業者の利益のためにする行為を行う役員、従業員、代理人その他の者」は、2条1項後段とは異なり、事業者でないものだけを指すとは限らない。2条1項後段によらなくとも事業者と言えるものが、他の事業者の利益のために事業者団体構成事業者となっている場合に、当該他の事業者を課徴金納付命令の名宛人とする、というかたちでも機能する[57)]。

2　実行としての事業活動

8条の3が読み替えて準用する7条の2第1項には「実行期間」という文言があり、これを定義する2条の2第13項によれば、課徴金を課すには、特定事業者が「実行としての事業活動」（前記298〜300頁）を行うことが前提となる。

55）平成17年改正解説87〜88頁。

56）事業者団体ガイドライン解説58頁。本来は事業者でない役員等も、形式的には「特定事業者」にあたるが、自身に売上額（購入額）がないため課徴金納付を命じ得ない場合がほとんどであろう。

57）この種の課徴金納付命令事例を挙げつつ詳細に論ずるものとして、佐島史彦「平成8年度における課徴金納付命令等の概要」公正取引560号（平成9年）32〜33頁、35頁、佐島史彦「平成9年度における課徴金納付命令等の概要」公正取引576号（平成10年）67〜68頁。

したがって、事業者団体の構成事業者であるが事業者団体の違反行為に沿った事業活動を行っていない構成事業者については、たまたま当該事業者団体の構成事業者であるというだけでは、課徴金は課されないことになる[58)]。

3 算定率

「特定事業者」に対する課徴金の算定率は、不当な取引制限の場合の算定率（前記313〜316頁）が準用されているが、加重算定率については準用されていない。すなわち、8条の3において7条の3が準用されていない[59)]。

4 減免制度

「特定事業者」に対する課徴金にも、不当な取引制限の減免制度が準用される。8条の3において7条の4〜7条の6が準用されている。

5 罰金額半額調整

罰金額半額調整は、「特定事業者」に対する課徴金については行われない。8条の3において7条の7が準用されておらず、63条が8条の3を掲げていない。罰金は事業者団体に科され、課徴金は構成事業者に課されるのであって、受命者が同じでないからであるとされる[60)]。

---

58) 鈴木満「昭和55年度上期における課徴金納付命令の概要（下）」公正取引360号（昭和55年）31頁、野口文雄「平成5年度における課徴金納付命令の概要（下）」公正取引525号（平成6年）60頁。原敏弘「平成7年度における課徴金納付命令の概要」公正取引547号（平成8年）30頁は、事業者団体の構成事業者であれば事業者団体の違反行為に従っているという推定は働き、従っていないという特段の事情があれば除外される、としている。思考過程を示したものとして参考となるが、特段の事情がないことの立証責任は公取委が負うことになろう。

59) 結局、加重算定率制度には制裁強化の趣旨があることを否定できず、事業者団体の特定事業者にも適用することは避けられたもの、と理解することができる。

60) 平成17年改正解説89頁。

第11章
企業結合規制

第1節　総　説

1　問題の整理

独禁法典の第4章は、「株式の保有、役員の兼任、合併、分割、株式移転及び事業の譲受け」であり、これが、広義で、企業結合規制と呼ばれている。

広義の企業結合規制は、「一定の取引分野における競争を実質的に制限することとなる」を違反要件とするか否かによって、2つに分類することができる。「一定の取引分野における競争を実質的に制限することとなる」を要件とするものは、10条および13条～16条、であり、他方、これを要件としないものは、9条および11条である。本書では、前者を狭義で単に「企業結合規制」と呼んで以下で論ずる。後者は「主に事業支配力過度集中の観点からの企業結合規制」として例外的規制の箇所で論ずる（後記第12章）[1]。

2　位置付け・独自性

他の違反類型と比較した場合の企業結合規制の特徴は、行為の事前の規制が可能である、という点にある[2]。

---

1)　企業結合規制に係る各条において、不公正な取引方法による企業結合が禁止されている（10条1項、13条2項、14条、15条1項2号、15条の2第1項2号、15条の3第1項2号、16条1項）。若干の事例はあるが、通常、企業結合規制を論ずる場合にこれらが意識されることはない。企業結合ガイドラインは実質的にはこの問題に全く触れていない。事例として、10条につき東京高判昭和46年10月12日・昭和42年（ネ）第2132号〔芙蓉交通対志村交通〕、14条につき長野地判平成9年5月23日・平成6年（ワ）第88号〔長野信用金庫〕（判タ960号の189頁）。前記第9章に譲り、ここではこれ以上触れないこととする。

企業結合行為によって、懸念される行動が起こりやすくなり、一定の取引分野における競争の実質的制限が起こりやすくなる、ということがあり得る。これを実効的に防ぐため、事前規制を可能とする条文となっている。現に、ほとんどの企業結合事例は、企業結合行為の事前に審査が行われたものである[3)]。

以上のように、将来の企業結合行為によって将来の懸念される行動や将来の弊害が起こりやすくなるか否かを検討するのが中心であるため、検討は将来予測が中心となる。違反要件の条文に「こととなる」と書かれているのは、その表れである。

企業結合規制においては頻繁に、現在または過去における市場の状況が検討される。現在または過去が究極的な関心事項であるということではなく、将来予測を行うための材料として、現在または過去のことを見ているものである[4)5)]。

---

2) 過去の多くの文献においては、企業結合規制は私的独占の予防的規制である、と説明されていた。企業結合規制と私的独占規制とをひとまとめとして章立てをし解説している書物も少なからず見られた。しかし、企業結合規制の議論の大部分を占める水平型企業結合においては、企業結合後当事会社による価格設定の一元化・連動化を懸念される行動として論ずるのであるところ、そのようなかたちで価格を上げることそれ自体は、私的独占の規制対象ではないとする論が根強い。このように、私的独占に該当しないとされる行動を最も懸念して行われるのであるというのに、なぜ、私的独占の予防的規制であると言えるのであろうか。結局、この位置付け論は、私的独占規制は企業が大きいことを規制するものであり企業結合規制は企業が大きくなることを規制するものである、という初歩的誤りを多重的に前提としたものであった。以上の点は、最近では、他の文献においても克服されつつあるように思われる。

3) 届出義務のない企業結合については、相談が行われ「排除措置命令を行わない旨の通知」がされた場合を除いて、「排除措置命令を行わない旨の通知」がされておらず意見聴取通知期限も到来していないという状態で企業結合が実行されることになり、論理的には、企業結合後の企業結合規制も可能である。企業結合行為後の企業結合規制は、企業結合後の非企業結合規制とは異なり、企業結合後の競争停止行為や他者排除行為などが現になくとも、既に行われた企業結合行為それ自体を行為要件充足行為と見ることができるという点に、特徴がある。米国等では、「consummated merger」などの言葉を用いて、事例・議論がある。後記註5。

4) その事業分野の将来の状況に照らすと現在または過去があまり参考とならない場合があり、そのような場合には現在または過去は参照しないことになる。例えば、研究開発・認可取得過程にある医薬品が近い将来に「上市」される予定である場合に、そのような医薬品の市場に影響がないかどうかが検討されることがある。例えば、令和元年度企業結合事例1〔ブリストル・マイヤーズスクイブ／セルジーン〕。ネット店舗でない物理的店舗による小売業の企業結合事例において、当事会社が出店予定である地域についても検討がされることがある。例えば、令和元年度企業結合事例9〔マツモトキヨシ／ココカラファイン〕(事例集73頁注2)。

将来予測であるため、具体的な懸念される行動が現に行われてから検討すればよい事後規制の違反類型とは異なる。事後規制の違反類型における行為要件は、企業結合規制においては懸念される行動に相当するが、企業結合行為によって起こりやすくなるあらゆるものを想定して、検討することになる。

そのような事前規制・将来予測をしてもよい場合を定める法律上の要件として、企業結合行為という行為要件が置かれている。

将来予測に基づく事前規制が中心であることを除くと、企業結合規制にはさほどの独自性はない。懸念される行動は、事後規制の違反類型における行為要件を満たす行為とほぼ重なっている。弊害要件は、事後規制の違反類型と共通しているので、本書では、弊害要件総論としてまとめて取り上げている（前記第2章）。

3　以下の構成

以下では、違反要件、届出、企業結合審査手続、の3つに分けて、企業結合規制を論ずる。

事前規制を主眼としているので、企業結合規制では独禁法の他の違反類型にはない法執行の手続が必要となる。すなわち、事前の届出義務を課して重要な企業結合計画の存在が把握され、届け出られた企業結合計画については事前の企業結合審査手続が行われる。それらは企業結合規制に特有のものであるから、この章でまとめて論ずる。

独禁法典は、株式取得や合併など、企業結合行為の形式ごとに分けて各条を設定したうえで、各条ごとに、違反要件、届出義務、企業結合審査手続をまとめて規定している。しかし本書では、物事の本質をつかむため、各条を横断して、違反要件、届出義務、企業結合審査手続の3項目を論じ、それぞれの項目のなかで各条を取り上げる。

5）そのような事前規制・将来予測をすることを念頭に置きつつ「こととなる」という文言としているのであるから、届出義務がなかったなどの理由で実行済みの企業結合（前記註3）について企業結合行為後の時点で判断する場合も、「いつ違反要件を満たしたか」の基準時は、企業結合行為時である、ということになると考えられる。すなわち、企業結合行為の時点で、この企業結合行為を行ったならば懸念される行動が起こりやすくなり弊害が起こりやすくなると言えたか否かを、企業結合行為後に判断する、ということである。そのような事例における排除措置命令の可否なども含め少々詳しくは、企業結合事例検討公正取引839号55～57頁。

第2節　違反要件

1　総　説

(1)　条を横断した体系化の基本的考え方

以下では、条文に規定された企業結合規制の違反要件を、「企業結合行為」「懸念される行動」「弊害」の3つに分けて、体系化する。

企業結合規制の違反要件は、10条および13条〜17条の各1項に規定されている[6)]。このうち、本書では詳論しない不公正な取引方法による企業結合の規制を除くと、企業結合規制においては、条をまたいで一般的に、「企業結合行為」「により（によつて）一定の取引分野における競争を実質的に制限することとなる」場合に違反要件を満たす、ということがわかる。

これを簡単に言い換えると、「企業結合行為」が行われれば弊害が起こりやすくなるという場合に違反要件を満たす、と表現することができる。これを更に分析すれば、「企業結合行為」があったならば「懸念される行動」が起こりやすくなり、かりに当該「懸念される行動」が起こったならば「弊害」が起こる、という場合に企業結合行為は違反要件を満たす、ということになる。

(2)　「懸念される行動」の位置付け

前記(1)のうち、「懸念される行動」にまつわることは、条文に明記されているわけではない。「弊害」すなわち一定の取引分野における競争の実質的制限が起こりやすくなるか否かを判断するための中間概念として頻繁に用いられるというにとどまる。しかし、関係者の主張のなかに、明示的あるいは黙示的に、頻繁に観察される中間概念である。そのような意味で、これを1つの項目と位置付け、明確に言語化したうえで体系化することとした。中間の道標として有意義に用いつつ、しかしその議論が自己目的化することのないよう注意することが肝要である。「懸念される行動が起こりやすくなり、もし実際に懸念される行動が起これば弊害がもたらされるか」（前記(1)）ということを総合的に判断して、「により（によつて）一定の取引分野における競争を実質的に制限する

---

6)　14条と17条には2項以下がないが、便宜上、本文のように記した。13条は、2項も違反要件であるが、不公正な取引方法による役員兼任に関するものである。

こととなる」の成否が判断される。

(3) **諸問題**

① **はじめに**　企業結合規制は重要であり様々な議論が入り交じっているため、後記**2**以下の体系に入る前に、先に整理しておくべき点が多い。

② **水平型・垂直型・混合型**　企業結合規制を論ずる場合には、水平型企業結合・垂直型企業結合・混合型企業結合、の3分類がしばしば言及される。競争関係にある者同士の企業結合が水平型、取引関係にある者同士の企業結合が垂直型、いずれでもない者同士の企業結合が混合型、である。各国の競争当局がそれぞれの型について別々のガイドラインを策定する場合もあるなど、異なる検討を要するもののように思われていることが多い。

しかし、結局のところ、この3分類を観念する実益は、次の点だけにある。すなわち、どの類型に該当するかによって、「懸念される行動」としてどのようなものが頻出するかが異なる、ということである（後記**3**）。行為要件と弊害要件は、3類型のいずれであっても同じなのであり[7]、そこにおいて3類型を区別する実益は、実はない。

ある1件の企業結合が3分類のいずれかのみに属するというわけではない。現実の企業は様々の商品役務を様々の文脈で扱っているので、1件の企業結合が、それをどのような角度から見るかによって、同時に複数の類型に該当することは日常茶飯事である。例えば、川上事業と川下事業を兼営するAと、川下事業のみを行うBとが企業結合をすると、川下事業について水平型企業結合であり、Aの川上事業とBの川下事業について垂直型企業結合となる。企業結合規制という法的観点から目的合理的に言えば、ある企業結合が水平型・垂直型・混合型のいずれであるかが重要なのではなく、その企業結合を、いま、水平型・垂直型・混合型のいずれの観点から検討しているのであるかが重要である。換言すれば、○○型の観点から法的に検討している場合に、便宜上の表現として、この企業結合は○○型である、などと言っているのである。

③ **「結合関係」「当事会社グループ」**

(i) 総説　以上は、法律の条文に即した体系化の枠組みであるが、それ

---

7)　垂直型や混合型では、懸念される行動として他者排除行為が想起されることが多いが、競争の実質的制限について原則論貫徹説を採ることが固まっている以上（前記121〜123頁）、他者排除行為であっても、弊害要件の基準は同じである。

とは別に、公取委は、条文との関係を必ずしも明らかにしないまま、「結合関係」および「当事会社グループ」という概念を用いてきた。

「結合関係」とは、企業結合ガイドラインによれば、「複数の企業が株式保有、合併等により一定程度又は完全に一体化して事業活動を行う関係」であるとされ、企業結合規制とは、そのような結合関係が「形成・維持・強化されることにより、市場構造が非競争的に変化し、一定の取引分野における競争に何らかの影響を及ぼすことに着目して規制しようとするものである」とされる[8)]。

「当事会社グループ」とは、「当該企業結合により結合関係が形成・維持・強化されることとなるすべての会社」であるとされる[9)]。

結合関係の有無の具体的基準（後記(iii)）から論理的に導かれるように、ある会社が、当事会社と結合関係があって「当事会社グループ」に属しつつ、当事会社とは関係のない別の会社とも結合関係がある、ということはあり得る。

(ii)「結合関係」概念の法的機能　「結合関係」によって「当事会社グループ」の範囲を画定するという手法は、企業結合審査のなかで、以下のように機能する。

第1の機能は、全ての企業結合行為類型に共通して、当事会社が従来から一体である範囲を画定する、という機能である。公表される企業結合事例のほとんど全てにおいて、結合関係にある当事会社グループ、という表現がみられる。これにより、セーフハーバーに該当するか否かを判定するための市場シェアとHHIの算定が可能となる。また、競争の実質的制限が起こりやすくなるか否かを最終的に判断する際にも、当事会社グループの範囲が考慮される。

第2の機能は、株式取得の場合に、株式取得によって結合関係が生ずるもののみに検討対象案件を絞る、という機能である。企業結合規制において断りなくセーフハーバーといえば、市場シェア・HHIによるセーフハーバー（後記

8)　企業結合ガイドライン第1冒頭。

9)　企業結合ガイドライン第2冒頭。10条2項で定義される「企業結合集団」は、親子会社関係で繋がるグループであり、結合関係で繋がるグループである「当事会社グループ」より狭い。「当事会社グループ」は、違反要件をめぐる判断に関係する概念として公取委が企業結合ガイドラインで設定しているものであり、「企業結合集団」は、届出義務の有無の判断に関係する概念として法律で位置付けられたものである。企業結合事例集は、届出義務に言及することはほとんどなく、違反要件を論ずるのが基本であるので、結合関係で繋がる「当事会社グループ」が言及されるのが最近では通例となっている。

574～575 頁）であるが、上記のように、株式取得のみに特化して、市場全体というよりも当事会社同士の関係に着目して、別の意味での一種のセーフハーバーが置かれている、ということである。

合併・分割・共同株式移転・事業譲受けにおいては、通常、一体となるのは当然であるので、結合関係の成否は議論されない[10]。

第1の機能がほとんど全ての企業結合案件で問題となるのに対し、第2の機能は少数株式取得が行われる少数の事例のみで問題となるのであるが、企業結合ガイドラインは、第2の機能のほうを念頭に置いて書かれているために、全体像を見えにくくしている。これは、平成9年改正によって持株会社が解禁され当事会社を単体の会社でなくグループで把握するようになるより前から、結合関係の概念が用いられていたことと、関係があるように思われる。

いずれの機能の場合も、最終的な違反の成否は、弊害要件や因果関係要件の成否によって決するのであり、結合関係は、その中間段階で活用される目安であるにすぎない。結合関係があるとされた複数の会社は完全に一体と扱われるとは限らず、その間で競争が行われ内発的牽制力が発揮されるであろうことが勘案される場合もある[11]。

後記**2**以下では、結合関係の概念を用いないで議論の骨格を作り、そのなかに結合関係をめぐる議論を随時織り込む、という方法をとる。結合関係の概念は条文に根拠があるわけでもなく、主要な外国競争法において使われているわけでもないからである。

(iii)「結合関係」の有無の具体的判断基準　　以上のことを確認したうえで、結合関係の有無の具体的判断基準を見ると、次のとおりである[12]。

---

10) 合併はもとより、分割・共同株式移転・事業譲受けにおいても、ある当事会社から別の当事会社に移動する事業は移動先で当該別の当事会社と一体となるので、結合関係を論ずるまでもなく当然に一体と考えればよいことになる。企業結合ガイドライン第1の3 (2)、4 (2)、5 (2)、6 (2)。役員兼任は、そうであるとは言えないが（企業結合ガイドライン第1の2 (2))、役員兼任が単体で議論され13条が適用されることは少なく、株式取得における結合関係の有無を判断するための考慮要素として登場することが多い（後記(iii))。

11) 平成23年度企業結合事例2〔新日本製鐵／住友金属工業〕(事例集34～35頁)、平成27年度企業結合事例3〔大阪製鐵／東京鋼鐵〕(事例集24～25頁)。

12) 以下のようなもののほか、例外的なものとして、同一の会社に出資する複数の会社の間に間接的に結合関係が生ずる場合がある、とされる（企業結合ガイドライン第1の1 (1) ウ)。また、前記註10のように、役員兼任について企業結合ガイドラインは一定の基準を立てている。

株式を所有する会社にとっての被所有会社の議決権保有比率が50％超である場合や、議決権保有比率が20％超かつ1位である場合には、結合関係があるとされる[13)]。

議決権保有比率が10％以下または4位以下である場合には、結合関係がないとされる[14)]。

それら以外の場合、すなわち、議決権保有比率が10％超・20％以下で3位以内の場合や、20％超であるが1位でない場合は、諸般の要素を勘案して結合関係の有無を判断する、とされる。そこに掲げられた考慮要素のなかには、議決権保有比率の程度のほか、株式を所有する会社の他の株主との関係での相対的な地位を示す指標、株式を所有する会社と被所有会社との間の相互関係、役員兼任状況、取引関係、業務提携等の関係、などが含まれる[15)]。具体的事例においても、これに沿った判断がされている[16)][17)]。

④　少数株式取得・少数株式所有

(i)　総説　　行為要件から弊害要件まで、企業結合規制の違反要件論の全般にわたって顔を出す問題として、「少数株式取得・少数株式所有」の問題がある。違反要件論体系のあちこちにこの事象が顔を出すので、体系のなかに織り込むのは難しく、したがって、ここで触れておく[18)]。少数株式取得・少数株式所有とは、相手方の親会社となって経営を支配するほどではないという程度の株式を取得・所有することを指す。法律上の言葉ではないから、厳密な定義をする必要はない。

---

13)　企業結合ガイドライン第1の1(1)アの（ア）と（イ）。論理的には、20％超かつ1位の場合のみを掲げておけば、50％超の場合をも含むことになり、2つを掲げる必要はないとも言える。

14)　企業結合ガイドライン第1の1(1)イただし書。

15)　企業結合ガイドライン第1の1(1)イ本文。ここでの考慮要素に役員兼任状況が含まれているように、10条と13条は事実上は融合しているという面がある。

16)　平成20年度企業結合事例4〔トヨタ自動車／富士重工業〕（事例集47～48頁）、平成23年度企業結合事例2〔新日本製鐵／住友金属工業〕（事例集29頁、34頁）、令和3年度企業結合事例1〔日本製鉄／東京製綱〕（事例集2～4頁）、令和3年度企業結合事例9〔イオン／フジ〕（事例集110頁）、令和3年度企業結合事例10〔GMO-FH／ワイジェイFX〕（事例集117～119頁）。

17)　以上のことをまとめたものとして、深町正徳・深町編著2版38～42頁。

18)　この問題について詳しくは、白石忠志「少数株式取得と企業結合規制」商事法務1922号（平成23年）、多田敏明「水平的少数株式取得に関する一考察」石川正先生古稀記念論文集『経済社会と法の役割』（商事法務、平成25年）。

(ii) 行為要件と少数株式取得・所有　　行為要件の次元では、行為要件としての「取得」は、割合を問わないから、少数株式取得は行為要件を問題なく満たす（10条1項）。なお、「所有」が行為要件を満たすとされて規制対象となることはほとんどないと考えられるので（後記552〜553頁）、少数株式所有それ自体が違反とされることは、なおさらないと考えてよい[19)]。

(iii) 懸念される行動と少数株式取得・所有　　少数株式取得によって、懸念される行動が起こりやすくなるか否か（後記3）、が論ぜられる。起こりやすくなるという判断の根拠となり得るような場合として、次のような場合が考えられる[20)]。

第1は、経営支配には至らないまでも、被取得会社に対する重要な影響を与え、被取得会社の競争行動を抑制するようになる場合である[21)]。

第2は、被取得会社の財務状況に対する利害関係が発生するため、取得会社の側が競争行動を抑制するようになる場合である[22)]。

第3は、被取得会社の秘密の競争情報を入手し、あるいは、被取得会社を通じて他者の秘密の競争情報を入手し、それによって、協調的行動や他者排除行動が助長される場合である[23)]。

---

19) 「少数株式所有」それ自体が違反行為であるとされることはなおさらない、という意味であり、少数株式所有が、他の企業結合行為の違反の成否を検討するうえでの考慮要素とされることは、頻繁にある（特に後記(iv)）。

20) 以下は、米国水平型企業結合ガイドラインの記述を参考としながら整理したものであるが、これとある程度において重なる形で考慮要素を列挙したものとして、日本の企業結合ガイドライン第1の1 (1) イがある。これは、日本の企業結合ガイドラインにおいて当然に結合関係があるとされるわけではない場合に結合関係があるか否かを判断する際の考慮要素として掲げられているものである（前記③(iii)）。少数株式取得・所有が問題になるのは、当然に結合関係があるとされる場合が多いが、しかしその場合に実際に懸念される行動が起こりやすくなるか否かの実質的判断においては、当然に結合関係があるとはされない場合の考慮要素が参考となる。

21) 事例は多数ある。少数株式取得によって重要な影響を与える程度が強くなると考えたことがある程度において明示されている事例として、平成26年度企業結合事例3〔王子ホールディングス／中越パルプ工業〕（事例集11頁）。勘所事例集507〜508頁。

22) このような視角も、多くの場合に言語化されていないだけで、実際には考慮されていることが多いのではないかと思われる。

23) 少数株式取得によって懸念される情報入手が論ぜられ、情報入手が行われたとしても弊害は生じないとされた事例として、平成25年度企業結合事例6〔ヤマハ発動機／KYBMS〕（事例集32頁）。

これらが複合的に生ずる事例というものも、もちろん、あり得るであろう。

(iv) 弊害要件と少数株式取得・所有　　弊害要件を論ずる際には、少数株式取得・所有によって結合関係があり当事会社グループとして一体と考えられるもののなかで内発的牽制力が残るか否かが議論される（前記81～85頁）。

この次元では特に、少数株式取得だけでなく少数株式所有も議論の対象となることが多い。例えば、AとBが合併する場合、従前よりAから少数株式所有を受けていたCが存在し、AやBとの間で競争関係[24]に立っている場合には、そのような従前からの少数株式所有が、AとBの合併の弊害要件の成否を考えるうえで、重要な役割を果たすことがある[25]。

従前からの少数株式所有が弊害要件の成否に影響をもたらす場合としては、少数株式取得が懸念される行動を起こしやすくなるか否かを検討した際の3つの場合（前記(iii)）と同様に考えればよい[26][27]。

(v) 結合関係・届出要件と少数株式取得・所有　　以上のように、少数株

---

24) 本書では、2条4項にいう「競争」のある関係、すなわち、同一の検討対象市場においてともに供給者である関係を、「競争関係」と呼んでいる。これが、競争法における通常の意味での「競争関係」である。それに対し、内発的牽制力を論ずる文脈で、公取委の文書が時おり、競争が活発で内発的牽制力があるという意味で「競争関係がある」等の言い回しを用いることがあるが、公取委自身が他で多く用いている通常の「競争関係」とは異なる意味であり、議論の混乱を招くものであって、用語法として不適切である。

25) このように、少数株式所有は、株式取得・所有を問題とする10条だけでなく、合併を問題とする15条など、広く他の企業結合類型に関する弊害要件論においても、登場する。

26) 少数株式所有につき、3つの場合の全てに言及しつつ、結論としては反競争性がもたらされる方向とはならないとの判断をした事例として、平成27年度企業結合事例3〔大阪製鐵／東京鋼鐵〕（事例集24～25頁）。勘所事例集560～561頁。また、少数株式所有について検討し、依然として相互の競争が行われており内発的牽制力があるために反競争性をもたらさない旨の結論を公取委が実質的に初めて明示した重要事例として、平成23年度企業結合事例2〔新日本製鐵／住友金属工業〕（事例集34～35頁）。勘所事例集405～406頁。当事会社から主張があったものの内発的牽制力が考慮されなかった事例として、平成26年度企業結合事例3〔王子ホールディングス／中越パルプ工業〕（事例集11頁）。勘所事例集507～508頁。

27) 株式取得が問題となった他の事例で、従前からの少数株式所有を原因とする利害関係によって競争を抑制しようとするインセンティブが働くとされたものとして、平成20年度企業結合事例3〔Westinghouse／原子燃料工業〕（事例集45頁）。当事会社と欧州委員会の既存の合意により、所有側が被所有側の意思決定を支配する能力を得るわけではないことがはっきりしている事例であり、それでも所有側が被所有側と競争しないインセンティブを持っていることに着目して規制したという点で、特徴的な事例であった。勘所事例集334～341頁。

式取得・所有は、違反要件論の様々なところに影響するものであり、したがって、公取委は、違反要件論に関する独自の概念である「結合関係」においても、少数株式取得・所有によって結合関係が生じ、それらが1個の「当事会社グループ」であるとみたうえで企業結合審査をすることがあるものとしている（前記③(iii)）。

また、少数株式取得について、20％を基準とした届出義務を置いていることも（後記583頁）、経営支配に至る場合を予防的に把握するというのみならず、少数株式取得そのものが問題となる場合があることを念頭においた制度である、と説明することができる。

単独では問題とならない小規模の少数株式取得・所有が検討対象市場の多くの供給者に対して同時に行われる場合がある。今後の課題の1つである。

⑤ ガンジャンピング

(i) 総説　企業結合行為の実行前に、早まって何らかの不適切な行為を企業が行ってしまうことを、大雑把な表現として、「ガンジャンピング」（gun jumping）と呼ぶことがある[28]。

大雑把な表現であるので、法的には様々なものが混在している。

おおむね、以下の3種類のいずれかであると考えられる。

(ii) ハードコアカルテル　第1は、合併契約や株式売買契約などに至るまでのA社とB社の交渉過程で、A社とB社の間で競争関係にある商品役務の価格等の情報がやり取りされてしまい、ハードコアカルテルの問題をもたらす、というものである。

これを防ぐために厳重な情報管理措置をとったうえで交渉を行う会社ももちろんあるが、費用が高くなることを懸念する声も聞かれる。

(iii) 企業結合行為の実質的な早期実行　第2は、日本でいえば30日の禁止期間（後記595頁）の終了前や、禁止期間終了後であってもクリアランス（後記592頁）が出るまでの間に、企業結合を実行する、または、それと同等のスキームを実行してしまう、という場合である[29]。

---

28) 詳しい解説の一例として、井本吉俊編著『M&A担当者のための独禁法ガン・ジャンピングの実務』（商事法務、平成29年）。

29) 事例として、公正取引委員会「キヤノン株式会社による東芝メディカルシステムズ株式会社の株式取得について」（平成28年6月30日）。勘所事例集602〜607頁。この事例は企業結合事

これは、日本でいえば、禁止期間違反に対する法執行（91条の2第4号など）の対象となったり、企業結合審査における公取委の心証を悪くしたりすることにつながるであろう。

(iv) クリアランス後・実行前の共同行為　第3は、クリアランス後、企業結合の実行前に、A社とB社の価格を揃えるなど、ハードコアカルテルと同等の行為を行うことである。

これに対しては、潔癖な考え方もある。特に、意思の連絡があっただけで問答無用で当然違反であるなどといわれる米国やEUの競争法に違反することが心配されることもある。

他方で、合併や親子会社化などでA社とB社が一体となることについてクリアランスが出ているのであれば、通常、競争の実質的制限が起きないことを公取委が確認しているのであるから、不当な取引制限の弊害要件も満たさないと見る余地があるのではないかと思われる[30)]。

2　企業結合行為

(1)　総　説

① **概要**　企業結合規制の対象となる企業結合行為の行為要件は、10条および13条〜17条により規定されている。以下では、便宜上、そのいずれかを満たすものを「企業結合行為」と呼ぶこととする。具体的には、各条ごとに見ていくことになる（後記(2)以下）。

企業結合行為に該当しない行為であっても、複数の事業者による共同行為であれば不当な取引制限などの適用があり得るし、他者排除行為をすれば私的独占や不公正な取引方法などの適用があり得る。企業結合行為に該当すれば事前規制が可能となる、というだけの違いである[31)]。

② **縦割りの狭間**　外国には、企業結合行為を包括的に規定している例が

例集において平成28年度企業結合事例10〔キヤノン／東芝メディカルシステムズ〕となっているが、企業結合事例集では企業結合規制の違反要件の成否の検討が中心となっている。

30)　企業結合行為に効率性増進などの正当化理由があるために違反なしとされた場合や、問題解消措置をとることを条件として違反なしとされた場合には、問題の行為の時点でそれらの正当化理由や問題解消措置が実現していないならば、論理的には、違反なしと断定することはできない。

31)　企業結合行為に該当しない場合でも、非企業結合行為に関する相談（後記641頁）が行われたならば、その限りで、事前規制が行われることとなる。

あるが、日本の独禁法典は、企業結合行為を条ごとに縦割りで規定している。

そこで、例えば、会社ではなく有限責任事業組合を設立するという形態で共同出資をする場合、出資会社は「他の会社の株式」を取得しないため、10条1項の行為要件を満たさず、企業結合行為には該当しない可能性が高い。

そのような事例は、当事会社が非企業結合の事前相談をしてきたときは格別、そうでない場合には、縦割り条文の形式性により事前規制を行えないこととなる可能性がある。そのようなことに対処するため立法論として包括的に企業結合行為を規定する必要がないかどうか、検討を深めるべきである。

③ **業務提携**　企業結合行為に該当しないことが明確である代表例として、企業結合行為を伴わず主に契約等のみによって行われる業務提携がある。そのような業務提携は、企業結合行為に該当しないから、事前規制の対象とならず、不当な取引制限などの事後規制のみの対象となる。そのような非企業結合の事後規制の事前相談という形で当事会社が公取委の判断を求めない限り、公取委は事前には手を出しにくいこととなる。

このような業務提携については、企業結合と同様の弊害要件論が当てはまる。業務提携に特化したガイドラインはないが、グリーンガイドライン第1がグリーン社会の実現という観点から記述した業務提携に関する一般論は結局は企業結合の場合と同様のものであり、また、個別の業務提携に係る相談事例にも、企業結合と同様の枠組みを提示したものがある[32)]。

④ **複数の行為が重畳するもの**　縦割りは、他方で、複数の企業結合行為が重畳する企業結合計画にどの条文を適用するか、という問題をもたらす。以下では、違反要件のみについて述べ、届出規定の重畳については別の箇所で簡単に触れるにとどめる（後記583頁註138）。

厳格な解釈を採れば、10条は株式取得だけによる弊害を対象とすべきであり、13条は役員兼任だけによる弊害を対象とすべきである、ということになる可能性もある。

しかし企業結合ガイドラインは、このような解釈を採っておらず、結論を言えば、株式取得が弊害をもたらすか否かを判断するための背景事情として役員

---

32)　公取委公表平成18年12月15日〔三菱ふそう／日産ディーゼル工業〕。非企業結合事例として企業結合課でなく相談指導室が対応しているが、判断枠組みは、企業結合審査と同様のものが用いられている。

兼任の状況を勘案できるし、逆に、役員兼任が弊害をもたらすか否かを判断するための背景事情として株式保有の状況を勘案できる、という考え方を採っている[33]。もっとも、10条には届出規定があり、13条には届出規定がなく、しかも公取委が届出のあった案件を中心に企業結合審査を行うのであるとすれば、実際問題としては、10条のみを適用することですませるものが多くなるであろうと思われる。

立法論としては、ここでも、企業結合行為に関する包括的な規定を置く必要がないかどうか、検討を深めるべきである。

⑤ **外国の制度によるもの**　各条文に規定された行為態様と同等のことが、外国の会社法等の制度によって行われる場合は、どのように考えればよいか。換言すれば、独禁法の各条文における「会社」「合併」「分割」「事業の譲受け」などの概念は、何を基準として解釈すればよいか[34]。

基本的には、日本の会社法の言葉を基軸として日本独禁法の各条文の意味を確定し、それと実質的に同等の外国の制度によるものにも日本独禁法の各条文を適用する、という考え方が採られる。原理的には、独禁法は国内の会社か外国会社かに囚われずに適用されるのであるから日本の会社法から離れて独禁法独自の「会社」等の概念を構築すればよい、という考え方があり得る。しかし、日本独禁法による実際の規制の対象となっている企業結合の多くが日本会社法によるものであることに鑑みると、実務的には、上記のように、日本会社法の用語を出発点とするのが便利であり現実的である[35][36]。

---

33) 企業結合ガイドライン第1の1 (1) イ (エ)、第1の2 (2) イ (ウ)。なお、10条と13条が同時に適用された公取委同意審決昭和48年7月17日・昭和47年 (判) 第3号〔広島電鉄／広島バス〕は、審決の文面上は、10条違反と13条違反とがそれぞれ別個に成立するとした事例である (審決集20巻の67頁)。

34) 10条以下に登場する「会社」は外国会社を含むこととされており (9条2項)、企業結合規制は禁止規定の対象を国内の会社に限定していない。

35) 現に、日本での会社法典の施行に伴い独禁法の「営業譲受け」という用語が会社法典にあわせて「事業譲受け」へと改正された (後記560頁)。これはまさに、日本独禁法の上記各用語の意味を原則として日本会社法典のそれに連動させようとする発想を垣間見せている。

36) 例えば、平成22年度企業結合事例1〔BHPビリトン／リオ・ティントII〕では、当事会社が西オーストラリアにおける鉄鉱石の生産ジョイントベンチャーの設立を計画したことについて、関係法条は10条であるとしているが (事例集1頁)、これは当然、当該ジョイントベンチャーが「会社」に該当するという判断を踏まえてのものであるはずである。

(2) 10条

① **総説**　10条1項は、会社による株式の取得または所有を対象としている[37]。「所有」に着目した規制も可能性としてはあり得るが多くの場合は「取得」が議論の対象となるので（後記④(ii)）、通常は単に「株式取得」と呼ぶこととする[38]。

違反の場合、違反者となるのは取得会社である。

株式取得には様々な形態があり得るが、そのなかには、共同出資会社を設立する場合の出資元会社による共同出資会社の株式取得、分割に伴い設立会社または承継会社の株式を割り当てられる会社による設立会社・承継会社の株式取得[39]、なども含まれる[40]。

会社以外による株式取得について、14条の規定がある。10条と14条の違いは、結局、10条2項以下のような届出規定があるか否かの差に帰する。それ以外の違いはない。

② **会社・他の会社**　10条1項の違反要件における行為者は、「会社」とされている。以下では便宜上、「取得会社」と呼ぶ[41]。

10条1項は、会社による「他の会社」の株式取得を問題としている。この「他の会社」を、以下では便宜上、「被取得会社」と呼ぶ[42]。

---

37) 10条1項に基づく排除措置命令がされた例として、公取委同意審決昭和26年6月25日・昭和25年（判）第51号〔日本石油運送〕、公取委同意審決昭和48年7月17日・昭和47年（判）第3号〔広島電鉄／広島バス〕。10条1項の観点から17条が適用された例として公取委勧告審決昭和32年1月30日・昭和32年（勧）第1号〔日本楽器製造／河合楽器製作所〕。

38) 独禁法典の第4章の章名にも見られるように、「取得」と「所有」とを総称して株式の「保有」と呼ぶことも多い。

39) 企業結合ガイドライン第1の4 (1)。

40) 持株会社方式によって事業統合を行う場合に新設される持株会社による株式取得については、事前に存在しない会社による株式取得であるため、事前届出制度に馴染まない。そこで、株式取得に事前届出制度を導入した平成21年改正の際、共同株式移転に関する15条の3が新設され、既存の会社が共同株式移転を行おうとすることそれ自体を規制対象とすることとなった。

41) 企業結合ガイドライン第1の1 (1) アでは、取得会社に相当するものを「株式所有会社」としている。平成21年改正により株式取得が事前届出の対象となったことで、10条2項以下の届出規定においては、平成21年改正前の「株式所有会社」という文言に代えて、「株式取得会社」という文言が用いられている。ただ、10条2項では、届出規定の関係での「株式取得会社」は、一定以上の規模をもつものに限定されている。この脚註に対応する本文では、違反要件を論じているので、そのような限定を付けない意味も込めて、単に「取得会社」と呼ぶこととする。

「会社」や「他の会社」における「会社」とは、基本的には、日本法で会社とされるものであり、例えば、会社法2条1号で定義される会社である。有限責任事業組合は会社に該当しないとして扱われたと窺われる事例がある[43]。

「会社」「他の会社」のいずれにおいても、「会社」には外国会社を含む(9条2項)[44]。日本の独禁法は、日本に需要者が所在する市場に関心を持つのであり(前記206～214頁)、取得会社や被取得会社が外国会社であってもそのような市場に弊害をもたらすことはあり得る。

③ **株式** 違反要件を定める10条1項では、届出要件を定める10条2項と異なり、「議決権」でなく「株式」という文言が使われている。したがって、例えば無議決権株式の取得であっても、10条1項の行為要件は満たす。

「株式」には、社員の持分を含む(9条1項)[45]。

④ **取得・所有**

(i) 取得 10条1項は、株式の「取得」または「所有」を行為要件としている。これを総称して「保有」と呼ぶことも多い。ただ、実際には、「取得」が事例となり議論となることがほとんどである[46]。

株式の取得は、売買の履行によって完了するとされ、名義の書換えは要件ではないとされる[47]。

(ii) 所有 「取得」と並べて「所有」を掲げているということは、文理上は、従前から継続して所有している場合を含むことになるため、この点をめ

---

42) 企業結合ガイドライン第1の1(1)アでは、被取得会社に相当するものを「株式発行会社」としているが、取得会社に対応することがわかりやすい「被取得会社」を用いることとした。「株式発行会社」も、「株式取得会社」と同様、10条2項の届出規定においては、一定以上の規模をもつもののみを指す。企業結合ガイドラインの「株式発行会社」は被取得会社と同義であり、10条2項の「株式発行会社」は一定以上の規模をもつ被取得会社を指す、ということになる。

43) 平成22年度企業結合事例3〔旭化成ケミカルズ/三菱化学〕。他の事例では関係法条を掲げているなかで、この事例では関係法条について沈黙している。勘所事例集385～386頁。

44) 何をもって外国の「会社」と呼ぶかについては、別の箇所で述べた(前記550頁)。

45) 被取得会社が外国会社である場合、「株式」も外国法によるものとなるが、何をもって日本独禁法上の「株式」と呼ぶかについては、別の箇所で述べた(前記550頁)。

46) 「取得」の事例において、既に行っている「所有」が、行為要件以外の要件の成否を判断するための要素として考慮されることは多い。ここでの「所有」は、そうではなく、「所有」そのものを違反としようとするものであり、そのような事例はほとんどない、という趣旨である。

47) 平成10年改正解説10頁。

ぐって一定の議論がある[48]。

従前から継続して所有している場合には、法的安定性の保護の要請も強く、また、従前からの株式所有によって弊害を起こしやすいのであれば懸念される行動が現に行われた場合にそれを捉えて3大違反類型による事後規制を行えば足りる、との見方も可能であろう。なお、そのような非企業結合規制の場合にも、私的独占・不当な取引制限・不公正な取引方法を排除するために必要なものであるならば、株式の処分を命ずることはできる（7条、20条）。

⑤ **結合関係**　株式取得における一種のセーフハーバーとして機能する結合関係の概念については、別の箇所で述べた（前記541〜544頁）。

⑥ **弊害要件**　10条1項の、「により、一定の取引分野における競争を実質的に制限することとなる」については、条をまたいで後述するところに譲る（後記564〜575頁）。

(3) 13条

① **総説**　13条1項は、会社の役員または従業員が、他の会社の役員の地位を兼ねることを対象としている[49]。単に「役員兼任」と呼ぶことが多い。

便宜上、「会社」を「出身会社」と、「他の会社」を「相手先会社」と、それぞれ呼ぶこととする。

問題の者が行為要件を満たすには、相手先会社では役員となることが必要であるが、出身会社では役員でなく従業員であってもよい（13条1項）。出身会社が相手先会社の意思決定に影響を与えることを懸念した規定であるためだと考えられる。

違反の場合、違反者となるのは出身会社の役員または従業員であって、形式的には、出身会社そのものではない。もっとも、出身会社の役員または従業員に対する公取委の命令等が、実質的には出身会社に対する命令等と受け止められることは少なくないであろう。また、10条の規制において役員兼任状況を勘案するとすれば、形式的にも、10条を用いれば、出身会社を名宛人とした役員兼任規制が行われる場合があることになる。

48）既存の議論や事例を通覧し、立法論をも展開するものとして、平林英勝『独占禁止法の解釈・施行・歴史』（商事法務、平成17年）147〜162頁。

49）13条1項に基づく排除措置命令がされた例として、公取委同意審決昭和48年7月17日・昭和47年（判）第3号〔広島電鉄／広島バス〕がある。

② **役員**　13条1項によると、問題の者は、出身会社において役員または従業員である必要があり、相手先会社において役員である必要がある。

「役員」の定義は2条3項に置かれている。そこにいう「これらに準ずる者」とは、相談役、顧問、参与等の名称で、役員会に出席するなど会社の経営に実際に参画している者をいう、とされる[50)]。

形式的に「役員」の定義に該当する者が、相手先会社の意思決定に全く影響を与え得ない場合であっても、「役員」というに妨げはないと解される。そのような場合は、かりに競争の実質的制限の可能性がある場合であっても、13条の「により」の要件を満たさず違反とならない、と論理構成すれば足りる。

③ **従業員**　13条1項の行為要件を満たすには、問題の者は、出身会社において役員または従業員であればよい。

「従業員」は、同項括弧書きにより、「継続して会社の業務に従事する者」でなければならない。臨時雇いは含まれないが、出向者は従業員に含まれる、とされる[51)]。

13条1項は、兼任者を通じて出身会社の意思決定が相手先会社のそれに影響を与え連動することを問題視するのであるから、出身会社における兼任者の地位は、出身会社の意思決定を左右するものである必要はなく、出身会社の意思決定を実現するよう行動しようとする者であれば足りる。そこで、出身会社における兼任者の地位が「従業員」にまで拡張され、しかし継続的業務従事者に限定されている。脱法的な行為は、17条で拾える。

④ **兼ねる**　出身会社の役員または従業員は、相手先会社の役員を「兼ねる」ことを禁止される。したがって、出身会社での退職手続を経て相手先会社の役員に就任する者は、13条1項の適用対象ではない[52)]。もっとも、脱法的にそのような外観を整えたにすぎない場合は、17条の適用が問題となり得る。

⑤ **弊害要件**　13条1項の、「により一定の取引分野における競争を実質的に制限することとなる」については、条をまたいで後述するところに譲る（後記564～575頁）。

50）企業結合ガイドライン第1の2 (1)。

51）企業結合ガイドライン第1の2 (1) 注1。

52）企業結合ガイドライン第1の2 (1)。

(4) 14条

14条は、会社以外の者による株式取得を対象としている。会社以外の者の例として、企業結合ガイドラインは、財団法人、社団法人、特殊法人、地方公共団体、金庫、組合、個人、を挙げている[53]。

違反の場合、違反者となるのは株式の取得者である。

14条は、会社か会社以外かの点を除けば、10条1項と全く同じ違反要件を置いており、したがって、10条と14条の差は、届出規定の有無以外にはない。違反要件の解説は、10条に関するものを必要に応じて読み替えればよい（前記551〜553頁）[54]。結合関係についても、同様である[55]。

(5) 15条

① **総説**　15条1項1号は、会社による合併を対象としている[56]。

違反の場合、違反者となるのは、合併しようとする会社である。

② **会社**　15条1項1号にいう「会社」は、基本的には、日本法で会社とされるものであり、例えば、会社法2条1号で定義される会社である[57]。

「会社」には、外国会社を含む（9条2項）[58]。日本の独禁法は、日本に需要者が所在する市場に関心を持つのであり（前記206〜214頁）、合併当事会社が外国会社であってもそのような市場に弊害をもたらすことはあり得る。

③ **合併**　15条1項1号にいう「合併」とは、基本的には、日本法で合併とされるものであり、例えば、会社法2条27号・28号で定義される合併である[59]。

④ **弊害要件**　15条1項1号の、「によつて一定の取引分野における競争を実質的に制限することとなる」については、条をまたいで後述するところに

53）企業結合ガイドライン第1の1 (2)。

54）14条前半に基づく排除措置命令がされた例は、昭和28年改正によって14条が現在のような姿となった後には、存在しない。

55）企業結合ガイドライン第1の1 (2)。

56）15条1項1号に基づく排除措置命令がされた例として、公取委同意審決昭和44年10月30日・昭和44年（判）第2号〔八幡製鉄／富士製鉄〕がある。

57）銀行と合併する協同組織金融機関は、独禁法15条の適用との関係では、会社とみなされる（「金融機関の合併及び転換に関する法律」54条）。

58）何をもって外国の「会社」と呼ぶかについては、別の箇所で述べた（前記550頁）。

59）外国会社が絡むものについて、何をもって「合併」と呼ぶかについては、別の箇所で述べた（前記550頁）。

譲る（後記564～575頁）。

(6) 15条の2

① 総説　15条の2第1項1号は、会社による共同新設分割や吸収分割を対象としている[60)]。

違反の場合、違反者となるのは、共同新設分割または吸収分割をしようとする会社である。ただし、吸収分割をしようとする会社については、特に注意が必要である（後記③(ii)）。

会社法には、新設分割や吸収分割について、定義規定および詳細な規定が置かれており（会社法2条29号・30号、757条～766条）、以下では、会社法の用語法を参考として、分割をする会社を「分割会社」と、新設分割によって設立され事業を承継する会社を「設立会社」と、吸収分割によって事業を承継する会社を「承継会社」と呼ぶ[61)]。

分割が独禁法上の問題をもたらす場面として、主に2つが想定されている。

第1は、分割によって、設立会社や承継会社に事業が一体化することが弊害をもたらす、という場面である。これは実質的には合併や事業譲受けの場合と同様である。

第2は、分割に伴い設立会社または承継会社の株式を割り当てられる者による設立会社・承継会社の株式取得が弊害をもたらす、という場面である。この場合、15条の2第1項1号だけでなく10条1項または14条も形式的には適用可能となる。実際には、どの者に排除措置命令をするのが適切か、という観点から適用法条が選ばれることになろう。

② 会社　15条の2第1項にいう「会社」は、基本的には、日本法で会社

60) 15条の2第1項1号に基づく排除措置命令がされた例は、存在しない。

61) 独禁法15条の2第2項以下は、本書でいう「分割会社」にあたるもののうち、その事業の全部を承継させようとするものを「全部承継会社」と呼び、その事業の重要部分を承継させようとするものを「重要部分承継会社」と呼んでいる。しかし、承継させる会社を「承継会社」と呼ぶことは日本語の問題として極めて疑問であり、現に会社法では、吸収分割によって事業を承継する会社を「承継会社」と呼んでいる。そうしたところ、幸い、独禁法では、「承継会社」という4字の言葉が単独で登場することはなく、常に「全部承継会社」または「重要部分承継会社」という形で登場する。そこで本書では、会社法と同様に、吸収分割によって事業を承継する会社を「承継会社」と呼び、他方、15条の2第2項以下の届出規定の解説において、常に「全部承継会社」または「重要部分承継会社」という6字または8字の言葉のままの形で、分割会社をそのように表現することもある、ということとする。

とされるものであり、例えば、会社法2条1号で定義される会社である。

「会社」には、外国会社を含む（9条2項）[62]。日本の独禁法は、日本に需要者が所在する市場に関心を持つのであり（前記206～214頁）、当事会社が外国会社であってもそのような市場に弊害をもたらすことはあり得る。

③ 共同新設分割・吸収分割

(i) 共同新設分割　「共同新設分割」とは、「会社が他の会社と共同してする新設分割をいう」と定義されている（15条の2第1項柱書きの括弧書き）。

「新設分割」については、会社法に定義があり、「1又は2以上の株式会社又は合同会社がその事業に関して有する権利義務の全部又は一部を分割により設立する会社に承継させることをいう」とされている（会社法2条30号）。

独禁法における「共同新設分割」は、以上のものを中心としつつ、外国の制度などによる同等のものも含む（前記550頁）。

(ii) 吸収分割　「吸収分割」は、結論を言えば、分割をする行為と承継をする行為の総体を指し、したがって、分割会社も承継会社もその行為者であると考えざるを得ないようである。以下、敷衍する。

「吸収分割」については、会社法に定義があり、「株式会社又は合同会社がその事業に関して有する権利義務の全部又は一部を分割後他の会社に承継させることをいう」とされている（会社法2条29号）。ここでは、分割会社だけが吸収分割の行為者であるようにみえる。

しかし、独禁法15条の2第3項の届出規定においては、各号とも、「当該吸収分割をしようとする会社」のなかに、「分割をしようとする」会社すなわち分割会社と、「分割によつて事業を承継しようとする会社」すなわち承継会社とを、いずれも含んでいるようにみえる。また、そのように考えなければ、同項ただし書は、全ての分割会社が同一の企業結合集団に属していれば承継会社が属していなくとも届出不要ということになってしまい、意味を成さないことになるであろう。すなわち、同項では、「吸収分割」という概念が、「分割」と「承継」の両方を含む上位概念となっていると考えるほかはない。

そして、15条の2第1項の「吸収分割」と同条3項の「吸収分割」とで意味が異なると解するのは、独禁法15条の2の「吸収分割」と会社法2条29号

---

62) 何をもって外国の「会社」と呼ぶかについては、別の箇所で述べた（前記550頁）。

の「吸収分割」とで意味が異なると解することよりも、ハードルが遥かに高いように思われる。

したがって、独禁法15条の2では、1項の違反要件規定と3項の届出規定とを通じて、「吸収分割」には分割と承継の両方を含むと解するほかはないように思われる。

結局、独禁法における「吸収分割」は、会社法にいう吸収分割において分割する行為と承継する行為の両方を含み、更にそれを中心としつつ、外国の制度などによる同等のものも含む（前記550頁）。

(iii)「全部又は重要部分」について　事業譲受けの規制に関する16条1項とは異なり、15条の2第1項は、事業の「全部又は重要部分」を承継させようとするものであることを違反要件としていない。15条の2が平成10年改正より後に追加された規定であり[63]、16条のような歪み（後記561～563頁）がないためであると思われる。企業結合ガイドラインは15条の2第1項においても「事業の全部又は重要部分」が違反要件であるかのように位置付けてその内容を論じているが[64]、条文上の根拠は見あたらない。

④ **分割に伴う株式取得が懸念をもたらす場合**　分割に伴い設立会社または承継会社の株式を割り当てられる会社による設立会社または承継会社の株式保有が弊害をもたらす、という観点からは、かりに15条の2第1項を適用して分割会社・承継会社を違反者と考える場合であっても、実質的には、割当てを受けた者による設立会社・承継会社の株式取得を問題とすることになる[65]。

⑤ **弊害要件**　15条の2第1項1号の、「によつて一定の取引分野における競争を実質的に制限することとなる」については、条をまたいで後述するところに譲る（後記564～575頁）。

(7) 15条の3

① **総説**　15条の3第1項1号は、会社による共同株式移転を対象として

63）「商法等の一部を改正する法律の施行に伴う関係法律の整備に関する法律」（平成12年法律第91号）9条に基づく独禁法改正による。

64）企業結合ガイドライン第1の4 (3)。15条の2第2項以下の届出規定には「全部」や「重要部分」が登場するが、企業結合ガイドラインは届出義務の要件を全く論じていないのであり、この記述が違反要件に関するものであると受け止められてもしかたがない。

65）企業結合ガイドライン第1の4 (1)。

いる[66]。

違反の場合、違反者となるのは、共同株式移転をしようとする会社である。

15条の3は平成21年改正により新設された規定である。

これは、新たな規制が導入されたというよりは、平成21年改正によって10条における株式取得の届出制度が事後報告から事前届出となったのに伴って、改正前に事実上行っていた規制を法律において正面から規定しようとしたもの、と受け止めるのが的確である。

具体的には、以下のようなことである。AとBが共同株式移転により持株会社Hを設立してAとBはHの下にぶらさがる、という形態での企業結合の場合、平成21年改正前は、HがAとBの株式を取得することに着目して10条を適用することとしていた。改正前の10条は事後報告制度であったので、Hが行為者であり事後報告義務者でもある、ということで一応は一貫していた。そして、平成21年改正前は、企業結合審査手続の平成23年見直し前でもあるから、事前相談が主流であったが、あくまで非公式の法執行であったから、株式取得者であるHではなくAとBが公取委に事前相談する、という形が、おおらかにとられていたものと思われる。

しかし、平成21年改正後の10条において事前届出制度を導入するとなると、企業結合日に新設されるHは、事前届出を行いようがない。そこで、共同株式移転を改正後の15条の3において正面から規定し、AとBが同条1項の違反要件における行為者であり同条2項の事前届出義務者でもある、という形でAとBを正面から規制対象と位置付けることとしたものである。

② **会社**　15条の3第1項にいう「会社」は、基本的には、日本法で会社とされるものであり、例えば、会社法2条1号で定義される会社である。

「会社」には、外国会社を含む（9条2項）[67]。日本の独禁法は、日本に需要者が所在する市場に関心を持つのであり（前記206～214頁）、当事会社が外国会社であってもそのような市場に弊害をもたらすことはあり得る。

③ **共同株式移転**　「共同株式移転」とは、「会社が他の会社と共同してする株式移転をいう」と定義されている（15条の3第1項柱書きの括弧書き）。

66）15条の3第1項1号に基づく排除措置命令がされた例は、存在しない。

67）何をもって外国の「会社」と呼ぶかについては、別の箇所で述べた（前記550頁）。

「株式移転」については、会社法に定義があり、「1又は2以上の株式会社がその発行済株式の全部を新たに設立する株式会社に取得させることをいう」とされている（会社法2条32号）、独禁法における「株式移転」は、これを中心としつつ、外国の制度などによる同等のものも含む（前記550頁）。

④ **弊害要件**　15条の3第1項1号の、「によつて一定の取引分野における競争を実質的に制限することとなる」については、条をまたいで後述するところに譲る（後記564〜575頁）。

(8) 16条

① **総説**　16条1項は、事業譲受け等を対象としている[68]。

違反の場合、違反者となるのは、事業を譲り受けようとする譲受会社である。この点で、事業を承継させようとする分割会社をも違反要件における行為者とする吸収分割の規制とは異なっている[69]。

会社法典が平成17年に成立し平成18年5月1日から施行されたのに伴い、独禁法においても、従来は「営業譲受け」と呼んでいたものを「事業譲受け」と呼ぶこととなった[70]。このことは、独禁法の企業結合規制における諸概念を、日本の会社法における意味を基準として解釈すべきであるという考え方の裏付けを提供している（前記550頁）。

本書では、便宜上、事業を譲渡する会社を「譲渡会社」と呼び、事業を譲り受ける会社を「譲受会社」と呼ぶ。

② **会社**　16条1項にいう「会社」は、基本的には、日本法で会社とされるものであり、例えば、会社法2条1号で定義される会社である[71]。

68）16条1項に基づく排除措置命令がされた例として、東京高判昭和26年9月19日・昭和25年（行ナ）第21号〔東宝／スバル〕がある。

69）届出義務も、16条では譲受会社のみに発生する（後記589頁）。事業等を譲り渡す側は企業結合後に競争の実質的制限が生ずるか否かには関係がない、という考え方であるのかもしれない。しかし、例えば、必須特許権と、その必須特許権を用いた事業とを、いずれももっていた会社が、当該事業のため他からの特許権をクロスライセンス等で得るために自分の必須特許権を穏やかに行使していたという場合に、当該事業を譲渡すると、自分の必須特許権を遠慮なく苛烈に行使できるようになるかもしれない。16条が、15条の2とは異なり、事業を譲る側を規制対象としていないのは、単に規定が古いからであるという面もあるかもしれず、更に検討する必要がある。

70）「会社法の施行に伴う関係法律の整備等に関する法律」（平成17年法律第87号）171条に基づく独禁法改正による。

71）銀行が、信用金庫等から事業を譲り受ける場合は、信用金庫等を会社とみなして独禁法16条

「会社」には、外国会社を含む（9条2項）[72]。日本の独禁法は、日本に需要者が所在する市場に関心を持つのであり（前記206〜214頁）、当事会社が外国会社であってもそのような市場に弊害をもたらすことはあり得る。

③ **事業の譲受け等**　16条1項は、各号において、事業の譲受けのほか、事業上の固定資産の譲受け、事業の賃借、事業についての経営の受任、事業上の損益全部を共通にする契約の締結、を掲げている。これらは、会社法において譲渡会社に株主総会の特別決議を求めている事業譲渡等と、類型的には共通するものである[73]。

事業上の固定資産の譲受け、事業の賃借、事業についての経営の受任、事業上の損益全部を共通にする契約の締結、の意義については、企業結合ガイドラインなどで解説されている[74]。「固定資産」には有形固定資産だけでなく無形固定資産も含まれるとされる[75]。

④ **全部又は重要部分**

(i) 解釈論　5号を除く16条1項の各号には、「全部又は重要部分」という要件が付されており、「重要部分」の具体的意味内容が問題となる。

まず、何にとっての「重要部分」か、については、市場にとって、あるいは、譲受会社にとって、ではなく、譲渡会社にとって、である、と解されている[76]。文理上、そのように解釈するほかないであろう。

そのうえで、「重要部分」とは、1つの経営単位として機能し得るような形態を備え、譲渡会社の事業の実態からみて客観的に価値をもつと認められるものに限る、とされる[77]。譲渡会社の年間売上高に占める譲渡対象部分に係る年

が適用される（銀行法30条4項）。逆に、信用金庫が銀行から事業を譲り受ける場合にも、信用金庫を会社とみなして独禁法16条が適用される（信用金庫法58条9項）。

72) 何をもって外国の「会社」と呼ぶかについては、別の箇所で述べた（前記550頁）。

73) 会社法467条1項。特別決議を要する旨は会社法309条2項11号で定められている。

74) 企業結合ガイドライン第1の6 (5)。平成10年改正解説8〜9頁は更にやや詳しい。東宝／スバル東京高裁判決は、表面上は映画館の共同経営となっていても、一方当事会社が他方当事会社の映画館の経営に任じその事業の実権を収めて、他方当事会社に対価を支払うという場合には、事業の賃借の一態様であるとした（高民集4巻14号の513頁、審決集3巻の178〜179頁、審決等データベースのPDF 647頁）。

75) 平成10年改正解説8頁。したがって、知的財産権の譲受けも含むと解される。

76) 企業結合ガイドライン第1の6 (3) が参照する第1の4 (3)。

77) 企業結合ガイドライン第1の6 (3) が参照する第1の4 (3)。

間売上高の割合が5% 以下であり、かつ、譲渡対象部分に係る年間売上高が1億円以下の場合には、通常、「重要部分」には該当しないとされる[78]。

「重要部分」については、会社法467条1項2号の「重要な一部」[79]と必ずしも同じ解釈をする必要はないと強調されるのが常となっている[80]。この背景には、譲渡会社にとっては微小なものであっても検討対象市場にとっては重大である、という場合が論理的には十分にあり得るので、「重要部分」をなるべく広く解釈したい、という考えがあろう。会社法の「重要な一部」は、株主総会の特別決議の対象となる事業譲渡の範囲を画するための概念であり、検討対象市場での重要性とは直接には無関係であるから、独禁法では別の考え方を採る、という上記のような解釈態度には理由をつけやすい。

まとめるなら、独禁法16条では、「重要部分」が譲渡会社にとってのそれであることは文理上やむを得ないとしながら、「重要部分」をできる限り広く解釈することにより、実際上は検討対象市場にとって重要なものがほとんど全て違反要件の射程に盛り込まれるよう手当てされている[81][82]。

(ii) 立法論　　立法論的には、違反要件を定める16条1項からは、「全部又は重要部分」を削除してもよいのではないかと思われる。

16条の事業譲受けは、15条の合併と同様、平成10年改正までは、違反要件内の行為要件を満たすもの全てに対して届出を義務付けており、立法時に意図したか否かは別として、少なくとも結果としては、「全部又は重要部分」が行為要件に盛り込まれているためにようやく、届出義務の発生する事業譲受けの範囲がいたずらに広くなることが防止されていた。

ところが、平成10年改正により、行為要件を満たす事業譲受け等の全てに

---

78) 企業結合ガイドライン第1の6 (3) が参照する第1の4 (3)。

79) 会社法における「重要な一部」の解釈等については、例えば、神田秀樹『会社法〔第25版〕』(弘文堂、令和5年) 384頁。

80) 例えば、平成10年改正解説8頁。

81) 文献のなかには、「重要部分」は譲渡会社にとってのそれであるとしながら、独禁法の場合の「重要部分」は市場の弊害の観点から判断される、と、一見して矛盾するようにも見えることを述べるものが少なくないが、結局、本文に示したような趣旨であると忖度される。企業結合ガイドライン第1の6 (3) が参照する第1の4 (3) が、譲渡される事業の市場における個々の実態に応じて判断する、とするのも、その例であろうか。

82) もちろん、それにより、検討対象市場にとっても重要でない事業譲受けも混入することになるが、そのようなものにおいてはいずれにしても弊害要件が成立しないであろう。

ついて届出義務を課すという規定が改められ、規模の要素を盛り込んで狭く絞った届出要件が16条2項以下に規定された[83]。

そうであるとすれば、もはや、届出義務の範囲を絞る役割を違反要件に求める必要はない。違反要件においては「全部又は重要部分」を削ればよく、そうすれば、「重要部分」をめぐる上記のような解釈論を展開する必要もなくなる。現に、平成12年の改正で導入された15条の2の分割規制においては、違反要件では「全部又は重要部分」を要件とせず、届出要件のなかに「全部又は重要部分」と同等の要件が登場する。

⑤ **弊害要件**　16条1項の、「により、一定の取引分野における競争を実質的に制限することとなる」については、条をまたいで後述するところに譲る（後記564～575頁）。

(9) 17条

17条は、一般条項である。10条および13条～16条の各1項の受け皿となって、脱法行為を捕捉する[84]。各2項以下の受け皿とはならないと考えられる（後記576頁註122）。

通常の各条文における行為要件が形式的にすぎる場合に、間隙を埋める機能を提供する[85]。ただし、契約による業務提携などは含まないのが当然とされ、有限責任事業組合による共同出資の場合にも17条が適用できるか否か明確でないという状況にある（前記552頁）。

行為要件については間隙を埋める機能を果たす場合があるのに対し、弊害要件は、もともと抽象概念であって柔軟に解釈できるのであるから、その外延のすぐ外にあるものを拾うことは許されないであろう。

---

83) 当初は、総資産の額などを基準としていたが、平成21年改正後は、国内売上高などを基準とするようになった。いずれにしても、規模の要素を盛り込んで、全てには届出義務を課さない、という点では共通している。

84) 9条または11条の受け皿となる場合については、別の箇所で述べる（後記619頁）。

85) 市場での弊害を要件とする狭い意味での企業結合規制における17条の事例として、公取委勧告審決昭和32年1月30日・昭和32年（勧）第1号〔日本楽器製造／河合楽器製作所〕。

3 懸念される行動

(1) 総　説

既に総論的に述べたように（前記540~541頁）、企業結合行為が「により（によつて）一定の取引分野における競争を実質的に制限することとなる」という違反要件を満たすか否かを検討する際には「懸念される行動」というものが中間概念として有用である。企業結合を原因として、懸念される行動が行われやすくなるか否かを検討し、それが肯定される場合には、次の段階に進んで、かりに当該懸念される行動が行われたならば弊害が起こるか否かを検討する。ただし、「懸念される行動」はあくまで中間概念であって、「弊害」と厳密に区別する必要はなく、むしろこれらを全体として考察して、弊害が起こりやすくなるか否かを検討することになる[86]。

(2) 懸念される行動の代表例

① **総説**　懸念される行動には、様々なものがあり得る。

企業結合には、水平型、垂直型、混合型、の3種があり、それぞれによって、頻出する懸念される行動が異なる（後記②、③）。そのうち、垂直型に関するものと混合型に関するものは似通っており、突き詰めていえば、両者を区別することはできず、区別する意味はないとも言える。その意味で、両者を総合して「非水平型企業結合」と呼び、それについて述べるなかで垂直型・混合型のそれぞれに即した用語等に触れることとする。

② **水平型企業結合において頻出する懸念される行動**　水平型企業結合という場合には、競争関係にある複数の当事会社が企業結合をするところがイメージされており、そのような観点から企業結合審査を行うときに、便宜上、この企

---

86) 「懸念される行動」という概念を体系的な柱として立てて整理する例は外国を含めてあまりないと思われるが、これは何か独自の解釈論を提唱しているのではなく、日本を含めた世界の企業結合違反要件論が共通して暗黙のうちに採っている筋道を体系的に言語化して整理すればこうなる、という趣旨のものである。なお、「懸念される行動」に相当する概念として、過去の拙著等において「弊害原因行為」という表現を用いたことがある。体系的整理としての実質的な内容は変わっておらず同じであるが、中間概念（思考における中間的な道標）にすぎないことに鑑みて、漢字だけの硬い表現でなく平仮名を交えた柔らかい表現としてみた。また、この概念に相当するものについて、米国やEUの議論で「concern」という名詞または動詞が用いられることが多いので、それに相当する「懸念」という言葉を入れるようにした（もちろん、「concern」という言葉それ自体は競争法における頻出英単語であり、他の文脈で用いられることも多い）。

業結合は水平型企業結合である、と呼んでいるものである[87]。

水平型企業結合の場合に、懸念される行動として頻出するのは、やはり、同一または連動的な価格設定等である[88]。

このことは、議論の当然の前提とされてしまっており、皆が考えていることであるが言語化はされていないのが現状である。しかし、垂直型企業結合・混合型企業結合において、懸念される行動という中間概念を置いたほうが理解しやすい議論が展開されているので、水平型企業結合についても懸念される行動という中間的な道標を一応は置いておいたほうが、体系的に整理された理解のためにはよい。

また、合併・事業譲受け等や、株式取得による親子会社化の事例ではなく、そこまではいかない少数株式取得の事例であるならば、株式取得という行為を行った場合に同一または連動的な価格設定という懸念される行動が起こりやすくなるか否かが問題となる（前記545〜546頁）。

③　非水平型企業結合（垂直型企業結合・混合型企業結合）において頻出する懸念される行動

（i）総説　　水平型以外に、垂直型企業結合と呼ばれるものと、混合型企業結合と呼ばれるものがある。垂直型と混合型とを区別して議論するのが通例であり、企業結合ガイドラインもそのような構成となっている[89]。本書では、

87）このように、水平型・垂直型・混合型というのは、厳密には、社会的な生の事実である企業結合に対してどのような角度から法的な光を当てるのか、という法的観点の名称である。1個の企業結合が、ある角度から見れば水平型に見え、別の角度から見れば垂直型に見えて、それぞれの法的観点から検討する必要がある、といったことは、常に起こり得る。

88）これを虚心に受け止めると、水平型企業結合において懸念される行動として頻出するものは、企業結合後の単独の事業者による高価格設定、すなわち、搾取行為のコアとされる行為である（前記493〜495頁）、ということになる。すなわち、米国も含め世界の競争法の企業結合規制において最も頻繁に話題とされる水平型企業結合の議論は、実は、米国では規制しないとされ、他においても規制の是非が種々の論争の種となるような、コアの搾取行為を懸念して行われているのである。そのような説明をする文献等はほとんどないと思われるが、それは単に、世界の論者らが気づいていないだけの話である。専門家が誰も賛成しないが、専門家の思考回路を説明できる理論というものは、あり得る。その一例である。その事実を日本において顕在化させた事例（住友銀行とさくら銀行の合併によってできた三井住友銀行による優越的地位濫用）の解説として、勘所事例集217〜219頁。コアの搾取行為に対する懸念が、企業結合規制においては、米国においても問題なく議論されるのは、企業結合という形で行為要件を満たしており、企業結合という人為的な行為によって生ずる高価格だからであろう。

以下に説明するように、「非水平型」としてまとめて述べる[90][91]。

垂直型企業結合という場合には、川上当事会社Ａと川下当事会社Ｂが企業結合をするところがイメージされており、そのような観点から企業結合審査を行うときに、便宜上、この企業結合は垂直型である、と呼んでいるものである。川上市場にはＡにとっての川上競争者Ｘがおり、川下市場にはＢにとっての川下競争者Ｙが存在するのが通常である[92]。

混合型企業結合とは、水平型とも垂直型とも言えず、つまり、両当事会社が競争関係にもなく取引関係にもない場合を指す、とされる[93]。混合型企業結合という場合には、商品役務甲の市場の当事会社Ａと、商品役務乙の市場の当事会社Ｂとが、企業結合をするところがイメージされており、そのような観点から企業結合審査を行うときに、便宜上、この企業結合は混合型である、と呼んでいるものである。甲市場にはＡにとっての競争者Ｘがおり、乙市場にはＢにとっての競争者Ｙが存在するのが通常である[94][95]。

89）企業結合ガイドラインの令和元年の改定の最も大きなポイントは、垂直型企業結合と混合型企業結合について、懸念される行動などに関する記載を整理・充実させた点にある。企業結合ガイドライン第5・第6。この改定は、デジタル問題に対応した改定であると説明されることが多いが、それは、政治的なものを含む周囲の要望に応えたことを強調するための便宜的説明である。デジタル問題に対応したとする改定箇所は、根幹的な記述であるというよりは、デジタルか否かに関係なく共通する根幹的な記述をデジタルの観点から潤色したにすぎないものが多い。令和元年の改定の最も重要な点は、デジタルか否かに関係なく垂直型・混合型に関する考え方を整理し明瞭に記載したところにある。

90）以下における、川上・川下・甲・乙・Ａ・Ｂ・Ｘ・Ｙという文言・記号は、企業結合ガイドライン第5・第6が用いているものに合わせている。

91）事例によっては、例えば、いずれか1つの市場には競争者がいないことがある。そのような市場では既に競争変数が左右される状態があることになるが、通常は、企業結合によりその状態が維持・強化されるわけではなく、因果関係の要件を満たさない。したがって、そのような市場それ自体をめぐる検討は企業結合事例集などでは行われず、そのような市場での地位を利用した他方の市場での他者排除などのみが議論されることになる。

92）企業結合ガイドラインの令和元年の改定の後の典型的な垂直型企業結合の事例として、例えば、令和3年度企業結合事例4〔日本電産／三菱重工工作機械〕。現代的で複雑な事例として、例えば、令和2年度企業結合事例6〔Google／Fitbit〕。企業結合事例検討公正取引851号24頁、28～29頁、30頁。

93）企業結合ガイドライン第3の2。

94）企業結合ガイドラインの令和元年の改定の後の典型的な混合型企業結合の事例として、例えば、令和2年度企業結合事例4〔富士フイルム／日立製作所〕。企業結合事例検討公正取引851号23～24頁、28頁、30頁。現代的で複雑な事例として、例えば、令和3年度企業結合事例6

本書では、垂直型で頻出する懸念される行動と混合型で頻出する懸念される行動とが似通っており、本質的には共通であることに着目して、まずは両者を区別せず共通の非水平型という受け皿を作る[96]。垂直型と混合型は、そこにおける2つの典型例にすぎないのであって、それ以外に、細部では異なる様々な型が存在する[97]。そして、そのような枠組みのなかで、この問題は垂直型ではこのような用語で議論されている、混合型ではこのような用語で議論されている、というように述べることとした[98]。

(ii) 閉鎖行動　垂直型においても混合型においても、当事会社が企業結合後に取引拒絶系他者排除行為を行いやすくなるのではないか、という懸念が持たれることが多い。

垂直型において川上当事会社Aが川下競争者Yに対して行うのではないかと懸念される取引拒絶系他者排除行為を「投入物閉鎖」と呼ぶ[99]。

垂直型において川下当事会社Bが川上競争者Xに対して行うのではないかと懸念される取引拒絶系他者排除行為を「顧客閉鎖」と呼ぶ[100]。

混合型において当事会社A・Bが甲と乙とについて行うのではないかと懸念される他者排除型抱き合わせまたはそれに準ずる行為を「組合せ供給」と呼

〔Salesforce／Slack〕。企業結合事例検討公正取引851号25〜26頁、29頁。

95) 垂直型企業結合と混合型企業結合が同居しており総合的理解に好適な事例として、平成29年度企業結合事例4〔ブロードコム／ブロケード〕。企業結合事例検討公正取引814号14〜16頁。そのほか、現代的で複雑な事例として、例えば、令和4年度企業結合事例7〔Microsoft／Activision Blizzard〕。

96) 垂直型企業結合と混合型企業結合の共通性や統合の可能性について詳しくは、企業結合事例検討公正取引851号27〜31頁。

97) 例えば、次のような事例がある。令和2年度企業結合事例4〔富士フイルム／日立製作所〕は、混合型とされるが、一方当事会社が市場に未参入である（事例集25頁）。令和2年度企業結合事例6〔Google／Fitbit〕は、垂直型とされるが、当事会社間に取引関係がない（事例集39頁、40頁）。令和4年度企業結合事例5〔ペガサス／テネコ〕には、川上当事会社が川下競争者と直接の取引をしておらず懸念される投入物閉鎖が間接的である部分があった（事例集58頁）。

98) 混合型企業結合については、かつては、現在のような議論の枠組みが整っておらず、複数の市場における地位が総合されるという意味で独禁法9条に似た発想の「総合的な事業能力」の集中という懸念が述べられていた。令和元年の企業結合ガイドラインの改定により、そのような懸念は、後景に退き、企業結合ガイドライン第4の2(6)などに痕跡を残すにとどまる。

99) 企業結合ガイドライン第5の2(1)ア。

100) 企業結合ガイドライン第5の2(2)ア。

ぶ[101]。甲を主たる商品役務とし乙を従たる商品役務とする他者排除型抱き合わせには、乙をBから買わないならば甲をAが売らない、という行為を含む。「準ずる行為」とは、乙をBから買うならば甲をAが割り引く、というセット割引を含む。組合せ供給の懸念は、同一の需要者が甲と乙をいずれも必要とし購入する、という場合に生ずる[102]。以上の例はいずれも乙市場でYの排除が起こるのではないかという懸念であるが、甲と乙を入れ替えて考えれば、同じように、甲市場でXの排除が起こるのではないかという懸念も論じ得る。これは、垂直型で、投入物閉鎖による川下市場でのYの排除の懸念と、顧客閉鎖による川上市場でのXの排除の懸念が議論されるのと、同じである。

投入物閉鎖・顧客閉鎖・組合せ供給は、外見上は異なり、現に企業結合ガイドラインでも別の項目で別の名前が与えられているわけであるが、本質的には同じものである。ここでまとめて「閉鎖行動」と呼んでいる所以である。

閉鎖行動は、企業結合によって起こりやすくなるならば（後記(3)）、排除効果による競争の実質的制限を起こす原因として考慮される（後記**4**）。

(iii) 情報入手　垂直型においても混合型においても、当事会社が企業結合後にグループ内で情報を流用し入手する行為を行いやすくなるのではないか、という懸念が持たれることが多い。

垂直型においては、次のような懸念となる。Aが川下競争者Yに対して完全に取引拒絶を行うのであれば格別、そうでない場合には、Aは川下競争者Yとの取引をすることになり、そうすると、Aが、取引のために必要であるとして川下競争者Yの秘密情報を入手し、それをAからBに流すのではないか、という懸念である。川上と川下、AとB、を入れ替えれば、川上競争者Xについても同様の議論をすることができる[103]。

混合型においては、次のような懸念となる。商品役務甲は当事会社Aから購入するが、商品役務乙は当事会社BでなくYから購入する、という需要者がいる場合がある。そうしたところ、甲と乙の内容によっては、相互接続性の確保のために、Yの乙の特性などについて、Aが知る必要が生ずる場

101) 「組合せ供給」の定義が企業結合ガイドライン第6の2冒頭に置かれ、具体的記述が第6の2 (1) アに置かれている。

102) この点で、潜在的競争の消滅が懸念される場合（後記(iv)）と対照的である。

103) 以上、企業結合ガイドライン第5の2 (1) イ、第5の2 (2) イ、第5の3。

合がある。そうしてAが入手したYの秘密情報を、Aが、Yの競争者であるBに流すのではないか、という懸念である。甲と乙、AとB、を入れ替えれば、甲に関する競争者Xについても同様の議論をすることができる[104]。

情報入手は、事案の状況により、競争者の競争手段を知って先回りすることによる他者排除の懸念につながることもあれば[105]、競争者の出方を予想できることによる協調的行動の懸念につながることもある[106]。

(iv) 潜在的競争の消滅　混合型企業結合においては、企業結合が行われればAが商品役務乙に参入しなくなり、Bが商品役務甲に参入しなくなるのではないか、という懸念が議論されることがある[107]。同じことは、垂直型とされる事例においても、起こり得るであろう。

このような懸念は、実質的には水平型の懸念と同じであり、それに準じて検討すればよい[108]。

---

104) 企業結合ガイドライン第6の2 (1) イ、第6の3。

105) 企業結合ガイドライン第5の2 (1) イ、第5の2 (2) イ、第6の2 (1) イ。

106) 企業結合ガイドライン第5の3、第6の3。ややこしいことに、情報入手によって競争者の行動の予測が容易となるために協調的行動が起こるのでなく、閉鎖行動や情報入手によって他者排除が起こった場合の、競争の実質的制限の成否の検討においても、弊害要件総論に照らして当然のことながら、競争者の数が減ることによる協調的行動が考慮要素となる（企業結合ガイドラインでは、第5の2 (3) や第6の2 (3) に位置付けられる）。このように、垂直型・混合型において懸念される協調的行動には、情報入手によって直接に起こるものと、閉鎖行動や情報入手によって起こる他者排除に起因して有効な競争者数が減少することによって起こるものとがある。このようななかで、企業結合ガイドラインが前者（第5の3と第6の3）のみに「協調的行動による競争の実質的制限」という見出しを付けているのは、全体を捉えきれていないものであるという感想を持たざるを得ない。

107) 企業結合ガイドライン第6の2 (2)。事例として、平成27年度企業結合事例10〔肥後銀行／鹿児島銀行〕(事例集83頁)。勘所事例集565～566頁。

108) 肥後銀行／鹿児島銀行の事例のように、地域甲と地域乙で同種の商品役務を供給している者の混合型企業結合が「地域拡大」と呼ばれ、商品役務甲の供給者と商品役務乙の供給者の混合型企業結合が「商品拡大」と呼ばれることがある。「地域拡大」でも、肥後銀行／鹿児島銀行の事例のように潜在的競争の消滅の懸念が起こることもあれば、閉鎖行動や情報入手が懸念されることもあり得る。「商品拡大」でも、閉鎖行動や情報入手が懸念されることもあれば、潜在的競争の消滅が懸念されることもあり得る。「熊本県における貸出業務」と「鹿児島県における貸出業務」は、「地域拡大」のように見えるが「商品拡大」でもあることを考えれば、当然のことであろう。つまり、「地域拡大」か「商品拡大」かは、分析をするに際して何らの知見をもたらすものではない。「地域拡大」か「商品拡大」かという分類論の出自は明らかではないが、無意味な分類論は適切な議論にとって有害無益である。勘所事例集566～567頁。垂直型企業結合につい

スタートアップなどと呼ばれる新興企業を巨大企業が買収するという場合、巨大企業が自ら参入する可能性を失わせるという意味で、潜在的競争の消滅の観点から論じ得る場合があると考えられる[109)]。

④ **小括**　以上のように、水平型・非水平型（垂直型・混合型）のそれぞれに応じて頻出する懸念される行動が異なるが、これらの型は、取り敢えずの理解を深めるための便宜的な分類であり、境界などにこだわる必要はない。

例えば、水平型とされる事例において、それまでは必ずしも言語化されていなかった投入物が当事会社間で共有され専有されるに至り、他者排除が懸念される、という場合もあり得る。これは、水平型とも言えるが、事前には言語化されていなかったものの垂直型であるとも言える。その一例として、最近では、データの共有・結合が新たな力を当事会社に与えるのではないか、という懸念が言われることがある。

ともあれ、どのような型、どのような懸念される行動であっても、最終的な問題関心は、企業結合行為によって競争の実質的制限が起こりやすくなるか否かである。その出発点と着地点を確認したうえで、その中間ではありとあらゆる議論があり得る、と考えておけば、それで足りる[110)]。

(3) 起こりやすくなるか否かの判断

① **総説**　さて、懸念される行動が起こりやすくなるか否かを判断するわけであるが、将来のことであるので、懸念される行動を行う「能力（ability）」と「インセンティブ（incentive）」があるか否かをみていくことになる[111)]。

て用いられることがある「前進」と「後進」の分類にも、同様の趣がある。企業結合事例検討公正取引814号11～12頁。

109) 「killer acquisition」などと呼ばれる。この問題における違反要件論は生成過程にあり、今後、様々の変化の可能性がある。届出義務等については、後記593頁。

110) 他の例として、情報入手がある。情報入手は、非水平型（垂直型・混合型）に即して特に述べたが（前記③(iii)）、水平型においても、あり得る。合併や、子会社化に至るような株式取得であれば、情報入手は当然あり得るものとして扱われる。共同出資や少数株式取得など、競争関係にある者同士が一体化するわけではない場合には、情報入手が起こりやすくなるか否かが論ぜられる（例えば、平成23年度企業結合事例8〔カンタスジェットスター／日本航空〕）。事業甲を統合するための部分的企業結合を行うAとBが、甲のための事業体を通じて、競争関係にある事業乙について情報入手を行うのではないか、と懸念されることもある（平成21年度企業結合事例3〔三井金属鉱業／住友金属鉱山〕）。

111) 懸念される行動に相当するものが特に言語化されている垂直型企業結合と混合型企業結合に

能力とインセンティブは、明確に区別できるわけではない。そもそも、「懸念される行動」というものそれ自体が中間概念であり、「弊害」と区別する必要はない。能力と意欲の状況に目配りしつつ、懸念される行動が起こりやすくなるか否かを見据え、それによって企業結合後の弊害の有無に関する結論を出せば足りる。

② **能力**　能力としては、他方当事会社に対する経営支配または重要な影響などによって懸念される行動を行わせるだけの力が企業結合によって形成・維持・強化されるか否か、という点が、最も問われるべき点である。

能力を論ずると称して、懸念される行動を行う能力があるか否かを論ずるのを超えて、かりに懸念される行動を行った場合に現に反競争性が生ずるか否かが論ぜられる例も、個別事例の公取委審査結果には散見される。そのようなことは「弊害」の段階で論ずるほうが据わりが良いようには思われるが、しかし、「能力」「インセンティブ」「弊害」の判断は相互に重なるものであり区別の必要はないので（前記①)、目くじらをたてることでもないであろう。

③ **インセンティブ**　インセンティブとしては、その懸念される行動が、行動を起こす当事会社の利益等を高める可能性のある行動であるか否か、という観点から見ていくことになろう。例えば、株式取得によって被取得会社の利益が取得会社に還流する仕組みになるのであれば、被取得会社に対する議決権の大小にかかわらず、取得会社は被取得会社に対して競争を挑まなくなる可能性がある[112)]。他方で、例えば、懸念される行動を行っても、かえって必要な取引量を失ったり信用を失ったりするという背景がある場合には、そのような行動を行うインセンティブは湧きにくい、ということが考えられる。

ついては、企業結合ガイドラインでも明確な記述がされている。企業結合ガイドライン第5の2(1) アの（ア）・(イ)、(2) アの（ア）・(イ)、第6の2(1) ア。これらにおいて特に明確な記述が置かれているのは、これらにおいてそのような議論が国際的に発達している（議論が発達した後で日本の企業結合ガイドラインに取り込まれた）というだけである。他の類型の懸念される行動においても、能力とインセンティブに着目して、起こりやすくなるか否かが検討される。

112）　平成20年度企業結合事例3〔Westinghouse／原子燃料工業〕(事例集45頁)。当事会社と欧州委員会の既存の合意により、取得側が被取得側の意思決定を支配する能力を得るわけではないことがはっきりしている事例であり、それでも取得側が被取得側と競争しないインセンティブが発生することに着目したという点で、インセンティブの有無に問題点が絞られた典型的な事例であった。同様に、取得される株式が議決権のない株式である場合にも、能力が問題とならずインセンティブの有無に問題点が絞られることになろう。勘所事例集334～341頁。

④　**結合関係概念との関係**　懸念される行動は、公取委のいう「結合関係」（前記 541〜544 頁）が形成・維持・強化される場合には起きやすくなる。そのような意味で、結合関係の概念には一定の存在意義がある。ただし、そのような議論がある程度において通用するのは伝統的議論の蓄積のある水平型企業結合のみであり、垂直型企業結合・混合型企業結合については、日本の公取委においてさえ、結合関係の概念を用いない EU 等の議論を参照し、結合関係の概念が実質的にはバイパスされているのが実態である。

4　弊　害

(1)　総　説

弊害は、「一定の取引分野における競争を実質的に制限する」と表現されており、弊害要件総論（前記第 2 章）で論じたことに尽きる。弊害要件総論の議論は、企業結合規制の事例等によって発展してきた（前記 27 頁）。

企業結合規制における弊害に何か特徴があるとすれば、企業結合規制がほとんど全ての場合に事前規制であるため、弊害が企業結合行為後に起こるか否かを予測することが必要となる、という点である[113)]。そして、それに尽きる。企業結合規制の弊害要件論は独禁法の他の違反類型とは異なる旨が言われることがあるが、それは多くの場合、上記のような割り切った位置付けができていないことに基づくものであり、あまり参考とはならない。

企業結合規制の弊害要件論においては、現在の市場の状況が深く検討されることが多い。それは、本来の検討対象が企業結合行為後の市場の状況であるということと、矛盾しない。つまり、本来は企業結合行為後の市場の状況を検討すべきではあるのだが、実際には、企業結合行為が行われることそれ自体を除いては市場の状況は現在すなわち企業結合行為前とは変わらないであろうから、そのことを暗黙の前提として、現在のことを論じているのである。そのような原則的前提を置きつつ、現時点でわかっている範囲で将来の変化を織り込みつつ、将来予測が行われているものである。

---

113)　そのような意味での事前規制であるため、企業結合審査時には販売されておらず研究開発段階にある商品役務でも、審査の対象となることがある。平成 26 年度企業結合事例 4〔ノバルティス／グラクソスミスクライン〕（事例集 35〜36 頁）。

(2) 一定の取引分野

以上のように述べれば、一定の取引分野についても特に付け加えることはないが、弊害要件総論にも盛り込まれていることを1つだけ繰り返し特記するならば、企業結合規制は、これから行われる行為に対する事前規制であり、多くの案件のなかから要検討案件を絞ることも含めて早期の判断が求められるため、市場画定がセーフハーバー（後記(5)）によるスクリーニングの道具として使われ、実質的な判断が競争の実質的制限の成否の段階に投げられる傾向が特に強い、ということは言えるであろう（前記36〜38頁）。

(3) 競争の実質的制限

競争の実質的制限についても、特に付け加えることはないが、弊害要件総論にも盛り込まれていることを1つだけ繰り返し特記するならば、企業結合においては、従来、当事会社同士が一体化する合併等を暗黙のうちに前提としていたためか、少数株式取得の場合などに当事会社同士の内部において内発的な牽制力が働くということを、ガイドライン等で明示的に論ずることがなかった。しかし最近では、そのようなことを考慮する萌芽もある（前記81〜82頁）。企業結合規制における弊害要件論の特殊性は更に減少し、弊害要件総論をみれば足りる状況がますます強くなってきている、といってよいであろう。

公取委による企業結合の検討では、排除効果に相当するものが「市場の閉鎖性・排他性」と呼ばれるのが通例であるが、排除効果と同じ意味である[114]。

(4) 懸念される行動との総合考慮

本書では、思考の中間的な道標とするための中間概念として「懸念される行動」というものを立てた（前記3）。これは、広い意味での弊害要件の議論において常に採られている思考枠組みを言語化し弊害そのものの成否から一応分離したものであるにすぎず、弊害をめぐる議論と截然と分けなければならないわ

---

114) 文献によっては、既存の事業者を排除するのが「排他性」で新規参入事業者を排除するのが「閉鎖性」であるなどと説明されることがあるが、有効な説明ではない。例えば、企業結合ガイドラインなどで用いられている「投入物閉鎖」や「顧客閉鎖」は、新規参入者に対する排除だけを念頭に置いているとは考えにくく、むしろ既存事業者を念頭に置いていることのほうが多いのではないかと思われるほどである。既存であろうが新規であろうが、他の供給者を排除するか否かが重要であり、枝葉末節にこだわるのは無駄である。どういうわけか公取委は企業結合規制では排除効果のことを「市場の閉鎖性・排他性」と呼んでいる、と受け止め、それ以上は考えないのが、理解として妥当である。

けではない。換言すれば、どこまでが懸念される行動をめぐる議論でどこからが弊害をめぐる議論であるなどと分離して、それぞれに立証責任を観念する必要はない。現に、例えば、投入物閉鎖をしても実際には弊害は起きそうにないのだから当事会社には投入物閉鎖をする能力やインセンティブはない、などというように、懸念される行動をめぐる議論と弊害をめぐる議論が混在した分析がされることも珍しくない。

(5) セーフハーバー

① 総説　実際の企業結合審査においては、セーフハーバーと呼ばれる基準が設けられ、もしそれに該当すれば、その企業結合は実際上は問題なしとなり比較的容易に企業結合審査が終了することになる[115)]。そのような手法により、公取委と当事会社の双方において、時間や労力を節約している。

セーフハーバーは、市場シェアや、市場シェアをもとにして計算されるHHI[116)]を基準として該当の有無が判断される。このために、プロセスとしての法的判断の中間段階において仮のものでもよいから市場画定をしようということになるわけである（前記36〜38頁）。

セーフハーバーは、弊害が起きる確率が低い企業結合計画を数字で類型化したものである。垂直型企業結合や混合型企業結合においては、それに加え、懸念される行動が起きる確率が低い企業結合計画を数字で類型化したという面もある。

② 水平型企業結合のセーフハーバー　企業結合を水平型の観点から審査する場合には、次の3つのいずれかを満たせば、セーフハーバーに該当して実質的に問題なしとされる[117)]。第1が、企業結合後のHHIが1500以下である場

115）言葉の問題であるが、公取委の審査結果・企業結合事例集においては、セーフハーバーの考え方によって問題なしとされる企業結合計画は「セーフハーバーに該当する」等と表現され、更に時間をかけて審査される企業結合計画は「セーフハーバーに該当しない」等と表現される。慣れないと取り違えやすい。

116）HHIとは、市場内の全供給者について、各々の市場シェアを2乗し、それらを総和したものである（企業結合ガイドライン第4の1(3)注6)。

117）企業結合ガイドライン第4の1(3)。なお、企業結合ガイドラインは、このセーフハーバーの記載に続いて、企業結合後のHHIが2500以下であって企業結合後の当事会社グループの市場シェアが35%以下であれば「競争を実質的に制限することとなるおそれは小さいと通常考えられる」としているが、これは、セーフハーバーに該当しない事例のうち問題となる確率が相対的に小さいものを更に示したものであって、セーフハーバーと呼ばれるものそのものではない。

合である。第2が、企業結合後のHHIが1500超2500以下であって企業結合によるHHIの増分が250以下である場合である[118)]。第3が企業結合後のHHIが2500超であって企業結合によるHHIの増分が150以下である場合である。

③ **垂直型企業結合・混合型企業結合のセーフハーバー**　企業結合を垂直型または混合型の観点から審査する場合には、次の2つのいずれかを満たせば、セーフハーバーに該当して実質的に問題なしとされる[119)]。第1が、当事会社が関係する全ての市場において企業結合後の市場シェアが10%以下である場合である。第2が、当事会社が関係する全ての市場において企業結合後のHHIが2500以下であって企業結合後の市場シェアが25%以下の場合である。

企業結合ガイドラインは、垂直型・混合型の場合に全体としてセーフハーバーに該当するか否かだけを論じたために、全ての市場で、という旨の表現となっている。一部の市場だけが上記の条件を満たす場合にも、その部分については、セーフハーバー該当の場合と同様の扱いがされる。例えば、垂直型の場合に川上市場がセーフハーバーの条件を満たせば、川下競争者に対し川上市場からの原材料を取引拒絶等する投入物閉鎖による川下市場への弊害については、公取委の審査結果・企業結合事例集には掲載されないのが通例であり、その部分について、セーフハーバー該当と同様の扱いがされているものと窺われる。

5　因果関係

行為と、懸念される行動や弊害との間の因果関係がない場合には、「により(によつて)一定の取引分野における競争を実質的に制限することとなる」という違反要件を満たさないと考えられる(前記157〜160頁)。

---

118)　数学の初歩を思い浮かべれば容易にわかるように、当事会社が2社の場合には、HHIの増分は、両者の市場シェアを乗じたものの2倍である。企業結合ガイドライン第4の1(3)注7も、そのことに言及している。

119)　企業結合ガイドライン第5の1(2)、第6の1(2)。なお、企業結合ガイドラインは、第5の1(2)において、セーフハーバーの記載に続いて、企業結合後のHHIが2500以下であって企業結合後の当事会社グループの市場シェアが35%以下であれば「競争を実質的に制限することとなるおそれは小さいと通常考えられる」としているが、これは、セーフハーバーに該当しない事例のうち問題となる確率が相対的に小さいものを更に示したものであって、セーフハーバーと呼ばれるものそのものではない。

第3節 届 出

1 総 説

(1) 概 要

企業結合規制では、主要な企業結合行為類型について、一定の要件を満たす規模の大きな企業結合の届出を義務付けている。届出制度が置かれている主要な企業結合行為類型とは、会社による株式取得（10条2項～7項）、合併（15条2項）、分割（15条の2第2項・第3項）、共同株式移転（15条の3第2項）、事業譲受け（16条2項）、である[120)][121)][122)]。他方、届出義務を全く課していないのは、役員兼任（13条）と会社以外による株式取得（14条）である。

届出義務を課している規定は、いずれも事前届出を求めており[123)]、「あらか

120） 10条8項～10項、15条3項、15条の2第4項、15条の3第3項、16条3項、は、届出そのものというよりも、届出があった場合の企業結合審査手続に関する規定であり、別の箇所で論ずる（後記第4節）。

121） 複雑な形態の企業結合では、複数の届出規定に同時に該当する場合がある。種々の立法論的・運用論的な議論・工夫のあるところであると思われる。

122） 脱法行為を規定した17条は、10条および13条～16条の各1項の受け皿とはなるが（前記563頁）、10条および15条～16条の各2項以下の受け皿とはならないと解される。17条の文理だけによれば、各2項以下の届出義務等に関する脱法行為の受け皿ともなるように見える。しかし、他の規定をも踏まえて総合的に解釈すれば、17条は各1項のみを対象としていると考えざるを得ない。17条を掲げている法執行の規定は、排除措置命令の規定（17条の2）と緊急停止命令の規定（70条の4）のみである（91条は11条との関係で17条を掲げたものであり10条および13条～16条とは関係がない）。各2項以下そのものに対する違反が排除措置命令や緊急停止命令の対象とならないのに、各2項以下の脱法行為のみが17条を介して排除措置命令や緊急停止命令の対象となるとするのは、適切でなく、そのようなことはおよそ予定されていないものと解するほかはない。各2項以下に違反する行為については91条の2による刑罰規定があるのみであり、それらにおいては、91条とは違って、17条を介して脱法行為をも刑罰の対象とする規定がない。そうであるとすれば、91条の2において、明文にない17条的なものを読み込んで刑罰の対象を広げるのは、罪刑法定主義の観点から難しい。もちろん、各2項以下に関する脱法行為は、行為規範の観点からは、慎まれるべきであり、また、10条および15条～16条の各2項以下の解釈として適切な範囲が刑罰の対象となり得ることもまた当然である。以上の論述は、17条について、現行法の解釈としてはそのように考えざるを得ない、という趣旨のものにとどまる。17条は、現在のような届出規定がなかった昭和22年制定時から置かれ、現在のような届出規定の原型が導入された昭和24年改正において改正なく存置されたものであって、現在の各2項以下の脱法行為までは念頭に置いていないものと考えざるを得ない。

じめ」という文言でそのことを表現している[124)]。

届出義務に違反すると、刑罰の対象となり得る（91条の2）[125)]。

届出は自ら行う必要がある。設立前の会社は、届出を行うことはできない[126)]。

届出制度の存在意義をひとことで言えば、公取委が取り上げるべき重要な企業結合行為の捕捉のためのもの、ということになろう。

だからといって全ての企業結合が届出の対象となるわけではない。届出をする側とされる側の時間・手間という負担と、届出のなかに重要な違反行為が含まれる確率との見合いで、どの範囲の企業結合について届出を義務付けるかが決まっている[127)]。

届出を受け付けるのは、企業結合課である（組織令14条）。

(2)　規定の構造

届出義務を規定した条は、10条、15条、15条の2、15条の3、16条、であり、それぞれの条の企業結合行為に即した各論が規定されている。

そのなかで10条は特に複雑である。これは、届出義務を規定した条のなかでは10条が先頭であるため、10条のなかに、株式取得の届出義務に関する各

---

123)　10条は、平成21年改正前は、事後報告義務を定めていた。平成21年改正の主眼は、規模基準を抜本的に改めたことと、株式取得を事前届出化したこととにあった（後記**2**(1)②）。

124)　公取委公表平成28年6月30日〔キヤノン／東芝メディカルシステムズ〕は、新株予約権を取得し対価を支払う行為が、後続する株式取得を中心とするスキームの一部をなすのであるならば、新株予約権の取得より前に届出をしなければ「あらかじめ」の要件を満たさないと考えられて種々の議論となったもの、と分析できる。公取委は、事前に規範が明確でなかったことを考慮したのか、本件については違反と断言しなかったが、今後において同じようなスキームがとられる場合には新株予約権の取得の前に届出をすることが必要であるとしている。もっとも、具体的な事案において本当にそのように言えるか否かは、上記のように、株式取得の「スキーム」における新株予約権取得の位置付けがどのようになっているかによって左右されるものと考えられる。勘所事例集602〜607頁。

125)　15条〜15条の3の場合には、公取委による無効の訴えの定めもある（18条）。

126)　届出Q＆A「事業等の譲受けの届出の要否について」答3。設立して間もない会社が企業結合行為をする場合としては、事業譲受けが特に考えられるであろうが、そのような場合、設立会社に国内売上高がなくとも、企業結合集団の国内売上高合計額が大きければ、届出義務が発生し、禁止期間も発生することになる。

127)　届出義務の対象となっていない企業結合であるから違反となることはない、ということはない。本文で述べたように、時間・手間と重要な違反行為が含まれる確率との見合いで届出義務の範囲が定められているのであって、届出義務のないものにも違反の可能性はある。

論のみならず、15条以下の企業結合行為の届出義務とも共通する総論も置かれているからである。括弧書き等が多用され、読みにくい条文となっている。先頭に定義規定を置けたならば、もう少し読みやすいものとなったであろうが、法制上その他の事情により、難しかったのであろうと想像される128)。

以下ではまず、10条2項〜7項に規定された総論的な基本概念をみて、そのあと、各企業結合行為を念頭に置いた各条の規定に移ることとする。

2 基本概念

(1) 総　説

① **概要**　ある会社に届出義務が発生するか否かは、基本的には、当該会社が属する「企業結合集団」の「国内売上高合計額」を基準として判断される。

② **平成21年改正前との違い**　届出義務の規定は、平成21年改正によって抜本的に改正された。

この改正の要点は、次のようなところにある。

第1に、10条の株式取得を事後報告から事前届出へと改めた。改正前の事後報告制度の背景には、株式取得については事後的に違反が見つかっても株式処分という排除措置命令が容易である、という信仰があったものと思われる。これを否定し、株式取得規制にも合併規制並みの事前届出制度を置いて、米国やEUなど主要な外国競争法との整合性をとろうとした。国際的な企業結合案件において、米国やEUなどと同時期に、届出による情報提供を当事会社から得ることができ、企業結合の当否を同時期に判断できる129)。

第2に、10条が事前届出となり、狭義の企業結合規制の届出制度が全て事前届出で揃ったので、規定のかなりの部分を総論的に共通に論じ得ることとなった。「企業結合集団」「国内売上高合計額」だけでなく、審査手続も共通の規定によることとなった（後記第4節）。

第3に、改正前にはまずは単体の当事会社に着目していたのに対し、改正後

---

128)　届出規則の規定は独禁法典の各条における委任規定の登場順で規定されているところ、独禁法10条に総論と各論が混在しているため、届出規則2条〜2条の9に総論の条と各論の条が入り乱れている。

129)　10条の事前届出化の副産物として、共同株式移転に関する15条の3が新設された（前記559頁）。

は常に当事会社を含む「企業結合集団」に着目することとなり、しかもその範囲が、かなりの程度、会社法と共通の実質親子会社基準によることとなった。

第4に、改正前のように資産を基準とする届出要件から、「国内売上高」を基準とする届出要件へと、改めた。国内の需要者に向けた諸市場での当該会社の存在感の有無を、届出の要否の基準としようとするものである。

第5に、国内会社であるか外国会社であるかを問わず、統一的な基準を置くこととした。

(2) 企業結合集団

① **総説**　「企業結合集団」の定義は、10条2項に置かれている。簡単に言えば、経営支配の頂点にある最終親会社と、その経営支配を受ける全ての階層の会社や組合などによって形成される集団を指す。

最終親会社は、一応は、「当該会社の親会社であつて他の会社の子会社でないもの」と表現されているが、「当該会社」すなわち狭い意味での当事会社である定義冒頭の「会社」それ自体が最終親会社である場合もあるためか、「最終親会社」という言葉を用いず、少々複雑な定義規定となっている[130)]。

② **子会社・親会社**

(i) 総説　企業結合集団の概念を形作る重要な補助概念が、「子会社」と「親会社」である[131)]。

「子会社」の定義は、「会社がその総株主の議決権の過半数を有する株式会社その他の当該会社がその経営を支配している会社等として公正取引委員会規則で定めるものをいう。」とされている（10条6項）。会社法2条3号とほぼ同様の規定であり、議決権保有比率が過半数であることは例示にとどめて、実質的な観点から、経営支配があるか否かを基準としている。詳細を定めた公取委規則である届出規則2条の9も、会社法2条3号にいう法務省令である会社法施行規則3条とほぼ同様の規定である[132)]。この実質的な定義により、いわゆる

---

130) 届出規則では、「最終親会社」という言葉が用いられており、その定義は、「親会社……であつて他の会社の子会社……でないものをいい、当該会社に親会社がない場合においては、当該会社をいう。」とされている（届出規則2条の2第3項）。

131) 親会社・子会社に該当するか否かは、企業結合行為の直前の関係で判断する、とされる。届出Q＆A「届出基準について」答7、届出Q＆A「合併届出の要否について」答5、届出Q＆A「分割届出の要否について」答6、届出Q＆A「事業等の譲受けの届出の要否について」答5。

132) 議決権保有比率が40％であっても親会社・子会社の関係が成立することがあることとなっ

孫会社など間接的に経営支配を受ける会社も「子会社」に含まれることになる。

子会社は「会社等」であるとされ（10条6項）、「会社等」は、会社だけでなく組合などの事業体も含むと定義されている（10条2項）。したがって、企業結合集団は、そのようなものを全て含み得ることになる。

「親会社」の定義は、「会社等の経営を支配している会社として公正取引委員会規則で定めるものをいう。」とされており（10条7項）、ほぼ、子会社の定義の裏返しである[133]。この実質的な定義により、他の会社や組合などを間に挟んで孫会社を支配している会社も「親会社」に含まれることになる。

親会社は「会社」とされており、会社ではない組合などの事業体であってはならない。会社法2条4号は親会社を「法人」としており、この点では独禁法10条7項の親会社の定義は特殊である。これは、独禁法10条7項の「親会社」の概念が、届出義務の有無を判断する基準となる企業結合集団の範囲を画定するためだけの概念であることに関係している。会社でない者が親会社となり得ることとすると、会社でない者が最終親会社となり得ることとなり、企業結合集団の範囲が際限なく広くなる可能性があるので、会社でない者を頂点とする集団は会社を頂点とするいくつかの集団に分けて考えることとしたものと思われる。これにより、例えば、特殊法人や組合が実質的な最終親である場合や、外国国家が実質的な最終親である場合には、そのもとにある集団は複数の企業結合集団に分かれることになる。

(ii)　独禁法典中の他の定義との違い　　狭義の企業結合規制における「子会社」の定義は、独禁法典中の他の「子会社」の定義とは異なっており、同じ法律のなかに複数の定義が並立している。

ている（届出規則2条の9第3項2号）。なお、同号等の要件を満たすようにみえる場合であっても、「財務上又は事業上の関係からみて他の会社等の財務又は事業の方針の決定を支配していないことが明らかであると認められる場合」には、やはり親会社・子会社の関係は成立しないこととされている（届出規則2条の9第3項柱書き）。公取委ウェブサイトに掲げられた「株式取得に関する計画届出書記載要領」（平成23年9月26日改訂）2頁によると、ある会社に親会社が複数あるということはない（相互に親子関係があるBとCがいずれもAにとって親会社であるということは当然にあるが、それは除く）。合併等の他の形態に関する要領にも同様の記載がある。例えば、2の会社によって50%・50%の対等の出資比率で設立された会社には、いずれかの出資元を親会社とすべき他の特段の事情がない限り、親会社は存在しないことになる。

133)　詳細を定めた公取委規則は、やはり、届出規則2条の9であり、会社法施行規則3条とほぼ同様の規定である。

第1に、9条では、会社が議決権の過半数をもつ国内の会社を子会社と呼び、孫会社や曽孫会社等も子会社とみなすこととしている（9条5項）。9条が、狭義の企業結合規制とは異質の違反類型における届出規定に関する概念であるため、平成21年改正で狭義の企業結合規制の届出規則を抜本改革した際にも、変更せずそのままとされたものである。

第2に、共同減免申請を含む課徴金制度の全体における「子会社」の概念について、9条のように国内の会社に限定しないものの、やはり会社が議決権の過半数をもつ他の会社であるとしている（2条の2第2項）。このような定義となっていることの背景には、共同減免申請の際には迅速に画一的な判断をすることのできる基準のほうが適しており、また、課徴金制度の全体について、過去において「子会社等」の関係にあったか否かが問題とされる場合がある、ということも、関係しているであろう。

狭義の企業結合規制において子会社・親会社の定義が実質経営支配基準をとっているのは、なるべく実質的な基準をとろうとする趣旨にとどまらず、企業結合の実務において同時に論ぜられる会社法等の基準になるべくあわせ、統一的な実務進行を可能としようとする趣旨も含まれているものと思われる。

(3) 国内売上高合計額

① 総説　「国内売上高合計額」の定義は、10条2項に置かれている。それによれば、A社に係る国内売上高合計額とは、A社の「国内売上高」と、A社の属する企業結合集団に属するA社以外の会社等の「国内売上高」とを、公取委規則で定める方法により合計した額である。丸めて言えば、国内売上高合計額とは企業結合集団全体の国内売上高だということになろう[134)]。

② 国内売上高　「国内売上高」は、「国内において供給された商品及び役務の価額の最終事業年度における合計額として公正取引委員会規則で定めるものをいう。」と定義されている（10条2項）[135)]。

---

134)　このように、形式的には、特定の1社（A社）に係る国内売上高合計額、という表現をすべき定義となっており、現に15条2項などでそのような表現となっているのであるが、本書では、丸めて、企業結合集団の国内売上高合計額、といった表現を用いることもある。

135)　設立されたばかりの会社であって最初の事業年度が終了しておらず、同一の企業結合集団に属する会社の国内売上高もない場合には、届出義務は発生しないことになる（届出Q＆A「届出の要否について」答2)。他方、最終事業年度の決算より後に他の会社から事業譲渡を受けた場合、当該他の会社が当該事業の国内売上高について決算を経ているならば、当該国内売上高を

10条2項にいう公取委規則として、届出規則2条が詳細を定めている。これによれば、国内売上高とは、売り上げる側の会社等からみて、国内の消費者を相手方とする取引、法人等を相手方として商品役務を国内で供給する取引、および、法人等を相手方として商品を外国で供給するものであって契約締結時において当該商品が日本に向けて取引等されることを売り上げる側の会社等が把握しているような場合の外国取引、による各売上額の合計額をいうのを基本とする（届出規則2条1項）[136]。売り上げる側の会社等が財務諸表提出会社である場合の特則などがおかれている（届出規則2条2項・3項）。

③　**国内売上高を合計する方法**　企業結合集団を構成する会社等の各国内売上高を合計する方法を定めた公取委規則は、届出規則2条の2および2条の3である。

原則として、全ての国内売上高を合計する（届出規則2条の2第1項）。企業結合集団の内部取引については、例外的な場合を除き、相殺消去をして合計することができる（同条2項・3項）。企業結合集団のなかに連結財務諸表提出会社がある場合の特則が置かれている（届出規則2条の3）。

3　10条

(1)　総　説

株式取得の届出義務を規定しているのは、10条2項～5項である[137]。

合算する必要がある、などとされる（届出Q＆A「株式取得の届出の要否について」答10、答11、答12）。合併や分割による新設会社の場合も、同様のようである（届出Q＆A「株式取得の届出の要否について」答15、答16）。

136)　東京高判平成28年4月13日・平成27年（行ケ）第38号〔ブラウン管MT映像ディスプレイ等〕等において、外国で供給する商品役務であっても需要側の日本親会社と交渉して取引条件を決める場合には需要側の日本親会社も需要者とする旨の判断があったことに関連し、届出義務を画する「国内売上高」の算定において、そのような取引も算入する必要が生ずるのか、という質問に接することがある。届出規則2条1項2号・3号は、条文上、需要者の所在国を基準としているのではなく、商品役務が「国内において供給される」か「外国において供給され」るかを分かれ目としているので（言い換えれば、供給を受ける者がどこに所在するかを分かれ目としているので）、上記判決の基準を演繹した場合でも、需要側の意思決定者が国内に所在するか否かは、届出義務の有無に影響しないことになる。

137)　平成21年改正によって株式取得が事前届出となったことに伴う実務上の変化について、太田洋＝矢野正紘「平成21年改正独占禁止法とM＆A実務（上）（下）」商事法務1877号、1878号（平成21年）。企業結合審査手続の平成23年見直し前の、事前相談が中心であることを前提

届出義務を負うのは、取得会社である。

届出の手順等に関する詳細が、届出規則2条の6に規定されている[138)]。

(2) 基本的な規定

① 原則

(i) 総説　届出義務があるのは、一定規模以上の取得会社が一定規模以上の被取得会社の株式を取得することによって、取得会社の属する企業結合集団全体で、被取得会社に対する議決権保有比率が20％を超える場合と、50％を超える場合とである（10条2項、施行令16条3項）[139)][140)]。

(ii) 取得　「取得をしようとする」ことが要件となっている（10条2項）[141)]。例えば、新たな株式の取得がないのに、被所有会社が自己株式を取得するなどによって所有会社の議決権保有比率が20％または50％を超えた場合には、届出義務は発生しない[142)]。

(iii) 規模　規模については、取得会社の側では企業結合集団の国内売上

とした文献ではあるが、株式取得が事前届出となったことの影響を多岐にわたって掲げており参考となる。なお、株式取得が事前届出となったことに伴って公開買付けとの関係での実務上の問題を整理する必要が生じたが、これについては別の箇所で触れる（後記593頁註162)。

138) 株式取得の届出義務がある場合でも、その株式取得が、届出義務のある合併、共同新設分割または吸収分割によって生ずるものであるときは、合併、共同新設分割または吸収分割の届出書に株式取得に関する事項を記載すれば足りることとされている（届出規則2条の6第1項)。

139) 「議決権」の定義は独禁法9条5項に置かれている。令和元年改正前は、同様の定義が、7条の2第13項に、独禁法全体の「議決権」を対象として、置かれていたが、7条の2第14項には、ここに限定して、「社債、株式等の振替に関する法律」に関するものを含む旨の規定が置かれていた。令和元年改正によりそれらが統合されて2条の2第2項の「議決権」の定義となり、これは、独禁法第2章のみに関係する定義とされた。9条5項では、「社債、株式等の振替に関する法律」に関するものを含まない。そこで、10条で、「社債、株式等の振替に関する法律」に関するものについて、改めて、10条3項・4項において、規定している。

140) 平成21年改正前は、10％・25％・50％の3段階であった（改正前10条2項、改正前施行令14条)。なお、20％・50％の2段階であることに対しては、簡素化を歓迎する意見がある一方で、20％を超えたときの次は50％を超えるまで公取委は情報入手・審査の機会がないため、いきおい、20％を超える際の企業結合審査が必要以上に厳しくなっているのではないか、という指摘も聞かれる。他方で、20％以下の場合であっても公取委のいう「結合関係」が形成・維持・強化されることはあるので、届出義務はないが必要に応じて事前相談を活用すべき旨の解説もされている（平成21年改正解説108〜109頁)。

141) 「取得をしようとする場合」には信託に係る株式について自己のために受託者に取得させようとする場合も含む旨の括弧書きがある。

142) 条文から導かれるが、確認として、届出Q＆A「株式取得の届出の要否について」答3。

高合計額が200億円を超え（10条2項、施行令16条1項）[143]、かつ、被取得会社の側では被取得会社およびその子会社の国内売上高を合計した額が50億円を超える（10条2項、施行令16条2項）[144][145]、ということが届出義務の要件とされている。

被取得会社の側にも国内売上高の要件があるので、会社の新設と同時に新設会社の株式を取得する場合には、通常、届出義務は発生しない[146]。

② **例外**　事前届出が困難であるとして公取委規則で定める場合には、届出義務の対象外となる（10条2項ただし書）。株式の分割や併合により発行される株式の取得、株式無償割当てによる株式の取得、などいくつかの類型が届出義務の対象外とされている（届出規則2条の7）。

取得会社と被取得会社とが同一の企業結合集団に属する場合であっても、合併などの他の企業結合行為の場合とは異なり、当然に届出義務の対象外であるとは規定されていない。ただ、そのような場合は、既に取得会社の属する企業結合集団が被取得会社の議決権の50％超を所有している場合が多いであろうと思われ、そのような場合には、新たに取得しても新たに50％を超えるわけではないから届出義務は発生しない。実際に届出義務が発生するのは、議決権

143）このような要件を満たす取得会社を、10条2項は「株式取得会社」と呼んでいる。届出義務のない規模の取得会社でも、論理的には、10条1項の違反要件を満たす可能性があるので、本書では、規模に関係なく、株式を取得する会社を単に「取得会社」と呼んでいる。

144）このような要件を満たす被取得会社を、10条2項は「株式発行会社」と呼んでいる。なお、違反要件のみを論ずる企業結合ガイドラインでは、規模による限定を置かずに「株式発行会社」という言葉を用いている（企業結合ガイドライン第1の1 (1) ア）。

145）株式取得が競争に影響を与えるとすれば、それに関係し得るのは、被取得会社の側では被取得会社およびその子会社の部分のみであって、被取得会社にとっての親会社や兄弟会社等は関係がない、という考えにより、被取得会社のほうは被取得会社とその子会社のみについて企業結合集団に類似したものを観念し、その国内売上高の合計額をみることとなっている。「企業結合集団」や「国内売上高合計額」とは一応は異なる概念であるため、公取委規則に、国内売上高を合計する方法について、企業結合集団の場合に類似した規定が置かれている（届出規則2条の4、2条の5）。

146）新設されたばかりの被取得会社の側には、通常、国内売上高がないからである。被取得会社の株式の全部を取得する場合にも一部を取得する場合にも、同様のことは当てはまる。ただし、被取得会社の設立と同時に株式を取得する場合でも、例外的に、当該被取得会社の側に国内売上高があるとされることはあり得るので（例えば、届出Q＆A「株式取得の届出の要否について」答12)、必ず届出が不要となるとは限らない。平成21年改正解説109〜110頁は、その点で、若干の誤解を招く可能性がある。

保有比率50%以下ではあるが被取得会社が既に子会社であるために企業結合集団に加えられている、という場合などに限られる[147]。

(3) 特定の株式に係る議決権を含むか否かに係る規定

① **総説**　10条3項・4項は、2項の届出義務の成否を論ずるに際して、特定の議決権を含むか否かに関する規定を置いている。3項は株式取得会社が取得・所有することとなる議決権について、4項は企業結合集団における株式取得会社以外の会社等が所有する議決権について、それぞれ規定しているという違いがあるが、その違いを除けば、3項と4項は同様のことを規定している。

② **信託に係る株式**　信託に係る株式に係る議決権は、2つに分かれる。

「委託者又は受益者が行使し、又はその行使について受託者に指図を行うことができる」議決権は、除いたうえで、届出義務の成否を判断する（10条3項・4項）。

「自己が、委託者若しくは受益者として行使し、又はその行使について指図を行うことができる」議決権[148]は、含んだうえで、届出義務の成否を判断する（10条3項・4項）[149]。

③ **銀行業または保険業を営む会社が取得・所有する株式**　銀行業または保険業を営む会社[150]が、銀行業または保険業を営む会社などを除く他の国内の会社[151]の株式を取得・所有する場合の議決権は、除いたうえで、届出義務の成否を判断する（10条3項・4項）。そのような株式取得・所有は、11条による特

---

147) 届出Q＆Aでは、他に、最終親会社の複数の子会社が株式移転によって中間持株会社を設立するときに最終親会社が中間持株会社の株式を取得する場合に届出義務が発生することがあるという例を挙げている（届出Q＆A「株式取得の届出の要否について」答9）。

148) 株式取得会社が投資信託委託会社としてその行使について指図を行う株式に係る議決権などは除かれる（届出規則2条の8）。そのような議決権などを除く旨の10条3項の規定は10条4項においても通用する旨が、10条3項に規定されている。

149) 10条2項において、「取得をしようとする場合」に付された括弧書きとして、同様のことが規定されているように見えるが、これは、「取得」という行為に関する説明である。10条3項・4項の規定は、新たに取得するものでなく既に所有していたものについても同様に議決権保有比率に加えることを規定しているという意味で、10条2項括弧書きとは異なる存在意義を持つ。

150) 保険業を営む会社について細則を定める公取委規則は、11条においても意味をもつものである旨が10条3項に規定されており、11条の解説に譲る（後記614頁）。

151) この「他の国内の会社」は、11条においても同義である旨が10条3項に規定されている。11条においても大きな意味を持つものであるので、関係する公取委規則を含め、11条の解説に譲る（後記615頁）。

別な規制に服しており、そちらに委ねるという趣旨であろう。

④ **第一種金融商品取引業を営む会社が取得・所有する株式**　第一種金融商品取引業を営む会社が業務として株式を取得・所有する場合の議決権は、除いたうえで、届出義務の成否を判断する（10条3項・4項）。

⑤ **発行者に対抗できない株式**　「社債、株式等の振替に関する法律」147条1項または148条1項の規定により発行者に対抗することができない株式に係る議決権は、含んだうえで、届出義務の成否を判断する（10条3項・4項）。

(4) 組合を通じた株式取得・所有

会社の子会社（前記579～580頁）である組合が組合財産として株式を取得する場合は、組合にとっての直近の親会社による株式取得であるとみなし、そのような組合の組合財産に株式発行会社の株式が属する場合には、組合にとっての直近の親会社による株式所有であるとみなす（10条5項）。組合を通じた株式取得に重要なものがあるため、そのようなものも届出義務の対象となる可能性を開き、それを公取委が把握しようとする趣旨の規定であろう。

これは、条文上はあくまで届出義務に関する規定であり、違反要件に関する規定ではない（10条5項末尾）。したがって、会社の子会社である組合が株式取得を行う場合に10条1項の行為要件が満たされるか否かは、なお議論の余地がある。10条1項または17条の行為要件を満たせば、事前規制の対象となり、そうでなければ、事前規制の対象外となる。

会社の子会社でない組合による株式取得は、10条5項のみなし規定の対象ではない。

4 15条

合併の届出義務は、15条2項に規定されている。

届出義務を負うのは、全ての合併会社である。

合併の届出義務が発生するのは、合併会社のなかに、その属する企業結合集団の国内売上高合計額が200億円を超える会社があり、かつ、他に、その属する企業結合集団の国内売上高合計額が50億円を超える会社があるという場合である（15条2項、施行令18条）。

全ての合併会社が同一の企業結合集団に属する場合には、届出義務の対象とはならない（15条2項ただし書）。これは、そのような企業結合によって新たに問題が発生することはほとんどないことを考慮してのものである。そのような企業結合が必ず違反なしとなるわけではない、と説明されるのが通常であるが、違反の可能性は高くはない。

届出の手順等に関する詳細が、届出規則5条に規定されている。

5　15条の2

(1)　共同新設分割

共同新設分割の届出義務は、15条の2第2項に規定されている。

届出義務を負うのは、共同新設分割をしようとする全ての会社である。

共同新設分割の届出義務は、次のいずれかの場合に、発生する。

第1は、分割会社のうち、全部承継会社[152]のなかに、その属する企業結合集団の国内売上高合計額が200億円を超える会社があり、かつ、他の全部承継会社のなかに、その属する企業結合集団の国内売上高合計額が50億円を超える会社があるという場合である（15条の2第2項1号、施行令19条）。

第2は、分割会社のなかに、その属する企業結合集団の国内売上高合計額が200億円を超える全部承継会社があり、かつ、承継対象部分に係る国内売上高が30億円を超える重要部分承継会社[153]があるという場合である（15条の2第2項2号、施行令19条）。

第3は、分割会社のなかに、その属する企業結合集団の国内売上高合計額が50億円を超える全部承継会社があり、かつ、承継対象部分に係る国内売上高が100億円を超える重要部分承継会社があるという場合である（15条の2第2項3号、施行令19条）。

第4は、分割会社のなかに、承継対象部分に係る国内売上高が100億円を超える重要部分承継会社があり、かつ、他の重要部分承継会社のなかに、承継対象部分に係る国内売上高が30億円を超える会社があるという場合である（15

152）「全部承継会社」とは、その事業の全部を承継させようとする会社をいう（15条の2第2項1号）。事業を承継しようとする会社ではない。本書では、独禁法典の条文にならって「全部承継会社」または「重要部分承継会社」という場合を除き、事業を承継しようとする会社を「承継会社」と呼んでいる（前記556頁）。

153）「重要部分承継会社」とは、その事業の重要部分を承継させようとする会社をいう（15条の2第2項2号）。事業を承継しようとする会社ではないこと等については、「全部承継会社」と同じである。

条の2第2項4号、施行令19条)。

共同新設分割をしようとする全ての会社が同一の企業結合集団に属する場合には、届出義務の対象とはならない(15条の2第2項ただし書)。これは、そのような企業結合によって新たに問題が発生することはほとんどないことを考慮してのものである。そのような企業結合が必ず違反なしとなるわけではない、と説明されるのが通常であるが、違反の可能性は高くはない。

届出の手順等に関する詳細が、届出規則5条の2に規定されている。

(2) 吸収分割

吸収分割の届出義務は、15条の2第3項に規定されている。

届出義務を負うのは、吸収分割をしようとする全ての会社である。そして、この「吸収分割」という概念には、分割だけでなく承継をも含むと解するほかはなく、したがって、届出義務を負うのは、全ての分割会社と承継会社である、ということになる[154)]。

吸収分割の届出義務は、次のいずれかの場合に、発生する。

第1は、分割会社のなかに、その属する企業結合集団の国内売上高合計額が200億円を超える全部承継会社があり、かつ、承継会社の属する企業結合集団の国内売上高合計額が50億円を超える場合である(15条の2第3項1号、施行令19条)。

第2は、分割会社のなかに、その属する企業結合集団の国内売上高合計額が50億円を超える全部承継会社があり、かつ、承継会社の属する企業結合集団の国内売上高合計額が200億円を超える場合である(15条の2第3項2号、施行令19条)。

第3は、分割会社のなかに、分割対象部分に係る国内売上高が100億円を超える重要部分承継会社があり、かつ、承継会社の属する企業結合集団の国内売上高合計額が50億円を超える場合である(15条の2第3項3号、施行令19条)。

第4は、分割会社のなかに、分割対象部分に係る国内売上高が30億円を超える重要部分承継会社があり、かつ、承継会社の属する企業結合集団の国内売上高合計額が200億円を超える場合である(15条の2第3項4号、施行令19条)。

---

154) 詳しくは、15条の2第1項の違反要件規定の箇所でまとめて論じた(前記557〜558頁)。吸収分割に係る届出規則様式第10号においても、「分割する会社」だけでなく「承継する会社」も「届出会社」とされている。

吸収分割をしようとする全ての会社、すなわち、全ての分割会社と承継会社とが、同一の企業結合集団に属する場合には、届出義務の対象とはならない（15条の2第3項ただし書）。これは、そのような企業結合によって新たに問題が発生することはほとんどないことを考慮してのものである。そのような企業結合が必ず違反なしとなるわけではない、と説明されるのが通常であるが、違反の可能性は高くはない。

届出の手順等に関する詳細が、届出規則5条の2に規定されている。

6　15条の3

共同株式移転の届出義務は、15条の3第2項に規定されている。

届出義務を負うのは、共同株式移転をしようとする全ての会社である。

共同株式移転の届出義務が発生するのは、共同株式移転をしようとする会社のなかに、その属する企業結合集団の国内売上高合計額が200億円を超える会社があり、かつ、他に、その属する企業結合集団の国内売上高合計額が50億円を超える会社があるという場合である（15条の3第2項、施行令20条）。

共同株式移転をしようとする全ての会社が同一の企業結合集団に属する場合には、届出義務の対象とはならない（15条の3第2項ただし書）。これは、そのような企業結合によって新たに問題が発生することはほとんどないことを考慮してのものである。そのような企業結合が必ず違反なしとなるわけではない、と説明されるのが通常であるが、違反の可能性は高くはない。

届出の手順等に関する詳細が、届出規則5条の3に規定されている。

7　16条

事業等譲受け[155)]の届出義務は、16条2項に規定されている。

届出義務を負うのは、事業等の譲受会社である。

事業等譲受けの届出義務が発生するのは、譲受会社の属する企業結合集団の

---

155)　違反要件を定めた16条1項では、譲受け以外の行為も対象としているため、本書では、全体に「等」を付けて「事業譲受け等」と表記している。届出義務を定めた16条2項では、譲受けのみが対象となっており、他方で、事業だけでなく事業上の固定資産の譲受けも対象となることを明記して「事業等」という言葉を法定しているので、本書では、届出義務を論ずる場合には「事業等譲受け」と表記する。「固定資産」には知的財産権も含むと解される（前記561頁）。

国内売上高合計額が200億円を超える場合であり、かつ、次のいずれかに該当する場合である（16条2項、施行令21条）。

第1が、他の会社の事業の全部を譲り受けようとする場合であって、当該他の会社の属する企業結合集団の国内売上高合計額が30億円を超える場合である（16条2項1号、施行令21条）。

第2が、他の会社の事業の重要部分または事業上の固定資産の全部もしくは重要部分を譲り受けようとする場合であって、当該譲受けの対象部分に係る国内売上高が30億円を超える場合である（16条2項2号、施行令21条）。

届出の手順等に関する詳細が、届出規則6条に規定されている。

第4節　企業結合審査手続

1　総　説

(1)　概　要

企業結合規制は、事前規制であることを特徴としているので、企業結合審査手続にも、他の違反類型にはない特徴がある。企業結合規制という違反類型に特有の法執行として、この章で論ずる。企業結合審査は、ほぼ全て、企業結合課の所掌事務となっている（組織令14条）。令和3年4月から、企業結合課の職員を独禁法47条の審査官に指定して強制的行政権限を用いること等もあり得るという制度となっている（後記649頁）[156]。

後記**2**において、企業結合審査手続の流れに即して見ていくが、その前提として、まず、平成23年見直しについて概観し、また、手続の流れの随所に登場し得る各種の通知等について見ておくこととする。

(2)　平成23年見直し

企業結合審査手続は、平成23年見直しより前には、法定されていない事前

156）「企業結合審査」は、このように、被疑事件において「審査」と呼ばれるものと重なる部分が生じているものの、依然として、ほとんどの部分は、被疑事件における「審査」とは性質が異なり、言い換えれば、独禁法47条にいう「審査官」としてではない形で、行われているものと思われる。なお、令和3年3月までの状況について、公取委公表平成20年12月3日〔BHPビリトン／リオ・ティントI〕を素材として、勘所事例集332～333頁。

相談を中心としていた[157]。事前相談によって公取委から可との回答を受けたものについて、法定の手続を儀式的に行っていたものと思われる。事前相談を行わないまま法定の手続に入った重要事例もなかったわけではなかった模様であるが、全体のなかでは、ごく一部にとどまっていたものとみられる。

事前相談という仕組みにも長所はあったものと思われるが、担当官によっては時間がどれほどかかるのか予測がつかない、担当官によっては論点の説明が十分でない、などの批判があった[158]。

そこで、事前相談の仕組みを廃止し、もともと平成10年改正で導入されていた独禁法典の規定の枠組み[159]のなかでの企業結合審査手続を行うこととしたのが、平成23年見直しである。すなわち、平成23年見直しにおいては、法改正は行われておらず、企業結合手続方針が策定され、関連して若干の届出規則改正が行われたのみである[160]。それらは基本的には平成23年7月1日から施行等されることとなっていたが、法改正を伴わないものであることにも鑑み、それより前に届け出られた事案にも前倒しで平成23年見直しの枠組みによる企業結合審査手続が行われた[161]。

---

157) 公正取引委員会「企業結合計画に関する事前相談に対する対応方針」(平成14年12月11日)。それ以前から行われていた法定外の手続を整理し明文化したものである。

158) 企業結合手続方針1が、「一層の迅速性及び透明性の向上が求められてきている」としているのは、事前相談の仕組みに対する批判を裏返した表現であると思われる。平成14年の事前相談対応方針に第1次審査・第2次審査の日数の上限が書かれているものの、担当官が判断に熟さないと考える場合には、提出資料が不十分であるとして第1次審査に入っていないこととする「第ゼロ次審査」が長期化するのが常態化していたとの指摘もある。また、重要な論点が明確にされず、企業結合審査との関係が必ずしも明らかでない質問が繰り返されたとされることについても、種々の逸話が伝えられている。以上のような状況を描いた代表的なものとして、川合弘造「公取委の企業結合審査の課題」公正取引711号(平成22年)41～43頁、柏木裕介「競争法における規範の遵守」ソフトロー研究16号(平成22年)47～54頁。

159) 平成10年改正後は15条に規定が置かれていた。平成21年改正によって株式取得も事前届出の対象となったため、条数の若い10条に移された。内容は、平成10年改正によるものに、平成28年改正による確約制度関係のものが加わり、10条8項～14項となっている。

160) 審査手続の見直しとあわせて行われた企業結合ガイドライン(「審査基準」)の見直しも含め、平成23年見直しの経緯と全体像の解説として、小林渉「企業結合規制(審査手続及び審査基準)の見直しの概要」商事法務1938号(平成23年)。

161) 少なくとも平成23年度企業結合事例2〔新日本製鐵／住友金属工業〕と平成23年度企業結合事例6〔HDD並行的企業結合〕では、届出日が平成23年7月1日より前であり、同日をまたいで企業結合審査が行われたが、実際には平成23年見直し後の手続が用いられている。

(3) 審査手続の結論としての通知

① **総説**　企業結合課における企業結合審査手続の終着点は、「排除措置命令を行わない旨の通知」、または、排除措置命令のための事前手続である意見聴取手続を行う旨を知らせる意見聴取通知、である。

これらは、後記**2**の第1次審査から第2次審査にかけての過程のうち、どの場面においてもされる可能性がある。

② **排除措置命令を行わない旨の通知**　競争当局が企業結合審査をして、問題がないと考える企業結合計画について何らかの表明をすることは、一般に「クリアランス」などと呼ばれているところ、公取委はこれを「排除措置命令を行わない旨の通知」と呼んでいる。

「排除措置命令を行わない旨の通知」の制度は、企業結合審査の透明性を高めるためとして、平成23年見直しによって導入された。届出規則に位置付けのある通知となっている（届出規則9条）。したがって、「排除措置命令を行わない旨の通知」は「9条通知」と呼ばれることもある。

「排除措置命令を行わない旨の通知」は、無条件でされることもあれば、当事会社が問題解消措置を約束し履行することを条件として、されることもある（後記**3**）。

③ **確約手続**　企業結合審査手続において確約手続を用いることもできる（後記606〜607頁）。

④ **意見聴取通知**　公取委が、企業結合審査をした企業結合計画について排除措置命令のための事前手続である意見聴取手続（後記第15章第7節）に進むべきであると考えた場合には、意見聴取通知をする（50条1項）。

2　企業結合審査手続の過程

(1) 総　説

① **概要**　以下では、企業結合審査手続の流れに沿って見ていく。

その際に頻出する独禁法典の条文として10条8項〜14項がある。合併、分割、共同株式移転、事業譲受け、においては、厳密には、それぞれ、15条3項、15条の2第4項、15条の3第3項、16条3項、が10条8項〜14項を読み替えて準用することになるが、以下では、そのことを含めて単に「10条○項」と記載する[162]。

② **届出義務のない企業結合計画の審査**　以下に見ていく企業結合審査手続は、第一義的には届出義務のある企業結合計画を念頭において組み立てられているが、届出義務のない企業結合計画についても、当事会社が公取委に相談した場合には、同様の審査手続を行うこととなっている163)。

届出義務のない企業結合計画に関する相談は、具体的な計画内容を示すことが可能となった時点で、相談を申し込むことが可能であるとされる164)。

スタートアップなどと呼ばれる新興企業の買収（前記570頁）など、被買収会社の売上額が小さいために届出義務がない企業結合が注目を受けている。そのような企業結合を違反とできるかという問題もさることながら、そのような企業結合計画をどのようにして捕捉するかという問題も注目された。公取委は、そのような企業結合計画に届出義務を課すのでなく、一定の基準を示して、それを満たすような企業結合計画であれば公取委に相談することが望まれる、とする方法を採用した。被買収会社の売上額ではなく、買収会社による買収額に着目し、その総額が400億円を超えると見込まれ、被買収会社が日本国内で所定のプレゼンスを持つ場合を、念頭に置いている165)。

③ **公表**　企業結合審査手続の事例に係る公表は、いくつかの類型に分かれる。第1に、公取委が報告等要請を行い第2次審査に入る際には、その旨が公表される166)。第2に、第1次審査で終了した事例であって他の会社等の参

162)　平成21年改正によって株式取得が事前届出となったことに伴い、金融庁ウェブサイトに掲げられた金融庁企画市場局「株券等の公開買付けに関するＱ＆Ａ」に問7〜問11が追加された（平成21年11月26日）。その後、平成23年見直しによって企業結合審査手続が大きく変わったが、それに伴う変更も平成23年7月1日に行われている（ただし、問10への回答の第1段落のように、事前相談に対して問題なしとする回答を排除措置命令を行わない旨の通知へと機械的に置き換えたために若干意味を成さなくなっているようにみえる記述もある）。このＱ＆Ａで「待機期間」とされているのは公取委で主に禁止期間と呼ばれている10条8項の期間（後記(4)）であり、このＱ＆Ａで「措置期間」とされているのは意見聴取通知期限までの期間である（いずれも、問8に対する回答）。このＱ＆Ａは、令和2年9月30日の追加・変更後の段階では、独禁法の平成25年改正を反映していないようであるが（意見聴取通知（事前通知）や緊急停止命令の関係規定）、理解の妨げとなるほどのものではない。平成21年のＱ＆Ａ追加時（平成23年見直し前）のものではあるが、詳細な解説として、野崎彰＝宮下央「独占禁止法の改正に係る公開買付制度上の取扱い（Ｑ＆Ａ）の解説」商事法務1886号（平成21年）。

163)　企業結合手続方針6。

164)　届出Ｑ＆Ａ「届出不要な企業結合に関する相談について」答。

165)　以上、企業結合手続方針6(2)。令和元年12月17日の改定で追加された。

考となるものと、第2次審査で終了したものについては、審査結果が公表される[167]。第3に、排除措置命令を行わない旨の通知がされた事例は、原則として全て、一覧表の形で公表される[168]。

確約手続や、意見聴取手続を含む排除措置命令手続では、それぞれにおける手順によって公表がされることになる。

(2) 届出前相談

届出予定会社は届出の前に「届出前相談」をすることができる。例えば、届出書には市場における地位を記載する項目があるので、市場画定に関する公取委の考え方について相談し、その時点での情報に基づき可能な範囲で公取委から説明を受けるなどすることができる。届出後の審査において、届出前相談における公取委の説明が修正されることがある[169]。

独禁法上の判断を回答することはない、とされる[170]。

届出前相談をしなかったからといって届出予定会社が不利に扱われることはない、とされる[171]。

かりに届出前相談が肥大化することとなれば、種々の批判を受け平成23年見直しによって廃止した事前相談と大差ないこととなる。しかし、企業結合をしようとする側にも種々の意見や思惑があるものであり、企業結合の背景事情を十分に公取委に説明して、また、可能な範囲で事前に公取委から説明を得て、届出後の審査を円滑に進めたいと考える場合も多いであろう[172]。

---

166) 企業結合手続方針4(1)。

167) 企業結合手続方針3(3)、4(3)。4(3)注4によれば、意見聴取通知のあと、排除措置命令に至らなかった事例についても、審査結果が公表される。届出義務のない事例の審査結果の公表についてもそれに準じることとなると考えられ(企業結合手続方針6(1))、現に公表事例がある。以上のような審査結果の公表は、排除措置命令を行わない旨の通知のあと直ちに行われ、毎年6月頃に公表される各年度の企業結合事例集にも登載される場合と、企業結合事例集への登載のみの場合とがある。

168) 公取委ウェブサイト「企業結合の届出一覧」。

169) 以上、企業結合手続方針2。届出前相談の実際について、例えば、原田郁・菅久品川他4版328〜329頁。

170) 届出Q&A「届出前相談について」答2。

171) 届出Q&A「届出前相談について」答3。

172) 「企業結合の届出一覧」(前記(1)③)を見ると、企業結合事例集に登載されてそれなりに複雑・詳細な検討がされたように見える事例であっても、届出からクリアランスまでの期間が短いものが少なくないことがわかる。

(3) 届　出

届出義務のある企業結合計画について、届出が行われる（前記第3節）。

届出は、企業結合の実行予定日からみて、いくら早い時期に行っても、それ自体としては問題ないこととされている[173)][174)]。

(4) 禁止期間

届出受理の日から30日を経過するまでは、届出会社は届出に係る企業結合行為をしてはならない（10条8項）[175)][176)]。違反に対して刑罰の定めがある（91条の2）[177)][178)]。

この期間は、「禁止期間」と呼ばれている[179)]。

禁止期間は、公取委が必要があると認める場合には、短縮される（10条8項ただし書）。企業結合ガイドラインは、違反要件を満たさないことが明らかで、かつ、当事会社が書面で申し出ることを、必要としている[180)]。

禁止期間の起算点の基準として、10条8項には、「届出受理の日」という文言がある。企業結合行為の届出には行政手続法が適用されるところ[181)]、行政手続法においては「受理」という概念はなく、不備のない書類が行政庁の事務所に到達すれば足りる（行政手続法37条）。しかし、届出書に形式的不備のない

---

173) 届出Q＆A「届出手続について」答5は、不備のない届出をすることができるのであればいつでも構わないとしつつ、あまりに早いと事情変更が生じやすく変更報告書や再届出が必要となりやすい旨を述べている。

174) 届出Q＆A「届出手続について」答6は、企業結合行為の契約の締結前でも、契約書の案を添付すれば届出が可能であるとしている。

175) この種の期間計算には民法138条以下の期間計算の規定が適用されるので（ワークブック法制執務新訂2版210頁）、初日は不算入とし、翌日から起算する（民法140条）。翌日を1日目と呼ぶとすれば、30日を「経過する」のは30日目の24時（31日目の午前0時）となる。

176) 17条は10条8項の受け皿とならないと解される（前記576頁註122）。

177) 未遂を罰する規定はない。未遂を罰するには、明文の規定が必要である（刑法8条、44条）。

178) 15条～15条の3の場合には、公取委による無効の訴えの定めもある（18条）。

179) 公取委や拙著も含め、この期間を「待機期間」と呼ぶ例もあったが、この言葉のもとになっている「waiting period」という言葉は、外国では、第2次審査に相当する期間を指すことも多い。公取委は、遅くとも平成23年見直しにおける企業結合手続方針の公表より後は、10条8項の期間の呼称は「禁止期間」に統一するよう努めているように思われる。

180) 企業結合ガイドライン「付」。当事会社による申出は、排除措置命令を行わない旨の通知がされた後においても可能である（企業結合手続方針3注3）。

181) 独禁法典において行政手続法の適用除外を定めた規定は2つあるが（70条の11、117条）、いずれも、企業結合行為の届出は対象としていない。

ことを確認し、禁止期間の起算点の基準となる日を公取委の側から明らかにする届出受理書を交付することは（届出規則7条1項・2項）、行政手続法の理念との関係でも問題はなく、当事会社にとっても助かることであろう[182]。

禁止期間の終了後は、独禁法典が一般的に企業結合行為を禁止するということはないが、緊急停止命令（70条の4）や排除措置命令（17条の2）の可能性は残る。

(5) 第1次審査

届出受理の日から「排除措置命令を行わない旨の通知」がされる日または後記(6)②の報告等要請の前日までの企業結合審査を、第1次審査と呼んでいる[183]。多くの企業結合計画は、第1次審査の段階で、「排除措置命令を行わない旨の通知」を受けているようである。

企業結合審査手続の継続を望むが何らかの理由で第2次審査への移行は好まないという当事会社が、届出を取り下げて改めて新たな届出をする、ということもあるようである[184]。

(6) 第2次審査

① **総説**　公取委が、第1次審査だけでは足りず、更に資料と時間を得て企業結合審査をしたいと考えた場合には、報告等要請をして、第2次審査に入る。第2次審査とは、報告等要請以後に行う企業結合審査を指す。

公取委は、意見聴取通知または排除措置命令を行わない旨の通知を、意見聴取通知期限（後記(7)）までに行うことになる。

② **報告等要請**　「報告、情報又は資料の提出」を「報告等」と呼んでおり（10条9項）、公取委が当事会社にこれを求めることを「報告等要請」などと呼んでいる。報告等要請は、所定の報告等要請書によって行い、報告等を求める趣旨を記載するものとされている（届出規則8条1項）。

報告等要請は、禁止期間内に行わなければならない（10条9項）[185]。

---

182) 行政手続法の理念からみて当然、届出会社は、届出受理の日が届出受理書の日付より前である等の主張をして争うことはできる。

183) 企業結合手続方針3注2。

184) 届出をしただけでは公取委からは公表されない（前記(1)③）。また、第2次審査に入れば公取委における意思決定手順が重くなる等の事情があることも想像される。

185) 深町正徳・深町編著2版376頁によれば、30日目が休日である場合には、直近の休前日までに報告等要請または排除措置命令を行わない旨の通知を行うことになる。

③ **公表・意見募集**　公取委は、報告等要請を行った企業結合計画については、公表する[186]。

公表された企業結合計画について意見のある者は、何人でも、公表後30日以内に、公取委に意見書を提出することができる[187]。

この30日以内の期間に当事会社に対して意見聴取通知または「排除措置命令を行わない旨の通知」を行うことは、事実上、簡単ではないであろう。

(7) 意見聴取通知期限

① **総説**　第2次審査は無期限で行えるものではなく、公取委は意見聴取通知を行う場合には全ての報告等を受理した日[188]から90日を経過した日までに行わなければならない（10条9項）。この期限を「意見聴取通知期限」と呼んでいる[189][190][191]。「排除措置命令を行わない旨の通知」をする場合も、意見聴取通知期限までに行うことになる。

② **時計の進行**

意見聴取通知期限までの日数のカウントは、途中で止めることはできない。外国の競争法では、競争当局または当事会社が「時計を止める」ことができる

---

186) 企業結合手続方針4 (1)。

187) このことを、企業結合手続方針4 (2) は「第三者からの意見聴取」と呼んでいる。平成25年改正後において、第2次審査を終えて排除措置命令をするか否かを検討する意見聴取手続との関係で紛らわしい用語である。前者は第三者からの意見聴取であり、後者は名宛人予定者すなわち当事会社からの意見聴取である。なお、本書では、後者の意見聴取手続を行う旨を知らせる通知を「意見聴取通知」と呼んでいる。

188) この「受理」については、前記(4)と同様のことが当てはまる。

189) 意見聴取通知期限は、平成25年改正前は「事前通知期限」と呼ばれていた。

190) 10条9項には、「届出受理の日から120日を経過した日」云々の文言もあるが、これが全ての報告等の受理日から90日を経過した日より遅くなるのは、禁止期間中の早い時期に報告等要請が行われ、全ての報告等の受理が届出受理日から30日以内に行われた場合に限られるところ、これは実際にはあまりないことである。以下では「90日」のみを念頭において論ずる。

191) この種の期間計算には民法138条以下の期間計算の規定が適用されるので（ワークブック法制執務新訂2版210頁）、初日は不算入とし、翌日から起算する（民法140条）。翌日を1日目と呼ぶとすれば、90日を経過するのは90日目の24時（91日目の午前0時）であり、「90日を経過する日」なら90日目であるが、10条9項に規定された「90日を経過した日」は91日目である。第2次審査に入った事例では公取委が審査結果を公表し、そこに当該事例での意見聴取通知期限が記されているが、平成24年度以降の公表事例では、91日目が意見聴取通知期限（事前通知期限）とされている。91=7×13であるから、意見聴取通知期限は、全ての報告等の受理の日の13週間後の同曜日ということになる。

例が多いが、日本独禁法ではそれができない。そこで、当事会社側では、時間的に公取委を追いつめたために公取委が念のために意見聴取通知を行うに至り企業結合計画の進行に悪影響が生ずる可能性に配慮して、具体的な事例における対応策が模索されることになる[192]。

個別の具体的な事例では、多くの場合、当事会社の側で、全ての報告等の受理の日が来ないようにすることによって時計がスタートしないようにする、ということが行われているようである。この間に実際には、十分な報告等をなるべく早く行って公取委との交渉を進め、必要に応じて問題解消措置についても妥結して、公取委から「排除措置命令を行わない旨の通知」を得ることができることが明らかになってから、形式的に最後に残した若干の報告等を行い、全ての報告等の受理としているものであろう[193]。これでは、企業結合審査期間に関する予見可能性を高めようとした平成23年見直しの方向性を当事会社側が無にしているようにもみえるが、当事会社側からは、期間に全く制限のなかった平成23年見直し前に比べれば、いつでも時計をスタートさせることができるポジションを当事会社がもっているという意味で、現行制度には意味がある、との指摘も聞かれる。

もちろん、当事会社の側がこのような戦術をとるか否かは自由であるから、このような戦術は採らず公取委を時間切れに追い込んで結論を出させたのではないかとみられる事例も存在する。

もっとも、さらに視野を広げれば、いつでも時計をスタートさせることができるというポジションを確保しつつ公取委に十分な審査を行ってもらおうとする当事会社は、届出前相談に時間をかけて、問題解消措置が必要とされる場合も含め、クリアランスの見通しが立ってから届出をする、という方法もある。全体を見ると、こちらに依拠している当事会社が多いようにも見受けられる。

192）平成28年改正による確約手続の導入により、公取委が一定の条件のもとで審査期間を実質的に延ばすことが可能となった（後記③(iv)）。これが現実化するか否かは定かではない。

193）第2次審査に進んだ事例では、報告等要請の日、全ての報告等の受理日、「排除措置命令を行わない旨の通知」をした日、が公取委から公表されるが、そこにおいて、報告等要請の日と全ての報告等の受理日が離れており、全ての報告等の受理日と「排除措置命令を行わない旨の通知」をした日が近接している事例は、いずれも、本文に掲げた戦術がとられたものである可能性が高い。そして、公表される事例にそのようなものが多いのが現実である。当事会社の側または公取委の担当官が、解説等において、そのような戦術が採られた旨を明言する例もみられる。

③ 意見聴取通知期限の例外

(i) 総説　意見聴取通知期限については、例外が規定されている（10条9項ただし書）。そのいずれかに該当した場合には、10条9項本文による意見聴取通知期限の後においても、公取委は意見聴取通知をすることができる。

(ii) 届出事項の不実施　第1の例外は、届出に係る企業結合計画のうち、「第1項の規定に照らして重要な事項」が、当該計画において示された期限までに行われなかった場合である（10条9項1号）。「第1項の規定に照らして重要な事項」とは、当該事項を行わないならば当該企業結合計画が10条1項の違反要件を満たすおそれがあったものを指すと解される。届出書に書かれた事項が行われなかった場合であっても、それが10条1項の違反要件の成否に関係のないものであれば、例外的に意見聴取通知をする根拠とはならない。

継続的に行うこととなっていた事項については、「期限」が継続的に到来していると考え、当該事項が行われなかった時点で10条9項1号の要件を満たすものと解される。

届出の後に行われる企業結合審査の過程で、当事会社が公取委から「排除措置命令を行わない旨の通知」を得るために提案した問題解消措置も、届出内容に織り込むよう処理され（後記606頁）、以上のような仕組みによって実施確保が図られることになる。

10条9項1号の場合の意見聴取通知は、企業結合計画に示された期限から起算して1年以内に行わなければならない（10条10項）。

(iii) 虚偽記載　第2の例外は、届出に係る企業結合計画のうち、重要な事項につき虚偽の記載があった場合である（10条9項2号）。1号の場合と異なり、「第1項の規定に照らして重要な事項」ではなく単に「重要な事項」となっている。いずれにしても10条1項に違反すると公取委が思料するのでなければ意見聴取通知をすることはできないのであるが、2号に「第1項の規定に照らして」の文言がないのは、以下のような観点から、やはり意味があるのではないかと思われる。例えば、違反なしと判断する根拠とされた記載が虚偽であることが判明した場合は「第1項の規定に照らして重要な事項」の虚偽記載といいやすいであろう。しかし、例えば、行うべき調査が虚偽記載によって滞ったために意見聴取通知期限までに意見聴取通知をしなかったが、虚偽であることがわかったために調査が進捗し、その結果として違反と考えるに至った、という場合は、当該虚偽記載が「第1項の規定に照らして重要な事項」の虚偽記載と言えない場合もあろう。2号に「第1項の規定に照らして」の文言がないので、そのような場合も、10条9項本文の意見聴取通知期限より後の意見聴取通知が可能となると解される。

虚偽記載があった場合については、10条10項に相当する規定は置かれておらず、公取委はいつでも意見聴取通知をすることができると考えられる。

(iv) 確約手続に移行したが功を奏しなかった場合　企業結合規制においても確約手続の利用が条文上は可能となっており（48条の2)、確約計画に盛り込まれた確約措置という形で問題解消措置が公取委の確約認定を受けるということがあり得るが（後記606〜607頁)、これが功を奏しなかった場合には、意見聴取通知期限が延ばされることとなる。確約手続通知をしたが確約認定申請がなかった場合、確約認定申請があったが取り下げられた場合、確約認定申請に対する却下決定があった場合、確約認定の取消しがあった場合、である（10条9項3号〜7号・11項〜14項)。確約認定の取消しの場合は、確約措置の不実施を理由とするときには取消しの決定の日から1年以内に意見聴取通知をすることができ、虚偽または不正の事実に基づいて確約認定を受けていたことを理由とするときには期限なく意見聴取をすることができる[194)]。

(8) 意見聴取手続

意見聴取通知の後、意見聴取手続（後記第15章第7節）に入る。

意見聴取手続においては、意見聴取官の前で、通知を受けた当事者・代理人(51条）と、審査官等（54条）とが、対峙する。

意見聴取手続の段階で、当事者と審査官等との間で、問題解消措置を含めた交渉が妥結することはあり得ると考えられる。この場合、問題解消措置をとるべきことを内容とする排除措置命令が目指されることになるのか、あるいはそれ以外なのか、などは、事案によって異なるであろう。

(9) 排除措置命令

意見聴取手続を経て、排除措置命令をすることとなった場合には、17条の2の規定によって排除措置命令を行う。排除措置命令には、単に企業結合行為を

---

194) 前者については10条14項に規定がある。平成28年改正解説58頁。後者は、企業結合計画に虚偽記載があったとき（10条9項2号）と同様に、10条10項〜14項に相当する規定を置かないことによって示されている。平成28年改正解説57頁。

禁止するものと、問題解消措置をとるよう求めて企業結合行為それ自体は禁止しないものとが、あるであろう。

17条の2が1項と2項に分かれているのは、事業者と呼べない者が違反者となり得る条については2項、事業者と呼べる者が違反者となることが確実な条は1項、という形式的な色分けにすぎないように思われ、実質的な違いはないように思われる。2つの項に掲げられた排除措置は、あくまで例示である。

いずれの項も、「違反する行為があるときは」という表現となっており、違反行為が現に行われるまでは命令をすることができないかのようにもみえるが、そこまで厳格な解釈をせず事前に命令をすることができることが当然の前提となっているように思われる[195)]。

3　問題解消措置

(1)　総　説

企業結合計画に対して公取委がもつ違反の疑いを払拭するため、当事会社が提案するのが問題解消措置である。

論理的には、違反要件のうち1つが不成立となることを明確化するものであればよい。ほとんど全ての問題解消措置は、価格等の競争変数が左右されることとならないようにするものである。そのような事例の割合があまりに多いため、むしろ、そのことが言語化されず意識されないまま議論されている。論理的には、別の違反要件を不成立とする問題解消措置もあり得る[196)]。

---

195)　例えば、17条の2によって排除措置命令がされた著名事例である公取委同意審決昭和44年10月30日・昭和44年（判）第2号〔八幡製鉄／富士製鉄〕も、問題解消措置をとるべき旨の命令を合併前に行っている。

196)　大多数の問題解消措置の法的位置付けが言語化されることがほとんどないのと同様、論理的にあり得る珍しい例の法的位置付けが言語化されることもあまりない。因果関係の要件の不成立を明確化する問題解消措置がとられたと位置付けられる例として、平成30年度企業結合事例7〔USEN-NEXT HOLDINGS／キャンシステム〕（事例集55～57頁）。企業結合事例検討公正取引825号20～22頁。別の例として、当事会社のうち市場シェアの低いほうと同等のプレゼンスを他の供給者が発揮できるようにする問題解消措置も、当該他の供給者が企業結合前の当事会社の一方の役割を担うようにするという意味で、問題解消措置によって因果関係要件が不成立となれば足りるという発想を内包している。例として、令和3年度企業結合事例3〔神鋼建材工業／日鉄建材〕（事例集31頁）。そのほか、結合関係があるという公取委の判断を受けて、結合関係がないことを明確化する問題解消措置がとられた例として、令和3年度企業結合事例1〔日本製鉄

少なくとも建前では、公取委が指示するのでなく、当事会社が自主的に提案するものであって、公取委はそれを含めて検討して企業結合計画が違反か否かを判断するのみである、ということになっている[197)]。

当事会社からの問題解消措置の申出は、第1次審査や第2次審査において、違反である、または、違反のおそれがある、といった公取委の所見が示された場合にされるのが通常であると考えられているが、手続進行に関する当事会社の都合などによっては、公取委が違反のおそれに関する所見を示す前から、手続を早期に終了させるために、当事会社から提案されることもある[198)]。

問題解消措置の実施は、企業結合行為の前に行うのが原則とされるが[199)]、企業結合行為後に行う措置が公取委によって勘案された例は多くある。

(2) 問題解消措置の内容

① **総説** 問題解消措置には、事案に応じて、様々な形態のものがあり得る[200)]。

構造的措置と行動的措置では、構造的措置が原則だとされる[201)]。しかし、例外であるとされるために公取委に対する多めの説明が必要となるとしても、行動的措置によって違反の疑いの払拭が認められた例も数多い[202)]。

／東京製綱〕(事例集4～5頁)。

197) 公取委が、問題解消措置をとるべきことを指示したり、問題解消措置の内容を指示したりすると、行政手続法上の行政指導（行政手続法2条6号）に該当する。公取委においては、これを避けるための建前が堅持されているように見受けられる。以上のことは、第1次審査や第2次審査などの期間中に問題解消措置が申し出られる場合を念頭に置いたものである。排除措置命令のなかに問題解消措置が盛り込まれる場合は、正式の法的命令であるから、行政指導ではない。

198) そのようなものは、公取委の事例集等では、「問題解消措置」という6字の言葉を用いず、単に「措置」などと呼ばれることがある。これは、企業結合ガイドライン第7の1および企業結合手続方針3(3)が、「企業結合が一定の取引分野における競争を実質的に制限することとなる場合に」問題を解消する措置を「問題解消措置」と定義しているため、この定義を尊重したものであろう。しかし、実質的には、違反のおそれがあるとの所見を公取委が示した後に提案されたものと、そのような所見が示される前から提案されたものとの間に、法的な取扱いに特段の差異はない。本書では、それらをまとめて、広い意味で「問題解消措置」と呼ぶ。公取委の文書にも、同様のものが見られる。

199) 企業結合ガイドライン第7の1。

200) 類型ごとに詳細に解説したものとして、深町正徳・深町編著2版334～360頁。同361～365頁には事例の一覧表もある。

201) 企業結合ガイドライン第7の1。

202) 具体例は後記③。平成24年度企業結合事例10〔東京証券取引所／大阪証券取引所〕は、そ

そもそも、後記②③の例にもみるように、突き詰めて考えた場合に、構造的措置と行動的措置のいずれかに明確に区分できるか否かが難しい例も多く、また、両者を区別することにそれほど大きな実益があるようにも思われない。あるとすれば、企業結合ガイドラインにおいて構造的措置が原則だとされているので、構造的措置に分類されたほうが企業結合審査における当事会社の説明の負担が相対的に小さい、というだけであろう。

実際的には、構造的措置は事業譲渡など一回的に市場構造を変えてしまうものであって継続的監視が不要であり、行動的措置は継続的に行われるものであって継続的監視が必要である、と言われ、このことが、構造的措置が原則だとされる背景にあるのではないかとも思われる。しかしそうであるならば、構造的措置と行動的措置という2分類を論ずるより、一回的措置か継続的措置かという2分類を論ずるほうが直截かつ有益であろう。

問題解消措置は、違反の疑いを払拭するのに過不足のないものとするのが望ましい。違反の疑いを払拭するのに十分な方法を当事会社が提案しているのに、公取委がそれを超えた問題解消措置を求めるのは、比例原則の観点から適切でない。

② **構造的措置の例**　構造的措置の典型例は、事業譲渡である[203)]。

施設等において複数の商品役務を生産している場合に、特定の商品役務だけが問題となった場合には、施設等の譲渡をせずに、問題となった商品役務だけについて、持分を譲渡するという方法や[204)]、取引権を商社等に設定するという方法もある[205)]。

の事例において構造的措置をとることは現実的でなく、また、構造的措置以外の措置により問題を解消することが可能であれば構造的措置が不可欠であるとはいえない、としている（事例集83頁）。

203）例えば、平成21年度企業結合事例7〔パナソニック／三洋電機〕（事例集39頁）、平成24年度企業結合事例9〔ヤマダ電機／ベスト電器〕（事例集72～73頁）、平成26年度企業結合事例7〔ジンマー／バイオメット〕（事例集66～67頁）、令和2年度企業結合事例3〔DIC／BASFカラー＆エフェクト〕（事例集21～22頁）。銀行の企業結合において債権譲渡がされた事例として、平成30年度企業結合事例10〔ふくおかフィナンシャルグループ／十八銀行〕（事例集80～84頁）。

204）平成30年度企業結合事例4〔新日鐵住金／山陽特殊製鋼〕（事例集32～34頁）、令和3年度企業結合事例3〔神鋼建材工業／日鉄建材〕（事例集29～32頁）。

205）平成21年度企業結合事例2〔新日本石油／新日鉱ホールディングス〕（事例集12～13頁）、平成23年度企業結合事例2〔新日本製鐵／住友金属工業〕（事例集12～13頁）。

構造的措置が適切に履行されているか否かのチェックを独立の機関に委ねることとする場合もあるが、常にそれが求められるわけでもなく、必要性とコスト等との見合いとなるであろう。

③　**行動的措置の例**　　行動的措置には様々なものがあり得る。他の供給者による牽制力を確保するための措置が代表的であるが[206)]、問題とされた商品役務に限って実質的には企業結合前の状況が維持されることとなるよう独立性を保つための措置[207)]、因果関係の要件が不成立となるよう流動性を確保する措置[208)]、などがある[209)]。

---

206)　川上からの投入物を同等かつ合理的な条件で供給したり川下において同等かつ合理的な条件で購入したりするなどの措置が代表例であるが、需要者が他の供給者から購入した際に不利益取扱いをしないことを確約することで流動性を確保するなど、様々なものがある。垂直型企業結合や混合型企業結合と位置付けられた事例で懸念される行動（閉鎖行動や情報入手）が起きないようにしたもの、と平易に説明できるものもあるが、そうではなく水平型企業結合と位置付けられた事例で、他の供給者による牽制力を確保するため同様の措置をとることとしたものもある（そのような事例は、水平型企業結合と性格づけられた場合であっても、厳密には、問題となった商品役務と、その川上や川下で当該商品役務の事業を支える事業との、垂直型企業結合であった、ということでもある）。以上のものを特に区別せず平成23年見直しより後の例を掲げると、平成23年度企業結合事例2〔新日本製鐵／住友金属工業〕（事例集18〜19頁）、平成24年度企業結合事例1〔大建工業／C & H〕（事例集9〜10頁）、平成24年度企業結合事例4〔ASML／サイマー〕（事例集40〜44頁）、平成24年度企業結合事例10〔東京証券取引所／大阪証券取引所〕（事例集89頁、98〜99頁）、平成28年度企業結合事例3〔石油会社並行的企業結合〕（事例集31〜32頁、32〜33頁）、平成28年度企業結合事例5〔新日鐵住金／日新製鋼〕（事例集51〜58頁）、平成29年度企業結合事例2〔日立金属／三徳〕（事例集12〜13頁）、平成29年度企業結合事例3〔クアルコム／NXP〕（事例集23頁）、平成29年度企業結合事例4〔ブロードコム／ブロケード〕（事例集32〜33頁）、平成30年度企業結合事例6〔JXTG／スタルク TaNb〕（事例集48〜49頁）、令和元年度企業結合事例2〔TDK／昭和電工〕（事例集17〜18頁）、令和元年度企業結合事例6〔トヨタ自動車／パナソニック〕（事例集47〜49頁）、令和元年度企業結合事例8〔エムスリー／日本アルトマーク〕（事例集67〜69頁）、令和2年度企業結合事例4〔富士フイルム／日立製作所〕（事例集28〜29頁）、令和2年度企業結合事例6〔Google／Fitbit〕（事例集59〜60頁、61〜62頁、63〜64頁）、令和2年度企業結合事例10〔Zホールディングス／LINE〕（事例集143〜146頁）、令和4年度企業結合事例6〔今治造船／日立造船〕（事例集89〜90頁）。

207)　平成26年度企業結合事例3〔王子ホールディングス／中越パルプ工業〕（事例集30〜32頁）。

208)　平成30年度企業結合事例7〔USEN-NEXT HOLDINGS／キャンシステム〕（事例集55〜57頁）。企業結合事例検討公正取引825号20〜22頁。

209)　当事会社が供給者であるわけではない商品役務の供給者に当事会社が出資しているという状況において当該商品役務に関する協調的行動が懸念された事例で、出資を縮小・解消する措置をとったものとして、平成28年度企業結合事例3〔石油会社並行的企業結合〕（事例集30〜31頁、

その他、価格の変更を外部者による諮問委員会の承認にかからしめる[210]、などという事例もある。

④　**問題を解消できると見込まれる措置である必要性**　問題解消措置は、問題を解消できると見込まれるものである必要がある。例えば、構造的措置にせよ行動的措置にせよ、他の供給者に牽制力を持たせる問題解消措置である場合、当該他の供給者に能力とインセンティブがある必要がある。

⑤　**問題解消措置が競争上の懸念をもたらす場合**　問題解消措置を実施することによって競争上の別の懸念をもたらすか否かも、検討対象となり得る。これから実施しようとする企業結合行為そのものによってもたらされる懸念ではないので、当該企業結合行為に対する条文の適用から直ちに導かれることではないかもしれない。その次の段階の独禁法上の問題をあらかじめ解決しておくという意味合いは持つと考えられる[211]。

⑥　**独立の監視者の有無**　問題解消措置が適切に履行されているか否かのチェックを独立の監視者に委ねることとする場合もあるが、常にそれが求められるわけでもなく、必要性とコスト等との見合いとなるであろう。日本独禁法の事例でそのようなものが置かれた例は、外国の競争法に基づく企業結合審査も同時に受け、そちらで必要とされて監視者を置くこととしたから、公取委への申出にも書き込んでおいた、という趣のものが多いように見受けられる。

(3)　問題解消措置の手続

①　**問題解消措置の申出時期**　問題解消措置は、「審査期間において、いつでも」申し出ることができるとされる。「審査期間」とは第1次審査および第2次審査を行う期間であるとされている[212]。公取委の意見聴取通知後において問題解消措置の申出をすることもできる[213]。

32頁)。企業結合事例検討公正取引803号12頁。

210)　平成24年度企業結合事例10〔東京証券取引所／大阪証券取引所〕(事例集82～83頁)。

211)　平成28年度企業結合事例9〔アボットラボラトリーズ／セントジュードメディカル〕(事例集80～82頁)。問題解消措置の内容が別の企業結合行為であると評価し得るものであり、問題となっていた企業結合行為に関する検討のなかで入れ子のように検討が行われている。事例によっては、問題解消措置が企業結合行為には該当せず、例えば業務提携であって、企業結合規制の対象でないという場合もあり得ると考えられる。企業結合事例検討公正取引803号17頁。

212)　以上、企業結合手続方針5。

213)　企業結合手続方針4 (3) 注4。

② **問題解消措置の実施確保**　問題解消措置は、届出の段階で決まっていれば、届出書に書き込めばよいが、届出後の企業結合審査の段階で策定した場合には、届出書に書いていない。公取委の側から見れば、その実施をどのようにして確保するかという問題が生ずる。

実際には、問題解消措置を書き込んだ変更報告書を提出し（届出規則7条3項）、これを届出書の一部と擬制して、10条9項1号の意見聴取通知期限の例外規定の適用対象とすることで、対応が行われるのが通例である[214]。すなわち、問題解消措置の不実施があれば、いつでも意見聴取通知をすることができる、ということによって、間接的に実施を確保しようとするものである。

③ **確約手続による場合**　平成28年改正によって確約手続（後記第15章第6節）が導入され、確約計画のなかの確約措置という形で問題解消措置が申請され公取委が確約認定をする、ということもあり得ることとなった（前記600頁）。

確約認定がされた場合には、送達された認定書が、排除措置命令を行わない旨の通知と同様の意味をもつこととなる（48条の4）。

問題解消措置すなわち確約措置の不実施の場合には、認定の取消決定がされ（48条の5第1項）、17条の2による排除措置命令があり得ることとなる（48条の4ただし書）[215]。

以上のようにみると、従来どおりの変更報告書による方法と、確約手続による方法とで、実施確保の強制力などにおいて違いはないように思われる。

確約手続通知があった場合でも、当事会社が変更報告書による問題解消措置

214）　公取委は、一般論としては、変更報告書による方法のほか、届出規則7条4項の再届出によって、届出書に問題解消措置を盛り込むべき場合もある、としているが、実例はないようである（深町正徳・深町編著2版384頁）。問題解消措置により企業結合行為それ自体が他の類型の企業結合行為に変わる場合や、企業結合行為としての同一性が保たれない場合には、再届出ということになろうか。なお、平成23年度企業結合事例2〔新日本製鐵／住友金属工業〕は、問題解消措置をとることとしたためではなく、問題解消措置を条件にして「排除措置命令を行わない旨の通知」がされた後、企業結合行為前に、他の原因により、別の企業結合行為類型によることとなったために、改めて届出がされた事例でもある。一旦は実質的な企業結合審査が終わっており、問題解消措置が新たな届出書に書き込まれたことを理由に、翌営業日に「排除措置命令を行わない旨の通知」が行われている（以上、事例集4頁）。

215）　認定の取消決定の場合に2年以内に排除措置命令が可能である旨の規定（48条の5第3項）は17条の2を挙げていない。意見聴取の期限に関する10条の規定によることになる（前記600頁）。

の申出をし、それを前提として公取委が排除措置命令を行わない旨の通知をすることは、可能であると考えられる。

(4) 問題解消措置の事後的変更・終了

問題解消措置は、あらかじめ時限のものとして申し出られない限り、将来にわたって期限なく実施する必要がある。

ただ、市場の状況の変化により、問題解消措置をとる必要がなくなったと認められる場合には、当事会社の申出に基づき、公取委が問題解消措置の事後的変更・終了を認めることがあり得る、とされる[216)]。問題解消措置の設計の問題として、単に無期限とするのでなく、一定期間を経れば原則として終了することにし例外的な場合に限って継続することとするなど、一定期間を経れば見直すことを盛り込むなどの工夫はあり得るものと思われる。

216) 深町正徳・深町編著2版334頁。「期限の定めがなければ未来永劫継続する必要がある」と、強い言葉を使っているが、問題解消措置の必要性が変化・消滅した場合の変更・終了の可能性にも言及している。

第12章
例外的な違反類型

第1節　主に事業支配力過度集中の観点からの企業結合規制

1　総　説

ここまで見てきたように、独禁法のほとんどの違反類型は、市場における反競争性または不正手段に着目しそれを違反要件としているのであるが、そうではない例外的な違反類型として、まず、9条と11条とがある。これらの規定はいずれも、事業支配力過度集中を防止する観点から置かれている[1)]。事業支配力過度集中とは、複数の市場を横断して経済権力が集中することにより競争の起こりにくい構造が生ずることであって、特定の市場における反競争性または不正手段の有無とは必ずしも関係がない。

9条と11条は、いずれも、株式保有という行為に着目した規制であるから、企業結合規制の一種であるが、独禁法第4章の他の条文とは、上記のような意味で異なっている。本書では、独禁法第4章の他の条文、すなわち、市場における反競争性を要件とする企業結合規制については、別の箇所で論じた（前記第11章）。なお、そのような企業結合規制は「市場集中規制」と呼ばれ、9条と11条とが「一般集中規制」と呼ばれることが多い。

9条・11条の存在意義は、常に議論の的となる[2)]。

---

1)　11条については、なお補足が必要である（後記**3**(1)②）。

2)　9条に関する公取委の考え方として、公正取引委員会「独占禁止法第9条に基づく一般集中規制が廃止された場合に実際に生じ得る現実的な弊害について」（平成27年3月31日）。

2　9条

(1)　違反要件

①　**総説**　　9条は、会社による株式保有により事業支配力過度集中がもたらされることを、一般的に禁止しようとする規制である。9条1項は、そのような会社を新たに設立することを禁止し、9条2項は、既存の会社がそのような会社となることを禁止している。

9条は、2度の改正によりその性格が変遷した。

平成9年改正前の9条は、事業支配力過度集中の防止の観点から、「持株会社」を全面的に禁止する条文であった[3]。そのような「持株会社」の存在が戦争の一因であるとされ、昭和22年の制定時から置かれた規制である。平成9年改正によるいわゆる持株会社解禁により、「持株会社」は、一律に禁止されるのでなく、事業支配力過度集中の要件を実際に満たす場合にだけ9条によって禁止されることになった。事業支配力過度集中の要件が狭いために、事実上はほぼ全面解禁となった。

平成14年改正による現行9条は、「持株会社」以外の会社による事業支配力過度集中を防止するために平成14年改正まで置かれていた9条の2について、その硬直性を廃しながらその趣旨を9条に合流させ、つまりは9条を、「持株会社」であるか否かを問わず会社が株式保有により事業支配力過度集中をもたらすことを禁止する規定へと変容させた。現行9条においては、「持株会社」であるか否かは、届出義務の成否を左右するものにすぎない（9条4項1号）。

なお、9条に違反しない株式保有であっても、10条等の他の条文に違反する場合があり得る。

②　**会社**　　9条にいう「会社」は、基本的には、日本法で会社とされるものであり、例えば、会社法2条1号で定義される会社である。

9条2項では「会社」には外国会社を含む旨の注記がされており、また、それを裏返せば、9条1項で設立を禁止される会社は、国内の会社に限られると解される[4]。

---

3)　「持株会社」の当時の定義は、現行9条4項1号の定義と実質的には同じである。すなわち、いわゆる純粋持株会社のみが「持株会社」とされ、いわゆる事業兼営持株会社は「持株会社」には含まれていなかった。

4)　何をもって外国の「会社」と呼ぶかについては、別の箇所で述べた（前記550頁）。

株式保有をされる側の会社は、9条1項・2項のいずれにおいても、国内の会社に限られている。外国会社であっても日本の需要者に商品役務を供給することが大いにあり得るのであるから、必ずしも説得力のある規定とは言えないが、1つの割り切りであろうか。

③ **株式**　9条1項・2項それ自体においては「株式」という言葉が使われているが、事業支配力過度集中を定義する9条3項の「子会社」については、議決権を基準とした規定がされている（9条5項）[5]。

「株式」には、社員の持分を含む（9条1項）。

④ **事業支配力が過度に集中することとなる**

（i）総説　9条1項・2項に登場する「事業支配力が過度に集中することとなる」のうち、「事業支配力が過度に集中すること」については、9条3項に定義がある。「こととなる」は、狭義の企業結合規制の場合と同様、将来における蓋然性を指すと解される。

9条3項の「事業支配力が過度に集中すること」の定義は、問題とされる会社グループが所定の要件を満たすか否かを問題とする。

会社グループとは、規制対象となる会社だけでなく、その子会社と実質子会社とをあわせたものである[6]。子会社は、会社が議決権の過半数をもつ他の国内の会社（9条5項前段）に加え、会社や子会社があわせて議決権の過半数をもつ他の国内の会社をも含む（9条5項後段）[7]。実質子会社とは、9条ガイドライ

5）「議決権」の定義が令和元年改正後は9条5項に置かれることとなったが、改正前と実質的な変更はない。詳しくは10条2項に関する箇所で述べた（前記583頁註139）。

6）「会社グループ」は、9条ガイドラインが用いる表現である。9条3項では、「会社及び子会社その他当該会社が株式の所有により事業活動を支配している他の国内の会社」あるいは「これらの会社」と表現されている。「当該会社が株式の所有により事業活動を支配している他の国内の会社」を、9条ガイドラインは、「実質子会社」と呼んでいる。

7）このように、議決権過半数を基準とする子会社の定義は、課徴金に係る子会社の定義（2条の2第2項）とは似通っているが、会社法と同様の実質支配基準をとる企業結合規制の届出要件に係る子会社の定義（10条6項）とは異なっている。2条の2第2項および10条6項の子会社の定義はいずれも平成21年改正によって導入されたものであるが（前者は当時は7条の2第13項1号）、9条5項の定義は、単に、改正をする余裕または必要性がなかったために、平成21年改正前と同様の基準となっているもの、と理解するのが適切であろう。9条5項の子会社の定義は、「国内の会社」に限定している点で、2条の2第2項の子会社の定義と異なっているが、これも、9条5項の内容を改める状況になかったというだけの話であろう。

ンによれば、会社や子会社があわせて議決権の25％超50％以下をもち、かつ、議決権保有比率が単独1位であるような他の国内の会社を指す[8]。9条5項前段の子会社の定義は、会社法2条3号の子会社の定義とは異なり、議決権過半数という直接の関係はなくしかし実質的に支配されている、という会社を含まないが、9条5項後段で、子会社の概念の外側で以上のような規定がされているため、結果として実質面を一定程度において反映している。

(ii) 法定3類型とガイドライン3類型　9条3項によれば、このような会社グループが、3類型のいずれかを満たし、かつ、「国民経済に大きな影響を及ぼし、公正かつ自由な競争の促進の妨げとなる」、という場合に、「事業支配力が過度に集中すること」に該当する。3類型のうち、第1類型は総合的事業規模が著しく大きいことによる過度集中、第2類型は資金取引に起因した過度集中、第3類型は相互に関連性のある事業分野での有力な地位に起因する過度集中、にそれぞれ着目したものである。

そして、9条ガイドラインは、9条3項の法定3類型のいずれかを満たし、「国民経済に大きな影響を及ぼし、公正かつ自由な競争の促進の妨げとなる」の要件をも満たすため、事業支配力が過度に集中することとなるものとして、「ガイドライン3類型」と呼ぶべきものを掲げている[9]。ガイドライン3類型は法定3類型に対応しているが、法定3類型とは違って、ガイドライン3類型に該当すれば直ちに9条3項を満たすと公取委が考えているものである。

ガイドライン3類型は、具体的数値によって表現されている。第1類型は、金融会社を除いた総資産の額の合計額[10]が15兆円超であり、かつ、5以上の売上高6000億円超の事業分野のそれぞれにおいて、単体総資産の額が3000億円超の会社をもつ会社グループである。第2類型は、単体総資産の額が15兆円超の金融会社[11]である大規模金融会社と、金融・金融関連会社[12]ではない会

---

8) 9条ガイドライン1 (1) ウ。

9) 9条ガイドライン2。

10) 総資産の額の合計額について、9条ガイドライン2 (2) (a) は、9条4項・7項の届出要件における総資産の額の合計額の計算方法（届出規則1条の3）に準じた記述をしているが、届出要件においては会社と子会社だけが対象となるのに対し、違反要件を論ずる9条ガイドラインにおいてはそれに加えて実質子会社をも対象とすることに注意を要する。

11) 9条ガイドラインにおいて金融会社とは、銀行業、保険業または第一種金融商品取引業を営む会社、を指す（9条ガイドライン2 (2) (a)）。

社であって単体総資産の額が3000億円超の大規模な会社とを、いずれももつ会社グループである。第3類型は、相互に関連性のある原則5以上[13]の売上高6000億円超の事業分野のそれぞれにおいて、売上高シェア10%超の会社をもつ会社グループである。

9条ガイドラインは4つの例外を掲げている。分社化の場合、ベンチャー・キャピタルの場合、金融会社の異業態参入の場合、小規模の場合、である[14]。

(2) 違反に対する法執行

違反要件を満たした場合は、17条の2第2項により排除措置命令の根拠となる。

(3) 届出規定

① 総説　9条4項・7項は、事業支配力過度集中をもたらす可能性が一定程度で存在する会社に対して、事業に関する報告書の提出または会社設立の届出を義務付けている。違反に対して刑罰の定めがある（91条の2）。

9条4項にいう「政令」として施行令15条が定められており、9条4項・7項にいう「公正取引委員会規則」として届出規則1条の2〜1条の5が定められている。

② 事業に関する報告書

(i) 提出義務の要件　事業に関する報告書の提出義務が発生するのは、以下の場合である。基準となるのは、当該会社と子会社[15]の総資産の額[16]の合計額[17]である（9条4項本文）。

---

12) 9条ガイドラインにおいて、金融・金融関連会社（「金融又は金融と密接に関連する業務を営む会社」）とは、10条3項や11条において「他の国内の会社」（後記3(2)②）にあたらないものであるとされている（9条ガイドライン2(3)(b)）。それ以外のもの、つまり10条3項や11条において「他の国内の会社」に当たるものが、ここでいう金融・金融関連会社ではない会社に当たることになる。

13) 9条ガイドライン2(4)(b)は、規模が極めて大きい事業分野に属する有力な会社をもつ場合は、会社の有力性の程度により「3以上」、としている。

14) 9条ガイドライン2(5)。

15) 9条での「子会社」については、別の箇所で述べた（前記(1)④(i)）。違反要件でなく届出要件を論ずる際には、9条5項後段に示された点を別として、9条3項に現れるような実質子会社を含まずに計算する。

16) 9条4項本文括弧書きにいう「公正取引委員会規則」は、届出規則1条の2である。

17) 9条4項本文の「公正取引委員会で定める方法により合計した額」にいう「公正取引委員会

第1に、「持株会社」[18]にあっては、6000億円超の場合である（9条4項1号、施行令15条1号）。

第2に、銀行業、保険業または第一種金融商品取引業を営む会社にあっては、8兆円超の場合である（9条4項2号、施行令15条2号）。ただし、上記の「持株会社」に該当する場合は9条4項2号ではなく9条4項1号が適用される。

第3に、以上のいずれにも該当しない会社にあっては、2兆円超の場合である（9条4項3号、施行令15条3号）。

ただし、他の会社の子会社である会社には提出義務がない（9条4項ただし書）。同一の会社グループ内で重層的に複数の会社に提出義務が発生するのを防ぐためである[19]。

(ii) 提出義務の内容　提出義務の要件を満たすときは、毎事業年度終了の日から3か月以内に、自社および子会社の事業に関する報告書を公取委に提出しなければならない（9条4項本文）[20]。手続は、届出規則1条の4に定められている。

③ **会社設立の届出**　新たに設立された会社は、当該会社がその設立時に9条4項の要件を満たす場合には、設立の日から30日以内に、公取委に対して会社設立の届出をしなければならない（9条7項）[21]。手続は、届出規則1条の5に定められている。

3 11条

(1) 総　説

① **概要**　11条は、銀行や保険会社による他の国内の会社の議決権保有を、一定の数値基準によって画一的に規制するものである。11条1項本文により、銀行の場合は5%、保険会社の場合は10%、と定められている。

② **趣旨**　11条の規制には、2つの趣旨があると言われる[22]。

規則」として、届出規則1条の3が詳細を定めている。

18) 「持株会社」とは、子会社の株式の取得価額の合計額が、自社の総資産の額の過半である会社を指す（9条4項1号）。

19) 平成14年改正解説20頁。

20) 違反に対する刑罰規定がある（91条の2第1号）。

21) 違反に対する刑罰規定がある（91条の2第2号）。

22) 平成14年改正解説12頁。

第1に、銀行や保険会社は事業支配力過度集中を特に起こしやすいため、画一的な厳しい基準で事業支配力過度集中を防止する必要がある、とされる。

第2に、特定の市場における競争上の問題の発生を防止するためにも画一的数値規制は有益である、とされる。第2の趣旨は、比較的最近になって強調されるようになった。その背景には、銀行法16条の4や保険業法107条にも同種の規制があるなかで11条を独禁法に置くことの意味を問われ、11条が独禁法の他の規制との共通性をもつことを強調する必要が生じたという事情があるのではないか、とも推測される。

以上のような説明に従うならば、11条は、基本的には一般集中規制でありながら、市場集中規制的な色彩も持つ、ということになる。ただ、抽象的な理念としてはそのように述べる余地があるとしても、実際の規制において市場における反競争性が要件とされるわけではないので、本書では、例外的な違反類型と位置付けることとした。

③ 10条3項　11条の規制の要件をめぐる重要な規定が、10条3項に置かれている。規制対象となる会社の範囲や他の国内の会社の範囲に関するものである。これは、11条による厳格な数値規制の範囲内での株式取得は10条1項の競争の実質的制限の問題をもたらす確率が低いために、11条の規制対象となっている株式取得を10条の届出義務の対象から外し、11条の規制対象とならない株式取得のみを10条の届出義務の対象とする、という考え方による。10条3項のほうが独禁法典内で先に登場するため、11条でなく10条3項で規定されているものと思われる。

(2) 違反要件

① 規制対象となる会社　11条の規制対象は、銀行業を営む会社と、保険業を営む会社のうち少額短期保険業者を除くものである[23)]。以前は「金融業を営む会社」とされていたのが、平成14年改正により縮減された。これは、金

23) 11条の「保険業を営む会社」については、10条3項によって限定が付されている。その授権によって制定された「私的独占の禁止及び公正取引の確保に関する法律第十条第三項に規定する保険業を営む会社から除くものとして公正取引委員会規則で定める会社を定める規則」(平成18年公正取引委員会規則第1号)により、保険業法にいう少額短期保険業者が規制対象から除かれている。これは、少額短期保険業者の資産運用が国債等の有価証券の保有等に限定され、他の会社への融資が法制度上認められていないからである、とされる(石谷直久「最近の独占禁止法第11条の動向」商事法務1768号(平成18年)32頁)。

融会社が事業支配力過度集中を起こしやすいのはなぜかという点を突き詰めれば、豊富な資金を背景に融資を通じて他の会社に大きな影響を及ぼし得るからである、という結論に至り、そこから目的合理的に考えれば、当時でいう証券業を営む会社などを対象とする必要はない、とされたためである[24]。

② **他の国内の会社**　銀行および保険会社は、「他の国内の会社」の議決権の保有を規制されるわけであるが、この「他の国内の会社」は、10条3項で定義されている。

「他の国内の会社」に関する10条3項の定義の要点は、金融会社および金融関連会社が除かれている、ということにある。銀行と保険会社は10条3項そのものによって除かれており、また、10条3項の当該箇所の授権を受けた公取委規則によって、銀行法や保険業法の特定の条文に定められた金融関連会社が除かれている[25]。

「他の国内の会社」から金融会社および金融関連会社が除かれているのは、11条が防止すべき問題の中心は金融会社が非金融・金融関連会社と結びつくことにある、という認識に基づく[26]。金融会社グループが多角化して複数種類の金融業を営むことが常識化してきたことに対応した、という面もある[27]。

③ **議決権保有比率の上限**　規制対象となる銀行は、他の国内の会社の議決権を5%を超えて保有してはならない。昭和52年改正により、それまでの10%が5%へと引き下げられ規制強化がされた[28]。

規制対象となる保険会社は、他の国内の会社の議決権を10%を超えて保有してはならない。昭和52年改正で、保険会社については10%で据置きとなったのは、預金・為替取引・融資の面で企業との間に密接な関係がない、機関投資家として資産運用としての株式売買を行っている、などの認識があったためであると解説されている[29]。

24） 平成14年改正解説25～26頁。

25） 「私的独占の禁止及び公正取引の確保に関する法律第十条第三項に規定する他の国内の会社から除くものとして公正取引委員会規則で定める会社を定める規則」（平成14年公正取引委員会規則第7号）。

26） 平成14年改正解説26頁。

27） 平成14年改正解説26頁。

28） 昭和52年改正要点25頁。

29） 昭和52年改正要点26頁。

④　適用除外

(i)　法形式に着目した４類型　　11条１項本文にかかわらず、11条は、5％または10％を超えて議決権をもつことが許容されるような種々の適用除外を定めている。適用除外とする法形式に着目すれば、４つの類型に分けることができる[30]。

第１類型は、認可を一切必要とせず当然に適用除外となるものである。投資のための株式保有であって、議決権を行使することのないものが、それにあたる。つまり、第１に、信託財産としての株式保有であって、委託者や受益者が議決権行使等をすることができる場合（11条１項３号・２項括弧書き）[31][32]、第２に、投資事業有限責任組合の有限責任組合員となり組合財産として株式を保有する場合（11条１項４号）[33]、第３に、民法上の組合であって投資事業を営むことを約するものの非業務執行組合員となり組合財産として株式を保有する場合（11条１項５号）[34]、である。

第２類型は、１年以内なら認可を必要とせず当然に適用除外となるが、１年を超える場合には11条２項による公取委の認可が必要であり、しかもその認可が、議決権を速やかに処分することを条件としなければならないと法定されているものである[35]。つまり、第１に、担保権の行使や代物弁済の受領によって株式を保有する場合（11条１項１号）、第２に、株式を保有される会社の自己株式取得によって銀行・保険会社が保有する議決権の割合が増加した場合（11

30）　この法定の枠組みのもとでの公取委の認可基準等について、11条ガイドラインが策定されている。債務の株式化に係る認可基準については、公正取引委員会「債務の株式化に係る独占禁止法第11条の規定による認可についての考え方」（平成14年11月12日）がある。

31）　銀行や保険会社が自己信託の過程で株式を取得する場合は、11条２項括弧書きによって除かれるものに該当せず、したがって、本書の第１類型ではなく第３類型となる。

32）　これを適用除外とする理由の解説として、平成14年改正解説27頁。

33）　議決権を行使できるような株式保有でないことなどが条件とされている（11条１項４号ただし書）。なお、そこでいう「政令で定める期間」は、10年とされている（施行令17条）。10年を超える場合には、後記第４類型として、認可が必要となる。

34）　これを適用除外とする理由の解説として、平成14年改正解説28頁。なお、11条１項５号ただし書により、11条１項４号ただし書の場合と同様の条件が付されており、10年を超える場合には、後記第４類型として、認可が必要となる。

35）　11条２項の「百分の五」という文言は、11条１項本文の括弧書きにより、保険会社が規制対象となる場合は「百分の十」と読み替えられる。

条1項2号)[36]、第3に、株式を保有される会社の事業活動を拘束するおそれがない場合として公取委規則で定める場合（11条1項6号)[37]、である[38]。

第3類型は、1年以内なら認可を必要とせず当然に適用除外となるが、1年を超える場合には11条2項による公取委の認可が必要であり、その認可について、議決権を速やかに処分することを条件としなければならないと法定されてはいないものである[39]。つまり、信託財産としての株式保有であって、委託者や受益者が議決権行使等をできることになっていないために前記第1類型に該当しない場合（11条1項3号・2項括弧書き）である[40]。

第4類型は、常に、11条1項ただし書による公取委の認可があって初めて適用除外とされるものである。主に想定されているのは、銀行または保険会社が他の銀行または保険会社と合併等をする場合における他の会社の議決権の保有[41]、事業再生中の会社の議決権の銀行または保険会社による保有[42]、投資事

---

36) 自己株式取得が利益をもってするものか否かを問わず同じ扱いとすることの理由について、平成14年改正解説26～27頁。

37) 銀行法や保険業法の類似規定においては急激な変化に対応するため内閣府令によって柔軟に例外の範囲を広げることができるようになっており（銀行法16条の4第2項、保険業法107条2項)。独禁法もそれにならおうとして規定されたものだとされる（平成14年改正解説29頁)。11条1項6号については、具体的には、「私的独占の禁止及び公正取引の確保に関する法律第十一条第一項第六号に規定する他の国内の会社の事業活動を拘束するおそれがない場合を定める規則」（平成14年公正取引委員会規則第8号）により、債務の株式化に伴って議決権を取得する場合をはじめとするいくつかの場合が定められている。

38) 1号、2号、および、6号のうち債務の株式化ではないもの、に係る認可の基準は、11条ガイドライン第2の4に示されている。1号に関連する裁判例として、札幌地決平成5年8月16日・平成5年（ヨ）第386号〔カブトデコム対北海道拓殖銀行〕（判タ843号の256頁）がある。

39) 11条2項の「百分の五」という文言は、11条1項本文の括弧書きにより、保険会社が規制対象となる場合は「百分の十」と読み替えられる。

40) これを適用除外とする理由の解説として、平成14年改正解説27頁。認可基準は11条ガイドライン第2の2に示されており、認可にあたっては原則として期限を付さないことが明記されている。議決権を速やかに処分することを認可条件とすることを法定していないのは、委託者の利益を損なうおそれがあるからだとされる（平成14年改正解説30頁)。なお、議決権の増加割合が年1%以下であることを認可条件としたいわゆる「1%ルール」は、平成18年4月27日に公表された11条ガイドラインの改定により、削除されている。

41) 11条ガイドライン第1の1。認可には一定の期限が付されるとされ、詳細が同注2に記されている。

42) 11条ガイドライン第1の2。認可には一定の期限が付されるとされ、詳細が同注3に記されている。

業有限責任組合の有限責任組合員となり組合財産として行う株式の保有[43]、民法上の組合であって投資事業を営むことを約するものの非業務執行組合員となり組合財産として行う株式の保有[44]、である[45]。

(ii) 認可申請に対する手続　認可申請があった場合には、公取委は、必要な調査をしたうえで（70条の2第2項が準用する45条2項）、認可するか否かを判断する。

認可しようとするときは、あらかじめ内閣総理大臣に協議することとなっており（11条3項）、この場合の内閣総理大臣の権限は金融庁長官に委任されている（11条4項）[46]。

認可しないときは、公取委は、決定で認可申請を却下する（70条の2第1項）[47]。

(iii) 認可の取消し・変更の手続　認可した後、認可の要件である事実が消滅し、または変更したと認めるときは、公取委は、決定で、認可の取消しまたは変更をすることができる（70条の3第1項）。この場合には、意見聴取手続（後記第15章第7節）が行われる（70条の3第2項）[48]。

---

43) 11条ガイドライン第1の3。10年以内であれば前出第1類型として11条1項4号によって適用除外となるので、5% を超えた株式保有が10年を超える場合のみが対象となる。認可には一定の期限が付されるとされ、詳細が同注4に記されている。

44) 11条ガイドライン第1の4により同3が準用される。10年以内であれば前出第1類型として11条1項5号によって適用除外となるので、5% を超えた株式保有が10年を超える場合のみが対象となる。

45) その他の場合について、11条ガイドライン第1の5の記載がある。

46) 銀行法および保険業法は、それぞれ、独禁法11条の類似規定において、公取委の認可に相当するものとして内閣総理大臣の承認について規定し（銀行法16条の4、保険業法107条）、その権限を金融庁長官に委任している（銀行法59条1項、保険業法313条1項）。

47) 70条の2は、62条や64条と異なり、意見聴取手続の規定を準用しておらず、決定に際して事前手続は行われない。このような処分は、行政手続法上の不利益処分に該当せず（行政手続法2条4号ロ）、行政手続法においては聴聞等の事前手続を要しないこととなっていることを参考にしたもののようである。平成25年改正解説34頁。11条による認可申請に係る処分については、認可される場合も含め、行政手続法の適用除外となっているが（独禁法70条の11）、これについては、平成25年改正解説40頁。

48) このことの解説として、平成25年改正解説36頁。70条の11により、行政手続法の適用除外となっている。平成25年改正解説40頁。

(3) 違反に対する法執行

11条に違反する行為は、17条の2第1項により排除措置命令の対象となる。刑罰の規定もある(91条)。

4 17条

17条は、市場における弊害を要件とする企業結合規制の一般条項であるだけでなく、一般集中規制の一般条項でもある[49]。

第2節 独占的状態規制

1 総 説

独占的状態規制は、2条7項で定義された「独占的状態」がある場合に、8条の4第1項ただし書に該当する場合を除いて、当該商品役務に関する競争回復措置命令を公取委が行うことができるというものである[50]。競争回復措置として企業分割が前提となっているかのように言われることもあるが、必ずしもそうとは限らない[51]。公取委は、競争回復措置を命ずる場合には、8条の4第2項に定められた諸点について配慮しなければならない。

このように、独占的状態規制は、2条7項や8条の4に定められた意味での弊害要件を満たせば特段の行為がなくとも発動される、という意味で、行為要件が存在せず、通常の独禁法違反類型とは異なっている。

独占的状態規制は昭和52年改正で導入されたが、公取委はこれを一度も発動していない。

2 一定の事業分野

独占的状態規制の諸要件のうち、2条7項に現れる「一定の事業分野」[52]は、

---

49) 公取委勧告審決平成3年11月11日・平成3年(勧)第16号〔野村證券/野村土地建物〕。当時は、証券会社も11条の規制対象であった。

50) 2条7項で定める金額については、経済事情の変化に応じて政令で別段の定めをすることができるが(2条8項)、現在はこの政令の定めは存在しない。

51) 鵜瀞恵子・旧条解318頁。

通常の独禁法上の市場（前記第2章第3節）と比較した場合、次のような特色をもっている[53]。

第1に、どちらかというと画一的なものとなりやすい。一定の事業分野は、基本的には工業統計表や日本標準産業分類を出発点として画定される[54]。

第2に、2条7項は、商品については、通常の事業活動の施設や態様に重要な変更を加えることなく供給し得る商品をも加味すると規定しており、しかも、そのような商品をも「一定の商品」に加味して2条7項にいう事業分野占拠率などを算定することとしている[55]。

以上のように、独占的状態規制にいう「一定の事業分野」は、8条3号にいう「一定の事業分野」とも、異なるものとなっている（前記528頁）。

3 見直し論

平成17年改正に向けた立法論のなかで、公取委は、独占的状態規制を「不可欠施設等規制」に衣替えさせようとする構想を掲げたが[56]、実現せず、独占的状態規制がそのまま残存している。この構想は、市場構造に着目した独占的状態規制から、市場の参入阻止要素に着目した「不可欠施設等規制」に変更する、という考え方を掲げていた。しかし、現行独禁法の全体像を一瞥すれば直ちに明らかなように、市場の参入阻止要素に着目し不可欠性の要件を置いた他者排除規制は、私的独占・不公正な取引方法という形で夙に独禁法に導入済み

---

52) 公正取引委員会事務局「独占的状態の定義規定のうち事業分野に関する考え方について」（昭和52年11月29日）。長い間、監視対象事業分野をこのガイドラインの別表として掲げていたが、平成30年11月13日の改正により、別表は削られた。

53) 以下のほか、平成17年改正解説56頁。

54) 上記ガイドライン1。

55) 例えば、「同種の商品」がαで、潜在的競争者が供給している商品がβであって、αの需要者にとってβは選択肢とはならない場合であっても、αとβとをあわせて「一定の商品」として事業分野占拠率などを算定することになる。これは、市場画定をめぐって主張される「供給の代替性」の考え方（前記73〜76頁）と通底するものである。なお、2条7項冒頭の括弧書きは、αを供給する者がβも供給できるか否かを問題としているが、βを供給する者がαも供給できるか否かを問題とすべきはずである。それぞれの成否は、似ているように見えて、しかし一致するとは限らない。通常の独禁法違反類型の基本となっている「競争」の定義を定める2条4項は、このような文言上の欠点を免れている。

56) 平成15年独占禁止法研究会報告書第2部、公正取引委員会「私的独占の禁止及び公正取引の確保に関する法律改正の基本的考え方」（平成15年12月24日）第5の1。

なのであり、「不可欠施設等規制」はそれに屋上屋を架そうとする面が多分にあった[57]。「不可欠施設等規制」がそのようなものであり、しかも独占的状態規制が立法論として不適切なものであると考えられたのであるならば、「不可欠施設等規制」を導入できるか否かにかかわらず、独占的状態規制は廃止されるべきことになるはずであろう。

4 法執行の手続

独占的状態規制の法執行の手続は、以下のようになっている。独占的状態規制が、行為要件を必要とせずに命令をくだすという重いものであるだけに、種々の形で通常の違反類型よりも慎重な判断が求められているのが特徴である。

まず、事件として調査を開始することとしたときには主務大臣に通知して主務大臣に意見を述べる機会を与えなければならず（46条）[58]、競争回復措置命令をするための意見聴取手続を行う旨の意見聴取通知をしようとするときには主務大臣と協議し、かつ、公聴会を開いて一般の意見を求めなければならない（64条5項）。

競争回復措置命令の事前手続は、排除措置命令や課徴金納付命令と同じ意見聴取手続であるが（64条4項が準用する49条〜60条）、競争回復措置命令のための委員会の議決においては、通常よりも重い議決方法が採られ（65条3項）、競争回復措置命令は、謄本の送達によって効力を生ずるものの（64条2項）、確定しなければ執行することができない（64条3項）。

---

57) 白石忠志「独占寡占規制見直し報告書について」NBL776号（平成16年）。平林歴史下387〜388頁は、状況を描写したうえで、「批判はもっともであ」ったとしている。

58) 46条1項にいう45条4項の「措置」とは、公取委の調査を指す旨の解説がされている（昭和52年改正要点21頁）。このように解するのは、45条中の他の「措置」（同条1項・3項）が公取委による命令等を指していると解されることとは、整合的ではない。しかし、上記のように解さないと、意見聴取通知をする場合に主務大臣に協議すること等を義務付けた64条5項との整合性が問われることとなる。

第3部

法執行総論

第13章
法執行序論

第1節　第3部の位置付けと構成

法執行は、違反要件と並んで、独禁法にとっての車の両輪を形成するものである（前記5頁）。違反要件と対置される側をさらに2つに分けて、法執行（エンフォースメント）と政策発信（アドボカシー）の2つの柱が最近は強調されるが、政策発信には官民を問わずありとあらゆる形態のものがあるので、むしろ、具体的には論じにくい。本書では、法執行を中心に述べる。

法執行とは、違反を予防し、抑止し、かりに違反があった場合には法的処置をとる、といった取組を指す。旧版までは、それらを包括して象徴的に指し示すための適切な日本語が見あたらなかったため、英語をそのままカタカナにして「エンフォースメント」と呼んでいたが、最近では「法執行」という日本語が用いられることが増えてきたので、これによることにした（前記5頁）。

本書では既に、法執行の問題のうち各違反類型ごとに論じ得るものは各違反類型の章において論じた。この第3部では、複数の違反類型に共通する問題を中心に論ずる。

第2節　関係する機関

独禁法の法執行は、行政機関である公取委によるもの、刑罰によるもの、民事裁判によるもの、の全てにわたっている。

行政機関は、ほぼ専ら、公取委である。

司法機関は、公取委による法執行の司法審査、刑事裁判、民事裁判、のいずれの場面にも登場する。

国会では、衆議院でも参議院でも、経済産業委員会が、公取委の所管事項を所管している（衆議院規則92条9号、参議院規則74条9号）。

このほかにも、官公庁等による指名競争入札における指名停止をはじめとして[1]、様々な機関による様々な活動が、独禁法の法執行に影響を及ぼすことがある。また、日本独禁法を取り巻く国際的文脈での動きも重要である。

弁護士や企業法務の役割は大きい。以上のような各機関における議論が法的に健全なものとなるためには、良い意味での議論の対立軸が不可欠である。平成17年11月には、独禁法を専門とする弁護士らが「競争法フォーラム」を旗揚げしている[2]。

第3節　国際事件と法執行

国際事件をめぐる独禁法問題には、どの範囲の国際事件を日本独禁法違反の問題として論じ得るか、という問題と、国外での法執行がどの範囲で認められるか、という問題とがある。

前者は、違反要件の問題であり、別の箇所で述べた（前記第5章第6節）。

後者は、重要な問題ではあるが、こちらは、外国での法執行活動は当該外国の同意がなければ許されない、という抽象的な基本のもとで[3]、各論的にようやく論じ得るものである[4]。本書では、特に必要なものをそれぞれの箇所で取り上げるにとどめる。

---

1)　指名停止の基準は発注者ごとに区々であり、本書では減免制度との関係で若干のことを述べるにとどめる（前記358頁）。

2)　矢吹公敏「競争法フォーラム設立」NBL826号（平成18年）。

3)　小寺彰「独禁法の域外適用・域外執行をめぐる最近の動向」ジュリスト1254号（平成15年）66頁。

4)　様々な問題を多角的に指摘し多くの検討材料を提供する文献として、川合弘造「独占禁止法の海外企業・外国人への執行と課題」西村利郎先生追悼論文集『グローバリゼーションの中の日本法』（商事法務、平成20年）。

第14章
公正取引委員会

第1節　組　織

1　総　説

公取委には「設置法」と名の付く法典がない。内閣府設置法が公取委の設置の基本を定め、それを受けて独禁法27条以下が具体的な規定を置いている。

2　国家行政組織における位置付け

(1)　内閣府の外局

公取委は、内閣府設置法49条に基づいて独禁法27条以下の規定により設置された、内閣府の外局である[1)]。

内閣府がそのような事務をつかさどることの根拠は、内閣府設置法3条2項および4条3項58号に、規定されている。すなわち、公取委の事務は、内閣府設置法3条1項および4条1項・2項の系統の事務に分類されているわけで

1)　公取委は、ながく総理府の外局であったが、平成13年の中央省庁等改革によって総務省の外局とされた（制定当初の総務省設置法30条、「中央省庁等改革のための国の行政組織関係法律の整備等に関する法律」（平成11年法律第102号）32条による独禁法27条2項の改正）。内閣府をできるだけ小さな組織としようという発想によるものと思われる。職権行使の独立性をめぐる諸規定（後記(4)）は維持されていたものの、しかし、総務省が通信などの事業法規制を所管する官庁であることなどに鑑みて、その外局として位置付けることへの批判は強かった。そこで、平成15年4月9日に公布され直ちに施行された「公正取引委員会を内閣府の外局に移行させるための関係法律の整備に関する法律」（平成15年法律第23号）によって諸規定が改正され、現在のような位置付けとなった。以上のような解説を裏付ける資料として、三辺夏雄＝荻野徹「中央省庁等改革の経緯（3）」自治研究83巻4号（平成19年）25～28頁、平林歴史下358～360頁。

はない。公取委の事務は、内閣総理大臣が主任の大臣となって政府全体の見地から分担管理するものである（内閣府設置法3条2項、6条2項、内閣法3条1項）。

公取委は、内閣府の一部であるため、国家行政組織法の適用を受けない（国家行政組織法1条）[2]。

⑵ 内閣総理大臣との関係

内閣総理大臣は、一定の制約のもとで、公取委の委員長・委員の任免権をもつ。すなわち、公取委の委員長・委員は、年齢が35歳以上で、法律または経済に関する学識経験のある者のうちから、内閣総理大臣が、両議院の同意を得て、任命する（29条2項）。委員長・委員の罷免も、限定的な条件のもとで、内閣総理大臣が行う（31条、32条）[3]。

内閣総理大臣は、主任の大臣として、内閣府の外局である公取委の所掌事務を分担管理する（前記⑴）。

⑶ 所掌事務

27条の2は、公取委がつかさどる事務を定める[4]。もっとも、独禁法典は、実質的意味での公取委設置法である独禁法27条以下に先立ち、公取委の作用に関する諸々の規定を26条までに置いており、27条の2のほとんどはそれらを整理したものであるにすぎない。

公取委の所掌事務について「準司法的権限」とか「準立法的権限」などと言われることがあるが、「準司法的権限」は平成25年改正による審判制度の廃止によってなくなっており、「準立法的権限」は、一般指定、公取委規則、ガイドラインなどを制定・策定することを超えるものではなく、他の府省も当然に行っていることであるから、取り立てて強調するようなことではない。

---

2) 国家行政組織法3条に基づいて設置された委員会は「3条委員会」と呼ばれ、同法8条に基づいて設置された「8条委員会」よりも格が上であることが強調されることがある。公取委も、「3条委員会」と呼ばれることがある。公取委が内閣府設置法に基づいて設置されたものと位置付けられるようになってからは、公取委は国家行政組織法に基づいて設置されたものではないので、「3条委員会」という呼称は厳密には正しくない。ただ、「3条委員会」と同格であるという意味であると善解すれば、「3条委員会」と呼ぶことにも一定の意味はある。内閣府の諸機関が国家行政組織法の適用を受けないこと自体が、あまり知られていないことが多い。

3) 詳しくは、佐島史彦・旧条解491～492頁。

4) この条の制定経緯について、佐島・旧条解487頁。

(4) 職権行使の独立性

28条は、公取委の委員長および委員の職権行使の独立性を定めている。まず、委員長・委員の任命権者であり公取委所掌事務の主任の大臣である内閣総理大臣からの独立を意味している。27条2項が「所管」でなく「所轄」という文言を用いているのは、それを表現しようとしたものであるとされる[5)]。更に、職権行使の独立性は、個々の委員長・委員の委員会内での独立も意味する、とされる（後記**4**(2)）。

職権行使の独立性を保障すべき実質的根拠として挙げられるのは、公取委が合議体であること、公正・中立性と安定性が求められること、高度の専門的知識を要すること、などによる、とされる[6)]。

独立性が保障される職権の範囲は、独禁法において公取委に与えられる具体的職務に限るのであって、およそ行政機関において一般的に行われるような事務にまでは及ばない、とされる[7)]。職権行使の独立性が及ばない事務の具体例は、事務総局職員の人事管理、服務規律の保持その他人事行政事務、予算その他の会計事務、公取委の所管・監督事項について国または公取委を当事者とする訴訟の事務[8)]、法律・政令・内閣府令の制定・改廃に関する事務、などであるとされる[9)]。

職権行使の独立性を担保するために、いくつかの制度が置かれている。例え

5) 藤田宙靖『行政組織法〔第2版〕』（有斐閣、令和4年）91頁。佐島・旧条解486頁、平林英勝・注釈609頁。

6) 佐島・旧条解488頁。

7) 佐島・旧条解488頁。

8) 「国の利害に関係のある訴訟についての法務大臣の権限等に関する法律」1条、2条2項。国が当事者となるものとしては、独禁法76条2項が定義する「排除措置命令等」以外の行政処分に係る抗告訴訟、公取委の所管・監督事項に関する国家賠償請求訴訟、公取委が保有する文書に係る文書提出命令申立てに関する裁判手続、などが考えられる。なお、「国の利害に関係のある訴訟についての法務大臣の権限等に関する法律」6条は行政庁が当事者となる訴訟についても行政庁は法務大臣の指揮を受けると規定しているが、同条は、独禁法77条により公取委を被告とすることとなる排除措置命令等の抗告訴訟には適用されない（独禁法88条）。

9) 以上、佐島・旧条解488頁。かつては、行政権は内閣に属し、内閣は行政権の行使について国会に対し連帯して責任を負う、という憲法65条や同66条3項の要請を根拠として公取委の職権行使の独立性を攻撃する「公取委違憲論」が存在したが、以上のように、一定の実質的根拠があり、かつ、独立性を保障される職権の範囲が限定されているために、違憲ではない、とされている（佐島・旧条解488〜489頁）。

ば、委員長・委員には、身分保障（31条）や報酬保障（36条2項）がされ、委員会の合議は非公開とされ（66条）、事務総局内の検察官たる職員の所掌事務は独禁法の規定に違反する事件に関するものに限る（35条8項）。

3 国会との関係

国会も、公取委との間に、一定の権利義務関係をもつ。すなわち、内閣総理大臣による委員長・委員の任命に際しては、両議院の同意が必要である（29条2項）[10]。また、公取委は、内閣総理大臣を経由して、国会に対し、年次報告を行う義務をもつ（44条1項）。他方、公取委は、内閣総理大臣を経由して国会に対し、独禁法の目的を達成するために必要な事項に関し、意見を提出することができる（44条2項）[11]。

4 委員会

(1) 用　語

公正取引委員会とは、本来、以下で論述対象とする「委員会」のことを指す。

しかし、委員会のもとに置かれる事務総局が、重要な役割を果たし、外部との接触の多くを担っているため、実際上、「公取委」という言葉がむしろ事務総局を連想させる場合も多い。

本書では、事務総局ではなく本来の意味での公正取引委員会を指すことを明確にしようとする場合には、「委員会」と呼称する。

(2) 委員長・委員

委員会は、委員長1人と委員4人の、計5人で構成される（29条1項）。年齢が35歳以上で、法律または経済に関する学識経験のある者のうちから、両議院の同意を得て内閣総理大臣が任命する（29条2項）。いわゆる国会同意人事である。

5人の委員のうち1人が委員長である、という形式ではない。委員長は、委員によって互選されるのではなく、委員長として任命される。任免を天皇が認証するのは、委員長だけである（29条3項）。

---

10) 30条4項に、国会閉会時や衆議院解散時に関する定めがある。

11) 44条について、佐島・旧条解505～506頁、平林・注釈638～640頁。

委員長・委員の罷免も、内閣総理大臣が行う（31条、32条）。

委員長・委員の任期は5年であり（30条1項）[12]、再任が可能であって（30条2項）[13]、定年は70歳である（30条3項）。

委員長・委員の職権行使の独立性は、委員会外に対してはもとより、委員会内部においても保障されている、と解されている[14]。28条の条文も、個々の委員長・委員を主語としているように読める。

(3) 委員長

委員長は、委員会の会務を総理し、委員会を代表する（33条1項）。

委員長は、後記(4)のように、委員会の定足数や議決方法について、特別の地位を与えられている。

委員会は、委員長が故障のある場合に委員長を代理する者を、あらかじめ委員のうちから定めておかなければならない（33条2項）。最先任の委員としているものとみられる[15]。

(4) 委員会の議事・議決

委員会の議事・議決について、34条に定めがある。この規定は、排除措置命令、課徴金納付命令、決定、などの合議による議事・議決にも準用される（65条2項）。便宜上、ここでまとめて述べる。

定足数は、委員長および2人以上の委員、とされる（34条1項）。

委員長が故障のある場合は、33条2項によってあらかじめ定められた委員長代理者を、34条1項にいう委員長とみなす（34条4項）。

委員長または委員が、任命前に特定の事件の調査に自ら深くかかわっていた

---

12) 前任者が任期途中で辞職等した場合の補欠者の任期は、前任者の残任期間である（30条1項ただし書）。佐島・旧条解490頁は、委員が一斉に交代することのないようにした独禁法草創期の規定の名残であり継続性の観点から維持することに意味があるとしている。しかし、任期満了となっても国会事情などですぐに後任者の任期が始まるとは限らないという運用の蓄積により、現在では、30条1項ただし書があるから委員の一斉交代を防げているという状態はほとんど消滅しているように思われる。

13) 再々任などを妨げる明文の規定はなく、30条2項の「再任」には2度目以上の再任を含むと解されている（佐島・旧条解490頁、平林・注釈616頁）。

14) 佐島・旧条解488頁。

15) 平成24年9月に竹島一彦委員長が退任したあと、国会情勢等の関係で、平成25年3月まで委員長が不在となったが、その時に最先任であった委員が委員長代理委員である旨がその期間の命令書などにも記載された。

場合は、定足数に照らし必要性のない限り、合議に参加すべきでなく、そのような委員会構成員が参加した合議による命令や決定は違法となる[16]。

委員長または委員が、当事者との一定の身分関係、事件の結果と直接関係のある財産的利害、事件についての個人的偏見や予断を示す言動があるなど、その公平さが疑問とされる客観的事由または公平らしい概観が損なわれる事由があるときにもやはり、そのような委員会構成員が参加した合議による命令や決定は違法となる[17]。

委員会の個々の会合の開催の事実や内容は、事前にも事後にも、直接には、公表されていない。

議決は、出席者の過半数によって決する（34条2項前段）。委員長は、表決者に含まれると解される[18]。可否同数の場合は、委員長の決するところによる（34条2項後段）。このこととの関係では、委員長代理者を委員長とみなす旨の規定は置かれていない（34条4項）。

合議による議決を適切に経たあと、命令書の送達に手間取るなどして新たな命令書を作成せざるを得なくなった場合には、新たな命令書について合議を経ていなくともよいとされる[19]。合議に出席した委員が命令書作成時までに退任した場合に記名押印をできないのは、やむを得ないとされる[20]。

---

16) 東京高判平成6年2月25日・平成4年（行ケ）第208号〔東芝ケミカルI〕（高民集47巻1号の43～44頁、審決集40巻の561～562頁）。なお、その後、そのような理由によって命令が取り消され、実質的に同一の事件について改めて委員会で合議する場合、取り消された命令に係る合議に参加した他の委員会構成員を合議から除外すべきこととすると、定足数の関係で合議を構成できなくなく可能性もあるので、除外しなくとも違法とはならない、とされ、しかし、その合議において定足数の問題がないならば、そのような委員会構成員は除外すべきである、とされた。東京高判平成7年9月25日・平成6年（行ケ）第144号〔東芝ケミカルII〕（審決集42巻の411～412頁）。

17) 東京高判平成6年2月25日・平成4年（行ケ）第208号〔東芝ケミカルI〕（高民集47巻1号の43～44頁、審決集40巻の561～562頁）。

18) そのように解するのが34条2項の文理であると思われる。委員長が委員会の「出席者」とされることは34条1項の文言が前提としているからである。佐島・旧条解493頁は、委員長を表決者としない明文規定がないことの反対解釈によって同様の結論を導く。

19) 東京高判平成28年1月29日・平成27年（行ケ）第37号〔ブラウン管サムスンSDIマレーシア〕（判決書58～59頁）。

20) ブラウン管サムスンSDIマレーシア東京高判（判決書60頁）。

5　事務総局

(1)　総　説

公取委には、事務総局が置かれている（35条1項）[21]。内閣府設置法52条5項は、「特に必要がある場合においては」法律に基づき委員会に事務総局を置くことができるとしている。

事務総局の内部組織を定める法令としては、独禁法35条、同条5項で準用される内閣府設置法17条2項〜8項のほか[22][23]、政令である組織令、内閣府令である組織規則、などがある[24][25]。

以下に述べるほか、事務総局には、当分の間、平成25年改正前の手続規定によって審判手続を行う審判官3人（うち1人は、関係のある他の職を占める者をもって充てられるものとされる）が置かれる（組織令附則7条）。

以下では、組織令および組織規則に規定された組織について概観する[26]。

(2)　諸機関

①　**事務総長**　　事務総局には事務総長が置かれ（35条2項）、事務総局の局務を統理する（35条3項）。

---

21)　平成8年6月14日に公布され直ちに施行された平成8年改正より前は、「事務局」という名称であった。

22)　以下では、簡潔な表現とするため、「独禁法35条5項が準用する内閣府設置法17条」と述べるべきところを単に「内閣府設置法17条」と述べる。

23)　内閣府設置法において外局たる委員会の内部部局等について定めた条ではなく、本府の内部部局等について定めた同法17条が準用されている。事務総局は同法52条1項にいう事務局ではない。

24)　「組織令」「組織規則」は、いずれも本書冒頭の略語一覧に掲げた略語である。このほか、公取委規則である公正取引委員会事務総局組織規程（昭和40年公正取引委員会規則第1号）があり、また、訓令（内閣府設置法58条7項）等によって組織法的処理が行われることがある。

25)　以下で述べるように、事務総局にはいくつかの室が置かれているが、これらは政令に基づいて設置されたものではなく、内閣府令である組織規則によって、形式的には課のもとに設置されたものである。したがって、内閣府設置法17条4項にいう課に準ずる室ではないことになるが、実際には課に準ずる室であるかのように呼称等されているように観察される場合が多い。そこで以下では、原則として、課に準ずる、課から独立した組織として、室に言及する。なお、室と呼ばれるものには、組織規則ではなく訓令等によって置かれたとみられるものがある。組織規則に規定がないのに「○○室」や「○○タスクフォース」などと称しているものがあれば、そのようなものであることが通常である。

26)　以下に掲げるほか、内閣府設置法17条5項によって、局に局長が、部に部長が、課に課長が、それぞれ置かれ、組織規則の各規定によって室に室長が置かれる。

②　**官房**　事務総局には、官房が置かれている（35条4項、組織令1条1項）。

官房には、特別な職として、総括審議官1人、政策立案総括審議官1人、審議官2人、公文書監理官1人（関係のある他の職を占める者をもって充てられるものとされる）、サイバーセキュリティ・情報化参事官1人、参事官2人、が置かれている（内閣府設置法17条8項、組織令5条、6条）。

官房には、総務課、人事課、国際課、が置かれている（内閣府設置法17条4項、組織令7条）。総務課に、会計室、企画官2人、が置かれ（組織規則1条）、人事課に企画官1人が置かれ（組織規則2条）、国際課に企画官2人が置かれている（組織規則2条の2）。

官房の所掌事務は、組織令2条に列挙されている。

③　**経済取引局**　事務総局の2つの局の1つとして、経済取引局が置かれている（独禁法35条4項、組織令1条1項）。また、経済取引局のなかに取引部が置かれている（内閣府設置法17条2項、組織令1条2項）。

取引部を除く経済取引局には、総務課、調整課、企業結合課、が置かれている（内閣府設置法17条4項、組織令11条1項）。総務課に、企画室、デジタル市場企画調査室、が置かれ（組織規則3条）、調整課に企画官1人が置かれ（組織規則4条）、企業結合課に上席企業結合調査官3人が置かれている（組織規則5条）。

経済取引局取引部には、取引企画課、企業取引課、が置かれている（内閣府設置法17条4項、組織令11条2項）。取引企画課に、取引調査室、相談指導室、が置かれ（組織規則6条）、企業取引課に、下請取引調査室、企画官1人、上席下請取引検査官3人、が置かれている（組織規則7条）。

経済取引局の所掌事務は、組織令3条に列挙されている。その内容は、一般的な政策の企画立案に関するものが多いが、例外的に、企業結合の個別案件への対応、個別の相談に対する回答、下請法の事件処理等を行っている。

④　**審査局**　事務総局の2つの局の1つとして、審査局が置かれている（35条4項、組織令1条1項）。また、審査局のなかに犯則審査部が置かれている（内閣府設置法17条2項、組織令1条2項）。

審査局には、特別な職として、審査管理官2人が置かれている（内閣府設置法17条8項、組織令6条）。

犯則審査部を除く審査局には、管理企画課、課長に準ずる分掌職として審査長5人、訟務官1人、が置かれている（内閣府設置法17条4項・8項、組織令17条1項）[27]。管理企画課に、企画室、情報管理室、公正競争監視室、課徴金減免管理官1人、上席審査専門官1人、が置かれ（組織規則8条）、審査局に上席審査専門官6人が置かれている（組織規則9条）[28]。

審査局犯則審査部には、課長に準ずる分掌職として特別審査長2人が置かれている（内閣府設置法17条8項、組織令17条2項）[29]。

審査局の所掌事務は、組織令4条に列挙されている。その内容は、ほぼ専ら、個別の違反被疑事件の処理に関することである。犯則審査部は、犯則事件に関する事務をつかさどる（組織令4条2項）。

⑤ **地方事務所**　事務総局の地方機関として、北海道事務所、東北事務所、中部事務所、近畿中国四国事務所、九州事務所、という名の地方事務所が置かれている（35条の2、組織令22条）[30]。地方事務所には支所を置くことができ（35条の2第3項）、近畿中国四国事務所に中国支所と四国支所が置かれている（組織規則12条）[31]。中部事務所、近畿中国四国事務所、九州事務所、には、それぞれ、総務管理官1人が置かれ（組織規則10条）、中部事務所と近畿中国四国事務所には、それぞれ、審査統括官1人が置かれている（組織規則11条）[32]。

27）5人の審査長には「第一審査長」から「第五審査長」までの名称が付され、「第○審査長」を長とする部署は「第○審査」と称している。

28）個別の事件の審査チームには、審査長を長とするものと組織規則9条の上席審査専門官を長とするものとがあるようであり、後者は特に「第○審査上席」と称している。組織規則8条が定める上席審査専門官は、優越的地位濫用に係る事件についての審査の開始に係る情報に関する調査に関する事務に従事するものであって、組織規則9条の上席審査専門官とは異なる。

29）2人の特別審査長には「第一特別審査長」および「第二特別審査長」という名称が付され、「第○特別審査長」を長とする部署は「第○特別審査」と称している。

30）地方事務所は、内閣府設置法57条にいう地方支分部局ではない。地方事務所は、委員会ではなく事務総局に置かれるものだからである。独禁法35条の2が用いる「地方機関」という語には、その意味合いが込められている（佐島・旧条解498頁）。「地方事務所」とは、事務総局の地方機関の、独禁法典における呼称である。

31）平成8年改正によって事務局が事務総局へと格上げされ組織再編がされた際、このような形となった（平成8年政令第175号による組織令改正および平成8年総理府令第33号による組織規則改正）。事務総局本局のポストを増やすためであったとみられる。

32）地方事務所・支所は、消費者庁長官から公正取引委員会に委任された景表法事件調査の権限に係る事務などもつかさどる。景表法33条2項、不当景品類及び不当表示防止法施行令（平成21年政令第218号）15条、公正取引委員会事務総局組織規程4条の2。

地方事務所と同等の所掌事務のうち沖縄に係る事務を、内閣府の地方支分部局である沖縄総合事務局がつかさどる（内閣府設置法44条1項1号イ）。この事務について、沖縄総合事務局は、公取委の指揮監督を受ける（内閣府設置法44条2項1号）。沖縄総合事務局組織規則（平成13年内閣府令第4号）12条によって、沖縄総合事務局の総務部に公正取引課が置かれている。

(3) 法曹資格者の登用

事務総局の職員には、検察官または弁護士有資格者を加えなければならない（35条7項）。

このうち、検察官たる職員の所掌事務は、独禁法の規定に「違反する事件に関するものに限る」（35条8項）。この趣旨は、検察官たる職員がそれを超えた事務を所掌すれば、検察官たる者の身分上の制約をとおして他の国家権力の介入を許し、公取委の職権行使の独立と矛盾するに至るおそれがあるからである、と説明されている[33]。「違反する事件に関するもの」には、違反の疑いで審査したが結果として違反なしとされたものが含まれる、ともされる[34]。

弁護士有資格者は、任期付採用が増えている。

(4) 定　員

事務総局の職員の定員は、「行政機関の職員の定員に関する法律」の規定に基づいて、行政機関職員定員令（昭和44年政令第121号）1条2項により定められている。

第2節　委員長・委員・職員が服すべき規律

1 総　説

以下では、委員長・委員・職員が公務員として服すべき規律[35]のうち、主に独禁法典に定められたものについて叙述する。

---

33) 東京地判昭和35年7月27日・昭和34年（行）第137号〔全国消費者団体連絡会〕（行集11巻7号の2084～2085頁、審決集10巻の132～133頁）。

34) 全国消費者団体連絡会東京地判（行集11巻7号の2085～2086頁、審決集10巻の133頁）。

35) 藤田宙靖『行政組織法〔第2版〕』（有斐閣、令和4年）6～10頁が「行政組織法」とは区別する「公務員法」に相当する。

2　人事管理

(1)　委員長・委員

委員長・委員の任免権は、内閣総理大臣にある（前記 630〜631 頁）。

委員長・委員は「官吏」であり（29 条 4 項）、国家公務員法の適用対象外となる国家公務員法上の「特別職」の職員に該当する（国家公務員法 2 条 3 項 9 号）。国家公務員法の適用を受けないので、官吏服務紀律（明治 20 年勅令第 39 号）の適用を受けることになる[36]。

委員長・委員の報酬は、在任中はその意に反して減額されることはない（36 条 2 項）。これが、職権行使の独立性の 1 つの担保となっている。委員長・委員は、「特別職の職員の給与に関する法律」の適用対象である「特別職の職員」に該当する（同法 1 条 13 号）。

委員長・委員は、定年を除けば、31 条に掲げられた事由に該当しない限り、その意に反して罷免されることがない。これが、職権行使の独立性の 1 つの担保となっている。31 条 2 号の懲戒免官の処分は、官吏服務紀律違反により任命権者である内閣総理大臣によって懲戒免官の処分を受けた場合を指す、とされる[37]。31 条 5 号に定める委員会の決定は、34 条 3 項に定める委員会の特別の議決方法による。

(2)　事務総局職員

事務総局職員は、国家公務員法上の「一般職」に該当し、国家公務員法の適用対象である（国家公務員法 2 条）。

3　外部への意見発表の禁止

38 条は、委員長・委員・職員が、事件に関する事実の有無または法令の適用について、意見を外部に発表することを禁じている。公正・中立性に疑義が生じないようにする趣旨だ、とされる[38]。

38 条違反に対する法執行は、特に定められていない。他の規定の適用において、38 条違反行為の存在が参酌されることはあり得る[39]。

---

36)　「国家公務員法の規定が適用せられるまでの官吏の任免等に関する法律」（昭和 22 年法律第 121 号）。

37)　平林・注釈 618 頁。

38)　佐島・旧条解 500 頁、平林・注釈 628 頁。

「事件」に関する意見が問題となるので、例えばガイドラインなど、一般的活動に関する意見は、もともと規制対象ではない。

38条には、例外が2点、定められている。

第1の例外は、独禁法典に規定がある場合である[40]。

第2の例外は、独禁法に関する研究の成果を発表する場合である。独禁法に関する理解が進歩するためには、具体的な事件を担当した職員等が研究した成果が発表されることは、研究成果の内容が学問的批判の対象となる場合も含めて、有益なことである。実際には、多くの事件について、関係した職員による解説が、むしろ当該解説が公取委の公式見解であると誤解されないよう「個人の意見」であることを明記して、『公正取引』などの雑誌等に発表されるのが例となっている。このように見ると、38条の規定は、公正・中立性という根本原則を踏み外さない限りにおいて、かなり相対化され禁止範囲が狭められている、ということができる。

4 事業者の秘密の漏洩・窃用の禁止

39条は、現在および過去の委員長・委員・職員が、職務に関して知得した事業者の秘密を他に漏らす行為や窃用する行為を禁じている。職務遂行に対する信頼性を確保するためのもの、とされる[41]。

組織的決定に基づき職務として行う行為は対象となるか、という論点があり、意見が分かれている[42]。

---

39) その具体例が、東京高判平成6年2月25日・平成4年(行ケ)第208号〔東芝ケミカルI〕であろう(高民集47巻1号の45頁、審決集40巻の563頁)。そこに現れた行為が38条に照らして不適切であると判断したことそれ自体の当否は、また別の問題である。

40) これにあたる場合としては、平成25年改正前の70条の2第2項によって委員長・委員が審決書に付記する少数意見が挙げられていたが、平成25年改正による審判制度の廃止に伴い、この規定も削られた。少数意見が付された事例として、公取委審判審決昭和37年4月12日・昭和27年(判)第5号〔東武鉄道〕(前記63頁註101)、公取委審判審決平成27年5月22日・平成22年(判)第2号〔ブラウン管MT映像ディスプレイ等〕、公取委審判審決平成27年5月22日・平成22年(判)第7号〔ブラウン管サムスンSDIマレーシア〕。少数意見が付されなかった公取委審判審決平成24年6月12日・平成21年(判)第17号〔JASRAC〕について、勧所事例集543~544頁。

41) 佐島・旧条解501頁、平林・注釈630頁。

42) 平林・注釈630~631頁は対象とならないとし、佐島・旧条解501頁は対象となるとする。

39条違反に対する法執行としては、93条に刑罰の規定がある。

39条の特色は、国家公務員法100条1項に規定された秘密保持義務と比較すれば、明らかとなる。

第1に、対象となる者である。国家公務員法が一般職のみを適用対象としているのに対し、独禁法39条は、一般職である事務総局職員のみならず、特別職である委員長・委員をも対象としている。

第2に、対象となる秘密の範囲である。国家公務員法100条1項が職務上知ることのできた秘密を一般的に対象としているのに対し、独禁法39条は、「事業者の秘密」に限定している。東京地裁判決は、「事業者の秘密」とは、非公知の事実であること、事業者が秘匿を望むこと、客観的に見てもそれを秘匿することにつき合理的な理由があること、の3点を満たすもの、としている[43)44)]。

第3に、行為態様である。国家公務員法100条1項は秘密を漏らす行為のみを対象としているのに対し、独禁法39条は、秘密を漏らす行為だけでなく、秘密を窃用する行為をも対象としている。

第4に、法定刑である。独禁法39条の法定刑は、国家公務員法100条1項の法定刑よりも上となるよう配慮されている[45)]。

5　その他の規律

37条は、委員長・委員、および、政令によって定める職員の、政治活動、許可のない兼業、営利活動、を規制している。公正・中立性を保つ趣旨であるとされる[46)]。

---

43)　東京地判昭和53年7月28日・昭和52年（特わ）第2266号〔エポキシ樹脂秘密漏洩〕（刑事裁判月報10巻6～8号の1165頁）。

44)　例えば13条の役員兼任規制への違反が疑われた自然人や、入札談合事件における発注官庁等のように、形式的に事業者と言えるか否かが定かでない者の秘密についても、実質的には「事業者の秘密」と同視し得るように思われるが、これらをも「事業者の秘密」と呼ぶか否かは、罪刑法定主義との関係で意見の分かれるところであろう。もっとも、これらを漏らす行為についても、国家公務員法100条1項の適用はある。

45)　平成21年改正解説158頁。

46)　佐島・旧条解499頁。ただし、職員は、一般職の国家公務員であるため、独禁法37条の禁止事項と同様のものを国家公務員法102条～104条でも禁止されており、独禁法37条の存在意義があるとは言えない。委員長・委員には官吏服務紀律の適用がある（前記**2**(1)）。37条の対象となる職員を定める政令は、存在しない。

37条違反に対する法執行は、特に定められてはいない。他の規定の適用において、37条違反行為の存在が参酌されることはあり得よう。

第3節　公取委の活動

公取委の活動については、年次報告や、ウェブ上に随時掲げられる「公正取引委員会の最近の活動状況」によって、その全容を知ることができる。

公取委の活動には、エンフォースメントとアドボカシーがあるとされることが多い。エンフォースメントは本書では「法執行」と呼んでおり、違反被疑事件に関する公取委の法執行については後記第15章で述べる。アドボカシーは「政策発信」と呼ぶくらいがちょうどよいように思われる（以上、前記5頁）。

違反被疑事件処理以外の活動をする場合でも、情報や意見の収集が必要である。多岐にわたる事実上の情報・意見収集があり得るほか、法令によるものとしては、一般的な調査を行う強制的な権限（40条）[47]、調査を外部に嘱託する権限（41条）[48]、公聴会を開く権限（42条）、を定めている[49]。また、意見公募手続も用いられる[50]。

公取委は、独禁法の適正な運用を図るため、必要な事項を公表することもできる（43条）[51]。ガイドラインや実態調査報告書の公表などは、これにあたるであろう。一定の懸念のある行為を行った者の企業名を公表することも、これにあたる。

47）40条について、佐島・旧条解502〜503頁、平林・注釈632〜634頁。40条の調査権限は、刑罰によってその実効性を担保している（94条の2）。特定の事業分野等に関する政策発信のための実態調査の手段として40条の調査権限が言及を受けることが増え、令和4年に独禁法40条処分規則が制定された。

48）平成17年改正により41条の嘱託先が例示列挙となり、例えば、外国政府等、弁護士等、公認会計士等、消費者団体等、も嘱託先とすることができることが明らかとなった（平成17年改正解説108頁）。

49）公取委には、法令上、審議会が置かれておらず、他府省の審議会と同格のものにも「懇話会」や「研究会」などの名称が付されている。

50）行政手続法39条以下による。意見公募手続の対象となる「命令等」は同法2条8号で定義され、同法3条2項で、「命令等」のうち意見公募手続の対象外となるものが規定されている。

51）43条について、佐島・旧条解504〜505頁、平林・注釈636〜638頁。

独禁法・競争政策の実現のためには、公取委が関係行政機関との調整を行うことが必要となる場合も多い。調整のひとつの形態として、公取委は、必要と認めるときは、関係行政機関の長に対し、必要な資料の提出および説明を求め、ならびに当該関係行政機関の政策に関し意見を述べることができる（内閣府設置法58条8項）。

国際協力の観点からは、二国間の取組として、独占禁止法協力協定、経済連携協定、当局間覚書・取決めが多数あるほか[52]、多国間の取組として、国際競争ネットワーク（ICN）や経済協力開発機構（OECD）などにおけるものがある。

事業者等による相談への対応や事前審査も行う。企業結合については詳細な企業結合審査手続が置かれている（前記第11章第4節）。非企業結合規制についても、事業者等が、行為を行う前に、当該行為が独禁法に違反しないかどうかについて相談する場合には対応を行っている。非企業結合規制に関する事前相談（広義）は、公取委が定めた手続に準拠した公式の事前相談と、非公式の「一般相談」とに分かれる。公式の事前相談は回答があれば都度公表され、一般相談は、主なものが、毎年6月頃公表される相談事例集に掲載される[53]。相談への回答は、一定の解決方法を提示したり、法令の解釈や制度の仕組みを紹介したりするだけであれば、作為や不作為を「求める」ことにならず、行政手続法にいう行政指導には該当しない、とされる[54]。

52）公取委ウェブサイトの「国際的な取組」のページに、これらが掲げられている。

53）毎年度の相談事例集の冒頭で、事前相談と一般相談についての説明がある。前者については、公正取引委員会「事業者等の活動に係る事前相談制度」（平成13年10月1日）において種々のことが定められている。

54）石谷直久「行政手続法と独占禁止法等との関係について」公正取引530号（平成6年）36頁。

第15章
公正取引委員会による違反被疑事件処理

第1節　総　説

1　論述の対象

公取委は、独禁法違反行為があるのではないかと考えた場合には、当該事件について所要の手続を践み、種々の行政処分その他を行う。以下では、その手続の流れに沿って、公取委による事件処理を論ずる1)。

本書第2部の各違反類型に関する各論において、それぞれの違反類型に固有の個別事案処理については論じており、以下では、各違反類型の全体に共通する部分を中心に、論ずる。

個別事例であっても、行為の事前の相談や、通常の企業結合審査は、公取委の用語法では「事件」ではない。別の箇所で述べた（前記641頁）。

2　行政手続法との関係

独禁法に関する公取委による事件処理には、行政手続法の適用を受ける部分と受けない部分とがある2)。

まず、公取委の命令等の処分については、行政手続法第2章と第3章が適用されないこととなっている（独禁法70条の11）。これは、行政手続を軽視しているものではなく、独禁法典が自前の行政手続規定を持っているためである。

他方、独禁法70条の11は、行政手続法第4章の適用を除外していないので、

---

1)　独禁法典に加え、政令・公取委規則が規律する（70条の10、76条、88条の2）。

2)　石谷直久「行政手続法と独占禁止法等との関係について」公正取引530号（平成6年）。

行政指導については、行政手続法の適用を受ける。行政手続法2条6号は、行政指導の定義として、特定の者に一定の作為または不作為を求めるものであるとしている。それに照らして行政指導に該当し行政手続法が適用されるのは、独禁法の関係では、主に警告・注意などだけである、とされる[3]。

行政調査や犯則調査に際しての処分や行政指導は、行政手続法の適用対象とはならない。行政調査に際しての行政指導を除けば、独禁法70条の11や117条に規定が置かれているが、もともと、行政調査や犯則調査に際しての処分や行政指導の全体について、行政手続法3条1項14号によって同法第2章から第4章までが適用除外とされている[4]。

3　先例拘束性

公取委による事件処理は、先例に拘束されるか。行政法一般の文献に委ねるべき問題であるが、独禁法等を素材とした判決例に限定して以下で紹介する。

東京もち東京高裁判決は、独禁法の特例法とされていた景表法に関する事例において、一般論として次のように述べた。「公正取引委員会が排除命令又は審決において示した準則又は裁量基準が先例として確立し、これに基づく規制を受ける立場にある事業者も右先例に従っているような状態が継続していた場合に、公正取引委員会が、右先例を変更し、従前とは異なった内容の新たな準則又は裁量基準に基づいて規制権限を行使しようとするときであって、その結果が右先例に従っていた右事業者に不利益を課すことになるときには、右事業者に不意打的に不利益を課すことになるのを避けるため、準立法的機能・権限をも有する公正取引委員会としては、新たな準則又は裁量基準を定立し、これを右事業者に周知させる措置を講じたうえ、合理的な期間が経過した後にはじめて新たな準則又は裁量基準に基づく規制権限を行使するのが相当であるというべきであ」る。そして、公取委が、そのような条件を満たさずに新たな基準に基づいて行政処分をした場合には当該行政処分が違法となる余地がある、とする[5]。上記引用判示を一見すれば明確なように、これは事業者らの期待利益

---

3)　石谷・前記註2・36～37頁。この文献の警告に関する解説は、注意にも当てはまると考えられる。他に、「要請」などの名目で行われるものも、行政指導に該当し得ると考えられる。

4)　独禁法40条による調査の行政手続法との関係については、独禁法典には規定がなく、行政手続法3条1項14号によって初めて適用除外となる。

を保護しようとする考え方である[6]。

東京もち東京高裁判決の一般論は、公取委が法定の事件処理において積極的に示した基準を主に念頭に置いているようであるが、同様のことはそれ以外の経緯で成立した基準にも妥当するであろう。例えば、ガイドラインなどの一般的な文書に示された基準、非公式の個別案件処理において示された基準、そして、公取委が不問としてきた事実によって形成された基準、といったものについても、同様の一般論が当てはまる余地はあろう。

具体的事件において先例拘束性が問題となった日本機械保険連盟東京高裁判決は、課徴金に関しては先例よりも法令が優先するという基本的考え方を示しつつ、かりに先例に目を向けるとしても、当該事件で焦点となった具体的先例が、1回限りのものであり、審決や命令といった公権的判断のなかに理由として示されたのではなく公取委職員による解説にすぎないことなどに触れながら、同事件において先例による拘束は働かないと判示した[7]。当該事案における判決の結論の当否は別として、一般論としては、1回限りの判断によって基準が確立する場合もあり得るし、また、独禁法のようにガイドラインや解説などの非公式な手法によって基準が形成されることの多い分野では、「先例」を公権的判断のなかの理由付けだけに限定するのは、狭すぎるようにも思われる[8]。

---

5) 以上、東京高判平成8年3月29日・平成6年(行ケ)第232号〔東京もち〕(審決集42巻の467頁)。匿名解説・判時1571号(平成8年)48～50頁が、外国文献をも引用した詳細な解説を行っている。

6) 東京高判平成20年4月4日・平成18年(行ケ)第18号〔元詰種子価格協定〕は、当該事案にまつわる過去の先例が今回の行政処分を拘束しないと結論付けるにあたり、1つの理由付けとして、行為者らが当該先例によって独禁法上の判断基準が示されたと認識していたわけではなかったという点を挙げている(判決書86～87頁)。

7) 東京高判平成13年11月30日・平成12年(行ケ)第228号〔日本機械保険連盟〕(審決集48巻の548～550頁)。公取委命令平成2年4月11日・平成2年(納)第33号〔三重県バス協会課徴金〕との違いが問題となった。

8) 日本機械保険連盟東京高裁判決は、同事件ではまさに売手と買手との取引に代理店が関与したにすぎない事例であるのに対し、三重県バス協会課徴金納付命令では代理店自身が買手であったと見る余地がある、として、そもそも事案を異にするのであるとの見方もあることを示唆している(審決集48巻の550頁)。

4　同一事件における同等処理の要否

同一の事件に複数の違反者が絡む場合、個々の違反者に固有の事情によって結論等が変わることがあり得ることは当然であるが、複数の違反者に共通であるべき問題について異なる結論が採られることは許されるか。例えば、不当な取引制限の事件において、特定の違反者が離脱したという根拠によるのでなく複数の違反者について違反行為が終了したという場合に、その終了日が複数の違反者ごとに区々となってよいか、という問題である。

公取委は、共通となるよう努めるべきである。

ただ、手続の過程で、争わなかったために早々に確定した者と、争ったために確定までに時間のかかった者との間で、後者のほうが違反者に有利な判断がされるということは、あり得ることであるし、やむを得ないことである[9)]。

5　行為者に有利な事件処理

公取委が行政機関である以上、いかに行政の透明性が求められているとはいっても、十分な説明のないまま行為者に有利な事件処理が行われる可能性はある。第1に、本来は違反要件や法執行要件を満たすのに行為者に有利な事件処理がされる場合があり得よう。第2に、本来の違反要件や法執行要件は狭いのでそれに該当しないのであるが、表向きは要件が広いものであるかのように言われているので、公取委がその状況を維持すべく、特段の理由を付さずに行為者に有利な事件処理をする場合もあり得よう[10)]。公取委がそれらのことを明確に説明するとは考えにくい場合が多いので、そのような可能性を念頭に置きつつ観察者が情報を見極める必要がある[11)]。

---

9)　東京地判平成22年4月28日・平成20年（行ウ）第612号〔三井化学国家賠償請求等〕（判決書49～75頁）。実行期間の終期が争われた。平成17年改正前の、排除措置命令手続をした後に課徴金納付命令手続に入るという手続規定のもとであったので、排除措置命令または課徴金納付命令のいずれかを争った者は、公取委が考えを改めるに至った後のタイミングで最終的な課徴金納付命令の内容が定まったので、争わなかった事業者の課徴金納付命令の内容よりも、実行期間の終期について有利な結論となった。

10)　正当化理由をめぐる問題は、その代表例であろう（前記95頁）。

11)　以上のことについて総合的には、白石忠志「行為者に有利な事件処理による独禁法上の規範形成」中山信弘編集代表『政府規制とソフトロー』（有斐閣、平成20年）。

第2節　端　緒

事件の端緒には、ありとあらゆるものがあり得る。

45条1項は「何人も」違反被疑事実を報告できると規定している[12)]。「報告」は、公取委内部では「申告」と呼ばれているようである。私人からのものだけでなく、他の行政機関からの求めや通知もあり得る[13)]。平成17年改正後は、減免制度による報告・資料提出も、事件の端緒としての重要な意味を持っている。

また、公取委による職権探知を端緒とする立件もあり得る（45条4項）。

第3節　調　査

1　総　説

(1)　概　要

違反行為が行われているのではないかと疑われる事件については、調査が行われる[14)]。

調査には、行政調査と犯則調査とがある。本書において「行政調査」とは、必要に応じて排除措置命令・課徴金納付命令をするための、47条を中心とする調査を指す。本書において「犯則調査」とは、必要に応じて刑事告発をするための、101条以下の規定を中心とする調査を指す。

多くの場合は行政調査が行われるが、刑罰に繋がるものと見られる事件を探知した場合には犯則調査が行われる。いずれにおいても、審査局長が委員会に

---

12)　報告が、審査規則29条1項・2項の要件を満たす文書によって行われた場合には、公取委は、それに関する事件としての採否を報告者に通知しなければならない（45条3項）。この通知の規定があるため、この制度は、行政手続法36条の3（処分等の求め）の特別規定と位置付けることができる。斎藤誠「補論Ⅳ処分等の求めに関する行政手続法の規定」小早川光郎＝高橋滋編著『条解行政不服審査法』（弘文堂、平成28年）528～530頁。

13)　法律に明文のあるものとして、中小企業庁設置法4条7項や「公共工事の入札及び契約の適正化の促進に関する法律」（平成12年法律第127号）10条などがある。

14)　このほか、一般的な調査について、40条と41条がある（前記640頁）。

報告したうえで、委員会の判断によって調査が開始される（審査規則7条、犯則規則4条）。

⑵ **「調査」と「審査」**

「調査」は、平成17年改正の前後を通じて、独禁法典において使われている言葉であって、しかし調査は、同改正前は、政令以下の法令においてほぼ専ら「審査」と呼ばれており、独禁法関係者の日常的な会話でもほぼ専ら「審査」と呼ばれた[15]。

そうしたところ平成17年改正は、従来において「審査」と呼ばれていたものに加え、犯則調査の制度を導入したので、改正前後の議論のなかで、「犯則調査」と対比するために、従来において「審査」と呼ばれたものが「行政調査」とも呼ばれるようになった。「行政調査」は、独禁法関係法令上の用語ではなく、あくまで「犯則調査」と対比するための便宜的用語である。

行政調査と犯則調査の総称が、独禁法典においては「調査」であり、政令以下の法令では「審査」である。政令以下では、例えば、行政調査と犯則調査のいずれもが「審査局」の所掌となっており、審査局において犯則調査を所掌する部は「犯則審査部」であり、行政調査を所掌する課長級分掌職は「審査長」であって犯則調査を所掌する課長級分掌職は「特別審査長」である（以上、前記634〜635頁）。他方、平成17年改正前とは異なり、行政調査と犯則調査という用語法が広く定着したことや、独禁法典における「調査開始日」の概念が重要であることなどにより、「調査」という用語も使用頻度を増している。審査長らが率いる組織の総体を「行政調査部門」と呼び、犯則審査部を「犯則調査部門」と呼んで両者を対比する用語法は、公取委の文書にも見られる。

ところが、更に複雑なことに、平成17年改正前から存在した行政調査のみを「審査」と呼んできたことの名残はやはり観察されるのであり、そこに、上記のような「広義の審査」とは異なる「狭義の審査」の概念が成立している。例えば、審査規則は行政調査のみを対象とした規則であり、犯則調査を対象とする規則は犯則規則である。「審査官」は行政調査を行う職員の呼称であり（後記**2**⑵）、犯則調査を行う職員は「犯則事件調査職員」である（後記**3**⑵）。

---

15) 平成17年改正前の諸論議を一望できる文献として、島田聡一郎「公正取引委員会の調査権限について」立教法学62号（平成14年）。

(3) 調査における手続保障

公取委の調査における手続保障のあり方については、様々な議論がされている。公取委の権限強化を実現した平成17年改正を受け、中立という位置付けで内閣府に事務局を置いた懇談会で一定の議論がされたあと[16]、審判制度を廃止する平成25年改正法のなかに検討規定が置かれたうえで（平成25年改正法附則16条）、やはり内閣府に事務局を置く懇談会が開催され平成26年内閣府懇談会報告書が作成された。これを受けて、審査手続指針が策定されるなどしている。それらの議論は、基本的には行政調査に関するものである[17]。

(4) 国際的な調査

在外者に対する調査、つまりいわゆる執行管轄権の域外行使については、当該外国政府の同意がなければ許されない、とする国際法規範が確立しているようである。日本独禁法違反を論じ得るか否かというレベルでは、外国での行為等を対象とすることができることは当然の前提とされているが（前記第5章第6節）、執行管轄権の行使は強制力が直接的なものであるため、厳格な規範が浸透している[18]。もっとも、送達のように高度に公式のものを除けば（後記第11節1）、文書を送ること等は鷹揚に行われているように思われる。

二国間の独禁協力協定は、現行法の枠内で可能なことについて協力する、という範囲を出るものではない。その範囲を超えて執行管轄権の域外行使を容易にするわけでもなければ、日本独禁法に違反する疑いがあるというだけで事件調査権限を外国競争当局に与えるものでもない。

平成21年改正により、外国競争当局に対する情報提供に関する43条の2の規定が置かれたが、これも、既存の法令によって可能である内容を確認したにすぎないもののようにも思われる[19]。

16） 平成19年内閣府懇談会報告書34～37頁。

17） 平成26年内閣府懇談会報告書4頁。

18） 小寺彰「独禁法の域外適用・域外執行をめぐる最近の動向」ジュリスト1254号（平成15年）66頁。

19） 法案作成担当者の解説として、平成21年改正解説140頁。

2　行政調査

(1)　総　説

排除措置命令や課徴金納付命令など、公取委が行う行政的な法執行のために行うのが、行政調査である。

行政調査は、47 条に定められた強制的な権限を背景に行われるが、それとともに、あるいはそれに代わって、任意の調査が行われるのが通常である。

(2)　審査官

47 条は、原則として委員会が行政調査を行うかのような体裁となっているが、実際には、47 条 2 項によって委員会が「審査官」として指定する公取委職員が行政調査を行うのが常態となっている。47 条 2 項にいう「政令」とは、1 箇条のみで構成される審査官指定政令である。

審査官は、行政調査を行うほか、当該事件に係る意見聴取手続に参画することも明文で規定されている（後記 683 頁）。

「審査官」という名は、事件調査を行う者の一般的呼称であるかのように見えるが、正しくは、行政調査を行う職員のみを指す概念であり、犯則調査を行う職員は「審査官」とは呼ばない。平成 17 年改正前には公取委に行政調査権限しかなかったことの名残である。

審査官指定政令によれば、審査官の指定は「事件ごとに」行うこととなっている。このように、「審査官」とは、行政組織における通常の官職とは異なり、特定の事件において強制的な行政調査を行ったり意見聴取手続に参画し得る地位を示す概念である。

審査官指定政令によれば、審査官に指定できるのは、かつては、審査局職員と地方事務所や支所の職員のみであったが、令和 3 年 4 月から、官房に置かれる審議官と経済取引局の企業結合課の職員も加えられた。企業結合案件において独禁法 47 条の行政調査権限を円滑に用いることが可能となっている[20]。

審査官指定政令によれば、審査局職員であっても、犯則審査部の職員は審査官に指定することはできない。これは、行政調査部門と犯則調査部門との間に

---

20)　令和 3 年政令第 76 号による改正。経済取引局については、厳密には、経済取引局から企業結合課以外の他の課・部を除く形となっており、どの課・部にも属しない者を含んでいる。同じ改正政令により組織令も改正され、企業結合課の所掌事務に、企業結合案件について企業結合課に審査官を置く場合を想定した事務が加えられている（組織令 14 条）。

ファイアウォールを置くためのものである（後記663頁）。

審査官による行政調査についての詳細は、審査規則、特にその7条〜23条に定められている。

(3) 強制的な行政調査

① **総説**　47条は、強制的な行政調査の権限について規定している。47条1項各号に列挙された調査は、令状によるのではなく、それに従わない場合に94条による刑罰が科せられることを背景とした間接強制によって、担保されている。直接の実力行使が認められているわけではない[21]。

そのような強制は、正当な理由がある場合には拒否できる、とされる。

47条1項各号に関する審査官による処分については、処分を受けた日から1週間以内に、委員会に対して異議申立てをすることができる（審査規則22条）。なお、任意の供述聴取については、これとは別に苦情申立制度を置いている[22]。

47条1項各号に関する審査官による処分については、行政手続法と行政不服審査法の適用除外となっている（70条の11、70条の12）。

公取委は、調査の要旨を調書に記載し、処分年月日を明らかにしておかなければならない（48条）。

以下では、実際の手続の流れに即して、強制的な行政調査について見ていく。47条1項各号は、実際の手続の流れの順とはなっていないところ、審査手続指針において手続の流れに即した記述がされたこともあり、以下では後者に準拠した順序で見ていくものである。

② **立入検査・提出命令・留置**　47条1項4号は、立入検査について定めている[23]。47条1項4号の「事件関係人の営業所その他必要な場所」は、「事件関係人の営業所」および「その他必要な場所」と読むのが日本語としても自然であり、事件関係人ではない者の施設等に立ち入ることもできると解されてい

---

21) 公取委審判審決昭和43年10月11日・昭和41年（判）第2号〔森永商事〕（審決集15巻の90頁）。

22) 公正取引委員会「任意の供述聴取に係る苦情申立制度の導入について」（平成27年12月25日）。

23) 公取委勧告審決平成17年12月26日・平成17年（勧）第20号〔三井住友銀行〕は、立入検査を行わないまま命令を行った点において特徴的な事件であるとして紹介されている（諏訪園貞明・同審決解説・公正取引664号（平成18年）51頁）。裏返せば、ことほど左様に、ほとんどの正式事件における行政調査では立入検査が行われている、ということでもある。

る[24]。

47条1項3号は、典型的には立入検査と同時に行われる提出命令・留置について定めている[25]。

強制的行政調査の典型例であるだけに、適正手続の要請も強い[26]。立入検査に際しては、被疑事実等の告知書が交付され（審査規則20条）、併せて、事業者等向け説明資料が手交される[27]。弁護士の立会いも認められるが、弁護士が到着するまで立入検査の開始を待つ必要はない、とされる[28]。提出物件の謄写の求めについては、立入検査当日と後日のそれぞれについて対応がされる[29]。弁護士・依頼者間秘匿特権の問題については、別の箇所で述べる（後記(4)）。

③ **供述聴取**　47条1項1号は、事件関係人や参考人[30]に対する審尋[31]について定めているが、審尋は、強制的な供述聴取の手段であり、実際には、多くの場合は任意の供述聴取によっている、とされる[32]。審尋については審尋調書（審査規則11条）、任意の供述聴取については供述調書（審査規則13条）、が作成される。

審尋と任意の供述聴取を含めた広義の供述聴取について、手続保障の観点から種々の議論がある。弁護士の立会い、録音・録画、調書の写しの交付、供述聴取時の供述人によるメモの録取、自己負罪拒否特権、などはいずれも現時点

---

24) 立入検査は、減免申請に影響を及ぼす「調査開始日」を画するものとして、47条1項の諸処分のなかで特別の地位を与えられている（前記330〜331頁）。47条1項の強制的行政調査が行われた場合には年月日を付して調書を作成しなければならないこととなっている。

25) 公取委決定平成15年10月24日・平成15年（査）第1号〔三菱レイヨン異議申立て〕は、審査官からの事情聴取中に作成したメモも、事件に関連して作成された文書であって提出命令の対象となるとして、防御権の侵害行為であるとする異議申立てを却下した。

26) 平成26年内閣府懇談会報告書6〜12頁、審査手続指針第2の1。

27) 審査手続指針第2の1(2)。

28) 平成26年内閣府懇談会報告書11頁、審査手続指針第2の1(5)。

29) 審査手続指針第2の1(4)ウ。後日の謄写は、審査規則18条に基づくものである。このほか、意見聴取手続における謄写の制度がある（後記686〜689頁）。

30) 75条に基づき、「私的独占の禁止及び公正取引の確保に関する法律の調査手続における参考人及び鑑定人の旅費及び手当に関する政令」（昭和23年政令第332号）が置かれている。これはもともと審判費用についても規定していたところ、平成25年改正によって審判制度が廃止されたので、行政調査に関する規定のみが残ったものである。

31) 「審尋」は、平成17年改正前は「審訊」と表記されていた。

32) 平成26年内閣府懇談会報告書19頁。

では認められていない[33]。そのことを前提として、審査手続指針が留意事項等を定めている[34]。

審尋においては、自己負罪拒否特権がないため、憲法上の問題を提起するが、違憲ではないと考えられている（後記(5)③）。

④ **報告命令**　47条1項1号は、報告命令についても定めている[35]。

報告命令は、事件に関係する資料を事件関係人に作成させ、それをもとに調査を進展させるものとして、しばしば用いられる。例えば、優越的地位濫用事件において、取引の相手方が行為者との今後の関係を慮って調査への協力を躊躇する場合があるので、刑罰に裏打ちされた報告命令という形式を採ることによって取引の相手方が協力しやすいようにしている、とされる[36]。

⑤ **鑑定**　47条1項2号は、鑑定について定めている[37]。

(4) 特定通信の内容を記録した物件の取扱い等

① **総説**　「弁護士・依頼者間秘匿特権」と呼ばれる手続問題がある。事業者と弁護士との間で法律違反の有無などについて秘密のうちに検討した内容は、提出命令などの対象とすることができないようにすべきである、という考え方である。反対論も根強く、様々な議論がある[38]。

日本では、令和元年改正に際して、限定的な形で導入された。反対論も根強いなかで、令和元年改正によって独禁法を強化することに対する交換条件として、導入されたものである。このように、法改正の内容とは関係なく、法改正

33）平成26年内閣府懇談会報告書33～34頁。

34）審査手続指針第2の2。

35）関連して、審査手続指針第2の3。

36）伊永大輔発言・鼎談「優越的地位濫用をめぐる実務的課題」ジュリスト1442号（平成24年）20頁。

37）鑑定人の旅費・手当については、参考人と同じである（前記註30）。

38）否定的な見解、または、それを前提として個別の判断をした事例として、例えば、平成26年内閣府懇談会報告書13～17頁、東京地判平成25年1月31日・平成23年（行ウ）第322号〔JASRAC審判事件記録閲覧謄写許可処分取消請求〕（裁判所PDF 56～57頁）、東京高判平成25年9月12日・平成25年（行コ）第80号〔JASRAC審判事件記録閲覧謄写許可処分取消請求〕（裁判所PDF 2頁、3～5頁）、公取委決定平成30年5月11日〔アマゾンジャパン異議申立て〕。弁護士・依頼者間秘匿特権を認めることに積極的な意見として、例えば、スコット・D・ハモンド＝矢吹公敏「日本における弁護士・依頼者間秘匿特権の導入（上）（下）」NBL1067号、1068号（平成28年）。

に伴って導入された。

「判別手続」という名称で呼ばれることもあるが、下記のように、「判別手続」は、関係する一連の手続の一部である。

具体的には、審査規則に規定が置かれ（審査規則23条の2～23条の5）、本書で「特定物件取扱指針」と略称する指針が策定されている。審査規則は行政調査のみを対象とするものであり、犯則調査はこの手続の対象とされていない。

② **対象となる行為**　この手続の対象となる行為は、「課徴金減免対象違反行為」の疑いのある「課徴金減免対象被疑行為」に限定されている（審査規則23条の2）。

この表現は、導入論者に対しては範囲を限定するとともに、反対論者に対しては、令和元年改正で強化される減免制度との関係で、この範囲では導入が必要であると説明する、という調整の産物ではないかと思われる。そのためか、減免制度に関係があるかのような文言が用いられているが、目前の具体的な違反被疑行為について減免申請を現にすることを要件とする旨の規定等はない。

要するに、7条の2第1項の要件を満たす違反行為、すなわち、不当な取引制限のうち同項の対価要件を満たす行為は全て、対象となる。いわゆるハードコアカルテルである。

③ **手続の概要**　手続の流れは、以下のように審査規則に規定されている。

課徴金減免対象被疑行為に係る事件で公取委の審査官が物件の提出を命ずる場合、物件の所持者は、文書で、申出をし、下記の「取扱い」の求めをすることができる。申出・求めをすることができるのは、事業者または役員・従業員に限られる。当該物件が課徴金減免対象被疑行為に関する法的意見について当該事業者と弁護士との間で秘密に行われた通信の内容を記録したものである旨が当該物件に表示され、当該物件が特定の保管場所に当該物件以外の物件と区別して保管されていると外形上認められるときは、審査官は、当該物件に封を施した上で提出を命じ、留め置くものとする、とされる。上記のような秘密の通信は「特定通信」と呼ばれ、留め置かれた物件は「特定物件」と呼ばれる（以上、審査規則23条の2）[39]。

弁護士法人を含む「弁護士」は、当該事業者から独立して法律事務を行う場

39）特定物件取扱指針第2、第3、第7の1～3。

合に限る、とされている（審査規則23条の2）。独立して法律事務を行っていない組織内弁護士を除く趣旨である[40]。

委員会は、事件ごとに指定する「判別官」（審査規則23条の4）に、特定物件が審査規則23条の3第1項各号のいずれも満たすことを確認させる[41]。確認された場合には、留置の必要がなくなったものとして、事件の終結を待たないで、特定物件を還付するものとする、とされる（審査規則23条の3）[42]。

審査官等は、供述聴取において、判別手続中や還付済みの物件に記載された特定通信の内容について聴取を行わないものとする、とされる[43]。

(5) 内在的な憲法問題

① 総説　行政調査については、憲法上の論点がある。

それらは、大きく見て、2つに分けることができる。第1は、現状の制度下で行政調査をすること自体が憲法に違反するか否か、という内在的な憲法問題である。第2は、行政調査によって得られた資料を犯則調査に引き継ぐことは憲法に違反するか否か、という、犯則調査への引継ぎに関する憲法問題である。ここでは行政調査に内在的な憲法問題のみを見て、犯則調査への引継ぎに関する憲法問題については別の箇所で述べる（後記**4**）。

② 令状主義との関係　47条1項による強制的な行政調査は、権限を持つ司法官憲が発する令状を得ずに行われるが、これは憲法35条2項に違反しないか。

この問題について、独禁法分野でもしばしば引用されるのが、所得税法上の質問検査権限に関する川崎民商最高裁判決である。同判決は、当該権限が令状によることを一般的要件としていないのは違憲でないと結論付け、その理由として、以下のような諸点を挙げている[44]。

第1の理由は、当該権限が専ら「所得税の公平確実な賦課徴収のために必要な資料を収集することを目的とする手続であつて、その性質上、刑事責任の追

40） 特定物件取扱指針第2注5。組織内弁護士でも例外的に対象とされる場合があることについても述べている。

41） 特定物件取扱指針第4、第7の4。

42） 特定物件取扱指針第5、第7の5。

43） 特定物件取扱指針第8。

44） 最判昭和47年11月22日・昭和44年（あ）第734号〔川崎民商〕（刑集26巻9号の558～559頁、裁判所PDF 1～3頁）。

及を目的とする手続ではない」という点である。結果としてそれが刑事責任の追及に繋がることはあっても、その作用を一般的に持つわけではなく、検査対象は行政目的のため必要な事項に限られている、とされる。

第2の理由は、当該権限に従わない者に加えられる間接強制としての刑罰は、「必ずしも軽微なものとはいえないにしても、その作用する強制の度合いは、それが検査の相手方の自由な意思をいちじるしく拘束して、実質上、直接的物理的な強制と同視すべき程度にまで達しているものとは、いまだ認めがたいところで」あって、当該権限によって実現される公益上の目的や必要性に鑑みれば、「右の程度の強制は、実効性確保の手段として、あながち不均衡、不合理なものとはいえないのである」という点である。

そこに示された諸要素を参考としながら、独禁法47条1項の強制的行政調査が令状を不要としていることについても合憲であると論ずる立場が有力である[45)]。

③ **自己負罪拒否特権との関係**　47条1項1号による審尋に従わないと94条1号で刑罰を科されるため、自己負罪拒否特権がないことになるが、これは憲法38条1項に反しないか。

この問題についても常に引用される川崎民商最高裁判決は、憲法38条1項にいう「自己に不利益な供述」とは刑事上の責任を問われるおそれのある事項についての供述であるとの解釈を前提として、所得税法上の質問検査権限に関する前記②のような理解を前提とすれば、憲法38条1項に反するとは言えない、としている[46)]。

以上のことを独禁法47条1項1号および94条1号に類推的に当てはめて、少なくとも文面上は合憲であるとする考え方が、有力である[47)]。ただ、その場合には、制度改正や運用の変化によって、川崎民商最高裁判決が所得税法上の質問検査権限について挙げた諸点が独禁法47条の行政調査権限に妥当しなくなっていないかどうか、常に検証する必要がある。

---

45)　違憲論の検討をも含め、川出敏裕「独占禁止法違反事件と刑事制裁」法律のひろば2001年5月号（平成13年）20〜22頁。

46)　川崎民商最判（刑集26巻9号の560頁、裁判所PDF 3〜4頁）。問題となり得るのは刑事手続に限られないとしつつ、所得税法上の質問検査権限は違憲とはいえない、とした。

47)　違憲論の検討をも含め、川出・前記註45・20〜22頁。

47条1項1号および94条1号がかりに文面上は合憲であっても、具体的な事例への適用において違憲とされる場合はあり得る。すなわち、事件関係人は、供述事項が刑事責任の発覚に繋がる場合には供述を拒否でき、そうしたとしても94条1号を適用されることはない、と有力に主張されている[48)]。

3 犯則調査

(1) 総 説

独禁法の犯則事件について、これを告発する必要があるか否かを公取委が調査するのが、犯則調査である（101条～118条）[49)]。

101条において「犯則事件」と定義される89条から91条までの罪に係る事件は、公取委による告発がなければ起訴することができないので（96条）、公取委による調査がされずに検察官の捜査のみで起訴されることは想定されていない。そして、犯則事件の告発に繋げる公取委の調査は、基本的には、犯則調査である[50)]。

公取委による犯則調査の制度は、平成17年改正によって導入された。その背景としては、いくつかの点が挙げられている。1つは、行政調査の場合のような間接強制とは異なる直接強制的調査権限を公取委に与えることにより、証拠収集能力を高めるべきだ、という考え方である[51)]。他の1つは、従来から存在する行政調査について、それを検察官による捜査に引き継ぐことについて種々の憲法上の疑義が提起されてきたので、それを払拭するために、刑事訴追に繋がるような事件の公取委による調査について犯則調査の制度を導入すべきだ、という考え方である。

48） 酒巻匡「憲法38条1項と行政上の供述義務」松尾浩也先生古稀祝賀論文集下巻（有斐閣、平成10年）102頁、川出・前記註45・21頁。

49） 令和元年改正において電子化にさらに対応する改正が行われたが、これについては、令和元年改正解説146～177頁。

50） 犯則調査に際しての処分については行政不服審査法の適用が除外されているが（118条）、これは、犯則調査が告発を経て刑事手続に引き継がれるためであるとされている（平成17年改正解説189頁）。

51） 公取委の調査の問題点を一般的に指摘しつつ、特に改正前の状況を批判的に論じたものとして、落合俊和＝安達敏男「独禁法違反事件の刑事告発をめぐる諸問題」司法研修所論集88号（平成5年）。

重要なのは、犯則調査においては令状なし・自己負罪拒否特権なしという憲法上の疑義が後述のように払拭されているため、検察官への制約が減った、という点である。告発が訴訟条件となっている場合に告発前に検察官が捜査をすることそれ自体は従前から許されていたが（後記758頁）、平成17年改正前は憲法との緊張関係を増幅することなどもあって公取委の行政調査部門と合同して調査・捜査をすることは憚られたものと思われる。犯則調査制度のもとでは、そのような制約がないので、告発前から公取委の犯則調査部門と緊密な連絡を取り合いながら検察官が単独または公取委の調査と合同で捜査をすることが可能である[52]。また、やはり平成17年改正によって89条〜91条の罪の第1審裁判権が東京高裁から地裁に移ったため（後記762頁）、地方検察庁の検察官としては、刑法の談合罪等との両睨みで捜査をすることが容易となったものと思われる。

(2) 犯則事件調査職員

犯則調査を行う者として委員会が指定するものを、独禁法典では「委員会職員」（101条）、犯則規則では「犯則事件調査職員」と呼んでいる（犯則規則1条）。本書では、「犯則事件調査職員」と呼ぶ。行政調査部門と犯則調査部門との間のファイアウォール（後記**4**(4)）を築くため、犯則事件調査職員は、審査局犯則審査部の職員に限るものとされている（犯則規則2条）。なお、「審査官」は、行政調査を行う者として指定されるものを指すのであって、犯則調査とは無関係の概念である（前記**2**(2)）。

(3) 任意の犯則調査

101条は、任意の犯則調査について規定している。犯則事件調査職員は、犯則嫌疑者や参考人に対して出頭を求め、質問し、所持しまたは置き去った物件を検査し、任意に提出しまたは置き去った物件を領置することができる。これらは任意の調査であり、行政調査におけるような刑罰による間接強制の規定はない。したがって、質問に対しては自己負罪拒否特権がある、ということになる。

自己負罪拒否特権があるとして、次に、自己負罪拒否特権があることを犯則

---

52) 川出敏裕「犯則調査権限の導入」ジュリスト1294号（平成17年）31頁、多田敏明「独占禁止法の手続的側面に関する改正」自由と正義2005年12月号（平成17年）37〜38頁。

嫌疑者等に対し質問開始前に告知する必要があるかどうか、という問題がある。最高裁判決によれば、告知義務の有無を定めるのは立法政策の問題であり、告知義務が定められていない状況下で告知しなかったとしても違憲ではない、とされる[53)]。ただ、違憲ではないからといってそれが望ましいというわけでもない。

犯則事件調査職員の身分証に関する規定（106条）、許可なく当該場所への出入りをすることを禁止することができる旨の規定（108条）、調書の作成に関する規定（111条）は、101条による質問・検査・領置にも適用される。領置物件については、112条から116条までの規定も置かれている。

(4) 強制的な犯則調査

102条〜103条の3は、犯則事件調査職員が裁判所の裁判官から許可状を得て行う強制的な犯則調査について規定している[54)]。102条は、臨検・捜索・差押え・記録命令付差押えについて規定しており[55)]、103条は、郵便物、信書便物および電信の差押えについて規定している。いずれも、「犯則事件を調査するため必要があるときは」という限定が施されている。103条の2・103条の3は、これらを補強する規定である。

強制的な犯則調査については、それらの条のほか、104条〜111条にもその方法について種々の細則が規定されており[56)]、差押物件・記録命令付差押物件については112条〜116条の規定も置かれている[57)]。差押え・記録命令付差押えの対象物件が公務上の秘密や弁護士等の業務上の秘密に関するものであると

---

53) 最判昭和59年3月27日・昭和58年（あ）第180号〔国税犯則取締法自己負罪拒否特権〕（裁判所PDF 2頁）。この判決には、当時の国税犯則取締法による質問に憲法38条に基づく自己負罪拒否特権の保障が及ぶ旨を明言した部分もあり（裁判所PDF 2頁）、そちらが引用され紹介されることもある。

54) 許可状は、102条1項・3項に定められた裁判所に対し、犯則事件が存在すると認められる資料を提供して、公取委が請求する。資料の具体例について、平成17年改正解説175頁。請求に理由がないときに裁判所が請求を却下できるのは、当然である（平成17年改正解説176頁）。

55) 臨検とは、五感の作用によって知覚実験し認識するための強制処分を指し、捜索とは、差し押さえる物件を発見するための強制処分を指し、差押えとは、証拠物件の占有を取得する強制処分を指す、とされる（平成17年改正解説174頁）。記録命令付差押えについては、令和元年改正解説147〜149頁。

56) 111条では、年月日を付した調書を作成しなければならない旨が定められている。

57) 以上につき詳しくは、平成17年改正解説177〜188頁。

きには刑事訴訟法 103 条～105 条の準用があると解される、とされる[58)59)]。

(5) 検察官への情報・資料の引継ぎ

行政調査の場合と異なり、犯則調査の場合は、調査によって得られた情報・資料を検察官に引き継ぐことに関する憲法上の問題は払拭されている。もともと刑事訴追に繋がることを前提とした制度であり、自己負罪拒否特権や許可状といった手続的保障がされているからである。

116 条は、犯則事件を調査し告発した場合、領置物件・差押物件・記録命令付差押物件があるときは、それを検察官に引き継がなければならない、と規定している。これらの物件に関する責任の所在を明らかにし当該物件の権利者を保護するという観点から、告発の際の引継ぎを義務付けた規定であると考えられる[60)]。

これらの物件のほかの一件書類についても、告発の際に、告発書に添付されて、検察官に引き渡されることになろう、とされる[61)]。

4 両調査相互間での情報・資料の引継ぎ

(1) 総 説

行政調査と犯則調査との間で、その成果である情報・資料が無限定に行き来することは適切でない、とされている[62)]。行政調査における強制権限と犯則調

58) 平成 17 年改正解説 174～175 頁。

59) 最大決昭和 44 年 12 月 3 日・昭和 42 年（し）第 78 号〔国税犯則取締法不服申立て〕は、当時の国税犯則取締法を念頭に置いた判示ではあるが、あくまで行政手続である強制的な犯則調査に対しては刑事訴訟法上の準抗告の規定を準用することはできず、行訴法によって訴訟を提起すべきものとする（刑集 23 巻 12 号の 1528～1529 頁、裁判所 PDF 2～3 頁）。

60) 116 条の原型である証券取引法 226 条（平成 18 年法律第 65 号による同法の改正後は金融商品取引法 226 条）について、野村證券株式会社法務部＝川村和夫編（神田秀樹監修）『注解証券取引法』（有斐閣、平成 9 年）1475 頁。独禁法 116 条については、犯則調査の成果の検察官への引継ぎを認めた規定であると紹介されることも少なくない。しかし、116 条は義務付け規定であり、しかも領置物件・差押物件・記録命令付差押物件だけについてしか規定しておらず、他の証拠の引継ぎについては何ら規定がない。犯則調査の成果の検察官への引継ぎを認める法理は、このような条文とは別のところから導かれるのであると理解すべきである。

61) 川出敏裕「犯則調査権限の導入」ジュリスト 1294 号（平成 17 年）30 頁。

62) 理屈のうえでは、行政調査によって得られた情報・資料が直接に検察官に引き継がれることもあり得るが、実際上は、犯則調査を行わずに独禁法典に定められた罪に関する告発・起訴がされることは平成 17 年改正後はほとんどないと思われる。

査における強制権限とは、それぞれの制度目的にあわせて設計されているので、情報・資料が行き来することが手続保障の観点からの問題を提起する場合があるからである。

しかし、だからといって、引継ぎが全く認められないわけではない。全く認めないこととしたのでは、行政調査として着手した事件について刑罰を科することや犯則調査として着手した事件について排除措置命令や課徴金納付命令を行うことを難しくさせるなど、適切な法執行手段を選んで政策を実現することを阻む硬直的なものとなるからである。

(2) 行政調査から犯則調査への引継ぎ

① **犯則調査の端緒としての利用** 行政調査で得られた情報・資料が端緒となって犯則調査に移行することそれ自体は許される、とする租税法分野の最高裁判決がある[63]。

もっとも、同判決は、行政調査権限が犯則調査・犯罪捜査のための手段として行使されたのであれば違法とされる可能性があることを示唆している。違法となる典型例としては、行政調査のためには必要でない事項について、犯則調査・犯罪捜査に協力するために行政調査を行った、という場合が考えられる[64]。

② **刑事裁判での証拠能力** 行政調査で得られて犯則調査・犯罪捜査に引き継がれた情報・資料は刑事裁判での証拠能力を持つか。

この問題は、行政調査権限の行使には令状が不要とされていることの憲法35条との緊張関係の問題と、行政調査権限の行使にあたっては自己負罪拒否特権が認められないことの憲法38条との緊張関係の問題とに分けることができる。なお、行政調査権限がそのような制度となっていることそれ自体の憲法問題は別の箇所で論じた（前記654～656頁）。

令状が不要とされていることとの関係では、証拠能力について肯定説と否定説とが分かれているが[65]、実際には、証拠能力が一律に否定されるわけではな

---

63) 最判昭和51年7月9日・昭和50年（あ）第1889号〔岐阜北税務署・名古屋国税局〕。

64) 最決平成16年1月20日・平成15年（あ）第884号〔今治税務署・高松国税局〕は、行政調査権限の行使にあたって後に犯則事件の証拠とされることが想定できたとしても、それで直ちに犯則調査・犯罪捜査の手段として行政調査権限を行使したことにはならない、とする（裁判所PDF 1頁）。同決定を機縁とする詳細な文献として、山口雅高・同決定調査官解説・最判解刑事篇平成16年度44～65頁、笹倉宏紀・同決定評釈・ジュリスト1304号（平成18年）。

65) 証拠能力について肯定的なものとして、例えば、川出敏裕「独占禁止法違反事件と刑事制裁」

いことが前提とされているように見える[66]。同様の考えに立つ有力な見解は、憲法35条の令状主義は住居等のプライバシー侵害を防ぐためのものであると考えれば、行政調査によって令状なく収集された情報・資料を犯則調査・犯罪捜査・刑事訴訟のために用いても、住居等のプライバシー侵害の防止ということとはもはや関係がないことになるので、結局、引継ぎには何らの問題はない、と主張する[67]。なお、平成17年改正前の実務においては、公取委が保有する資料を検察官が令状によって押収する、ということが行われていたようであるが、これは、上記の否定説を満足させるものではないと思われるし、肯定説との関係ではプライバシー侵害とは何らの関係のない手続をしているということになるものと思われる[68]。

自己負罪拒否特権が認められないこととの関係では、憲法38条の自己負罪拒否特権の保障はまさにそれに反する証拠を刑事裁判で用いないようにさせることを目指したものであるから、憲法35条の場合とは異なると考えられている。すなわち、強制的行政調査において独禁法違反行為に関する陳述を拒否すれば94条により処罰されることをおそれて行った陳述が記載された審尋調書は、独禁法違反行為に関する刑事裁判で証拠として利用することはできない、とされる[69]。したがって、行政調査において審尋調書をとっていた場合でも、犯則調査・犯罪捜査においてあらためて質問し供述の調書をとりなおすことになろう[70]。

独禁法47条4項は強制的行政調査の権限は犯罪捜査のために認められたも

法律のひろば2001年5月号（平成13年）22頁。否定的なものとして、例えば、佐藤英明「犯則調査権限導入に関する若干の論点整理」ジュリスト1270号（平成16年）50～51頁。

66）前記註64の今治税務署・高松国税局の件の最高裁決定。

67）川出・前記註45・22頁に加え、川出敏裕「税法上の質問検査権限と犯則事件の証拠」ジュリスト1291号（平成16年度重要判例解説、平成17年）200頁。

68）平成17年規則考え方17頁は、行政調査部門から犯則調査部門への証拠の移管は独禁法第12章が定める手続によって行う、としている。

69）川出・前記註45・21～22頁、川出・前記註67・200頁。川出・前記註45・22頁は、当該審尋を手がかりとして得られた証拠についてどこまで利用を禁止するかについては、なお不明確なままであるとする。

70）平成17年改正前においても、検察官は、行政調査による審訊調書については、刑事裁判では証拠とせず調書を取り直していたようである（諏訪園貞明「改正独占禁止法の解説」商事法務1733号（平成17年）9頁）。

のと解釈してはならない旨を規定しているが、この規定は、以上のようなことを確認的に定めたものだと解されている[71]。

なお、憲法問題として以上のように論ずることができることは間違いないとしても、実際の行政調査においては、審尋の手続的な重さ等にも鑑み、ほとんど全ての場合においては任意の供述調書（審査規則13条）がとられるにとどまるから、現実にはそのような憲法問題は起きない、とも言われる。

(3) 犯則調査から行政調査への引継ぎ

以上のようなこともあり得るものの、憲法問題にも鑑みて、通常は、まず犯則調査として着手し、告発後に公取委内部では行政調査部門に引き継ぐ、という形態が目指されるものと思われ、現にそのように運用されているようである。

犯則調査で得られた情報・資料を行政調査のために利用することは許されるとする租税法分野の最高裁判決がある[72]。

問題は、それが無限定に認められるのか、という点にある。無限定の引継ぎについて総論的には慎重な論述がされるのが通常であるが[73]、しかし、自己負罪拒否特権があるなかで得られた供述を行政調査のために利用することに憲法上の問題はないはずであるし、刑罰による間接強制を背景とした強制的調査が可能な行政調査のために、許可状を得てされる強制的犯則調査によって得られた情報・資料を用いても、さほどの大過はないようにも思われる。そうであるとすれば、犯則調査から行政調査への情報・資料の引継ぎは、原則として常に許され、ただ、間接強制と直接強制との懸隔が皆無ではないことに鑑みて、行政調査から犯則調査への引継ぎの場合と同様、犯則調査権限が行政調査のための手段として行使されたのであれば違法である、というにとどまるのではないかと思われる[74]。

犯則調査から行政調査への引継ぎは、当該事件が告発に至ったか否かにかかわらず、問題となる。排除措置命令および課徴金納付命令は、行政調査部門が

---

71) 川出・前記註45・22頁。

72) 最判昭和63年3月31日・昭和62年（行ツ）第77号〔東京国税局・麹町税務署〕。

73) 例えば川出敏裕「犯則調査権限の導入」ジュリスト1294号（平成17年）32頁。佐藤・前記註65・51～52頁も、種々の検討のうえで、同様の結論に至っている。

74) 平成17年規則考え方17頁は、「適正手続の観点から所要の手続を採る」としているが、具体的にどのような手続を採るのかは明らかではない。

行うこととなっているからである（組織令19条）。

(4) ファイアウォール

以上のような観点から、行政調査と犯則調査との間で無限定に情報・資料が行き来すること、特に行政調査から犯則調査へと無限定に情報・資料が引き継がれることにあらかじめ構造的な歯止めをかけるため、行政調査部門と犯則調査部門との間にいわゆるファイアウォールが置かれている。

まず、審査局犯則審査部の職員を審査官として指定することはできず（審査官指定政令）、また、犯則事件調査職員は審査局犯則審査部の職員に限って指定することができる（犯則規則2条）[75]。

また、審査官は、行政調査によって接した事実が犯則事件の端緒となると思料した場合、犯則事件調査職員に直接に報告してはならず、審査局長に報告してその指示を受けるものとされている（犯則規則4条4項）。

第4節　処理方法の選択

1　処理方法の諸態様

公取委は、個々の事件について、法定の処理をとるか否かの選択をする。

法定の処理とは、主に、排除措置命令や課徴金納付命令をすること（後記第8節、第9節）、確約認定をすること（後記第6節）、また、必要な場合には刑事告発をすることである（後記758～761頁）。

法定の処理をとらない場合の諸態様としては、警告をする、注意をする、警告も注意も行わないが一定の事実を公表する、全くの不問とする、などといった様々なものがある（後記第5節）。

75）ただし、大型事件など多数の人員を要する犯則事件で、臨検等に必要な人員を確保できないときは、必要な期間に限定するなどの措置をとったうえで、犯則審査部以外の職員を犯則審査部に併任し犯則事件調査職員として指定して臨検等を行わせることとなる、という（伊永大輔・該当部分執筆・伊永大輔＝櫻井裕介「独占禁止法改正に伴う政令・規則等の手続規定の整備」L＆T30号（平成18年）37～38頁）。当該職員が行政調査部門において関連事件の調査を行ったことがないことを大前提とすれば、上記の方法によって犯則調査の情報が行政調査に流れることはあっても逆に行政調査の情報が犯則調査に流れることはないものと思われる。

2 裁 量

(1) 裁量の範囲

公取委がどのような処理を選択するかは、基本的には公取委の裁量に委ねられている。当該事案がもつ社会的影響や行政運営の実効性などに鑑みて柔軟に処理方法を選択することが認められている、と言ってよい。

ただ、公取委の裁量に対して全く縛りがないわけではない。東京もち東京高裁判決は、次のような一般論を展開している。すなわち、「景品表示法4条1号の規定に違反する同種・同様・同程度の行為をした事業者が多数ある場合に、公正取引委員会が、そのうちの少数の事業者を選別し、これらに対してのみ排除命令をし又は排除措置を命じるという法の選別的執行をしたときであっても、これによって、爾後、同号の規定に違反する行為を抑止する等の効果がありうるのであるから、公正取引委員会が、右違反行為をした事業者に対して一般的に規制権限を行使して行政処分をする意思を有している限り、そのうちの少数の事業者を選別してした前記行政処分をもって直ちに平等原則に違背する違法なものとはいえないものというべきである」としたうえで、「当該行政処分が右原則に違背する違法なものとなるのは、公正取引委員会が、右処分の相手方である事業者以外の違反行為をした事業者に対しては行政処分をする意思がなく、右処分の相手方である事業者に対してのみ、差別的意図をもって当該行政処分をしたような場合に限られるものと解すべきである」としている[76]。

(2) 争う方法

① **取り上げたことを争う方法**　公取委が裁量の範囲を逸脱して事件を取り上げた、との主張は、当該事件に係る命令の当否を争うなかで行うことが可能であろう。しかし、裁量の範囲を逸脱していると現に認められることは難しいのに加え、当該違反行為をしていることが明らかな場合に命令を免れることはなお難しいと思われる。

② **取り上げないことを争う方法**　公取委が裁量の範囲を逸脱して事件を取り上げなかった、との主張については、以下の諸点を指摘することができる。

第1に、45条1項によって違反被疑事実を報告した者であっても、公取委

76) 以上、東京高判平成8年3月29日・平成6年(行ケ)第232号〔東京もち〕(審決集42巻の474～475頁)。

が適当な措置をとるよう請求する権利は持たない[77]。

第2に、公取委内部に、報告の処理に関する疑問や苦情などの申出についての審理会を設置する旨が平成12年に公表されている[78]。

第3に、行訴法による義務付け訴訟は可能である（後記748～750頁）。

第4に、公務員による規制権限の不行使が被害者との関係で国家賠償法1条1項において違法となる場合はあり得る。豊田商事国家賠償大阪高裁判決は、公取委の規制権限不行使に対する国家賠償請求を棄却した事例でもあるが、そのような請求があり得るという一般論を前提として判示されている[79]。

第5節　法定外の処理

1　総　説

公取委は、様々な法定外の処理を行う場合がある。ある事件について法定外の処理のみが行われることもあるし、ある事件について法定外の処理と法定の処理とが組み合わされることもある。

これらの諸事例を見ると、法定処理の場合と同じ違反要件論に依拠しているように見える場合もあるが、法定処理の場合には違反とはできない事件を対象としたり違反者とはできないものを名宛人とするなどといった意味で、規範を修正・拡張している場合もある。

2　警　告

警告は、法定外の処理のうち最も厳しいものである。「排除措置命令を行うに足る証拠が得られなかった場合であっても、違反の疑いがあるときは、関係

77)　最判昭和47年11月16日・昭和43年（行ツ）第3号〔エビス食品企業組合〕。東京地判平成24年1月31日・平成23年（行ウ）第233号〔境港蔦屋書店〕（審決集58巻第2分冊の220頁）。

78)　公正取引委員会「申告の処理に係る申出についての審理会の設置等について」（平成12年10月16日）。45条1項にいう「報告」は、公取委内部では「申告」と呼ばれている。

79)　大阪高判平成10年1月29日・平成5年（ネ）第2733号〔豊田商事国家賠償〕（審決集623～629頁）。公取委が豊田商事の一般指定8項などに該当する行為について規制権限を行使しなかったのは、必要な証拠がなく、それゆえ強制的な行政調査を行うこともできなかったためである、とした。

事業者等に対して警告を行い、是正措置を採るよう指導している」と説明されている[80][81]。

警告は、全件について、その概要が公表される[82]。

警告は、行政指導に関する行政手続法所定の規律の適用を受ける[83]。

公取委は、警告の事前手続として、意見申述・証拠提出の機会の付与の手続を行う（審査規則26条〜28条）[84]。これは、平成25年改正前において排除措置命令・課徴金納付命令の前に必要とされたのと同等の手続である[85]。

警告は、行政処分ではないので、行訴法にいう抗告訴訟の対象とはならない[86]。もちろん、違法な警告によって損害が生じた場合には、国家賠償請求の対象となり得る。

3 注 意

注意は、法定外の処理のうち警告よりも緩やかなものである。「違反行為の

80） 毎年度の年次報告の「違反被疑事件の審査及び処理」の章の冒頭。

81） 平成17年改正前は、法律上の正式の処理が採られる場合には「勧告」が行われ（後記694頁）、非公式の処理が採られる場合には「警告」が行われる、という、一般的な語感とは逆転した現象が生じていた。

82） 毎年度の年次報告の「違反被疑事件の審査及び処理」の章の冒頭。なお、実際に名宛人に渡された警告書それ自体が公表されるわけではなく、名宛人もそれを公表しない場合が多い。警告書と公取委公表資料との間には、その文面において一定の違いがある。

83） 行政指導（行政手続法2条6号）に関する行政手続法第4章の規定は、独禁法70条の11による行政手続法適用除外の対象とはなっていない。

84） 平成17年10月6日の公取委公表資料における別紙2の2末尾において表明され、平成21年改正に伴う審査規則改正によって審査規則に盛り込まれた。平成25年改正によって、排除措置命令・課徴金納付命令については更に重い意見聴取手続を行うことになったが、警告については、もともと法律にない事前手続を自主的に公取委規則で行っているものであり、平成25年改正後も、意見申述・証拠提出の機会の付与にとどめている。

85） 審査規則26条1項は、違反が認定されれば排除措置命令がされるような違反類型のみを、警告の事前手続の対象として掲げている。企業結合届出義務違反が問題となったキヤノン／東芝メディカルシステムズの事例（後記註87）が注意にとどまった背景には、この点も関係している可能性がある。

86） 警告は行政指導であるが、行政指導の中止等の求めに係る行政手続法36条の2の規定の適用も受けない。警告とは、違反の疑いがあるときに行う法定外の処置であり、警告をすることそのものの根拠が法律に置かれているわけではないからである（同条1項括弧書き）。また、独禁法における警告に際しては事前に意見申述・証拠提出の機会が付与されるので、そもそも中止等の求めの規定を適用するまでもない、とも言えそうである（同条1項ただし書）。

存在を疑うに足る証拠は得られなかったが、違反につながるおそれのある行為がみられた場合には、未然防止を図る観点から注意を行っている」と説明されている。通常の事件においても注意が行われ、一定の件数をみているが、「不当廉売事案における迅速処理」による注意が、数としては多い。

注意は、競争政策の観点から公表することが望ましい事案において関係事業者から了解が得られた場合や違反被疑行為者が公表を望んだ場合に、公表される。その数は、全体の注意件数のなかでは、ごくわずかである[87]。

4　調査打切りの公表

公取委は、違反被疑事件の調査を打ち切ったことを公表する場合がある。公表資料の題名は、通常、「○○株式会社に対する独占禁止法違反被疑事件の処理について」といったものである。競争政策の観点から公表することが望ましい事案において関係事業者から了解が得られた場合や違反被疑行為者が公表を望んだ場合に、公表する、とされる[88]。

5　違反者とならない者に対する要請等

違反被疑行為者に対する法的処理や警告等と同時に、違反者とはならない者に対して「要請」などと呼ばれる処理が行われる場合がある。違反被疑行為が関連する業界団体や所管官庁などがその対象とされる。件数は少なくない。

6　一定の行為を行った者の企業名公表

違反とは言い切れないが一定の懸念のある行為を行った者について、独禁法43条を根拠として企業名を公表することがあるとされる。

---

87)　毎年度の年次報告の「違反被疑事件の審査及び処理」の章の冒頭とそれに続く表。注意が公表された早期の例として、公取委公表平成24年6月22日〔東京電力〕、公取委公表平成28年6月30日〔キヤノン／東芝メディカルシステムズ〕、などがあるが、その後、増加している。注意も、警告と同様、通常は行政指導に該当するが、それを行うことそのものの根拠が法律に置かれているわけではないから、行政指導の中止等の求めに係る行政手続法36条の2の規定の適用を受けない。

88)　毎年度の年次報告の「違反被疑事件の審査及び処理」の章の冒頭。

第6節　確約手続

1　総　説

(1)　概　要

確約制度は、公取委が調査をした事案について、公取委が適切と認める場合には、意見聴取手続に始まる命令手続に入る前に、違反の疑いを根拠として確約手続に入り、もし確約認定をするに至ったならばそこでその事件に係る手続を終わらせようとするものである。平成28年改正によって導入された[89)]。

確約認定があればその違反被疑行為について課徴金を課さないことが明文で定められており、したがって、課徴金制度があるために公取委が立件を躊躇していたのではないかとみられる分野について、警告などとは違って法律に定められた事件処理として、公取委が実績を積み上げることができる制度である。

確約手続は企業結合規制にも用いることができ、公取委は、状況に応じて意見聴取通知期限を後ろに延ばすことができる。企業結合規制のみにかかわる事項は、別の箇所で触れる（前記606〜607頁）。

(2)　背　景

平成28年改正による確約制度の導入は、公取委としては、以下のような事情に鑑み、歓迎すべきことであったものと想像される。

第1に、違反被疑行為者と交渉しながら違反被疑行為者の提案によって確約措置を設計することは、公取委の命令による排除措置と比べれば、具体的で実効性の高いものとしやすく、同時に、違反があったとする立証活動や争われた場合への備えを実際上は不要とするという意味で、効率的な事件処理に資する。

第2に、平成17年改正および平成21年改正によって私的独占と優越的地位濫用に非裁量的な課徴金が導入され、私的独占や優越的地位濫用を認定した場合には法律の規定に沿って課徴金を課さなければならないものとなったために、私的独占や優越的地位濫用に係る命令が争われやすくなったうえ、平成25年改正による審判制度の廃止により、争われて敗訴する可能性も高まった。私的

---

89)　平成28年改正は、TPP協定を国内法化するためのTPP協定整備法によるものであり、平成30年12月30日から施行された（TPP協定整備法附則1条）。

独占・優越的地位濫用の命令事例の数は、極めて少ない状態で推移している。確約制度は、このような閉塞状況を打開しようとするものである。公取委は、「行政処分の目的は課徴金を取ることにあるわけではなく、競争秩序を回復することにある」と説明するようになっている[90)91)]。

以上のような点は、違反被疑行為者からの申出により違反被疑事件の調査を打ち切る旨の公表という、平成28年改正前から存在した手法によっても、実現できるものである。確約制度の存在意義は、法律に位置付けられた処置をした事件として公取委の実績にカウントできることのほかには、名宛人による確約措置の不実施について一定の法的効果が明文で定められていることくらいしかない。違反被疑行為者が、そのような公取委の都合に乗ってくれるか否かは、事案ごとの状況に左右される。

(3) 違反被疑行為者にとっての考慮事項

違反被疑行為者にとっては、公取委からの疑いに対して徹底的に争うという選択肢から、確約制度よりもさらに弱い法定外の処理を目指すという選択肢まで、様々なものが考えられ、制度の内容や他の選択肢との比較のなかで方針を決めることになる。

確約制度を選択する場合にも、公取委への対応について、制度の内容に照らして種々のことに留意しながら方針を決めることになる。

2 規定の構造

(1) 関係法令・ガイドライン

確約手続については、法律である独禁法典に規定があり、その細則を公取委規則である確約手続規則が定め、それらを総合して説明したものとしてガイドラインとしての確約手続方針が策定されている。

(2) 用　語

以下では原則として、確約手続方針で定義された用語で説明する。「確約手

---

90) 例えば、公正取引委員会「第218回　独占禁止懇話会の議事概要の公表について」(令和3年7月21日) 別紙1。

91) 法律に規定がある以上、平成28年改正後においても課徴金が課される事例はあり得るし、また、実際に課徴金納付命令をしないとしても、課徴金があり得るという事実は、審査手続における公取委と違反被疑行為者との間の交渉において重要な要素となる。

続通知」、「確約認定申請」、「確約計画」、「確約措置」などである（後記**5**、**6**）。法律では、「確約」という文字列が現れないことを象徴として、必ずしも実際の実務では使われない用語が多く使われている。

(3) 独禁法の条文における位置付け

確約手続に関する独禁法の条文は、48条の2〜48条の9の8箇条である。

行政調査に関する規定（47条、48条）と意見聴取手続に関する規定（49条〜60条）の間に置かれており、手続の流れにおける位置付けを示している。

(4) 継続中の違反被疑行為に係る枠組みと既往の違反被疑行為に係る枠組み

8箇条は、前半の4箇条と後半の4箇条に分かれる。前半は、確約手続通知の時点において違反被疑行為が継続中である場合に関する規定であり、後半は、確約手続通知の時点において違反被疑行為が終了している場合に関する規定である。

このような構造の規定とし、短くない規定を2度並べる必要性は、疑問である。このような構造となったのは、排除措置命令の規定が、継続中の違反行為に対するものと既往の違反行為に対するものとに分かれていること（例えば7条1項・2項）に、あわせようとしたものと考えられる。確約制度においては、違反被疑行為が継続しているか終了しているかは、確約手続通知の時点を基準として決めることになるから、継続している違反被疑行為について確約手続通知をした場合には、確約認定申請や確約認定の際までに違反被疑行為が終了したときにも、前半4箇条の規定を適用することとなる。

(5) 硬い条文と実際の運用

条文では、公取委が確約手続通知をし、違反被疑行為者が確約認定申請をして、公取委が確約認定をする、という硬い構造となっている。

実際の進め方がどのようになるのかは、公取委と違反被疑行為者との関係などによって事案ごとに異なるものと思われる。

例えば、両者が緊密に連絡を取りあい、認定までいきそうであることを予測できるようになった段階で、確約手続通知、確約認定申請、確約認定、という手順を儀式的に辿るという事案もあろう。

他方で、条文の建前のとおりの進行をする事例もあり得よう。

第三者に対する意見照会は条文には規定されていないが、事案ごとに柔軟な方法で意見照会と同等のことが行われる場合などは考えられる。

3　確約手続に関する相談

公取委の調査を受けている違反被疑行為者は、違反被疑行為について、確約手続の対象となるかどうかを確認したり、確約手続の対象とすることを希望する旨を申し出たりするなどの、相談をすることができる、とされる[92)]。

4　対象となる違反類型

確約手続の対象となる違反類型としては、独占的状態規制を除く独禁法の全ての違反類型が列挙されている（48条の2、48条の6）[93)]。そのうち、ハードコアカルテルなどの特定の類型のものは対象とされないわけであるが、そのことは確約手続通知の要件の解釈論と位置付けられている（後記**5**(3)③）。

5　確約手続通知

(1)　総　説

公取委は、違反被疑行為者に対し、所定の要件のもとで、確約認定申請をすることができる旨の通知をすることができる（48条の2、48条の6）。確約手続方針は、この通知を「確約手続通知」と呼んでいる[94)]。

(2)　対象となる行為

対象となるのは、違反の「疑いの理由となつた行為」である（48条の2、48条の6）。確約手続方針は、これを「違反被疑行為」と呼んでいる[95)]。排除措置命令に関する7条や20条などとは異なり、「違反する行為」であるといえる必要はない。

(3)　必要性

①　**総説**　　確約手続通知をするには、必要性の要件を満たす必要がある。

---

92)　確約手続方針3。

93)　企業結合規制は48条の2だけに掲げられているが、これは、企業結合規制については既往の違反行為に対する排除措置命令の規定がないことに対応したものであると考えられる。なお、企業結合規制は、これから行われる行為に対する規制であることが多いが、排除措置命令の規定も、48条の2と同様、継続中の行為に対するものであるかのような体裁をとっている。

94)　確約手続方針2。

95)　確約手続方針2。

48条の2は、「公正かつ自由な競争の促進を図る上で必要があると認めるときは」とし、48条の6は、「公正かつ自由な競争の促進を図る上で特に必要があると認めるときは」としている。

② **「特に」**　既往の違反被疑行為に関する48条の6には「特に」がある点が、48条の2との違いである。排除措置命令に係る7条の1項と2項の違いにあわせたものであろう。実際上は、7条においては「特に」の有無に応じて基準の違いがあるわけではないという結果となっており（後記704〜705頁）、48条の2と48条の6との間にも実際上の差はないと考えてよい[96]。

③ **公正かつ自由な競争の促進を図る上での必要性**　「公正かつ自由な競争の促進を図る上で」必要があると認めるときは、と規定されている。

確約手続方針は、第1に、ハードコアカルテルの場合、第2に、遡って10年以内に同一の条項について排除措置命令または課徴金納付命令を受けて確定している場合、第3に、刑事告発に相当する行為である場合、には、確約手続の対象としない、としている。条文上の根拠は、公正かつ自由な競争の促進を図る上で必要があると認めることができない、という点に求めている[97]。

(4) 名宛人（被通知事業者）

確約手続通知の名宛人は、原則として、違反被疑行為者であるが（48条の2、48条の6第1号イ）、既往の違反被疑行為の場合には、既往の行為に対する排除措置命令の場合（7条2項）に準じて、違反被疑行為に係る事業を承継等した者も名宛人となり得る（48条の6第1号ロ〜ニ）。

確約手続方針は、確約手続通知の名宛人となった者を「被通知事業者」と呼

96）そのように考えて初めて、違反被疑行為を早期に終了したほうが課徴金の免除を受けにくいという裏返った論理的帰結を回避することができる。

97）確約手続方針5。第1類型は、確約手続方針では、不当な取引制限などであって7条の2第1項を満たすもの、とされており、ハードコアカルテルと呼ばれるものに相当する（前記242頁註65）。同様の問題性を持つ支配型私的独占は含まれないことになるが（7条の9第1項が掲げられていない）、法律の条文には公正かつ自由な競争の促進を図る上で必要があると認めるか否かという基準しか書かれておらず、不当な取引制限などと同等の問題性を持つような支配型私的独占であれば、確約手続の対象とはされにくいであろう。第2類型は、同一の条項についての繰り返しの行為に限定している点で、7条の3第1項とは異なっている。確約手続方針において「法的措置」は排除措置命令または課徴金納付命令であると定義されている（確約手続方針1）。第3類型は、不当な取引制限であれば第1類型にも該当するのであるから、さらにあり得るとすれば、私的独占などであるということになろう。

んでいる[98]。

⑸ 通知の内容

確約手続通知には、違反被疑行為の概要、疑いの根拠である法令の条項、確約認定申請をすることができる旨、を記載する（48条の2第1号～第3号、48条の6第2号イ～ハ）。

⑹ 時 期

確約手続通知の時期については、独禁法典の条文上は、命令に向けた意見聴取通知をする前でなければならない旨の規定があるのみである（48条の2ただし書、48条の6ただし書）[99]。

⑺ 回 数

確約手続通知の回数は、制限がない。確約認定申請があったが却下となった場合や、確約認定申請に至らず60日の期限を経過した場合も、公取委が再度の確約手続通知をすることは可能である。

6 確約認定申請

確約手続通知を受けた者は、確約手続方針において「被通知事業者」と呼ばれるが[100]、通知の日から60日以内に、確約認定を受けるための申請をすることができる（48条の3第1項、48条の7第1項）。法律の条文では、継続中の違反被疑行為に対する48条の2の通知である場合には「排除措置計画」の認定の申請であり、既往の違反被疑行為に対する48条の6の通知である場合には「排除確保措置計画」の認定の申請である。確約手続方針は、この申請を「確約認定申請」と呼び、これらの計画を「確約計画」と総称し、確約計画に記載する排除措置・排除確保措置を「確約措置」と総称している[101]。

確約計画には、確約措置の内容、確約措置の実施期限、その他公取委規則で定める事項、を記載しなければならない（48条の3第2項、48条の7第2項）。

98） 確約手続方針4。

99） そこで論理的には、除斥期間の終了後や、企業結合規制における意見聴取通知期限の後に、確約手続通知をして、確約認定申請を期待することも不可能ではないが、名宛人がこれを無視しても公取委は意見聴取通知をすることはできないのであるから、実際にはそのような確約手続通知は行わないのではないかと思われる。

100） 確約手続方針4。

101） 確約手続方針2、6（3）ア。

確約措置の内容については別に述べる（後記**7**(2)）。確約措置の実施期限は、継続的な措置である場合には、開始の時期や継続期間等がそれに当たることになるものと思われる[102]。その他公取委規則で定める事項に係るものとして、認定要件（後記**7**(2)）を満たすことを示す書類を添付するものとされている（確約手続規則8条2項、22条2項）。

被通知事業者は、確約認定申請をしないこともでき、確約認定申請をした後に取り下げることもできる。これらの場合に、そのことを理由として、その後の公取委の調査において不利益に取り扱われることはない、とされる[103]。

7　認定または却下決定

(1)　総　説

確約認定申請があった場合には、公取委は、法定の要件に「適合すると認めるときは、その認定をするものとする」と規定されている（48条の3第3項、48条の7第3項）。

確約認定をしない場合には、決定で、申請を却下しなければならない（48条の3第6項、48条の7第5項）。

却下決定の場合は、通常の審査手続に戻って、命令に向けた意見聴取手続に進む可能性が高まる。もっとも、申請可能通知は、「疑い」の段階で行っているものであるから、却下決定となったとしても、必ず意見聴取手続に進むと決まっているわけではない。

(2)　認定要件

① **総説**　認定要件は、2つに分けて規定されている。

② **十分性**

(i)　概要　法定の要件の第1は、確約措置が、疑いの理由となった行為を排除するために十分なものであることである（48条の3第3項1号、48条の7第3項1号）。

確約手続方針は、十分性の有無の判断においては過去の同様の事案に係る排除措置命令等の内容を参考にする、とする[104]。そのうえで、違反被疑行為の

102)　平成28年改正解説31頁も結論において同旨である。
103)　確約手続方針6(1)、(2)。
104)　確約手続方針6(3)ア（ア）。

取りやめ・取りやめたことの確認は十分性を満たすために必要であるとし、取引先等への通知・利用者等への周知、契約変更、事業譲渡等、は、事案に応じて、十分性を満たすために必要となる場合がある、としている[105)]。

排除措置命令・課徴金納付命令とは異なる事件解決制度としての特徴を強調しようとしてか、公取委は、公取委からの一方的な排除措置命令では命じ得ない類型の確約措置が提案されることを歓迎する模様であり、そのことが個別事例の解説などに示されることがある。

(ii) 確約措置の継続期間　確約措置が、継続的な取組を必要とするものである場合、どの程度であれば十分性を満たすに足りるか、という問題がある。厳密には、事案によって様々であると言わざるを得ないと思われるが、初期の事例では、同様の行為を行わない措置を3年間実施することが求められるのが通例となっているようである。

(iii) 金銭的価値の回復　十分性を満たすためには、取引先等に提供させた金銭的価値の回復まで必要か、という問題がある。確約手続方針は、「十分性を満たすために有益である」と述べて、上記のものよりも必要とされる程度が下がることを認めつつ、これが確約措置に盛り込まれれば歓迎する意向を示している[106)]。公取委は、排除措置命令においては金銭的価値の回復を命じてはいない（後記703～704頁）。排除措置命令や確約認定が基本的には将来に向けてのものであることを考えると、金銭的価値の回復が必要であるとすること自体にも、疑問の余地がある[107)]。「有益」という表現は、そのようななかで可能な表現を模索した結果なのであろう。優越的地位濫用に係る実際の確約認定事例では、金銭的価値の回復が確約措置に盛り込まれたものと、盛り込まれなかったものとが、現れている[108)]。行為者が一定の見返りを提供している場合に

---

105) 確約手続方針6 (3) イ（ア）～（オ）。

106) 確約手続方針6 (3) イ（カ）。

107) 優越的地位濫用事件において、例えば減額に係る金銭的価値の回復をしないと、行為が継続していることになる、という論理をとると、公取委がそのような事件において、違反行為が終了したものとして20条2項による排除措置命令をし、違反行為が終了していなければ行えない課徴金計算をして20条の6による課徴金納付命令をしていることと、矛盾することになる。

108) 盛り込まれた事例として、公取委確約認定令和2年8月5日〔ゲンキー〕、公取委確約認定令和2年9月10日〔アマゾンジャパン減額等〕、公取委確約認定令和5年4月6日〔ダイコク〕。盛り込まれなかった事例として、公取委確約認定令和3年3月12日〔BMW〕。

は、金銭的価値の回復を求めることがそれだけ難しくなるであろう[109]。

金銭的価値の回復のほか、提供された金銭的価値に見合う利益を行為者が提供するという確約措置が評価されることもあり得る[110]。

③ **確実性**　法定の要件の第2は、排除措置等が確実に実施されると見込まれるものであることである（48条の3第3項2号、48条の7第3項2号）。

確約手続方針は、確約措置の実施に必要な第三者との合意の状況などを確実性の有無の判断における考慮要素の例として挙げ、コンプライアンス体制の整備は確実性を満たすために必要となる場合があるとし、履行状況の報告は確実性を満たすために必要であるとしている[111]。

(3) 手続・効力発生

認定・却下決定は、65条1項の規定に基づく合議（前記631〜632頁）によって行う。

認定・却下決定は文書によって行い、認定書・決定書には委員長および合議出席委員が記名押印しなければならず、謄本の送達によって効力を生ずる（48条の3第4項〜第7項、48条の7第4項〜第6項）[112]。

8 認定された確約計画の変更

認定を受けた者は、認定された確約計画を変更しようとするときは、公取委規則で定めるところにより、公取委の認定を受ける必要があり、その際、公取委は、通常の申請の場合と同様の要件および手続によって、変更の認定または却下決定を行う（48条の3第8項・第9項、48条の7第7項・第8項、確約手続規則

---

109) 大澤一之＝安川兼史＝佐藤雅史・BMW確約認定解説・公正取引849号（令和3年）89〜90頁は、金銭的価値の回復が盛り込まれなかった理由として、この事件での違反被疑行為が通常の売買取引の中に組み込まれて行われていたこと、違反被疑行為に伴って相手方が利益を得るために十分な額のリベートが提供されていた場合があり得ること、などを挙げている。

110) 向井康二＝中島菜子・アマゾンジャパン減額等確約認定解説・公正取引842号（令和2年）70頁は、行為者が金銭の提供を受けたものの実施していなかった販売促進サービスを提供する措置がとられたことを紹介している。

111) 確約手続方針6(3)ア（イ）、イ（ウ）（キ）。

112) 申請者が却下決定を裁判所で争った場合も、その間、却下決定は効力を持ち、公取委が意見聴取手続に入って命令をすることに規定上も実際上も妨げはないことになる。したがって、却下決定を争っているうちに命令の除斥期間が満了してしまい命令できない、という問題は、法的には回避可能である。

14条〜19条、28条〜33条）。

9　確約認定等の法的効果

確約認定または確約計画の変更の認定があった場合には、違反被疑行為および確約措置に係る行為については、排除措置命令に係る規定および課徴金納付命令に係る規定は、適用されない（48条の4、48条の8）。

「疑い」だけで排除措置命令や課徴金納付命令をすることはできないのであるから、その意味では、言うまでもない規定である。このような規定の法的な意味は、確約認定等があった場合には命令を目指した調査をさらに行うことはない、という点にある。

刑事責任に関する規定はない。もともと、刑事告発の対象となるハードコアカルテル等は確約手続通知の対象としないとされている（前記672頁）。

民事責任に関する規定はない。もともと、排除措置命令・課徴金納付命令があっても、事実認定・法的評価の両面において、民事裁判の裁判所を拘束するものではないと考えられている（後記708〜710頁）[113]。

10　認定された確約計画の実施確保

認定された確約計画の実施を確保するための手段、換言すれば、実施されない場合の法的処置としては、認定の取消しによって改めて審査・命令の手続を再開できるということとなっている。認定取消決定の日から2年間であれば、本来の除斥期間を経過していても、命令をすることができる（以上、後記11）。

確定排除措置命令違反に対する刑罰（90条3号、95条）や、排除措置命令違反に対する過料（97条）は、認定された確約計画の不実施には適用されない。確約認定は76条2項にいう「排除措置命令等」に当たるが、90条3号や97条は「排除措置命令」への違反を要件としている。

除斥期間を経過していても認定取消決定の日から2年間であれば命令をすることができる点は、違反被疑行為者からの申出内容に鑑みた調査打切り等にはない特徴であるとしても、それ以上において確約制度が独自の強制力を持つわ

113）　平成28年改正において25条と26条の改正はなく、排除措置計画等の認定があっても25条の訴訟要件は満たされない。もっとも、命令によって25条の訴訟要件が満たされた場合でも、事実認定・法的評価において裁判所が拘束されるわけではない。

けではないことになる。

11　確約認定の取消し

(1)　総　説

公取委は、所定の要件を満たすときは、決定で、確約認定を取り消さなければならない（48条の5第1項、48条の9第1項）。

(2)　要　件

取消しの要件は、次のいずれかを満たす場合である[114)]。

第1は、認定を受けた確約計画に従って確約措置が実施されていないと認めるとき、である（48条の5第1項1号、48条の9第1項1号）。確約計画に書き込まれた実施期限（前記**6**）などは、この認定において特に意味を持つ。

第2は、虚偽または不正の事実に基づいて当該認定を受けたことが判明したとき、である（48条の5第1項2号、48条の9第1項2号）。

(3)　手続・効力発生

確約認定の取消決定に係る手続・効力発生については、認定・却下決定の場合（前記**7**(3)）と同じである（48条の5第2項、48条の9第2項）。

(4)　法的効果

認定の取消しがあった場合には、排除措置命令に係る規定や課徴金納付命令に係る規定が、適用可能となる（48条の4ただし書、48条の8ただし書）。

その場合、除斥期間の終期、または、認定取消決定の日から2年間の終期、のいずれか遅い日までであれば、排除措置命令・課徴金納付命令をすることができる（48条の5第3項・第4項、48条の9第3項・第4項）。

12　第三者からの意見募集等

外国競争法には、同種の制度において、確約認定申請があった場合に確約計画を公表し第三者の意見募集をする例もあるが、日本独禁法には、そのような規定はない。

そのもとで、公取委は、必要に応じて、第三者からの意見を募集する場合が

---

114)　これらに関する判断をするため、特に必要があるときは、公取委は、認定をした後においても、47条による強制的な行政調査をすることができる（68条1項・2項）。

ある[115]。

意見募集の有無とは別に、公取委が特定の第三者から意見を聴取することはあり得るものと思われる。

第三者からの意見募集等は、公取委が事業の実情や違反被疑行為の影響等を深く知ったうえで認定や却下決定をすることを可能とする点で有益である反面、特定の利害をもつ者の意見を過剰に受け入れて判断してしまう原因となる危険性も兼ね備えている。

13 公 表

確約手続に係る公表に関する規定は、独禁法典には置かれておらず、確約手続方針に若干の記載がある[116]。

それによれば、公表の趣旨は、法運用における考え方を示し、透明性と予見可能性を高めることにあると考えられているようである。

確約手続方針は、公表において、独禁法に違反すると認定したわけではないことを付記する旨も明記している。確約認定を受けた違反被疑行為者のレピュテーションリスクに配慮するものである旨の説明がされている[117]。

確約手続方針は、確約認定申請の却下の場合、確約認定の取消しの場合、申請者が確約認定申請を取り下げた場合、については、その後、調査を再開することになるので、原則として公表しない、としている。調査を行っている事実は原則として公表しない公取委の通常の実務にあわせるためである旨の説明がされている[118]。

14 行政手続法の適用除外

確約認定、却下決定、取消決定、については、行政手続法の適用が除外されている（70条の11）。これらは委員会の合議によって行うことが法定されているためであるとされる[119]。

---

115) 確約手続方針7。

116) 以下いずれも、確約手続方針11。

117) 平成28年改正解説36頁。

118) 平成28年改正解説36～37頁。

119) 平成28年改正解説68～69頁。

15　他の手続との関係等

他の手続と確約手続との関係について、確約手続方針は次のようなことを述べている[120]。

その違反被疑行為に関して命令を行うために必要な事実認定のための調査手続については、確約手続通知をした後も、法律上妨げられるものではないが、原則として行わない、としている。

それには例外があり、確約認定に値する確約認定申請がされそうにない場合や、第三者に対する調査において報告命令等が必要であるなどの場合には、行うこともあり得るとしている。

確約手続通知を行った後、確約認定または却下決定がされるまでの間に、その違反被疑行為について意見聴取手続のための意見聴取通知を行うことはないとしている。

確約手続において申請者から提出された資料は、返却しないし、命令をするための事実認定のための証拠として使用することもあり得る、としている。

16　司法審査

(1)　総　説

確約認定、却下決定、取消決定、がいずれも行訴法3条2項の「処分」に該当することは、異論のないところであろう。また、確約手続通知も、それによって初めて確約認定申請をすることができるものであるため、「処分」に該当し、したがって、義務付けの訴え等の対象となり得るものと考えられる。

(2)　独禁法における特則

確約認定、却下決定、取消決定、は、行政不服審査法による審査請求の対象とならず（70条の12)、裁判所における抗告訴訟のみによって事後審査がされることになる。

確約認定、却下決定、取消決定、は、76条2項にいう「排除措置命令等」に含まれる。したがって、抗告訴訟の被告は公取委であり（77条)、東京地裁の専属管轄となる（85条1号)。

---

120)　以下いずれも、確約手続方針12。

(3) 裁量処分

確約手続通知、確約認定、却下決定、取消決定、の要件にはいずれも「認める」が含まれており[121]、これらは裁量処分と解され、これらに係る取消しの可否については行訴法30条の適用対象となる。もっとも、行訴法30条の対象であるとされることの意味は、別途、検討が必要である（後記736〜738頁）。

(4) 原告適格

① **申請者＝違反被疑行為者が訴える場合**　申請者すなわち違反被疑行為者が、却下決定を争う場合には、原告適格があることに異論はないであろう[122]。

② **第三者が訴える場合**　第三者のうち、違反被疑行為をする側にあり、かつ申請者以外である者が確約認定の取消請求をする場合には、排除措置命令・課徴金納付命令に係る取消訴訟の原告適格をめぐる先例（後記732頁）に照らすと、原告適格が認められることは難しいものと思われる。

他方で、第三者のうち、違反被疑行為によって被害を受ける側の者が、確約認定によって排除措置命令や課徴金納付命令がされなくなることに対する不服により、認定の取消し等を求めて訴える場合には、上記ほど簡単ではなく、JASRAC東京高裁判決等に照らせば、原告適格が認められる場合もあり得るものと思われる（後記731頁註301）。

第7節　意見聴取手続

1 総　説

(1) 概　要

排除措置命令・課徴金納付命令の事前には、意見聴取を行わなければならない（49条）[123][124][125]。事前手続を更に充実させようとするもの、と説明されてい

121)　取消決定となる場合のうち、虚偽または不正の事実によるものについては、「認めるとき」でなく「判明したとき」となっている。

122)　申請者が、確約認定の取消請求をすることは、むずかしいであろう。最判昭和53年4月4日・昭和50年（行ツ）第112号〔石油製品価格協定排除措置出光興産〕は、当時の勧告審決の制度のもとで、勧告に応諾すれば刑事告発を免れると考えて応諾したが実際には刑事告発を受けたという事案において、勧告審決の取消しを認めなかった事例である。なお、法技術的には、原告適格を否定するのではなく、取消請求を棄却する原判決に対する上告を棄却している。

る[126]。

独禁法の意見聴取手続は、一般法である行政手続法に規定された聴聞手続よりもいくつかの点で手厚いものを、行政手続法の適用を除外したうえで（70条の11）、自前で独禁法典に規定したものである（49条～60条）[127]。

(2) 平成25年改正前との関係

意見聴取手続は、平成25年改正によって導入された[128]。審判制度に代わる制度である、と位置付ける向きもないではない。しかし、審判制度は裁判所における抗告訴訟手続に取って代わられたとみるのが実態に即している。言い換えれば、意見聴取手続は、命令の事後手続について審判制度を廃止し公正さに関する不信感を払拭するのと同時に、事前手続についても、平成25年改正前

---

123) 49条～60条は、排除措置命令を念頭に置いて書かれており、これを課徴金納付命令について62条4項が読み替えて準用している。同様に、排除措置命令を念頭に置いた意見聴取規則9条～22条は、課徴金納付命令について意見聴取規則23条が読み替えて準用している。以下では、特に必要がある場合を除き、62条4項および意見聴取規則23条への言及を省略したまま、課徴金納付命令をも念頭において論ずる。なお、意見聴取手続は競争回復措置命令や認可の取消し・変更の事前にも行わなければならないが（64条4項、70条の3第2項）、これらは頻度が極めて低いか全くないかであるので、念頭に置かずに論述を進める。

124) 意見聴取手続に関する公取委の側からの解説として、平成25年改正解説61～107頁。平成25年改正解説224頁に、2回の意見聴取の期日があった場合の意見聴取手続の流れを示した図が掲げられている。

125) 意見聴取手続を適切に経たあと命令書の送達に手間取るなどして新たな命令書を作成せざるを得なくなった場合には、新たな命令書について意見聴取手続を経ていなくともよいと考えられる。平成25年改正前の事前手続に関する事例ではあるが、東京高判平成28年1月29日・平成27年（行ケ）第37号〔ブラウン管サムスンSDIマレーシア〕（判決書57～58頁）。

126) 平成25年改正解説61頁。

127) 独禁法典の条文では常に「意見聴取」であるが、公取委の文書等では「意見聴取手続」もしばしば用いられる。両者の違いは必ずしも明確ではないが、おおよそ、「期日」を定めて行われるのが「意見聴取」であり、意見聴取を中核とする一連の手続を「意見聴取手続」と呼んでいるもの、と思われる。例えば、「意見聴取の終結後速やかに」意見聴取報告書を作成し委員会に提出する（58条2項）という点をみれば、意見聴取報告書の作成・提出を含む「意見聴取手続」は、「意見聴取」よりも広い概念であることがわかる。本書では、そのような理解のもと、ある程度において、「意見聴取」と「意見聴取手続」を使い分けている。

128) 平成17年改正前は、名宛人予定者が不服の場合には審判手続を経てから審判審決という形式で命令をしていたのであり、命令の事前手続が審判手続であった。これが、平成17年改正によって審判手続は事後チェックの制度となり、代わりに、事前手続として意見申述・証拠提出の機会の付与の手続が導入された。これが平成25年改正まで続いた。

の事前手続を更に充実させるために新設されたのである、と受け止めたほうが実態に即している[129]。

2　当事者と審査官等との間に立つ公取委の担当者

(1)　意見聴取官

①　総説　　意見聴取は、委員会が事件ごとに指定する「指定職員」によって主宰されることが独禁法典に規定されている（53条1項）。「指定職員」という文言は、意見聴取規則などにおいても用いられているが、公取委の訓令により「意見聴取官」と規定されているとのことであり[130]、通常は「意見聴取官」と呼ばれている。以下でもこれに倣う。

意見聴取官が、当事者（51条1項）と審査官等（54条1項）との間に立つことになる。

意見聴取官は、委員会からの独立性を持つ必要はない、とされる[131]。

意見聴取官がする処分は、行政手続法と行政不服審査法の適用除外となっている（70条の11、70条の12）[132]。

②　除斥　　意見聴取官については除斥の規定がある。すなわち、委員会は、その事件について「審査官の職務を行つたことのある職員その他の当該事件の調査に関する事務に従事したことのある職員」を意見聴取官として指定することができない（53条2項）[133]。意見聴取手続の公正性・透明性を担保するため

129）ある種の見方をすれば、廃止前の審判手続は、裁判所での実質的証拠法則・新証拠提出制限を背景に、考えられ得る全ての反論を名宛人に審判段階で行わせ、それを頭に入れたうえで事実認定等の判断を行って、裁判所で負ける可能性の低い審決書を公取委の最終判断文書とするための道具であった、ということもできる。意見聴取手続も、それに準じて、審判制度廃止後の公取委の最終判断文書となる排除措置命令書・課徴金納付命令書の穴をふさぐためのものとして機能する可能性がある。

130）平成25年改正解説12頁。

131）「「公正取引委員会の意見聴取に関する規則」（案）に対する意見の概要及びそれに対する考え方」（平成27年1月16日公表資料別紙3—2）6頁21番。なお、平成25年改正前の審判官は独立性があったとされることが多いが、法律の条文上は、事務総長の統理の対象外とされていただけであり（改正前35条3項）、委員会からの独立性が規定されていたわけではなかった。

132）平成25年改正解説41頁、43頁。

133）平成25年改正解説80頁は、「その他の当該事件の調査に関する事務」として、予備調査、任意調査、犯則調査、を例示している。意見聴取規則14条3項は、企業結合事件において、その案件の企業結合審査手続に従事した者を指定できないことを規定している。

であるとされる[134]。

③ **事件ごとに指定**　「事件ごとに指定」されるということに示されているように、意見聴取官は、行政組織における通常の官職とは異なり、特定の事件において意見聴取手続を主宰する地位を示す概念である。少なくとも、平成27年夏以降の初期の事件においては、平成25年改正前の規定との関係でなお置かれている審判官（前記633頁）が、意見聴取官となったようである。

「事件ごとに」の「事件」は、社会的に見た場合の同一事案のなかに複数の名宛人予定者がいる場合には、個々の名宛人予定者ごとに別々に観念され、また、同じ名宛人予定者に関しても排除措置命令と課徴金納付命令とが別々に観念される[135][136]。

④ **複数の意見聴取官**　事務量が厖大になると予想される場合には、複数の意見聴取官が指定されることがあり得る。社会的に見た場合の同一事案について複数の意見聴取官が指定され別々の名宛人予定者を担当することも考えられ、また、同じ名宛人予定者に関する同じ「事件」について複数の意見聴取官が指定されることも考えられる、とされる[137]。

⑤ **指定の手続**　委員会による意見聴取官の指定は、意見聴取通知の時までに行うものとする旨が規定され（意見聴取規則14条1項）、指定したときは、指定職員の指名を当事者に通知しなければならない（意見聴取規則14条4項）。

(2) 官房総務課

意見聴取手続の事務は、意見聴取官が行う事務を除き、官房総務課が所掌する（組織令2条21号、8条20号）[138]。

とりわけ、意見聴取通知に関する50条や、証拠の閲覧・謄写に関する52条は、53条以下とは異なり、「指定職員」すなわち意見聴取官を主語等としておらず、これらの手続は官房総務課によって進められるものとみられる。

134） 平成25年改正解説80頁。行政手続法の聴聞手続においては同様の規定はないが、運用において、同様の扱いが望ましいとされているとのことである（平成25年改正解説80〜81頁）。

135） 平成25年改正解説78〜79頁。

136） 平成25年改正施行後の事案でも、排除措置命令については、平成25年改正前と同様、違反行為ごとに、全ての名宛人についてまとめて1件の排除措置命令書が作成されるのが通例である。

137） 平成25年改正解説79頁。

138） そのうち意見聴取官の補助については、意見聴取規則15条があり、意見聴取官の除斥に関する規定も準用されている。

官房総務課には、意見聴取手続室というものが置かれているようである。組織令や組織規則などの官報掲載法令には規定がないようであり、訓令等に基づくものであると推測される。

意見聴取通知書の記載事項である「意見聴取に関する事務を所掌する組織」(50条1項4号) は、官房総務課意見聴取手続室とされるようである。

意見聴取官の事務の補助も、意見聴取通知に記載された組織の職員が行うこととなる、とされる[139]。

3　意見聴取通知

公取委は、意見聴取の期日までに相当な期間をおいて[140]、名宛人となるべき者に対し、意見聴取通知をし、名宛人となるべき者が防御をするために必要な事項を教示しなければならない (50条)。

意見聴取通知には、証拠品目録が添付される (意見聴取規則9条)[141]。52条において、意見聴取通知があった時から意見聴取が終結する時までの間、当事者が公取委に証拠の閲覧・謄写を求めることができることとされていることに、配慮したものである[142]。

意見聴取通知は、企業結合審査手続との関係でも、実際に通知がされるか否かは別として、大きな意味を持つ (前記597〜600頁)。

4　当事者・代理人

(1)　当事者

意見聴取通知を受けた「名宛人となるべき者」(50条1項) すなわち名宛人予定者は、意見聴取手続において「当事者」と呼ばれる (51条1項)。

(2)　代理人

51条は、当事者の代理人について規定している。代理人の資格は、書面で証明しなければならない (意見聴取規則11条1項)。

---

139)　平成25年改正解説82頁。

140)　平成25年改正解説224頁の図では、「2週間から1か月程度」とされている。

141)　意見聴取通知書のうち、意見聴取規則9条にいう「証拠の標目を記載した」部分を、平成25年改正解説64頁が、このように表現している。

142)　平成25年改正解説64頁。

51条は、代理人を弁護士等に限定する旨の規定を置いていない。この点で、平成25年改正前とは異なっている[143)]。行政手続法における聴聞手続を含め、行政手続に関する一般的な状況にあわせたとされている[144)]。

5　証拠の閲覧・謄写

(1)　総　説

当事者は、公取委に対し、意見聴取通知があった時から意見聴取が終結する時[145)]までの間、証拠の閲覧・謄写を求めることができる（52条1項）[146)]。

行政手続法の聴聞手続においては、証拠の閲覧に関する規定はあるが、証拠の謄写に関する規定はなく（行政手続法18条）、その点で聴聞手続より手厚い。

(2)　閲　覧

閲覧は、「当該意見聴取に係る事件について公正取引委員会の認定した事実を立証する証拠」であれば、することができる（52条1項前段）。実際には、意見聴取通知書に添付された証拠品目録（前記3）に記載された証拠、ということになろう。

「事件」は、複数の当事者にまたがることはないとされるので（前記2(1)③）、社会的に同一の不当な取引制限の事案でも、当事者ごとに、閲覧し得る証拠の範囲は異なる可能性がある[147)]。

閲覧のみが認められ謄写が認められない証拠について、閲覧に当然に付随する行為を超えて、実質的に謄写と同視できるような行為は認められない、とされる[148)]。

---

143)　平成25年改正前は、排除措置命令の事前手続について代理人を弁護士等に限る規定を置き（改正前49条4項）、これを課徴金納付命令の事前手続についても準用しており（改正前50条6項）、また、代理人に関するそのような限定は審判手続に関する規定にも妥当した（改正前49条4項）。審判手続が事前手続であった時期も同様であった（平成17年改正前52条2項）。

144)　平成25年改正解説66〜67頁。

145)　「意見聴取が終結する時」とは、意見聴取の最終の期日が終了する時であるとされる（平成25年改正解説69頁）。

146)　求める手続については意見聴取規則12条1項、13条2項。

147)　平成25年改正解説69頁。

148)　平成25年改正解説76頁。

(3) 謄　写

謄写は、閲覧の対象となる証拠のうち、「当該当事者若しくはその従業員が提出したもの又は当該当事者若しくはその従業員の供述を録取したものとして公正取引委員会規則で定めるもの」の謄写に限る（52条1項前段括弧書き）。「公正取引委員会規則」の定めは意見聴取規則13条1項であり、当事者またはその従業員からの、行政調査における留置物件および任意提出物件、犯則調査における領置物件および差押物件、行政調査における審尋調書および供述調書、犯則調査における質問調書、とされている[149]。

当事者またはその従業員からのものに限っているのは、閲覧可能な証拠には、事業者の秘密、個人のプライバシーに係る情報、関係する訴訟に影響を与える情報、などが含まれている可能性が高く、謄写まで認めるのは慎重を期する必要があるからである旨が説明されている[150]。これに対しては、そのようなものについて閲覧を認めながら謄写はおよそ認めないというのは説得的でなく、マスキングなどを施して謄写を認めるべきであるとする反論があり得る。

謄写の方法としては、証拠を電子化したファイルを記録したDVD等の電磁的記録媒体を貸与する方法などが例示されている[151]。

(4) 閲覧・謄写の拒否

当事者またはその従業員からの証拠であっても、「第三者の利益を害するおそれがあるときその他正当な理由があるとき」には、公取委は、謄写を拒むことができる（52条1項後段）[152]。

「第三者の利益を害するおそれがあるとき」とは、例えば、自社従業員の供述調書の内容によって当該自社従業員に懲戒などの不利益を与える可能性があるときなどが考えられる、とされる[153]。

---

149) この規定からわかるように、52条1項の「公正取引委員会規則で定めるもの」は、「又は」より前にもかかっていると考えられている。

150) 平成25年改正解説71〜72頁。当事者が複数存在する不当な取引制限事案や、被排除者や被濫用者からの証拠が含まれる可能性がある排除型私的独占事案や優越的地位濫用事案に言及して、解説されている。

151) 平成25年改正解説76頁。

152) この要件は、平成25年改正前における審判事件記録の閲覧・謄写の制度（本書第3版694〜698頁）において公取委が閲覧・謄写を拒むことができることとしていた要件（改正前70条の15第1項後段）と、同様のものである。

「その他正当な理由があるとき」とは、例えば、公取委の審査活動に支障が生ずるおそれがあると認められるときのほか、意見聴取手続の引き延ばしの道具となっている場合などがこれに当たる、とされる[154]。

(5) 閲覧・謄写の日時・場所等

閲覧・謄写の日時・場所は、公取委が指定することができる（52条3項）。証拠の一部について閲覧・謄写を拒み黒塗りをするなどの作業に時間を要する場合や、当事者が多数にのぼる場合などがあるからであるとされる[155]。

公取委は、閲覧・謄写の方法を指定することができる（意見聴取規則12条2項、13条2項）。

公取委は、日時・場所・方法を指定したときは速やかに当事者に通知しなければならない（意見聴取規則12条3項前段、13条2項）。通知の方法に関する規定はなく、電話により口頭で行うことも考えられる、とされる[156]。

閲覧・謄写の日時が意見聴取の期日の直前とならないようにするなど、意見聴取の期日における当事者の意見陳述等の準備を妨げることがないよう配慮するものとする、とされている（意見聴取規則12条3項後段、13条2項）。

(6) 意見聴取の進行に応じて必要となった証拠の閲覧・謄写

意見聴取の進行に応じて必要となった証拠の閲覧・謄写を更に求めることは、これを妨げないこととなっている（52条2項）。

公取委は、それに相当する証拠品目録を書面で通知する（意見聴取規則12条4項）。

そのほか、52条2項に関係する手続は、52条1項の閲覧・謄写に準ずる（意見聴取規則12条5項、13条2項）。

52条2項による閲覧・謄写について日時・場所が指定されたときは、意見聴取官は、その日時以降の日を新たな意見聴取の期日として定めるものとする旨が規定されている（意見聴取規則12条6項）。

(7) 目的外利用

意見聴取規則12条1項に規定する様式第1号の「証拠の閲覧・謄写申請書」

---

153) 平成25年改正解説73頁。

154) 平成25年改正解説73頁。

155) 平成25年改正解説74頁。

156) 平成25年改正解説76頁。

には、閲覧・謄写は意見聴取手続または排除措置命令等の取消訴訟の準備のためであり目的外利用はしない旨の記載がある。

6　意見聴取の期日・場所の指定

(1)　最初の意見聴取の期日

委員会は、意見聴取通知の際に、意見聴取の期日・場所を指定する（50条1項3号）[157]。期日は、意見聴取通知の日から「相当な期間」をおく（前記**3**）。

当事者は、やむを得ない理由がある場合には、期日・場所の変更の申出をすることができる（意見聴取規則10条1項・2項）。

意見聴取官は、申出により、または職権により、期日・場所を変更することができ（意見聴取規則10条3項）、速やかに書面で当事者に通知する（意見聴取規則10条4項）。

(2)　続行期日

意見聴取官は、56条1項のもとで、意見聴取の続行のための新たな期日を定めることができる。その場合には、期日・場所を当事者にあらかじめ通知するが、既存の意見聴取の期日において告知できるのであればそれでも足りる（56条2項）。

期日・場所の変更については、前記(1)と同様である（意見聴取規則10条5項）。

7　意見聴取の期日における審理

(1)　期日に先立つ書面等の提出

意見聴取官は、必要があると認めるときは、意見聴取の期日に先立ち、当事者に対し、期日において陳述しようとする事項を記載した書面、提出しようとする証拠、審査官等に対し質問しようとする事項を記載した書面、の提出を求めることができる（意見聴取規則16条）。

---

157)　何らかの手続や会合の期日、という意味合いが転化して、裁判実務においては、「期日」という言葉が手続や会合そのものを指す言葉であるかのように用いられている様子が窺われ、そのような用法が法律に流入している例も見受けられる。独禁法典と意見聴取規則の条文上は、基本的には、「意見聴取の期日」という形で用いられており、「期日」は、本来の意味のとおり、日時を指す場合が多いが、例外的な用例も全く見受けられないわけではない。実際の実務においてどうであるかは、別である。

これは、意見聴取手続の迅速かつ効率的な進行のためのものであるとされ、これらの書面等の事前の提出がなかったからといって、意見聴取の期日における当事者の行動が制約されるものではない旨が解説されている[158]。

(2) 意見聴取の期日の審理

意見聴取の期日における意見聴取は、非公開で行われる（54条4項）。事業者の秘密やプライバシーが侵害されるおそれ等の問題があるからであるとされる[159]。意見聴取手続の他の手続が公開であるわけではなく、期日の意見聴取が審判手続や訴訟手続とは異なることを念のため規定したものであろう。

最初の意見聴取の期日の冒頭で、意見聴取官は、審査官等に、所定の事柄を説明させる（54条1項）。

当事者は、意見聴取の期日に出頭して、意見を述べ、証拠を提出[160]することができ、また、意見聴取官の許可を得て審査官等に対し質問を発することができる（54条2項）[161]。

意見聴取官は、意見聴取の期日において必要があると認めるときは、当事者に対し質問を発し、意見陳述や証拠提出を促し[162]、また、審査官等に対し説明を求めることができる（54条3項）。

意見聴取官は、所定の要件のもとで、意見陳述・証拠提出を制限することができ、また、意見聴取の期日における秩序維持のため、所定の適当な措置をとることができる（意見聴取規則17条）。

(3) 出頭に代えた陳述書・証拠の提出

当事者は、意見聴取の期日への出頭に代えて、意見聴取官に対し、意見聴取の期日までに、陳述書および証拠を提出することもできる（55条）。陳述書の記載事項について、定めがある（意見聴取規則19条）。

---

158) 平成25年改正解説85頁。

159) 平成25年改正解説86頁。

160) 「提出」としか規定されていないため人証は予定されていない、と解説されている（平成25年改正解説87頁）。供述を証拠として提出する場合は署名押印が必要であるとする規定が意見聴取規則にあったが、令和2年公正取引委員会規則第7号によりその部分が削られている。

161) 適切でない質問を遮ることができるようにするよう、意見聴取官の許可が必要である旨の規定となっている（平成25年改正解説84頁）。

162) 意見聴取官は、あくまで、当事者に証拠提出を促すのであり、公取委が意見聴取官を通じて新たに証拠を収集する権限をもつわけではない、と解説されている（平成25年改正解説86頁）。

(4) 証拠提出の手続

当事者による54条2項または55条による証拠提出につき、手続の定めがある（意見聴取規則18条）。

8 当事者の不出頭等

当事者が正当な理由なく意見聴取の期日に出頭しないなど、所定の要件を満たすときは、意見聴取官は、意見聴取を終結することができる（57条1項・2項）。「正当な理由」とは、天災、交通機関の途絶など、その責に帰すべからざる事由である旨が説明されている[163]。

9 意見聴取調書・意見聴取報告書

(1) 意見聴取調書

意見聴取官は、期日ごとに、当事者の陳述の要旨を明らかにした意見聴取調書を速やかに作成しなければならず、これには提出された証拠等を添付しなければならない（58条1項〜3項）。意見聴取規則20条1項〜3項に詳細な定めがある。

(2) 意見聴取報告書

意見聴取官は、意見聴取の終結[164]後速やかに、当該意見聴取に係る事件の論点を整理し、その論点を記載した報告書を作成して、意見聴取調書とともに委員会に提出しなければならない（58条4項）。意見聴取規則20条4項・5項に詳細な定めがある。

意見聴取官は「意見」を述べるのでなく、論点を整理するのであるにとどまる。行政手続法の聴聞手続では、聴聞主宰者は「意見」を述べることとされているが（行政手続法24条3項）、これは、独任行政庁を念頭に置いたものであり、それに対し、公正取引委員会は、職権行使の独立性を保障された合議制の機関である、という点が強調されている[165]。

訴訟手続や平成25年改正前の審判手続における「争点」の整理ほどのものは求めないという趣旨で、「論点」の整理としていると説明されている[166]。

163） 平成25年改正解説91頁。

164） 58条4項にいう「意見聴取の終結」については、平成25年改正解説97頁。

165） 平成25年改正解説97〜98頁。

(3) 通　知

意見聴取官は、意見聴取調書・意見聴取報告書を作成したときは、当事者に通知するものとする旨が規定されている（意見聴取規則21条1項）。意見聴取調書は意見聴取の期日ごとに作成されるが、複数の期日があった場合には、期日ごとに通知が行われる、とされる167)。

(4) 閲　覧

当事者は、意見聴取調書・意見聴取報告書の閲覧を求めることができる（58条5項、意見聴取規則22条）。謄写に関する規定はない。

10　意見聴取手続の再開

委員会は、意見聴取の終結後に生じた事情168)に鑑み必要があると認めるときは、意見聴取官に対し、意見聴取の再開を命ずることができる（59条）。

排除措置命令の原因となる事実の範囲を超えた新たな事実やこれに関する証拠が判明した場合は、59条による再開でなく、新たな意見聴取手続を行う、とされる169)。

11　委員会による参酌

委員会は、排除措置命令・課徴金納付命令に係る議決をするときは、意見聴取調書・意見聴取報告書の内容を十分に参酌してしなければならない（60条）。

第8節　排除措置命令

1　総　説

(1) 概　要

公取委は、全ての独禁法違反類型について、違反者等に対し、独禁法違反行

166) 平成25年改正解説98〜99頁。

167) 平成25年改正解説101頁。

168) 「意見聴取の終結後に生じた事情」について、平成25年改正解説102頁。

169) 平成25年改正解説102頁。そのような手続を是認した例として、東京地判平成31年3月28日・平成29年（行ウ）第196号〔土佐あき農業協同組合〕（判決書60〜61頁）。

為を排除するために必要な措置を命ずることができる[170]。独禁法典はこれを指して「排除措置命令」と呼んでいる[171]。主に実体法の観点からの規定が7条、8条の2、17条の2、20条、であり、7条は主に私的独占と不当な取引制限に関する排除措置命令[172]、8条の2は事業者団体規制に関する排除措置命令、17条の2は企業結合規制に関する排除措置命令[173]、20条は不公正な取引方法に関する排除措置命令、である。主に手続法の観点からの規定が61条などであり、実体法規定の全てについて共通した内容となっている。

排除措置命令は、独禁法における最も基本的な法執行であると位置付けられることが多い。第1に、とにかく将来に向けて公正かつ自由な競争が実現することが最大の目的なのであって過去の違反者をどう扱うかということはその目的を達成するための手段にすぎない、という考え方が根強い。第2に、課徴金納付命令とは異なり、全ての独禁法違反類型について命じ得る。第3に、昭和22年の制定当時から存在した。

もっとも、そのような排除措置命令の優位性を、手続法の観点においても堅持すべきであるかというと、疑問がある。伝統的には、独禁法独自の用法として排除措置命令手続を「本案」と呼ぶ風習があったことに示されているように、排除措置命令が主で課徴金納付命令が従であるという位置付けが根強かった。しかし、排除措置命令手続の終了後でなければ課徴金納付命令をすることがで

---

170) 排除措置命令が取消しまたは変更を受けるべきものであると確定した場合には、排除措置命令によって被害を受けた者が国家賠償請求をすることがあり得る。請求を棄却したものではあるが、東京地判平成14年12月26日・平成13年(ワ)第13381号〔技研システム国家賠償〕。

171) 排除措置命令を更に略して「排除措置」と呼び、「公取委による排除措置」「公取委が排除措置を講ずる」などと表現する例が、過去においては極めて多数みられた。平成17年改正のもととなった平成15年独占禁止法研究会報告書が、「課徴金納付命令」に対応するものを「排除措置」と呼んでいるのは、その氷山の一角である。しかし、7条などの条文を見ればわかるように、排除措置を行うのはあくまで名宛人であるから、「公取委による排除措置」という言い回しは、法律の文言とは相容れない、主述の乱れた表現である。幸い、平成17年改正は、公取委が行うのは「排除措置」でなく「排除措置命令」であるということにあらためて正統性を与えた。なお、本書でももちろん、名宛人が命ぜられる行為を指して「排除措置」と呼ぶことはある。

172) 6条との関係では、不公正な取引方法に関する排除措置命令となる場合がある。

173) 17条の2は2つの項に分かれており、1項は事業者だけが違反者となり得る違反類型、2項は事業者でない者が違反者となり得る違反類型、という分け方となっているが、わざわざ分けて規定する必要がどれほどあるのか、定かではない。1項と2項とを比べると、命じ得る排除措置の例が異なっているにすぎない。

きないとする平成17年改正前の状況（平成17年改正前48条の2第1項ただし書）は遠い過去のものとなり、その遺物として平成17年改正後にも排除措置命令確定の場合には違反行為の存否を審判手続で争えないこととしていた規定（平成25年改正前59条2項）も平成25年改正によって削られ、同等の規定は残っていない（後記735〜736頁）。

排除措置命令と課徴金納付命令とが実際上は同時化したなかでは、両者を別建てで制度化せず、一本の命令にまとめて簡素化するという選択肢も、立法論的には考慮に値するように思われる。

(2) 沿革

① **総説**　排除措置命令は、実質的には、昭和22年の制定時から存在する制度であるが、これをどのような名前で呼び、どのような手続を経て行うかについては、複雑な変遷がある。以下では、現行法を理解するのに有益と思われる範囲で、それらに触れることとする。

② **平成17年改正前**　平成17年改正前は、排除措置命令は必ず審決という形式で行うこととなっており、排除措置命令を行う手続には2通りがあった。

第1の手続は、勧告審決による排除措置命令が目指される手続である。公取委は、違反行為がある、または、あった、と認める場合には、勧告をすることができた（平成17年改正前48条1項・2項）。被勧告人が勧告を応諾すれば、勧告と同趣旨の勧告審決が行われた（平成17年改正前48条4項）。被勧告人が応諾しない場合は、この手続は終了した。

第2の手続は、審判手続が開始され、審判審決または同意審決による排除措置命令が目指される手続である。公取委は、違反行為がある、または、あった、と認める場合で、審判手続を行うことが公共の利益に適合すると認めるときは、審判手続を開始した（平成17年改正前49条1項）。被審人と審査官との対審構造による審判手続が最後まで行われた場合には、審判審決が行われた（平成17年改正前54条）。審判手続の途中で被審人が審判開始決定書記載の事実および法令の適用を認め、排除措置に関する計画書を提出し、それを公取委が適当と認めたときは、同意審決が行われた（平成17年改正前53条の3）。

2通りの手続は、法律上は別個のものであり、公取委はいずれかを選ぶことができたが、実際の運用においては、まず第1の手続に入り、被勧告人が応諾しない場合に第2の手続に入る、という手順が常態化していた。

③　**平成17年改正後・平成25年改正前**　　平成17年改正により、まず排除措置命令と課徴金納付命令を、原則として同時に、行うこととされた（平成17年改正前48条の2第1項ただし書の削除）。不服のある場合に審判手続に入って、命令の是非を決する審決がされた（平成25年改正前66条）。命令の前には、意見申述・証拠提出の機会を付与する事前手続が置かれた（平成25年改正前49条3項～5項、50条6項）。

④　**平成25年改正後**　　平成25年改正により、不服の場合について、審判手続が廃止され、東京地裁における抗告訴訟手続に取って代わられた。また、事前手続として意見聴取手続が置かれた。

2　排除措置命令に係る手続

(1)　事前手続

排除措置命令の事前には、意見聴取手続（前記第7節）を経なければならない（49条）。

(2)　方　式

公取委は、意見聴取手続を経たうえで、7条や20条などの実体法上の規定の要件を満たすと考えるならば、排除措置命令を行う。

排除措置命令書には、排除措置を記した主文のあと、認定事実、法令の適用、を記載し、委員長および合議出席委員が記名押印する（61条1項）[174][175][176]。排除措置命令書は、通常、即日、公表される。

主文は、名宛人が何をすべきかを具体的に示す必要がある。認定事実と法令の適用は、不利益処分にあたって公取委が慎重かつ合理的に判断することを確

---

174)　合議に関することは、別の箇所でまとめて述べた（前記631～632頁）。

175)　排除措置命令書は、誤記その他明白な誤りがあるとき、更正されることがある（審査規則31条）。

176)　67条は、関係のある公務所または公共的な団体は、公共の利益の観点から公取委に意見を述べることができる、と規定している。審判制度が存在した時期から置かれていた規定であり、平成25年改正による審判制度の廃止の際、命令のための合議に係る規定のあとに残されたものである。もっとも、このような規定がなくとも、これらの者は意見を述べるのではないかと思われる。なお、平成25年改正前には、そのような者が審判手続に参加できることを定めた規定も存在した（平成25年改正前70条の4）。事例として、公取委決定昭和46年12月28日・昭和41年（判）第4号〔金沢市中央卸売市場〕。

保し、名宛人の不服申立てに便宜を与えるため、名宛人が具体的内容を理解できるものである必要がある。課徴金納付命令書の記載等も同様である[177]。

排除措置命令書は、複数の名宛人が関係する事件の場合には、当該複数の名宛人に対して一括して1個の文書とされるのが通常である。

(3) 効力発生

排除措置命令は、名宛人に排除措置命令書の謄本が送達されると、効力を生ずる（61条2項）[178]。

(4) 事後手続

排除措置命令に不服の場合は、裁判所における抗告訴訟を提起することになる（後記第10節）。

排除措置命令書においては複数の名宛人が一括して掲げられるのが例であるが、そのうち一部の名宛人が抗告訴訟を提起した場合でも、抗告訴訟を提起しなかった名宛人との関係では、排除措置命令は確定する。

(5) 除斥期間

既往の違反行為に対する排除措置命令は、違反行為がなくなった日から7年を経過しないうちに、行われなければならない（7条2項）。これを除斥期間と呼んでいる。

一定期間内に限ることの趣旨は、違反者にとっての予見可能性や法的安定性の保護であろう。もっとも、除斥期間は、平成17年改正前は1年であったが、平成17年改正によって3年に、平成21年改正によって5年に、令和元年改正によって7年に、それぞれ改められている。

どのような場合に、違反行為がなくなったと言えるのか。論理的には、違反

---

177) 以上のような観点から排除措置命令・課徴金納付命令を全部取り消した事例として、東京高判令和2年12月11日・平成31年（行ケ）第9号〔山陽マルナカ〕。平成25年改正前の手続規定が適用される事件であったため、形式的には審決の取消しであり、改正前82条2項に基づいて命令を取り消す再審決がされた。公取委審判審決令和3年1月27日・平成23年（判）第82号〔山陽マルナカ再審決〕。興津征雄・東京高裁判決評釈・新・判例解説 Watch 経済法 No. 75（令和3年）。

178) しばしば、排除措置命令には公定力があるから直ちに効力が発生する、などと言われることがあるが、少なくとも現行法の独禁法上の命令については、法律の明文の規定があるために直ちに効力が発生するのであって、そのことに行政法学が公定力などの名前を付けているのだ、と理解するほうが的確である。

行為がなくなったということは、違反要件のいずれかを満たさなくなったということであるから、違反要件論を裏返した議論をすればよいはずである。ただ、不当な取引制限の終了時期については、蛸壺的に発達した議論がされている（前記 251〜255 頁）。

3　名宛人

⑴　総　説

排除措置命令の名宛人[179]は、通常は違反者であり、その場合は議論の余地は少ない[180]。

⑵　違反行為終了後の合併・分割・事業譲渡の場合

過去に違反行為を行っていた者から違反行為に係る事業を合併・分割・事業譲渡により承継した者は、排除措置命令の名宛人とすることができるか。

承継後において承継者が違反行為を継続したと認定されたならば、当該承継者自身も違反者なのであるから、名宛人とすることができるのは当然である。

問題は、承継者は違反行為を行っていない場合である[181]。このような場合に承継者を名宛人とすることができる明文の規定が平成 21 年改正によって導

---

179)　独禁法典には「名宛人」と「名あて人」が混在している。これは、かつて「宛」が常用漢字表になかったためである。平成 22 年の新たな常用漢字表の告示に伴い、内閣法制局長官「法令における漢字使用等について」（平成 22 年 11 月 30 日）が発せられ、以後、従前とは表記が変更されている。ただし、この文書には附則があり、改正のない条や項などについて、漢字使用を改めるためだけの改正をしなくとも差し支えないこととなっている（上記内閣法制局長官文書附則 3 項）。このために、平成 25 年改正後の独禁法典において、「名宛人」と「名あて人」の混在が生じている。独禁法典では、他に、「全て」と「すべて」などについても同様の現象が見られる。本書では、「名宛人」や「全て」については、引用を除き、上記文書の本則に沿った表記に統一している。公取委の命令書など、白紙から起案し平成 22 年 11 月 30 日以後に発せられた文書では、本書と同様、「名宛人」等と表記されている。なお、本書は、「及び」「又は」などについては、上記内閣法制局長官文書とは異なり、独自の判断で、引用を除き、「および」「または」などとしている。

180)　事業者団体規制においては、「特に必要があると認めるときは」、当該団体の役員等や構成事業者を名宛人とすることができる（8 条の 2 第 3 項）。

181)　承継者は別に自ら違反行為を行っていたが、そのこととは別に、被承継者が行っていた部分の違反行為に係る排除措置をも承継者に対して命じ得るか、という問題も、同様の枠組みで検討していくことになる。違反者 A 自身ではなく A の子会社が違反者 B の事業を承継した場合の A への命令の可否を論じたものではあるが、公取委審判審決平成 20 年 4 月 16 日・平成 16 年（判）第 4 号〔東京都発注下水道ポンプ設備工事談合〕（審決案 121〜122 頁）。

入された（7条2項2号～4号）[182]。すなわち、既往の違反行為に係る排除措置命令をする場合には、違反行為をした事業者だけでなく（7条2項1号）、違反行為をした事業者から違反行為に係る事業の全部または一部を合併・分割・事業譲渡により承継した事業者を名宛人とすることも、可能とした[183]。7条2項は、20条2項などにおいても準用されている。

被承継者＝違反者と、承継者との、双方に排除措置命令をすることも可能であり、複数の承継者に排除措置命令をすることも可能である（7条2項）[184]。

これらの者は、それぞれ、7条2項の「特に必要があると認めるとき」の要件を満たす必要がある。そのような承継事業者に対して排除措置を命ずることが、再発防止や競争秩序回復などの観点から特に必要であることを、公取委は示す必要がある（後記**6**）。

違反行為に係る事業についての承継を受けていない者は、排除措置命令の対象とはならない（7条2項）[185]。

(3) 法人格が消滅した場合

法人格が消滅した場合は、名宛人とすることはできない[186]。

---

182) そのような明文がなかった時期にも、違反者のみが名宛人となり得るという原則の例外を開拓すべく、種々の努力が行われた。公取委審判審決平成20年4月16日・平成16年（判）第4号〔荏原由倉ハイドロテック〕は、現在の明文規定と同様の解釈論を展開したが、当該事案においては、一般論に示した条件を満たす旨の立証がされていないとして、承継者を名宛人としなかった（審決案60頁）。名宛人とできることに争いのない被承継者＝違反者に対して、承継者をして所要の措置を行わせるよう指導するという排除措置を命ずる、という工夫もみられた。東京都発注下水道ポンプ設備工事談合審決は、承継者が自らの100％子会社であるなど被承継者の完全な支配下にあると認められる場合にはそのような命令をすることができる、という一般論を示したうえで、100％子会社に承継させた被承継者には命令を行い、承継者の株式の約68％や30％しか保有していない被承継者については命令を行えない、とした（審決案120～121頁）。

183) 実例として、公取委命令平成22年11月9日・平成22年（措）第18号・平成22年（納）第101号〔鹿児島県発注海上工事談合〕における吉留建設（違反者である吉留産業からの新設分割による事業の全部の承継）、公取委命令平成24年10月17日・平成24年（措）第9号・平成24年（納）第19号〔高知談合土佐国道事務所発注分〕および公取委命令平成24年10月17日・平成24年（措）第10号・平成24年（納）第44号〔高知談合高知河川国道事務所発注分〕における大旺新洋（違反者である新洋共英の吸収合併）、公取委命令平成29年3月13日・平成29年（措）第6号・平成29年（納）第14号〔壁紙〕におけるシンコールアイル（違反者であるシンコールからの吸収分割による事業の一部の承継）。

184) 条文から導かれるが、確認的解説として、平成21年改正解説51頁。

185) 条文から導かれるが、確認的解説として、平成21年改正解説51頁。

4　継続中の違反行為と既往の違反行為

排除措置命令に関する規定は、まず、継続中の違反行為に関する規定を置いている（7条1項、8条の2第1項、17条の2、20条1項）[187]。

次に、私的独占、不当な取引制限、不公正な取引方法、および8条については、違反行為が既になくなっている場合についても、規定を置いている（7条2項、8条の2第2項、20条2項）。「既往の違反行為に対する排除措置命令」などと呼ばれる。これをするための要件については、継続中の違反行為に対する排除措置命令をするための要件とあわせ、別に述べる（後記**6**）。

不当な取引制限の事件では、遅くとも公取委の調査の対象となっていることがわかった時点で違反行為が取りやめられることがほとんどであり、したがって、既往の違反行為に対する排除措置命令がほとんどである。行為者としては、行為を早めに取りやめることによって、違反とされたときの課徴金額を抑えることのできる場合が多く（前記297〜302頁）、また、減免申請をしている場合にはそもそも違反行為の取りやめが減免要件となっている（前記342〜343頁）。

他方で、私的独占や不公正な取引方法の事件では、行為が違反であるとは行為者が考えていない場合なども多く、継続中の違反行為に対する排除措置命令も少なくない[188]。

---

186)　平成17年改正前の手続規定による審判手続の被審人について、その手続が存続する限りは、清算結了登記をしていても、法人格が存続しているとした審決がある。もっとも、清算結了登記をしているので事業再開の見込みはないなどの理由で、「特に必要があると認めるとき」（7条2項）に該当しないとして結論としては命令しなかった（以上、公取委審判審決平成19年2月14日・平成14年（判）第36号〔国家石油備蓄会社発注保全等工事談合〕（審決案61〜62頁））。

187)　企業結合規制に係る17条の2については、実際上は多くの事例において、まだ行われていない企業結合行為に対する排除措置命令とならざるを得ず、17条の2の文言がそれに対応しているか否か、文理上は疑問がないわけではないが、17条の2によって、まだ行われていない企業結合行為に対する排除措置命令をすることは可能であることを当然の前提とした議論が展開されているのが実情である。

188)　日本の独禁法の課徴金制度は、違反行為を終了していなければ課徴金の計算をすることができないような組立てとなっている（2条の2第13項・第14項、18条の2第1項）。排除措置命令を先行させ、課徴金納付命令を追って行った事例がある（前記366頁註32）。

5　排除措置命令の内容

(1)　条文の規定

排除措置命令において命ぜられる排除措置は、条文上は、継続中の違反行為に対する命令であるか既往の違反行為に対する命令であるかによって異なる。

継続中の違反行為に対する排除措置命令については、それぞれの違反類型に即した各条文において、公取委が命ずることのできる排除措置として、まず、いくつかの類型のものが掲げられ、そのあと、「その他これらの規定に違反する行為を排除するために必要な措置」などという文言が置かれている（7条1項、8条の2第1項、17条の2、20条1項)。それらの排除措置を、「命ずることができる」のであり、命じなければならないわけではない。

既往の違反行為に対する排除措置命令については、「当該行為が既になくなつている旨の周知措置その他当該行為が排除されたことを確保するために必要な措置」を命ずることができると規定されている（7条2項に規定されており、8条の2第2項および20条2項において準用されている)。

以上のように、根拠条文の規定は異なっているが、実際に命令される内容には、さほど実質的な懸隔があるわけではない。

したがって以下では基本的に、継続中の違反行為に対するものであるか既往の違反行為に対するものであるかを問わず、まとめて論ずる。

(2)　実質的分類

排除措置命令の内容は、実質的には、違反行為の取りやめ、競争秩序の回復、違反行為の再発防止、の3つに分類されることが多い。

(3)　命令書主文の各項目

①　**総説**　　前記(2)のような実質的分類を念頭に置きつつ、排除措置命令書主文の各項目の命令が、事案に即した形で、行われる。

それらの主文各項目は、上記の実質的な3分類のいずれか1つだけに結びつけられるわけではなく、それぞれが、実質的分類における複数の項目にまたがっているというのが実際のところである。

②　**違反行為の取りやめ**　　主文の冒頭で、違反行為の取りやめが命ぜられる。継続中の違反行為なら取りやめ、既往の違反行為なら取りやめの確認、などをそれぞれ取締役会などで決議することが命ぜられる。

違反と認定された行為を周辺で支える行為も対象となることがある。例えば、入札談合事件において、発注者による発注の前に発注者に提出する参考価格について供給者間で情報交換をする行為などである[189]。

③ **通知・周知**　違反行為を行っていたが取りやめ等の決議をしたことなどを、取引先や自社従業員、不当な取引制限事件の場合は他の違反者、などに対して通知・周知することが命ぜられるのが通常である。

違反者の従前の行動を所与のものとする必要のないことを関係者に知らしめることが、残存する影響を取り除き競争秩序を回復することに役立つであろう。同時に、再発防止という面ももつであろう。

④ **同種または類似の行為の禁止**　将来において同種または類似の行為を行わないよう命ぜられるのが通常である[190]。価格協定事件では、価格改定に関する情報交換も行わないよう命ぜられることも多い。

この命令により、将来においては、本来は刑罰の対象でない違反行為が確定排除措置命令違反という形で刑罰の対象となる場合が生ずる（90条3号）。そこで、名宛人が命令を履行するため何をすべきかが具体的にわからないようなものなど、その履行が不能あるいは著しく困難なものであってはならない、とされる[191]。

⑤ **再発防止のための体制整備**　違反者の組織における独禁法の遵守体制の確立のため、所要の措置が命ぜられるのが通例となっている。具体的には、独禁法の遵守についての営業担当者に対する定期的研修、独禁法の遵守についての法務担当者による定期的監査、独禁法の遵守についての行動指針の作成・改定・周知徹底、独禁法違反行為に関与した役員・従業員に対する処分規程の作成・改定、独禁法違反行為に係る通報制度の設置・見直し・通報促進策、など

189） 例えば、公取委命令令和4年3月30日・令和4年（措）第3号・令和4年（納）第29号〔地域医療機能推進機構発注医薬品〕。

190） このような命令はしばしば「将来の不作為命令」と呼ばれる。しかしそれは、「違反行為の不作為」という意味であるにとどまり、そのために必要な範囲で作為的なことが命ぜられることもある。その意味で、「将来の不作為命令」という呼称は、誤解を招くおそれもある。

191） 東京高判昭和46年7月17日・昭和43年（行ケ）第148号〔明治商事〕（行集22巻7号の1045頁、審決集18巻の188〜189頁）。事案における命令の内容は明らかであると判断した初期の事例として、最判昭和36年1月26日・昭和30年（オ）第261号〔北海道新聞社夕刊北海タイムス〕（民集15巻1号の120頁、審決集10巻の100〜101頁）。のちの事例として、東京高判昭和52年8月15日・昭和49年（行ケ）第87号〔石油連盟価格協定〕（行集28巻8号の876頁、審決集24巻の193頁）。

の措置が命ぜられる[192)][193)]。

⑥ **採った措置についての公取委への報告**　違反者が採った措置を公取委に報告する、という命令が付されるのが例である[194)]。

(4) 諸論点

① **作為的な命令の可否**　違反行為をやめさせるために、作為を命ずることも可能である。違反行為の取りやめ、とは、「違反行為の不作為」なのであるにすぎず、違反行為それ自体が不作為的なものであれば、違反行為の不作為のために作為的な行為が必要となる場合もある[195)]。作為的な命令をどのように設計するか、という問題は残るが、しかし排除措置命令の執行は結局のところ過料または刑罰による間接強制に頼っているのであり（後記**7**）、不作為的な命令と作為的な命令とで執行の難易にさほど大きな差があるとは考えられない。

② **特定の価格を基準とした命令の可否**　特定の価格を基準とした命令をすることは可能か。価格協定に対する値下げ措置の命令や略奪廉売に対する値上げ措置の命令は可能か、というかたちで問題となり得る。

具体的価格設定を指示することには抵抗が強い。価格を中心とした競争変数を供給者の創意によって設定させるのが、独禁法の本旨だからである。

価格協定の場合には、共同行為の破棄が命ぜられるにとどまる。

略奪廉売の場合には、過去の一時期においては具体的価格を下限とする命令がされたが[196)]、その後、仕入価格など、費用概念を使った抽象的下限価格を

---

192)　これらの再発防止策に関する報告書として、公正取引委員会「排除措置命令における再発防止策に関する効果検証報告書」（令和5年6月）。

193)　公取委勧告審決平成17年11月18日・平成17年（勧）第12号〔鋼橋上部工事談合〕（審決書2～3頁）や公取委勧告審決平成17年11月18日・平成17年（勧）第13号〔鋼橋上部工工事談合〕（審決書2～3頁）では、違反に関与した営業責任者の配置転換などが命ぜられている。そのような命令の是非については異論があり得る。

194)　このような命令をしてもよいことを明らかにした初期の事例として、東京高判昭和28年12月7日・昭和26年（行ナ）第17号〔東宝／新東宝〕（高民集6巻13号の911頁、審決集5巻の147頁、審決等データベースのPDF 363頁）。

195)　例えば、公取委勧告審決平成10年12月14日・平成10年（勧）第21号〔マイクロソフトエクセル等〕では、抱き合わせという違反行為について、単品での購入の申出にも応じなければならないという作為的な行為が命ぜられている（審決集153～154頁）。抱き合わせ、という、「作為」に見える行為が、裏返せば実際には、抱き合わせでなければ売らない、という「不作為」の側面によって支えられているために、それをやめさせる命令がおのずと「作為」的なものとなったわけである。勘所事例集114～115頁。

示すにとどまる命令がされている[197]。裁判所の差止判決については、具体的価格を下限とする判決主文が適切であるとする意見が多数を占めたとされるが、それは、抽象的な費用概念を用いた判決主文では執行裁判所に困難を強いることになるという懸念を背景としていたようである（後記791～792頁）。公取委の場合は、執行裁判所と違って、時々刻々と変化する経済情勢のなかでも、平均総費用などの費用を算定することが相対的に容易だということであろう。

③ **優越的地位濫用事件などにおける金銭的価値の回復**　優越的地位濫用事件において、排除措置命令として金銭的価値の回復を命ずることができるか、という問題がある。独禁法の優越的地位濫用規制の補完法的なものと位置付けられる下請法において、減額分の支払、返品した物の再度の引取り、買いたたきの場合の下請代金の引上げ、購入要請をした物の引取り、などの不利益回復の勧告がされる（下請法7条2項）こととの関係で、独禁法についても問題提起がされているものである。

実際の排除措置命令においては、金銭的価値の回復は命ぜられていない。

金銭的価値の回復を行わない状態は取引秩序の回復がされていない状態であると考えるならば、秩序回復の一環として金銭的価値の回復を排除措置命令に盛り込むことができる、という可能説が成立し得ることになろう[198]。

他方で、今後において同種の行為が行われないことが確保されれば秩序回復も実現していると考えるならば、金銭的価値の回復を命ずることはできない、

196）　公取委同意審決昭和52年11月24日・昭和50年（判）第2号〔中部読売新聞社〕。同事件の緊急停止命令である東京高決昭和50年4月30日・昭和50年（行タ）第5号〔中部読売新聞社〕も同様であった。

197）　公取委勧告審決昭和57年5月28日・昭和57年（勧）第4号〔マルエツ〕、公取委勧告審決昭和57年5月28日・昭和57年（勧）第5号〔ハローマート〕、公取委命令平成18年5月16日・平成18年（措）第3号〔濵口石油〕、公取委命令平成19年11月27日・平成19年（措）第16号〔シンエネコーポレーション〕、公取委命令平成19年11月27日・平成19年（措）第17号〔東日本宇佐美〕。

198）　根岸哲「優越的地位の濫用規制に係る諸論点」日本経済法学会年報27号（平成18年）28～29頁は、早くから可能説を唱えているが、その根拠として、「原状回復のない限り優越的地位の濫用という違反行為は現在している」という主張をしている。しかしこれは、減額を含む事件においても公取委が、被害回復を命じないまま、違反行為が終了したことを前提とした20条2項による排除措置命令をし、違反行為が終了していなければ計算できないはずの課徴金を課していることからみて、全体的な整合性の観点からは、苦しい議論であるように思われる。

という不可能説を採るべきことになる。

実際上の議論の舞台は、確約制度に移っている（前記675〜676頁）。

6 排除措置命令の必要性

(1) 総 説

① 概要 排除措置命令をするには、個々の排除措置について、命令の必要性があることが要件となる。敷衍すれば、以下のとおりである。

継続中の違反行為に対する排除措置命令については、それぞれの違反類型に即した各条文において、公取委が命ずることのできる排除措置として、まず、いくつかの類型のものが掲げられ、そのあと、「その他これらの規定に違反する行為を排除するために必要な措置」などという文言が置かれている（7条1項、8条の2第1項、17条の2、20条1項）。「その他の」でなく「その他」であるから、文理上は、それより前に掲げられた類型の排除措置は「必要」であることを立証しなくとも命ずることができる。しかし実際上は、これらについても同様に必要性が論ぜられているように思われる。「命ずることができる」と規定されており、公取委は、文理上は必要性が要件となっていない類型の排除措置についても、命令を義務付けられるわけではない。

② 既往の違反行為の場合の「特に必要があると認めるとき」 既往の違反行為に対する排除措置命令については、「特に必要があると認めるとき」に命ずることができる旨が規定されている（7条2項、8条の2第2項、20条2項）。「特に」とあり、大きな議論の対象となったが、最高裁判決が言い渡されるとともに議論は落ち着き、結局のところ、継続中の違反行為に対する排除措置命令に関する必要性の要件と大差ない状況となっている。以下、それを明らかにしたあと、既往か継続中かを問わずに、必要性について論ずる（後記(2)以下）。

「特に必要があると認めるとき」の具体的内容として総論的には、「当該違反行為が繰り返されるおそれがある場合や、当該違反行為の結果が残存しており競争秩序の回復が不十分である場合などをいう」とされている[199]。その判断

---

199) 引用は、東京高判平成20年9月26日・平成18年（行ケ）第11号〔ストーカ炉談合排除措置〕による（判決書122頁）。この基準を初めて定式化したのは、東京高判平成16年4月23日・平成15年（行ケ）第335号〔区分機類談合排除措置Ⅰ〕である（判決書11頁）。この基準をあてはめたところ「特に必要があると認めるとき」には該当しないという判断を理由の1つと

は、公取委の裁量に委ねられている。裁量の範囲を超えていないかどうか、濫用がないかどうか、を裁判所が判断する[200]。

公取委は、個々の事件において、「特に必要があると認めるとき」に該当するか否かを上記基準に基づいて判断している。この基準を初めて定式化した平成16年4月の東京高裁判決より前には公取委は、明確な理由を全く提示せずに既往の違反行為に対する排除措置命令を行っていたが、同判決を契機として上記基準に基づく詳細な理由提示を行うようになった[201]。平成19年4月の最高裁判決が、その東京高裁判決を破棄するとともに上記のように公取委の裁量的判断の対象であることを明確に認めた後も、簡略化されはしたものの、上記基準に基づくそれなりの理由提示が行われている。

「特に必要があると認めるとき」の具体的内容が、上記のように、当該違反行為の再発防止や競争秩序の回復が必要であるということなのであれば、結局は、継続中の違反行為に対する排除措置命令について求められる必要性と基本的には同じものである、といってよい。

なお、違反行為に係る事業を譲渡するなど、既に違反行為に係る事業を行っていない場合には排除措置命令はされず、また、調査開始日前の減免申請があった場合にも、例外を除き（前記357頁）、やはり排除措置命令はされない。必要性がない、と位置付けることになる。

して原審決を取り消した同判決は、最判平成19年4月19日・平成16年（行ヒ）第208号〔区分機類談合排除措置Ⅰ〕によって破棄されたが、同最高裁判決は、この基準それ自体を否定したのではなく、この基準を当該事案にあてはめたとしても原審決による命令は可となし得る、としたものであるにすぎない。同最高裁判決の後の時期のストーカ炉談合排除措置東京高裁判決がこの基準をあらためてそのまま述べたことは、最高裁判決に対するそのような読み方を裏付ける。勘所事例集270〜277頁。平成17年改正前は、審判審決に関する54条2項でも同じことが重複して規定されていた。

200） 区分機類談合排除措置Ⅰ最高裁判決（判決書8頁）。

201） 平成16年4月の区分機類談合排除措置Ⅰ東京高裁判決が原審決を取り消した第1の理由は、理由提示の不備という行政法上のものであった。同判決前に一旦は審決案が作成された事件について、同判決のあと審判手続が再開され、「特に必要があると認めるとき」の成否に関する第二次審決案が作成されたうえでされた審判審決が複数存在する。公取委審判審決平成18年6月27日・平成11年（判）第4号〔ストーカ炉談合排除措置〕、公取委審判審決平成19年2月14日・平成11年（判）第7号〔防衛庁発注石油製品談合排除措置コスモ石油等〕。

(2) 競争秩序の回復の必要性

競争秩序の回復の必要性の観点からの排除措置は、当然のことながら、違反行為の終了後も競争秩序の回復が不十分であって反競争性の弊害が残存している場合に命じ得る[202]。

(3) 再発防止の必要性

再発防止の必要性の観点からの排除措置は、その違反行為が繰り返されるおそれがある場合に認められる。

繰り返されるおそれがあるか否かの判断に際しては、「当該違反行為の具体的状況、その経緯、背景、取引慣行、被審人の当該違反行為を繰り返すことのできる力、当該違反行為の期間、当該違反行為をやめた事情、過去の当該違反行為の有無、状況のほか、違反行為を助長する市場環境の存否、確実に違反行為を抑止するに足る事情、例えば、再発防止策、違反行為の実行を困難とする市場の状況の出現等諸般の事情を総合して判断すべきである」とされる。そして、入札談合事件においては、とりわけ一般に競争回避の意識と協調関係を強固に形成するものであって当該違反行為終了後も直ちにはそれらが解消されるものではない、という特殊性を考慮に入れるべきであるとされる[203]。

違反者が事業譲渡等により違反行為に係る事業を行っていない場合には、定型的に、命令の必要性は否定されるのが通常である[204]。

「違反行為の実行を困難とする市場の状況の出現等」に関しても、事例の蓄積が見られる[205]。

---

202) 例えば、防衛庁発注石油製品談合排除措置コスモ石油等審決（第二次審決案24～25頁）、ストーカ炉談合排除措置東京高判（判決書124～125頁）、など。

203) 以上、引用も含め、ストーカ炉談合排除措置東京高判（判決書123頁）。

204) 公取委審判審決平成27年5月22日・平成22年（判）第2号〔ブラウン管MT映像ディスプレイ等〕では、違反行為に係る事業が命令日にも僅かに残っていたが実質的には行っていないに近い状況にあったことが、必要性を否定する理由とされた（審決書43～47頁）。類似の状況にあったがなお違反行為に係る事業を行う可能性があることに鑑みて排除措置命令の必要性が肯定された事例として、公取委審判審決平成19年1月30日・平成16年（判）第7号〔竹中土木等〕（審決案28～29頁）、公取委審判審決平成25年9月30日・平成24年（判）第1号〔奥能登談合松下組石川県分〕（審決案18～19頁）。

205) 例えば、以下のような事例がある。防衛庁発注石油製品談合排除措置コスモ石油等審決では、指名競争入札が一般競争入札に変わったことを契機としてアウトサイダーが多数参入した商品役務について、違反行為が繰り返されるおそれはないとされた（平成18年10月18日の第二次審

「当該違反行為」の繰り返しのおそれの有無を論ずる際、「当該違反行為」の外延、すなわち、命令の根拠となったこれまでの違反行為とどれほど同一性のある行為が繰り返されるおそれがある必要があるのか、ということも問題となる。「同一の市場」における行為に限定するようにも見える判示をするものもある[206]。しかし、当該事件の処理のために形式的に狭い市場が画定される場合などには、厳密に当該市場に限定する必要はないようにも思われる[207]。

7　排除措置命令の執行

名宛人が排除措置命令に従わない場合の強制的な執行に関する明示的な規定は独禁法典にはなく、結局、排除措置命令違反に対する過料（97条）[208]や刑罰（90条3号）[209]の規定があることによる間接強制があるにとどまる。したがって、外国に所在する名宛人が排除措置命令に従わないという場合の命令の実効性も、結局は、排除措置命令違反に対する刑罰等を科し得るかという観点から論ぜられることになる（後記766〜767頁）。

公取委においては、「執行」という言葉に対し、上記とはやや異なる意味合いが与えられている。すなわち、排除措置命令に従っていないのではないかと疑われる事例を調査することは「執行後の監査」と呼ばれて審査局管理企画課

決案25〜26頁）。公取委審判審決平成27年5月22日・平成22年（判）第6号〔ブラウン管サムスンSDI韓国〕では、日本所在需要者がいなくなっていることと、カルテルに参加した他の供給者が違反行為に係る事業を行わなくなっていることとを、必要性を否定する理由とした（審決書39〜43頁）。

206)　例えば、ストーカ炉談合排除措置東京高裁判決（判決書122頁）。

207)　区分機類談合排除措置Ⅰ東京高裁判決は、違反行為と全く同一の行為態様に絞るのは狭すぎるとしたうえで、「当該違反行為と同一ないし社会通念上同一性があると考え得る行為が行われるおそれがある場合に限定されると解するのが相当である」としている（判決書15頁）。同様の一般論を採るものとして、防衛庁発注石油製品談合排除措置コスモ石油等審決（第二次審決案25頁）。古典的事例として、東京都内の競争を問題とした事件で東京都に限定せず排除措置を命じ、そのことと東京都内の競争との関係を説明した公取委審判審決昭和30年12月27日・昭和29年（判）第2号〔野田醤油〕（審決集7巻の146頁）。過去の規制の経緯が販売業者の心理に与える影響を論じている。

208)　97条の過料の事件は、東京地裁の専属管轄とされる（85条2号）。平成25年改正前は、東京高裁が（改正前86条）、5人の裁判官の合議体によって（改正前87条）、行うこととされていた。90条3号の刑罰との関係については、後記773〜774頁。

209)　90条3号の刑罰については、後記770〜774頁。

の所掌事務とされ（組織令18条10号）[210]、したがって「執行」という言葉は、その前の段階で、名宛人が任意に排除措置命令に従うことを促し見届ける段階を指すものと位置付けられているようであって、この「執行」は審査長の所掌事務とされているようである（組織令19条）[211]。

「監査」のため、公取委は、排除措置命令の後であっても、特に必要があるときには47条の強制的な行政調査を行うことができる（68条3項）。新たな違反行為が行われていると位置付けられる場合には、68条によらずに行政調査または犯則調査が行われるであろう。刑罰に値する確定排除措置命令違反が行われていることが疑われる場合には90条3号の罪に関する犯則調査が行われることになろう。

8　他の争訟への影響

(1)　問　題

排除措置命令は、他の争訟に対してどのような影響を与えるのか。この問題には、以下の3つの異なる局面が存在する。

なお、ここで述べることは、課徴金納付命令や抗告訴訟判決が他の争訟に影響を与えるか否かという問題にも、おおむね準用できる。

(2)　命令内容の影響

排除措置命令の命令内容は、他の争訟の基礎となる法律関係を左右するか。

ノボ天野最高裁判決は、排除措置命令の名宛人以外の第三者を拘束することはなく、他の争訟の基礎となる法律関係を左右することはないとしている[212]。

過料（97条）や刑罰（90条3号、95条）を背景として排除措置命令の履行を強制される名宛人が、他の争訟の結論としての判決等によって排除措置命令の内容と矛盾する内容の履行を迫られたときの調整方法は、必ずしも明らかではない。名宛人以外の第三者の手続保障を重視するなら、他の争訟の結論を優先

---

210)　企業結合事例の場合は、企業結合課の所掌事務である（組織令14条9号）。

211)　企業結合事例の場合は、企業結合課の所掌事務である（組織令14条6号）。

212)　最判昭和50年11月28日・昭和46年（行ツ）第66号〔ノボ天野〕（民集29巻10号の1596頁、審決集22巻の262頁）、東京高判昭和58年12月23日・昭和56年（行ケ）第4号〔田村郡石灰石住友セメント〕（審決集30巻の131～132頁）。行政処分一般にあてはまる当然のことだという趣旨と思われる解説がされている（石井健吾・ノボ天野判決調査官解説・最判解民事篇昭和50年度553頁）。勘所事例集17～20頁。

して、その結果として排除措置命令に違反せざるを得ない名宛人の違法性阻却などを認めるべきであろうか。かりに逆の解釈がされるならば、他の争訟の基礎となる法律関係への実際上の影響が生じよう。

(3) 事実認定の影響

排除措置命令の理由中の事実認定は、他の争訟での事実認定を左右するか。

拘束することはない[213]。平成25年改正前には、排除措置命令が確定した場合等には、違反行為の存否について課徴金納付命令手続を拘束する旨の規定があったが（平成25年改正前59条2項）、平成17年改正前の手続（後記714〜715頁）の名残にすぎず、現在ではそのような規定はない。

ただ、他の争訟での事実認定において、排除措置命令の理由中の事実認定が正しいという事実上の推定は、事案により程度の差はあれ、働くであろう。事実上の推定が働く根拠は、公取委が認定した事実であるということに対する一定の信頼であると考えられる[214][215]。

---

213) 最判昭和53年4月4日・昭和50年（行ツ）第112号〔石油製品価格協定排除措置出光興産〕（民集32巻3号の520〜521頁、審決集25巻の61頁）、最判昭和62年7月2日・昭和56年（行ツ）第178号〔東京灯油〕（民集41巻5号の786〜787頁、審決集34巻の124頁）。

214) 最判平成元年12月8日・昭和60年（オ）第933号〔鶴岡灯油〕は、平成17年改正前の勧告審決について、名宛人が応諾したものであることに着目して、事実上の推定が働くこと自体は否定できないとしつつ、審判審決に比べて事実上の推定の程度は相対的に低い、と判示した。更に同判決は、「勧告の応諾が、審判手続や審決後の訴訟等で争うことの時間的、経済的損失あるいは社会的影響に対する考慮等から、違反行為の存否とかかわりなく行われたことが窺われるときは」事実上の推定をすることはできないとした（以上、民集43巻11号の1266〜1267頁、審決集36巻の119〜120頁、裁判所PDF 4〜5頁）。このように、同判決が勧告審決に、弱いとはいえ事実上の推定を認めたのは、勧告の応諾を根拠とするものであったので、平成17年改正後の排除措置命令書が認定した事実に事実上の推定をするにあたり、鶴岡灯油最判を後ろ盾にすることは難しい。

215) 過去においては、事実上の推定が及ぶ事実認定の範囲が争われたことがあった。鶴岡灯油最判は、排除措置を命ずる勧告審決主文と審決書に示された事実とを実質的に総合対照し、主文と関連性をもたない違反行為を除き、命ぜられた排除措置からみて論理的に排除措置が採られるべき関係にあると認められる全ての違反行為である、とした（審決集36巻の119頁）。しかしこれは、事実上の推定の根拠が、名宛人が応諾したことにあるとされていたために、名宛人はどの範囲を応諾したのかが問題とされたものと考えられる。現在では、事実上の推定が認められるとすれば、その根拠は、その事実を公取委が認定したということに対する一定の信頼に求められることになると考えられるので、鶴岡灯油最判の判示は、先例として重要なものであるとは言えない。

(4) 法律判断の影響

排除措置命令の理由中の法律判断は、他の争訟での法律判断を左右するか。すなわち、ある行為が違反要件を満たすという判断は、他の争訟を拘束するか。

拘束が及ぶことはなく、特に、公取委の法律判断に裁判所が拘束されることはあり得ない[216)]。

もっとも、現実には、裁判所においても公取委の見解を参考とすべきである、という認識が窺われる裁判例は少なからず存在する[217)]。このように、実際上、公取委の判断が民事訴訟裁判所に影響を与えることはあろう。

9 排除措置命令の取消し・変更

公取委は、「経済事情の変化その他の事由により、排除措置命令……を維持することが不適当であると認めるときは」、決定によって過去の排除措置命令を「取り消し、又は変更する」ことができる（70条の3第3項）[218)]。

平成17年改正前は、経済事情の変化その他の事由により排除措置命令を「維持することが不当であつて公共の利益に反すると認めるときは」と規定されていたが、要件が厳しすぎるため「維持することが不適当であると認めるときは」に改めた、とされる[219)]。公共の利益に関係なく名宛人の不利益になるにとどまる場合にも取消し・変更をすることがあり得るということになる。

公取委が職権で行う決定である。意見聴取手続などは行われない[220)]。ただ、

---

216) ノボ天野最判（民集29巻10号の1596頁、審決集22巻の262頁）、田村郡石灰石住友セメント東京高判（審決集30巻の131～132頁）。これらは平成17年改正前の勧告審決の事例であるが、この結論は、排除措置命令一般にあてはまる当然のことである。

217) 東京高判平成16年9月29日・平成14年（ネ）第1413号〔ダイコクI〕（裁判所PDF 22～23頁）。

218) ほぼ同様のことを定めた平成17年改正前66条2項によって一部変更を行った例として、公取委審決平成5年6月28日・平成5年（監）第1号〔キッコーマン〕。景表法が独禁法の特例法とされていた時代の景表法の不当表示規制に関するものではあるが、公取委審決平成5年8月2日・平成5年（訟）第1号〔喜多屋等〕、公取委審決平成5年8月2日・平成5年（訟）第2号〔味の一醸造等〕。

219) 平成17年改正解説149頁。

220) 平成25年改正前の手続が適用される事案において、職権の判断であって審判手続を経ないものであるから、別途行われていた審判手続において当時の70条の12第2項（現在の70条の3第3項）に係る主張をしても審判手続の審理の対象とはならない、と判示した事例がある。公取委審判審決平成25年7月29日・平成21年（判）第1号〔ニンテンドーDS用液晶モジュー

実際には、名宛人が上申書などの事実上の文書を提出するなどすることによって、職権による決定をするよう促すことになると考えられる。

経済事情の変化その他の事由を根拠とするのであるから、排除措置命令をした時に遡ってのものではなく、取消しまたは変更の決定の時点から将来に向かってのものにすぎないと解される。その意味では、ここで取消しとされているものは、行政法学上の「撤回」にあたる[221]。

通常は、名宛人にとっての利益処分である[222]。もちろん、少なくとも変更については、不利益処分となることが論理的にはあり得るが、70条の3第3項ただし書がそれを封じている。

10　緊急停止命令

70条の4に規定された緊急停止命令の制度は、公取委による排除措置命令が違反排除の本案にあたるのに対して、その仮処分命令にあたるものである[223]。平成17年改正によって、効力をもつ排除措置命令を直ちに行うことができるようになったので、改正前よりは緊急停止命令制度の必要性が減じたかもしれないが、しかし、疎明するだけで足りる、意見聴取手続が不要である、などの点を考えれば、なお、存在意義が全くないわけではない。

緊急停止命令は、公取委による申立てにより（70条の4第1項）、東京地裁が行う（85条2号）。裁判は、非訟事件手続法によって行われる（70条の4第2項）。

ル等シャープ〕（審決案93頁）。

221）　塩野宏『行政法I〔第6版〕』（有斐閣、平成27年）191頁、藤田宙靖『新版　行政法総論（上）』（青林書院、令和2年）248〜249頁。

222）　利益処分の撤回には特別の法的根拠を置かずとも一般法理で対応できるのではないかという疑問もあり得るが、昭和20年代にその原型を形成した平成17年改正前66条2項を引き継ぐ規定であるという沿革的理由も、70条の3第3項の規定の背景にはあろう。

223）　緊急停止命令が行われた例として、東京高決昭和30年4月6日・昭和30年（行ウ）第2号〔千葉新聞〕、東京高決昭和30年7月29日・昭和30年（行ウ）第7号〔毎日新聞挙母専売所〕、東京高決昭和30年11月5日・昭和30年（行ウ）第13号〔大阪読売新聞社〕、東京高決昭和32年3月18日・昭和31年（行ウ）第13号〔北國新聞社差別対価〕、東京高決昭和50年4月30日・昭和50年（行タ）第5号〔中部読売新聞社〕。緊急停止命令の申立てを退ける決定がされた例はない。緊急停止命令の申立てがされたものの、違反被疑行為が取りやめられたため申立てが取り下げられた事例として、有線ブロードネットワークスおよび日本ネットワークヴィジョンに対する件（平成16年9月14日公表資料）と楽天に対する件（令和2年3月10日公表資料）がある。

緊急停止命令を発するための第1の要件は、「緊急の必要があると認める」ことである（70条の4第1項）。具体的には、公取委の排除措置命令まで待つと、競争秩序が侵害され回復し難い状況に陥る、ということを指す[224]。

第2の要件は、被申立人が独禁法の所定の違反類型に「違反する疑いのある行為をしている」ことである（70条の4第1項）。

緊急停止命令によって命ぜられるのは、違反行為等を「一時停止すべきこと」である（70条の4第1項）。

緊急停止命令は、初期の1件を除き、排除措置命令があるまで、という時限の命令となっている[225]。

70条の5は、名宛人が保証金や有価証券の供託によって緊急停止命令の執行免除[226]を求めることができることを規定しているが、これを常に認めることとしては緊急停止命令の制度の趣旨が没却される。裁判例では、「事案の性質が執行の免除に適するかどうか、執行を免除することが緊急停止命令によつて保全しようとする法益を危うくすることがないかどうか、その他諸般の事情を検討してこれを決すべきものと解するのを相当とする」とされており、結論において執行免除を認めていないものがある[227]。

緊急停止命令に違反した者には、98条により過料が科せられる[228]。

緊急停止命令に関する事件は、命令、執行免除、過料、のいずれについても、東京地裁の専属管轄とされる（85条2号）[229]。

224） 中部読売新聞社東京高決（高民集28巻2号の188頁、審決集22巻の309～310頁）。

225） 平成17年改正前の事例では、審決があるまで、ということになる。このような限定が付されていなかった1つの例外とは、毎日新聞挙母専売所東京高裁決定であるが、さほどの強い意味はなさそうである。

226） 内容は行訴法25条の執行停止と同様であるが、条文の文言にあわせ「執行免除」と言いならわされている。平成25年改正により、排除措置命令の執行免除の制度は廃止されたが（後記741～743頁）、緊急停止命令の執行免除の制度は残った。

227） 大阪読売新聞社東京高決（審決集7巻の177頁）、東京高決昭和32年3月29日・昭和32年（行ウ）第1号〔北國新聞社執行免除申立て〕（審決集8巻の96頁）。引用は前者による。

228） 例として、東京高決昭和30年10月12日・昭和30年（行ウ）第8号〔毎日新聞挙母専売所緊急停止命令違反〕。

229） 平成25年改正前は、東京高裁が（改正前86条）、5人の裁判官の合議体によって（改正前87条）、行うこととされていた。

第9節　課徴金納付命令

1　総　説

(1)　この節の守備範囲

本書では、課徴金納付命令[230]について、各違反類型ごとの課徴金要件や課徴金額計算については各違反類型の章に置くこととし（前記第7章第8節、第8章第6節、前記499～506頁、など）、以下では、いずれの違反類型にも共通する問題のみを論ずることとした。手続法は基本的に共通であり、実体法にも若干の共通問題がある。

減免制度も、不当な取引制限にのみ適用のあるものであるから、そちらで論じた（前記第7章第9節）。

(2)　関係法令

課徴金の要件や額の計算など主に実体法の観点からの規定は、違反類型ごとに置かれている。7条の2～7条の9、8条の3、20条の2～20条の7である。

それに対し、主に手続法の観点からの規定が62条などであり、62条4項は排除措置命令に係る意見聴取手続の規定（49条～60条）を準用している。

以下では、不当な取引制限と優越的地位濫用の課徴金を主に念頭に置きながら、共通問題を論じていく。

(3)　沿　革

①　課徴金対象違反行為の拡大　　独禁法に初めて課徴金が導入されたのは昭和52年改正であり、不当な取引制限のみを対象としていた。

その後、平成17年改正により支配型私的独占にも導入され、平成21年改正によって排除型私的独占および優越的地位濫用にも導入された。平成21年改正においては、優越的地位濫用以外のいくつかの不公正な取引方法の類型に累積違反課徴金の制度が導入されている（前記399頁）。令和元年改正は、もともと、課徴金に関する考え方の根本的変革を目指して企画されたが、結局は、既

---

230)　独禁法典では課徴金納付命令を「納付命令」と略称することとしているが（62条1項）、このような略称を法律で用いてしまったために、例えば組織令では、「課徴金の納付命令」という苦心の表現を余儀なくされている。命令書の呼称は「課徴金納付命令書」である。本書では略さず「課徴金納付命令」と表記する。

存のものの修正にとどまっている[231]。

② 手続の変遷

(i) 総説　課徴金納付命令の手続は、平成17年改正の前後で若干変更されている。敷衍すれば以下のとおりである。

(ii) 平成17年改正の前後の類似点　排除措置命令の手続が平成17年改正によって大きく変わり、審判手続のあとに命ずる形から、先に命令をしてから不服の場合に審判手続（平成25年改正後は抗告訴訟手続）をする形に変化したのとは異なって、課徴金納付命令については、昭和52年改正の当初から、現在に似た形をとっていた。すなわち、事前に意見申述・証拠提出の機会が与えられ（平成17年改正前48条の2第4項）、直ちに課徴金納付命令が行われた（平成17年改正前48条の2第1項）。それに不服があるものは審判手続の開始を請求した（平成17年改正前48条の2第5項）。

現在は、事前手続が重くなって意見聴取手続となっている。

(iii) 排除措置命令に係る手続との同時化　しかしやはり、平成17年改正の前後における大きな違いが2点ある。

第1に、課徴金納付命令に係る手続を、排除措置命令に係る手続と同時に行えるようになった。

平成17年改正前においては、排除措置命令について審判手続が開始された場合には当該審判手続が終了しなければ課徴金納付命令をすることができないこととなっていた（平成17年改正前48条の2第1項ただし書）。

排除措置命令と課徴金納付命令の前後関係を規定する条文は、平成17年改正後は、存在しない。そこで、実際上は、稀な例外を除き[232][233]、課徴金納付命

231） 昭和52年改正から令和元年改正に至る流れについて、伊永課徴金制度4〜42頁。

232） 第1の例外として、違反行為が終了しなければ課徴金計算をすることができないために（前記699頁註188）、違反行為が終了しない事件において排除措置命令を先行させるものがある。具体例として、マイナミ空港サービス事件がある（前記366頁註32）。

233） 第2の例外として、外国所在の名宛人に対する課徴金納付命令書等の送達に日数を要することに起因するものがある。公取委命令平成21年10月7日・平成21年（措）第23号・平成21年（納）第62号〔ブラウン管〕において、排除措置命令と、一部の名宛人に対する課徴金納付命令がされ、公取委命令平成22年2月12日・平成22年（納）第23号〔ブラウン管課徴金サムスンSDIマレーシア等〕において、残る名宛人に対する課徴金納付命令がされた（偶々ではあるが、この事件では、排除措置命令の名宛人と課徴金納付命令の名宛人は全く重なっていない）。この事件で一部の課徴金納付命令が同時でなかったことの原因について、後記721頁註256。

令を行う全ての事件で、排除措置命令と同日に課徴金納付命令が行われている[234)]。

以上のような前後関係の有無は、公取委の組織にも影響し、また、法的要件の判断内容にも影響を及ぼした。平成17年改正前は、課徴金納付命令に係る手続が後に行われることもあって、考査室という組織が審査局に置かれ、課徴金を専門に担当していた[235)]。平成17年改正後は、排除措置命令手続と課徴金納付命令手続とをいずれも審査長が所掌し、いわば同部署化することとなった。このことは、かつては課徴金要件、特に「当該商品又は役務」の問題として後回しにされていた問題を、違反要件そのものの問題として論ずる契機を与えている（前記296〜297頁）。

(iv) 早期の命令発出　　第2に、平成17年改正後は命令が早期に発出されるようになった。

平成17年改正前は、課徴金納付命令に対して不服があり審判手続が開始したときには課徴金納付命令は失効し（平成17年改正前49条3項）、審判手続を経て審決によって更地からあらためて課徴金の納付が命ぜられた（平成17年改正前54条の2）。

平成17年改正によって、課徴金納付命令は失効せず、課徴金納付命令の当否を審判手続で争うことになったので、そのようなことはなくなった。争っても失効しないという、この状況は、平成25年改正後も同様である。

(4) 課徴金の法的性格

① **総説**　　独禁法の課徴金制度は、憲法39条後段が定める二重処罰禁止

---

234) 平成17年改正前には、排除措置命令に係る手続が先行するのが通常であったので、排除措置命令をせず直ちに課徴金納付命令のみを行うことが特に「一発課徴金」と呼ばれていた。排除措置命令の必要性がない場合のほか、平成17年改正前においては排除措置命令の除斥期間が1年であって課徴金納付命令の除斥期間の3年よりも短かったため（平成17年改正前7条2項、同7条の2第6項）、排除措置命令の除斥期間のみが徒過しているという場合などがあった。「一発課徴金」事件のうち事後に最も有名となったのが、多摩談合事件である（公取委審判審決平成20年7月24日・平成14年（判）第1号〔多摩談合課徴金〕）。この事件が最高裁までもつれた背景には、一発課徴金事件であったことも関係している（前記256頁註116）。

235) 平成17年改正前は、排除措置命令手続を審査長が所掌したが（平成17年政令第319号による改正前の組織令21条）、課徴金納付命令手続は考査室が所掌していた（同20条3号、平成17年内閣府令第108号による改正前の組織規則9条4項）。平成17年改正後は、排除措置命令手続と課徴金納付命令手続をともに審査長が所掌することとなった（現在の組織令では19条）。

との関係で、その基本的性格が論ぜられてきた[236]。その際、独禁法7条の2で課徴金対象とされる不当な取引制限が、89条および95条によって刑罰の対象ともなっていることが念頭に置かれる。優越的地位濫用は刑罰の対象ではないが、不当な取引制限や他の法律の行政違反金が二重処罰論を意識した議論を展開せざるを得ないこととの横並びで、同様の議論の対象とされている。

② **昭和33年最高裁大法廷判決**　このような問題については、法人税法上の追徴税が逋脱犯に対する刑罰と同居することをめぐって、夙に昭和33年の最高裁大法廷判決が存在する[237]。この判決の該当部分は、おおむね、次のように読める。すなわち、法人税法上の追徴税は、名宛人の反社会性や反道徳性に着目する刑罰とは異なり、第1に、違反があれば原則として必ず課され、第2に、違反行為の抑止を目的としている、という条件を満たすので、「行政上の措置」であるとされ、刑罰と並存しても憲法39条に違反しない。

③ **不当利得剝奪論**　そうしたところ、公取委を含む独禁法分野での議論の大勢は、独禁法の課徴金制度に前記②の第1および第2の要素を盛り込むのに加えて、いわば第3として、課徴金額は違反行為によって得た不当利得[238]の額を超えず、不当利得を剝奪するための制度であるから、制裁ではないので二重処罰禁止に抵触しない、というものを付け加え、強調した[239]。これを便宜上「不当利得剝奪論」と呼ぶならば、不当利得剝奪論は、具体的事例においてその綻びを見せながらも[240]、平成17年改正に至る立法論が佳境に入るよりも

236）この点にとらわれず全体を俯瞰する文献として、宍戸常寿「憲法学から見た裁量型課徴金制度」小早川光郎先生古稀記念『現代行政法の構造と展開』（有斐閣、平成28年）。

237）最大判昭和33年4月30日・昭和29年（オ）第236号〔法人税法追徴税〕（民集12巻6号の941頁、裁判所PDF 1頁）。独禁法の判決である最判平成10年10月13日・平成9年（行ツ）第214号〔シール談合課徴金〕も、同判決を引用している。

238）このように、課徴金の議論において頻出する「不当利得」は、違反行為によって余分に得た利得のことであり、民法上の不当利得とは異なる概念である。

239）不当利得と同額というのでなく不当利得以下にとどめるという説明がされることもあったが、特に平成3年改正後は、多くの場合、不当利得と同額となるよう目指して制度設計がされていると説明された。そうした説明がされる雰囲気が存在したことを明確に示すものとして、加藤秀樹発言・平成3年改正座談会13頁および実方謙二発言・同16頁。

240）例えば、東京高判平成13年2月8日・平成12年（ネ）第2915号〔シール談合不当利得〕。入札談合の被害者が社会保険庁すなわち国であった事案で、一方では公取委が課徴金を徴収しているにもかかわらず、社会保険庁すなわち国を原告とする不当利得返還請求訴訟において課徴金額を民法上の不当利得額から控除しなかった。課徴金制度が純粋の意味での不当利得剝奪ではな

前は、根強く支持されたと言ってよい[241]。

④　**不当利得剥奪論の放棄と制裁的性格の肯定**　ところがその後、不当利得剥奪論は、合憲論の根拠としては、雪崩を打つように放棄され、昭和33年大法廷判決に立ち返って、前記②の第1・第2の条件のみ、すなわち、違反があれば原則として必ず課され違反行為の抑止を目的としているならば憲法39条後段に違反しない、ということのみが強調されるようになった[242]。さもなければ、平成17年改正の眼目となった算定率の引上げや減免制度の導入を説明するのは難しいと考えられたためであろう。

第三者からみてわかりにくいのは、その際、課徴金制度の基本的性格が平成17年改正によって変わったと説明されるのでなく、過去において強調された不当利得剥奪論に触れるのをやめ、独禁法への課徴金導入より前から存在した昭和33年大法廷判決の考え方のみが強調されるようになった、ということである。公取委の法案作成担当者は、不当利得剥奪論は課徴金制度の「法律的な性格」に関するものではないと位置付けることによって、平成17年改正の前後を通じて課徴金制度の「法律的な性格」は第1・第2の条件を満たす「行政上の措置」であるという意味において不変である、と説明している[243]。合憲の根拠は第1・第2の条件のみであって、不当利得剥奪論はそれを前提としたうえで課徴金額算定方式を定めるにあたっての考え方として採られたものにすぎない、と突き放すことにより、考え方の一貫性を強調するものであるように見える。しかし、平成17年改正に至る立法論が佳境に入るよりも前において、公取委をはじめとする独禁法分野の大勢が、合憲論の大きな根拠として不当利得剥奪論を強調していたのは紛れもない事実である。

不当利得剥奪論の放棄と同時に、課徴金制度が一定程度の制裁的性格をもつことも否定されなくなった[244]。前記③のように、制裁的性格をもつことを否

い何物かであることを認めざるを得ないという帰結をもたらした。

241)　例えば、独占禁止法研究会「独占禁止法研究会報告書」(平成13年10月) 41〜42頁。

242)　例えば、平成15年独占禁止法研究会報告書第1部第2の1、2。

243)　平成17年改正解説21頁。

244)　例えば、平成16年11月4日の衆議院本会議で細田博之官房長官が、「見直し後の課徴金制度は、不当利得相当額以上の金銭を徴収する仕組みとすることで行政上の制裁としての機能をより強めたものではありますが」と述べている。「行政上の制裁」という言葉は、その後、封印されたのか、あまり用いられていないようにも見えるが、国会で官房長官がそのように説明したと

定することが二重処罰論の回避のために必須であると考えられたために不当利得剝奪論が唱えられていたのであり、それが必須でないとわかって不当利得剝奪論が否定された以上、制裁的性格を否定する必要もなくなった[245]。

⑤ **平成17年最高裁判決**　平成17年独禁法改正法が成立し、施行される前の時期に、最高裁は、昭和33年大法廷判決以来の考え方を踏襲し、また、事案の解決に必要であったため、「課徴金の額はカルテルによって実際に得られた不当な利得の額と一致しなければならないものではないというべきである」と述べた[246]。最高裁は、昭和33年大法廷判決およびそれを引用する平成10年シール談合課徴金判決においても、不当利得剝奪論を述べたことがなかったので、上記平成17年判決の立場は最高裁として一貫しているということになる。これで、不当利得剝奪論は駄目押し的に否定された[247]。

(5) 制度設計の基本原理

① **非裁量性**　以上のような前提のもと、課徴金制度は、非裁量的なものとして設計されている[248]。第1に、所定の違反類型に該当する行為を認定し

いう事実は重いであろう。

245) かつて、日本の課徴金には制裁的性格はないとされていたため、制裁的性格の色濃いEU競争法の「fine」については、日本の課徴金とは異なることを強調するため、「制裁金」という訳語が与えられた。しかし、現在では、日本の課徴金についても制裁的性格が否定されなくなったのであるから、EU競争法の「fine」も「課徴金」と呼べばよいように思われる。

246) 最判平成17年9月13日・平成14年（行ヒ）第72号〔日本機械保険連盟〕（判決書5頁、民集59巻7号の1954～1955頁）。原判決である東京高判平成13年11月30日・平成12年（行ケ）第228号〔日本機械保険連盟〕は、課徴金額と不当利得額との間に大きな差異が生ずる場合には特別な解釈を施してでも両者を近付けるべきである旨の基本方針を採用して（審決集48巻の532～533頁）、現に損害保険における役務およびその対価の捉え方について、特別な解釈を適用した（審決集48巻の536～537頁）。それに対し最高裁判決は、淡々と通常の解釈に従って課徴金額を計算した結果として課徴金額と不当利得額との間に大きな差異が生ずることとなっても問題はない旨の基本方針を採用したものである。

247) 本文で引用した日本機械保険連盟最高裁判決の判示は、公取委が課徴金について争われた場合にまず掲げる錦の御旗のようになっている。しかし、問題の商品役務は合意の対象となっていない、合意の対象ではあったが具体的競争制限効果が起きていない、といった主張は、すなわち、不当利得が零であったとの旨の主張である。日本機械保険連盟最高裁判決の判示は、不当利得が幾許かは存在した場合には公取委にとって有利に作用すると思われるが、不当利得が零であった場合にまで課徴金を是認する道具とはならないように思われる。

248) 非裁量性と同根の考え方によるものと思われるが、故意過失などの主観的要素は要件として法定されておらず、解釈としてもそのような要件はないとされている。例えば、東京高判平成

た場合、公取委は、裁量によって課徴金を課したり課さなかったりすることはできない、という制度となっている[249]。第2に、課徴金を課す場合の課徴金計算の方法が法律で細かく規定されている。

そのようなわけで課徴金制度は、特に課徴金額の計算や減免制度について、非裁量的で硬直的な制度設計となっており、複雑な事例が登場すると直ちに紛糾しやすい、とも言える。

② **明確性・簡易性**　第2に、課徴金制度は、課徴金額の計算基準が明確であって、運用が容易であるように、設計されている。公取委が少ない人的資源によって運用することが可能な制度としなければ制度が機能せず「行政上の措置」としての違反抑止という目的が達成されないためである[250]。

③ **不当利得との関係**　第3に、不当利得剝奪論を放棄したとは言っても、平成17年改正後の課徴金制度は、不当利得と無縁なものとなっているわけではない。不当利得と比例する課徴金額とするよう目指すのを基本とする、という観点から、売上額に算定率を乗ずるという改正前の構造は維持された。目指される比例関係が、改正前のような不当利得額：課徴金額＝1：1ではなくなっただけである。不当な取引制限に対する課徴金の算定率のうち、原則の算定率（7条の2第1項柱書き）と小規模事業者の軽減算定率（7条の2第2項柱書き）は、この考え方によって法定されている（前記314頁、314〜315頁）。

これに対し、違反行為を繰り返す者や違反行為を主導した者の加重算定率（7条の3）、減免制度（7条の4〜7条の6）、は、7条の2によって得られる課徴金額をもとにしてはいるものの、違反行為抑止の観点から不当利得との相関関係を崩して課徴金額を上下させる制度である、と言える[251]。

課徴金と罰金との調整（7条の7、63条）は、憲法上の比例原則に配慮した規

24年2月17日・平成22年（行ケ）第29号〔区分機類談合課徴金〕（判決書46〜47頁）。

249）排除措置命令に際して所定の違反行為を認定した場合に課徴金を課さないことは許されないが、違反行為が存在する場合にそもそもそれを取り上げないことは、許されないわけではないと考えられている。そうでなければ、多くの実務を説明できなくなるであろう。

250）この考え方は、日本機械保険連盟最高裁判決によっても裏書きされている（民集59巻7号の1954頁）。

251）ただし、違反行為を繰り返す者の加重算定率については、平成17年改正の法案作成担当者は、本書の考え方とは異なり、あくまで不当利得との比例関係の観点からの制度であると説明している（前記316頁）。

定であって、不当利得との相関関係という考え方によっても説明できず、違反の抑止という考え方によっても説明できない、別の範疇に属する制度である。

(6) 排除措置命令との関係

昭和52年改正で追加された課徴金制度は、排除措置命令手続の終了後に課徴金納付命令手続を行うという仕組みとも相俟って、排除措置命令制度とは別建てで構築された。

それが現在にも受け継がれ、排除措置命令制度と課徴金納付命令制度という2本立てが前提となっている。平成17年改正後、ほとんど全ての事件では両命令が同時に行われており（前記714～715頁）、1つの制度にまとめて簡素化するという選択肢も立法論的には考慮に値するように思われる。都合により分ける場合は、2度命令すればよいだけである。

なお、同じ事件において、課徴金納付命令は行うが排除措置命令は行わないということも、あり得る。例えば、不当な取引制限の事件で、一部の違反者について、違反行為に係る事業を取りやめているので排除措置命令の必要性はないから排除措置命令はしないが、過去に違反行為はしていたので課徴金納付命令はする、という場合である。

2 課徴金納付命令に係る手続

(1) 事前手続

課徴金納付命令の事前には、意見聴取手続（前記第7節）を経なければならない（62条4項が準用する49条）。

(2) 方　式

公取委は、意見聴取手続を経たうえで、7条の2、7条の9、20条の6などの実体法上の規定の要件を満たすと認めるならば、課徴金納付命令を行う。

課徴金納付命令書には、納付すべき課徴金の額、課徴金の計算の基礎、課徴金に係る違反行為、納期限、を記載し、委員長および合議出席委員が記名押印する（62条1項）[252)253)254)255)]。

---

252)　合議に関することは、別の箇所でまとめて述べた（前記631～632頁）。

253)　課徴金納付命令書は、誤記その他明白な誤りがあるときは、更正されることがある（審査規則31条）。

254)　67条は、関係のある公務所または公共的な団体は、公共の利益の観点から公取委に意見を

記載等に不備があるために課徴金納付命令が取り消される場合がある（前記696頁註177）。

納期限は、課徴金納付命令書の謄本を発する日から7月を経過した日とされ（62条3項）、これが課徴金納付命令書に記載される[256]。送達した日でなく謄本を発する日を基準とするのは、そうしなければ公取委が正確な起算点を把握することが困難となるためである、とされる[257]。

課徴金納付命令書は、排除措置命令書の場合とは異なり、複数の名宛人が関係する事件の場合でも、名宛人ごとに1個の文書とされるのが通常である。

(3) 効力発生

課徴金納付命令は、名宛人に課徴金納付命令書の謄本が送達されると、効力を生ずる（62条2項）。

(4) 事後手続

課徴金納付命令に不服の場合は、裁判所における抗告訴訟を提起することになる（後記第10節）。

(5) 除斥期間

課徴金納付命令は、実行期間または違反行為期間が終了してから7年を経過しないうちに、行われなければならない（7条の8第6項、7条の9第3項・第4

述べることができる、と規定している（前記695頁註176）。

255） 命令日に排除措置命令書が直ちに公表されるのとは異なり、課徴金納付命令書は、命令日から暫くの日数を経たあと初めて、審決等データベースに掲載されて公表されるのが通常である。複数の名宛人がいる事件では、最高額の課徴金納付命令書のみが公表されるのが通常である。公表された課徴金納付命令書は、後日、審決集・審決命令集にも登載される。

256） したがって、名宛人が外国に所在するなどの原因で送達に手間取り、納期限までに送達できない場合などには、改めて新たな課徴金納付命令書を作成して送達することになる。納期限が謄本を発した日の7月後でなく3月後であった平成25年改正前の事例ではあるが、公取委命令平成22年2月12日・平成22年（納）第23号〔ブラウン管課徴金サムスンSDIマレーシア等〕。勘所事例集586～587頁。このような場合には、改めて意見聴取手続をする必要はないとされている（前記632頁）。

257） 平成25年改正解説106頁。しかし、現代において、送達日を把握できないということがどれほどあるのか、疑問である。前記註256のようなことが起こることを考えれば、現行法の、謄本を発する日から起算し、一定期間を経過した日を納期限として命令書に書き込む、という方法には問題が残る。もっとも、平成25年改正によって、謄本を発する日から3月を経過した日から、謄本を発する日から7月を経過した日へと、改められており、実害は減っているかもしれない。

項、20条の7)。これを除斥期間と呼んでいる。

一定期間内に限ることの趣旨は、違反者にとっての予見可能性や法的安定性の保護であろう。除斥期間は、かつては3年であったが、平成21年改正によって5年に、令和元年改正により7年に、それぞれ、改められている。

3 名宛人

(1) 総 説

課徴金納付命令の名宛人は、違反者とすることを基本とする[258)259)]。

合併・分割・事業譲渡などがあっても、特に法律の規定がない限り、違反者でない者には課し得ない、とする考え方が堅持されている。

他方で、1グループに複数の違反者がいた場合や、1商流に複数の違反者がいた場合については、やや込み入った状況がある。

(2) 合併・分割・事業譲渡の場合

① **合併の場合**　違反者が法人である場合に、当該法人が合併により消滅したときは、消滅法人がした違反行為は、吸収合併における存続法人や新設合併における設立法人がした違反行為とみなされる(7条の8第3項、7条の9第3項・第4項、20条の7)[260)]。

消滅法人が7条の3の加重算定率を適用されるべき者であった場合は、存続法人・設立法人が支払うこととなる消滅法人分の課徴金額の計算にも加重算定率が適用される[261)]。繰り返しの違反行為に係る加重算定率の適用との関係で、7条の8第3項は、消滅法人がした今回の違反行為だけでなく、消滅法人が受けた前回の課徴金納付命令等も、合併後の存続法人・設立法人のものとしている[262)263)]。

---

258) 違反者であっても、個々の違反類型に応じて法定された課徴金要件を満たさないならば、課徴金は課されない。

259) 事業者団体の違反行為の場合には構成事業者に課することになる(前記534~535頁)。

260) 平成17年改正解説68~69頁は、平成17年改正によって不当利得剝奪論を採らないこととなったために説明の仕方が変更されるとしたうえで、その趣旨を解説している。

261) 現在の7条の3第1項のみに関するものではあるが、平成17年施行令考え方4頁。

262) 平成17年改正解説69頁が示した考え方を当てはめると、令和元年改正後の7条の8第3項は、今回の違反行為を消滅法人がした場合に関する規定である。前回の違反行為を消滅法人が行い今回の違反行為を合併後の存続法人・設立法人が行った場合に関する規定ではないから、今回

以上のように見ると、存続法人・設立法人がしたものとみなされる「違反行為」には、違反行為当時の違反者の状況に基づく算定率等が付随するもの、と理解することができる。

合併の場合の減免申請の問題は、別の箇所で述べる（前記351～352頁）。

② **分割・事業譲渡の場合**

（i） 違反者が消滅していない場合　分割・事業譲渡があっても、違反者が依然として存在している場合には、課徴金は違反者に課される[264]。分割・事業譲渡には、課徴金を免れるための脱法的なものもあり得るところであるが、分割・事業譲渡による承継者・事業譲受者に常に課徴金を課したのでは、分割・事業譲渡のリスクが大きくなりすぎることとなる、とされる[265]。

（ii） 違反者が消滅した場合　他方で、一定の要件を満たす場合に限定して、承継者・事業譲受者に課徴金を課すこととしている。平成21年改正によって導入された仕組みである。

違反者が、違反行為に係る事業の全部を、分割・事業譲渡によって、単独または複数の子会社等に承継等させたうえで、当該違反者が合併以外の事由により消滅した場合には[266]、合併の場合と同様に、違反者の違反行為は、違反行為に係る事業の全部または一部を承継等した単独または複数の「特定事業承継子会社等」のものであるとみなされる（7条の8第4項、7条の9第3項・第4項、20条の7）[267][268]。「子会社等」は、2条の2第2項で定義されており、過半数議

の違反行為について加重算定率を課する根拠とはならない。そこで、令和元年改正により、7条の3第1項に新たに3号が追加され、そのような場合には7条の8第3項の助けを借りず7条の3第1項のみによって加重算定率を課することとなった。なお、消滅法人の今回の違反行為について存続法人・設立法人が令和元年改正後の7条の8第3項に基づき課徴金納付命令等を受けた場合には、次に存続法人・設立法人が違反行為をした場合には令和元年改正後の7条の3第1項が適用されると考えられる（平成21年改正解説72頁）。

263） 20条の7は、7条の8第3項のこの部分を準用しないよう読み替えている。その趣旨は不明であるが、これにより、累積違反課徴金の対象となるはずであった者が合併で消滅した場合には、存続法人・設立法人には課徴金を課し得ないことになる。平成21年改正解説92頁がこの結論を確認している。

264） 課徴金制度の草創期からの一貫した実務である。川井課徴金145～146頁。

265） 平成21年改正解説70頁。

266） 合併によって消滅した場合は、7条の8第3項が適用される。

267） 違反者の事業を承継等した者であっても、違反行為に係る事業と無関係の事業のみを承継等した者は、特定事業承継子会社等とはならない（条文から導かれるが、確認的解説として、平成

決権の関係の連鎖によって繋がっている会社を指す（前記270頁）。

令和元年改正前は、分割・事業譲渡および消滅が調査開始日以後に行われたことを要件としていた。これは、脱法的なものであることを要件に組み込もうとするものであったが、令和元年改正によってこの要件は不要となり、この種のものは一律に7条の8第4項の適用対象となることになった。

合併の場合と同様、特定事業承継子会社等がしたものとみなされる「違反行為」には、違反行為当時の違反者の状況に基づく算定率等が付随するもの、と解されている[269]。

7条の8第4項の適用によって名宛人となる「特定事業承継子会社等」が複数存在する場合には、それらの間での連帯納付を命ずることとなる。このような制度を導入することに伴う手当てとして、各連帯名宛人の各納付額を合計すれば過納となる場合の課徴金の還付に関する規定も置かれている（70条）。

このような限定された範囲についてではあるものの、連帯納付義務という考え方が独禁法の課徴金制度に導入されたことは、課徴金納付命令の名宛人についての今後の立法論にも有益なヒントを与えるように思われる。

分割・事業譲渡の場合の減免申請の問題については、別の箇所で述べる（前記351～352頁）。

③　**複数回の合併・分割・事業譲渡が重なった場合**　前記①・②のようなことが複数回にわたって重なっても、7条の8第3項・第4項のみなし規定が重ねて適用されるよう、それぞれの項では、「[7条の2] からこの条までの規定を適用する」と規定されている[270]。

(3)　法人格が消滅した者

名宛人とすべき者の法人格が消滅した場合には、当該者に対しては、課徴金

21年改正71頁）。

268)　7条の8第4項においては、繰り返しの違反行為の場合の加重算定率も特定事業承継子会社等に適用されるよう、前回の課徴金納付命令等も特定事業承継子会社等のものとみなすこととされている。7条の8第3項について前記註262・註263で述べたことと同様のことは、7条の8第4項にも当てはまる。

269)　平成21年改正解説71～72頁。

270)　令和元年改正解説85頁、87頁。合併が複数回の場合と分割・事業譲渡が複数回の場合とについて解説されているが、「この条までの規定を適用する」という規定なのであるから、合併と分割・事業譲渡とが重なった場合にも、同様となると考えられる。

納付命令をすることができない[271]。

(4) 1グループ・1商流に複数の違反者が混在する場合

1グループ・1商流に複数の違反者がいる場合には、違反者とされた者の全てについて、それぞれ、「当該商品又は役務」の売上額をその存否も含めて認定し、課徴金の額・有無を決する[272]。

課徴金制度の草創期以来、1商流に複数の違反者が混在する場合には、1の者のみに課徴金を課すべきである、とされ、「1商流1課徴金の原則」などとも呼ばれたが[273]、疑問であり、これを否定する事例も現れている[274]。それぞれの違反者がそれぞれの売上額に応じて不当利得を得ていることを念頭に置きつつ課徴金制度が設計されている（前記719頁）。1商流の複数の違反者に課徴金を課しても、不適切とは言えない[275]。

---

271) 公取委審判審決平成20年7月29日・平成19年（判）第8号〔大木建設〕は、清算株式会社も清算の結了までは存続するものとみなされることを強調して、原処分である課徴金納付命令を是認している（審決案17～18頁）。

272) 公取委勧告審決平成17年1月31日・平成16年（勧）第35号〔防衛庁発注航空機用タイヤ談合排除措置〕、公取委勧告審決平成17年1月31日・平成16年（勧）第36号〔防衛庁発注車両用タイヤチューブ談合排除措置〕および公取委同意審決平成17年3月31日・平成17年（判）第6号〔防衛庁発注車両用タイヤチューブ談合排除措置東洋ゴム工業〕では、各メーカー系列の販売会社が名宛人とならず需要者への供給の名義人となった各メーカーだけが名宛人となった（公取委命令平成18年1月27日・平成18年（納）第1号〔防衛庁発注航空機用タイヤ談合課徴金〕、公取委命令平成18年1月27日・平成18年（納）第4号〔防衛庁発注車両用タイヤチューブ談合課徴金〕）。販売会社には、「当該商品又は役務」の売上額がなかったものと考えられる。

273) 川井課徴金174頁は、仮想事例を掲げつつ、1つの違反行為であるにもかかわらず同一商品について2度の売上げを捉えて課徴金を課することは不当である、と述べている。公取委命令平成7年3月28日・平成7年（納）第79号〔大型カラー映像装置談合〕で松下通信工業が課徴金納付命令の名宛人とならず需要者への供給の名義人となった松下電器産業だけが名宛人となったことなどは、1商流1課徴金の原則によらなければ説明は難しいように思われる。

274) 公取委審判審決平成28年2月24日・平成21年（判）第6号〔塩化ビニル管等〕（審決案179～180頁）、東京地判令和4年9月15日・令和2年（行ウ）第22号〔活性炭本町化学工業〕（判決書36～37頁）。

275) 1商流1課徴金の原則が否定されることを前提として、しかしそのうえで個別の事案において複数の違反者がそれぞれ課徴金要件を満たすか否かは、また、別の問題である。公取委審判審決平成8年8月6日・平成5年（判）第3号〔シール談合課徴金〕は、「川上違反者→川下違反者→川下需要者」という商流について、川下需要者（社会保険庁）との取引のみを共同行為の対象と見たため、川上違反者（日立情報システムズ）には課徴金が課されなかった（審決集43巻の161～162頁）。東京高判平成24年2月24日・平成23年（行ケ）第9号〔鋼管杭クボタ〕は、

4 命令の執行

69条は、課徴金納付命令の名宛人が納期限までに納付しない場合の対応について定めている。まず、納期限の翌日から延滞金が上乗せされる（同条2項）[276]。また、督促状により期限を指定して督促し（同条1項）、督促状で指定された期限までに納付しないときは国税滞納処分の例によって徴収することができる（同条4項）[277]。督促は、延滞金を発生させる要件ではなく、強制徴収を行うための要件である[278]。

延滞金や督促・強制徴収をめぐる以上のような規定があることもあり、排除措置命令違反に対する過料（97条）や刑罰（90条3号）に相当する規定は、課徴金納付命令については置かれていない。

課徴金の一部納付があった場合は、納付された金額は、延滞金の計算の基礎となる課徴金に充当される（施行令33条）。

外国事業者が課徴金納付命令の名宛人となることもある。この場合の強制徴収をどのように行うのかは、独禁法においては知られた先例がなく、国税滞納処分の例に学びながら研究する必要がある[279]。

5 他の争訟への影響

課徴金納付命令が他の争訟に対してどのような影響を与えるのか、という点については、おおむね、排除措置命令に関する叙述に準ずる（前記708～710頁）。

「川上違反者→川下違反者→川下需要者」という商流について、「実行としての事業活動」が川上違反者（クボタ）のみにあったとして川下違反者（新日本製鐵）には課徴金が課されなかった。勘所事例集428～429頁。私は同判決に批判的であるが、その批判は、1商流1課徴金の原則を採るか否かとは関係のないものである（前記299頁註222）。

276) 延滞金の割合は、同条2項により上限を年14.5%とし、施行令32条が規定する方法で算定される。令和元年改正までは常に年14.5%であった。

277) 先取特権の順位および時効について、69条5項に規定がある。

278) このことの解説として、平成17年改正解説144頁。

279) 公取委命令平成10年3月31日・平成10年（納）第278号〔日本機械保険連盟〕で名宛人となった外国事業者はいずれも、日本に支店または営業所をもっており（審決集44巻の513～515頁）、執行上の問題はなかったものと思われる。公取委命令平成21年10月7日・平成21年（措）第23号・平成21年（納）第62号〔ブラウン管〕、公取委命令平成22年2月12日・平成22年（納）第23号〔ブラウン管課徴金サムスンSDIマレーシア等〕、でも外国事業者が課徴金納付命令の名宛人となっている。

6 その他の諸問題

(1) 租税法上の取扱い

支払われた課徴金は、租税法上、必要経費や損金とは認められない（所得税法45条1項、法人税法55条4項）。

(2) 取締役等の役員等の会社に対する責任

会社が支払った課徴金の額について、会社法423条に基づいて取締役等の役員等が会社に対する損害賠償責任を負うか。

会社として受けた法執行を個人に転嫁するのは適切でないとする見解も有力である[280)]。それに対し、ハードコアカルテル事件で、合意の存在と内容を認識し、直接に関与しまたは黙認したことを理由に、役員等としての法令遵守義務違反と課徴金納付との間に相当因果関係があることを認定して損害賠償義務を認める判決が現れている[281)]。この判決の当否を含め、議論の余地が大きい模様である[282)]。

(3) 名宛人となるべき者が倒産手続に入る場合

名宛人となるべき者が倒産手続に入る場合には、独禁法の課徴金は、租税等の請求権として扱われ[283)]、倒産手続において届出をしなければ免責の対象となることとなる[284)]。課徴金納付命令までに一定の期間が必要であることに鑑

---

280) 佐伯仁志「法人処罰に関する一考察」松尾浩也先生古稀祝賀論文集上巻（有斐閣、平成10年）680～687頁、松井秀征「会社に対する金銭的制裁と取締役の会社法上の責任」江頭憲治郎先生還暦記念『企業法の理論〔上巻〕』（商事法務、平成19年）。

281) 東京地判令和4年3月28日・令和2年（ワ）第32120号〔アスファルト合材世紀東急工業株主代表訴訟〕、東京高判令和5年1月26日・令和4年（ネ）第2134号〔アスファルト合材世紀東急工業株主代表訴訟〕。その後、被告とされた役員等の「支払能力を考慮した和解案」に基づく和解が成立した旨が、令和5年6月22日に世紀東急工業から公表されている。

282) 例えば、世紀東急工業株主代表訴訟の地裁判決の評釈として、得津晶・資料版商事法務460号（令和4年）、浜田道代・商事法務2319号（令和5年）、高裁判決の評釈として、得津晶・ジュリスト1587号（令和5年）。

283) 独禁法の課徴金が国税滞納処分の例によって徴収することとなっていること（69条4項）が主な理由とされる。

284) 東京高判平成25年5月17日・平成24年（行ケ）第15号〔オリエンタル白石〕は、課徴金納付命令の当否それ自体は会社更生手続とは関係がないとして課徴金納付命令そのものは取り消さなかったが（判決書21～24頁）、課徴金債権は会社更生法上の更生計画認可の決定により免責されたとした（判決書26～32頁）。公取委は、納付済みの課徴金を返還している（平成25年6月5日の公表資料）。

みれば、課徴金債権を持つ側にとっては対応の難しい状況となっている。金融商品取引法185条の16や景表法20条が、課徴金債権を過料の請求権とみなし、倒産手続において劣後的な地位に置きつつ、届出をしなくとも免責はされないという地位を確保していることと対照的である[285)]。

第10節　抗告訴訟

1　総　説

(1)　概　要

公取委による排除措置命令・課徴金納付命令などについては、抗告訴訟が可能である[286)]。そして、そのような抗告訴訟については、行訴法などの一般的な規定・議論だけでなく、独禁法独自の特別な規定・議論が妥当する側面がある。すなわち、「排除措置命令等」[287)]に係る「抗告訴訟」[288)]について、特別な規定が置かれており、また、そのような抗告訴訟をめぐる沿革などにより、独特の議論の文脈がある。以下では、数と重要性において大きな意味を持つ排除措置命令・課徴金納付命令に係る取消訴訟[289)]を主に念頭に置きながら、それを論ずる[290)][291)][292)]。

---

285)　オリエンタル白石の件を機縁とし、これらの諸問題を整理したものとして、白石忠志「課徴金と会社更生法」公正取引754号（平成25年）。

286)　行政不服審査法による審査請求をすることはできないので（独禁法70条の12）、不服の場合には抗告訴訟のみが選択肢となる。公取委の側からの趣旨説明として、平成25年改正解説42〜43頁。審判制度を廃止する平成25年改正は、公取委に対する不信感が背景にあり、抗告訴訟以外に公取委で行政不服審査法に基づく審査請求を利用できるようにすることを望む声はなかった、というのが実際のところであろう。

287)　76条2項において定義されている。排除措置命令・課徴金納付命令・確約認定のほか、独占的状態規制に係る競争回復措置命令や、独禁法第8章第2節の規定による決定も含む。

288)　独禁法において「抗告訴訟」という文言を用いる規定として、例えば77条があるが、そこでは、行訴法3条1項の「抗告訴訟」であることが明記されている。行訴法の目次における行訴法36条〜38条の位置付けからみて、「抗告訴訟」には、無効等確認の訴え、不作為の違法確認の訴え、義務付けの訴え、差止めの訴え、も含むと考えられる。以下では、後記**17**において、義務付けの訴えについて若干の言及をする。

289)　行訴法3条2項にいう「処分の取消しの訴え」を、以下では便宜上、「取消訴訟」と呼ぶ。

290)　平成25年改正まで抗告訴訟の対象となった公取委の審決は、平成17年改正まではその実質的内容は排除措置命令・課徴金納付命令であったので行訴法上の「処分」に該当し、平成17年

(2) 審判制度の廃止

現行法の規定は、平成25年改正による審判制度の廃止という大きな変革の結果として置かれている[293)294)]。

平成17年改正前の排除措置命令・課徴金納付命令は、名宛人予定者が争う場合には、基本的には、審判手続を前置したうえで審判審決という形によって行われるものであった（平成17年改正前54条、54条の2）[295)296)]。

平成17年改正後・平成25年改正前の排除措置命令・課徴金納付命令は、まずそのような名前の命令があり、命令に不服の場合には審判を請求し（平成25

改正後・平成25年改正前は排除措置命令・課徴金納付命令の当否を決するものであったので行訴法上の「裁決」に該当した。平成25年改正後においては、抗告訴訟の対象となるものは、「排除措置命令等」を含め、行訴法上の「処分」に該当する。以下では、それを前提として論ずる。

291） 抗告訴訟は東京地裁の専属管轄であり、民事第8部に集中されている（後記**5**）。平成25年改正・施行時の民事第8部部総括判事の発言であるとしてその内容を詳細に紹介するものとして、大東泰雄「改正独占禁止法施行後の弁護士実務のあり方」自由と正義2015年12月号（平成27年）12～14頁。

292） 排除措置命令・課徴金納付命令に係る抗告訴訟の全般にわたって詳細に論じたものとして、島崎伸夫「審判制度廃止後の独占禁止法抗告訴訟に関する考察」NBL1085号（平成28年）。以下では個別に引用しないが、多くの論点に示唆を与えている。

293） 平成25年改正の施行日である平成27年4月1日より前に命令前の事前手続を行う旨の事前通知がされた事件については、従前と同じように、審判制度によって不服への対応がされる（平成25年改正法附則2条）。現在では、全ての事件について審決を終えているが、審決取消訴訟が係属中であるものがあり、それらについては、審決を一部でも取り消す判決が確定したら、公取委において再度の審決をすることになる（平成25年改正前82条2項）。

294） 審判手続・審決・審決取消訴訟に関する詳細は、本書第2版583～618頁、621～625頁、鈴木孝之・注釈668～762頁、宇賀克也・注釈763～786頁。

295） 排除措置命令については、争わない場合も、勧告に応諾することによる勧告審決（平成17年改正前48条）や、審判手続を途中でやめることによる同意審決（平成17年改正前53条の3）として、審決と呼ばれる形で排除措置命令がされた。

296） 課徴金については、まずは審判手続を前置せずに課徴金納付命令という名の処分を行うこととなっていたが（平成17年改正前48条の2）、不服の場合は失効し審判手続を経て審決で改めて納付を命じていた（平成17年改正前48条の2第5項、49条3項、54条の2）。また、排除措置命令について不服がある場合には、その審判手続が終了した後でなければ、公取委は課徴金納付命令をすることができないこととなっていた（平成17年改正前48条の2第1項ただし書）。このように、平成17年改正前には、排除措置命令（勧告審決、同意審決、審判審決）と課徴金納付命令（狭義の課徴金納付命令、課徴金の納付を命ずる審決）との間に時間的なずれがあった。平成17年改正によって、排除措置命令と課徴金納付命令とを原則として同時に行うこととなった。

年改正前49条6項、50条4項)、審決を得ることとなっており（平成25年改正前66条)、そのような手順を経たものでなければ、裁判所の判断を受けることができなかった（平成25年改正前77条3項)[297)]。

裁判所での審決取消訴訟は、東京高裁の5人の裁判官による合議体を第1審としたが（平成25年改正前85条、87条)、実質的証拠法則（平成25年改正前80条）や新証拠提出制限（平成25年改正前81条）によって裁判所の事実認定に制限が加えられるなどしていた。

このような審判制度[298)]に対しては、不服が認められる審決例が滅多にないことなどにより、その公正さを疑う見方が根強かった。公取委の専門性等を根拠としてそのような見方に反論する見解も存在したが、結局、公正さに対する不信感を払拭できないために審判制度を廃止することとしたのが、平成25年改正である[299)]。

行訴法の一般原則としては、処分があれば裁判所において取消訴訟を提起できるのであるから、法技術的には、平成25年改正前の77条3項を削ったことによって名宛人は直ちに取消訴訟を提起できるようになり、また、審判制度に係る規定を全て削って関係規定を整備することで、取消訴訟の代替ルートとしての審判制度というものもあり得ないこととなった。これが、平成25年改正による審判制度廃止の法律的な意味である。

---

297) 審判手続をしたうえで、違反はあったが命令をしないこととなった場合には、違反宣言審決を行った（平成17年改正前54条3項、平成17年改正後・平成25年改正前66条4項)。違反宣言審決は、何も命令しないものではあるが、25条による損害賠償請求の訴訟要件を満たす根拠となる旨が26条に規定されていたこともあってか、その取消訴訟は特に異論なく本案審理の対象とされている。最判平成22年12月17日・平成21年（行ヒ）第348号〔NTT東日本〕、東京高判平成28年4月13日・平成27年（行ケ）第38号〔ブラウン管MT映像ディスプレイ等〕、東京高判平成28年4月22日・平成27年（行ケ）第36号〔ブラウン管サムスンSDI韓国〕。

298) 平成17年改正の前後を通じ、審判手続において審査官と対峙する違反被疑行為者は「被審人」と呼ばれた。審判手続において審査官が提出する証拠には「査第○号証」と番号が付され、被審人が提出する証拠には「審第○号証」と番号が付された。審判審決は、多くの場合、審判官が作成した審決案を委員会がそのまま受け入れ、僅かな頁数の審決書において審決案を引用する旨が述べられる場合が多かった。本書では、審判審決の該当箇所を示すために「審決案○○頁」としていることがあるが、いずれも、委員会による最終的な審判審決において引用されている。

299) 平成25年改正に関する公取委の側からの説明として、平成25年改正解説8～11頁。「手続の公正さの外観に関する批判を解消する観点から」の改正である旨が述べられている。例えば同書42頁には、「不信感を払拭する」という表現も見られる。

⑶ 規定の構造

以上のように、排除措置命令・課徴金納付命令に対する不服の法的手続は、平成25年改正前までは独禁法典に詳細に定められており、裁判所における審決取消訴訟についても独禁法典に特則が置かれていた。

それに対して、平成25年改正後は、基本的には一般法のとおり、行政処分である排除措置命令・課徴金納付命令について裁判所で取消訴訟を提起できる。独禁法独自の規定は少なくなっている。平成25年改正前においても、独禁法等に特則が置かれない限りは行訴法や裁判所法などの一般法が妥当したわけであるが、平成25年改正後は一層、そのことを強く意識する必要が生ずる。

独禁法典においては、一般法を覆し、あるいは一般法に書かれていないことを規定する場合にのみ規定が置かれる。一般法に書かれていることは通常は独禁法典には書かれない。

平成25年改正まで、独禁法の排除措置命令・課徴金納付命令に係る不服の法的手続は、独禁法典に定められた特殊な世界のなかで論ぜられてきたところ、平成25年改正は、これを行政法一般論のなかに解き放ったのである、ともいえる。平成25年改正前の特殊な世界は、公取委の公正さへの不信感に見られるように名宛人側に不利な側面も多分にあったが、執行停止など、名宛人側に有利な側面もあった。これまでは特殊な制度のなかで特殊な議論をし、特殊な前提条件を当然のものとしていた独禁法コミュニティが、行政法一般論に新たな議論の素材を提供して、行政法一般論と独禁法とが互いに刺激を与えあうことのあり得る状況となっている。

2 原告適格

排除措置命令・課徴金納付命令の取消訴訟の原告適格[300)][301)]は、行訴法9条

300) 平成17年改正前は、審決という名で排除措置命令・課徴金納付命令を行ったので、審決取消請求の原告適格、という形で論ぜられた。平成17年改正後・平成25年改正前は、排除措置命令・課徴金納付命令をまず行い、不服の際に審判手続を行って審決（行訴法上の裁決）によって当否を決することになったので、命令を取り消そうとする原告適格の有無は、実際上は審判手続を受ける適格（被審人適格）の有無という形で争われることとなっていた。

301) 平成17年改正後・平成25年改正前は、既にした命令を取り消す旨の審決というものもあり得た。したがって、違反被疑行為によって被害を受けたとする者に審決を取り消す原告適格があるか否かが争われる余地があり、現に そのような事件が、独禁法関係の原告適格論として注目を

に従い、その「取消しを求めるにつき法律上の利益を有する者」に該当するか否かによって論ぜられる。

不利益処分である命令の名宛人が原告適格を持つことは疑いがなく、それ以外のどの範囲までが原告適格を持つかが、問題となる。行政法一般論に付け加えるべき点は多くない。

これまで、排除措置命令の取消請求に関する原告適格の有無が争われた典型例は、契約の一方当事者Aに対して契約条項の破棄を命じた排除措置命令につき、契約の他方当事者Bには取消請求の原告適格があるか、というものであった302)。裁判所は、原告適格はないとしてきた303)。その理由は、結局、排除措置命令によって当該契約条項が当然に無効となるわけではなく、Bを当事者とする民事訴訟において、当該契約条項が独禁法に違反して無効と言えるか否かをBは更地から争えるから、などというところにある304)。

集めた（東京高判平成25年11月1日・平成24年（行ケ）第8号〔JASRAC〕（判決書53〜57頁）、興津征雄・JASRAC東京高裁判決解説・金井貴嗣ほか編『経済法判例・審決百選〔第2版〕』（別冊ジュリスト234号、平成29年）、白石忠志「JASRAC審決取消訴訟東京高裁判決の検討」NBL1015号（平成25年））。しかし、平成25年改正後は、公取委の命令の取消訴訟が裁判所に係属するのが基本となったので、この議論は、義務付け訴訟の訴訟要件をめぐる問題や（後記**17**）、命令取消訴訟への参加の可否をめぐる問題に、吸収されることになった。なお、JASRAC東京高判を1つの機縁としつつ、広い射程をもつ議論をする文献として、興津征雄「競争秩序と事業者の利益」民商法雑誌150巻4=5号（平成26年）。

302）このほか、名宛人以外の第三者の原告適格が問題となった事例として、最判昭和35年7月8日・昭和34年（オ）第210号〔三菱銀行審決違法確認請求〕（行為の相手方の株主）、最判昭和48年3月1日・昭和46年（行ツ）第24号〔八幡富士合併審決取消請求〕（行為によって影響を受けると主張する労働組合）、がある。また、独禁法の特例法であった時代の景表法の不当表示規制によって流通業者が名宛人となった排除命令（現在の措置命令）につき川上の製造業者が被審人適格を争った事例がある（公取委審判審決平成22年2月24日・平成21年（判）第10号〔リコム〕）。いずれも原告適格・被審人適格が否定されている。

303）最判昭和50年11月28日・昭和46年（行ツ）第66号〔ノボ天野〕、東京高判昭和58年12月23日・昭和56年（行ケ）第4号〔田村郡石灰石住友セメント〕（審決集30巻の131〜132頁）。この問題は、ノボ天野最高裁判決のような6条の事案に限らず、田村郡石灰石住友セメント東京高裁判決の事案のように、国内事件でも起こり得る。共同行為をしたとされる複数の者のうち一部のみが排除措置命令を受け容れたら、潜在的にはほぼ常にこの問題は生ずる。

304）これに対する批判的考察として、勘所事例集17〜20頁。

3　被告適格

排除措置命令等に係る抗告訴訟については、公取委が被告となる（77条）。一般法では、国が被告となるが（行訴法11条）、その特則となっている。公取委の職権行使の独立性を確保するためであると説明されている[305]。

4　出訴期間

取消訴訟の出訴期間は、正当な理由があるときを除き、処分があったことを知った日から6か月を経過するまでである（行訴法14条1項）[306]。

5　管轄裁判所

排除措置命令等に係る抗告訴訟の管轄は、東京地裁に専属する（85条1号）。裁判所における専門性の蓄積に資する仕組みとし、また、同一事件における判断の合一性を確保する必要性による、と説明されている[307]。

85条1号にいう「抗告訴訟」には、不作為の違法確認の訴え、義務付けの訴え、差止めの訴え、も含むと解される[308]。

東京地裁においては排除措置命令等に係る抗告訴訟は民事第8部に集中されている。

6　合議体の構成

(1)　東京地裁における合議体

東京地裁における排除措置命令等に係る抗告訴訟では、1人の裁判官によるという原則（裁判所法26条1項）を改め、少なくとも3人の合議体としなけれ

305）　平成25年改正解説47～48頁。88条について、前記629頁註8。

306）　平成25年改正前において、公取委の審判手続で争うための審判請求期間が60日であり（改正前49条6項、50条4項）、審決取消訴訟の出訴期間が30日であった（改正前77条1項・2項）、ということと比べると、かなり長い期間となっている。

307）　平成25年改正解説52頁。

308）　平成17年改正前には、東京高裁に第1審の裁判権があるとされる訴訟にはこれらが含まれないと解されており、平成17年改正によってそれが明文化されていた（平成25年改正前85条1号）。したがって、通常の訴訟と同様に、地方裁判所に第1審の裁判権があった。平成25年改正によって85条1号に合流したことにより、東京地裁に限定されることとなり、また、合議体に関する規定（86条、87条）の適用を受けることとなった。

ばならないこととなっている（独禁法86条1項）。事件によっては、5人の合議体とすることもできる（同条2項）。以上のことは、独禁法の重要性に鑑み、また、常に5人の合議体としていた平成25年改正前87条[309]の趣旨を引き継ごうとしたものであろう。とはいっても、3人の合議体が原則とされているのであって、5人の合議体によるとされる事件がどの程度において現れるのかは定かではない。

86条3項は、5人の合議体の場合の判事補に係る制限を規定している。3人の合議体の場合については、同様の趣旨の規定が既に裁判所法27条2項に置かれている[310]。

(2) 東京高裁における合議体

高等裁判所における裁判は原則として3人の合議体によることが一般法として定められているところ（裁判所法18条）、排除措置命令等に係る抗告訴訟において控訴され東京高裁に係属した場合、事件によっては、5人の合議体とすることもできる（独禁法87条）。常に5人の合議体としていた平成25年改正前87条の趣旨を引き継ごうとしたものであろう。とはいっても、3人の合議体が原則とされているのであって、5人の合議体によるとされる事件がどの程度において現れるのかは定かではない[311]。

7 審理の対象

(1) 総　説

抗告訴訟における審理の対象については、何らの特則はなく、通常の抗告訴

---

309) 平成25年改正前87条は、その1項において「東京高等裁判所に、第85条に掲げる訴訟事件及び前条に掲げる事件のみを取り扱う裁判官の合議体を設ける。」と規定し、その2項において合議体の員数を5人としていた。しかし、「第85条に掲げる訴訟事件及び前条に掲げる事件のみを取り扱う」は、「裁判官」でなく「合議体」を修飾すると解されていた。合議体は事件ごとに様々な裁判官によって構成され、必ずしも独禁法に関する専門性が蓄積され発揮される特別な仕組みとして運用されていたわけではなかった。

310) 「判事補の職権の特例等に関する法律」（昭和23年法律第146号）1条により、判事補等の職にあった年数が5年以上になる者のうち、最高裁判所の指名する者は、当分の間、判事補としての職権の制限を受けないものとされている。

311) 平成25年改正前の5人の裁判官による特別合議体は東京高裁の「第3特別部」であったが、改正後も、3人の裁判官による通常の合議体ではあるが、東京高裁の「第3特別部」の名で裁判が行われている。

訟と同様に事実問題と法律問題の全般に及ぶ[312)313)314)]。

(2) 排除措置命令が確定した場合の違反行為の存否

排除措置命令を確定させ課徴金納付命令のみを争う場合でも、違反行為の存否を争うことができると解すべきである。平成17年改正前には、争うことはできないとする解釈がされ[315)]、平成17年改正によって、それを明文化する規定が置かれていたが（平成25年改正前59条2項）、そのような規定は平成25年改正によって削られた。

少なくとも過去においては、排除措置命令を主とし課徴金納付命令を従とする理解が根強かったが、これは、排除措置命令に関する審判手続において違反行為の存否に関する議論を終えてから課徴金納付命令を行うという昭和52年改正課徴金導入後・平成17年改正前の仕組み（特に平成17年改正前48条の2第1項ただし書）において、既に論じた問題を改めて論ずるという無駄を避けるためであった[316)]。

平成17年改正後は、排除措置命令と課徴金納付命令を原則として同時に行っている。平成17年改正後・平成25年改正前の仕組みのもとでは、排除措置命令を確定させたために課徴金納付命令を争う際の選択肢が狭まることのない

---

312) 平成25年改正前の実質的証拠法則は、審理の対象を画するものではなく、審理の基準に関するものであった（後記**8**）。それと連動して、裁判所における新証拠の提出が制限されていたが（平成25年改正前81条）、審判事件記録に含まれる証拠によって裁判所が独自の事実認定をすることは制限されておらず、実質的証拠法則と呼ばれる条文（平成25年改正前80条）の制約のもとではあるが、これを行うことができた。

313) 意見聴取手続において閲覧を認めなかった証拠を取消訴訟で公取委が提出できるか否か、という論点がある（後記740頁註330）。

314) 原処分に係る命令書が適法に送達されたか否かは、原処分の効力発生の有無に関する問題であり、原処分それ自体の適法性や相当性には関係がないから、取消訴訟では争い得ない旨を述べた事例がある。東京高判平成28年1月29日・平成27年（行ケ）第37号〔ブラウン管サムスンSDIマレーシア〕（判決書60〜61頁）。

315) 公取委が、公取委審判審決昭和59年2月2日・昭和57年（判）第1号〔レンゴー〕（審決集30巻の61〜62頁）以来、主張した解釈論であり、多くの東京高裁判決において受け入れられたが（一例として、東京高判平成20年7月11日・平成19年（行ケ）第18号〔大石組課徴金〕（判決書11〜15頁））、疑問を唱えるものもあった（東京高判平成18年2月3日・平成17年（行ケ）第136号〔横石興業〕（判決書14〜15頁））。

316) 以上のような仕組みに起因して、排除措置命令手続を「本案」と呼ぶ独禁法分野独特の用語法が生まれた。

よう、排除措置命令そのものには実は不服はないのにダミー的に排除措置命令も争うこととする名宛人も、ないわけではなかったように思われる317)。そのような無意味な仕組みを強いる必要性は、現在では、なくなっている318)。

8 審理の基準

(1) 実質的証拠法則の廃止

平成25年改正により、昭和22年制定後・平成25年改正前に存在した実質的証拠法則は廃止されている。平成25年改正前は、審決取消訴訟について、「公正取引委員会の認定した事実は、これを立証する実質的な証拠があるときには、裁判所を拘束する。」(平成25年改正前80条) とする規定が置かれており、これが実質的証拠法則と呼ばれていた。和光堂最高裁判決は、「裁判所は、審決の認定事実については、独自の立場で新たに認定をやり直すのではなく、審判で取り調べられた証拠から当該事実を認定することが合理的であるかどうかの点のみを審査する」と述べていた319)。すなわち、更に合理的な事実認定が他にあり得るとしても、公取委の認定もまた合理的な認定の1つであるならば、裁判所はそれに拘束される、ということであった。

実質的証拠法則が廃止されているので、裁判所は、事実認定についても、通常の抗告訴訟と同様の基準によって審理することになる。

(2) 行訴法30条の適用の有無

排除措置命令等の取消訴訟において、行訴法30条が適用されるか、という議論がある。行訴法30条は、「行政庁の裁量処分については、裁量権の範囲をこえ又はその濫用があつた場合に限り、裁判所は、その処分を取り消すことが

---

317) 入札談合事件において、個別調整の存否やそれによる具体的競争制限効果の成否は、通常は7条の2第1項1号の「当該商品又は役務」の文言に関連して論ずることになるが、これを争う際に、通常は違反行為であるとされる基本合意の内容や実効性について争う必要が生ずることはしばしばあるように思われる。更に重要なことに、そのあたりの審理の進行がどのようになるか、出訴段階で全て読み通すことは困難である。

318) 平成25年改正後、課徴金納付命令のみの取消しが請求される事件は多くなく、そのような事例においては課徴金要件のみが争点とされることが多い。課徴金要件のみが争点とされたものの、前提となる違反行為の成立についても判断し判示したものとして、東京地判平成30年11月8日・平成29年(行ウ)第101号〔常盤工業〕(判決書16~18頁)。

319) 最判昭和50年7月10日・昭和46年(行ツ)第82号〔和光堂〕(民集29巻6号の899頁、審決集22巻の179頁)。

できる。」と規定している。

行訴法30条が適用される、とする論も有力である[320]。

しかし、この論に対しては、以下のような諸点を指摘しなければならない。

まず、かりに排除措置命令や課徴金納付命令に係る判断に裁量的なものが含まれるとしても、行訴法30条による判断と、そうではない通常の判断との間には、質的な段差があるわけではなく、結局は、裁判所が行政庁の判断をどの程度において尊重しながら判断するかという、裁判所の審査密度に関する程度問題の差があるにとどまるのではないか。そうであるとすれば、行訴法30条が適用されるか否かは、程度問題の差をもたらすにすぎない[321]。

次に、排除措置命令・課徴金納付命令は、本当に、行訴法30条の適用対象となる「裁量処分」であるのか、ということが検証される必要があろう[322]。例えば、排除措置命令をするか否か、するとしてどのような内容とするか、が裁量の対象となっているとしても、違反要件の成否の判断まで裁量の対象となるかというと疑問がある。そのようなものを総体として「裁量処分」と呼び、その全体に対して行訴法30条の審査基準が適用されるとするのが適切であるのか、ということを論ずる必要がある。排除措置命令が「裁量処分」であるか否かという問題は、必要性の成否を争うのか違反要件の成否を争うのかによって、様相を異にするのではないかと思われる。

最後に、やはり、この行訴法30条適用論が、平成25年改正によって実現した審判制度廃止論に対する反対論として殊更に強調されたものであったことにも、触れざるを得ない。すなわち、廃止すると行訴法30条が適用され名宛人が不利となるのに、なぜ廃止論者は廃止を主張するのか、と述べる、やや屈折した議論である。これに対しては、次の諸点を挙げる必要がある。第1に、審判制度廃止後の取消訴訟において行訴法30条が適用されるのであれば、廃止前の取消訴訟においても行訴法30条は適用されたはずであるが[323]、そのよう

---

320) 平成19年内閣府懇談会報告書24頁、根岸哲「独禁法改正法に問われるもの」公正取引761号（平成26年）14～15頁およびその引用文献。

321) 裁量をめぐる行政法分野の議論の詳細かつ明快な整理として、藤田宙靖「自由裁量論の諸相」日本学士院紀要70巻1号（平成27年）。

322) 平成19年内閣府懇談会報告書24頁は、全くの論証なく、裁量処分であることを前提としている。

323) 平成17年改正後・平成25年改正前における取消訴訟は、処分でなく、その処分の当否を争

な論はほとんど聞かれなかった。第2に、行訴法30条を掲げる論が、廃止後の取消訴訟と廃止前の取消訴訟とを比べるのでなく、廃止後の取消訴訟と廃止前の審判手続とを比べて、廃止後は名宛人が不利になる、という主張であるのだとすれば、それに対しては、廃止前の審判手続において公取委が「当・不当」にまで立ち入ったように思われないうえ[324)]、そのような法律論を超えた実感のレベルでも、審判手続が名宛人にとって有利であると考えていた者は、審判制度廃止反対論者の一部を除いては、いなかった[325)]、という点を挙げる必要がある[326)]。

9 判断基準時

公取委の命令等の当否を検討する際、基準時はどのようになるか。

この点について行政法一般論を見ると、「処分時説」と「判決時説」の対立があるとされるが、実際は、いずれの説も例外を認めており、要はどちらを原

う審判手続の結果である審決の当否を争うものであって、審決は行訴法上の裁決であり、行訴法30条の「処分」という文言に形式的には合致しないが、処分でなく裁決であるから突如として裁判所の審査基準が厳しくなるというのでは、少々適切さを欠く法解釈ではないかと思われる。平成17年改正前の審判手続の結果である審決は、処分であった。

324) 平成19年内閣府懇談会報告書24頁は、行訴法30条が適用される（と報告書が考える）裁判所の取消訴訟より、審判手続のほうが、「[行訴法30条における審理の基準である] 裁量権の濫用等の問題に限定されることなく、原処分が競争秩序の回復のために妥当であるか否かなど、幅広い事項が審理の対象になるので、より適切な処分が担保されやすくなる。」としている。裁量処分については裁判所は違法か否かしか判断できないが行政庁は不当か否か（「当・不当」）も判断できる、という考え方である。しかし、実際の審判手続の結果である公取委審決においては、公取委の判断に裁量が認められることを強調しているものが散見される（例は多いが、最近では例えば、公取委審判審決平成27年9月30日・平成23年（判）第79号〔日本エア・リキード〕（審決案79頁））。これは、審判手続が取消訴訟と同じ基準で判断してきたことを公取委自身が自認するものであろう。審判手続において「当・不当」まで見るのであれば、その判断が裁量の対象であることを強調するはずはないからである。行訴法30条を掲げた審判制度廃止反対論は、そのあたりの実態を知らなかったのであろう。

325) 池田毅「平成25年独占禁止法改正の実務上の意義」ビジネスロー・ジャーナル2014年3月号（平成26年）48〜49頁は、審判制度のもとで「ゼロに限りなく近かった」名宛人側の「勝率」が審判制度廃止によって「さらに下がることは考えにくい」という実感を示しており、このような実感は、実情を知る者の間では当然のように共有されていたように思われる。

326) 根岸哲＝舟田正之『独占禁止法概説〔第5版〕』（有斐閣、平成27年）317頁は、公取委の専門性に鑑み、裁判所は公取委による事実の規範への当てはめには拘束される旨を主張しているが、独自の見解であろう。

則とするかの違いにとどまるようである。結局、およそ行政処分というもの全てについて一律にいずれかの説を採用するというのでなく、眼前の行政処分をめぐる制度に応じて目的合理的に、決めることになろう[327]。

独禁法の場合は、以下の理由により、処分時を基準として判断することとせざるを得ないように思われる[328]。

第1に、独禁法の場合、多くの事例には課徴金が伴い、違反行為が認定されたならば公取委は課徴金の納付を命令するよう義務付けられる（7条の2第1項、7条の9第1項・第2項、20条の6など）。課徴金が伴う事件では、判決時説を採ると、争ったがために課徴金が発生し、または増額されてしまう、という不利益変更が生じやすくなる。

第2に、25条の損害賠償請求制度においては、公取委の命令等で認定された違反行為の範囲で訴訟要件が満たされる（26条1項）。ここでも、判決時説を採ると、争ったがための不利益変更が生じやすい。

独禁法では処分時説とならざるを得ないという見解に対しては、排除措置命令のように将来に向けた命令を論ずるのにふさわしくない、という反論があり得るものと思われる。しかしこれは、公取委が違反を認定したならば非裁量的な課徴金を抱き合わせで賦課することとなり例外が認められないという現行制度がもたらす歪みなのであって、まずはそちらから改善すべきであろう。

10　立証責任

排除措置命令等の取消訴訟において、立証責任は基本的に公取委にあると解される（前記第5章第1節）。

11　理由の差し替え

公取委が、命令前の意見聴取手続において用いなかった新たな理由によって

327）以上について、例えば、藤田宙靖『新版　行政法総論（下）』（青林書院、令和2年）139〜143頁、宇賀克也『行政法概説II〔第7版〕』（有斐閣、令和3年）272〜274頁。

328）結論のみを明記する事例として、公取委審判審決平成25年7月29日・平成21年（判）第1号〔ニンテンドーDS用液晶モジュール等シャープ〕（審決案93頁）。平成25年改正による審判制度の廃止前の事例であり、一般論における判決時説がいわば審決時説という形で現れ、それを否定する判断がされたものである。

取消訴訟において命令を防御し、裁判所がそれを受け入れて命令を維持することは許されるか、という問題がある。平成25年改正前の審判手続においては、一定の限定を付しつつ、審査官が主張変更をすることを認めていた（平成25年改正前58条2項）。しかし平成25年改正後は、そのような明文はなく行政法の一般論に委ねられており、しかも、平成25年改正前の事前手続（改正前49条3項～5項）よりも重い意見聴取手続が事前手続として置かれている。

行政法一般論においては、聴聞手続を経た行政処分について抗告訴訟で理由の差し替えをすることは認められない、とする文献がある[329]。それに対しては、紛争の一回的解決などの観点からの反論もあり得るかもしれない。ここでは、論点の指摘にとどめたい[330]。

なお、「総額主義」と「争点主義」の問題は、広い意味では不利益変更の可否の問題でもあるが、別に述べる（後記**12**）。

12　不利益変更

排除措置命令や課徴金納付命令に対する取消訴訟において、名宛人すなわち原告にとっての不利益変更をすることは許されないと解される。

課徴金納付命令に関する問題として、いわゆる「総額主義」と「争点主義」の問題がある[331]。課徴金額それ自体は不利益に変更しないことを大前提としつつ、名宛人が抗告訴訟において問題とした争点については名宛人の主張を認める一方で、他の点で本来なら課徴金を増額すべき点が見つかったという場合に、その分だけ取消しの幅を縮減することは許されるか、という論点である。名宛人が争った点に関する理由の差し替えならともかく（前記**11**）、全く関係のない点について増額の要素を持ち出して取消しの幅を縮減することには、疑問がある。もっとも、現行法には、一旦行った課徴金納付命令に形式的に誤りがあった場合に補正して追加の命令をする仕組みが明確に備わっているわけで

329）　宇賀・前記註327・270頁。

330）　意見聴取手続で閲覧の対象とならなかった証拠を新たに取消訴訟裁判所に提出できるか、という論点もある。一定程度許容されるものと考えられる、と解説されている（平成25年改正解説69頁）。争いがある。

331）「総額主義」と「争点主義」が既に論ぜられてきた租税法の状況について、金子宏『租税法〔第24版〕』（弘文堂、令和3年）1098～1102頁。

はないので、名宛人の責に帰すべき誤りが見つかった場合などには、取消しの幅を縮減する「総額主義」的な処理を認めるべきであるかもしれない。結論のみを述べて、取消しの幅を縮減した審決が存在する[332)]。

13　執行停止

(1)　総　説

①　概要　　公取委の命令の取消しの訴えの提起があった場合において、裁判所は、申立てにより、「処分の効力、処分の執行又は手続の続行の全部又は一部の停止」をすることができる（行訴法25条2項）[333)]。同項は、「処分の効力、処分の執行又は手続の続行の全部又は一部の停止」をまとめて「執行停止」と呼んでいる。

後記③のように、平成25年改正前は、行訴法25条による執行停止が必要とされることが実際問題としてほとんどなかったので、公取委の命令について行訴法25条による執行停止が可能か否かは、実際問題としては、平成25年改正後に新たに生じた課題となっている[334)]。

論理的には、課徴金納付命令が執行停止となる可能性もあるが、金銭的不利益処分について執行停止が認められる可能性は高くないとするのが大勢のようである[335)]。金銭的不利益処分を中心とする租税法の分野でも、執行停止が認

---

332)　公取委審判審決平成28年2月24日・平成21年（判）第6号〔塩化ビニル管等〕。課徴金額計算の根拠となった名宛人三菱樹脂提出の報告書の売上げに漏れがあったことを理由としている（審決案189頁）。

333)　詳細な解説として、八木一洋・条解行訴法5版557〜645頁。行訴法平成16年改正の際の詳細な文献として、斎藤誠「執行停止の要件」小早川光郎＝高橋滋編『詳解改正行政事件訴訟法』（第一法規、平成16年）207〜224頁。

334)　平成25年改正解説27〜28頁は、平成25年改正前の制度は審判手続期間中に行訴法25条の執行停止を受けることができないために機能した制度である、と述べたうえで、これを廃止した理由を説明している。しかしこの制度は、公取委の審判手続の結果としての審決が排除措置命令であって、それを争う場合に裁判所で取消訴訟をすることとなっていた平成17年改正前の手続規定において60年以上にわたって存在し用いられていたのであり、上記の解説は、その点への言及を避け、平成17年改正後・平成25年改正前という、執行免除制度の廃止のために都合の良い部分だけを切り取って解説したものであるように思われる。

335)　後記③の執行免除制度の適用対象外であった課徴金納付命令（課徴金の納付を命ずる審決）に関する執行停止申立てが退けられた事例として、東京高決平成20年1月31日・平成20年（行タ）第7号〔アスカム審決執行停止申立て〕。

められる例がないわけではないようであり[336]、更に精査する必要はあるものの、以下では便宜上、排除措置命令の執行停止に絞って述べる。

② **手続**　執行停止は、申立てにより、決定をもって、行われる（行訴法25条2項)。本案の係属する裁判所が行うので（行訴法28条)、公取委の命令の執行停止は東京地裁が行うことになる（独禁法85条1号)。

申立人は、取消訴訟の原告であることが前提とされている[337]。

被申立人すなわち相手方は、取消訴訟の被告と一致する、とされており[338]、公取委の命令の執行停止については公取委が被申立人となる（独禁法77条)。

決定は疎明に基づいてすること（行訴法25条5項）等の細則がある[339]。

③ **平成25年改正前の状況**　独禁法典には、昭和22年の制定以来、独自の制度として、保証金等を供託して排除措置命令の執行を免れることができる旨の規定があった（平成17年改正前62条、平成17年改正後・平成25年改正前70条の6)[340]。行訴法の執行停止との対比のためということもあり、独禁法の文言を活かして「執行免除」と呼ばれた。

平成25年改正によって審判制度を廃止する際、あわせて廃止すべき論理的必然性はなかったが、あわせて廃止された。

保証金等の供託が必要であるほかは、実際上は無条件で執行免除が認められたようである[341]。

当時においても行訴法による執行停止の適用可能性はあったが[342]、実際上は、執行免除制度が利用されることがほとんどであったようである[343]。平成

---

336) 金子・前記註331・1134〜1135頁。

337) 八木・条解行訴法5版571〜572頁。

338) 八木・条解行訴法5版572頁。

339) このことを含め、詳しくは、八木・条解行訴法5版629〜645頁。

340) 平成17年改正前は、審決がすなわち排除措置命令であり処分であったので、審決の執行免除、という旨の表現がされていた。

341) 例外的に、認めなかった事例があるが（東京高決平成12年1月31日・平成11年（行タ）第44号〔観音寺市三豊郡医師会執行免除申立て〕)、以後の実務において重く受け止められている事例ではないように思われる。

342) そのことを前提としたうえで、当時の行訴法25条2項が執行停止の要件としていたところの回復困難な損害が生ずるとはいえないとして申立てを却下したものとして、東京高決昭和49年4月16日・昭和49年（行タ）第7号〔出光興産執行停止申立て〕等の同日等の諸決定。

343) とりわけ、平成17年改正後・平成25年改正前は、排除措置命令が審判手続より前に行われ

17年改正後・平成25年改正前の時期には、公取委が職権で排除措置命令を執行停止とすることができる規定も置かれていたが（平成17年改正後・平成25年改正前54条）、この規定によって執行停止がされた例はなかったようである。

執行免除は、東京高裁の5人の裁判官の合議体の決定によって行われた（平成25年改正前86条、87条）[344]。

保証金等を供託して執行免除を得たものの、結局のところ排除措置命令が取り消されず確定した場合には、保証金等の全部または一部を没取することができる旨の規定があった（平成17年改正前63条、平成17年改正後・平成25年改正前70条の7）。この決定も、東京高裁の5人の裁判官の合議体が行った（平成25年改正前86条、87条）。全部を没取する旨の決定が多かったが、例外的には、没取を認めない決定もあり[345]、その中間をとって半額没取などとする決定例も少なくなかった[346]。

(2) 処分等により生ずる重大な損害を避けるため緊急の必要があるとき

① **総説**　行訴法25条2項は、「処分、処分の執行又は手続の続行により生ずる重大な損害を避けるため緊急の必要があるとき」を執行停止の要件としている[347]。

ることとなり、これを争うことは「処分の取消しの訴えの提起」（行訴法25条2項）ではなかったから、執行免除制度を利用する必要性がますます高まったものと考えられる。なお、平成17年改正後・平成25年改正前は、裁判所には処分でなく裁決（審決）の取消しの訴えを提起することとなっていたので、行訴法25条2項の「処分の取消しの訴えの提起」を形式的に狭く解すると裁判所による執行停止は不可能とされる可能性もないではなかったが、実際には以上のように審判手続段階から執行免除制度が用いられたので、行訴法25条2項の解釈が議論されることもなかった。

344）平成17年改正前の、排除措置命令すなわち審決の取消しの訴えを東京高裁において提起した時期だけでなく、平成17年改正後・平成25年改正前の、審判手続で排除措置命令の取消しの有無が争われた時期にも、執行免除の決定は東京高裁が行った。

345）東京高決平成22年3月15日・平成21年（行タ）第109号〔JFEエンジニアリング保証金没取申立て〕（決定書4～5頁）。名宛人が濫用的な訴訟活動を行ったわけではないこと、裁判を受ける権利があること、排除措置命令は違反行為を行っていないことを確認すること等を命ずるにすぎず名宛人は命令後に違反行為を行っていないこと、などに言及している。

346）東京高決平成29年2月14日・平成28年（行タ）第146号〔JASRAC保証金没取申立て〕は、執行免除の保証金は特段の事情がない限り全部没取するとしつつ、事案の特徴を掲げて、保証金1億円のうち3000万円のみを没取することとした。この事件で求められた保証金は、他の事件と比べて相当に高額であった。勘所事例集542～543頁。

347）八木・条解行訴法5版586～622頁。

② **重大な損害**　「重大な損害」の認定にあたっては、損害の回復の困難の程度を考慮し、損害の性質・程度や処分の内容・性質を勘案するものとする、とされている（行訴法 25 条 3 項）。

排除措置命令に従うことによる「重大な損害」となり得るものとしては、官公庁を含む需要者との取引への影響や、問題の行為を行っていた旨を自ら取引先等に周知することによる信用低下などが考えられる。

平成 25 年改正後の執行停止申立ては全て退けられているが、いずれも、「重大な損害」が生ずることの疎明がないことを根拠としている[348]。

もっとも、排除措置命令によって名宛人が求められる取引先等に対する周知については、名宛人が取消訴訟で争っている排除措置命令の内容を自認するかのようであって信用低下に繋がる、という主張があり得る。通知先の範囲や通知先の受け止め方によって、種々の判断があり得る[349]。ハードコアカルテルの事例においては、排除措置命令の主文で、名宛人が他の競争者と「共同して行っていた」行為を取りやめていることを求めるのが通例となっており、これは、周知の文言上は、自認を求めていると言わざるを得ないであろう[350]。

処分の内容・性質を勘案する際には、申立人の損害とは異なる事情、すなわち、処分を執行することができないことによって生ずる社会的な影響も考慮さ

348） 東京地決平成 28 年 12 月 14 日・平成 28 年（行ク）第 279 号〔奥村組土木興業執行停止申立て〕（勘所事例集 591～601 頁）、東京地決平成 29 年 7 月 31 日・平成 29 年（行ク）第 122 号〔土佐あき農業協同組合執行停止申立て〕、東京地決平成 30 年 7 月 11 日・平成 30 年（行ク）第 260 号〔神奈川県 LP ガス協会執行停止申立て〕、東京高決平成 30 年 7 月 17 日・平成 30 年（行ス）第 60 号〔神奈川県 LP ガス協会執行停止申立て〕、東京地決令和 2 年 3 月 27 日・令和 2 年（行ク）第 11 号〔活性炭本町化学工業執行停止申立て〕、東京地決令和 4 年 3 月 29 日・令和 4 年（行ク）第 71 号〔三条印刷執行停止申立て〕。

349） 平成 25 年改正後の最初の事例である奥村組土木興業執行停止申立て東京地決が、刑事裁判官は自認したとは受け止めない旨を述べた最高裁判決を引用していたのは、本来の問題が、通知先がどのように受け止めるかであるはずであることに照らせば、疑問があった（勘所事例集 593～601 頁）。以後の決定は、通知先が一般消費者でなく競争入札による発注者であることを指摘したり、通知先の受け止め方を申立人が疎明していないことを指摘する方向に変化している。

350） 公取委がなぜ「共同して行っていた」という文言を排除措置命令主文に入れて名宛人に通知を求めるという態度を堅持しようとするのか、必ずしも明瞭に理解できないが、ともあれ、裁判所の決定は、前記註 348 のような点に加え、排除措置命令によって求められる通知とは別に、名宛人としては自認しておらず争っていることをウェブサイトや別途の通知によって知らせることができることを、「重大な損害」を認めない根拠として掲げるようになっている。

れる余地が生ずる。

③ **避けるため必要がある**　「避けるため……必要がある」という文言があり、執行停止をすれば重大な損害を回避できるという関係があることが必要であると考えられている[351]。この点は、「処分、処分の執行又は手続の続行により生ずる」という要件の裏返しであって、検討内容は重なるようにも思われる。

「重大な損害」が、自ら周知することによって生ずるのであれば、「避けるため……必要がある」等の要件も満たすと言いやすいであろう。

④ **緊急の必要がある**　「緊急の必要がある」ことが要件となっている。

もっとも、独禁法の排除措置命令の場合、処分と同時に効力が生じており、いつでも執行が行われる可能性があるので、「重大な損害」があるといえれば、「緊急の必要がある」の要件も満たされることとなるのではないかと思われる。

(3) 公共の福祉に重大な影響を及ぼすおそれがあるとき

「公共の福祉に重大な影響を及ぼすおそれがあるとき」には、執行停止をすることはできない（行訴法25条4項）。

もっとも、「重大な損害」の有無の判断において処分の性質・内容を勘案するのであれば、「公共の福祉に重大な影響を及ぼすおそれがあるとき」に該当するか否かは、「重大な損害」の有無の判断と重なることが多いであろう[352]。

(4) 本案について理由がないとみえるとき

「本案について理由がないとみえるとき」には、執行停止をすることはできない（行訴法25条4項）。

敗訴が見込まれる、というだけでは執行停止を拒むには足りず、申立てに係る疎明資料をみてもおよそ勝訴の見込みがない、という場合に執行停止を拒むための要件であると考えられる[353]。

14 訴訟参加

抗告訴訟への参加としては、行訴法22条による訴訟参加のほか[354]、民事訴

---

351) 八木・条解行訴法5版617〜619頁。

352) 八木・条解行訴法5版623頁。

353) 必ずしもそのような表現は用いていないが、八木・条解行訴法5版625〜626頁。

354) 東京高決昭和50年3月18日・昭和49年（行タ）第27号〔石油製品価格協定訴訟参加〕は、カルテルの被害者であると称する者が行訴法22条による訴訟参加の申立てをしたことに対し、

訟法42条の補助参加も可能である。命令が取り消されることによって不利益を受ける者や、訴訟記録の閲覧制限の申立てをする地位の確保を目指す者などが参加しようとすることが考えられる[355)]。

15　記録閲覧

排除措置命令等の取消訴訟において証拠等として提出された訴訟記録は、民事訴訟法91条・91条の2（民事裁判手続IT化改正前は91条）のもとで、第三者による閲覧謄写等が可能となる。民事訴訟法92条は、秘密保護のため、閲覧謄写等を制限する場合について規定している。制限される範囲がどのようなものとなるのかが、訴訟提起の利害得失を考えるうえで重要である[356)]。

平成25年改正前の審判手続に係る審判事件記録閲覧謄写制度においては、被審人以外の第三者の秘密の保護も、改正前70条の15の明文で規定され、公取委の審査基準でも一定の対応がされていた[357)]。

それに対し、民事訴訟法の制度によれば、当事者が保有する営業秘密（不正競争防止法2条6項に規定するもの）について当該当事者が閲覧謄写等の制限を申し立てた場合に限って、制限が認められる場合があることとなっている（民事訴訟法92条1項2号）。被告公取委が提出する証拠のなかに原告の営業秘密がある場合に原告が申し立てることはできると解されるが、第三者が制限を申し立てることはできない[358)]。

16　課徴金の還付

課徴金納付命令が取り消された場合の課徴金の還付については、平成25年

これを退けた事例である。しかし、その理由付けが現在でも通用するものであるかどうかは、東京高判平成25年11月1日・平成24年（行ケ）第8号〔JASRAC〕が被害者と称する者の原告適格を認めたこと（後記**17**）と対比するなどして、更に検討する必要があるように思われる。

355）　この点の指摘を含め、訴訟参加について簡潔にまとめたものとして、島崎伸夫「第三者による働きかけへの対応」ジュリスト1467号（平成26年）35頁。そのほか、巽智彦・条解行訴法5版513～534頁。

356）　島崎・前記註355・35～36頁。

357）　審判事件記録閲覧謄写制度については、本書第3版694～698頁。

358）　第三者が自己の秘密を守るためには、公取委に対して証拠提出時にマスキングなどの慎重な対応をするよう申し入れるという方法や、前記**14**の訴訟参加によって「当事者」となるなどの方法が考えられる（島崎・前記註355・36頁）。

改正前70条の10第2項・第3項のような特別の規定が削られており[359]、一般法によることになる。

平成25年改正前に存在した特別の規定は、平成17年改正によって導入されたものであり[360]、平成17年改正前には、そのような規定はなかった。平成25年改正後は、平成17年改正前と同様の状態に戻ったことになる。平成17年改正前は、課徴金に係る審決が課徴金の納付を命ずる命令であったから、結局、独禁法の歴史のなかで、そのようなものも含む課徴金納付命令それ自体の当否が裁判所で審理される時期には一般法で対応され、平成17年改正後・平成25年改正前のように課徴金納付命令の当否がまずは審判手続で審理された時期には、取り消された場合の還付について特則があった、という整理となる。

平成17年改正前において、課徴金納付を命ずる公取委審決が取り消された事例においては、還付加算金について、国税通則法が類推適用される旨の主張が斥けられ、取消判決が確定した日以後に国に不当利得の返還義務が生じ、同日以後、国は悪意の受益者となって民法404条の法定利率による利息が発生した、とされている[361][362]。

---

359) 平成25年改正前70条の10第2項は、公取委が課徴金納付命令を取り消したことを要件としていたが、平成17年改正後・平成25年改正前の枠組みでは、裁判所が公取委の判断を取り消したとしてもそれは審決の取消しであり、結局は公取委が判決の趣旨に従って課徴金納付命令を新たな審決によって取り消すこととなっていたので（改正前82条2項）、この時期には、実質的には、裁判所による取消しの場合の還付の規定があったことになる。なお、そこにおいて規定されていた「年7.25パーセントを超えない範囲内において政令で定める割合」は、実際には、平成25年改正前施行令32条により、商業手形の基準割引率に年4%の割合を加算した割合とされ、実際には年5%を超えることはなかったようである。平成25年改正前70条の10は、第1項と、第3項・第4項の一部が、平成25年改正後70条として残存しているが、改正後は、平成21年改正によって新設され令和元年改正後は7条の8第4項となっている特定事業承継子会社等の制度に関連して還付すべきものがあった場合に限定された規定となっている。

360) 平成17年改正後・平成21年改正前は、特定事業承継子会社等に対する課徴金の規定がなかったので、この時期の70条の10は、課徴金納付命令が取り消された場合のみを念頭に置いたものであった。

361) 札幌地判平成18年9月22日・平成17年（行ウ）第17号〔協業組合カンセイ課徴金還付加算金〕（審決集53巻の1019～1022頁）。

362) 平成17年改正後・平成25年改正前において、公取委が不当利得としての還付加算金を含む還付をしたとみられる事例として、東京高判平成25年5月17日・平成24年（行ケ）第15号〔オリエンタル白石〕の後の公取委の対応がある（平成25年6月5日の公表資料）。しかしこれは、課徴金納付命令が取り消されたための還付ではなく、課徴金納付命令は取り消されなかった

17 義務付け訴訟

(1) 総　説

ここまで主に念頭に置いてきた取消訴訟と異なり、ここでは、義務付け訴訟について簡単に概観する363)。

独禁法分野において大きな注目を集めた平成25年11月のJASRAC東京高裁判決においては、行訴法上の裁決である審決において排除措置命令を公取委が自ら取り消したところ、JASRACによる違反被疑行為によって損害を受けているとするイーライセンスが審決取消請求を行ったという事案で、イーライセンスの原告適格が認められた364)。そうしたところ、偶々その直後に成立した平成25年改正により、公取委が審決という名の裁決をする仕組みは廃止された。改正後は、平成25年11月のJASRAC東京高裁判決と同様のことを裁判所で争う場合には、例えば、義務付け訴訟によることが考えられる。

義務付け訴訟は、平成16年法律第84号による行訴法改正によって明文化された行政訴訟類型である365)。公取委の処分である排除措置命令等を求めるのであるとすれば、それはいわゆる非申請型義務付け訴訟（行訴法3条6項1号）であり、行訴法37条の2において要件等が規定されている。

行訴法37条の2は、訴訟要件を規定した1項〜4項と、本案で原告が勝訴する要件を規定した5項とに、分けることができる。

(2) 一定の処分

「義務付けの訴え」を定義する行訴法3条6項のうち、非申請型について定義する部分を見ると、「行政庁が一定の処分をすべきであるにかかわらずこれ

が会社更生法上の考慮に基づいて還付したものであり、当時の70条の10の適用対象ではなかった。詳しくは、白石忠志「課徴金と会社更生法」公正取引754号（平成25年）66頁。

363)　この問題に触れた文献として、例えば、島崎伸夫「第三者による働きかけへの対応」ジュリスト1467号（平成26年）34〜35頁。

364)　東京高判平成25年11月1日・平成24年（行ケ）第8号〔JASRAC〕（判決書53〜57頁）。原告適格の論点については、被告公取委と参加人JASRACの2者のそれぞれの上告受理申立て理由書に書かれていたが、最高裁は、それらについては上告受理の際に排除し（最決平成27年4月14日・平成26年（行ヒ）第75号〔JASRAC上告受理申立て公取委分〕）、他の争点についてのみ上告受理の対象とし最高裁判決をした。

365)　被害者は公取委に排除措置命令を求めることはできない旨を含む先例として、最判昭和47年11月16日・昭和43年（行ツ）第3号〔エビス食品企業組合〕。義務付け訴訟が明文化された現在においては、その理論上の含意は別として、実際上は、かなり相対化されている。

がされないとき……」（同項1号）に「行政庁がその処分……をすべき旨を命ずることを求める訴訟」（同項柱書き）であるとしている。

ここにおいて、「一定の処分」が原告によってどの程度特定されている必要があるかについて、種々の議論がある[366]。

(3) 訴訟要件

① **総説**　非申請型義務付け訴訟の訴訟要件としては、第1に、「一定の処分がされないことにより重大な損害を生ずるおそれがあ」ること（行訴法37条の2第1項）、第2に、「その損害を避けるため他に適当な方法がない」こと（同項）、第3に、「行政庁が一定の処分をすべき旨を命ずることを求めるにつき法律上の利益を有する者」であること（同条3項）、の3点がある。

② **一定の処分がされないことにより重大な損害を生ずるおそれがある**　「一定の処分がされないことにより重大な損害を生ずるおそれがあ」る、のうち「重大な損害」については行訴法37条の2第2項に解釈規定がある。損害の回復が困難であることは、必須の要件ではなく、考慮要素となっている[367]。

③ **その損害を避けるため他に適当な方法がない（補充性）**　「その損害を避けるため他に適当な方法がない」は、補充性の要件と呼ばれている。

これについては、行政過程において他に特別の救済ルートがあるわけではない、という意味であると解され、例えば独禁法24条の被害者による行為者に対する差止請求のような民事的請求が可能であることのみをもって「他に適当な方法がない」を満たさないことにはならない、と解されている[368]。

④ **法律上の利益**　「行政庁が一定の処分をすべき旨を命ずることを求めるにつき法律上の利益を有する者」については、「法律上の利益」に関して、原告適格に関する行訴法9条2項の解釈規定が準用されている（行訴法37条の2第4項）[369]。

366）川神裕・条解行訴法5版126〜127頁。

367）JASRAC東京高裁判決は、行訴法9条の「法律上の利益」について判断する過程で、競争者である原告イーライセンスの「業務上の損害は著しいものと認められる」としている（判決書57頁）。

368）宇賀克也『行政法概説Ⅱ〔第7版〕』（有斐閣、令和3年）356頁、川神・条解行訴法5版848頁。

369）JASRAC東京高裁判決では、原告適格の有無を論ずるという文脈で、他者排除行為によって損害を受けたとする者について、その事案特有の認定をしたうえではあるが、排除措置命令を

(4) 本案原告勝訴要件

37条の2第5項は、訴訟要件を満たす原告が本案で勝訴する要件を規定している。それによれば、「行政庁がその処分をすべきであることがその処分の根拠となる法令の規定から明らかであると認められ又は行政庁がその処分をしないことがその裁量権の範囲を超え若しくはその濫用となると認められるときは、裁判所は、行政庁がその処分をすべき旨を命ずる判決をする。」。

この「又は」より前は、法令自体が効果裁量を明確に否定している羈束処分の場合に適用される要件であり、「又は」より後は、裁量処分の場合に適用される要件である、と解されている[370]。排除措置命令は、違反要件の成否の判断について裁量があるというか否かはともかく、命令の必要性については裁量があり（前記704～705頁）、その全体としては裁量処分である。課徴金納付命令は、そのような裁量がないとされるが、命令の大前提である違反要件の成否の判断は、これをかりに羈束判断であるというとしても、かなりの抽象性がある。「又は」の前が適用されるか「又は」の後が適用されるかは、結局は、整理の問題に帰するかもしれない。

(5) 意見聴取手続の要否

独禁法のように、排除措置命令・課徴金納付命令の前に意見聴取手続を行うことが義務付けられている場合に（49条、62条4項）、処分を義務付ける判決をすることができるか、という問題がある。独禁法に限定しない一般論としては、種々の議論があるようである[371]。

第11節　事件処理に関するその他の手続

1 送　達

(1) 総　説

① 概要　　公取委による法執行において、書類の送達が行われる場合があ

するよう求める「法律上の利益」があるとされた。義務付け訴訟における法律上の利益を検討するにあたっても参考となると考えられる。

370) 宇賀・前記註368・357頁、川神・条解行訴法5版851～853頁。

371) 一般的なまとめとして、例えば、川神・条解行訴法5版853～855頁。

る。第1に、公取委の命令等に従わない場合の不利益について情報提供をしたり、反論等の機会を与えたりすることにより、適正手続を確保するのに役立つ。第2に、反論等の期限を定め、期間を進行させるために必要である。

独禁法典は、民事訴訟法の諸条文のうち独禁法に適合したものを準用しつつ(70条の7)、公示送達について独自の規定を置いている(70条の8)。

② **送達すべき書類**　送達の対象とされるべき書類は、独禁法典に規定するもののほか公取委規則で定めることとされている(70条の6)。

これらをまとめると、送達すべき書類は、減免制度において事実報告・資料提出の追加を求める旨を記載した書面(減免規則11条)、減免申請を受けた旨を示す7条の4第5項の通知(減免規則13条)、一般的調査に係る出頭命令書、報告命令書、提出命令書(独禁法40条処分規則4条)、事件に係る出頭命令書、報告命令書、鑑定命令書、提出命令書(審査規則9条1項)、確約手続通知(確約手続規則7条、21条)、確約手続に係る認定書・決定書の謄本(独禁法48条の3第5項およびこれを準用する各規定、確約手続規則の各該当規定)、意見聴取通知(意見聴取規則9条、23条〜25条)、排除措置命令書の謄本(独禁法61条2項、審査規則24条1項)、課徴金納付命令書等の謄本(独禁法62条2項、63条4項、審査規則24条1項)、競争回復措置命令書の謄本(独禁法64条2項、審査規則24条1項)、その他の独禁法第8章第2節の決定書の謄本(審査規則24条1項)、課徴金の納付を命じない旨の通知(審査規則25条1項)、排除措置命令等の更正決定書の謄本(審査規則31条2項)、課徴金の督促状(「課徴金の納付の督促状の様式等に関する規則」(昭和52年公正取引委員会規則第4号)1条)、などである。

③ **送達記録の作成**　送達をした公務員は、書面を作成し、送達に関する事項を記載して、これを公取委に提出しなければならない(70条の7が読み替えて準用する民事訴訟法100条1項(民事裁判手続IT化改正前は109条))。電子情報処理組織を使用して送達した場合の特則が70条の9に規定されている。

④ **在外者に対する送達**　独禁法分野で送達の問題に対する関心が高いことの原因の1つに、在外者への送達の必要が生ずる場合がある点を挙げることができる。在外者への送達であっても、日本国内に支店等がある場合[372]や日本

---

372) 公取委審判審決昭和47年8月18日・昭和39年(判)第2号〔三重運賃制・審決分〕は、外国事業者の日本における営業所でした送達を適法なものとした(審決集19巻の63〜64頁)。

国内の代理人に送達受領権限を与えている場合[373]など、通常の送達方法によって送達をすることのできる場合もある。しかし、通常の送達方法では困難な事例もあり得る[374]。平成14年改正のうち送達に関する部分は、主にこの点を念頭に置きながら行われた。具体的には、外国送達に関する民事訴訟法108条が新たに準用され、公示送達に関する独自の規定が新設された[375]。

なお、送達によることとされていない書類の在外者への送付については、通常の郵便によればよいとされている[376]。

(2) 各種の送達方法

① **総説**　送達は、交付によることが原則とされている（70条の7が準用する民事訴訟法102条の2（民事裁判手続IT化改正前は101条））。

70条の9は、電子情報処理組織を使用した送達について規定する[377]。

以下では、在外者への送達の観点から平成14年改正の大きな眼目とされた外国における送達と公示送達とについて述べる。

② **外国における送達**　外国における送達は、公取委が、当該外国の管轄官庁や、当該外国に駐在する日本の大使・公使・領事に、嘱託して行う（70条の7が読み替えて準用する民事訴訟法108条）。

外国における送達には、当該外国の同意が必要だと考えられている[378]。

---

373) 日本国内の代理人に対して書類を送達する場合には、かつては名宛人欄に当該代理人名をも記すことが例とされていたが、例えば、公取委命令平成20年2月20日・平成20年（措）第2号・平成20年（納）第10号〔マリンホース〕以後、それに相当する記載はされていない。

374) 公取委決定昭和47年8月18日・昭和39年（判）第2号〔三重運賃制・打切り分〕では、書類受領権限のない代理店に対する審判開始決定書の送達が違法であるとの被審人の主張をくつがえす証拠を得るに至らなかったことを理由として、審判開始決定を取り消している。

375) 国税通則法のような信書便による送達の規定を置かなかった理由について、平成14年改正解説41～42頁。

376) 米国マイクロソフトが警告の対象となった公取委公表平成10年11月20日〔マイクロソフトブラウザ〕は、警告であるので送達の問題とはならなかったところ、警告書は郵便で送付されたとされている（小畑徳彦・同警告等解説・NBL663号（平成11年）34頁）。

377) 同条に関して、「公正取引委員会の所管する法令に係る情報通信技術を活用した行政の推進等に関する法律施行規則」（平成15年公正取引委員会規則第1号）が置かれている。

378) 平成14年改正解説42頁。マレーシア政府が同意しなかったことが明記された例として、東京高判平成28年1月29日・平成27年（行ケ）第37号〔ブラウン管サムスンSDIマレーシア〕（判決書61頁）、韓国政府が同意しなかったことが明記された例として、東京高判平成28年4月22日・平成27年（行ケ）第36号〔ブラウン管サムスンSDI韓国〕（判決書63頁）。

③　公示送達

(i)　総説　　公示送達は、送達を受けるべき者にいつでも送達書類を交付すべき旨を公取委規則で定める方法により不特定多数の者が閲覧することができる状態に置くとともに、その旨が記載された書面を公取委の掲示場に掲示し、または、その旨を公取委の事務所で閲覧をすることができる状態に置く措置をとることにより、行う（70条の8第2項）[379]。

独禁法は、70条の8において公示送達について独自の規定を置き、民事訴訟法を準用するという形式としていない。民事訴訟法110条が原則として公示送達を申立てによるものとしていることが、公取委による独禁法の法執行に馴染まないなどといった理由に基づく[380]。

公示送達書の掲示が行われたことが知られている事例としては、まず非企業結合事件について行われたと示唆される件[381]の後、BHPビリトン／リオ・ティントの企業結合事例[382]、ブラウン管事件[383]、がある。

(ii)　効力の発生　　公示送達は、公示送達書の掲示を始めた日から2週間が経過することによって、送達の効力を生ずる（同条3項）。外国においてすべき送達についてした公示送達では、6週間である（同条4項）。

---

379)　「デジタル社会の形成を図るための規制改革を推進するためのデジタル社会形成基本法等の一部を改正する法律」（令和5年法律第63号）4条による改正が施行されるより前は、公取委の掲示場に掲示する方法のみである。施行日は、令和8年6月15日までの政令指定日とされている（同法附則1条2号）。

380)　平成14年改正解説45～46頁。

381)　平成20年9月24日事務総長定例会見記録。最終的な命令に至らなかった件であると言われている。

382)　平成20年9月24日付けで、報告命令書の公示送達書が掲示されており、平成20年9月24日事務総長定例会見記録においても、そのことへの言及がある。この事件の概要は、その後、公取委公表平成20年12月3日〔BHPビリトン／リオ・ティントI〕として公表された。勘所事例集324～333頁。

383)　平成21年11月27日付けでLPディスプレイズインドネシアに対する事前手続の事前通知書に係る公示送達書、平成21年12月24日付けでサムスンSDI（韓国）に対する排除措置命令書等に係る公示送達書、平成22年2月12日付けでサムスンSDIマレーシアに対する課徴金納付命令書等に係る公示送達書、平成22年2月12日付けでLPディスプレイズインドネシアに対する課徴金納付命令書等に係る公示送達書、がそれぞれ掲示されており、著者が写真撮影して記録している。公取委の平成22年3月29日の公表資料により、公示送達による課徴金納付命令を行ったことが確認されている。

(iii) 公示送達をすることができる場合　公示送達の制度は、公示送達以外の送達方法によって送達できないことを原因として独禁法の法執行が形骸化することを避けるため、やむを得ない範囲で利用される。70条の8第1項は、そのような観点から、公示送達をするための要件を規定している。

そのうち同項2号は、外国においてすべき送達について、70条の7が読み替えて準用する民事訴訟法108条の規定（前記②）によることができず、またはこれによっても送達をすることができないと認めるべき場合には、公示送達をすることができるとしている。

一連の手続において先行する書類について民事訴訟法108条の準用による送達ができなかった場合には、それに続く書類の送達についても、2号の要件を満たす旨を述べた事例がある[384)]。

(iv) 公示送達があった旨の通知　公示送達の際に公取委は、公示送達があった旨を官報や新聞で知らせることができ、また、外国の者に対しては、それに代えて、「公示送達があったことを通知することができる」（審査規則4条、意見聴取規則4条など）[385)]。

2 公取委が保有する情報の開示

(1) 総　説

事件の処理に関連して公取委が保有する情報の開示については、情報公開法（行政機関の保有する情報の公開に関する法律）をめぐる一般的な議論があるほか、次のような問題が論ぜられている[386)]。

(2) 裁判所から公取委への文書送付嘱託等

裁判所から民事訴訟法226条による文書送付嘱託があった場合は、事業者の秘密、資料提供者への不利益、将来の事件処理への具体的支障、個人のプライバシー、などに配慮した処置を必要に応じて講じたうえで、関係資料を送付す

---

384) ブラウン管サムスンSDIマレーシア東京高判（判決書61頁）。この事件において生じた事情については、前記721頁註256。

385) BHPビリトンに対する報告命令書の公示送達においては、公示送達書を公取委掲示場に掲示したことに関する審査規則4条に基づく通知を「国際スピード郵便などの手段」によって行う予定である旨が公にされた（平成20年9月24日事務総長定例会見記録）。

386) 問題の全般にわたり具体例に詳細に取材した文献として、越知保見＝古家和典「独禁法事件の証拠収集手法の最先端」判時2242号（平成27年）。

ることとされている[387]。

民事訴訟法186条による調査嘱託、民事訴訟法218条による鑑定嘱託があった場合にも、同様の配慮をしたうえで応ずることとされている[388]。

(3) 裁判所から公取委への文書提出命令

① **総説**　損害賠償や株主代表訴訟などの民事事件の当事者が、当該民事訴訟を審理している裁判所に対し、公取委が所持する供述調書等に係る文書提出命令を申し立てることがある[389]。この場合には、文書の所持者が提出を拒むことができるものとして民事訴訟法220条4号ロが規定する、「公務員の職務上の秘密に関する文書でその提出により公共の利益を害し、又は公務の遂行に著しい支障を生ずるおそれがあるもの」に該当するか否かが問題となる。

② **別件の端緒情報が含まれている場合**　問題となる文書に、いまだ公取委が取り上げていない別件の端緒となるような情報が含まれている場合には、それが文書提出命令の対象となれば公取委の公務の遂行に著しい支障を生ずるおそれがあるとして、民事訴訟法220条4号ロに該当するとした事例がある[390]。

③ **供述者が供述を躊躇するという観点から**　上記のような観点から提出を拒むことはできない文書について、公取委は、調査の段階で作成される供述調書が文書提出命令の対象となることとなれば、供述者が供述の時点で萎縮してしまい有益な供述を得ることができなくなる、という趣旨の主張を試みている。

それに対し裁判所のこれまでの決定では、供述調書は審判事件記録の一部となることによって公開される可能性もあるのであるから、供述者は常に自らの

---

387) 損害賠償請求訴訟資料提供基準第1の2 (1)。この文書は、損害賠償請求における文書送付嘱託を主に念頭に置いた文書である。この文書が最初に作成された平成3年には損害賠償請求以外の裁判（差止請求、株主代表訴訟など）がさほど注目されていなかったことや、かつてこの文書において大きな意味を占めていた平成25年改正前70条の15に関する記述が経過措置の項目に落ちたことなどが、その原因であると考えられる。実際には、以下に見ていくように、公取委が保有する情報の開示は、損害賠償請求における文書送付嘱託だけに限られるものではない。

388) 損害賠償請求訴訟資料提供基準第1の2 (2)。

389) 形式的に正確には、文書提出命令申立ての相手方や、命令する場合の名宛人は、国となる。

390) 大阪地決平成20年9月10日・平成19年（モ）第347号〔住友金属工業株主文書提出命令申立て〕（理由第3の3 (3) イ)、神戸地決平成21年9月30日・平成20年（モ）第54号〔神戸製鋼所株主鋼橋上部工事文書提出命令申立て〕（決定書16～17頁)、大阪地決平成24年6月15日・平成23年（モ）第566号〔住友電気工業株主光ファイバケーブル製品文書提出命令申立て〕（決定書9～10頁)。

供述内容等が非公開となると期待して供述をしているわけではないのであって、公取委の反論は成り立たない、と判断したものが多い[391]。

供述者は非公開となると期待しているわけではないとする裁判所の考え方は、現実の供述者の知識や心理状態を十分に考慮できていないように思われる点で、再考の余地があるように思われる。

④　**減免申請者が減免申請を躊躇するという観点から**　減免申請に関係する文書が公取委から裁判所に提出されることになると、減免申請を検討している潜在的申請者が減免申請を躊躇するようになるのではないか、という問題がある。

公取委関係者は、公取委としては、裁判所に提出しない、という説明を行っている[392]。

このことは、その事件が国際的なカルテル事件であって、減免申請関係文書が流出すると米国等の外国での損害賠償請求等にも繋がる場合には、更に深刻な問題となる[393]。

以上のような問題について、日本の裁判所が正面から判断した事例は登場していないようである[394]。

---

391)　東京高決平成19年2月16日・平成18年（ラ）第1437号〔五洋建設供述調書等文書提出命令申立て〕、住友金属工業株主文書提出命令申立て大阪地決（理由第3の3（3）ア）、神戸製鋼所株主鋼橋上部工事文書提出命令申立て神戸地決（決定書15〜16頁）、住友電気工業株主光ファイバケーブル製品文書提出命令申立て大阪地決（決定書10〜11頁）。

392)　令和元年改正減免解説87〜89頁。公取委としては提出しない、ということであり、民事訴訟法220条4号ロに該当することを公取委として期待している、という趣旨であろう。

393)　川合弘造「近時の公正取引委員会審査局長の米国裁判所宛送付文書を巡って」公正取引725号（平成23年）。

394)　住友電気工業株主光ファイバケーブル製品文書提出命令申立て大阪地決は、減免申請関係文書については、証拠調べの必要性がないとして命令しないこととし（決定書8〜9頁）、減免制度を念頭に置いた判断はしなかった。また、住友電気工業のワイヤーハーネスをめぐる株主代表訴訟では、この問題が正面から争われていたが基本事件が和解で終了した（大阪地裁平成24年（ワ）第10738号）。

第16章
刑　罰

第1節　総　説

独禁法違反行為に対する制裁的な法執行として、課徴金と並び、刑罰が置かれている。課徴金制度の制裁的性格を強めることにより、刑罰制度を廃止し課徴金制度に一本化すべきであるとの立法論も有力に唱えられているが、刑罰がもつ感銘力にその存在意義を見出そうとする見解もまた根強い。刑罰制度と課徴金制度とが並存することを憲法上どう考えるかについては、課徴金制度の箇所で論じた（前記715〜718頁）。

第2節　刑事手続法

1　総　説

独禁法の罪をめぐる手続については、当然のことながら刑事手続法一般の定めが原則として妥当するが、独禁法の罪の主要なものが公取委の告発を訴訟条件としていることなどがもたらす独禁法に特有の諸問題も存在する。以下では、それらを中心に述べる[1)]。

1）以下に述べるほか、刑事訴訟法350条の2の合意制度の対象となる「特定犯罪」には、独禁法の罪も含まれ（同条2項3号に基づく「刑事訴訟法第三百五十条の二第二項第三号の罪を定める政令」（平成30年政令第51号）3号）、また、刑法96条の6の競売等妨害罪・談合罪も含んでいる（刑事訴訟法350条の2第2項1号）。

2 告発前

(1) 公取委による調査

刑事事件に繋がる公取委の調査は、平成17年改正前は専ら行政調査権限によって行われていたが、改正後は、基本的に、犯則調査権限によって行われる（前記656〜663頁）。

(2) 検察官による告発前捜査

後記3(1)の専属告発の対象となる89条〜91条の罪について、公取委による告発の前に、検察官が捜査をすることは許されるか。

告発を訴訟条件とする関税法違反等について、許されるとした判例がある[2)]。訴訟条件が満たされるか否かと捜査着手の要件が満たされるか否かとは別問題である、という理由であり、これは独禁法89条〜91条の罪についてもあてはまるであろう[3)]。

許されるからといって、節度なく捜査を行ってよいというわけではない。専属告発の制度の趣旨が、公取委の判断を尊重することにあるのだとすれば、公取委との協調体制を重視しながら行われるべきこととなろう[4)]。

3 告　発

(1) 専属告発

89条〜91条の罪については、公取委による告発が訴訟条件となっている（96条1項）。このことは、「公取委の専属告発」などと呼ばれる[5)6)]。

その趣旨としては、違反事件について行政処分にとどめるか告発を行うかの

---

2) 最決昭和35年12月23日・昭和34年（あ）第1049号〔関税法等違反告発前捜査〕。

3) 落合俊和＝安達敏男「独禁法違反事件の刑事告発をめぐる諸問題」司法研修所論集88号（平成5年）41〜43頁。

4) 落合＝安達・前記註3・43頁。

5) 最決平成15年1月14日・平成13年（あ）第884号〔中村喜四郎議員斡旋収賄〕は、公取委のみが裁量により告発をすることができるという制度であることを背景として、「公務員が、請託を受けて、公正取引委員会が同法違反の疑いをもって調査中の審査事件について、同委員会の委員長に対し、これを告発しないように働き掛けることは、同委員会の裁量判断に不当な影響を及ぼし、適正に行使されるべき同委員会の告発及び調査に関する権限の行使をゆがめようとするものであるから」、刑法197条の4の「あっせん収賄」にあたると判示した。

6) このほか、差止請求訴訟における秘密保持命令違反の罪が、親告罪となっている（94条の3第2項）。平成21年改正解説158頁、159頁。

判断は、経済構造や企業行動に関する専門的知見をもつ公取委のみが行うのが適切であるから、とされる[7]。

専属告発であるため、刑事訴訟法238条2項が準用する同条1項の、いわゆる「告訴不可分の原則」を被ることになる。同条2項に注目すれば「告発不可分の原則」ということになろう。すなわち、共犯の1人または数人に対してした告発は、他の共犯に対しても効力を持つので、公取委が共犯の1人または数人について告発すれば、検察官は、他の共犯についても起訴することができる[8]。もっとも、公取委は、そのような場合、起訴されようとする他の共犯についても追加で告発を行うことにより、告発の対象と起訴の対象とがなるべく一致するようにしているようである。

(2) 告発義務

74条1項・2項は、独禁法上の犯罪に関して公取委に告発義務があることを定めている。告発の相手方は検事総長である。1項が、犯則調査により犯則の心証を得た場合について[9]、2項が、それ以外の場合について、それぞれ規定している[10][11]。

この規定は、89条以下に掲げられた独禁法の違反法条に該当する事件の全てを告発すべきことを定めたものではなく、犯罪として刑事責任を問うべきものは告発しなければならないことを定めたものだと理解するのが、現実的である。つまり、条文上は、例えば74条1項の「犯則」については、不当な取引制限などの違反要件を満たすということよりも狭く、不当な取引制限などのうち犯罪として刑事責任を問うべきもののみを指すものと理解することになる。

---

7) 平成15年独占禁止法研究会報告書第1部第3の1 (2)。

8) 告発不可分の原則と減免制度との関係について、前記356頁。

9) 犯則調査は、89条～91条の罪のみを対象としてなされる（101条1項）。

10) 平成17年改正後も行政調査から直ちに刑事告発をすることが禁止されているわけではなく、その際には74条2項によることになる。しかし現実問題としては、種々の議論を経て導入された犯則調査の仕組みを用いずに89条～91条の罪の刑事告発をする可能性は高くない。

11) 74条1項が犯則の「心証を得たときは」とし、同条2項が犯罪が「あると思料するときは」としているのは、単に、前者が証券取引法226条1項（平成18年法律第65号による改正後は金融商品取引法226条1項）の文言にならい、後者が平成17年改正前独禁法73条1項の文言を引き継いだからであるにすぎず、それ以上の深い意味はないものと思われる。

(3) 告発基準

公取委は、どのような事件について告発を行うかについて、基準を公表している[12)]。

告発対象となる違反行為としては、以下の2つが掲げられている。第1は、「一定の取引分野における競争を実質的に制限する価格カルテル、供給量制限カルテル、市場分割協定、入札談合、共同ボイコット、私的独占その他の違反行為であって、国民生活に広範な影響を及ぼすと考えられる悪質かつ重大な事案」であり[13)]、第2は、「違反を反復して行っている事業者・業界、排除措置に従わない事業者等に係る違反行為のうち、公正取引委員会の行う行政処分によっては独占禁止法の目的が達成できないと考えられる事案」である[14)]。これらはいずれも、平成2年の告発方針[15)]を踏襲したものである。

上記のように、主に、ハードコアカルテルが念頭に置かれている。「私的独占」も、条文上は刑罰の対象となり得るので（89条）、告発対象違反行為として書き込まれている[16)]（後記768頁）。

告発対象となる事件において違反行為を行った事業者やその自然人従業者であっても、減免制度により、告発されない場合がある（前記355〜356頁）[17)]。

---

12) 東京高判平成5年5月21日・平成3年（の）第1号〔業務用ストレッチフィルム〕は、このような基準の背景をなす公取委の裁量権について詳細に論じている（高刑集46巻2号の128〜132頁、審決集40巻の761〜763頁、裁判所PDF 7〜8頁）。

13) 告発犯則調査方針1(1)ア。

14) 告発犯則調査方針1(1)イ。

15) 公正取引委員会「独占禁止法違反に対する刑事告発に関する公正取引委員会の方針」（平成2年6月20日）。

16) 平成21年10月23日の告発犯則調査方針の改正の際、「私的独占」を明示するよう改められた。

17) 刑事告発の対象とされた事件で、通常は告発より後に行われる公取委の命令においては違反者とされ、しかも減免申請をしていないような者であっても、告発されないということはあり得る。例えば、落札していないために課徴金納付命令を受けていないと窺われる違反者が告発を免れた例がある。公正取引委員会「東日本高速道路株式会社東北支社が発注する東日本大震災に係る舗装災害復旧工事の入札談合に係る告発について」（平成28年2月29日）と公取委命令平成28年9月6日・平成28年（措）第9号・平成28年（納）第27号〔東日本高速道路東北支社発注舗装災害復旧工事談合〕の対比（奥村組土木興業）。他方で、課徴金納付命令を受けていない者であっても、主導による加重算定率の適用要件（令和元年改正後では7条の3第2項）を満たしていたとみられる場合に告発を受けた例がある。公正取引委員会「独立行政法人鉄道建設・運輸施設整備支援機構が発注する北陸新幹線融雪・消雪基地機械設備工事の入札談合に係る告発に

(4) 告発問題協議会

告発にあたって、公取委と検察当局は、公取委の犯則審査部長以下の担当官および最高検察庁財政経済係検事以下の検事で構成される「告発問題協議会」を開催し、当該個別事件に係る具体的問題点等について意見や情報の交換を行うこととされている[18]。

(5) 告発の時期

告発と、排除措置命令・課徴金納付命令やそれらの事前手続と、の間での先後については、規定はない。実際には、告発を行って初めて公取委内部での犯則調査部門から行政調査部門への引継ぎを行い、それから行政調査部門が排除措置命令や課徴金納付命令に向けた調査を行うのが、通例のようである。

(6) 告発状の方式

専属告発である告発は、文書をもって行う（96条2項）。告発状には、刑事訴訟規則58条の適用または準用により、委員長の署名押印が必要である[19]。

4　捜査と起訴

(1) 情報・資料の引継ぎ

公取委からの告発に伴う公取委から検察当局への情報・資料の引継ぎについては、公取委による調査の箇所で述べた（前記659頁）。

(2) 起訴・不起訴

89条～91条の罪であるかその他の規定の罪であるかにかかわらず、公取委からの告発を受け、しかし検察官の訴追裁量のもとで不起訴と決定した際には、

ついて」（平成26年3月4日）と公取委命令平成27年10月9日・平成27年（措）第8号・平成27年（納）第16号〔北陸新幹線消融雪設備工事談合〕の対比（新日本空調）。なお、舗装災害復旧工事の事件では、課徴金納付命令を受けた常盤工業も告発を免れているが、これは、特殊な事情によるものと推測される（前記289頁註190）。

18）告発犯則調査方針3。公正取引委員会「告発問題協議会の設置等について」（平成3年1月10日）の内容を実質的にそのまま引き継いだものである。

19）最判昭和59年2月24日・昭和55年（あ）第2153号〔石油製品価格協定刑事〕（刑集38巻4号の1317頁、審決集30巻の262頁）。同判決は、公取委の記名と庁印の押捺のみで委員長の署名押印がない告発状について、方式上の瑕疵があるとしつつ、同事件での告発状を全体として観察すれば当該告発状が公取委の真意に基づき作成されたものであることを容易に推認できることを理由に、同事件での方式上の瑕疵は訴訟法上の効力に影響を及ぼさないとした。詳細には、木谷明・同判決調査官解説・最判解刑事篇昭和59年度147～150頁。

検事総長は、法務大臣を経由して内閣総理大臣に対し、不起訴の旨と理由を報告しなければならない（74条3項）。告発人に対する起訴・不起訴の通知については、刑事訴訟法260条に一般的な定めがあるところ、独禁法74条3項は、不起訴の場合について特則を置いている、ということになる。この規定については、運用論や立法論など種々の観点から様々な指摘がされている[20]。ともあれ74条3項が検察官の恣意的裁量に対する牽制力として十分であると考えられているため、不起訴の場合でも検察審査会への審査の申立てをすることはできないこととされている（検察審査会法30条）[21]。

5　管轄裁判所

89条〜91条の罪については、第1審の裁判権が地方裁判所に属すると定められ（84条の3）[22]、しかも、ある地方裁判所が刑事訴訟法2条の一般原則によって管轄権を持つ場合にはその地域の高等裁判所の所在地である地方裁判所と東京地裁も管轄することができることが定められている（84条の4）。平成17年改正前は第1審の裁判権が東京高裁に属するとされていたのを（改正前85条3号）、改めたものである[23]。

なお、排除措置命令違反に対する過料（97条）および緊急停止命令違反に対する過料（98条）の事件は、東京地裁の専属管轄とされている（85条2号）。

20）例えば、岩村修二「独占禁止法の抑止力強化の動向について」判タ737号（平成2年）38〜39頁、落合俊和＝安達敏男「独禁法違反事件の刑事告発をめぐる諸問題」司法研修所論集88号（平成5年）44〜46頁。

21）平成17年改正解説45頁。

22）95条によって業務主が起訴される場合には、95条に罰金刑しか法定されていないため、84条の3がなければ、裁判所法24条2号および同法33条1項2号により、簡易裁判所が第1審の裁判権をもつこととなる。このような場合にも地方裁判所が第1審となるというのが、84条の3の第一義的な存在意義である（東京高裁を第1審としないことそれ自体は、平成17年改正前85条3号を削ったことによって実現した）。

23）以上のような改正の趣旨として、平成15年独占禁止法研究会報告書第1部第3の1（3）。

第3節　刑事実体法

1　総　論

(1)　刑法総則の適用

独禁法違反の罪については、独禁法典に特別の規定がない限りは刑法第1編総則が適用される（刑法8条）。

(2)　自然人を出発点とする発想

非刑事的な法執行を事実上の中心に据える独禁法について、刑事法の観点から考察するとなると、種々の電位差が生ずることとなるが、その最たるものは、適用対象として第一義的に想起するものが異なり、その論理的帰結として、同種に見える問題においても発想の違いが影響する、という点である。

第1に、第一義的な適用対象として想起するものが、事業者や事業者団体であるのか、それとも自然人であるのか、という違いがある。独禁法の非刑事的な法執行においては、基本的には、事業者や事業者団体が自ら行為を行っているという観念を当然の前提とし、事業者や事業者団体を名宛人とした命令をして、排除措置をとらせたり課徴金を納付させたりする。それに対して刑事法は、行為というものは自然人にしか見出せないという観念を前提とする思考枠組みが根強く、第一義的には自然人のみを適用対象とする。両罰規定がない限り、非自然人には刑罰が適用されない。

第2に、同じく事業者や事業者団体を適用対象とする場合にも、発想が異なるので、具体的な解釈問題に差が生ずる場合がある。非刑事的な法執行では、上記のように、事業者や事業者団体そのものが独禁法に違反したので命令を行う、という発想をする。それに対して、両罰規定によって事業者や事業者団体を適用対象とする場合には、第一義的適用対象である自然人の選任監督その他違反行為の防止に必要な注意を尽くさなかったことに問題がある、とする発想が根強い（後記(3)）。例えば、非刑事的な法執行との関係では事業者の違反行為は継続しているが、刑罰との関係では事業者の犯罪は自然人の犯罪と一体となって過去に終了した、という場合があり得る（前記257〜258頁）。

(3)　両罰規定

① **総説**　　95条はいわゆる両罰規定となっている。独禁法の罪の規定の多

くは、事業者や事業者団体などが行うこととなっている違反類型を引用しながら作文され、しかし第一義的には自然人を適用対象と想起する、というのであるから、そこには既にねじれがある。そのねじれを補正するために95条の両罰規定が置かれている[24]。以下では、95条の文言にならい、対象となっている罪を定める89条等の条を「本条」と呼ぶ。

② **95条の機能**　95条の機能を確認するにあたって、まず、本条の罪について、95条がない状態ではどうなるかを考えると、そのような場合には、自然人であって、かつ、本条が要求する事業者や事業者団体などという身分を満たす者でなければ、処罰できない。典型的には自然人事業者である。

そこで、95条の次のような機能が発揮される。

第1に、本条の身分は満たすが非自然人である、というものについて、処罰し得ることを認めている。その処罰の根拠は、選任、監督その他違反行為を防止するために必要な注意を尽くさなかったことに求める発想が根強い[25]。

第2に、自然人ではあるが本条の身分を持たない、という自然人従業者でも構成要件を満たすよう拡張している。すなわち、それらの者が、法人、自然人、または法人でない団体の「業務又は財産に関して」違反行為をした場合には「行為者を罰する」としている。したがって、例えば不当な取引制限の罪によって自然人従業者を処罰するには、89条だけでなく95条をも適用法条としなければならない[26]。

---

24)　95条について詳しくは、佐伯仁志・注釈835～837頁。法人処罰の問題について一般的には、佐伯仁志「法人処罰に関する一考察」松尾浩也先生古稀祝賀論文集上巻（有斐閣、平成10年）、樋口亮介『法人処罰と刑法理論』（東京大学出版会、平成21年）。

25)　自然人事業者について最大判昭和32年11月27日・昭和26年（れ）第1452号〔旧入場税法両罰規定〕（刑集11巻12号の3116頁、裁判所PDF 2頁）、法人事業者について最判昭和40年3月26日・昭和38年（あ）第1801号〔外為法両罰規定〕（刑集19巻2号の87頁、裁判所PDF 4頁）。これらの判決は、立証負担についても述べている。すなわち前者の判決によれば、「事業主として右行為者らの選任、監督その他違反行為を防止するために必要な注意を尽さなかつた過失の存在を推定した規定と解すべく、したがつて事業主において右に関する注意を尽したことの証明がなされない限り、事業主もまた刑責を免れ得ないとする法意と解するを相当とする」（刑集11巻12号の3116頁、裁判所PDF 2頁）。樋口亮介・昭和32年判決評釈・宇賀克也ほか編『行政判例百選Ⅰ〔第6版〕』（別冊ジュリスト211号、平成24年）238～239頁。

26)　最判昭和59年2月24日・昭和55年（あ）第2153号〔石油製品価格協定刑事〕（刑集38巻4号の1312～1313頁、審決集30巻の258頁）。詳細には、木谷明・同判決調査官解説・最判解刑事篇昭和59年度130～133頁。本書では、「行為者」という言葉を別の意味で用いてきている

第3に、自然人事業者について、自らが行為をした場合に本条によって処罰可能であるだけでなく、自然人従業者の業務主としても処罰し得ることを認めている。

第4に、自然人従業者の罰金刑とは異なり、業務主について罰金の多額を大きくしているものがある[27]。本書では「業務主重科」と呼ぶ[28]。具体的には、89条の罪に関する5億円（95条1項1号・2項1号）、90条3号の罪の一部に関する3億円（95条1項2号・2項2号）、94条の罪に関する2億円（95条1項3号・2項3号）、である。このような切り離しを行い得る根拠は、上記第1点で見たように、自然人従業者としての刑事責任と業務主としての刑事責任とではその根拠が異なることに求められる[29]。そこで、抑止力や感銘力の観点からそれぞれ別個に刑を規定することとなり、責任を問われる業務主は規模がかなり大きい場合が多いという認識を背景として、罰金の多額が高く設定されている[30]。自然人事業者が業務主として処罰される場合も、条文上、区別していない。資力が非自然人違反者と同程度である例が少なくないためであるとされ、ただ、実際の量刑において個々の事案の妥当な解決が図られるであろう、とされている[31]。

③　**合併の場合**　　95条による会社の刑事責任は、会社が合併により消滅した場合には、問われない[32]。

④　**公訴時効期間**　　不当な取引制限などを対象とする89条の罪について両罰規定が適用される場合、公訴時効期間は5年である（95条4項、刑事訴訟法250条2項5号）[33]。89条の罪それ自体の公訴時効期間が5年であるため、それ

ので（前記22頁）、混乱を避けるために、95条の意味での「行為者」は、本書では「自然人従業者」と表現することにする。

27）切り離しが最初に行われた平成4年改正の解説として、岩村修二「法人罰金重課に係る法改正とこれをめぐる問題点」判タ809号（平成5年）。

28）業務主の多くは法人であるため、「法人重科」または「法人重課」とも呼ばれる。

29）西田典之「独占禁止法における刑事罰の強化について」経済法学会年報13号（平成4年）78〜82頁。

30）岩村・前記註27・38〜39頁。

31）岩村・前記註27・39頁。

32）最判昭和59年2月24日・昭和55年（あ）第2153号〔石油製品価格協定刑事〕（刑集38巻4号の1323〜1327頁、審決集30巻の266〜269頁）。

33）94条の3の秘密保持命令違反の罪について両罰規定が適用される場合にも、89条の罪と同様

にあわせたものである。

それ以外の場合は、両罰規定は罰金刑のみを規定しているため、公訴時効期間は3年である（刑事訴訟法250条2項6号）。

(4) 三罰規定

95条の2と95条の3は、自ら違反行為をしたわけではない一定範囲の自然人についての罰金刑を規定している。いわゆる三罰規定である[34]。

処罰対象となり得る自然人は、法人の代表者（95条の2）と、事業者団体の役員、管理人、または構成事業者（95条の3第1項）、である。役員・管理人・構成事業者が団体である場合は、当該団体の役員や管理人を処罰対象とする（95条の3第2項）。

違反の計画または違反行為を知り、防止・是正に必要な措置を講じなかったことが要件となる。

(5) 国際的な事案に係る刑罰

① **総説**　国際的な事案について刑罰を科する場合にも、実体法上の問題と手続法上の問題、そしてそれらにまつわる実務上の問題などが交錯することになる。以下では、実体法上の問題に絞る[35]。

② **国内犯にあたるか**

(i) 総説　独禁法違反の罪は、国外犯を罰する罪として法定されていないので、国内犯の場合にのみ犯罪として成立する（刑法1条、8条）。

国内犯とは、構成要件の一部をなす行為が日本国内で行われ、または、構成要件の一部である結果が日本国内で発生するものをいうとされている[36]。

結果の発生が犯罪成立の要件とされていない危険犯の場合にも、その趣旨に

の特則が適用される（95条6項）。

34) これらについて詳しくは、佐伯仁志・注釈838～840頁。

35) 手続法上の問題あるいは実務的な問題を多面的に指摘する文献として、川合弘造「独占禁止法の海外企業・外国人への執行と課題」西村利郎先生追悼論文集『グローバリゼーションの中の日本法』（商事法務、平成20年）484～491頁。川合弘造「域外企業の企業結合に対する日本の独占禁止法の適用」NBL905号（平成21年）54頁は、届出義務や命令遵守義務が刑罰によって担保されているというのではむしろそれが実体法的にも手続法的にも重すぎ、かえって法的義務の実効性にとっての足枷となっている、と指摘して、行政制裁の活用を検討するよう提唱する。

36) 古田佑紀＝渡辺咲子「第1条（国内犯）」大塚仁他編『大コンメンタール刑法〔第3版〕第1巻』（青林書院、平成27年）83頁。

鑑みれば、予定された危険が日本国内で現実化した場合には構成要件の一部である結果が日本国内で発生した場合と同様に取り扱ってよいのではないかとの有力な説が唱えられている[37)]。

以下、国際事件においてしばしば議論の対象となってきた罪に絞って若干のことを述べる。

(ii) 不当な取引制限や私的独占などの罪の場合　89条の不当な取引制限や私的独占などの罪（後記**2**(2)）の場合には、競争の実質的制限という結果の発生が構成要件となっているので、国内犯とみてよいように思われる[38)]。供給者が全て外国に所在している場合には結果は国外で起こっている、と受け止める向きもあるが、市場とは供給者と需要者とから成るというのが独禁法の基本中の基本であり（前記45頁）、影響を受ける需要者が国内に所在していれば、国内で結果が発生したというに十分であるように思われる。

(iii) 確定排除措置命令違反の罪の場合　90条3号の確定排除措置命令違反の罪（後記**2**(3)）の場合はどうか。排除措置命令では特定の行為をすることやしないことを命令していることが多く、名宛人が外国に所在している場合には国内犯とすることはできないようにも見える。もっとも、危険犯であっても危険が日本国内で現実化した場合には国内犯と見ることができるという前記(i)の有力説に従えば、通常の排除措置命令に違反する行為も国内犯とすることができるかもしれない。また、排除措置命令の主文において、行為によって国内での結果をもたらすことを禁止するというような形で命令を仕組んでおけば、国内犯に関する原則的な考え方によっても国内犯とすることができる。

(iv) 届出義務違反や報告命令違反の場合　91条の2の届出義務違反や、94条1号の報告命令違反の場合には、これによって生ずる日本国内での危険というものを観念することが簡単ではなく、国内犯とするのは簡単ではない。

---

37) 古田＝渡辺・前記註36・85頁。

38) 他方、独禁法上の行為要件を満たす行為が日本で行われても、弊害の発生する市場の需要者が専ら国外に所在している場合には、自国所在需要者説を採るならば、国内犯に該当するか否かよりも以前の問題としてそもそも日本独禁法に違反しないことになるから（前記206〜214頁）、当該行為は日本独禁法違反の罪の対象とはならないことになる。

2 各　論

(1) 総　説

以下では、95条を除く罰則規定のうち主なものとして89条と90条3号について各論的に叙述する。いずれも、両罰規定において業務主重科が行われているものである。

なお、93条の秘密漏洩・窃用の罪については委員長・委員・職員の規律の箇所で（前記638〜639頁）、94条の行政調査の拒否等の罪については行政調査の箇所で（前記650頁）、それぞれ触れた。

(2) 89条

① 不当な取引制限の罪　独禁法の罪に関する既存のほとんどの事例や議論は、89条1項1号の不当な取引制限の罪を念頭に置きながら行われてきた。議論されてきた論点の多くは、刑罰に特有のものというよりも、独禁法の違反要件論に関するものが多い（前記第7章）。

不当な取引制限の罪は、刑法96条の6の談合罪と重なるところが多いが、いずれの罪にも特色がある。不当な取引制限の罪は、談合罪と異なり、法定刑がやや高めであり、両罰規定も備えている。談合罪は、不当な取引制限の罪とは異なり、公取委による告発を訴訟条件としていない。

不当な取引制限の罪のうち特に入札談合については、通常の公取委命令事件との兼合いで、違反要件等について議論がある（前記第7章第5節）。

② 私的独占の罪　89条1項1号の私的独占の罪については、これまで事例もなく、ほとんど論ぜられていないが、不当な取引制限と同様に競争が停止された事件であるものの事案の性質により私的独占という構成が採られざるを得ない事件などにおいては（前記361〜362頁）、悪性において不当な取引制限の事件と懸隔がなく、告発事件が現れても不思議ではない[39]。

③ 8条1号違反の罪　89条2号は、8条1号違反の罪を定める[40]。

---

39) 米国司法省当局者が、令和4年（2022年）春頃から、日本の私的独占に相当するシャーマン法2条においても刑罰を活用していく旨を述べるようになった。ハードコアカルテルについて刑罰を頻繁に用いている米国において、他者排除行為などの単独行為にまで刑罰の対象を広げるのか、それとも結局は、実質的には一方的な拘束にとどまるハードコアカルテル（前記361〜362頁）だけに限定されるのか、今後の動きが注目される。

40) 事例として、東京高判昭和55年9月26日・昭和49年（の）第1号〔石油製品生産調整刑事〕。

ある1つの事件において不当な取引制限と8条1号違反のいずれを選ぶか、重畳適用があり得るか、については別の箇所で述べた（前記224頁）。

④　**未遂罪**　　89条では、同条2項により、未遂罪も罰せられる[41]。

⑤　**法定刑**　　法定刑としては拘禁刑[42]と罰金とが定められており、92条により拘禁刑と罰金の併科をすることも認められている。

ただ、実際の量刑においては、実刑が科されたことはなく全て執行猶予が付されており[43]、しかも、自然人に罰金刑を科した事例もない。

このほか、特許等の取消しや政府との契約の停止（100条）[44]、事業者団体の解散（95条の4）、を宣告し得ることとなっているが、実際の宣告例はない。

89条の罪は両罰規定の対象であり、しかも罰金の多額について業務主重科が規定されて、多額が5億円とされている（95条1項1号・2項1号）。

⑥　**罪数**

（i）89条の罪と談合罪の関係　　89条の罪と刑法96条の6の談合罪とは、観念的競合の関係にあるとされる[45]。もっとも、両罰規定のない談合罪の要件

41）不当な取引制限の罪の場合は、意思の連絡があった時点で通常は既遂となるとする最高裁判決がある（前記249〜251頁）。

42）懲役と禁錮を統合して拘禁刑とするのに伴い、独禁法の条文における「禁錮」と「懲役」も全て「拘禁刑」に改められる。刑法等の一部を改正する法律の施行に伴う関係法律の整理等に関する法律（令和4年法律第68号）94条による独禁法改正。同法附則1項により、令和7年6月16日までの政令指定日から施行される。

43）平成21年改正により、89条の拘禁刑（前記註42の改正より前の呼称は懲役）の長期（いわゆる最高刑）が3年から5年に改められた。刑法25条が、個別の事件における拘禁刑が3年以下である場合には執行を猶予することができる、と規定していることとの関係で、拘禁刑の長期が5年となるから実刑判決が出るようになる、と伝える文献等も存在した。しかし、拘禁刑の長期が3年以下でも実刑判決が出る可能性はあるし、他方で、拘禁刑の長期が5年となっても、個別の事件での量刑が3年以下であれば、刑法25条により執行猶予を付することができる。現に、平成21年改正の施行後も、執行猶予付きの拘禁刑しか、宣告されていない。むしろ、日本の独禁法分野では、日本と米国の両方の需要者に影響を及ぼした事件において、実刑の確率の高い米国に対する犯罪人引渡しが求められることがあるか否かが、注目点となっている。例えば、木目田裕＝平尾覚「国際カルテル事案における逃亡犯罪人引渡手続をめぐる問題点」公正取引749号（平成25年）、梅林啓「カルテル事案における米国の刑事処罰」NBL999号（平成25年）。

44）100条は、特許等が「犯人」に属している場合に限る、としているが、この「犯人」は、自然人従業者のほか、共犯者を含み、両罰規定により処罰されるものを含むのであって、共犯者は起訴されていなくても構わない、とされる（小木曽152頁）。

45）青柳文雄・神戸市発注工事談合判決調査官解説・最判解刑事篇昭和32年度629頁。平成17

を法人が満たすことはないから、観念的競合を論じ得るのは自然人事業者や自然人従業者に限られる。

(ii) 基本合意と個別調整の関係　入札談合の基本合意とそれに基づく個別調整とがいずれも実行行為とされた場合には、包括一罪とされる[46)]。

(iii) 併合罪とされる事例　以下のような事例において、罰金の上限額が大きくなる併合罪が取り沙汰される（刑法45条、48条2項）。

複数の年度にわたって連続して基本合意・個別調整が行われた場合には、各年度の罪が併合罪とされるのが通例となっている[47)]。もちろん、それに必要な事実認定がされるのであればその処理は当然と言えようが、大局的に見た場合、基本合意を年度ごとに細切れに認定する慣行が状態犯説への対策として生まれたものであるのだとすれば（前記259〜260頁）、かりに継続犯説を採るのであればそのような慣行を見直してもよいのではないかとも思われる。

その他、複数の発注者ごとの複数の基本合意が同一の機会に行われた事案において、それぞれの個別調整の主体、日時、場所が異なっていることを理由に、個々の発注者をめぐる事件が併合罪の関係に立つとされた事例がある[48)]。

⑦ **公訴時効期間**　法定刑が以上のようなものであるため、89条の罪の公訴時効期間は5年である（刑事訴訟法250条2項5号）。

⑧ **国内犯か否か**　不当な取引制限の罪が国内犯と言えるか否かという問題については、別の箇所で述べた（前記766〜767頁）。

(3) 確定排除措置命令に違反する行為

① **総説**　90条3号は、確定した排除措置命令に違反する罪を定め

年改正前は、不当な取引制限の罪の第1審の裁判権が東京高裁にあったために（前記762頁）、談合罪との調整には複雑な手続上の問題が存在した（小木曽67頁）。改正後は、84条の4という特則はあるものの、不当な取引制限の罪の管轄も基本的には談合罪と同一とされたので（84条の3）、さほどの問題はなくなったものと思われる。

46) 東京高判平成16年3月24日・平成11年（の）第2号〔防衛庁発注石油製品談合刑事〕（審決集50巻の965〜966頁）、東京高判平成19年9月21日・平成17年（の）第1号〔鋼橋上部工事談合刑事宮地鐵工所等〕（審決集54巻の780頁）。勘所事例集292〜293頁。

47) 東京高判平成9年12月24日・平成9年（の）第1号〔水道メーター談合Ⅰ刑事〕では、結論の帰趨は事案によって異なるとしたうえで、当該事案においては各基本合意が翌年度まで有効であるか否かは定かでなかったなどの事情を認定して、年度ごとに罪が成立し全体として併合罪となる、と判示した（高刑集50巻3号の197〜199頁、審決集44巻の778〜779頁）。

48) 鋼橋上部工事談合刑事宮地鐵工所等東京高判（審決集54巻の781〜782頁）。

る[49)50)51)]。排除措置命令の実効性を高めようとするものである。

確定排除措置命令違反について刑事責任を問うためには、排除措置命令の内容が具体性をもっていることなどが必要である、とされる[52)]。

課徴金納付命令に違反する行為は、90条3号の適用対象外であり[53)]、専ら69条による執行に期待することになる。

② 法定刑

(i) 総説　法定刑としては拘禁刑と罰金とが定められており、92条により拘禁刑と罰金の併科をすることも認められている。このほか、特許等の取消しや政府との契約の停止(100条)、事業者団体の解散(95条の4)、を宣告し得ることとなっている。

(ii) 両罰規定　90条3号の罪は両罰規定の対象である(95条1項2号・4号、2項2号・4号)。

平成17年改正により、90条3号の罪の一部については、罰金の多額について業務主重科が規定され、多額が3億円とされている(95条1項2号・2項2号)。排除措置命令の実効性を更に高めようとするものである。

不公正な取引方法や8条2号以下の違反行為に関する確定排除措置命令違反行為については、不公正な取引方法や8条2号以下の違反行為それ自体についての罰金が存在しないかあるいは業務主に対して重科されていないので、以下のような問題は生じず、全ての場合について罰金の多額は3億円となる。

それに対し、私的独占・不当な取引制限・8条1号違反行為に関する確定排除措置命令違反行為については、以下のように、複雑である。

私的独占・不当な取引制限・8条1号違反行為に対する排除措置命令のうち、排除措置命令の時点まで行われていた「違反する行為の差止めを命ずる部分」に違反した場合は、89条に定める罰金刑しか科せられない(95条1項4号・2

49) 過去の事例として、東京高判昭和46年1月29日・昭和45年(の)第1号〔三愛土地〕がある。独禁法の特例法とされていた時代の景表法の排除命令に違反した事例である。

50) 平成17年改正までは、審決という形式で排除措置命令をしていたので、その時期の文献では確定審決違反行為などとして論ぜられている。

51) 90条3号において排除措置命令とあわせて定められている競争回復措置命令とは、独占的状態規制に関するものであり、これまで命令の例がない。

52) 小木曽78頁。

53) 97条の過料の対象ともなっていない。

項4号)[54]。悪性の強いものほど罰金の多額が少ないというやや不自然な規定に見えるが、そのような排除措置命令違反行為は、むしろそれ自体を新たな私的独占・不当な取引制限・8条1号違反行為として95条1項1号・2項1号により罰金の多額を5億円とする方向で訴追すべきである、という考えに基づくもののようである[55]。

そうであるとすると、「違反する行為の差止めを命ずる部分」に違反するとは、つまり、排除措置命令の当時現に行われている違反行為をやめることを命ずる部分のみを指すのであって、将来の同種の行為を禁止する命令は含まない、と解される。そのように解さなければ、既往の違反行為に対する排除措置命令(7条2項、8条の2第2項)に違反した者が将来の同種の行為を禁止されそれに違反した場合には文理上当然に罰金の多額が3億円となることとの整合性が失われる。もっとも、このように、将来の同種の行為を禁止する命令に違反する行為についてはいずれにせよ罰金の多額が3億円となるというのであれば、以上のような複雑な区分をすること自体の立法論上の意味が、あらためて問われざるを得ない[56]。

③ **公訴時効期間**　法定刑が以上のようなものであるため、90条3号の罪の公訴時効期間は3年である(刑事訴訟法250条2項6号)。

④ **国内犯と言えるか**　国際的な色彩を持つ確定排除措置命令違反の罪が個々に国内犯と言えるか否かという問題については、別の箇所で述べた(前記766〜767頁)。

⑤ **排除措置命令違反についての過料**

(i) 総説　排除措置命令違反については過料の定めもある(97条)。過料は行政罰であるので、排除措置命令の名宛人が非自然人である場合であって

---

54) したがって、再発防止のための命令や、採った措置についての公取委への報告に関する命令に対する違反に関しては、私的独占・不当な取引制限・8条1号違反行為に対する排除措置命令であっても、罰金の多額が3億円となる。また、既往の違反行為に対する排除措置命令の場合には、どのような命令に対する違反であっても、罰金の多額が3億円となる。

55) 平成17年改正解説168〜169頁。

56) かりにこの区分が、「違反する行為の差止めを命ずる部分」に違反する行為が不当な取引制限の罪と確定排除措置命令違反の罪の併合罪と解されて罰金の多額が8億円となることを予防的に避けようとしたのであれば、同様の解釈がされる可能性のある将来の同種の行為を禁止する命令についても同様の区分を施して初めて、論理が一貫するはずである。

も、非自然人に対して過料を科することになる。

過料のための手続は非訟事件手続法に従って進められるが、東京地裁の専属管轄となっている（独禁法85条2号）[57][58]。

排除措置命令違反行為があっても、違反行為の態様、程度その他諸般の事情を考慮して、処罰を必要としないと認めるときは、処罰しない旨の決定をすることもできる、とする最高裁決定がある[59]。

(ii) 確定排除措置命令違反の罪との関係　この過料は、排除措置命令違反について刑を科すべきときは、科せられない（97条ただし書）。

排除措置命令違反について刑を科するのは命令が確定しているときであること（90条3号）を根拠に、97条は未確定の排除措置命令だけを対象とする規定であるとの旨を述べるようにみえる東京高裁決定[60]があり、それと同旨を述べる文献が多数あるが、疑問である。全ての不当な取引制限が刑を科すべきものとは考えられずその一部のみが犯則事件と位置付けられ告発の対象とされるのと同じように、全ての確定排除措置命令違反が刑を科すべきものではなく、97条による過料の対象となるものもあると解し得るからである。むしろ、確定排除措置命令の実効性を確保するための簡易な手段として、過料の制度の活用を

57) 排除措置命令違反の事実に関する公取委から裁判所への通知の法的性格について、匿名解説・判タ1267号（平成20年）173頁は、当時の非訟事件手続法に関する解説ではあるが、裁判所に職権発動を促す事実上のものにすぎず、過料の裁判を求める申立権が公取委にあるわけではないと解される、としている。

58) 命令名宛人が外国事業者である場合の手続の困難さについては、川合弘造「独占禁止法の海外企業・外国人への執行と課題」西村利郎先生追悼論文集『グローバリゼーションの中の日本法』（商事法務、平成20年）484〜487頁。

59) 景表法が独禁法の特例法であったために景表法上の命令（当時の呼称は排除命令）が独禁法97条の適用対象であった時期の事例として、最決平成20年3月6日・平成19年（行フ）第6号〔ビームス排除措置命令違反〕。公取委による命令の根拠となった不当表示行為を命令の約2年半前に取りやめており、その旨を公表し、一般消費者の誤認やその結果の排除に努めていたことなどを考慮したことが明記されている。なお、同最高裁決定にとっての原決定である東京高決平成19年10月23日・平成19年（行タ）第52号〔ビームス排除措置命令違反〕は、命令内容を速やかに履行する旨を名宛人が陳述していることを根拠として過料を科さないとの決定を行っていた。最高裁決定を掲載した判タ該当箇所冒頭の匿名解説は、最高裁決定の判示には東京高裁決定の理由付けに「賛同できない」という趣旨が含まれているとの認識を示している（判タ1267号（平成20年）174頁）。

60) 同日付の6件の決定があるが、この論点との関係で最も詳細に述べているものとして、東京高決昭和51年6月24日・昭和49年（行タ）第20号〔丸善石油過料〕（審決集23巻の147頁）。

1つの選択肢とするほうが、自然である[61]。

61) 丸善石油過料東京高裁決定の判示は、同事件での未確定排除措置命令の根拠となった独禁法違反被疑行為について刑事訴訟が進行中であるので97条ただし書に反する、という主張に答えたものであるが、そのような主張に対する答えとしては、97条は排除措置命令違反という行為を対象としているのであって、排除措置命令の根拠となった独禁法違反被疑行為それ自体に関する刑罰とはおよそ別個のものであるから、そもそも的外れである、とすべきであった。現に、東京高裁決定は、そのような内容のことをも述べている（審決集23巻の147~148頁）。そうであるとすれば、97条が未確定排除措置命令のみを対象とすると述べることは、同事件の結論との関係でも、不要であったということになる。

第17章
民事裁判

第1節　総　説

1　概　要

独禁法の法執行は、民事裁判によって実現されることもある。

関係条文は、複雑に入り乱れている。独禁法典の条文が偏頗で、それを民法の一般的条文が埋めているという面がある。一筋縄では整理できない。

そこで、民事裁判がどのような機能を発揮するか、という観点と、民事裁判における適用法条は何か、という観点の、2つの観点から整理する[1)]。

2　機能の観点からの分類

機能の観点からは、少なくとも以下の2つに分類できる。

第1に、公取委が取り上げた事件について、更に、私的当事者の救済をし、それを通じてますます違反行為を抑止する、という機能である。英語では「フォローオン」の民事裁判と呼ばれることがある。

第2に、公取委が取り上げない事件について、裁判所の判断を受けることができるようにし、多様な問題を掘り起こして多様な法的判断を可能とする、という機能である。英語では「スタンドアローン」の民事裁判と呼ばれることがある。

---

1)　民事裁判に関する充実した解説として、中野雄介＝鈴木悠子・村上政博編集代表『条解　独占禁止法〔第2版〕』（弘文堂、令和4年）725～802頁、長澤哲也＝多田敏明編著『類型別　独禁民事訴訟の実務』（有斐閣、令和3年）。

3　適用法条の観点からの分類

(1)　総　説

独禁法関係の民事裁判は、独禁法典の条文を適用法条とするか否かによって2つに分けることができる。

(2)　独禁法典の条文を適用法条とする民事裁判

第1に、独禁法典を直接の適用法条とする民事裁判がある。独禁法24条による差止請求と、独禁法25条による損害賠償請求とである。

これらは、独禁法典においては並んでいるが、機能の観点から期待されるものは大きく異なる。独禁法25条は、公取委の命令の確定を訴訟要件としており、「フォローオン」である。他方、独禁法24条は、多くの場合、公取委が動かない「スタンドアローン」事例であることを前提としている。

(3)　独禁法典の条文を適用法条としない民事裁判

①　**総説**　　第2に、独禁法典以外の法律の条文を直接の適用法条としながら、当該法条の成立要件が充足されることの説明道具として、独禁法の違反類型が援用される場合がある。「説明道具としての独禁法」である[2)]。事例が多いのは、契約関係裁判において契約条項が独禁法違反であるので民法90条により無効であるとする主張と、損害賠償請求訴訟において被告の行為が独禁法違反であるので民法709条の要件を満たすとする主張である。その他、不当利得返還請求（後記802〜804頁）、取締役の責任を問う訴訟[3)]、など様々なものが

---

2)　もともと、このような説明は、独禁法が直接の適用条文となる場合とそうではない場合とを区別する発想がなかった過去の状況に一石を投じるために行ったものであった。過去においては、ここでいう「説明道具としての独禁法」についても、独禁法の独自の存在意義を強調しようとして、独禁法の違反要件の条文が直接適用されているのであるとする原理主義的な主張を行う論者が多かった。現在においては、法律家が独禁法に関与するようになり、そのような論は聞かれなくなったように思われる。「説明道具としての独禁法」として相対化して位置付けることにより、説明の方法には何通りもあること（独禁法に言及しない説明方法があり得るだけでなく、独禁法を用いた説明方法も複数あり得る）がわかり、議論の方法においても調査の方法においても一段上の段階に進むことができた（調査の方法への影響とは、例えば、独禁法に言及した裁判例だけを探していたのでは重要なものを見逃す可能性があることを示した、ということである）。また、独禁法は説明道具にすぎず直接の適用条文ではないという見方は、例えば、国際的裁判管轄に関する法的結論を導き（後記782〜783頁）、消費者裁判手続特例法の適用対象となるか否かの結論を導いている（後記802頁）。

3)　最判平成12年7月7日・平成8年（オ）第270号〔野村證券損失補塡株主代表訴訟〕など。課徴金との関係について、前記727頁。

あり得る[4)5)]。場合によっては、原告の独禁法上の主張を認めるとかえって反競争的な弊害がもたらされる、と被告が主張し、それが原告の主張を斥ける理由とされることもある[6)]。

独禁法典の条文が直接の適用法条ではないのであるから、その事件において独禁法典に言及するか否かは、詰まるところ、弁護士や裁判官の好みの問題に帰する。実質的には同じ問題を論じているにもかかわらず、ある判決では独禁法典への言及があり、別の判決では言及がない、ということもある。特に、入札談合をめぐる損害賠償請求訴訟には、独禁法典に触れない判決が多い。

以上のようなものは、「フォローオン」と「スタンドアローン」のいずれにも用いられ得る。

② 「独禁法違反」は必要条件か　独禁法典を説明道具とする民事裁判では、独禁法違反であると言えることは必ずしも絶対的な必要条件ではない。独禁法典の条文は説明道具にすぎず、直接の適用法条ではないからである。もちろん、独禁法違反であると言えるに越したことはないが、そうとは断言できなくとも、適用法条そのものの成立要件を満たしていれば足りるのであるから、それを説明するのに足りる範囲で、独禁法違反要件が参考となれば足りる[7)]。

③ 「独禁法違反」は十分条件か

(i)　総説　独禁法典を説明道具として援用する民事裁判において、ある行為が「独禁法違反」であることは本当に説明道具となるだけの説得力を持つ

---

4)　会社法上の論点の事案への当てはめにおいて活用された一例として、東京高決平成17年3月23日・平成17年（ラ）第429号〔ライブドア対ニッポン放送〕。勘所事例集192～195頁。

5)　その他、反競争性をもたらす可能性のある契約条件について、その内容の不適切さを修正するために、契約の解釈などの手法によってその契約条件の存在を否定する判決もある。例えば、神戸地姫路支判平成17年11月25日・平成15年（ワ）第896号〔三木産業対大東建託〕（審決集52巻の898～899頁）、知財高判平成19年4月5日・平成18年（ネ）第10036号〔サクラインターナショナル対ファーストリテイリング〕（裁判所PDF 116～117頁）。

6)　一例として、三木産業対大東建託神戸地裁姫路支部判決。

7)　例えば、次のようなものがある。大阪地判平成元年6月5日・昭和58年（ワ）第1857号〔日本機電〕は、昭和57年一般指定14項（現在の2条9項5号）を括弧書き内で「参照」とした（判時1331号の101頁）。東京地判平成5年9月27日・平成3年（ワ）第15347号〔資生堂東京販売〕は、「独占禁止法の法意にもとる可能性も大いに存する」とした（審決集40巻の693頁）。東京高判平成14年12月5日・平成13年（ネ）第1477号〔ノエビア〕は、かりに独禁法に違反しないとしても「その趣旨に反する行為である」とした（審決集49巻の810頁）。

のか。換言すれば、独禁法違反であることは十分条件であるのか。この問題は、多くの場合、民法 90 条を念頭に置きながら、独禁法違反であるならば民法 90 条にいう公序に反することになるか、という形で論ぜられてきた。いわゆる「独禁法違反行為の私法上の効力」の議論である[8)]。しかし、同様のことは、民法 709 条をめぐっても、独禁法違反があれば民法 709 条にいう「他人の権利又は法律上保護される利益を侵害した」と言えるか、という形で論じ得るのであって、現に以下に見るように実例も存在する。本書ではまとめて論ずる。

結論を言えば、基本的には十分条件であると言える。独禁法関係の民法 90 条事件や民法 709 条事件において、裁判所は、かりに独禁法違反であるなら上記の要件を満たすことを暗黙の前提として論じている場合がほとんどである。

その結論には、例外がないわけではない。その例外のなかには、「公法と私法」の観点から留意すべき取引安全の問題などを理由とするものもある。しかし、多くの事例は、それとは次元を異にする技術的理由があったために、例外的判断がされたように見えているだけである。

(ii) 取引安全　取引安全に鑑みて、独禁法違反だが私法上有効、と論ぜられることがある[9)]。そのような事例は今後においても現れる可能性があり、突き詰めれば「公法と私法」という観点から論ずべき問題であろう。

---

8) 最判昭和 50 年 11 月 28 日・昭和 46 年（行ツ）第 66 号〔ノボ天野〕が、独禁法違反と私法上の効力とが無関係であることを述べた判決であるかのように紹介されている場合がある。しかし同判決は、公取委の排除措置命令によって私法上の効力が影響を受けるか否かを論じたものである（前記 708 頁）。それに対し、独禁法違反の私法上の効力の議論とは、民事裁判所自身が独禁法違反と判断した際に当該民事裁判所において無効とされるか、という問題を扱ったものである。両者は問題の次元を異にしている。

9) 東京高判昭和 28 年 12 月 1 日・昭和 28 年（ネ）第 909 号〔白木屋〕は、独禁法違反の株式取得を主に取引安全の観点から有効とした（下民集 4 巻 12 号の 1801～1803 頁、審決集 9 巻の 203～205 頁）。東京地判昭和 38 年 7 月 5 日・昭和 36 年（ワ）第 7262 号〔明治鋼材対東京通商〕は、独禁法違反の事業譲受けを主に取引安全の観点から有効とし、公取委が弾力的に事態の具体的かつ妥当な収拾をはかることに期待すべきであるとした（下民集 14 巻 7 号の 1328～1329 頁、審決集 21 巻の 433 頁）。高松高判昭和 61 年 4 月 8 日・昭和 51 年（ネ）第 141 号〔伊予鉄道対奥道後温泉観光バス〕は、当該事案では取引安全を考慮する必要がないと述べたうえで、無効とした（審決集 33 巻の 159～160 頁）。それらに対し、東京地判昭和 28 年 4 月 22 日・昭和 28 年（モ）第 2648 号〔白木屋〕は、取引安全は商法（実質的意味での会社法）など他の法律によって確保されるべきであるから無効としてよいとした（下民集 4 巻 4 号の 595～596 頁、審決集 9 巻の 190 頁）。

(iii) 岐阜商工信用組合最高裁判決　岐阜商工信用組合最高裁判決は、「独禁法違反行為の私法上の効力」を正面から論じた唯一の最高裁判決であるとされるが、その判示はさほど参考とはならない[10]。同判決は、当該事案での両建預金による高金利貸付が優越的地位濫用に該当し独禁法に違反するとしながら、「独禁法19条に違反した契約の私法上の効力については、その契約が公序良俗に反するとされるような場合は格別として、上告人のいうように同条が強行法規であるからとの理由で直ちに無効であると解すべきではない」と述べたうえで、同事件での貸付等の「各契約は、いまだ民法90条にいう公序良俗に反するものということはできない」とした[11]。しかし同判決は、公序良俗に反するものとはいえないと結論付けるに際し、「[利息制限法上の] 違法な結果については後述のように是正されうることを勘案すると」と述べ[12]、現に、利息制限法に基づいて、貸付利息の過大な部分の是正を目指し、破棄差戻しとしている[13]。しかも優越的地位濫用の判断の際に、利息制限法所定の利率を参考としている[14]。すなわち、優越的地位濫用とされた貸付利息のうち、超過部分について一部無効とした判決だ、と見ることもできる。

同判決は、最高裁判決であることもあり、いまでもこれに言及する下級審裁判例が根強く存在するが、それは、独禁法に違反する法律行為であっても公序良俗に反しなければ民法90条により無効とならない、という枠組み論のレベルにとどまっている。そのような枠組みだけであれば、独禁法に違反する行為はほとんどの場合は公序良俗に反し民法90条により無効となる、という下級審裁判例の大勢と矛盾しない。

(iv) 違反要件論が洗練されていない場合　裁判官が、問題となった行為

---

10) 最判昭和52年6月20日・昭和48年（オ）第1113号〔岐阜商工信用組合〕。同判決の読み方について詳細には、森田修「「独禁法違反行為の私法上の効力」試論」日本経済法学会年報19号（平成10年）105～109頁、勘所事例集21～24頁、青谷賢一郎「独禁法違反行為の私法上の効力を巡る裁判例と契約書起案・審査における留意点」BUSINESS LAWYERSウェブサイト令和を展望する独禁法の道標5第12回（令和3年）、白石忠志「SuicaPASMO説」（青谷・前掲解説の直後に掲げたコメント）。

11) いずれも、岐阜商工信用組合最判（民集31巻4号の459頁、審決集24巻の297頁）。

12) 岐阜商工信用組合最判（民集31巻4号の459頁、審決集24巻の297頁）。

13) 岐阜商工信用組合最判（民集31巻4号の459～461頁、審決集24巻の297～298頁）。

14) 岐阜商工信用組合最判（民集31巻4号の458頁、審決集24巻の296～297頁）。

が独禁法違反であるとしても民法90条や民法709条の要件を満たすとは言えないとしたうえで、民法上の要件の成否を判断する次元で、本来であれば独禁法違反要件論において検討すべきことを考慮する場合がある。例えば、正当化理由に関する考慮を、独禁法の次元では行わず、民法の次元で行った事例がある[15]。また、例えば、優越的地位濫用規制における濫用の要件の成否の判断を、独禁法の次元では行わず、民法の次元で行った事例がある[16]。これらは、独禁法分野での違反要件論であると裁判官が受け止めたものによっては妥当な結論を導き得ないと裁判官が認識し、裁判官が考える妥当な結論を独禁法の外で導こうとしたために、生じた現象ではないかと思われる。その当時の独禁法分野の議論の水準が低く、裁判官としては直感的に納得できなかったものの、裁判官としては、必ずしも専門的に通暁しているわけではない独禁法について新たな解釈論を唱えるのは避けて、独禁法違反が成立する旨の一応の判断をしたうえで、裁判官が通暁している民法の解釈によって妥当な結論を導いたもの、と分析できる。「公法と私法」などという大上段の議論とは別次元の、興味深い規範形成が、ここには観察される[17]。

---

15) 大阪地判平成2年7月30日・昭和60年（ワ）第2665号〔東芝昇降機サービス〕では、安全性確保の必要性が、独禁法違反要件の成否を論ずる際には考慮されるべきでなく、しかし、独禁法違反の行為について民法709条の不法行為の成否を判断する際の違法性阻却事由とされるにすぎない、とされた（審決集37巻の215頁）。名古屋地判平成9年7月9日・平成2年（ワ）第2755号〔名古屋中遊技場防犯組合〕は、暴力団排除の必要性を、独禁法違反の成否を論ずる際には取り上げず、公序良俗違反の成否を論ずる際に取り上げた（審決集45巻の528〜529頁）。

16) 名古屋高判平成15年1月24日・平成14年（ネ）第247号〔岐阜新聞〕。平成11年の改正前の新聞業特殊指定（新聞業における特定の不公正な取引方法（昭和39年公正取引委員会告示第14号））2項を満たす「押し紙」があるとしながら、更に両当事者間の状況を認定して、不法行為として損害賠償の対象となる程度の違法性は認められない、とした（裁判所PDF 5〜7頁）。平成11年の改正前の新聞業特殊指定2項の規定は、新旧特殊指定の比較や解説とともに、山木康孝「「新聞業における特定の不公正な取引方法」の全部改正について」公正取引587号（平成11年）55頁に掲げられている。現行の新聞業特殊指定3項は、「正当かつ合理的な理由がないのに」という要件を明文化している（前記507〜508頁）。岐阜新聞名古屋高判は、この明文がない時期の事案について、民法709条を使って同等のことを実現したもの、と言える。

17) これと同じではないが類似するものとして、下請法違反の取扱いがある。下請法は、公取委による機動的な法執行を旗印としており、独禁法の優越的地位濫用規制よりも画一的で広めの違反要件が設定されている。そのことを反映して、民事裁判において裁判所が、問題となった行為は、独禁法の優越的地位濫用に該当するのであれば民法90条により無効となるが下請法に違反するというだけでは無効とならない旨を述べた事例がある。札幌地判平成31年3月14日・平成

(v) 民事的請求と噛み合っていない場合　　法律行為の無効や損害賠償などの民事的主張と、行為が独禁法違反とされる場合の違反とされた側面とが、噛み合っていない場合には、当然のことながら、かりに独禁法違反であるとしても民事上の判断には無関係であるとされることになる。つまり、一方当事者の行為が、かりに、ある側面において独禁法違反であるとしても、他方当事者の民事的主張と関係があるのは当該行為の別の側面の弊害なのであって、違反とされた側面とは関係がない、という場合である[18)]。

第1の例として、東芝昇降機サービス大阪高裁判決は、その乙事件において、部品とその取替え調整工事との抱き合わせが独禁法違反であるとの原告の主張に対し、原告は部品とその取替え調整工事とをあわせて発注してもなお損害を受けたと主張しているのであって、部品とその取替え調整工事との抱き合わせは原告の損害と因果関係がない、とした[19)]。

第2の例として、日本テクノ東京高裁判決は、ESシステム等を従たる商品役務とする抱き合わせが独禁法違反であるとの原告の主張に対し、原告の差止請求はESシステム等ではなく電気保安業務の市場から排除されたことを根拠とするものであって、ESシステム等を従たる商品役務とする抱き合わせが独禁法に違反するか否かとは無関係である、という趣旨の判示をした[20)]。

27年（ワ）第2407号〔斎川商店対セコマ販促協力金等〕（裁判所PDF 46～48頁）。

18) 極端な譬えをするなら、交通事故による被害者が、加害者に対して、加害者の免許証不携帯を理由に損害賠償請求をするがごときものである。

19) 大阪高判平成5年7月30日・平成2年（ネ）第1660号〔東芝昇降機サービス〕（審決集40巻の661頁）。同判決は、更に進んで、原告の損害の本質は、その顧客であるビル所有者が普段の保守について被告と契約せず原告と契約していたために、被告が部品供給を遅らせることを手段として普段の保守の市場から原告を排除した点に起因する旨を的確に指摘したうえで、被告の行為のそのような側面を独禁法違反と結論付けて損害賠償請求を認容している（審決集40巻の661～662頁）。勘所事例集52～53頁。これに対し、部品と取替え調整工事の抱き合わせという論理構成をこの事件の係属中から提唱・主張した論者やその追随者は、そのような論理構成を前面に据えた紹介を繰り返して、原告が部品と取替え調整工事をあわせて発注したからといって部品と取替え調整工事の抱き合わせが独禁法違反でないということにはならないなどと述べて大阪高判を批判しており、そのような文献が後を絶たない状況にある。ある問題が独禁法違反か否かと、それが目前の事件における民事的請求と噛み合うか否かとが、別問題であることが、十分に理解されていないようである。

20) 東京高判平成17年1月27日・平成16年（ネ）第3637号〔日本テクノ〕（審決集51巻の985～986頁）。

第3の例として、メーカーと販売店の契約などの解約が独禁法上の問題となる場合、その解約が販売店が価格拘束に従わないことを原因とするものであるか否かが争われることは多いが、これも、原則違反とされる価格拘束に光を当てるのかその他の拘束に光を当てるのかが問われているのであるといえる（前記444～445頁）[21]。

第4の例として、東大阪市のセブン－イレブンに関する大阪地裁判決・大阪高裁判決では、加盟店が24時間営業をせず時短営業をしたために本部が加盟店契約を解約するというのであれば優越的地位濫用の観点からの別途の議論が必要であったが、別の原因があったために解約するというのであれば24時間営業についての優越的地位濫用の問題は出てこないとされた[22]。

第5の例として、入札談合に対する損害賠償請求においては、基本合意があっただけで独禁法違反とするのが公取委実務であるのに対して、損害賠償請求を基礎付けるには個別物件に関する個別調整が立証される必要がある、とされるのが通常である（後記805頁）。

4　公取委から裁判所・当事者への情報提供

民事裁判があるときに、公取委から裁判所や当事者に対して情報提供があり得る。かつて、損害賠償請求に係る証拠の収集が原告にとって難しいことが特に問題とされた時期に、損害賠償請求訴訟に絞って公取委が作成した文書が、累次の改正を経て今でも残っているが、それらのことは、損害賠償請求に限定されるはずのものでもなく、また、その文書が詳しく述べていない手続も利用可能である（前記754～756頁）。

5　国際的裁判管轄・準拠法

民事裁判の当事者が契約において国際的裁判管轄や準拠法について合意して

21）　価格拘束でなく卸売販売禁止が昭和57年一般指定13項に該当するとした事例ではあるが、東京地判平成12年6月30日・平成6年（ワ）第22275号〔河内屋対資生堂販売〕（金融商事判例53頁、60頁）。

22）　大阪地判令和4年6月23日・令和2年（ワ）第341号〔セブン－イレブン東大阪〕（裁判所PDF 93頁）、大阪高判令和5年4月27日・令和4年（ネ）第1762号〔セブン－イレブン東大阪〕（裁判所PDF 14頁、16～29頁）。

いる場合がある。国際的裁判管轄については民事訴訟法３条の２〜３条の１２のもとで、準拠法については「法の適用に関する通則法」のもとで、それぞれ判断することになる[23)]。

第２節　差止請求

１　総　説

(1)　関係条文

平成１２年改正で新設された独禁法２４条により、不公正な取引方法に対する差止請求が認められている[24)]。差止請求が認容され、それが知られている事例は、必ずしも多くないが、着実に現れるようになってきている[25)]。

---

23)　事例として、以下のようなものがある。東京地判平成28年10月6日・平成27年（ワ）第9337号〔京セラ対ヘムロック〕、東京高判平成29年10月25日・平成28年（ネ）第5514号〔京セラ対ヘムロック〕、東京地判平成28年2月15日・平成26年（ワ）第19860号〔島野製作所対アップル中間判決〕、東京地判令和元年9月4日・平成26年（ワ）第19860号〔島野製作所対アップル〕、東京高判令和2年7月22日・令和元年（ネ）第5049号〔島野製作所対アップル〕。上記はいずれも、民事訴訟法3条の7が適用されない時期の契約に関するものではあるが、その後の時期の事例にも参考となる内容である。島野製作所対アップル1審中間判決が日本の裁判所に裁判管轄があるとし、同1審判決が準拠法を論じたほかは、いずれも、日本の裁判所に裁判管轄がないとする結論である。京セラ対ヘムロックの判決はいずれも、独禁法24条の差止請求事件であることを考慮しても日本の裁判所に裁判管轄はない旨の判断であるが、島野製作所対アップル2審判決は、同事件はそもそも独禁法24条を適用条文としておらず民法の条文における説明道具として独禁法に言及しているのみであることにも言及したうえで、日本の裁判所の裁判管轄を否定している（審決集67巻の652頁、653頁）。

24)　改正経緯については、白石忠志「差止請求制度を導入する独禁法改正（上）」NBL695号（平成12年）6〜7頁。通商産業省が研究会を開催して導入を提唱し、公取委がそのような状況のもとで自ら研究会を開催し検討したうえで、法案が作成された。

25)　24条を掲げて本案判決によって認容したものとして、宇都宮地大田原支判平成23年11月8日・平成23年（ワ）第88号〔矢板無料バス〕（勘所事例集433〜438頁）、大阪高判平成26年10月31日・平成26年（ネ）第471号〔神鉄タクシー〕（勘所事例集501〜505頁）。平成12年改正前の時期に訴訟が提起されたためか24条を掲げてはいないが本案判決によって認容したものとして、岡山地判平成16年4月13日・平成8年（ワ）第1089号〔蒜山酪農農業協同組合〕（勘所事例集176〜181頁）。仮処分によって認容したことが知られている事例として、東京地決平成23年3月30日・平成22年（ヨ）第20125号〔ドライアイス〕。仮処分によって認容された事例が他に存在しても、利害関係を有する者しか閲覧することはできないので（民事保全法5

⑵　機能的位置付け

独禁法典では24条と25条とが並んでいるが、制度利用者の立場から機能的に見れば、独禁法24条と並ぶべき損害賠償規定は民法709条である。

独禁法24条による訴訟は、ほとんどの場合、新たな事件の掘り起こしか、公取委による不問の扱いに対する問題提起という観点から起こされる。同様の機能を持つ損害賠償規定は、民法709条である。独禁法25条による損害賠償請求は、公取委による命令の確定を訴訟要件としており、掘り起こしや問題提起といった機能は期待されていない。

独禁法84条の2は、独禁法24条訴訟の管轄について特別の定めをしているが、民法709条による請求を併合する場合には、民法709条の請求にも独禁法84条の2が定める管轄の特例が適用される（独禁法84条の2第2項）。

以上のように見ると、機能的観点からは、独禁法違反に対する民事的な法執行の双璧は独禁法24条と民法709条とであり、公取委の命令が確定した場合には独禁法25条が加わる、という位置付けになろう。

広い政策的見地からは、独禁法24条の差止請求制度は、独禁法の法執行の一層の活性化と並んで、差止請求原告・弁護士・裁判所という、公取委にとっての競争者を育成する効果をもたらしている。

⑶　現在または将来に向けての制度

損害賠償制度が過去の行為に起因する損害を扱うのに対し、差止請求制度は現在または将来の状況に着目したものである点に特徴がある。個々の訴訟においても、24条の要件の成否は、事実審口頭弁論終結時を基準として、現在または将来の状況を見ながら、判断される（後記788～789頁）[26]。

2　訴訟要件

裁判例では、原告適格などの訴訟要件が争われることがあるが、24条の文言は、実体法上の差止請求権の発生要件事実とは別に訴訟要件を定めたものとは解されない[27]。例えば、一部の文献で「原告適格」の問題だとされるものは、

条）、広く知られる確率は本案判決よりかなり低いと思われる。

26）　損害賠償請求と差止請求の性質が異なることを根拠として、原告が差止請求訴訟の第2審において損害賠償請求を追加することを許さなかった事例がある（東京高判平成19年11月28日・平成18年（ネ）第1078号〔ヤマト運輸対郵政〕（審決集54巻の702頁））。

24条が定める実体法上の要件を満たす者であるか否か、という問題が俗にそのように呼ばれているだけであることが多い。

3 対象となる違反類型に該当する行為

(1) 総 説

独禁法24条による差止請求の対象となる違反類型は、8条5号または19条に違反する行為、ひらたくいえば、不公正な取引方法である。

ただ、対象となる違反類型が不公正な取引方法に限定されたために差止対象から除外される行為は、必ずしも多くない。不公正な取引方法は、他の違反類型、特に私的独占とは、かなり重なっているからである（前記386頁）。

景表法違反行為も、一般指定8項・9項等に該当する限りで、差止請求の対象となる[28]。

(2) 不正競争防止法との比較

一般指定14項に該当する行為の差止請求については、不正競争防止法2条1項21号および同法3条に類似の規定があるが、対象とする行為の範囲は独

---

27) 東京地判平成16年3月18日・平成13年（ワ）第8613号〔日本テクノ〕（審決集50巻の789頁）、大阪地判平成16年6月9日・平成14年（ワ）第11188号〔関西国際空港新聞販売〕（審決集51巻の947頁）、東京地判平成19年10月15日・平成19年（ワ）第10892号〔東京都石油商業組合対シンエネ等〕（審決集54巻の697頁）、松山地判平成19年12月18日・平成18年（ワ）第143号〔扶桑社〕（審決集54巻の716頁）。それに対して、東京地判平成16年4月15日・平成14年（ワ）第28262号〔三光丸〕は、作為義務を求める請求を不適法として却下しているが、その理由付けは矛盾している（後記790頁註43）。弁護士会による弁護士の懲戒に係る独禁法24条に基づく差止請求が適法か否かという特殊な問題が争点となった事例として、東京地判平成28年4月14日・平成27年（ワ）第27595号〔弁護士懲戒差止請求I〕、東京高判平成28年10月27日・平成28年（ネ）第2359号〔弁護士懲戒差止請求I〕、東京地判平成29年7月14日・平成29年（行ウ）第306号〔弁護士懲戒差止請求II〕、東京高判平成29年10月24日・平成29年（行コ）第242号〔弁護士懲戒差止請求II〕。

28) 景表法には、適格消費者団体による差止請求の規定はあるが（景表法34条）、被害者自身による差止請求の規定はない。不正競争防止法には、営業上の利益を侵害される等する者による差止請求の規定はあるが（不正競争防止法3条）、一般消費者による差止請求の規定はない。なお、一般消費者などの需要者が、不当表示の差止請求をするということは、その表示が不当表示であることを知っているのであるから、将来における被害の可能性がなく差止めの必要性がないなどの旨の指摘がされることがある。しかし、同じ注意力を永久に保持できる一般消費者は珍しいであろうし、微妙に形を変えて現れる不当表示もあろう。将来の誤認の可能性を包括的に封ずる差止命令を適切に設計できる事例は、想定し得るように思われる。

禁法のほうが広い。すなわち、不正競争防止法2条1項21号は競争者に関する虚偽の事実の告知・流布に限定されているのに対し、一般指定14項は一般的に競争者への妨害を規定している。例えば、従業員の大量引き抜きによる競争事業の開始を差し止める可能性は、独禁法24条にはあり得ても、不正競争防止法にはない[29]。

一般指定8項に該当する行為の差止請求については、不正競争防止法2条1項20号および同法3条に類似の規定があるが、請求権者の範囲は独禁法のほうが広い。不正競争防止法3条は、請求権者を、営業上の利益を侵害される者に限っている。独禁法24条にはそのような限定がない（後記**5**(1)①）。

4　被告の範囲

差止請求の被告は、24条によれば、「利益を侵害する事業者若しくは事業者団体又は侵害するおそれがある事業者若しくは事業者団体」である。

問題は、ここにいう事業者・事業者団体が、違反者である必要があるか否か、である。卒然と読むと、ここにいう事業者・事業者団体と違反者とは同義であるように見える。しかし子細に読めば、自らは違反者ではないが違反行為に加担する事業者・事業者団体も、原告の利益を侵害していることには違いがなく、被告とすることができるようにも見える。

裁判例には、供給者からの委託を受けて顧客獲得活動などをする者について、そのような者も不公正な取引方法の違反者となり得るという前提を置いたうえで判断したものがあるが[30]、同様のことが、違反者の範囲でなく被告の範囲の拡張という論法によっても可能か、という角度からも検討する必要がある[31]。

もっとも、いかに加担者であっても、事業者・事業者団体と言えない者は、24条の文理からみて、被告とするのはむずかしいかもしれない。少なくとも立法論的には、課題の1つである。

---

29)　このほか、一般指定14項は、排除効果必要型の行為を対象とする点で、不正競争防止法2条1項21号がおよそ想定していない意味での広さを持っている（前記514〜518頁）。

30)　東京高判平成17年1月27日・平成16年（ネ）第3637号〔日本テクノ〕（審決集51巻の969頁）、東京高判平成17年4月27日・平成16年（ネ）第3163号〔ザ・トーカイ〕（審決集52巻の804〜808頁）、など。

31)　日本テクノ東京高裁判決のうち不当廉売に関する部分（審決集51巻の972頁）や、ザ・トーカイ東京高判（審決集52巻の808頁）は、そのような事例という面も持つかもしれない。

5　違反行為による利益侵害・著しい損害

(1)　利益侵害・著しい損害

①　**総説**　　24条は、違反行為によって原告に利益侵害があり、これにより著しい損害があることを、差止請求の要件としている。

これらは、公正かつ自由な競争の行われる市場で取引を行っていくうえで得られるような、法的な保護に値する利益の、侵害・損害を指す[32]。

業界団体や消費者団体は、自ら利益侵害・著しい損害を受けるのでない限り、請求権をもたない[33]。

不正競争防止法3条とは異なり、独禁法24条では、利益侵害・著しい損害に「営業上の」という絞りがないため、消費者でも請求権を持ち得る。

②　**著しい損害**　　利益侵害に加えて要件とされる「著しい損害」の成否は、独禁法違反行為による利益侵害の態様・程度、損害の性質・程度や損害回復の困難の程度などを総合考慮して判断される[34]。

法案作成担当者やいくつかの裁判例は、差止請求が根拠付けられるには損害賠償請求の場合よりも高度の違法性が常に要求されるのであって、それを表現したのが「著しい損害」の文言である、としている[35]。その根拠としては、不

---

32)　東京地判平成19年10月15日・平成19年（ワ）第10892号〔東京都石油商業組合対シンエネ等〕は、公正かつ自由な競争が行われる市場で取引を行ううえでの利益という一般論を掲げたうえで、業界団体の構成員が他者排除行為を受け、業界団体が受けるべき組合費が減少するなどの影響があったとしても、業界団体は24条にいう利益侵害・損害を受けていないとした（審決集54巻の697頁）。松山地判平成19年12月18日・平成18年（ワ）第143号〔扶桑社〕は、法的な保護に値する利益という一般論を掲げたうえで、特定の教科書が採択されたことによる不快感はそれにあたらないとし（審決集54巻の716頁）、控訴審である高松高判平成20年12月1日・平成20年（ネ）第35号〔扶桑社〕も同様の判示をしている（審決集55巻の1021頁）。

33)　東京都石油商業組合対シンエネ等東京地判。それに対し、独禁法25条による損害賠償請求の事案ではあるが、東京高判平成19年3月30日・平成17年（ワ）第2号〔高山茶筌〕は、被告の不当表示による信用毀損により業界団体の構成員だけでなく業界団体自身も損害を受けたとして業界団体による請求も認容している（審決集53巻の1082〜1084頁）。信用毀損という無形損害は構成員と業界団体が同時に受けるものであるので、東京都石油商業組合対シンエネ等判決の事案のように構成員の損害が間接的に業界団体に及ぶというのとは異なる、と分析できる。

34)　例えば、東京地決令和3年3月30日・令和2年（ヨ）第20135号〔遊技機保証書作成等〕（理由第3の5）、東京地判令和3年9月30日・令和元年（ワ）第35167号〔ブラザー工業〕（裁判所PDF 24頁）、東京地判令和4年6月16日・令和2年（ワ）第12735号〔韓流村対カカクコム食べログ〕（事実及び理由第5の2 (1)）。

35)　平成12年改正解説28頁、大阪高判平成17年7月5日・平成16年（ネ）第2179号〔関西国

公正な取引方法に該当する行為の範囲が広いので差止めに値するものだけに絞る必要があるとの認識が示される。

この考え方は、その理由付けに矛盾を内包しているが、しかし、法形成過程を動態的に捉えた場合には、理解できないわけではない。敷衍すると、以下のとおりである。不公正な取引方法は、20条または8条の2に基づき公取委による差止めの対象となることが法律上容認されているのであって、不公正な取引方法に該当する行為の範囲が広いので差止めに値するものだけに絞る、という理由付けは、本来は、矛盾している。もっとも、不公正な取引方法の違反要件論は、十分に整備されそれが浸透しているとはなお言い難い状況にあり、公正競争阻害性を認めるべきでない事例においてまで公正競争阻害性が安易に認められてしまう場合もないわけではない。そこで、安易な違反要件論によって差止めが認められることのないよう、高度の違法性を要求すると述べることによってダブルチェックをかけることには、一定の合理性がある。

しかし、以上のような理解は、不公正な取引方法の違反要件論として安易なものが横行していることを前提とした次善の策であり、本来は、不公正な取引方法の違反要件そのものを、差止めに値するものとなるように鍛え上げることが本筋である。将来においてそれが実現されたならば、「著しい損害」の要件は役割を終え、注意規定にすぎないものと位置付けられることになろう。そのようなことは永久に実現しないかもしれない。

このように、高度の違法性を求める説と、注意規定とする説との間には、さほどの懸隔はなく、結局、いずれであっても、違反行為や損害の態様・程度等という考慮要素を示して具体的な判断に移るのが通常となっているのであることを把握しておけば足りるように思われる。

③　**将来の侵害・損害**　24条に「おそれ」という文言があるように、侵害・損害は、将来において起こるものであってもよい。そのようなものは差止めの必要性があり、そうでないものは差止めの必要性がないことになる。

際空港新聞販売〕（審決集52巻の876～877頁）。もっとも平成12年改正解説は、「著しい損害」の要件を狭く解した場合の弊害にも触れており、結局は玉虫色となっている。その玉虫色の一般論をそのまま繰り返したものとして、東京高判平成19年11月28日・平成18年（ネ）第1078号〔ヤマト運輸対郵政〕（審決集54巻の710頁）、神戸地判平成26年1月14日・平成23年（ワ）第3452号〔神鉄タクシー〕（審決集60巻第2分冊の224頁）。

早い時期の事例は、侵害・損害が現存しまたは将来発生するおそれがあることのほかに、不公正な取引方法という行為が現存することを求める一般論を述べていたが[36]、現在では、事実審口頭弁論終結時において行為が行われていない場合でも将来の侵害・損害の「おそれ」があれば差止めは可能であることが当然の前提とされている。

そのうえで、その後の判決例には、侵害・損害の、現存または将来発生のおそれがあることを求め、それが満たされないことを理由として差止請求を棄却するものが複数現れている[37]。

(2) 違反行為との関連性

違反行為と侵害・損害との間に事実的な意味の因果関係が必要であることは、文理上も明らかであり、その点に争いはない。

それでは、更に進んで、侵害・損害と、被告の行為のうち違反とされる側面との間に、関連性があることは必要か。例えば、排他条件付取引における被拘束者が、被排除者が代替的競争手段を持たないことに着目して当該排他条件付取引が一般指定11項に該当するとしたうえで、排他条件の削除を求め得るか、という問題である。

関連性必要説と関連性不要説とがあり得るが、関連性必要説が説得的であると思われる。被告の行為のうち違反とされる側面とは無関係の側面によって生み出された損害を民事的請求の根拠とする、という考え方は、伝統的な民事法の考え方から一歩踏み出したものであり[38]、独禁法24条がそのような考え方を採っているとは直ちには考えにくい[39]。

---

36) 東京高判平成19年11月28日・平成18年(ネ)第1078号〔ヤマト運輸対郵政〕(審決集54巻の703頁)、新潟地判平成23年1月27日・平成20年(ワ)第701号〔ハイン対日立ビルシステム〕(審決集57巻第2分冊の374〜375頁)。

37) 東京高判平成24年4月17日・平成23年(ネ)第8418号〔矢板無料バス〕(審決集59巻第2分冊の108頁)、名古屋地判平成25年2月28日・平成24年(ワ)第1505号〔可児市スーパー〕(裁判所PDF 10〜13頁)、名古屋高判平成25年9月26日・平成25年(ネ)第280号〔可児市スーパー〕(裁判所PDF 8〜9頁)、ブラザー工業東京地判(裁判所PDF 24〜25頁)。ハイン対日立ビルシステム新潟地判も、その一般論の当否は措くとして、事案における損害の将来発生のおそれをも否定している。

38) それを積極的に捉えて理論として取り込もうとする構想はあり得る。森田修「市場における公正と公序良俗」金子晃＝根岸哲＝佐藤德太郎監修『企業とフェアネス』(信山社、平成12年)。

39) 東京高判平成17年1月27日・平成16年(ネ)第3637号〔日本テクノ〕(審決集51巻の

「著しい損害」の要件は、以上のようなことを確認するという意味での注意規定でもある、と受け止めることができる[40)]。

6　故意過失不要

24条において、故意過失などの主観的要件は不要とされている。かつては、故意過失がないことを理由に差止請求を棄却した判決もあったが[41)]、現在では影を潜めているようであり、損害賠償請求との関係で過失なしとされたが差止請求は認めた、という事例もある[42)]。

立法論上、差止請求において主観的要件を求めるか否かについては両様の考え方があり得る。そのなかで24条について主観的要件を不要とする考え方を採るということは、原告への侵害を停止・予防させることには制裁的な色彩はなく、侵害という客観的現象の改善を目的とするのである、という態度を採ったものということができる。

7　侵害の停止又は予防

(1)　総　説

24条によれば、原告は被告に対し「侵害の停止又は予防」を請求できる。

(2)　作為命令

「侵害の停止又は予防」を命ずる際に、被告による作為を命ずることは、あり得る[43)]。「侵害の停止又は予防」とは、たしかに侵害の不作為である。しか

985～986頁）。

40)　白石忠志「差止請求制度を導入する独禁法改正（下）」NBL696号（平成12年）54～55頁。

41)　東京高判平成18年9月7日・平成17年（ネ）第303号〔教文館〕は、競争者の著作物は行為者側の著作権を侵害しているとはいえないとしつつ、侵害していると行為者が考えたことには無理からぬ点があり、そのように信じたことに相当の理由があったとして、公正競争阻害性が成立しないと結論付け、24条による差止請求を棄却した（審決集53巻の1042～1043頁）。勘所事例集251～253頁。

42)　判決の段階では不正競争防止法が適用された事例ではあるが、東京地判平成27年2月18日・平成25年（ワ）第21383号〔イメーション対ワン・ブルー〕では、主観的要素の欠如が損害賠償請求を棄却する理由とはされたものの（裁判所PDF 50頁）、違反要件の成立や差止請求を否定する理由としては言及されておらず、違反要件の成立と差止請求が肯定されている。勘所事例集520頁。

43)　一般論としてその可能性を明言するものとして、東京地判平成26年6月19日・平成23年

し、侵害の不作為を実現するためには、「侵害」概念よりも下位の具体的行為のレベルでは、具体的行為の不作為で足りる場合もあれば、具体的行為の作為が必要となる場合もある。取引拒絶という具体的行為によって生ずる侵害の不作為を実現するには、取引拒絶という具体的行為の不作為が必要であり、とりもなおさず取引という具体的行為の作為が必要となる場合があろう。このように、具体的行為のレベルでは、作為と不作為は表裏一体の関係にあるのであって、そもそも区別は不可能である[44]。

(3) 不当廉売に対する命令

不当廉売に対して、どのような命令をするか、という問題がある。命令の仕方によっては、独禁法を根拠に特定の価格を命令してしまうことに繋がるため、その是非をめぐって議論がある[45]。

具体的な金額を掲げて「○○円以下で販売してはならない」といった判決主文とすべきだという意見が、最高裁判所における研究会では多数を占めた、とされる[46]。それに対し、時々刻々と経済情勢が変化するなかで特定の金額を被告に強制することとなるのは適切でないので、公取委の排除措置命令をめぐる議論の状況（前記702～703頁）と同様に、費用概念を抽象的なまま用いて「販

（ワ）第32660号〔ソフトバンク対NTT〕（原告側法律事務所ウェブサイトに掲げられた判決書25頁、審決集61巻の253頁)、大阪地判令和5年6月2日・令和2年（ワ）第10073号〔エコリカ対キヤノン〕（裁判所PDF 32～33頁)。平成12年改正前に提起された訴えであるためか24条を掲げてはいないものの、独禁法違反を根拠とした作為命令をした事例として、岡山地判平成16年4月13日・平成8年（ワ）第1089号〔蒜山酪農農業協同組合〕。勘所事例集176～181頁。それらに対し、東京地判平成16年4月15日・平成14年（ワ）第28262号〔三光丸〕は、「侵害の停止又は予防」という規定の文理からすれば作為義務を課すことは予定していないなどとして、作為義務の請求を不適法として却下していたが（審決集51巻の908～909頁)、その理由付けは、作為義務の請求を認容しても強制執行できないと述べる一方で原告は独禁法でなく契約上の権利関係を使って作為義務を請求すればよいと述べて強制執行が可能であることを前提とした判示をするなど、説得力を欠く内容であった。勘所事例集184～185頁。

44) 差止訴訟執務資料12～15頁も、以上のようなことを当然の前提としているように見える。

45) 宇都宮地大田原支判平成23年11月8日・平成23年（ワ）第88号〔矢板無料バス〕では、不当廉売を根拠として差止請求が認容されたが、無償運行のバスが問題となったため、「バスを無償で運行してはならない」という命令となっている。しかし、この点に関する議論の形跡はなく、あまり参考とはならない。

46) 以下は、差止訴訟執務資料16頁。緊急停止命令の事例で裁判所が過去にそのような命令をした例として、東京高決昭和50年4月30日・昭和50年（行タ）第5号〔中部読売新聞社〕。

売原価以下で販売してはならない」といった判決主文とすべきだという意見もあったとされる。しかし、それでは時々刻々と変化する費用の算定を執行裁判所に求めることになり不適切である、との意見が多数を占めたようである。具体的金額を基準とする命令の欠点を補うため、適切に期間を区切って、例えば「判決確定後××日間は、○○円以下で販売してはならない」といった判決主文とすることも考えられる、との意見も多かった、という[47]。

8 手 続

(1) 管轄裁判所

差止請求の訴えは、民事訴訟法4条および5条によって管轄権をもつ地方裁判所に提起でき、また、その地方裁判所の地域の高等裁判所所在地の地方裁判所と東京地裁にも提起できることが定められている(84条の2第1項)。

24条による差止請求が民法709条による損害賠償請求などと併合される場合は、84条の2第2項により、差止請求以外の請求についても84条の2第1項の管轄の特例が適用される。

24条による差止請求が東京地裁に係属した場合は、原則として、民事第8部に集中されるようである。民事第8部は、公取委の排除措置命令等の取消訴訟が集中される部でもある。ただし、24条による差止請求については、知的財産法が絡む場合には知的財産部に回されるなどの例外がある模様である。

(2) 公取委への通知

差止請求訴訟が提起された場合、裁判所はその旨を公取委に通知する(79条1項)[48]。公取委が、どのような事件が国内に存在するのかをなるべく網羅的に把握するのに役立つ[49]。

ただし、79条1項は「訴えが提起」と規定しており、仮処分申立て事件は公取委に通知されないのが基本となると考えられる[50]。

---

47) 期間を区切るのでなく、請求異議の訴え(民事執行法35条)によって是正すればよいとの見方も示されている(平成12年改正解説32頁)。

48) 具体的手順等については、差止訴訟執務資料26~33頁。

49) 公取委が把握している差止請求訴訟事件は、その年度に関する年次報告に掲載される。なお、該当年度に係属していたはずの差止請求訴訟事件が年次報告に掲載されていないという事象は、ときおり観察される。原因は、定かではない。

50) 差止めの申立てが認容された特定の決定を指して、日本で初めての認容事例であると紹介す

(3) 担保提供命令

78条により、原告の訴えの提起が「不正の目的」によるものであることを被告が疎明した場合は、原告は相当の担保を立てなければならない。この制度は、濫訴防止の一環であるとされる。本案に理由のないことが明らかな場合は、「不正の目的」の存在を推認させる間接事実の1つとなる[51]。

(4) 移 送

87条の2は、同一または同種の行為が複数の裁判所に係属した場合の移送について規定している。その趣旨は、当事者等の負担軽減、判断が区々となることの防止、専門的かつ統一的な判断の容易化、などであろう[52]。

(5) 公取委の意見

差止請求事件において、裁判所は公取委に意見を求めることができ（79条2項）、逆に公取委の側から自発的に、裁判所の許可を得て、意見を述べることができる（同条3項）[53]。前者は「求意見」と呼ばれる。

意見の内容は「この法律の適用その他の必要な事項」であるとされており、不公正な取引方法の要件をめぐる法律論を中心とするが、事実に関する資料や命令設計に関する資料を提供することもあり得る形となっている[54]。

憲法76条2項の精神からみて当然、公取委の意見は裁判所を拘束しない[55]。

(6) 文書提出命令の特則と秘密保持命令制度

平成21年改正により、24条の差止請求訴訟について、文書提出命令に係る特則（80条）と、秘密保持命令の制度（81条～83条）とが、導入された[56]。

文書提出命令の特則は、被告の不当廉売を立証するために被告の費用につい

る文献が多く見られるが、仮処分申立て事件は公取委でさえ全容を把握していない可能性があり、特定の事件が日本で初めてであると断言するのは困難である。認容決定を得た当事者・代理人としても、そのことを広く知らせたい場合と、なるべく静かに終わらせたい場合とが、あろう。

51） 差止訴訟執務資料18頁。

52） 差止訴訟執務資料24～25頁。

53） 公取委の意見の訴訟手続上の取扱いについては、差止訴訟執務資料22～23頁。裁判所からの求めに応じて公取委が意見書を提出した例として、公取委食べログ事件意見書。

54） 差止訴訟執務資料20～21頁も、法律問題のほか事実認定に関する問題についての公取委の意見というものがあり得るという意見が多かった、としている。

55） 損害額に関する公取委意見について、後記800～801頁。

56） 平成21年改正解説143～151頁。平成21年改正後・平成25年改正前は、83条の4および83条の5～83条の7であった。

ての証拠を得ようとする場合を代表例として、24条の差止請求訴訟において原告を支援しようという考えを主眼とするものである。

秘密保持命令の制度は、文書提出命令に応じたものであるか否かを問わず、当事者が営業秘密を含む文書を裁判所に提出することへの抵抗を和らげようとするものである。命令違反に対して刑罰の定めがある（94条の3)。

これらの規定はいずれも、特許法等に既に存在したものである。文書提出命令に係る特則は特許法105条とほぼ全く同じ内容であり、秘密保持命令に係る諸規定は特許法105条の4〜105条の6とほぼ全く同じ内容である[57]。したがって、その解釈・運用は、特許法等における既存の議論を十分に参照しつつ、独禁法に特有の事情があればそれを勘案しながら、行うことになろう。

第3節　損害賠償請求

1　総　説

法律行為を無効としたり差止請求をしたりするのと並び、金銭による救済が求められることももちろん多い。その代表格は損害賠償である。他に、不当利得返還請求が用いられることもあり、まとめて概観する。

2　関係条文

(1)　総　説

独禁法関係の損害賠償請求を支える規定として、主に、独禁法25条と民法709条がある。独禁法25条は、独禁法典内の条文であるためか、独禁法関係損害賠償請求の代表者であるかのように言われることも多い。しかし、違反行為の掘り起こしや公取委の事件処理への問題提起といった機能は全く期待されておらず、それらの機能は専ら、民法709条に託される。

独禁法25条による請求権と民法709条による請求権とは訴訟物が異なる、とされる[58]。

---

57)　特許法105条の7の当事者尋問等の公開停止の規定に相当するものは、独禁法には置かれていない。独禁法訴訟においてはそこまでの必要性はない、ということであろう。

58)　一般論として夙に、東京高判平成19年11月16日・平成18年（ワ）第5号〔クリエイティ

損害賠償請求ではないが、独禁法関係事件において類似の機能を果たすものとして、不当利得返還請求がある。以下ではそれにも触れる。

損害賠償請求権は、それを請求原因とする訴えが提起される場合だけでなく、相殺の主張のために用いられることなどもあるが、以下では、便宜上、特に断らない限り、訴え提起を前提とした記述とし、請求権を行使する側を「原告」、行使される側を「被告」と呼ぶ。

⑵ 独禁法25条

① **総説**　独禁法25条には、民法709条にはない、いくつかの特徴があり、原告は、それらによる利害得失を考慮して、いずれによって損害賠償請求をするかを決めることになる[59)]。

② **対象違反類型**　独禁法25条の対象となる違反類型は、3条、6条、8条、19条、に違反する行為である（25条1項)。言い換えれば、広義の企業結合規制と独占的状態規制とを除く全ての独禁法違反類型が対象となっている。

③ **被告の範囲**　独禁法25条の損害賠償請求における被告は、25条1項の明文により、違反者である事業者・事業者団体に限られる。担当者個人や、加担している事業者等は、違反者と言えない限り、被告とならない。事業者団体の構成事業者も、被告とはならない。

6条違反行為の場合は、不当な取引制限や不公正な取引方法を自ら行った事業者のみが被告となり得る旨の明文がある。6条は、不当な取引制限や不公正な取引方法を内容とする国際的協定・契約をすることを禁止しているので、違反者が自ら不当な取引制限や不公正な取引方法を行ったとは限らない。

独禁法25条による請求権が公取委の排除措置命令などの確定を前提としていることに鑑みると、被告は、公取委の排除措置命令などの名宛人となってい

ヴアダック対三井住友銀行〕（審決集54巻の728〜730頁)。現に、民法709条による前訴にかかわらず、独禁法25条による後訴の請求を認容したものとして、東京高判平成25年3月15日・平成22年（ワ）第11号〔ストーカ炉談合損害賠償熱海市25条訴訟〕（審決集59巻第2分冊の318頁)。

59) 以下に掲げるほかは、独禁法25条は基本的には不法行為に基づく損害賠償責任を規定するものであるから、不法行為に関する一般原則が妥当する。民法719条の連帯責任について明示的に述べた一例として、東京高判平成24年7月27日・平成20年（ワ）第21号〔鋼橋上部工工事談合損害賠償丸山橋〕（審決集59巻第2分冊の157頁)。もっとも、独禁法25条を用いる限り、被告の範囲は限定されると考えられる（後記③)。

る者に限られるであろう。公取委の排除措置命令などの対象となった事件で、名宛人以外の事業者も違反者と言える場合があり得るが、そのような事業者は排除措置命令などに至る過程で争う機会を与えられておらず、独禁法25条による訴訟の被告とはできないように思われる。

④ **排除措置命令などの確定**

(i) 総説　独禁法25条による損害賠償請求権の主張は、公取委による排除措置命令などの確定が前提となる（26条1項）。独禁法25条が故意過失不要などの一定の恩典を与えるものであるために、主張できる違反行為を限定しようとする趣旨であろう。排除措置命令を審決という名で行っていた昭和22年の制定時から存在する要件である。

(ii) 対象となる公取委命令　確定すれば26条1項の要件を満たすこととなるのは、排除措置命令のほか、排除措置命令がされない場合の課徴金納付命令[60)][61)][62)]である。排除措置命令がされず課徴金納付命令がされるということは、将来に向けて排除措置をとらせる必要がない事案だという場合がほとんどであろうが、そのような違反行為が過去にもたらした損害の賠償請求を妨げる理由はない。本書では、以下、特に必要がない場合は、排除措置命令のみに言及する。

確約認定がされても26条1項の要件は満たされない。

(iii) 26条1項の要件が満たされる違反行為の範囲　排除措置命令が確定したために26条1項の要件が満たされる行為の範囲は、排除措置命令書に

---

60) 平成25年改正前の手続において存在した違反宣言審決（前記730頁註297）も、改正前の26条1項に明記されており、これが確定すれば要件を満たす根拠となる。

61) 事業者団体の違反行為について構成事業者に対して行った課徴金納付命令が確定しても、26条1項の要件は満たされない。違反者と公取委命令の名宛人とが異なっていることに配慮したものである（平成17年改正解説106〜107頁）。

62) 減免制度により課徴金が免除された場合（7条の4第1項・第7項）、課徴金と罰金との調整をしたために課徴金納付命令がされなかった場合（7条の7第2項・第3項）、同じく罰金との調整により課徴金納付命令が取り消された場合（63条2項）、には、26条1項の要件を満たす根拠とはならないことになる。違反を繰り返す者の加重算定率に関する7条の3第1項がこれらを明文で掲げていることと対比すれば、これらを明文で掲げていない26条を拡張解釈するのはむずかしい。調査開始日前の1位の減免申請である場合には、課徴金が免除されることが法定され、また、排除措置命令も免れることが例であるので、そのような場合には、25条による損害賠償責任は免れることになる。民法709条による損害賠償請求の可能性は残る。

記載された行為の全てである、という考え方が採られているようである[63)]。

25条が原告に一定の特典を与えていることに鑑みて、それより外には広げない、という考え方も、一致して採られている。そこで、25条訴訟においては、排除措置命令書に記載された行為の範囲が争点となることも多い[64)]。

入札談合事件の場合、公取委が排除措置命令書で違反行為とするのは基本合意であるが（前記256～257頁）、25条訴訟では、基本合意に起因して行われた個別調整についても、26条1項の要件は満たされると考えられている[65)]。

(iv) 違反とされた行為の一部を根拠とする請求の可否　排除措置命令において、複数の要素が相俟って全体として1個の行為として構成され、違反とされることがある。

その全体のうちの一部を取り出して、25条訴訟の根拠とすることができるか、という問題がある。

これを認めた事例がある[66)]。一部のみを取り出した場合にそれだけで違反となるとは、公取委は述べていないわけであるが、25条訴訟における違反の成否の判断は改めて裁判所が行うこと（後記⑤）に鑑みれば、それは問題ではない、という見方もできる[67)]。

---

63) 他の考え方として、抗告訴訟で争うことのできる違反行為のみを対象とすべきである、という立場があり得る。例えば、排除措置命令書に記載された行為のうち、かなり過去の部分について争っても、最近においても行為をしていたのであれば、排除措置命令の主文に影響はなく、抗告訴訟で争い得ない可能性がある。そのような行為についてまで26条1項の要件を満たすとするのは、25条訴訟が種々の恩典を原告に与えている趣旨と矛盾する、という考えがあり得る。しかし、26条1項は訴訟要件に関する規定であるにとどまり、違反行為があったことを25条訴訟において確定させるものではないから、問題はないという見方もあり得る。なお、25条訴訟の第1審は高裁から地裁に移っている（後記799頁註73)。

64) セブン－イレブンに対する25条訴訟判決は多数あり、審決集60巻第2分冊や審決集61巻に収録されているが、いずれにおいても、相当程度の分量が、原告が請求の根拠とする被告の行為が排除措置命令書に記載された行為であるといえるか否かの判断に充てられている。記載された行為であると言えた場合の、それが独禁法違反要件を満たすか否かの判断は、僅かである（後記註70)。

65) 多数の判決がこれを前提としているが、明示的に述べた一例として、鋼橋上部工工事談合損害賠償丸山橋東京高判（審決集59巻第2分冊の156頁）。

66) 東京高判平成24年12月21日・平成19年（ワ）第10号〔ナイガイ対ニプロ〕（審決集59巻第2分冊の265～266頁）。

67) ナイガイ対ニプロ東京高判は、公取委が一体として私的独占とした行為から抽出された3個の行為について、「いずれも」私的独占に該当するとしている（審決集289頁）。

(v) 排除措置命令とは異なる違反類型を根拠とする請求の可否　公取委の排除措置命令で用いられた違反類型とは異なる違反類型によって25条訴訟原告が立論し請求の根拠とすることは許されるか。例えば、公取委が排除型私的独占として排除措置命令をしたが、原告が他者排除に着目した不公正な取引方法を根拠とする場合である。

私見では、公取委の排除措置命令も原告の請求もいずれも原告の排除に着目した法的構成であるなど、両者の実質的な法的観点が同じであれば、違反類型が形式的に異なっていても、可能であると解される。25条訴訟における違反の成否の判断は、改めて裁判所が行うこととなっている（後記⑤）。このことからみても、25条訴訟において排除措置命令の確定が要件とされているのは、原告に時効等の恩典を与えるためのものと割り切ることが可能である。排除措置命令の法的観点と全く異なっている場合には、難しいであろうが、実質的に法的観点が同じであれば、命令名宛人に対する実質的な不意打ちはないように思われる。もともと、実質的に同じ他者排除について排除型私的独占と不公正な取引方法という複数の違反類型を置いている独禁法典の構造に問題がある。そのような欠陥の皺寄せを原告に及ぼさない解釈を採るべきである。

⑤ **違反行為の認定**　公取委の排除措置命令が確定しているからといって、25条訴訟において、行為の認定や、その行為が独禁法違反であることの認定が、不要となるわけではない[68]。排除措置命令の名宛人は、公取委との争いが長期間にわたることを嫌って、行為の存在や違反の成立を認めるつもりはないのに、排除措置命令を争わずに済ませることがある。

行為の認定について、公取委が排除措置命令で認定したということが、裁判所にとって参考となることはあるであろうが、裁判所を拘束することはない[69]。

違反の成否の判断については、法律判断であるから、なおさら、裁判所を拘束することはない。

裁判所は、違反の成否を詳細に認定することもあれば、形ばかりの記載を置くにとどめることもある[70]。

---

68) ナイガイ対ニプロ東京高判（審決集265頁）。

69) ナイガイ対ニプロ東京高判は、公取委の判断（この事件では違反宣言審決の審決書）の裁判所への影響についてこれまで言われてきたことを簡潔に総括し、所詮は事実認定の問題であって「抽象的にその範囲や程度を判断することはできない」と述べている（審決集265頁）。

⑥　**故意過失不要**　被告は、故意過失がなかったことを証明して責任を免れることができない（25条2項）。例えば、不本意ながら圧力に屈して価格協定や地域分割協定に参加した事業者や、知的財産法上の差止請求権がないことを知らずに差止請求権がある旨を吹聴した事業者[71)]なども、25条によって損害賠償請求の対象となり得ることになる。

しかし、以上のようなものは例外的な事象であり、通常の事例では、故意過失が不要であることはさほど意味を持たない。

⑦　**消滅時効**　独禁法25条による損害賠償請求権の消滅時効期間は、排除措置命令が確定した日から3年である（26条2項）。民法709条の場合は被害者が損害および加害者を知ってから3年である（民法724条）。

したがって、独禁法25条によれば、相当程度の過去の行為による損害について賠償請求が可能となる場合があり得る[72)]。

⑧　**管轄裁判所**　独禁法25条に係る訴訟の第1審の裁判権は、東京地裁にある（85条の2）[73)]。東京地裁における専門的知見の確保・蓄積等の観点によるものであると説明されている[74)]。審判制度廃止に伴ってこのような改正をしなければならない論理的必然性があったわけではないが、抗告訴訟の専属管轄が

70）例えば、25条訴訟の請求認容例である東京高判平成25年8月30日・平成21年（ワ）第5号〔セブン－イレブン見切り販売大阪北海道兵庫〕では、原告が請求の根拠とする被告の行為が排除措置命令書の範囲に含まれるかに関する判断の分量が多く（裁判所PDF 44〜61頁）、そのような行為が違反である旨の判断の分量は僅かである（裁判所PDF 61頁）。

71）不正競争防止法4条や民法709条を舞台として、現在の不正競争防止法2条1項21号を根拠とした損害賠償請求がされた事案において、東京地判平成27年2月18日・平成25年（ワ）第21383号〔イメーション対ワン・ブルー〕は、標準必須特許に関する新たな考え方が定着する前に、特許法上の差止請求権があると考えて特許権者側が行った行為について、過失が成立しないとした（裁判所PDF 48〜50頁）。勘所事例集520頁。

72）例えば、セブン－イレブン見切り販売大阪北海道兵庫東京高裁判決では、平成7年の行為についても損害賠償請求が認容された（裁判所PDF 68頁等）。この訴訟の訴訟要件を満たす原因となった公取委命令平成21年6月22日・平成21年（措）第8号〔セブン－イレブン排除措置〕では、名宛人＝被告が「かねてから」違反行為を行っていたと認定されていた（排除措置命令書5頁）。

73）昭和22年制定後・平成25年改正前は東京高裁の5人の特別合議体が第1審であった（平成25年改正前85条2号、87条）。平成25年改正前の手続による排除措置命令に係る25条訴訟は、その確定がいつであるかを問わず、従前の例により、東京高裁の5人の特別合議体が第1審となる（平成25年改正法附則7条1項・2項）。

74）平成25年改正解説54頁。

東京地裁に属するとされるのにあわせたものであろう[75]。

85条の2は、他の地裁でなく東京地裁に管轄がある、ということを規定するほか、請求額の多寡にかかわらず簡易裁判所でなく東京地裁に第1審の裁判権がある、ということを規定する役割も担っている[76]。

東京地裁および東京高裁での合議体について特則が置かれており（86条、87条)、その内容は、76条2項が定義する排除措置命令等に係る抗告訴訟の場合と同じである（前記733～734頁)。

⑨　**公取委の意見**　裁判所は、独禁法25条による損害賠償の訴えが提起された場合、公取委に対し、損害の額について意見を求めることができる（84条1項)。「求意見」と呼ばれる。独禁法25条による請求が相殺のために裁判上主張された場合にも同様である（84条2項)。

この求意見制度は、昭和22年の独禁法制定以来、裁判所にとっての義務として規定され、請求認容事例が乏しかった時代には救世主的な役割を期待される場合もあったものであるが、平成21年改正により、義務ではなくなった。その背景としては、まず、損害額の認定に関する考え方が浸透し公取委の意見を待つまでもなく原告が勝訴判決を得ることが比較的容易となったという点があろう（後記807～808頁)。更に言えば、独禁法25条訴訟の数の増加に伴い公取委の事務の遂行にとって重荷となりかねないこと、公取委が排除措置命令をするためには個々の被害者の損害額まで把握することは必須でないため公取委の意見がどうしても一般論的なものにならざるを得ないこと、などの背景を挙げることができるものと思われる。

もっとも、公取委の年次報告を見ると、平成21年改正後も、ほとんどの25条訴訟において求意見がされているようである[77]。

---

75)　出訴裁判所を誤った訴えについて、そもそも排除措置命令の確定がなく不適法であることが明らかであるから適切な裁判所に移送する必要もないとした事例として、高松高判平成20年12月1日・平成20年（ネ）第35号〔扶桑社〕(審決集55巻の1021頁)。

76)　通常は、訴訟の目的の価額が140万円以下である場合には、地方裁判所でなく簡易裁判所が第1審となる（裁判所法24条1号、33条1項1号)。85条の2が85条とは別の条とされているのは、簡易裁判所ではないことを規定する役割も担うという意味で85条とは法制上の意味合いを異にするからだと推測される（平成25年改正解説55頁にも、それを窺わせる記載がある)。

77)　年次報告のうち「独占禁止法第25条に基づく損害賠償請求訴訟」といった見出しの項目に、意見書提出状況について記載がある。

憲法76条2項の精神からみて当然、公取委意見は裁判所を拘束しない[78]。

(3) 民法709条

独禁法違反行為によって損害を受けた者は、独禁法25条の存在にもかかわらず、民法709条によって損害賠償請求をすることができる[79][80]。

民法709条による請求は、排除措置命令の確定を前提としないため、違反行為の掘り起こしや公取委の事件処理への問題提起として機能し得る。その意味で、独禁法24条による差止請求と親和的である[81]。

排除措置命令が確定している場合でも、民法709条による請求をすることは可能である。原告は、前記(2)のような独禁法25条の特色に鑑み、民法709条を使うことの利害得失を自ら総合考慮したうえでいずれかを選択することになる。排除措置命令の対象となっていない行為をも取り上げたい場合、排除措置命令の名宛人となっていない者を被告としたい場合[82]、第1審裁判所が東京以外の地方裁判所であるほうがよい場合、など、様々な例があり得る。

---

78) 最判昭和62年7月2日・昭和56年(行ツ)第178号〔東京灯油〕(民集41巻5号の790～791頁、審決集34巻の127頁)。

79) 民法709条による訴訟そのものにおいて論じたものとして、最判平成元年12月8日・昭和60年(オ)第933号〔鶴岡灯油〕(民集43巻11号の1262～1263頁、審決集36巻の116～117頁、裁判所PDF 2頁)。同様の考え方は、夙に、最判昭和47年11月16日・昭和43年(行ツ)第3号〔エビス食品企業組合〕によって明らかにされていた。諸見解の整理として、富澤達・エビス食品企業組合判決調査官解説・最判解民事篇昭和47年度596頁。

80) 普通地方公共団体の長が独禁法違反行為に対する民法709条による損害賠償請求を行っていないが、これから公取委の排除措置命令が確定し独禁法25条による損害賠償請求が可能となるであろうとみられる場合に、そのような状況が「怠る事実」(地方自治法242条1項、242条の2第1項)に該当するか否か、という問題がある。結局は普通地方公共団体の長による債権管理として地方自治法上合理的と言えるか否かを基準として判断されるべきものであり、それを超える一律の一般論を立てることはできない。最判平成21年4月28日・平成20年(行ヒ)第97号〔ストーカ炉談合損害賠償尼崎市〕は、市長が公取委の排除措置命令の確定を待たずに証拠を入手し、または、入手し得たか否か、公取委の排除措置命令の確定を待つことによって民法709条による請求権が消滅時効となるおそれがあるか否か、などの当該事案の事情に鑑みて判断すべきであると判示して、そのような事情を深く精査しないまま「怠る事実」の成立を否定した原判決を破棄した(裁判所PDF 4～7頁)。

81) 民法709条による請求と独禁法24条による請求とを併合した訴えを提起する場合には、独禁法84条の2第1項に定める管轄の特例が適用される(同条2項)。

82) 様々な例があり得るが、いくつかの民事裁判を眺めると、違反行為をした事業者だけでなく実際に担当した自然人等をあわせて被告としたい場合も少なくないようである。

損害賠償請求権の消滅時効期間は、民法709条の場合、人の生命・身体の侵害に及ばない限り、被害者が損害および加害者を知ってから3年である（民法724条、724条の2）[83]。

消費者裁判手続特例法[84]による訴えは、不法行為に基づく損害賠償の請求については、民法の規定による場合のみ、提起することができる（消費者裁判手続特例法3条1項4号）。

(4) 不当利得返還請求

損害賠償請求ではないが、民法703条による不当利得返還請求も、独禁法関係事件における被害者による金銭回復という意味で損害賠償請求と類似の機能を果たす場合がある。

入札談合事件における適用例が多いが[85]、優越的地位濫用事件において濫用を受けた供給者による需要者に対する不当利得返還請求が認容された事例もあるなど[86]、入札談合事件以外での適用の可能性もある。

不当利得返還請求においては、民法703条の「法律上の原因なく」の要件を満たすことを示すため、原告と被告との間の契約が無効であるといえる必要がある（前記777～782頁）[87]。

他方で、被告の側には、原告は無効とされた取引によって得た商品役務があるのであるからこれを返還すべきであるという逆方向の不当利得返還請求権が発生することになる。被告が供給者で原告が需要者である場合には、被告が代金の代わりに供給した商品役務を返還すべきこととなるが、返還が不能である

---

83) ストーカ炉談合損害賠償尼崎市最高裁判決は、当該事件について公取委の排除措置命令の当否を問う争訟が係属中であり未確定であっても、民法709条による請求権の消滅時効が進行することはあり得ることを確認している（裁判所PDF 6頁）。

84) 「消費者の財産的被害の集団的な回復のための民事の裁判手続の特例に関する法律」（平成25年法律第96号）。

85) 早期の事例として東京高判平成13年2月8日・平成12年（ネ）第2915号〔シール談合不当利得〕があるほか、平成22年以降にいくつもの判決例がある。

86) 大阪地判平成22年5月25日・平成20年（ワ）第4464号〔フジオフードシステム〕。

87) 東京地判平成23年6月27日・平成17年（ワ）第26475号〔防衛庁発注石油製品談合不当利得〕は、他の供給者が個別調整をしていることは知りつつ自身は参加せず高い価格で落札していたエッソ石油と原告との取引については、無効でないとした（裁判所PDF 73～78頁）。協調的行動をとっただけであって意思の連絡には参加していない者は独禁法違反者とはならないことと通底しており興味深い。

場合には、金銭で返還すべきこととなり、被告はこれを自働債権とする相殺の抗弁をすることになる[88]。この金銭は、損害賠償請求の場合の想定価格（後記809～811頁）と同様のものとなるが、この主張立証責任が被告にあるとされるところが、損害賠償請求との違いである。もっとも、損害賠償請求における原告の立証負担軽減のための論は、不当利得返還請求における被告の立証負担軽減のためにも活用され得る[89]。

独禁法関係事件では、入札談合のようなハードコアカルテルであっても、商品役務の給付が不法原因給付とされるほどまでの悪性はないとされ、不当利得として処理される[90]。

独禁法関係の理由で行為を無効とされ不当利得を得た受益者は、民法704条にいう「悪意の受益者」とされ、民事法定利率（民法404条）[91]による利息を付して返還する必要がある（民法704条）[92]。

独禁法関係事件での不当利得返還請求権の消滅時効期間は、人の生命・身体の侵害に及ばない限り、債権者が権利を行使することができることを知った時

---

88) 被告が需要者で原告が供給者である場合には、少々複雑となる。フジオフードシステム大阪地裁判決では、本来あるべき金額（判時2092号の118頁にいう「丙川部長の査定額の八割」）を下回る額にまで減額する合意がその部分において無効であるとして、本来あるべき金額と実際に被告が原告に支払った金額との差額を不当利得金としている（判時118頁）。

89) 官製談合事件の場合であっても、これまでの事例では、損害賠償請求の場合と同様（後記812頁）、不当利得額は減額等されていない。東京地判平成22年6月23日・平成16年（ワ）第23462号〔防衛庁発注乾電池談合不当利得〕（審決集57巻第2分冊の415頁）、石油製品東京地判（裁判所PDF 83頁、95～96頁）。もっとも、官製談合の事実は、原告の主張を退ける理由として使われることがあり（乾電池東京地判（審決集57巻第2分冊の416頁））、また、事案によっては信義則によって不当利得返還請求権の行使を制限する理由となり得るとの一般論も示されている（石油製品東京地判（裁判所PDF 96頁））。

90) 比較的詳細な判示として、石油製品東京地判（裁判所PDF 81～83頁）。なお、官製談合の場合、代金の支払が不法原因給付であると被告から主張されることがあるが、これについても同様の判断がされている（石油製品東京地判（同頁））。これらについて、森田修・乾電池東京地判評釈・公正取引746号（平成24年）70頁注10。

91) 独禁法関係事件での不当利得返還請求権は、法律の規定によって生ずる債権であり、商行為によって生じたものではないので、商事法定利率でなく民事法定利率が適用される。例えば、石油製品東京地判（裁判所PDF 96頁）。

92) 入札談合事件の判決主文を見ると、ハードコアカルテルであり悪性が明らかであるためか、代金の支払日（の翌日）からの利息の支払を命ずるのを例としている。なお、フジオフードシステム大阪地裁判決では、訴状送達日（の翌日）からの利息の支払を命じている。

から5年、権利を行使することができる時から10年、である（民法166条1項、167条）[93][94]。

3　損害賠償請求に関する諸問題

(1)　総　説

損害賠償請求が認容されるためには、「行為の認定」「行為の法的評価」「損害の認定」「損害額の認定」が必要である[95]。

独禁法25条訴訟では、独禁法違反の成否を論ずる次元で「行為の認定」と「行為の法的評価」が論ぜられ、それとは一応は切り離された形で「損害の認定」と「損害額の認定」がされることになる[96]。

それに対し、民法709条訴訟では、説明道具としての独禁法の存在感が大きい場合には独禁法25条訴訟の場合と同様の論理構造で認定が進められることとなろうが、独禁法の存在感が大きくない場合には、「行為の認定」「行為の法的評価」「損害の認定」は、撞着・一体化することも多い。特に、現代において独禁法関係損害賠償請求事件の大多数を占める入札談合事件では、入札談合

---

93)　法律の規定によって生ずる債権であり、商行為によって生じたものではないので、商事消滅時効は適用されない。石油製品東京地判（裁判所PDF 79～80頁）。

94)　「民法の一部を改正する法律」（平成29年6月2日法律第44号）による改正前は、10年であった（改正前民法167条1項）。

95)　不当な取引制限のように複数の者が相俟って独禁法の問題を提起するような行為の場合には、かりに原告が1の供給者のみから購入したとしても、違反者らには共同不法行為責任が発生する。そのことを明示的に述べた例として、東京高判平成22年10月1日・平成20年（ワ）第2号〔高速道路情報表示設備工事談合損害賠償星和電機〕（審決集57巻第2分冊の393頁）。ただし、更に詳細を詰める必要がある（後記註98）。なお、需要者側が関与した官製談合等では、需要者側の担当者等に共同不法行為責任が発生することもある。町長に共同不法行為責任を認めた例として、東京高判平成23年3月23日・平成20年（行コ）第410号〔小淵沢町発注工事談合〕（審決集57巻第2分冊の457～459頁）。

96)　もっとも、入札談合事件の場合、独禁法25条訴訟の訴訟要件である公取委の排除措置命令においては基本合意のみが違反行為であるとされるが（前記256～257頁）、損害賠償事件においては、それを超えて、個別調整その他の立証が必要とされる（後記(2)②）。その意味では、「行為の認定」も独禁法違反の成否の次元だけで全て論じ尽くされるわけではない。もちろん、独禁法25条訴訟を扱う裁判所の側で、訴訟要件たる公取委の排除措置命令とは一線を画し、個別調整などをも含めた行為があって初めて独禁法違反があったかのように論理構成することはあり得るのであって、それはまた別の問題である。その一例として、東京高判平成18年2月17日・平成16年（ワ）第1号〔岡崎管工損害賠償〕（審決集52巻の1013頁）。

が民法709条の意味での侵害の要件を満たすことはほぼ当然とされ、裁判所は、当該事件での公取委の動きに触れる場合を除いて、独禁法に全く言及しないのがむしろ普通である。

以上のことを念頭に置きつつ、それぞれの要素に一応は分けて、論じていく。

(2) 行為の認定

① **総説**　損害賠償請求が認容されるためには、まず、責任原因となる行為が認定される必要がある。

責任原因となる行為の認定においては、当然のことながら、原告が賠償を請求する損害との因果関係をもつ行為の存在を認定しなければならない。その点を看過した原告の主張が斥けられた事例がある（前記781〜782頁）。

行為の認定に対して公取委の排除措置命令などがどのような影響力を持つかについては、別の箇所で述べた（前記708〜710頁）。

② **入札談合の場合**　独禁法関係の損害賠償事件のなかでは入札談合をめぐるものが突出して多いため、この点については特に事例の蓄積がある。

入札談合に対する損害賠償請求事件では、基本合意ではなく、当該訴訟で問題となっている個別の発注に関する個別調整が認定される必要がある[97][98]。もっとも、個別調整の立証に際しては、損害賠償請求を基礎付ける事実認定があればよく、個別調整の日時・場所・参加者などを特定する必要はない、とされる[99]。基本合意を中心とする諸々の間接事実によって個別調整を認定する事例も少なくない[100][101]。いずれにしても、基本合意と個別調整との間の位置関係

97）最も具体的な法律論を展開した側として、東京地判平成14年7月15日・平成6年（ワ）第18372号〔米軍厚木基地発注建設工事談合〕（審決集49巻の748〜750頁）。勘所事例集162〜164頁。この判示は2審判決においても支持されている（東京高判平成18年10月5日・平成14年（ネ）第4622号〔米軍厚木基地発注建設工事談合〕（判時1960号の31頁））。監査請求の特定性に関する判断に際しての判示ではあるが同旨、東京高判平成14年12月24日・平成14年（行コ）第147号〔座間市発注土木工事等談合〕（審決集49巻の818頁）。行為の存否が真偽不明であるため立証責任に基づく判決をすることを明記したものとして、東京高判平成19年4月11日・平成18年（行コ）第12号〔ストーカ炉談合損害賠償上尾市〕（審決集54巻の745頁）。

98）個別調整が立証された場合であっても、当該個別調整に関与していない基本合意参加者は、同様の論理により、通常、共同不法行為責任を問われることはない。米軍厚木基地建設工事談合東京地判（審決集49巻の752頁）、東京高判平成18年2月17日・平成16年（ワ）第1号〔岡崎管工損害賠償〕（審決集52巻の1012〜1013頁）。

99）例えば、米軍厚木基地建設工事談合東京地判（審決集49巻の750〜751頁）。

は、事案によって千差万別であり、一律の議論をすることはできない。

個別調整によって受注予定者を一本化できなかった場合であっても、その不完全な個別調整によって価格が高くなったと思われる場合に、損害賠償請求を認容した事例がある[102]。

なお、基本合意に参加していないアウトサイダーの存在を無視できない事案では、基本合意参加者の間での個別調整を立証しただけでは不法行為と認定するには不十分とする事例もあるが[103]、損害の認定がされなかった事案であると位置付けてもよいであろう（後記(4)）。

(3) 行為の法的評価

行為は、損害賠償法の意味での違法性を持っていなければならない。

独禁法25条による請求においては、独禁法違反の成否が正面から問われることになる。

民法709条による請求においては、必要に応じて独禁法を参照しながら、民法709条の意味での侵害の成否が判断されることになる。民法709条による請求の場合には、独禁法はあくまで説明道具にすぎないから、競争政策的な内容であるにもかかわらず独禁法に言及しないまま請求が認められる場合があり得るし、また、独禁法に言及しながらも独禁法違反であると断定しないまま請求が認められる場合もあり得る（前記777頁）。他方、独禁法違反であると言える

---

100) 東京高判平成18年10月19日・平成18年（行コ）第149号〔ストーカ炉談合損害賠償多摩ニュータウン環境組合〕（審決集53巻の1113頁）など多数。

101) 課徴金要件である「当該商品又は役務」に個別物件が該当するか否かを判断する際に用いられる推認（前記289頁）は、個別調整の成立についての積極的立証を要しないものであるので、この推認が覆されなかったからといって、損害賠償請求訴訟において必要な程度に個別調整が立証されたことにはならない、という旨を述べた損害賠償請求訴訟判決がある。東京高判平成25年10月18日・平成24年（ワ）第11号〔ストーカ炉談合損害賠償小野加東環境施設事務組合〕（審決集60巻第2分冊の313〜314頁）。

102) 広島高岡山支判平成17年4月21日・平成16年（行コ）第10号〔倉敷市発注下水道工事談合〕。受注予定者とならなかった被告が、談合は許されないという正義感から談合破りをしたわけではなく、交渉の経過を踏まえて受注予定者の入札価格をある程度予想できたためにそれよりわずかに下回る価格で入札して落札できたという事案で、被告は不完全な個別調整の果実を食した、とされた（裁判所PDF 3頁）。

103) 例えば、東京高判平成19年11月28日・平成17年（行コ）第223号〔ストーカ炉談合損害賠償熱海市709条訴訟〕（審決集54巻の763〜765頁）、東京高判平成20年7月2日・平成18年（行コ）第342号〔多摩談合損害賠償八王子市〕（裁判所PDF 24〜28頁）。

場合に常に民法709条にいう権利侵害の要件を満たすか、という問題があるが、他の民事的規定とあわせて論じた箇所で述べた（前記777～782頁）。

(4) 損害と損害額の認定

① 基本的枠組み

(i) 総説　損害・損害額の認定方法に関する基本的な枠組みは、以下のとおりである。

まず、損害の存在について、原告が立証責任を負う。

損害額については、やはり原告の立証努力が求められるが、損害が存在することが認められ、かつ、損害の性質上の理由から損害額の立証が困難である場合には、民事訴訟法248条が適用され、裁判所は相当な損害額を認定することができる[104]。

損害が存在することの認定とは、すなわち「損害額が0円よりも大きい」ということの認定であり、損害額の認定とは、すなわち「損害額はx円である」ということの認定である。両者には難易度の差がある。

(ii) 過去の論議の総括　最近は損害賠償請求を認容する判決が頻繁に言い渡されるようになり、あまり言われなくなったものの、過去において大多数の論者は、日本の裁判所は独禁法関係損害賠償請求に対して不可能な立証を要求している、と強く主張した。そのような論調において、鶴岡灯油最高裁判決は、損害の発生自体は認められながら損害の額の立証が困難なために請求が棄却された例であるなどとされ、悪の象徴とされた[105]。

しかしこれは、同判決に対する適切な読み方ではない。適切な読み方をされたうえでの同判決は、想定価格の額の立証を求めたのではなく、想定価格を現実価格が上回ったことの立証を求めただけであったが原告がそれを立証できなかったと判断した、というものであり、独禁法関係損害賠償請求に対して不可能な立証を要求するものではなかった[106]。

---

104) 民事訴訟法248条について包括的には、高橋宏志『重点講義民事訴訟法　下〔第2版補訂版〕』（有斐閣、平成26年）56～67頁。

105) 最判平成元年12月8日・昭和60年（オ）第933号〔鶴岡灯油〕。原判決である仙台高秋田支判昭和60年3月26日・昭和56年（ネ）第65号〔鶴岡灯油〕が請求を認容していたために、なおさら批判が加速された。

106) 以上について詳しくは、白石忠志「独禁法関係事件と損害額の認定」日本経済法学会年報19号（平成10年）。勘所事例集36～39頁。

むしろ、灯油事件[107]を中心に展開された当時の論議が暗黙の前提としていた諸点が、実は独禁法関係損害賠償請求を論ずるための普遍的なものではなかったことを認識しておくことが、その後の状況を理解するために有意義である。当時の論議は、第1に、石油ショックという大きな経済的要因の変動のある事案を素材としていた。第2に、問題となった商品役務が転々と流通する事案を素材としていた。それらの困難な前提をもつ事案を素材としながら、なかなか請求が認容されない憤懣を裁判所に向けていたもの、ということができる。最近の入札談合関係訴訟で請求認容判決が相次ぐのは、上記の2つの条件が存在しないことが大きな要因となっているであろう。それらの請求認容判決は、鶴岡灯油最高裁判決に代表される過去の裁判所の態度と矛盾するものでは全くなく、むしろ当時から予想し得た。平成10年から施行された民事訴訟法の248条は、その背中を押したにすぎない[108]。

② 具体的な認定方法

(i) 総説　　損害とは、違反行為が行われた現実における状態と、違反行為がなかったならば生じたであろうと想定される状態との差であり、これを金銭で評価したものが損害額となる。

現実状態の認定は比較的容易であるから、焦点は、想定状態の認定にある。想定状態とは現実には存在しなかった状態であり、どのような手法によることとしても、多かれ少なかれフィクションが混入する[109]。民事訴訟法248条は、科学的に正確なものがあり得ないなかで、もっともらしい算定法に対して、それが裁判官によって選ばれたものであるという条件のもとで、正統性を与えようとするものである。

---

107) 鶴岡灯油最高裁判決と同じ論理を、よりあっさりとした形で示したものとして、最判昭和62年7月2日・昭和56年(行ツ)第178号〔東京灯油〕。

108) 民事訴訟法248条は、法案作成関係者の主観においては鶴岡灯油最判を否定する条文であると考えられていたように見える(それらの分析として白石・前記註106・123頁)。そのような認識があったとすれば、思い込みによる判決の誤読にすぎなかったと言わざるを得ないのであるが、ともあれ民事訴訟法248条は、誤読または為にする批判によって歪められた判例像を修正し、下級審裁判官が請求認容判決を書く際の無用の抵抗感を解いた、とは言えるのであろう。

109) 想定状態は、違反行為がなかったならば現に生じたであろう現実的想定状態でなく、公正かつ自由な競争が行われたならば生じたであろう理想的想定状態である、とする考え方もあり得る。多くの判決例は現実的想定状態を念頭に置いているようである。例えば、小倉顕・鶴岡灯油判決調査官解説・最判解民事篇平成元年度479頁。

以上のような基本的枠組みのもと、独禁法関係損害賠償請求において登場する損害は、主要な２つの類型に分けると理解しやすい。すなわち、需要者を原告とする類型と、被排除者を原告とする類型とである[110]。

以下に示される種々の考え方については、「前後理論」「物差理論」「市場占拠率理論」などと様々な名前が付けられているが、これらは米国仕込みの名称であり、その内実は、「理論」などと呼ぶほどのものかどうか疑わしい。また、どれが何を指すのかも、論者により十人十色である。したがって、以下の叙述にこれらの名称を貼り付けていくことはしない。

(ii) 需要者を原告とする類型　　需要者を原告とする類型においては、競争停止行為によって高くなった商品役務を買わされた者から見て、その現実価格と、反競争的行為がなかったならば成立したであろう想定価格との差を、損害と捉える[111][112]。主に、競争停止による反競争性について、その取引の相手方が損害賠償を請求する場合に登場する類型である[113]。優越的地位濫用につ

110) これらのほか、特定の供給者が不当表示を行ったために競争関係にある他の供給者の商品役務までもが信用を傷つけられた、という意味での競争者の無形損害の賠償が認容された事例がある。東京高判平成19年3月30日・平成17年（ワ）第2号〔高山茶筌〕（審決集53巻の1082～1084頁）。

111) 鶴岡灯油最判は、価格協定の実施により商品の購入者が被る損害は、現実購入価格と、この価格協定が実施されなかったとすれば形成されていたであろう価格（想定購入価格）との、差額であると判示した（民集43巻11号の1271頁、審決集36巻の123頁、裁判所PDF 9頁）。

112) 大阪地判平成2年7月30日・昭和60年（ワ）第2665号〔東芝昇降機サービス〕および大阪高判平成5年7月30日・平成2年（ネ）第1660号〔東芝昇降機サービス〕のそれぞれの甲事件では、名誉・信用等に対する損害の賠償が命ぜられている。和歌山地判平成22年9月21日・平成20年（ワ）第73号〔シラス〕では、24条による差止請求がされたのとは別の行為において、買う側の共同行為によって安く買いたたかれたことによる損害が認定され、損害額の算定がされている（審決集57巻第2分冊の357～360頁）。

113) かつて、競争停止行為に対して需要者が原告となった損害賠償請求がなかなか認容されなかった時期（前記①(ii)）には、本文に示したような考え方を「差額説」と呼び、これを批判する説であるとして「損害事実説」なるものが対置されたことがあった。「損害事実説」によれば、競争停止行為によって原告が商品役務を高く買わざるを得なかったことそれ自体が損害である、とされた。結論を言うと、これは、「差額説」の実質を批判するものではなかった。つまり、批判者らの頭のなかでは、裁判所は差額が何円であるのかを厳密に立証することを原告に求め、それができない場合には損害賠償請求全体を棄却するものである、ということになっていて、これを批判するに際し、「差額説」がそのような内容を含むものであるとして、攻撃の対象としていた。その際の、批判する側の旗印として、「損害事実説」が用いられた。つまり２つの「説」の間には、損害の内容について違いがあるというより、損害額の認定の仕方に違いがあると、批判する

いて、被濫用者が濫用者に対して損害賠償を請求する場合も同様であろう。

競争停止行為によって損害が生じたことの立証は、通常は容易である。現に、入札談合の事件では、個別調整があったという事実がほぼ自動的に損害の存在を示したものとして扱う事例が多い[114]。もっとも、経済的要因の変動がある事例や、被告と原告とが直接の取引をしているわけではなく介在者が存在する事例においては、必ずしも立証は容易ではない（前記①(ii)）。

想定価格の計算方法としては、結局は種々の事情の一切合切を参考としながら裁判所が民事訴訟法248条に触れつつ損害額を認定する、という判決例が現在の大勢を占めている[115]。もっとも、経済的要因の変動がなく、想定価格に

側の主観において、考えられていたわけである。そのあたりがわかりにくいので、そのような議論に深く関与していない読者が読むと、「差額説」と「損害事実説」は同じものであるように見えたし、現在ではなおさらであろう。裁判所の考え方あるいは「差額説」がそのようなものであったか否かも疑問であるうえ、現在では、民事訴訟法248条が存在し、請求認容判決も多くなっているので、上記のような議論は過去のものとなっている。

114) わずかに、例外もある。松江地判平成12年3月15日・平成6年（行ウ）第2号〔島根県発注道路工事談合〕では、実際に受注した者以外の者が入札するとは考えにくい発注であったとして、かりに談合があったとしてもそれによって損害があったと推認することはできない、とされた（審決集832〜833頁）。東京地判平成14年1月31日・平成8年（行ウ）第37号〔東京都発注浄水場制御設備工事談合〕では、既設設備を納入した者が以後の発注においても有利となり、それ以外の者が既設設備納入者よりも低い価格で入札したとは考えにくいとして、損害はない、とされた（審決集48巻の813〜818頁）。大阪地判平成21年7月27日・平成19年（ワ）第6597号〔天然ガスエコ・ステーション損害賠償〕では、原告と既存の取引のあった被告のほかに受注意欲をもつ者はなく個別調整の有無にかかわらず価格競争が生ずる余地はもともとなかった、とされた（判タ202頁）。京都地判平成23年5月24日・平成21年（ワ）第1643号〔ストーカ炉談合損害賠償福知山市〕では、個別調整は認定できるとしてもアウトサイダーの存在により自由な競争が行われたと評価するほかないとして、損害はない、とされた（裁判所PDF 54〜62頁）。これらのほか、個別調整を行っていても、個別調整の影響を受けない入札者がいた場合には不法行為がなかったとする事例もある（前記806頁）。

115) 鶴岡灯油最判は、推計の考慮要素として、直前価格、商品の価格形成上の特性、経済的変動の内容・程度、などの価格形成要因を挙げていた（民集43巻11号の1272頁、審決集36巻の123頁、裁判所PDF 10頁）。津地判平成13年7月5日・平成10年（行ウ）第11号〔四日市市発注水道用鋳鉄管談合〕は、入札談合における想定価格は「入札当時の経済情勢のほか、購入品の種類・数量、発注件数、地域、入札業者の落札意欲・価格競争能力・積算予測能力、業者数等の諸条件が複雑に絡み合って形成されるものであるから」算定が不可能である、としているが（審決集48巻の654頁）、裏返せば、それらの状況を見据えながら裁判官が民事訴訟法248条に触れつつ損害額を認定する、ということであろう。この時期の一連の津地裁判決は、全国における後続の少なからぬ判決において参照されたように見受けられる。上記判決は一連の津地裁判決

ほぼ等しいと推認できる違反行為開始直前価格あるいは終了直後価格についてサンプルを多く得ることができる場合には、民事訴訟法248条に言及せずに損害額の認定が行われる場合もあり得る[116]。

米国法においては、違反者との間に第三者を介して間接的に購入した者には原告適格がないと論ぜられるが、日本法では、損害賠償請求権を持つと主張する者である限り原告適格を欠くことはない[117]。

(iii) 被排除者を原告とする類型　被排除者を原告とする類型においては、反競争的行為によって市場から排除された者から見て、その現実状態と、反競争的行為がなかったならば生じたであろう想定状態とを比較して、得べかりし利益を損害と捉える。

想定状態の認定方法は、被排除者が検討対象市場において一定の取引を行っていた場合と、そうではなかった場合とに分けられる。

被排除者が検討対象市場において一定の取引を行っていた事例では、違反行為よりも前の取引の全部または一部が一定期間において継続したと仮定した状態が想定状態とされる[118]。

のうち代表的なものの1つである。

116) 開始直前価格について、一般論として、最判昭和62年7月2日・昭和56年(行ツ)第178号〔東京灯油〕(民集41巻5号の788頁、審決集34巻の125頁)および最判平成元年12月8日・昭和60年(オ)第933号〔鶴岡灯油〕(民集43巻11号の1271〜1272頁、審決集36巻の123頁、裁判所PDF 9〜10頁)。この考え方を応用し、違反行為開始前にも同様の行為が長く行われており違反行為開始前の価格が参考とならない事案において、違反行為終了直後の価格が想定価格であると推認したものとして、東京高判平成18年2月17日・平成16年(ワ)第1号〔岡崎管工損害賠償〕(審決集52巻の1013〜1014頁)、東京高判平成19年6月8日・平成18年(ワ)第2号〔大阪市発注工事談合損害賠償奥村組土木興業等〕(審決集54巻の722頁)、東京高判平成20年1月25日・平成18年(ワ)第2号〔大阪市発注工事談合損害賠償大栄建設〕(審決集54巻の733〜734頁)。

117) 鶴岡灯油最判(民集43巻11号の1263〜1264頁、審決集36巻の117〜118頁、裁判所PDF 2〜3頁)。

118) 違反行為前の取引のどれだけの割合が継続したと想定されるか、それがどれだけの期間だけ継続したと想定されるか、についての裁判所の捉え方は事案によって区々であるが、例えば以下のような事例がある。大阪地判平成2年7月30日・昭和60年(ワ)第2665号〔東芝昇降機サービス〕の乙事件(審決集37巻の219〜220頁)、大阪高判平成5年7月30日・平成2年(ネ)第1660号〔東芝昇降機サービス〕の乙事件(審決集40巻の662頁)、大阪地判平成7年11月7日・平成5年(ワ)第9059号〔アロインス化粧品〕(審決集42巻の527〜528頁)、東京地判平成9年4月9日・平成5年(ワ)第7544号〔日本遊戯銃協同組合〕(審決集44巻の690〜696

検討対象市場において被排除者が全くの新規参入希望者であった場合には、想定状態を具体的な数値で表現するとフィクションの要素が強まる。なお、参入準備活動が無駄になったことを損害とする方法もあり得る[119]。

独禁法違反要件論においては、被排除者に現実の悪影響が生じたことを必要としていないので（前記120頁）、他者排除の観点から独禁法違反であるが被排除者に損害がない、ということもあり得る[120]。

(5) 官製談合の場合

入札談合が、官製談合すなわち発注者である官公庁の側の職員の関与によって行われていたものである場合、入札談合をした供給者の損害賠償責任は免除または減額されるか。被告側からのこのような主張は、権利濫用、信義則、クリーンハンド原則、禁反言、過失相殺、などの様々な名で行われる。

諸判決は、理由付けは様々ではあるが、この主張を斥けるものが多い[121]。

その場合も、供給者は、官製談合に関与した官公庁の職員に対して求償をすることはできるであろう。

そうであるとすると、この問題は結局、官製談合に関与した官公庁の職員からの金銭の徴収を誰が行うのかという問題である、とも言える[122]。

(6) 違約金条項

官公庁等の発注に関する官公庁等と受注者との契約に、入札談合があった場

頁）、東京高判平成14年12月5日・平成13年（ネ）第1477号〔ノエビア〕（審決集49巻の811頁）、東京地判平成20年12月10日・平成17年（ワ）第13386号〔USEN対キャンシステム〕（審決集55巻の1051～1053頁）、東京高判平成24年12月21日・平成19年（ワ）第10号〔ナイガイ対ニプロ〕（審決集59巻第2分冊の289～299頁（用語の定義は審決集257頁））。

119） 例えば、独禁法に触れずに他者排除行為に対する損害賠償請求を認容したものではあるが、札幌地判平成14年12月19日・平成12年（ワ）第529号〔パチンコ遊技場出店阻止〕は、そのような損害の賠償を認めている（判タ1140号の182～183頁）。

120） 公取委の排除措置命令が確定したことを受けて提起された独禁法25条訴訟である東京高判平成29年4月21日・平成27年（ワ）第1号〔長谷生コン対岡山県北生コンクリート協同組合〕で原告の請求が棄却されたのは、結局のところ、ここに大きな原因があるように思われる。

121） 例えば、東京高判平成24年2月2日・平成20年（ワ）第26号〔鋼橋上部工工事談合損害賠償小原第一橋〕（審決集58巻第2分冊の391～392頁）。

122） かりに供給者の損害賠償責任が免除または減額されたならば、官公庁は、入札談合等関与行為防止法4条などを経て職員に対する損害賠償請求をすることになるであろう。そうであるとすれば結局、官製談合に関与した官公庁の職員に対して請求する立場となり法的リスクを負うのが供給者であるか官公庁であるかの違いにとどまる、ということになるのではないか。

合の違約金条項が置かれることが通例であり、これに起因した種々の問題がある。その多くは、契約の解釈の問題である123)。

そのなかで特に、約定された違約金額を超える損害賠償請求が認容されてよいか否かが問題となることがある。

いずれと考えるべきかは、結局は、契約の解釈の問題であり、一律の法律論が妥当するわけではない。約定された違約金額を超える損害賠償が認められた事例もあれば124)、そうでない事例もある125)126)。

なお、この問題について、入札談合事件では契約時に既に入札談合を行っているのであるから、民法420条の損害賠償額の予定であるとはいえない、とする議論もある127)。しかし、かりにそうであるとしても、それは、民法420条の枠組みに乗ってこないというだけの話であり、その契約における違約金の条項が、入札談合が明るみに出た場合の損害賠償額を予定したものであるとして、契約を解釈することは、あり得るのではないかと思われる128)。

---

123) 以下に述べる問題のほか、例えば、公取委の排除措置命令の確定が違約金の請求要件となっていた場合に、複数の基本合意参加者A・Bが共同企業体を組織して入札に参加しており、Aのみが排除措置命令を争って、Bは争わず確定した、というときに、Aに対して請求できるか、という点が争われた事件として、最判平成26年12月19日・平成25年(受)第1833号〔川崎市談合損害賠償真成開発〕、最判平成26年12月19日・平成25年(受)第485号〔川崎市談合損害賠償吉孝土建〕、がある。

124) 東京高判平成22年10月1日・平成20年(ワ)第2号〔高速道路情報表示設備工事談合損害賠償星和電機〕(審決集57巻第2分冊の392〜393頁)。なお、若干の文献で引用されている大阪高判平成22年8月24日・平成21年(行コ)第154号〔奈良県発注測量調査事業談合損害賠償〕は、違約金条項の額を超える損害賠償請求を許容する明文が契約条項に存在した事件である(事実及び理由第3の1)。

125) 東京高判平成23年9月9日・平成20年(ワ)第10号〔鋼橋上部工工事談合損害賠償奥津内川橋〕(審決集58巻第2分冊の303〜305頁)。

126) 違約金条項は損害賠償額の予定であるとして契約解釈をする場合であっても、契約の当事者でない他の個別調整参加者に対しては、違約金条項に定めた額を超過する部分について損害賠償請求をすることができる。奥津内川橋東京高判(審決集58巻第2分冊の305頁)。ただし、この事案においては、損害額は違約金条項に定めた額を超過しないとされた。

127) 前記註123の川崎市最判の匿名解説・判タ1410号(平成27年)62頁。

128) 奥津内川橋東京高判は、その趣旨を含む(審決集58巻第2分冊の304〜305頁)。

事項索引

あ 行

か 行

さ　行

た　行

な　行

は　行

ま　行

や　行

ら　行

わ 行

独占禁止法の条文

事例索引

《昭　和》

《平成元年～9 年》

《平成 10 年～14 年》

《平成 15 年》

公取委勧告審決平成15年11月27日・平成15年（勧）第27号〔ヨネックス〕

《平成16年》

《平成 17 年》

《平成 18 年》

《平成19年》

《平成20年》

《平成21年》

《平成 22 年》

《平成23年》

《平成 24 年》

《平成 25 年》

《平成 26 年》

《平成 27 年》

《平成 28 年》

《平成 29 年》

《平成30年》

《平成 31 年・令和元年》

《令和2年》

《令和3年》

《令和4年》

《令和５年》

著者紹介　白石 忠志（しらいし ただし）

昭和 62 年　東京大学法学部卒業
平成 3 年　東北大学助教授（法学部・大学院法学研究科）
平成 9 年　東京大学助教授（法学部・大学院法学政治学研究科）
平成 15 年　東京大学教授（法学部・大学院法学政治学研究科）
現在に至る

〈著書〉
『技術と競争の法的構造』（有斐閣、平成 6 年）
『独禁法講義〔第 10 版〕』（有斐閣、令和 5 年、初版平成 9 年）
『独禁法事例集』（有斐閣、平成 29 年）

独占禁止法〔第 4 版〕

平成 18 年 12 月 25 日 初　版第 1 刷発行
平成 21 年 8 月 31 日 第 2 版第 1 刷発行
平成 28 年 12 月 25 日 第 3 版第 1 刷発行
令和 5 年 11 月 30 日 第 4 版第 1 刷発行

著　者　白石忠志
発行者　江草貞治
発行所　株式会社有斐閣
〒101-0051 東京都千代田区神田神保町 2-17
https://www.yuhikaku.co.jp/
印　刷　株式会社三陽社
製　本　牧製本印刷株式会社
装丁印刷　株式会社亨有堂印刷所

落丁・乱丁本はお取替えいたします。定価はカバーに表示してあります。

Printed in Japan ISBN 978-4-641-24366-8